830.9
Ep 6
d

GEISLER LIBRARY
CENTRAL COLLEGE
PELLA, IOWA 50219-1999

D1127579

EPOCHEN DER DEUTSCHEN LITERATUR

GESAMTAUSGABE

Herausgeber:
Joachim Bark · Dietrich Steinbach
Hildegard Wittenberg

Autoren:
Joachim Bark · Klaus D. Bertl
Theo Buck · Hans-Peter Franke
Ludger Grenzmann · Wilhelm Große
Theo Herold · Ulrich Müller
Ulrich Staehle · Dietrich Steinbach
Gisela Ullrich · Dietmar Wenzelburger
Hildegard Wittenberg · Wolf Wucherpfennig

Ernst Klett Schulbuchverlag
Stuttgart Düsseldorf Berlin Leipzig

Epochen der deutschen Literatur. Gesamtausgabe
Herausgeber: Joachim Bark · Dietrich Steinbach · Hildegard Wittenberg

Verfasser:
Joachim Bark: Biedermeier-Vormärz / Bürgerlicher Realismus
Klaus D. Bertl: Gegenpositionen zum Naturalismus
Theo Buck (mit Dietrich Steinbach): Weimarer Republik
Hans-Peter Franke: Literatur im Exil: Einleitung. Der Roman des Exils. Romane der fünfziger Jahre. Literatur als Sprachexperiment
Ludger Grenzmann: Romantik
Wilhelm Große: Klassik
Theo Herold (mit Hildegard Wittenberg): Aufklärung/Sturm und Drang
Ulrich Müller: Vom Naturalismus zum Expressionismus: Einleitung. Naturalismus. Avantgarde und Expressionismus
Ulrich Staehle: Brecht im Exil. Dürrenmatt, Frisch und die Brecht-Tradition. Dokumentarische Literatur der sechziger Jahre. Das neue Volksstück. Dramen der siebziger Jahre
Dietrich Steinbach (mit Theo Buck): Weimarer Republik
Gisela Ullrich: Romane der sechziger Jahre. Romane der siebziger Jahre. Alltagslyrik. Frauenliteratur. Literaturbetrieb in der Bundesrepublik Deutschland. DDR-Literatur. Deutschsprachige Literatur der achtziger Jahre
Dietmar Wenzelburger: Literatur unter dem Nationalsozialismus. Nachkriegsliteratur: 1945 bis 1949. Poetische Gegenwelten
Hildegard Wittenberg (mit Theo Herold): Aufklärung/Sturm und Drang
Wolf Wucherpfennig: Vom Mittelalter bis zum Barock

Recyclingpapier, hergestellt aus Altpapier mit einem geringen Anteil von chlorfrei gebleichtem Zellstoff.

1. Auflage   1 8 7 6 5 | 1997 96 95

Alle Drucke dieser Auflage können im Unterricht nebeneinander benutzt werden, sie sind untereinander unverändert. Die letzte Zahl bezeichnet das Jahr dieses Druckes.
Ernst Klett Schulbuchverlag GmbH, Stuttgart 1989.
Alle Rechte vorbehalten.
Umschlag: Manfred Muraro
Druck: Gutmann + Co., Heilbronn
ISBN 3-12-347490-9

Vorwort

Wie und zu welchem Ende schreibt man heute eine Literaturgeschichte? Und was vermag ihr Studium zu bewirken? So mag Schillers Frage, unter die er am 26. Mai 1789 seine berühmte Antrittsvorlesung in Jena gestellt hat, abgewandelt werden: Was heißt und zu welchem Ende studiert man Universalgeschichte?

Zwischen der Literaturgeschichte und einigen Ansichten von Schillers Geschichtsdeutung einen – zwar sehr lockeren – Zusammenhang zu stiften, bedeutet, die Voraussetzungen zu erhellen, die diese Geschichte der deutschen Literatur in ihren inhaltlichen und methodischen Grundannahmen, ihrer Zielsetzung und Darstellungsweise geprägt haben (Schillers weltgeschichtliche Perspektive hat hier freilich keine Entsprechung):

Demnach kommt es nicht darauf an, den Gang der Literatur vollständig und scheinbar unmittelbar im Gang der Literaturgeschichte einfach zu wiederholen, womöglich in allen einzelnen Schritten und Schöpfungen. Die universalhistorische Blickrichtung ist vielmehr bestrebt, das „zusammenhängende Ganze" zu sehen, den Gang der Literatur als Prozeß zu erkennen. Von daher wird eine „Ordnung der Dinge" gestiftet. „Verkettungen", Gliederungen und Zusammenhänge werden ins Werk gesetzt. Dies bewirkt Zusammenziehungen und Auslassungen, die ein „Aggregat" von Einzelstücken zum epochengeschichtlichen „System" erheben. Darin ist ein weiteres Moment des Geschichtsverständnisses beschlossen: Dem universalhistorischen Blick erscheint die Vergangenheit auch im Licht der Gegenwart, in der Perspektive der „heutigen Gestalt der Welt" und des „Zustands der jetzt lebenden Generation", so daß stets auch „rückwärts ein Schluß gezogen und einiges Licht verbreitet werden kann". Wechselseitige Erhellung von Einst und Jetzt wird daher möglich.

Wie und zu welchem Ende schreibt man eine Literaturgeschichte? Die Frage nach dem Wozu, nach Sinn und Zweck der vorliegenden Geschichte der Literatur mag befremdlich anmuten, da der historische Gang der Literatur doch eigentlich von sich aus zur Literaturgeschichte drängt. Sie wird jedoch verständlich angesichts der Vertrauenskrise, in welche die Literaturgeschichtsschreibung in den letzten Jahrzehnten geraten war – durch die lange Zeit vorherrschende Methode der werkimmanenten Literaturbetrachtung, durch eine allzu plane und kurzschlüssige Literatursoziologie und durch eine linguistisch orientierte Texttheorie.

Doch hat Literaturgeschichte ihr Selbstbewußtsein wiedergewonnen. Auch der Deutschunterricht ist dabei, sich mehr und mehr der geschichtlichen Dimension zu öffnen. Bewirkt wurde der Wandel durch ein wieder erwachtes Interesse an Geschichte. Ihm entstammen die Frage nach der Geschichtlichkeit und Zeitlichkeit der Literatur, nach ihrer Historizität, und ein von der Literatur selbst bewirktes Geschichtsdenken. Es geht um historisches Verstehen von Literatur, das sich zugleich selbst als etwas Geschichtliches begreift.

Die historische Besinnung verliert allerdings ihren Grund, sobald frühere Epochen und Werke im Aneignungsprozeß allein vom heutigen Standpunkt aus betrachtet und kritisiert werden. Die historische Dimension wird durch bloße Aktualisierung verkürzt, das Verstehen um die Möglichkeit der wechselseitigen Erhellung von Vergangenheit und Gegenwart gebracht. Verloren geht die Spannung zwischen Traditionsbewahrung und Traditionskritik.

Es kommt vielmehr darauf an, die Literatur auch aus ihrer Zeit, aus dem Erfahrungsraum und der geschichtlichen Konstellation ihrer Epoche zu verstehen. Der geschichtliche Gehalt einer bestimmten Zeit und Epoche liegt in den Werken selbst, in ihrem historischen und literarischen Eigensinn, in ihrer literaturgeschichtlichen Stellung. Die – auch widerspruchsvolle – Einheit von Geschichte und Kunstcharakter deutlich zu machen, ist die vornehmste Aufgabe der Literaturgeschichte.

Diese Vorstellungen und Grundsätze versucht die vorliegende Literaturgeschichte einzulösen. Nach einer – kürzeren – Beschreibung der Epochenmerkmale vom Mittelalter bis zum Barock liegt der Schwerpunkt auf der Darstellung des Literaturprozesses von der Aufklärung bis zur Gegenwart.

Die Aufklärung setzt, mit dem Anbruch des bürgerlichen Zeitalters, nicht nur eine deutliche geschichtliche Zäsur; sie ist auch das Epochenfundament der Folgezeit über die Romantik hinaus.

Auch wenn man sich nicht, wie im Falle der Aufklärung, auf das Selbstverständnis der schreibenden und lesenden Zeitgenossen berufen kann, erscheint es sinnvoll, die gängigen Bezeichnungen für die großen Epochen der Literaturgeschichte aufzugreifen. Doch muß deutlich bleiben, daß es sich hierbei um Konstruktionen handelt, die eine Verständigung über die jeweiligen Zeiträume und ihre Literaturen ermöglichen. Die herkömmlichen Epochenbegriffe bleiben somit weiterhin in der Diskussion, weil die Erkenntnis einer Epochenstruktur und das Einverständnis über die sie bestimmenden allgemeingeschichtlichen und literarischen Aspekte immer nur vorläufig sein können. Das Urteil dessen, der ein Werk als exemplarisch für einen geschichtlichen Zeitraum auswählt und an ihm Epochenaspekte darlegt, ist subjektiv; es ist Wertung und muß sich im Verlauf des Lesens und Verstehens bewähren.

Damit ist schon einiges gesagt über die Art und Weise, in der die vorliegende Literaturgeschichte dem Ziel nahekommen will, die Kluft zwischen der ästhetischen Betrachtung des Einzelwerks und der historischen Erschließung einer Epoche zu überbrücken. Es soll wenigstens tendenziell eine Einheit zwischen Literatur und Geschichte gestiftet werden. Deshalb verzichtet dieses Werk auf eine je vorausgehende Gesamtdarstellung der Epochen, in die die einzelnen Werke hernach kurzerhand eingeordnet werden müßten. Solche epochalen Überblicke, losgelöst von den literarischen Individualitäten, den Werken, bleiben unsinnlich und recht eigentlich unvermittelt; sie führen zu Verkürzungen, weil sie einen Drang zur Einlinigkeit haben. Der Blick auf das einzelne Werk soll auch nicht dadurch verengt werden, daß ein Abriß der politischen und kulturellen Verhältnisse vorausgeschickt oder ein biographischer Abriß den Werkinterpretationen gleichsam vorgeordnet wird.

Mittelpunkt der Darstellung sind die einzelnen Werke. Die Darlegung ihrer ästhetischen Struktur soll die Erhellung der Epochenstruktur fördern; die Aspekte, die zum Verständnis der Poesie fruchtbar sind, taugen auch zur Skizze des literaturgeschichtlichen Zeitraums. Dabei trägt nicht nur das 'Meisterwerk' die Zeichen seiner geschichtlichen Zeit in sich; zuweilen können gerade an dem unvollkommenen, aber weitverbreiteten und insofern für die Literaturrezeption typischen Werk die Züge der Epoche abgelesen werden.

Am besten wird die geistige Spannweite einer Epoche sichtbar, wenn unterschiedliche, unter dem epochenerhellenden Aspekt antipodische Werke oder Gattungsreihen in Konstellationen einander gegenübergestellt werden, die einen aufschlußreichen geschichtlichen Augenblick der Epoche erfassen. In derartigen 'Zusammenstößen' von Autoren und Werken, die auf die Herausforderung ihrer Zeit gegensätzlich reagierten, läßt sich die Gleichzeitigkeit von Gegensätzen erkennen. Eine Epoche wird dann als Einheit von Widersprüchen durchschaubar.

Um die Literaturgeschichte nicht nur als Epochengeschichte, sondern auch als Nachschlagwerk tauglich zu machen, sind den Kapiteln, die unter je einem epochentypischen Aspekt stehen, tabellarische Übersichten von inhaltlich zugehörigen Werken vorangestellt.

Auch diese Literaturgeschichte stützt sich auf die umfangreiche Forschungsliteratur, ohne sie ausdrücklich auszuweisen.

Joachim Bark   *Dietrich Steinbach*

Inhaltsverzeichnis

Klassik/Romantik 122

Erster Teil: Klassik 122

Biedermeier – Vormärz/Bürgerlicher Realismus

Erster Teil: Biedermeier – Vormärz

Zweiter Teil: Bürgerlicher Realismus

Dritter Teil: Avantgarde und Expressionismus

Von der Weimarer Republik bis 1945

Erster Teil: Weimarer Republik

Zweiter Teil: Literatur unter dem Nationalsozialismus . . . 480

Dritter Teil: Literatur im Exil 505

Vom Mittelalter bis zum Barock

Erster Teil: Mittelalter und Reformation

1 Altgermanische Dichtung

Aufzeichnung des **Hildebrandslieds** im Kloster Fulda (nach 800)
Aufzeichnung der **Merseburger Zaubersprüche** (10. Jh.)
Aufzeichnung der Götter- und Heldenlieder in der **Edda** (nach 1220)

Schriftlosigkeit. Die vormittelalterliche altgermanische Dichtung entsteht im Halbdunkel schriftloser Zeit. Vom 3.–11. Jahrhundert lassen sich *Runen* nachweisen (ahd. runa = Geheimnis, vgl. raunen). Diese gemeingermanischen Schriftzeichen, in Holz, Metall oder Stein geritzt, wurden zur Beschwörung benutzt oder für kurze Inschriften, nicht aber zur Aufzeichnung längerer Texte.

Zaubersprüche. Die ersten Gegenstände altgermanischer Dichtung sind Gebet und Beschwörung. Die Zaubersprüche, von denen in den ‚Merseburger Zaubersprüchen' noch zwei späte, im 10. Jh. schriftlich niedergelegte Beispiele existieren, beruhen auf dem Glauben an magische Entsprechungen. Sie bestehen im wesentlichen aus zwei Teilen, der Erinnerung an eine frühere göttliche Hilfe und einer Zauberformel für den gegenwärtigen Unglücksfall. Die Zauberformel soll bewirken, daß analog zum früheren Fall auch jetzt geholfen wird. Diese Form wird später von christlichen Segenssprüchen übernommen (‚Lorscher Bienensegen', ‚Straßburger Blutsegen').

Heldendichtung. Nach der Völkerwanderung entwickelte sich eine hohe Dichtung aus Preis- und Heldenliedern. Davon berichtet u. a. der römische Geschichtsschreiber Tacitus. In Island, wohin das Christentum erst spät vordrang, wurden diese Lieder nach 1220 in der ‚Edda' aufgezeichnet. Die Edda ist ein Lehrbuch für Skalden, die nordischen Nachfolger der altgermanischen Sänger (Skops). Im Süden ist lediglich das Fragment eines später geschriebenen Heldenliedes erhalten, das ‚Hildebrandslied' (nach 800 im Kloster Fulda aufgezeichnet). Aus noch jüngeren Dichtungen (‚Nibelungenlied', ‚Kudrunlied') läßt sich ebenfalls auf die alten Heldenlieder zurückschließen. Ein schon christlich geprägtes Preislied ist das ‚Ludwigslied' (um 881), das den Sieg des westfränkischen Königs Ludwig III. über die Normannen feiert.

Stabreim. Charakteristisch für die altgermanische Dichtung ist der Stabreim, d. h. der Gleichklang des Stammsilbenanlauts. Der Akzent liegt auf den mit dem Stabreim ausgezeichneten Silben (Beispiel: „*Mánn* und *Máus*"). Diese betonten Silben sind meist auch die Bedeutungsträger. Zugleich schafft der Stabreim einen größeren Zusammenhang, indem er zwei Kurzzeilen von je zwei Haupthebungen (Hebung = betonte Silbe im Vers) zu einer Langzeile verbindet. (Beispiel: *w*élaga nu *w*áltant got/ *w*éwurt skíhit. Wehe jetzt, waltender Gott, Wehschicksal geschieht. Hildebrandslied.) Von der zweiten Kurzzeile stabt üblicherweise nur die erste Hebung, von der ersten staben zumeist beide Hebungen.

Altgermanische Wertvorstellungen. Aus der Bindung des Germanen an Sippe und Gefolgsherrn sowie aus dem Glauben an ein unabwendbares Geschick, das alle Menschen miteinander verbindet, erwachsen die altgermanischen Wertvorstellungen: Sippenehre und -stolz, Gefolgschaftstreue und, wenn das Geschick es verlangt, mutige Todesbereitschaft. Die Sippenehre fordert vom einzelnen vor allem Mannhaftigkeit und Freigebigkeit, aber auch Blutrache. Die Heldenlieder stellen Wertkonflikte dar, die nur um den Preis des erhabenen, schicksalsbejahenden Untergangs gelöst werden können, aber noch keine moderne Gewissensqual hervorrufen. Im ‚Hildebrandslied‘ z. B. treffen Vater und Sohn feindlich aufeinander. Der Sohn erkennt den Vater nicht und zeiht ihn der Feigheit, so daß dieser den Zweikampf aufnehmen muß. Der Schluß des Liedes ist nicht erhalten, aber die weitere Überlieferung des Stoffes macht den Sieg des Vaters wahrscheinlich. Die Alternative, entweder als feig zu gelten oder den Sohn töten zu müssen, bedeutet für ihn den tragischen Untergang.

2 Christliche Grundlagen des Mittelalters

Christentum und germanische Tradition. Im Mittelalter verwandelt sich die germanische Erzähltradition in eine christliche, schriftlich niedergelegte Dichtung deutscher Sprache. Heimische Stoffe werden christlich umgedeutet, heimische Formen christlich ausgefüllt. Die Bildungsstätten des Mittelalters sind die Klöster; hier entsteht der größte Teil der Literatur. Die bedeutendsten Kunstwerke werden allerdings in staufischer Zeit an den Höfen geschrieben.

Christentum und Antike. Die mittelalterlichen Autoren studieren antike Dichtungs- und Redelehren, um für ihr christliches Denken wirksame Darstellungsformen zu finden. Antike Stoffe und Vorstellungen werden christlich umgedeutet und nach Gutdünken als Materialien für die eigenen Werke benutzt.

Verborgene Ordnung. Will man die Dichtung des Mittelalters verstehen, so muß man das christliche Denken der Epoche kennen. Der mittelalterliche Mensch ist von dem harmonischen Zusammenhang der göttlichen Schöpfung überzeugt. Er sucht ihn in verborgenen Entsprechungen aufzuspüren und entwickelt dabei eine umfassende Zahlensymbolik. Jede Zahl hat ihre Bedeutung. Die Zahl 6 etwa ist vollkommen, weil sie die Summe der ersten drei ist und zugleich die Summe der Zahlen, durch die sie geteilt werden kann, nämlich jedesmal 1, 2 und 3. Sie bedeutet Ordnung und Macht, weil sie an die sechs Tage der Weltschöpfung erinnert. Darüber erscheint sie in den sechs Perioden, in die man die Geschichte von Adam bis zum Weltuntergang einteilte, in den sechs Lebensaltern des Menschen, in den sechs Werken der Barmherzigkeit, im sechsarmigen Christusmonogramm, in der Kreuzigung Christi am sechsten Wochentag usf. Auf solche Entsprechungen kann ein Autor durch die Anzahl bestimmter Figuren oder etwa durch die Zahl von Kapiteln oder Strophen verweisen.

Vierfacher Schriftsinn. Eine zweite Möglichkeit, die verborgene Ordnung zu entdekken, besteht in der Bibeldeutung nach dem Prinzip des vierfachen Schriftsinns. Demnach hat jedes Wort zunächst einen Buchstabensinn. Jerusalem z. B. ist ein bestimmter Ort in Israel. Darüber erheben sich jedoch noch drei Schichten geistlicher Bedeutung: Jerusalem kann auch die Kirche bezeichnen (heilsgeschichtliche Bedeutung) oder die Seele des Gläubigen (moralische Bedeutung für den Weg des einzelnen zum Heil) oder die himmlische Gottesstadt (Bedeutung für die Verheißung im Jenseits). Wenn also ein mittelalterlicher Autor von Jerusalem spricht, können immer mehrere dieser Bedeutungen mitgemeint sein.

Typologie. Schließlich gibt es auch die sog. typologische Deutung, das heißt die Parallelisierung von Altem und Neuem Testament. Die Gestalten und Geschehnisse des Alten Testaments sind nämlich die Vorerscheinungen (Präfigurationen) oder Vorbilder (Typen) derjenigen des Neuen, weil sich im Neuen erfüllt, was im Alten verheißen wurde. Demnach ist Adam der Typus (bzw. die Präfiguration) Christi, die Propheten sind die Typen der Apostel. Der Name Eva präfiguriert, rückwärts gelesen, das Ave, mit dem Maria vom Engel Gabriel gegrüßt wird. Die Symbolik mittelalterlicher Kunst bedient sich immer wieder solcher Bezüge.

Philosophische Grundlagen des Mittelalters. Das frühe Mittelalter kennt keine Philosophie im engeren Sinn. Es sucht die Begründung seiner Weltanschauung in den Lehren der sog. Kirchenväter, vor allem des Augustinus, deren Denken sich allerdings nicht von der antiken Philosophie ablösen läßt. Im 12. Jahrhundert entwickelt sich angesichts des Investiturstreites eine anspruchsvollere, auf Augustinus zurückgehende Geschichtstheologie, deren Endzeitdenken von Häresien und Sekten übernommen wird. Doch erst die *Scholastik,* deren Anfänge zwar ins 9. Jh. reichen, deren Blütezeit aber erst im 14. und 15. Jh. liegt, sucht die Kirchenlehren mit Hilfe antiker Philosophie als methodisches Schulsystem zu begründen. Als größte Autorität gilt dabei *Aristoteles* (384–322), dessen Gesamtwerk im 13. Jh. wieder bekannt wird. Dieser hatte das Wesen der Dinge vom Ziel her bestimmt, auf das hin die Dinge bearbeitet werden oder sich entwickeln. Dieses Ziel verstand er als eine ihnen innewohnende Möglichkeit, so wie die Bildsäule eine Möglichkeit des Marmors ist. Bei dem Versuch, den zielgerichteten Prozeß im einzelnen zu bestimmen, mußte Aristoteles genaue Unterscheidungen treffen. Er wurde so zum größten Systematiker des Altertums und begründete die formale Logik, deren Kern die Lehre von Schlußfolgerung und Beweisführung ist. Damit etwas sich auf sein Ziel hin bewegt, damit z. B. die Bausteine zum Haus werden, bedarf es einer bewegenden Ursache, z. B. des Baumeisters. Eine solche muß es auch für die ganze Welt geben; das ist der göttliche Geist, das in sich selbst ruhende Gute. Dieser Gottesbeweis und seine Systematik begründen die Hochschätzung des Aristoteles im Mittelalter.

Ihre klassische Form erhält die Scholastik durch den Italiener *Thomas von Aquin* (1225/27–1274). Er lehrt die Harmonie zwischen der dienenden, von unten aufsteigenden Vernunft und der herrschenden, von oben kommenden Offenbarung. Dementsprechend gibt es einen stufenweisen Aufstieg des Daseins und der Erkenntnis von den primitivsten über die pflanzlichen und tierischen Formen zur vernünftigen Seele des Menschen und darüber hinaus zu den reinen Geistern (Engeln) und schließlich zu Gott. Natur und diesseitige Welt werden nicht abgewertet, sondern samt der menschlichen Vernunft in einen umfassenden hierarchischen Zusammenhang eingeordnet.

Als zweite philosophische Autorität des Altertums gilt *Platon* (428/27–347), der Lehrer des Aristoteles. Er lehrt, die Welt nicht von einem inneren Ziel, sondern von den Ideen her zu verstehen. Kein Begriff, nicht Baum z. B., nicht Kirschbaum, auch nicht Sauerkirschbaum, ist so konkret, daß er ein ganz bestimmtes Ding bezeichnet, etwa diesen Baum hier, den ich vor mir sehe. Worauf bezieht sich der Begriff dann? Eben nicht auf das konkrete Ding, das wechselt und vergeht, antwortet Platon, sondern auf die ewige und unveränderliche Idee, auf die Baumheit sozusagen, die ihm zugrunde liegt. Die Dinge sind nur unvollkommene Abbilder der Ideen, die in einem ewigen Kosmos existieren. Dort hat die Seele sie vor der Geburt erschaut; jede Erkenntnis der Ordnung, die der unvollkommenen Welt zugrunde liegt, ist demnach nur eine Erinnerung an jenen Kosmos. Zu ihm, dessen Einheit sich hienieden als das Göttliche, Wahre, Gute und Schöne äußert, sehnt sich die Seele zurück.

Im sog. *Universalienstreit,* der das ganze Mittelalter durchzieht, berufen sich die „Realisten" (eigentlich Idealisten) auf ihn. Sie behaupten, daß die Allgemeinbegriffe, den platonischen Ideen entsprechend, das eigentlich Wirkliche seien und die konkreten Dinge aus sich erzeugten. Die „Nominalisten" dagegen sehen die Allgemeinbegriffe nur als vom menschlichen Verstand ausgebildete Abstraktionen der konkreten Dinge an.

Grundlegende Bedeutung erhält die platonische Denktradition für die *Mystik.* Diese Bewegung beginnt im 12. Jh., gewinnt ihren Einfluß aber erst im 14. Jh., als viele Menschen sich angesichts einer Welt, die sie als chaotisch und niedergehend empfanden, in die Innerlichkeit zurückzogen. Religiöse Frauengemeinschaften wie die Beginen sowie die Reformorden (Zisterzienser, Dominikaner, Franziskaner) sind häufig ihre Heimstätten. Die Mystiker suchen die geheimnisvolle Einswerdung (unio mystica) der Seele mit dem göttlichen Absoluten. Dieser Prozeß, den

Sprache und Denken nur andeutend beschreiben und fassen können, vollzieht sich als stufen-
weiser Aufstieg der Seele in immer reinerer Ekstase. Philosophisch sucht man das nun platoni-
scher Denktradition entsprechend zu deuten als Einkehr der Seele in die ursprüngliche kosmische Einheit, aus der alles Seiende hervorgegangen ist. Ist die Seele aber zur mystischen Erfahrung dieser Einheit, also des absoluten göttlichen Seins fähig, so nur deswegen, weil sie selber
etwas Göttliches an sich hat. Diesen Gedanken ist *Meister Eckhart von Hochheim* (um 1260–
1328) am weitesten nachgegangen.

3 Geistliche Literatur des Frühmittelalters

Heliand (erste Hälfte des 9. Jh.s)
Otfried von Weißenburg: Evangelienharmonie (863–871)
Ekkehard von St. Gallen (?): Waltharius (nach 900)
Hrotsvith von Gandersheim: Dramen (960–970)

Beginn der geschriebenen Literatur. Eines der frühesten germanischen Sprachdenk-
mäler ist die Bibelübersetzung (begonnen um 369) des westgotischen Missionsbi-
schofs *Wulfila,* der hierfür zunächst eine gotische Schrift und eine Schriftsprache
schaffen mußte. Geschriebene Literatur in deutschen Dialekten entwickelt sich erst
zur Zeit Karls des Großen, der nicht nur das einheitliche Kaiserreich errichtet, sondern auch die kirchliche Bildung reformiert, die Kenntnis der Antike fördert und die
Missionierung durchsetzt. Die Literatur setzt ein mit Wörterbüchern, Glossen (deutschen Randbemerkungen zu lateinischen Texten) und Interlinearversionen (wörtlichen Übersetzungen zwischen den Zeilen). Zu den ältesten literarischen Zeugnissen
gehören das ‚Wessobrunner Gebet‘ (bairisch, Kloster Wessobrunn, um 800), ein kur-
zes Fragment, das in Stabreimen die Weltschöpfung beschreibt, sowie das ‚Muspilli‘
(bairisch, St. Emmeran, 9. Jh.), ein Fragment mit Stabreimen und teilweise auch
Endreimen, das Weltuntergang (Muspilli = Weltbrand) und Jüngstes Gericht schildert, um damit zur Buße aufzurufen.
Im ostfränkischen Kloster Fulda wird um 830 die lateinische Evangelienharmonie
(Mischung der vier Evangelien zu einer einzigen Erzählung) des syrischen Mönchs
Tatian übersetzt.

‚Heliand‘ und Otfrieds Evangelienharmonie. Auf dem ‚Tatian‘ baut der ‚Heliand‘
auf, der wahrscheinlich in Fulda (erste Hälfte 9. Jh.), aber auf altsächsisch geschrieben wurde. Das Stabreimgedicht war für den von Karl dem Großen unterworfenen
und christianisierten sächsischen Adel gedacht. Gefolgschaftstreue und Schicksals-
gesinnung werden in christlicher Umdeutung aufgenommen. Der Verfasser verwendet den sogenannten Hakenstil angelsächsischer Epen: Ein Satz hört nicht notwendig mit dem Ende einer Langzeile auf, sondern erst am Ende der folgenden Kurzzeile. – Der erste regelmäßige, wenngleich noch unreine Endreim erscheint in der Evangelienharmonie Otfrieds von Weißenburg (südrheinfränkisch, Kloster Weißenburg
im Elsaß), geschrieben zwischen 861 und 871. Die Tradition der vierhebigen Langzeile und das lateinische Vorbild des sechshebigen Hexameters vermischen sich miteinander.

Lateinische Dichtung. Währenddessen gilt das Latein weiterhin als die eigentliche
Literatur- und Gelehrtensprache. Unter den Ottonen versiegt die geschriebene deutsche Literatur sogar wieder und lebt nur noch mündlich weiter in den Liedern umher-

ziehender Spielleute. Das ‚Waltharilied' (vermutlich nach 900), das aus gereimten Hexametern besteht, erzählt einen germanischen Sagenstoff (Kampf zwischen Walther von Aquitanien, Gunter und Hagen) auf lateinisch und biegt das germanische Heldenideal ins Christliche um: Der Held ist nicht nur hochgemut und mannhaft, sondern auch gottesfürchtig und einsichtig. Das Epos endet versöhnlich und burlesk. *Hrotsvith (Roswitha) von Gandersheim* (um 935 bis nach 973), die erste bedeutende Schriftstellerin der deutschen Literatur, schreibt lateinische Legendendramen, welche die zur Schullektüre verwendeten Stücke des Terenz ersetzen sollen, die als zu anstößig gelten. Die dialogisierten Legenden sind zur Lektüre, nicht zur Aufführung bestimmt. – Der fragmentarische Ritterroman ‚Ruodlieb' (um 1050, wohl im Kloster Tegernsee), in gereimten Hexametern geschrieben, will einen idealen Ritter vorstellen und nimmt Züge des höfischen Ritterepos vorweg (höfische Bildung und Geselligkeit, humane Gesinnung).

Cluniazensische Bewegung. Die vom Kloster Cluny ausgehende religiöse Reformbewegung ist den Künsten und dem Studium der Antike nicht günstig. Sie führt zu weltfeindlicher Askese, zu inbrünstiger Marienverehrung und Mystik, bewirkt aber auch, daß man erneut die deutsche Sprache aufgreift. Man will die Laienfrömmigkeit stärken (‚Ezzolied', um 1065, ein Hymnus auf Christus), die Heiligenverehrung fördern (‚Annolied', um 1085, ein legendenhaftes Preislied auf den Bischof Anno von Köln, der als das neue Ideal des Heiligen und Herrschers zugleich erscheint) und zur Buße aufrufen.

4 Die staufische Ritterkultur

> **Reinmar von Hagenau** (gest. vor 1210)
> **Walther von der Vogelweide** (um 1170 bis um 1230)
> **Hartmann von Aue:** Erec (um 1185)   Gregorius (um 1187/89)
> **Nibelungenlied** (um 1200)
> **Wolfram von Eschenbach:** Parzival (um 1200/10)   Willehalm (1215/18)
> **Gottfried von Straßburg:** Tristan und Isolde (um 1200/10)

Ritterkultur. Um die Mitte des 12. Jahrhunderts löst eine christliche Ritterkultur die cluniazensische Bewegung ab. Die Literatur wandert von den Klöstern zu den Fürstenhöfen. Die Kreuzzüge öffnen nämlich der Phantasie neue, irdische Räume. Es entspricht dem Selbstverständnis der Ministerialen (Unfreie, die durch Bewährung im Beamten- und Kriegsdienst in den Ritterstand aufsteigen), die neuen Räume der Phantasie mit den Idealgestalten christlicher Ritter zu bevölkern, die sich bewähren durch kultiviertes Verhalten am Hof und mannhaftes Bestehen von Abenteuern in einer geheimnisvollen Fremde. Die literarische Formung solcher Vorstellungen, in denen sich das gesamte Rittertum wiedererkennen kann, wird beeinflußt durch die fortgeschrittene französische Literatur. Arabische Vermittlung, ebenfalls durch die Kreuzzüge ermöglicht, regt die erneute Beschäftigung mit der Antike an.

Die ritterlichen Tugenden. Die oberste Tugend des christlichen Ritters ist Treue, Zuverlässigkeit gegenüber Gott und dem Lehensherrn. Ohne sie gibt es keine Ehre. Die Ehre verlangt darüber hinaus Mannhaftigkeit, zuchtvolles höfisches Verhalten und Erbarmen mit den Hilfsbedürftigen. Diese Tugenden genügen sich aber nicht selbst, die Ehre bedarf äußerer Anerkennung. Wird man beleidigt, so muß man sich rächen.

Höfisches Verhalten bedeutet, daß man zu einer harmonischen, freudvollen Stimmung beiträgt, indem man hochgemut erscheint, sich maßvoll verhält und den Dienstleuten gegenüber freigebig ist. Die Schule höfischen Verhaltens ist der Minnedienst.

Minnedienst. Am Hof soll das Liebesverlangen in einen Antrieb allgemeiner Kultivierung umgeformt werden. Das geschieht im Minnedienst: Der Ritter kämpft im Namen einer höhergestellten Dame, die er auch in Minneliedern besingt. Durch diesen Dienst erhöht er das Ansehen der Dame und bildet sich selbst, da er ihr durch höfisches Wesen gefallen will. Solche Kultivierung des Liebeswerbens wäre mit der Erhörung des Ritters beendet; Minne ist daher ihrer Idee nach dauernder, unbelohnter Dienst, in dem höfische Formen, Tapferkeit, Treue und Beständigkeit erlernt werden. Er wird häufig in lehensrechtlichen Begriffen ausgedrückt, dem beruflichen Dienst der Ritter entsprechend, aber auch in Analogie zum Gottesdienst. Der Minnedienst ist allerdings mehr eine schöne Konvention als herrschende Wirklichkeit. Er verdeckt, daß auch die adlige Frau dem Mann juristisch keineswegs gleichgestellt war. Neben der hohen Minne gibt es die niedere, nämlich die sinnliche Liebe zur sozial niedriger stehenden Frau.

Vorhöfische Literatur. Am Beginn der neuen Periode stehen Dichtungen, die noch von Geistlichen verfaßt sind, noch der cluniazensischen Strenge verpflichtet (Märtyrertum und Bußgedanke), sich aber schon der fremden, heidnischen Welt der Abenteuer öffnen. So das ,Alexanderlied' (um 1120/30) des *Pfaffen Lamprecht* und das ,Rolandslied' (um 1170) des *Pfaffen Konrad.* Beide gehen auf französische Vorlagen zurück. Vermutlich in der ersten Hälfte des 12. Jahrhunderts sind die sogenannten *Spielmannsepen* entstanden (Epen, die vielleicht von „fahrenden", umherziehenden Sängern überliefert und vorgetragen wurden, wahrscheinlich aber eher von Klerikern). In ihnen geht es vor allem um abenteuerliche Brautwerbung und um den Kampf gegen die Heiden in einer exotischen Umwelt.

Mittelhochdeutsch. Das Althochdeutsche, die Sprache der Literatur bis ins 11. Jahrhundert hinein, ist keine einheitliche Schriftsprache, sondern Sammelbezeichnung für eine Reihe unterschiedlicher Dialekte. Mit dem Mittelhochdeutschen der staufischen Ritterkultur entsteht zum erstenmal, trotz aller weiterbestehenden Dialektunterschiede, eine relativ einheitliche Literatursprache. Sie entwickelt sich in höfischen Kreisen etwa ab 1190 und geht mit der Ritterkultur wieder unter. In dieser Sprache sind höfisches Epos und Minnelyrik geschrieben, die das idealisierte Welt- und Menschenbild des Rittertums ausdrücken. Im Spätmittelalter löst sich die mittelhochdeutsche Gemeinsprache wieder auf; statt dessen herrscht eine Vielfalt von Dialekten, Fach- und Berufssprachen sowie landschaftlich begrenzten Schreibsprachen.

Höfisches Epos. Das höfische Epos zeigt, wie ein Ritter sich im zweifachen Durchgang durch Abenteuerreihen als Angehöriger seines Standes bewährt. Im ersten Durchgang beweist er seine Mannhaftigkeit; er gewinnt eine Frau, und die Runde gleichberechtigter vorbildlicher Ritter am Hofe des Königs Artus erkennt ihn als einen der Ihren an. Dann wird ihm unhöfisches, unkriegerisches oder unchristliches Verhalten vorgeworfen, und er muß sich in einer zweiten Abenteuerreihe endgültig bewähren. Die höfischen Epen gehen auf französische Vorbilder zurück, zumeist auf Epen des Chrestien de Troyes, deren Stoff über englische Vermittlung aus keltischen Märchen und Sagen um König Artus kommt.
Das erste höfische Epos, die ,Eneide' des *Heinrich von Veldeke* (um 1170/90), stützt sich auf eine französische Bearbeitung von Vergils ,Aeneis'. Militärischer Kampf, noch nicht die Zeremonie ritterlichen Zweikampfs, vor allem aber rechte und falsche

Minne sind Veldekes Hauptthemen. *Hartmann von Aue* schafft mit seinen beiden Chrestien-Übersetzungen ‚Erec' (um 1185) und ‚Iwein' (um 1202) die beiden typischen höfischen Epen. Daneben besitzen wir von ihm die ‚Klage' (auch: ‚Das Büchlein', um 1180/85), eine Minnelehre in Form eines Zwiegesprächs zwischen Herz und Leib, sowie die beiden Legenden ‚Gregorius' (um 1187/89) und ‚Der arme Heinrich' (um 1195).

Nibelungenlied. Auch das Nibelungenlied (um 1200, Verfasser unbekannt) gehört in den weiteren Umkreis des höfischen Epos. Einerseits nimmt es Stoffe der Heldensage auf. Die Geschichte von Siegfrieds Werbung um Kriemhild, von beider Vermählung, seiner Ermordung durch Hagen und Kriemhilds furchtbarer Rache geht auf die Brünhild-Sage und auf historische Ereignisse (Untergang des Burgunderreichs, Tod Attilas u. a.) zurück. Auch ist der Rachegedanke in seiner hier herrschenden Schärfe noch altgermanisch, und das christliche Element fehlt, außer bei einer Gestalt, Rüdiger von Bechelaren. Andererseits aber verfügen die einstigen Recken und kämpferischen Frauen jetzt über höfische Lebensart; sie werden zu Rittern und Damen. Das Nibelungenlied lebt aus dieser Spannung heraus. Sie wird noch überformt von den beiden mythischen Themen des Heldenlebens und des tödlichen Aufeinanderprallens zweier Reiche.

Wolfram von Eschenbach (um 1170 bis nach 1220). Wolfram von Eschenbach und Gottfried von Straßburg führen das höfische Epos zu seinem Höhepunkt, sprengen aber auch den eigentlich höfischen Rahmen. In seinem Hauptwerk, dem ‚Parzival' (um 1200/10), mit dem er Chrestiens ‚Perceval' selbständig umformt, stellt Wolfram die christliche Geschichte von Parzivals Suche nach dem Heiligen Gral und die höfische Artusgeschichte um den Ritter Gawan nebeneinander. Der Kontrast verdeutlicht, daß die höfischen Ideale nur einen begrenzten Wert haben. Wolfram relativiert insbesondere die Vorstellung von der kultivierenden Wirkung der Minne; dem Minnedienst steht die Gralsgemeinde gegenüber, eine große Familie aus ehelosen Rittern und Jungfrauen unter der Leitung des allein verheirateten Gralskönigs. Vom ungebildeten Toren im Narrenkleid entwickelt sich Parzival zum höfischen Ritter, dann aber darüber hinaus zum Hüter des Grals, eines reliquienartigen Wundersteines, der ein Symbol der Unberührtheit und Gottesnähe ist. Parzivals aufsteigender Weg führt durch Irrtümer und Schuld, die sich aus dem Konflikt zwischen höfischer und christlicher Welt ergeben, etwa wenn er beim ersten Besuch der Gralsburg aus höfischer Zucht die Mitleidsfrage nach der Wunde des Gralskönigs unterläßt oder wenn er sich von Gott abwendet, weil er ihn in Analogie zum Lehnsherrn auffaßt, der sich seinem Dienstmann gegenüber ungerecht verhalten hat. – Auch in seinem Fragment gebliebenen ‚Willehalm' (1215/18) verherrlicht Wolfram Gattenliebe und Treue anstelle des Minnedienstes. Hier, wo die Befreiung Südfrankreichs von den Sarazenen dargestellt wird, formuliert er eine im Mittelalter sonst nicht erreichte Toleranzidee.

Gottfried von Straßburg (2. Hälfte 12. Jh. bis um 1210). Gottfried, wohl kein Ritter, sondern ein gebildeter nichtadliger Patrizier, relativiert in seinem umfangreichen Fragment ‚Tristan und Isolde' (um 1200/10) die höfische Minnelehre in anderer Weise. Er stellt eine bedingungslose außereheliche Liebe dar, die alle Vorschriften höfischer Konvention sprengt. Diese Minne, deren Macht der Zaubertrunk symbolisiert, wird zu einem absoluten Wert; sie bringt Leben und Tod zugleich und nimmt eine gottgleiche Stelle ein. Das zeigt sich vor allem am Symbol der Minnegrotte; die Technik des mehrfachen Schriftsinns wird hier auf ein weltliches Thema bezogen. Der Roman ist für den auserwählten Kreis „edler Herzen" geschrieben, die bereit sind, alle Folgen solcher Liebe zu tragen, und die ihre Darstellung im vollendet schönen Sprachkunstwerk zu genießen vermögen. Der ‚Tristan' enthält auch einen wertenden

Überblick über die zeitgenössische Dichtung, die erste deutsche Literaturkritik. Der Ästhetiker Gottfried und der Ethiker Wolfram, die einander literarisch heftig befehdeten, zeigen Höhepunkt und Ende einer Epoche an.

Minnesang. Der Minnesang – die Gedichte werden tatsächlich gesungen, nicht vorgetragen oder -gelesen – ist wesentlich beeinflußt von der Lyrik der südfranzösischen Troubadours und den Regeln antiker Dichtungs- und Redelehren. Formal und musikalisch geht er auf die Kanzone (dreiteilige Strophe, deren zweiter und dritter Teil gleich gebaut sind) und auf kirchliche Liedtypen zurück. Die Lieder des *Kürenbergers*, der aus heimischer Tradition schöpft, stehen dem eigentlichen Minnesang noch fern; er läßt die liebende Frau ungescheut ihre Sehnsucht aussprechen. Die von ihm gebrauchte Langzeilenstrophe stimmt mit derjenigen des Nibelungenliedes überein. *Friedrich von Hausen* und vor allem *Heinrich von Morungen* begründen den hohen Minnesang mit seiner Formenvielfalt. Den klassischen Ausdruck aber gibt ihm *Reinmar von Hagenau*, der in kunstreichen, vielfältigen Formen, immer um Zucht und Maß bemüht, das Lob der Dame und die Klage über vergebliches Werben singt. *Walther von der Vogelweide* vollendet und überwindet den Minnesang. – Neben dem eigentlichen Minnesang stehen die *Pastourelle*, in welcher das Glück der Liebeserfüllung ausgesprochen wird, und das *Tagelied*, das vom Abschied nach heimlicher Liebesnacht handelt.

Spruchdichtung. Neben dem Minnesang entwickelt sich die Spruchdichtung, eine lehrhafte Lyrik, die teilweise auch gesprochen wurde. Der Inhalt kann lehrhaft-moralisch, religiös, politisch oder persönlich-biographisch sein. Das *Kreuzlied* ruft zum Kreuzzug auf oder beschreibt die glückliche Ankunft in Jerusalem. Walther von der Vogelweide gibt dem Sangspruch die exemplarische Ausprägung, *Heinrich von Meißen, genannt Frauenlob*, bringt ihn zum krönenden Abschluß.

Walther von der Vogelweide (um 1170 bis um 1230). Dieser größte mittelalterliche Lyriker führte ein Wanderleben, bis er vom Staufer Friedrich II. ein Lehen empfing. Die wichtigsten Fürstenhöfe, an denen er sich aufhielt, sind derjenige der Babenberger in Wien und der Thüringer Hof in Eisenach. In einem Literaturstreit mit Reinmar, aufgrund dessen er den Wiener Hof für einige Zeit verlassen mußte, setzt er der hohen Minne das Ideal der „herzeliebe" entgegen, einer erfüllten Liebe, die sich weder in ferner Anbetung verzehrt noch in Sinnlichkeit erschöpft. Sie bringt nicht Leid, sondern Freude. In seiner Spruchdichtung erweist sich Walther als engagierter politischer Autor, der für die gottgewollte Ordnung des Reiches eintritt, für den Kaiser, der sie bewahrt, gegen den Papst, der sie stört. Die politischen Aussagen verbinden sich mit persönlicher Alltagserfahrung und mit den mittelalterlichen Grundvorstellungen sittlich-religiöser Weltordnung. Mit Pessimismus erlebt der alternde Dichter schon den Niedergang der höfischen Kultur, der Freude und der Zucht.

Vagantenlyrik. Der höfischen Minne- und Spruchdichtung stehen die Gedichte fahrender Theologiestudenten gegenüber. Sie werden Vagantenlyrik genannt (von lat. vagari = umherziehen). Die teils lateinischen, teils volkssprachlichen Lieder preisen Genuß und Sinnenfreude, besingen Spiel, Wein und Liebe (nicht Minne) und verspotten den Klerus. Formale und motivliche Vorbilder sind römische Dichter, vor allem Ovid. Die größte deutsche Sammlung dieser Lieder findet sich in einer Handschrift aus der ersten Hälfte des 13. Jahrhunderts, die nach ihrem Fundort, dem Kloster Benediktbeuren, ‚Carmina burana' genannt wird.

Nachklang der höfischen Dichtung: Lyrik. Die staufische Ritterkultur zerfällt schon im frühen 13. Jahrhundert. *Neidhart von Reuenthal* entfaltet das bäuerliche Tanzlied.

Indem er das Dorfgeschehen in Formen der Minnelyrik darstellt, parodiert er diese Lyrik und verspottet zugleich die tölpischen Bauern. Dagegen übersteigert *Ulrich von Lichtenstein* die Minne zu einem bis ins Lächerliche getriebenen, äußerlichen „Frauendienst". Ein später Nachfahre ist *Oswald von Wolkenstein* (um 1377–1445), der höfische Formen mit biographischem Realismus verbindet und daneben derbe Tagelieder, drastische Zech- und Tanzlieder sowie politische Lieder schreibt. Von der Mitte des 13. Jahrhunderts an werden die Minnelieder in großen Handschriften gesammelt. Daran zeigt sich, daß sie an den Höfen nicht mehr lebendig sind. Die kostbarste dieser Sammlungen ist die Große Heidelberger oder Manessische Liederhandschrift, kurz nach 1300 für die Züricher Patrizierfamilie Manesse geschrieben, mit Bildern und Wappen der Dichter.

Nachklang der höfischen Dichtung: Epos. Auch die zahlreichen Epen der spät- und nachstaufischen Zeit sinken literarisch ab. Sie wiederholen und variieren zumeist Themen der hochstaufischen Dichter und malen das Abenteuerliche und Wunderbare aus. Im ‚Guten Gerhard' des *Rudolf von Ems* wird zum erstenmal ein Kaufmann zum literarischen Helden. ‚Meier Helmbrecht' von *Wernher dem Gartenaere* spiegelt den Verfall der Ständeordnung: Ein Großbauernsohn, der über seinen Stand hinaus will, wird zum Raubritter; er wird gefangengenommen, gerichtet und dann von den Bauern erschlagen. – Schließlich werden die Versepen in Prosaromane aufgelöst.

5 Aufstieg des Stadtbürgertums

Meister Eckhart (um 1260-1328)
Johannes von Tepl: Der Ackermann aus Böhmen (um 1400)
Heinrich Wittenwiler: Der Ring (um 1400)

Auflösungserscheinungen. Im 14. und 15. Jahrhundert kündigt sich die Neuzeit an. Die literarische Führung geht vom Adel auf das Stadtbürgertum über. Innerhalb des Stadtbürgertums gibt es Spannungen zwischen den Zunfthandwerkern und dem handeltreibenden Patriziat, das wohlhabend wird, adlige Formen annimmt, teilweise auch in den Adel einheiratet, der seinerseits nicht selten verarmt. Viele Menschen sind gebannt vom Gedanken an Vergänglichkeit und Tod (Totentanzmotiv). Seit dem Beginn des 15. Jahrhunderts macht sich bereits der aus Italien kommende Einfluß des Humanismus bemerkbar (s. S. 30f.).

Einfluß der Mystik. Im 14. Jahrhundert erlebt die geistliche Literatur, vor allem in *Predigt, Legende* und *Vision*, noch einmal einen Höhepunkt. Sie wird angeregt von der Mystik (s. S. 23f.). Am Beginn mystischer Literatur, die schon wesentlich früher einsetzt, steht ‚Das fließende Licht der Gottheit' der *Mechthild von Magdeburg*. Visionen, Offenbarungen, Prophezeiungen sind hier verbunden durch die Verherrlichung der Hochzeit zwischen Seele und Christus. – Die große Leistung, welche die Mystiker vor allem um *Meister Eckhart* für die Literatur erbringen, liegt auf sprachschöpferischem Gebiet. Ausgehend von theologischen Begriffen, die schon die Scholastik aus dem Lateinischen übersetzt hatte, schaffen sie eine Begriffssprache, die sowohl abstrakt als auch gefühltief ist. Geschaffen oder eingebürgert werden dadurch Wörter wie: Anschauung, Bildung, Einfluß, Eigenschaft, Gleichheit, Gottheit, Läuterung, Persönlichkeit, Wesen, Zufall – begreifen, einleuchten, fühlen – eigentlich, gelassen, innig.

Meistersang. Minnesang und Vagantenlyrik lösen sich auf im volkstümlichen Lied. Die starren Spätformen des Minnesangs allerdings werden noch lange von Zunfthandwerkern gepflegt, die sich als Meister auch des Gesanges verstehen. Das Dichten gilt ihnen als lernbar. Singbruderschaften vermitteln die mechanischen und künstlichen Regeln und veranstalten Wettsingen. Der Meistersang erlebt seine Blüte um 1500 in Nürnberg (Hans Foltz, Hans Sachs, Hans Rosenplüt).

Entstehung des Theaters. Aus dem Wechselgesang der Engel und der drei Frauen am Grabe Christi, der am Morgen des Ostersonntags in der Kirche aufgeführt wird, entwickelt sich durch szenische Erweiterung das *Osterspiel* und später das *Passionsspiel.* Ähnlich entsteht das Weihnachtsspiel. So beginnt das geistliche Drama. Die zweite Wurzel des neuzeitlichen Theaters ist das *Fastnachtsspiel:* komische, häufig sehr derbe Szenen im Zusammenhang kostümierter Umzüge zur Fastnachtszeit, die auf heidnische Fruchtbarkeitsriten zurückgehen. Im Nürnberg des 15. Jahrhunderts dringt die gesellschaftliche Gegenwart ins Fastnachtsspiel ein; man verspottet mißliebige Einrichtungen und Gruppen (Raubritter, Juden) oder auch das einfache Volk. Damit beginnt das weltliche Schauspiel.

Lehrhafte Dichtung. Dem Charakter der Übergangszeit entspricht eine starke lehrhafte Tendenz, welche den mittelalterlichen Blick aufs Jenseits mit neuem, bürgerlichem Nützlichkeitsdenken zu verbinden sucht. Dabei greift man gern zu allegorischen oder satirischen Darstellungen. Das *Streitgespräch*, eine schon antike Gattung, in welcher zwei meist allegorische Figuren über ihren Wert streiten (z. B. Sommer und Winter, Ritter und Pfaffe, Herz und Leib), erlebt einen Höhepunkt mit dem ‚Akkermann aus Böhmen‘ (um 1400) des *Johannes von Tepl.* Der Ackermann streitet mit dem Tod, der ihm seine Frau genommen hat. Er unterwirft sich aber dem Schiedsspruch Gottes. Dieser beläßt dem Tod zwar die Macht über alles Lebendige. Doch der Mensch ist nicht, wie der Tod will, als Sterblicher auch durchgängig nichtig und schlecht, sondern er besitzt Würde als von Gott beseeltes Geschöpf. Der Dialog ist schon in der neuhochdeutschen Kunstprosa geschrieben, die im Umkreis des Prager Kanzleistils entstand (s. S. 31). *Heinrich Wittenwilers* Gedicht ‚Der Ring‘ (um 1400) verbindet Bauernsatire und Parodie des höfischen Minnedienstes mit religiöser Besinnung und praktischer Belehrung über vornehme Umgangsformen, Kriegführung usw. Den weit verbreiteten *Schwank* (s. S. 31f.) vertritt der *Stricker.*

6 Humanismus und Reformation

Sebastian Brant: Das Narrenschiff (1494)
Epistolae obscurorum virorum **(Dunkelmännerbriefe)** (1515/17)
Martin Luther: Übersetzung des Neuen Testaments (gedruckt 1522)
Historia von D. Johann Fausten (1587)

Renaissance und Humanismus. Die Renaissance (frz. = Wiedergeburt) ist eine Bewegung des 14. bis 16. Jahrhunderts vor allem in den romanischen Ländern. Sie erstrebt eine allgemeine Erneuerung, insbesondere die Wiedergeburt der antiken Künste und Wissenschaften. Der schöpferische, leistungsstolze Einzelne ist ihr Ziel („Der Mensch ist das Maß aller Dinge"). Die von dieser Bewegung erfaßten Humanisten (Vertreter der sog. humanistischen Wissenschaften, d. h. vor allem der antiken Sprachen und Literaturen) begnügen sich nicht mehr mit der bloßen Aufnahme anti-

ker Formen und Stoffe und ihrer Verchristlichung, sondern fragen nach dem Geist,
der ihnen ursprünglich innewohnte. Sie lehnen das mittelalterlich-katholische Prinzip der Autorität ab, das gehorsame Lauschen auf die kirchliche Verkündigung, und
wollen statt dessen zurück „ad fontes" (lat. = zu den Quellen), nämlich zu den Texten
selbst. Darum lesen sie die Bibel nicht mehr auf lateinisch, sondern im griechischen
und hebräischen Urtext.

Kreise der Humanisten. Auch in Deutschland findet der Humanismus seine Anhänger. An den Höfen, vor allem aber an den Universitäten schließen sich Gelehrte zusammen. Der erste Kreis nördlich der Alpen sammelt sich schon bald nach 1350 am
Hof Karls IV. in Prag. Im 16. Jahrhundert bilden *Konrad Celtis, Jakob Wimpfeling,
Johannes Reuchlin* u. a. den Heidelberger Kreis. Der Nürnberger Kreis um *Willibald
Pirckheimer* ist vorwiegend historisch interessiert. *Ulrich von Hutten* gehört dem Erfurter Kreis an.

Frühes Neuhochdeutsch. Im 16. Jahrhundert werden die Grundlagen für die neuhochdeutsche Schriftsprache gelegt. Schon früher hatten sich an höfischen und städtischen Kanzleien verschiedene schriftliche Amtssprachen entwickelt. Unter ihnen
hatte diejenige der Prager Kanzlei Karls IV. aufgrund des ausgedehnten kaiserlichen
Schriftverkehrs eine besonders breite Wirkung. Der Buchdruck machte die Amtssprachen weiter bekannt und verstärkte ihre gegenseitige Annäherung. Dieses
Sprachmaterials bedienten sich die Humanisten bei dem Versuch, eine dem Lateinischen gemäße deutsche Kunstprosa zu schaffen. Lateinisch allerdings war und blieb
ihre wahre, dem damaligen Deutsch noch weit überlegene Sprache. Martin Luther,
der auf die verhältnismäßig ausgeglichene Sprache der sächsischen Kanzlei zurück-
greift, gelingt es schließlich, Anschaulichkeit und Schlichtheit der Volkssprache mit
der Kunst der Beredsamkeit zu verbinden. Seine Übersetzung des Neuen Testaments
erscheint 1522, die gesamte Bibel 1534. Im ‚Sendbrief vom Dolmetschen' (1530) hat
er seine Übersetzungsprinzipien dargelegt.

Narrenliteratur. Neben der freudigen Erwartung des Neubeginns herrscht zunächst
auch noch eine tiefe Unsicherheit. Sie äußert sich in *Sebastian Brants* ‚Narrenschiff'
(1494), das eine Welle ähnlicher Literatur auslöst. Satirisch-pessimistisch stellt Brant
das irdische Treiben in Wort und Bild als ein Panoptikum von Torheit und Laster dar.
Heitere, versöhnliche Ironie herrscht hingegen im ‚Morias encomion seu laus stulti-
tiae' (‚Lob der Torheit', 1511) des *Erasmus von Rotterdam.* Der wirklich Weise, so
lehrt er, verachtet die Torheit nicht, er bedarf ihrer, um glücklich leben zu können.
Später wird die Narrensatire auch im Konfessionsstreit gebraucht, so in *Thomas Mur-
ners* Streitschrift ‚Vom großen lutherischen Narren' (1522).

Volkstümliche Literatur. Der Humanismus beeinflußt auch die volkstümliche Literatur. Das zeigt sich am Nürnberger Schuhmacher und Meistersinger *Hans Sachs,* der
mit Pirckheimer und anderen Humanisten befreundet war. Er setzt sein überall zu-
sammengelesenes Bildungsgut in derbe Knittelverse um und bringt das Fastnachtsspiel zur Blüte. Volkstümliche Tradition und Humanismus verbinden sich im
Schwank. Der Schwank ist die Erzählung eines lustigen Streiches, durch den sich zumeist ein Armer oder Schwacher listig einen Vorteil verschafft. Dies entlastet von
Ungewißheit, aber auch vom Leiden unter Ungerechtigkeit – häufig ist der Schwank
gegen kirchliche Mißstände gerichtet – durch befreiendes Lachen. Aus einer Reihe
von Schwänken, die sich um eine Figur ranken, etwa um Eulenspiegel, formt man
nun ganze *Schwankromane.* Sie gehen zusammen mit Prosafassungen der Ritterepen, mit französischen Romanen, Tiergeschichten (Reineke Fuchs) und Magierge-
schichten in die sog. *Volksbücher* ein, die gänzlich der Unterhaltung dienen. Dem

Volksbuch ‚Historia von D. Johann Fausten' (1587) entnimmt Goethe später den Stoff für sein Faustdrama. *Georg Wickram* (‚Das Rollwagenbüchlein', Schwank-sammlung, 1555; ‚Der Goldfaden', Roman, 1557) und *Johann Fischart* (Übertragung des französischen Romans ‚Gargantua' von Rabelais auf deutsche Verhältnisse) ge-hören zu den Schöpfern der jetzt entstehenden stadtbürgerlichen Romanliteratur.

Dichtung der Humanisten. Ausschließlich lateinisch geschrieben und ganz an anti-ken Vorbildern geschult ist die Lyrik der Humanisten. Ihr Drama, ebenfalls auf La-tein, geht auf römische Vorbilder zurück. Sie führen Akt- und Szeneneinteilung ein und beenden jeden Akt mit einem Chor. Auf dieser Grundlage entwickelt sich an La-teinschulen und Universitäten das teils lateinische, teils deutsche Schuldrama, das bald zum Kampfmittel im Konfessionsstreit wird. Das satirische und belehrende Pro-saschrifttum der Humanisten, vor allem Briefe und Dialoge, greift ebenfalls bald in den Streit ein und ist um allgemeiner Verständlichkeit willen häufig auf deutsch ge-schrieben. Hutten veröffentlicht 1521 vier seiner lateinischen Dialoge auf deutsch unter dem Titel ‚Gesprächsbüchlein'.

Die Dunkelmännerbriefe. Die Spannung zwischen Humanismus und katholischer Kirche entlädt sich, als die Kirche Reuchlin wegen einer Streitschrift zu verurteilen droht, die er gegen einen getauften Juden geschrieben hatte, weil dieser alle jüdi-schen Bücher verbrannt haben wollte. Hutten und andere Mitglieder des Erfurter Kreises lassen daraufhin anonym die ‚Epistolae obscurorum virorum' (Dunkelmän-nerbriefe) erscheinen (1515/17). Das sind fingierte Briefe von Reuchlins theologi-scher Gegenpartei in barbarischem Latein und voller bornierter Scheinheiligkeit, die vielleicht wirksamste Satire der Epoche.

Humanismus und Reformation. Der Renaissancecharakter des deutschen Humanis-mus verliert sich bald im theologischen Streit. Zwar ist die Reformation ohne das neue Lebensgefühl nicht zu denken; sie lehnt sich wie der Renaissancehumanismus gegen das Autoritätsprinzip auf und will daher die Bibel dem selbständigen Studium eines jeden zugänglich machen. Aber für die Ergriffenheit vom Geist der Antike hat sie keinen Platz. Der bedeutendste Humanist des Nordens allerdings, *Erasmus von Rotterdam,* hält sich dem Konfessionsstreit möglichst fern. Der gebürtige Niederlän-der, der während eines unsteten Wanderlebens auch in der Schweiz und Deutschland wirkte, setzt der dogmatischen Strenge beider Seiten eine skeptische Toleranz entge-gen und will christliche Einfalt und Nächstenliebe mit antikem Sinn für harmonische Bildung verknüpfen.

Martin Luther (1483–1546). Während sich das englische und französische Königtum in der Auseinandersetzung mit der zur weltlichen Macht gewordenen Kirche behaup-teten, war der Kaiser ihr unterlegen. Politisch gesehen, nimmt Luther diese Ausein-andersetzung wieder auf, jetzt aber im Sinn der Landesfürsten. Denn er verhilft einer breiten antipäpstlichen Opposition zum beredten Ausdruck, verknüpft sie aber un-trennbar mit der Anerkennung der Landesherrschaft. So erklärt sich seine Verdam-mung der aufständischen Bauern. Er fordert die Gewissensfreiheit des einzelnen in geistlichen Dingen (gegen die Papstkirche) und die Unterwerfung unter die Obrig-keit (für die Fürsten). Um auch nur dieses Freiheitsbewußtsein durchzusetzen, be-durfte es gründlicher Erziehung. Luther nahm sie in Angriff mit politischen und mit theologischen Schriften (‚Von der Freiheit eines Christenmenschen', 1520), mit be-lehrenden Fabeln, mit Unterweisungen zu Familie und Erziehung und mit eingängi-gen, bildhaften Kirchenliedern (‚Ein feste Burg'), die das Zusammengehörigkeitsge-fühl der Gemeinden stärkten. Seine wichtigste Leistung liegt aber in der Bibelüber-setzung.

Zweiter Teil: Barock

1 Grundzüge der Epoche

1.1 Übergänge und Spannungen

Die Neuzeit setzt sich durch mit wirtschaftlichen, sozialen, politischen und wissenschaftlichen Umwälzungen. Der Name des Kopernikus steht stellvertretend für die Entdeckungen, vor allem in Astronomie und Medizin, die das traditionelle Weltbild erschüttern. Zusammen mit den modernen europäischen Nationalstaaten als wirtschaftlichen und politischen Einheiten entwickelt sich der Absolutismus, die staatliche Zentralgewalt mit einheitlicher, dirigistischer Verwaltung. Der Dreißigjährige Krieg (1618–1648), ebensosehr ein Krieg zwischen fremden Nationalstaaten auf deutschem Boden wie ein Religionskrieg, besiegelt die Zerrissenheit des Deutschen Reiches und sorgt dafür, daß der Absolutismus sich hier nicht auf nationaler Ebene, sondern an einer Vielzahl kleinerer und größerer Höfe verwirklicht.

Die Umwälzungen wirken sich auch auf das literarische Leben aus. Die literaturtragende Schicht verändert sich. Dichterische Werke wurden bisher von einer relativ kleinen Gruppe hervorgebracht und aufgenommen, von stadtbürgerlichen Humanisten und von den Gebildeten in Geistlichkeit und höherem Adel. Die neuen Aufgaben der absolutistischen Verwaltung führen diesem Kreis eine wachsende Zahl höfischer Beamter, vor allem Juristen, zu. Unter ihnen gibt es zunächst auch eine beträchtliche Anzahl Bürgerlicher. Bürgerliche wirken auch im Bildungswesen, das im Hinblick auf die neuen staatlichen Aufgaben erweitert und verweltlicht wird. Neben den Höfen entstehen literarische Zentren in Handelsstädten wie Hamburg, Nürnberg, Leipzig, jedoch ohne daß die Vorherrschaft höfischen Denkens dadurch gebrochen würde.

Im Zusammenhang damit ändert sich das Selbstverständnis der literarisch-künstlerischen Intelligenz. Das Renaissanceideal des humanistischen Gelehrten, der sich einem eigenen Stand, dem Geistesadel, zurechnet, wird allmählich von dem des Hofmannes verdrängt. Will der Dichter sich nicht als Pedant verspotten lassen, so muß er sein gelehrtes Wissen im galanten und geistvollen Ton darbieten, der, zumindest dem Anspruch nach, die höfische Gesellschaft kennzeichnet.

Die religiösen Spannungen prägen die literarische Landschaft. Im katholischen Südosten, der vom österreichisch-spanischen Kaiserhaus der Habsburger regiert wird, herrscht die Gegenreformation, zu deren größten literarischen Leistungen die lateinisch geschriebenen Dramen der Ordensgeistlichen gehören. Ein nationales Kulturbewußtsein entwickelt sich dagegen im übrigen, protestantischen Bereich, im Südwesten insbesondere unter dem Einfluß des dort noch lebendigen stadtbürgerlichen Humanismus. Durch Straßburg und die damals württembergische Grafschaft Mömpelgard (heute Montbéliard) wird aber auch französische Literatur eingeführt. Die wichtigste Literaturlandschaft ist Schlesien, das von den Habsburgern regiert wird. Die zahlreichen protestantischen Intellektuellen Schlesiens, denen der Kaiser eine eigene Universität verweigert, studieren in den wirtschaftlich und kulturell fortgeschrittenen protestantischen Gebieten, vor allem in den Niederlanden. Die dort empfangenen Einflüsse verbinden sie zu Hause mit den österreichisch-spanisch-italienischen. Die Handelsstädte (z. B. Nürnberg, Hamburg) vermitteln die Kenntnis der französischen und englischen Literatur.

Eine Umwälzung bedeutet auch das Erscheinen der ersten gedruckten Zeitungen. 1609 kommen die beiden Wochenzeitungen ,Aviso' in Wolfenbüttel und ,Relation' in Straßburg heraus. 1650 erscheint die erste Tageszeitung unter dem Titel ,Einkommende Zeitung' (= Nachrichten) in Leipzig. Vorher beruhte die öffentliche schriftliche Nachrichtenverbreitung auf Flugblättern oder geschriebenen Berichten von Diplomaten, von Agenten großer Handelshäuser oder von Postmeistern sowie auf den gedruckten Meßrelationen, die zu den Verkaufsmessen herauskamen und über das zwischenzeitliche Geschehen informierten. Die Zeitungen antworteten auf Bedürfnisse des Handels, aber auch auf das wachsende Interesse an Aktuellem und Ungewöhnlichem, das sie wiederum verstärkten.

1.2 Sehnsucht nach Halt

Die Veränderungen und Spannungen erzeugen ein Gefühl tiefer Unsicherheit. Vanitas (Eitelkeit, Vergänglichkeit, Nichtigkeit) scheint alles Irdische zu kennzeichnen. Die Göttin Fortuna herrscht, pflegt man zu sagen, das launische Glück, das unberechenbar kommt und geht. Die Menschen suchen Halt im Glauben. Doch der Religionsstreit hat wenn nicht den Glauben selbst, so doch das Vertrauen in die kirchlichen Institutionen angegriffen. Mystik lebt wieder auf, Schwärmerbewegungen ziehen viele in ihren Bann.

Man sehnt sich nicht nur nach religiöser Sicherheit, sondern auch nach staatlicher Ordnung. In der Renaissance schon lehrte der Italiener Niccoló Machiavelli, welche Mittel, zur Not auch grausame, der Politiker anwenden muß, um die Staatsordnung zu erhalten. Im 17. Jahrhundert rechtfertigt der Engländer Thomas Hobbes den absolutistischen Machtstaat, weil nur dieser den inneren Frieden gewähren könne, der ohne absoluten Souverän im Kampf der Interessen unterginge. Diese Gedanken, die nicht mit dem traditionellen christlichen Herrscherbild übereinstimmen, werden nun in Deutschland heftig diskutiert.

Hinzu kommt, daß der Absolutismus in Heer und Verwaltung, im Bildungswesen wie im Kirchendienst nicht nur äußere, sondern in einem bisher ungewohnten Maß auch innere Disziplin verlangt. Selbstbeherrschung und die erstrebte innere Sicherheit, die im Wechsel der äußeren Glücksfälle Halt gewährt, sind miteinander verbunden in der Tugend. Sie zu lehren, ist das vornehmste Ziel der zeitgenössischen Literatur. Tugend besteht darin, eine höhere, unvergängliche Ordnung zu erkennen und sich ihr unter Verzicht auf die Leidenschaften zu unterwerfen.

Im Süden, wo schließlich die Gegenreformation siegt, kann die katholische Kirche wieder den gesuchten Halt versprechen und tugendhafte Selbstdisziplin lehren. In den protestantischen Gebieten greift man auf die stoische Philosophie zurück. Die antike Stoa (benannt nach der bemalten Säulenhalle, der Stoa poikile, in Athen, wo der Gründer dieser Schule lehrte, Zenon von Kition, 335-262) suchte das Glück im Einklang des Weisen mit der unabänderlichen allgemeinen Weltordnung zu finden. Dies zu erlangen, so lehrte man, war das Ausschalten aller Leidenschaften erforderlich. Dadurch sollte der Weise die Unabhängigkeit von den äußeren Gütern erreichen, die ihn vom inneren Einklang ablenkten. Der Niederländer Justus Lipsius, der die Theorie des absolutistischen Machtstaates mit dem Gedanken der inneren Disziplin verbindet, greift diese Lehre wieder auf. Sie wird nun innerhalb des christlichen Rahmens dazu benutzt, innere Beständigkeit und dauernde Gemütsruhe zu gewinnen. Das neustoische Denken rechtfertigt die irdischen Leiden, indem es sie zur Bedingung dafür erklärt, Tugend erlernen und bewähren zu können.

Der Wunsch nach einer höheren Ordnung, die alle Spannungen überwölbt, zeigt sich auch im literarischen Stil. Einerseits spricht die Literatur durch Steigerung und Antithese vom Ungewöhnlichen und Gegensätzlichen; sie erzählt von einmaliger Standfestigkeit des Helden, vom tiefsten Elend, von der heißesten Liebe, und sie beruft Gegensätze wie Diesseits und Jenseits oder Leben und Tod. Andererseits sucht sie gerade in alledem nach höherer Ordnung, sei es wie im Mittelalter nach der heilsgeschichtlichen Ordnung, sei es ganz allgemein nach einem harmonischen Zusammenhang moralischer und nützlicher Regeln.

Die philosophische Antwort auf diese Suche gibt gegen Ende der Epoche Gottfried Wilhelm Leibniz. In seiner 'Monadenlehre' will er zeigen, daß Gott die Welt von Anfang an gesetzmäßig und harmonisch geordnet und zugleich jeder einzelnen Monade als seelischem Kraftfeld die Möglichkeit gegeben hat, sich fortschreitend zu vervollkommnen. Dieser Vervollkommnung muß auch das Übel dienen, so daß die Welt trotz ihrer scheinbaren Mängel letztlich doch nützlich eingerichtet ist. Sie ist die beste aller möglichen Welten und stellt insofern eine 'Theodizee', eine Rechtfertigung Gottes, dar. Ausgehend von der Mystik, hatte der schlesische Schuster Jakob Böhme schon früher gelehrt, die harmonische Weltordnung in der Entsprechung zwischen dem großen Kosmos der Natur und dem Menschen als einem kleinen Kosmos zu sehen. Auch Gut und Böse, wiewohl Gegensätze, sollen einander entsprechen. Denn gäbe es kein Böses, wie würden wir des Guten gewahr?

1.3 Schein und Sein

Die Suche nach der beständigen Ordnung hinter den vergänglichen Gegensätzen hat auch diesen Aspekt: Man sucht nach dem Sein hinter dem Schein. Darum liest man alle Erscheinungen in Natur und Geschichte als Zeichen, die auf Normen richtigen und nützlichen Handelns verweisen. Daß ein Bienenstock sich in einem Kriegshelm eingenistet hat, gilt als Zeichen dafür, daß der Fürst den Frieden dem Krieg vorziehen soll. Daß Daidalos nach griechischer Sage den menschenfressenden Stier Minotauros in ein Labyrinth einsperrte, ist ein Zeichen dafür, daß Kriegsleute ihre militärische Taktik geheimhalten sollen. Wer so in allem die tiefere Bedeutung erkennt, dem verwandelt sich die chaotische Welt in eine Schatzkammer hilfreichen Wissens. Daraus folgt: Kein Ding hat Eigenwert. Einen Wert gewinnt es nur als Zeichen. Wer nach dem Eigenwert der irdischen Dinge fragt, verfällt ihrem Schein. Nur wer sie als Erscheinung höherer Normen deutet, wird nicht getäuscht. Das trifft auch für den Menschen zu. Nicht seine persönliche Eigenart gilt, sondern die höhere Ordnung, für die er steht. Mit anderen Worten: Nicht als er selbst ist der Mensch von Bedeutung, wohl aber als gehorsamer Schauspieler der Rolle, die ihm Gott in der hierarchischen Ordnung der Welt zugeteilt hat.

Vor allem den Fürstenstaat deutet man als Erscheinungsform höherer Ordnung. Der absolute Fürst soll den Staat regieren wie die Vernunft den Körper mit seinen Leidenschaften oder wie die Sonne das Planetensystem. Nur dann wird richtiges und somit zufriedenes Leben aller überhaupt möglich. Fürstenlob ist für die Epoche selbstverständlich. Die Literatur lobt den Fürsten aber nicht als Privatmenschen, sondern als Repräsentanten der staatlichen Ordnung. Sie lehrt ihn, klug zu taktieren, wenn es um den Erhalt dieser Ordnung geht. Aber sie hält ihm auch das Ideal der wohlfunktionierenden Ordnung vor Augen. Da Hofleute die Techniken politisch-taktischen Verhaltens oft auch dann anwenden, wenn es gar nicht um das Interesse des Staates geht, sondern um ihre persönliche Karriere, werden sie oft scharf kritisiert. Einerseits ahmt man weithin die höfischen Formen nach, andererseits wird der Hof als Ort betrügerischen Scheins häufig zum Inbegriff irdischer Sündhaftigkeit. Johann Michael Moscheroschs Satire ,Wunderliche und wahrhaftige Geschichte Philanders von Sittewald' (1640), die auf die ältere Narrenliteratur zurückgeht, stellt der Nachahmung des französischen Hofwesens, welche die ständische Ordnung zerstört, die (vermeintliche) alte deutsche Redlichkeit gegenüber.

2 Sprach- und Dichtungsauffassung

2.1 Sprachreform

Im katholisch-habsburgischen Süden lebt das Lateinische als Sprache der Dichtung noch längere Zeit weiter. Im protestantischen Norden hingegen regt sich ein kulturelles Nationalbewußtsein, das sowohl die Ablösung der lateinischen Sprache verlangt als auch die kulturelle Überlegenheit des Auslands angreift. Man will die deutsche Sprache auf das Niveau des Lateinischen und Französischen heben und die deutschsprachige Literatur nach den Regeln der antiken und humanistischen Dichtungslehren veredeln. Vor allem geht es darum, Einheitlichkeit, Ausdrucksfähigkeit und Wohllaut der Sprache zu erhöhen. Zu diesem Zweck werden ungehobelte Ausdrücke und Dialektwörter vermieden sowie Fremdwörter eingedeutscht. Dabei entstehen heute noch gebräuchliche Wörter wie „Einzahl" und „Mehrzahl", „Verfasser" oder „Gesichtskreis". Die Sprachreform soll mit einer Reform der Sitten einhergehen. Einerseits ist sie an den höfischen Gedanken kultureller Verfeinerung geknüpft, andererseits ist sie mit einem hofkritischen Nationalgefühl verbunden, das die Wiederherstellung alter deutscher Treue und Lauterkeit verlangt.

Zum Zweck der Sprachreform wird eine Reihe von Sprachgesellschaften gegründet, die sowohl adlige als auch bürgerliche Mitglieder haben. An ihrer Spitze steht die ‚Fruchtbringende Gesellschaft', 1617 vom Fürsten Ludwig von Anhalt-Köthen nach italienischem Vorbild gegründet. Ihr Sinnbild ist die Kokospalme, die als Zeichen vielfachen Nutzens gilt. Später entstehen weitere Gesellschaften, unter ihnen die Nürnberger ‚Pegnitzschäfer' um Harsdörffer, der Königsberger Kreis um Simon Dach, die ‚Aufrichtige Gesellschaft von der Tannen' in Straßburg und die ‚Deutschgesinnte Genossenschaft' um Zesen in Hamburg. Die Bemühungen der Sprach- und Dichtungsformen führen zur Entstehung von Grammatiken, Wörterbüchern und Dichtungslehren.

Grundlegende Wirkung hat das ‚Buch von der Deutschen Poeterey' (1624) des Martin Opitz, dessen Reformprogramm ab 1630 von der ‚Fruchtbringenden Gesellschaft' unterstützt wird. In seinen Stilvorstellungen den antiken Redelehren verpflichtet, formuliert er doch zum erstenmal entschieden die Forderung nach Wohllaut, Eleganz und Klarheit auch des Deutschen. Er entdeckt, daß im deutschen Vers die Akzente gezählt werden müssen (nicht z. B. die Silben, wie es die Meistersinger taten und wie es dem französischen Vers angemessen ist), er fordert den Zusammenfall von Wort- und Versakzent und empfiehlt als Versmaß den Alexandriner, einen sechsfüßigen Jambus mit einer Pause (Zäsur) in der Mitte. Der Alexandriner, der Antithese und Entsprechung besonders gut ausdrücken kann, wird bis ins 18. Jahrhundert hinein zum beliebtesten Vers in Lyrik und Drama. Weiterhin verlangt Opitz reine Reime und die Vermeidung von Fremdwörtern. Stilbildend wirken die poetischen Beispiele, die er gesammelt oder selbst geschrieben hat (‚Teutsche Poemata', 1624). Außerdem bemüht er sich um deutliche Gattungsdefinitionen. Tragödie und Komödie werden mit Hilfe der sog. Ständeklausel unterschieden: Die Tragödie handelt von Personen hohen, die Komödie von solchen niederen Ranges.

2.2 Rhetorik

Die Dichtung des Barock will wesentlich belehren. In der Fähigkeit, etwas drastisch zu vergegenwärtigen und es zugleich als Zeichen zu deuten, aus dem man Gutes und Nützliches lernen kann, liegt die geistige Kraft, sozusagen die Tugend des dichterischen Wortes. Um drastisch zu vergegenwärtigen, bietet man die Mittel eindringlich hinweisenden Redens auf, die die Rhetorik (Redelehre) gesammelt hat. Man ist überzeugt, Dichtung sei weitgehend lernbar. Zunächst wählt man die zu behandelnden Lehrsätze, dann denkt man sich passende Beispiele aus, schließlich stellt man sie mit Hilfe der Redelehren eindringlich dar.

Die Redelehren sind nach antikem Vorbild eingeteilt in die inventio (Lehre vom Finden der passenden Gedanken), dispositio (Gliederung) und elocutio (Stillehre). In der inventio lernt man, wie man seine Gedanken erweitern und anreichern kann, z. B. durch die Fragen: Wer? Was? Wo? Mit wessen Hilfe? Warum? Wie? Wann? oder durch bestimmte Schemata, etwa Lob durch Verbindung des Gegensätzlichen („Er war mit der Feder ebenso gewandt wie mit dem Schwert"). In der dispositio lernt man, die Gedankenfolge zu gliedern, ähnlich wie heute noch im Schulaufsatz. In der elocutio lernt man die stilistischen Mittel je nach der Wirkungsabsicht auszuwählen. Es gibt den einfachen Stil mit dem Ziel, nüchtern zu belehren, den mittleren Stil mit dem Ziel zu erfreuen und zu bewegen, den erhabenen Stil mit dem Ziel zu erschüttern. Je höher der Stil, desto reicher die Schmuckformen, z. B. Metapher, Synekdoche (ein Teil fürs Ganze oder umgekehrt: „unser täglich Brot" für alle Lebensmittel, „das Leder" für Fußball), Formen effektvoller Wiederholung oder Häufung, Antithese, Gleichnis oder Exempel und vieles andere.

In jeder literarischen Gattung bedient man sich auch rhetorischer Mittel. In der Tragödie oder in ernsthafter Lyrik wird man z. B. den erhabenen Stil, in der Komödie den mittleren Stil gebrauchen. Gebrauchsformen wie etwa die Predigt verwenden den einfachen Stil, soweit sie auf volkstümlich-verständliche Weise belehren wollen. Aber die bittere Pille christlicher Belehrung soll zumeist durch den gefälligen Stil verzuckert, der Zuhörer soll zur Sympathie mit den vorgebrachten Argumenten bewegt werden, und schließlich gibt es Predigten, die das Publikum erschüttern sollen. Neben trockenen protestantischen Predigten, in denen theologische Auseinandersetzungen ausgetragen werden, stehen katholische Predigten wie diejenigen des Abraham a Santa Clara, in denen die Zuhörer mit drastischer Komik, mit Häufung von Synonymen, mit Fabeln und Schwänken bei Laune gehalten werden. In allen Fällen bedient man sich rhetorischer Mittel.

Rhetorisches Kalkül und einfaches, volkstümliches Sprechen schließen einander nicht aus. Das zeigt ‚Eine Predigt, daß man Kinder zur Schule halten solle' (1530) von Martin Luther, der für die Protestanten im Barock selbstverständlich noch vorbildlich ist. Einleitung und Schluß umschließen einen Hauptteil, der in parallele und gleichlange Abschnitte gegliedert ist: geistlicher Nutzen, wenn die Kinder im Christentum unterwiesen werden – geistlicher Schaden, wenn man sie nicht unterweist; weltlicher Nutzen – weltlicher Schaden. Die Argumente werden den Techniken der elocutio gemäß ausgewählt (z. B. Begründung des Unternehmens in der Einleitung: „Ich rede im Interesse des Allgemeinwohls"), erweitert und gehäuft, letzteres teils um der Nachdrücklichkeit willen, teils um dem Leser ein Schatzkästlein guter Lehren und Beispiele zu bieten, aus dem er sich jederzeit Passendes aussuchen kann. Schmuckformen sollen das Interesse wachhalten: Sentenz, Beispiele, Vergleiche, Metaphern, Anrede des Lesers und rhetorische Fragen, Hyperbel (übertreibender Vergleich) u. a. Mit ihrer Hilfe geht Luther immer wieder vom Belehren (einfacher Stil) zum Bewegen des Lesers über, das dem mittleren Stil entspricht.

Die Bemühung um einen eleganten Stil und die Betonung der rhetorischen Mittel kann zur Verselbständigung der Form führen, hinter welcher der Sachbezug verschwindet. Solch eine Schreibweise, die mit Redefiguren nur noch spielt, häufig auch leserfreundliche Erklärungen vermeidet und daher oft schwer verständlich wirkt, nennt man Manierismus. Es gibt Manierismus nicht nur in dieser Epoche, er hat aber die Vorstellung späterer Zeiten von der schwülstigen Barockliteratur geprägt. Tatsächlich läßt sich jedoch nur ein Teil der barocken Literatur, hauptsächlich die sog. zweite Schlesische Schule um Hofmannswaldau und Lohenstein, als manieristisch bezeichnen. Ihr Vorbild ist der italienische Barockdichter Giambattista Marino. Dem Wunsch, die Wirklichkeit in Zeichen zu verwandeln, entspricht der allegorische Zug der barocken Dichtung. Allegorien (oder Sinnbilder) sind bildliche Darstellungen, die auf einen tieferen Sinn verweisen. Das Bild des Skeletts mit Stundenglas und Hippe ist eine Allegorie des Todes und verweist auf die Vanitas alles Irdischen. Besonders beliebt, vor allem in den Predigten, ist das Emblem, eine Abbildung oder eine Bildbeschreibung mit einer Überschrift und einer Erläuterung, die Bild und Überschrift im Sinn einer Lehre ausdeutet:

Ex bello pax.

Die lateinische Bildunterschrift:

En galea intrepidus quam miles gesserat, & quæ
Sæpius hostili sparsa cruore fuit.
Parta pace apibus tenuis conæßit in usum
Alueoli, atque fauos, gratáque mella gerit.
Arma procul iaceant, fas sit tunc sumere bellum,
Quando aliter pacis non potes arte frui.

Emblem aus Andreas Alciatus: „Emblematum Libellus“. Paris 1542. Reprographischer Nachdruck: Wissenschaftliche Buchgesellschaft, Darmstadt 1967, S. 106.

Der lateinische Text wird in der gleichen Ausgabe folgendermaßen übersetzt:

Frid auß krieg.

Was seltzam anndrung gsicht auff erd:
Der helm gefuert in schlacht vnd streit
Vil iar, vnd offt mit bluet berert,
Iezund in rwe vnd frides zeit
Ist zu aim pinen korb verkert,
Darinn gezogen honigs vil:
O Furst all krieg mit ernst vermeyd,
Wo du mit rwe magst sitzen stil.

Friede aus Krieg

Welch seltsame Veränderung geschieht auf Erden:
Der Helm, viele Jahre in Schlacht und Kampf
getragen und oft mit Blut benetzt,
hat sich jetzt, in der Zeit der Ruhe und des Friedens,
in einen Bienenkorb verwandelt,
in dem viel Honig gewonnen wird.
O Fürst, vermeide entschlossen alle Kriege,
solange du selbst in Ruhe gelassen wirst.

3 Name und zeitliche Begrenzung der Epoche

Der rhetorische, manchmal zum Manierismus führende Zug der Barockliteratur gab der Epoche den Namen: Die portugiesische Bezeichnung 'pérola baroca' (vielfarbig schimmernde, schiefrunde Perle) führte über das französische 'baroque' (exzentrisch, bizarr) zu dem deutschen Wort 'Barock', das im 18. Jahrhundert von Johann Joachim Winckelmann, dem bedeutenden Theoretiker der klassischen Kunstauffassung, abwertend zur Bezeichnung unharmonischer Kunstformen verwendet wurde. Der Kunsthistoriker Heinrich Wölfflin führte 1888 das Wort als neutrale Bezeichnung für die Kunst der zweiten Hälfte des 16. sowie des 17. und 18. Jahrhunderts ein. Später bezeichnete er damit auch einen überzeitlichen Kunststil, der im polaren Gegensatz zum ebenfalls überzeitlichen Klassischen stehen sollte. Zu Beginn des 20. Jahrhunderts übernahm die Literaturwissenschaft den Begriff, um sowohl die Literatur des 17. Jahrhunderts als auch einen überzeitlichen Stil zu bezeichnen. Für letzteren wurde später aber der Begriff 'Manierismus' eingeführt.

Die abwertende Vorstellung von einer insgesamt schwülstigen Barockliteratur, die sich an der Begriffsgeschichte ablesen läßt, verschwand erst, als man sich um 1900 in Österreich einer lebendigen Tradition des barocken Theaters bewußt wurde und als bald darauf die Expressionisten ihre Erfahrung, als einzelner Mensch in einer fremden Welt allein zu sein, im Vanitas-Motiv gespiegelt sahen.

Die allein auf die künstlerische Form bezogene Barockdefinition führte dazu, daß manche Wissenschaftler die Epoche auf die damals neue, vom Ausland beeinflußte, insbesondere auf die manieristische Literatur beschränken wollten und damit sowohl die im ersten Drittel des 17. Jahrhunderts entstandene Literatur als auch umfangreiche Teile der späteren ausschlossen. Demgegenüber pflegt man heute mit 'Barock' die gesamte Dichtung des 17. (und des beginnenden 18. Jahrhunderts) in ihrer spannungsreichen Gegensätzlichkeit zu bezeichnen.

4 Eine Literatur der Spannungen und Gegensätze

4.1 Lyrik

Angelus Silesius: Geistreiche Sinn- und Schlußreime (1657; ab 2. Auflage 1674: Cherubinischer Wandersmann)
Paul Fleming: Teutsche Poemata (1642)
Andreas Gryphius: Lissaer Sonette (1637; erweiterte Auflagen 1646 und 1650)
Johann Christian Günther: Deutsche und lateinische Gedichte (1724, postum)
Herrn von **Hofmannswaldau** und anderer Deutschen auserlesene Gedichte. Herausgegeben von Benjamin Neukirch (1695/1727)
Friedrich von Logau: Deutscher Sinn-Gedichte drey Tausend (1654)

Die deutschsprachige Lyrik bildet sich aus am Vorbild der zeitgenössischen lateinischen sowie der italienischen, französischen und niederländischen. Die barocken Gedichte sollen nichts Persönliches ausdrücken, sondern eine allgemeingültige Behauptung, ein Lob, eine Lehre, so nachdrücklich wie möglich vertreten. Die Gedichte sind viel stärker, als wir uns das heute vorstellen, für den Gebrauch gedacht, häufig für ganz bestimmte Gelegenheiten. Man schreibt Gelegenheitsgedichte zu Taufen, Hochzeiten, Krönungen, Begräbnissen.

Dabei tritt der einzelne stärker hervor als früher. Das Lied, mit künstlerischer Sorgfalt verfaßt, wandelt sich vom Chorlied zum Sololied für festliche Gelegenheiten. Aus dem Wir, das im lutherischen Kirchenlied spricht, wird das mit rhetorischem Nachdruck redende Ich, das aber nicht als besonderes, sondern als exemplarisches gedacht wird.

Auch in der Liebeslyrik spricht das einzelne Ich als exemplarisches. Seit Opitz setzt sich hier der *Petrarkismus* durch, den in Deutschland Paul Fleming vertritt. Hier werden Haltung und Stilzüge, die der Lyrik des italienischen Dichters Petrarca eigen sind, zu Regeln verfestigt. Lob der Geliebten (nach einem bestimmten Schema) und Klage über die Unerfüllbarkeit der Liebe verbinden sich miteinander in einem Stil der Antithesen und Steigerungen. Die schwankenden Gefühle werden mit Eis und Feuer verglichen, die äußere Schönheit mit Kleinodien, die der Geliebten gegenüber verblassen.

Hofmannswaldau steigert das Spiel mit den rhetorischen Formen zum Manierismus und zeigt darin, wie die Kraft des dichterischen Geistes alle Themen, nicht zuletzt die verfänglichen der Erotik, der Ordnung eines geistreichen Formenspiels einfügen kann. Gegen Ende der Epoche beginnt Johann Christian Günther, die rhetorischen Formen mit persönlichen Erfahrungen zu füllen.

Ganz auf die belehrende Pointe hin ausgerichtet ist das Sinngedicht oder Epigramm (griech. epigramma = Inschrift, Aufschrift), ein Kurzgedicht mit überraschender Sinndeutung, das schon die Antike pflegte. Angelus Silesius (eigentlich Johann Scheffler), der von der protestantischen Mystik ausging und dann zur katholischen Kirche konvertierte, schrieb mystische Epigramme mit geistreicher Pointierung:

> *Die Rose*
>
> Die Rose / welche hier dein äußres Auge siht /
> Die hat von Ewigkeit in GOTT also geblüht.[*]   [*]idealiter

> *Ohne warumb*
> Die Ros' ist ohn warumb / sie blühet weil sie blühet /
> Sie achtt nicht jhrer selbst / fragt nicht ob man sie sihet.

Die Rose wird von der Blume der irdischen zu derjenigen der himmlischen Liebe. Das innere Auge des Geistes sieht in der realen Rose deren göttliches Urbild im Sinne Platons; darauf weist der erklärende Zusatz „idealiter" hin. Das Sein der göttlichen Liebe, für welche die Rose einsteht und die zur mystischen Einheit zwischen Gott und dem Gläubigen führt, bedarf keiner Begründung. Der Rhythmus des Alexandriners gliedert den Gedankengang.

Ein anderer Meister des Epigramms ist Friedrich von Logau.
Zwei seiner Gedichte lauten:

> *Lebens-Satzung*
>
> Leb ich / so leb ich!
> Dem Herren hertzlich;
> Dem Fürsten treulich;
> Dem Nechsten redlich;
> Sterb ich / so sterb ich!

> *Glauben*
> Lutherisch, Päbstisch vnd Calvinisch / diese Glauben alle drey
> Sind vorhanden; doch ist Zweiffel / wo das Christenthum dann sey.

Das erste Epigramm läßt Logaus Hauptanliegen erkennen, nämlich Lebensweisheit zu verkünden. Die ersten vier Zeilen entwerfen das Programm eines Lebens, das den antihöfischen, aber nicht gegen den Fürsten gerichteten Idealen alter Treue und Redlichkeit verpflichtet ist (mit der Aufzählung in absteigender Linie: von Gott dem Herrn über den Fürsten zum Nächsten). Nach der vierten Zeile erwartet man vergebens eine entsprechende Lehre des rechten Sterbens, wie man sie sonst aus der Zeit durchaus kennt. Der überraschte Leser wird um so eindringlicher auf die Parallele zwischen erster und letzter Zeile hingewiesen; es handelt sich jedesmal um einen Schluß – die Zäsur unterstreicht den Charakter der Schlußfolgerung –, der als Tautologie jedoch zugleich jede Folgerung und damit alles Klügeln und Deuteln ausschließt: Nicht der religiöse Streit, nur Redlichkeit und Gehorsam können unserem Leben Halt verleihen, so wie die erste und letzte Zeile mit ihren rhythmischen Pausen den fließenderen Rhythmus des Gedichtinnern einschließen. Im zweiten Epigramm, in dem Logau wiederum raffiniert mit dem Rhythmus arbeitet, übt er aus der gleichen Haltung heraus satirische Kritik an den streitenden christlichen Parteien. Diese Kritik wird erst in der zweiten Hälfte des zweiten Alexandriners erkennbar und kommt somit als überraschende Pointe.

Beliebt ist auch das Sonett, ein vierstrophiges Gedicht aus zwei Quartetten (Vierzeilern) und zwei Terzetten (Dreizeilern), zumeist mit dem Versschema abba/abba/cdc/cdc. Ein Beispiel von Andreas Gryphius (mit dem Versschema abba/abba/ccd/eed):

> *Einsamkeit*
>
> In diser Einsamkeit / der mehr denn öden Wüsten /
> Gestreckt auff wildes Kraut / an die bemößte See:
> Beschau' ich jenes Thal und diser Felsen Höh'
> Auff welchem Eulen nur und stille Vögel nisten.
> Hir / fern von dem Pallast; weit von des Pövels Lüsten /
> Betracht ich: wie der Mensch in Eitelkeit vergeh'
> Wie / auff nicht festem Grund' all unser Hoffen steh'
> Wie die vor Abend schmähn / die vor dem Tag uns grüßten.
> Die Höl' / der rauhe Wald / der Todtenkopff / der Stein /
> Den auch die Zeit auffrist / die abgezehrten Bein /
> Entwerffen in dem Mutt unzehliche Gedancken.
> Der Mauren alter Grauß / diß ungebau'te Land
> Ist schön und fruchtbar mir / der eigentlich erkant /
> Daß alles / ohn ein Geist / den Gott selbst hält / muß wancken.

Das Gedicht beschreibt keine erfahrene äußere Landschaft, es werden vielmehr Elemente der Natur nebeneinandergestellt. Sie sind äußerlich unverbunden, galten den Zeitgenossen aber alle als allegorische Requisiten von Einsamkeit und Melancholie. Der Melancholiker hält sich fern von der Gesellschaft, sowohl vom Hof wie von den unteren Schichten, die damals jeweils exemplarisch entweder für das geschickte Taktieren um der Macht und des Ranges willen oder für die Unterwerfung unter die Leidenschaften standen. Erst in Einsamkeit, die ihn von beiden Haltungen befreit, ist der Mensch imstande, sich der Vanitas (Eitelkeit) bewußt zu werden. In der Melancholie zu verharren, wäre aber Sünde. Es geht vielmehr darum, vom bloßen 'Beschauen' des Äußeren (1. Quartett) über das 'Betrachten' seiner Bedeutung für das irdische Leben (2. Quartett) dazu zu gelangen, im Innern („Mutt") die Gedanken zu 'entwerfen' (1. Terzett), die zur 'eigentlichen' Erkenntnis führen (2. Terzett). Diese Erkenntnis der heilsgeschichtlichen Bedeutung, daß allein Gott im irdischen Verfall ewigen Halt verspricht, verwandelt die melancholisch-häßliche in eine schöne Welt („schön und fruchtbar mir"). Der Leser soll dem Dichter auf diesem Weg von der Anschauung (in den beiden Quartetten) zur inneren, christlichen Auswertung (in den beiden Terzetten) nachfolgen.

4.2 Drama

Mit ausländischen, vor allem englischen Wanderbühnen kommen die ersten Berufsschauspieler nach Deutschland. Durch Personalwechsel werden aus ihnen später allmählich deutsche Gruppen. Sie spielen Stücke unbekannter Autoren oder solche bekannter (z. B. Shakespeare) in vereinfachender Bearbeitung. Dabei wird, schon wegen der unterschiedlichen Sprachen, die Mimik für das Verständnis wichtiger als der Text. Die Handlung konzentriert sich auf die pompöse politische 'Staatsaktion', die in fernen Ländern spielt. Die Wirkung dieser schauerlichen und rührenden 'Hauptaktion', die mit dem Sieg des Guten endet, wird durch ein komisches Nachspiel mit dem Hanswurst oder Pickelhering wieder gemildert.

4.2.1 Trauerspiel

Jacob Bidermann: Cenodoxus (1602 lat.; 1635 ins Deutsche übersetzt)
Andreas Gryphius: Ermordete Majestät Oder Carolus Stuardus, König von Groß Brittanien (1657; 2. Fassung: 1663) Großmüthiger Rechts-Gelehrter, Oder Sterbender Aemilius Paulus Papinianus (1659)
Daniel Casper von Lohenstein: Cleopatra (1661)
Christian Weise:
Trauer-Spiel von dem Neapolitanischen Haupt-Rebellen Masaniello (1682)

Größere künstlerische Ansprüche als die Dramen der Wanderbühne stellen die lateinischen Dramen, die im Dienst der Gegenreformation hauptsächlich an Jesuitenschulen geschrieben und aufgeführt werden. Sie werben für die Kirche, dienen aber auch dem Unterricht in Latein, Redelehre und gewandtem Auftreten. Auch hier verlangt allein schon das Sprachproblem – die Zuschauer erhalten deutsch geschriebene Inhaltsangaben –, den Nachdruck auf Äußeres zu legen. Man pflegt die prunkvolle Darstellung mit Theatermaschinen, Musik und Ballett. Die Helden, vorzugsweise aus Bibel und Legende, sind zumeist Märtyrer. Der Blick aufs Jenseits erlaubt, neben möglichst schauerlichen Opferszenen das Hinfällige der Welt in komischen Einlagen zu zeigen. Die Figuren stehen im Kampf zwischen Leidenschaften und göttlicher Erleuchtung. Dieser Kampf weist über die jeweilige Person hinaus; häufig treten innere Instanzen wie Gewissen, Tugenden und Laster als selbständige allegorische Figuren auf.

Jacob Bidermann, der mit ‚Philemon Martyr‘ (1666; entstanden 1610/20) eines der eindrucksvollsten Märtyrerdramen schrieb, verurteilt im ‚Cenodoxus‘ die cenodoxia (eitle Ruhmsucht), die im kirchlichen Schema der Todsünden mit dem Hochmut zusammenfällt. Heuchlerischem Hochmut nämlich, so urteilt der Autor vom Standpunkt der Gegenreformation aus, ist der humanistische Gelehrte verfallen, der stoischer Lehre folgt und sich somit auf seine eigene innere Kraft verläßt. Der Gelehrte, der Tugend und Frömmigkeit zur Schau trägt, vermag gefaßt zu sterben, aber das göttliche Gericht überantwortet seine Seele dem Teufel, weil die tugendhafte Gefaßtheit nur eitler Schein dessen ist, der Gottes nicht zu bedürfen glaubt. Mit diesem Stück setzt die fünfaktige Gliederung der Dramen ein.

Mit dem schlesischen Schuldrama, das etwa in der Mitte des Jahrhunderts beginnt, erreicht die deutschsprachige Tragödie sogleich ihren ersten Höhepunkt. In diesen Stücken, die dem Unterricht an weltlichen Schulen dienen, verbinden sich Einflüsse niederländischer Dramentheorie und -praxis mit denen des Ordensdramas und der Dramen Senecas, des Vertreters der antiken Stoa. Ein Chor („Reyen") am Ende jeden Akts deutet das Geschehen oder zieht eine Lehre daraus. Die Ständeklausel ergibt sich hier schon daraus, daß politisches Ränkespiel dargestellt werden soll; damit ist der fürstlich-höfische Raum vorgegeben. Im Mittelpunkt der Intrige steht der außergewöhnliche Mensch, der im heroischen Sieg über die Leidenschaften und im standhaft ertragenen Tod die Macht des Geistigen über das Irdische bezeugt.

Der unbestrittene Meister des schlesischen Schuldramas ist Andreas Gryphius.

Gryphius (eigentlich Greif; 1616-1664) stammte aus einer wohlhabenden protestantischen Pfarrersfamilie in Glogau. Schon als Kind erlebte er die Verfolgung der Protestanten während der Zeit der Gegenreformation, sein ganzes Leben wurde durch die Wirkungen des Dreißigjährigen Krieges bestimmt. Nach dem Tod der Mutter und der Vertreibung des Stiefvaters – den leiblichen Vater hatte Gryphius schon als Vierjähriger verloren – wurde der Neunjährige zunächst von einer älteren Stiefschwester aufgenommen, dann vom Stiefvater, der zuerst in einem Dorf an der polnischen Grenze, dann in Fraustadt Zuflucht gefunden hatte. Am Fraustädter Gymnasium lernte der Junge Redekunst und Theaterspiel. Von 1634 bis 1636 war er Hauslehrer in Danzig, dann bei dem gelehrten Juristen Schönborner in der Nähe von Freistadt. Schönborner half ihm, sich weiterzubilden, insbesondere politisch, juristisch und fremdsprachlich. Ab 1638 studierte Gryphius im niederländischen Leiden, vor allem Jura und Medizin, hielt selber Kurse ab in Philosophie, Geographie und Mathematik, Astronomie, Medizin, Geschichte und Poesie. Er soll bis zu elf Sprachen gesprochen haben. 1644/1646 führte ihn eine Studienreise nach Frankreich und Italien. Anschließend ging es nach Straßburg, dann über Holland per Schiff wieder nach Fraustadt. 1650, zwei Jahre nach seiner Heirat mit der Tochter eines Fraustädter Ratsherrn, wurde er zum Protokollführer und Rechtsberater (Syndicus) der Landstände (des ständisch zusammengesetzten Landtags) in Glogau ernannt, wo er zwischen den Interessen Schlesiens und Wiens zu vermitteln hatte, zwischen seinem protestantischen Glauben und seiner Überzeugung vom Gottesgnadentum der habsburgischen Kaiser.

In seinen Trauerspielen verbindet Gryphius Glaubensstärke und Stoizismus mit der Welt der hohen Politik, auch an vorchristlichen Beispielen. Der ‚Papinian‘, der auf die Hinrichtung des Präfekten Papinian durch den römischen Kaiser Caracalla zurückgeht, zeigt den vorbildlichen Helden, der sich tugendhaft und standhaft weigert, kaiserlichen Brudermord zu rechtfertigen, sich nicht bestechen läßt und lieber sehenden Auges in den Tod geht. Papinian ist ein Märtyrer des „ewigen Rechts" in einer Welt politischer Taktik und der unbeherrschten Leidenschaften. Der Jurist Gryphius greift damit in die Diskussion ein, welche die Zeitgenossen am Beispiel des römischen „Rechtsgelehrten" führten: ob man in kluger Anpassung einen schlechten Fürsten zu mäßigen oder kompromißlos Rechtlichkeit vor politische Klugheit zu stellen habe, eine Diskussion, die vor allem für die bürgerlichen Aufsteiger im höfischen Verwaltungsdienst von Interesse war.
In keinem Fall jedoch ist Königsmord zu rechtfertigen. Das lehren ausdrücklich die „Reyen" im ‚Carolus Stuardus‘, der die Hinrichtung Karls I. von Großbritannien im Jahre 1649 zum Thema hat; die seltene Hinwendung zu einem aktuellen Thema zeigt, wie sehr dies damals die Geister aufrührte. Die Leidensgeschichte des standhaften königlichen Märtyrers, der sich weigert, an einer Verschwörung zu seiner Befreiung teilzunehmen, erscheint hier als Wiederholung von Christi Passion.
Ebenso wie Gryphius ist Daniel Casper von Lohenstein, der zweite Vertreter des schlesischen Schuldramas, ein hochgebildetes Mitglied des Stadtpatriziats.

Lohenstein (1635–1683) aus Nimptsch bei Breslau war Sohn eines kaiserlichen Steuereinnehmers und Ratsherrn, der 1670 für sich und seine Familie den Adelstitel erhielt. Nach seiner Schulzeit in Breslau begann er 1631 mit dem Jurastudium in Leipzig und Tübingen. Danach führte ihn eine Bildungsreise in die Schweiz, die Niederlande, die Steiermark und nach Wien. Anschließend heiratete er und ließ sich in Breslau als Rechtsanwalt nieder. 1668 wurde er Regierungsrat des Fürstentums Oels, 1670 wählte man den Neugeadelten zum Syndicus des Breslauer Rats. 1673 wurde er durch Kauf und Erbe zum Besitzer dreier Rittergüter. Lohenstein hatte die gleichen diplomatischen Aufgaben wie Gryphius vor sich: die Selbständigkeit der Stände und den protestantischen Glauben gegenüber den Habsburgern zu wahren. Er löste sie als kluger, geschmeidiger Politiker, der sich nicht mit der Frage der Glaubenstreue belastet wie der Pfarrersohn Gryphius, sondern dem Verhältnis zwischen der Geschichte der Staaten und dem politischen Handeln des einzelnen Menschen nachsinnt.

Dementsprechend sind Lohensteins Dramen ganz von der politischen Praxis bestimmt. Seine Helden sind keine passiven, christlichen Märtyrer, sondern fehlbare, nicht selten lasterhafte Menschen, die sich selbst im ungewissen politischen Ränkespiel versuchen. Läßt das undurchschaubare göttliche 'Verhängnis', das Aufstieg und Fall der Reiche und Fürsten bestimmt, ihre Pläne trotz klugen Weitblicks scheitern, so wissen sie das mit Gleichmut zu ertragen, auch wenn sie vorher ihren Leidenschaften und Machtwünschen folgten. Sie blicken erst zum Schluß, im Scheitern, auf den Tod, der Gryphius' Helden immer gegenwärtig ist. Nicht die dauernde Beständigkeit, sondern der selbstüberwindende Umschwung wird hervorgehoben. Lohenstein wählt öfter weibliche Helden, weil er an ihnen den Umschwung von Leidenschaft und Machtdenken zum gefaßten Sterben besonders nachdrücklich darstellen kann. Cleopatra, die berühmte ägyptische Königin, Geliebte Cäsars und Mark Antons, wird in Lohensteins gleichnamigem Stück keineswegs tugendhafter dargestellt, als sie war. Nachdem sie davon hört, daß Mark Antons Räte ihm empfohlen haben, sich mit ihrem gemeinsamen Gegner Augustus zu vergleichen und die ägyptische Königin aufzugeben, treibt sie ihren Geliebten durch List zum Selbstmord. Aber es gelingt ihr nicht, nun den siegreichen Augustus zur Liebe zu bewegen und so ihre Macht zu bewahren. Sie durchschaut seinen Versuch, sie nach Rom zu locken, um sie dort als Gefangene vorzuführen. Da sie dem aber nicht entgehen kann, gibt sie sich beherzt den Tod. Sie kommt nicht gegen das 'Verhängnis' an: Das Römische Reich steigt auf, und die österreichischen Kaiser werden einmal seine Nachfolge antreten.

Der Zittauer Rektor *Weise* nähert sich bereits der Aufklärung. Er benutzt keine „Reyen" mehr. In seinem ‚Masaniello' verlegt er die Handlung aus dem höfischen Innenraum hinaus in den Streit zwischen Landesherrschaft und aufständischem Zunftbürgertum. Zwar akzeptiert er dabei die absolutistische Staatsräson, nach welcher die Ordnung um jeden Preis aufrechterhalten werden muß, erkennt aber auch die moralische Berechtigung des Aufstandes an.

4.2.2 Komödie

Andreas Gryphius: Absurda Comica Oder Herr Peter Squentz (1657)
Verliebtes Gespenste / Die geliebte Dornrose (1660)

Die Komödie wird hauptsächlich von der englischen Wanderbühne und der italienischen *Commedia dell'arte* beeinflußt. Letztere ist ein Stegreiftheater, in dem Typen auftreten (der gelehrte Pedant, der pfiffige Diener, der aufschneiderische Hauptmann usf.), die eine feste Rahmenhandlung mit improvisiertem Dialog und stereotypen mimisch-gestischen Späßen ausfüllen. Die Barockkomödie zeigt Bauern oder Bürger im unpolitischen, privaten Leben. Unbeherrschte Leidenschaften, vor allem die Anmaßung von Rollen, die ihnen nicht zustehen, bringen die Gestalten dazu, Schein und Sein zu verwechseln.

Ein Theater im Theater, der Schein-Sein-Thematik angemessen, macht die äußere Form des ‚Peter Squentz' von Gryphius aus: Zunfthandwerker aus der Meistersinger-Tradition wollen die Geschichte von Pyramus und Thisbe aufführen, die aufgrund unbeherrschter blinder Liebe sterben müssen. (Shakespeare hat diese beliebte, von Ovid stammende Geschichte im ‚Sommernachtstraum' verwendet.) Bei der Aufführung vor dem Hof, der jetzt die künstlerischen Maßstäbe setzt, machen sich die biederen Leute mit ihrem verfehlten Anspruch lächerlich. Sie verwechseln Schein und Sein und demonstrieren ungewollt, wie aus solcher Verwechslung Mißverständnisse und Unfriede entstehen. In der Doppelkomödie ‚Verliebtes Gespenste / Die geliebte Dornrose' führt Gryphius zwei Liebeshandlungen, eine im bäurischen, eine im vornehmen Stand spielend, in kunstvoller Verflechtung nebeneinander her. Einerseits bleibt die Trennung der Stände damit gewahrt, andererseits zeigt sich, daß die Liebe in beiden Bereichen gleichermaßen herrscht und daß nur standhafte Treue zu einem glücklichen Ende führt.

4.3 Roman

> **Philipp von Zesen:**
> Adriatische Rosemund (1645)
> **Hans Jakob Christoffel von Grimmelshausen:**
> Der Abentheuerliche Simplicissimus Teutsch (1668)

Der Roman bildet eine Reihe von Untergattungen aus. Bei der Prosaauflösung der mittelalterlichen Romane war der ‚Amadis‘ entstanden, ein in ganz Europa beliebter Ritter- und Zauberroman voll wunderbarer und galanter Abenteuer, der von verschiedenen Autoren fortgesetzt wurde. Man las ihn vor allem im 16. und 17. Jahrhundert. An ihn knüpft der höfische Roman (heroisch-galante Roman, Staatsroman) an, der das Wunderbare allerdings in einen historischen Rahmen einbettet und mit Belehrung in Politik und Umgangsformen unterlegt. Seine verwickelte Handlung spielt in höchsten adligen Kreisen ferner Länder oder vergangener Zeiten. Ein ebenso schönes wie tugendhaftes Liebespaar trotzt standhaft allen Wechselfällen der Fortuna. Die Hochzeit, in die das Geschehen einmündet, symbolisiert die Wiederherstellung gestörter staatlicher Ordnung, die von dem Herrscherpaar repräsentiert wird. Ein heute noch lesbares Beispiel dieser meist überaus umfangreichen Romane ist ‚Die asiatische Banise oder das blutig-, doch mutige Pegu‘ von Heinrich Anselm von Ziegler und Kliphausen (1698).

Der Schäferroman, für Landadel und gehobenes Bürgertum geschrieben, teilt den höfisch-politischen Anspruch nicht. In idyllischer Landschaft treten Schäfer und Schäferinnen auf, die sich verlieben, Abenteuer erleben, sich schließlich aber wieder trennen. Die Erlebnisse geben ihnen Gelegenheit zu beweisen, daß sie die galante Etikette beherrschen. Dazu gehört auch das Verfertigen und Singen von Liedern. Lyrische Einlagen sind daher üblich. Viele dieser Romane sind Schlüsselromane: Hinter den Schäfermasken verbergen sich reale Gestalten der Zeit. In seiner ‚Adriatischen Rosemund‘ versetzt Zesen die Liebesgeschichte in ein bürgerliches Milieu und weist mit seiner Erkundung seelischer Regungen bereits auf die Empfindsamkeit voraus.

Das Gegenstück zum höfischen Roman ist der Schelmenroman. Er geht zurück auf die spanische ‘novela picaresca’ (span. picaro = Vagabund, im 17. Jahrhundert: Landstörzer). Hier erzählt der Schelm, der aus untersten Schichten stammt, die abenteuerlichen Episoden seines Lebens. Zuerst naiv, dann listig und betrügerisch, schließlich bereuend und büßend, hat er im Auf und Ab der Fortuna, im Wechsel von Erhöhung und Erniedrigung die Lasterhaftigkeit aller Stände erlebt. Ihr setzt er nicht Beständigkeit entgegen, sondern Gerissenheit, bis er dann zu plötzlicher Einkehr kommt.

In der zweiten Hälfte des 17. Jahrhunderts entsteht der politische Roman, in dem sich schon die Aufklärung ankündigt. Das erste wichtige Beispiel ist Christian Weises Roman ‚Die drei ärgsten Ertz-Narren in der gantzen Welt‘ (1675). Mit den staatspolitischen Inhalten des höfischen Romans hat diese Gattung nichts zu tun, ‘politisch’ ist vielmehr der bürgerliche Beamte, der höfische Weltgewandtheit gelernt hat und sich im Umgang mit den Mitmenschen so verhält, daß er erfolgreich und zufrieden innerhalb seiner ständischen Grenzen leben kann. Der Held ist ein junger Mann, der nicht von der Fortuna umhergetrieben wird, sondern zielbewußt reist, um aus praktischen Erfahrungen zu lernen.

Grimmelshausen und sein ‚Simplicissimus‘

Titelkupfer zu H. J. Ch. von Grimmelshausen: Der Abenteuerliche Simplicissimus. 1669.

Der berühmteste und ein immer noch lebendiger Barockroman ist ‚Der Abenteuerliche Simplicissimus Teutsch‘ von Johann Jakob Christoffel von Grimmelshausen.

Grimmelshausen (1621–1676), der aus einer ursprünglich adligen, dann verbürgerlichten Familie stammte, wurde in Gelnhausen geboren. Gegen 1638 kam er im kaiserlichen Militärdienst an den Oberrhein. In Offenburg wurde er Kanzleischreiber. Als solcher nahm er an einem Kriegszug ins Donaugebiet teil. Anschließend (1649) heiratete er und wurde Schaffner (Vermögensverwalter) in der Nähe von Oberkirch, zuerst bei seinem ehemaligen Obersten, dann bei einem berühmten und reichen Arzt. Daneben war er noch Gastwirt. 1667 wurde er Schultheiß (zugleich Bürgermeister, Dorfrichter und Dorfpolizist) in Renchen. Der vielbelesene Mann schrieb neben dem ‚Simplicissimus' und anderen picarischen Schriften aus dem gleichen Themenkreis auch höfische Romane (mit Zügen der Heiligengeschichten), Kalendergeschichten, satirische Traktate und anderes mehr.

Im ‚Simplicissimus Teutsch' verbindet Grimmelshausen das Schema des Schelmenromans mit Geschichten aus dem satirisch-zeitkritischen und schwankhaften Schrifttum. Simplicissimus, der durch die Wirren des Dreißigjährigen Krieges getrieben wird, ist zunächst der einfache Deutsche, der sich abhebt vom französisch bestimmten Hofwesen; darüber hinaus steht er allgemein für die Möglichkeiten des Menschen zwischen Gutem (verkörpert in Herzbruder) und Bösem (verkörpert in Olivier) in der verkehrten Welt des Krieges.

Der Roman ist planvoll aufgebaut. 1. Buch: Als „Simplex" entlarvt der Einfältige ungewollt die verkehrte Welt. 2. Buch: Als Narr versteht er, satirisch die Wahrheit zu sagen, lernt aber auch, wie man sich durchtrieben der Gesellschaft anpaßt, und verfällt daher schließlich zusammen mit dieser der Satire. 3. Buch: Als Jäger von Soest wird er hoffärtig und verliert er sich an die Jagd nach Geld und Ruhm. 4. Buch: In wechselnden Gestalten nimmt er teil an den menschlichen Lastern, ebenso vom Pech verfolgt wie im vorhergehenden Buch vom Glück. 5. Buch: Der Held sucht sich zu bekehren und auf das unstete Leben zu verzichten; schließlich entsagt er der Welt und wird (zumindest vorläufig) Einsiedler. – Die Einsiedelei (zuerst des Vaters, dann des Simplicissimus) ist Ausgangs- und Endpunkt; äußerer Höhepunkt und innerer Tiefpunkt fallen zusammen im mittleren, dritten Buch. In der Mitte des ersten, dritten und fünften Buches steht jeweils eine Allegorie, die die Verkehrtheit der Welt veranschaulicht: Ständebaum, Jupiter-Episode, Episode mit den Sylphen im Mummelsee.

Das Thema der verkehrten Welt erlaubt, immer wieder in verwirrendem Spiel mit der tieferen Bedeutung satirisch vom Schein auf das Sein zu verweisen; die Kleider des Simplicissimus z. B. sind zumeist falscher Schein. Häufig greift der Dichter auch auf die Technik des mehrfachen Schriftsinns zurück (s. oben S. 35). Das geschieht gleich im Einleitungskapitel: In der endzeitlichen Gegenwart, die der höfischen Mode verfallen ist, wird aus dem Lob des Landlebens (ein Thema schon der antiken Dichtung) seine Verspottung, aus dem ersten und ursprünglichen, dem bäuerlichen Stand der niedrigste. In dieser Welt klingt es komisch, wenn die Bauernhütte über den Palast gestellt wird, doch im Lachen verbirgt sich die tiefere Wahrheit: Des Bauern Adel ist der wahrhafte alte, der seit Adams Zeiten allen Menschen zukommt, im Gegensatz zu dem unechten der „neuen Nobilisten"; Holz und Stroh sind nicht so dauerhaft wie Mineralien und Metalle, dafür aber nützlicher; Ruß kann sich keinem gemalten Bild vergleichen, zeigt aber deutlicher als ein solches die Schwärze der lasterhaften Welt; Spinnweben, die niemand kostbaren Tapeten gleichstellen wird, verweisen auf Minerva, die Göttin des Handwerks und der Künste, die beide von Prunksucht und Krieg zerstört werden; Pflüge und Heugabeln sind lächerliches Kriegswerkzeug, aber unverzichtbare Werkzeuge des Friedens.

All das wissen die Bauern aber nicht, und darum darf man über sie lachen ebenso wie über den einfachen Simplicius, wenn er unwissend die Wahrheit sagt, sich zu Unrecht für einen Adligen hält und doch in einem tieferen Sinn Recht hat. (Wenn sich im letzten Buch auch sein vordergründig-tatsächlicher Adel herausstellt, wird er folgerecht und als Gegenbild der „neuen Nobilisten" wieder Bauer werden, während er sich als Jäger von Soest selbst wie ein „neuer Nobilist" aufführt.) Er wird tatsächlich liederlich aufgezogen, ohne Kenntnis der christlichen Heilswahrheiten, gerade hierin freilich den Edlen in der verkehrten Welt gar nicht so unähnlich. Seine Erziehung beginnt, als reißende Wölfe, in welche sich die Menschen im Krieg verkehrt haben, in den Bereich einbrechen, der eine naturhafte, friedliche Ordnung repräsentiert. Freilich ist die natürliche Ordnung zugleich gottfern; ihre Zerstörung bedeutet eine drastische Strafe Gottes für die Unkenntnis, in der die Bauern ihre Kinder aufgezogen hatten.

Aufklärung / Sturm und Drang

Die Epochen Aufklärung und Sturm und Drang werden primär in ihren Beziehungen zueinander dargestellt. Die literarische Bewegung Sturm und Drang wird als eine Ausprägung der Aufklärung verstanden. Die herkömmlichen Epochenbegriffe ermöglichen es aber, dort zu unterscheiden, wo beide Bewegungen unterschiedlich verlaufen sind. So treten in der Überschrift zu Kapitel 3 die Namen beider Epochen auf. Nach Informationen über die Stellung der Literatur in der Zeit (Kapitel 2 und 3) orientiert die weitere Darstellung sich an Werken und zeigt an ihnen Inhalte, Probleme und Formen, die aus der Retrospektive für die beiden Epochen repräsentativ sind. Die leitenden Gesichtspunkte werden am Anfang der Kapitel 4 bis 7 genannt und begründet.

Wo Überblicke notwendig sind, wo die Entwicklung kleiner literarischer Formen aufgezeigt werden muß, wo Zusammenhänge zwischen größeren Werken aufschlußreich sind, wird die exemplarische Werkanalyse durch orientierende Information ergänzt.

Das Einleitungskapitel zeigt an Schillers Frühwerk ‚Die Räuber‘, wie schwer es ist, ein Werk einer Epoche zuzuordnen, wie aber zugleich die Frage nach epochengeschichtlichen Zusammenhängen den Blick für Kontinuität und Veränderung im Bereich der Literatur schärft.

1 Von der Schwierigkeit, ein Werk einer literarischen Epoche zuzuordnen

1.1 Schillers Schauspiel ‚Die Räuber‘

Als das Schauspiel ‚Die Räuber‘ am 13. Januar 1782 uraufgeführt wurde, war das Mannheimer Theater ausverkauft: „Aus der ganzen Umgegend, von Heidelberg, Darmstadt, Frankfurt, Mainz, Worms, Speyer usw. waren die Leute zu Roß und zu Wagen herbeigeströmt, um dieses berüchtigte Stück zu sehen“, erinnert sich ein Zeitgenosse und Freund Schillers.

Was das Publikum anschließend zu sehen bekam, mutete allerdings zunächst wie ein Familiendrama an, das dem Geschmack des Publikums entsprach.

Das Drama beginnt mit der Geschichte von den feindlichen Brüdern. Franz ist eifersüchtig auf die Liebe, die sein Vater Maximilian, regierender Graf von Moor, seinem Bruder Karl, dem Erstgeborenen, entgegenbringt. Er schreckt aus Eifersucht nicht davor zurück, Briefe zu fälschen, er verleumdet den Bruder als steckbrieflich gesuchten Verbrecher, zerstört mit der Lüge die Familie, treibt Karl aus dem Schloß. Der alte Moor will zwar alles wieder rückgängig machen, aber Franz läßt ihn in einen Turm sperren und für tot erklären. Er bringt den Bruder Karl um sein Erbe.

Doch im Laufe der Handlung beginnt das „berüchtigte Stück“ die Erwartung des Publikums von Skandalösem zu erfüllen. Karl, vom Vater enttäuscht, rebelliert gegen den Vater, zugleich aber gegen die ganze Gesellschaft, gegen das „tintenklecksende Säkulum“, er wird Anführer einer Räuberbande. Mit dem Vorsatz, den Armen zu helfen und die Unschuldigen zu rächen, schlägt er sich mit der Räuberbande durch die böhmischen Wälder, plädiert für Freiheit und Kampf gegen Tyrannei. Dem Familienstück wird die Räuberhandlung entgegengesetzt, die Unerwartetes verspricht. Aber Karls Räuberleben erweist sich von Anfang an als moralisch ausweglos. Der vom Vater verstoßene Sohn erfährt sich als ein Fremder in der Räuberbande. Ihre Gesetzlosigkeit widerspricht seinen Vorstellungen von Gerechtigkeit. Er möchte das Verlorene wieder zurückgewinnen, er möchte heimkehren. Dieser Gewissenskonflikt wird schon im ersten Akt eingeleitet, er steigert sich bis zum Schluß, Karl kehrt heim und bekennt sich – zu spät – zu seiner Liebe für den Vater und die Geliebte. Das Einverständnis Karls mit der Gültigkeit des bürgerlichen Tugendideals in der Gesellschaft und in der Familie wird am Schluß wiederhergestellt, wenn auch in tragischer Konsequenz für die Beteiligten: Franz, der Bruder, erdrosselt sich. Das Schloß geht in Flammen auf. Karl tötet seine Braut und läßt sich schließlich gefangennehmen.

Obwohl der letzte Akt die Moralvorstellungen des Publikums bestätigte, herrschte, als der Vorhang schließlich fiel, Chaos im Theater: „Rollende Augen, geballte Fäuste, heisere Aufschreie im Zuschauerraum. Fremde Menschen fielen einander in die Arme. Frauen wankten, einer Ohnmacht nahe, zur Tür. Es war eine allgemeine Aufregung wie im Chaos, aus dessen Nebeln eine neue Schöpfung hervorbricht", berichtet ein Zuschauer. Das Erstlingswerk des gerade 22jährigen Schiller wird als ein beispielloses Ereignis in der Geschichte der deutschen Bühnendichtung gefeiert.

Schillers erstes Bühnenstück läßt sich nicht ohne weiteres einer einzigen Epoche zuordnen. Schiller knüpft mit diesem Drama an Vorstellungen des Barock, des Pietismus und der Aufklärung an.

Schon die zeitlichen und räumlichen Bedingungen, unter denen es entstanden ist, entziehen es einer einfachen Zuordnung. Es erschien 1781, fünf Jahre nach dem Höhepunkt der Sturm-und-Drang-Epoche. Sie entwickelte sich schnell und intensiv. Ihr Höhepunkt war zugleich ihr Ende. Nach 1776 entstanden nur noch wenige Werke, die den Vorstellungen der Sturm-und-Drang-Epoche entsprachen.

Auch räumlich hatte Schiller besondere Voraussetzungen. In Württemberg wurde am Hof die 'große Oper' mit all ihrem Prunk aufgeführt. Durch sie wurde Schiller mit der Theatralik des Barockzeitalters vertraut. Aber auch der Pietismus, eine Gegenströmung zu dieser Hofkultur, gewann für den jungen Schiller Bedeutung.

Die Abhängigkeit des Werkes von Ideen, die auf unterschiedliche Epochen verweisen, sei an einigen Beispielen erläutert:

– Das Drama enthält Motive der Sturm-und-Drang-Epoche. Der Tatendrang, die Revolutionsstimmung, der Haß auf das „tintenklecksende Säkulum", wie sie im ersten Akt zum Ausdruck kommen, spiegeln politische und literarische Ideen der Sturm-und-Drang-Epoche. Schiller benutzt die gleichen Motive wie andere zeitgenössische Schriftsteller auch. Sein Menschenbild, seine Vorstellungen von einer besseren Wirklichkeit sind jedoch nicht nur dem Programm dieser Epoche verpflichtet.

– Schiller geht es nicht nur um die Autonomie des Einzelnen. Er setzt eine sittliche Weltordnung voraus, vor der sich das Individuum verantworten muß. Hier kann der Pietismus seine Wirkung gehabt haben. Die württembergischen Pietisten verstanden sich als eine Gemeinschaft, die den direkten Einfluß auf die gesellschaftliche Wirklichkeit aufgibt und den Einzelnen durch das Gewissen mit Gott als dem Richter über die Welt konfrontiert. Dies wiederum ist ein Grundgedanke des Barock, und so rückt das Drama auch in die Tradition des Barockzeitalters hinein.

– Auch die Charaktere lassen sich nicht nur aus den Vorstellungen der Sturm-und-Drang-Epoche verstehen. In ihr will man das Individuum darstellen. Die überbetonten Eigenschaften Karls und Franz' gehen jedoch über das Individuelle hinaus, sind an einem Wertesystem orientiert, das einen Allgemeinheitsanspruch hat. Allein Spiegelberg trägt individuelle Züge. Wenn er gegen Karl intrigiert, dann ist er eine Parallelfigur zu Franz. Karl und Franz sind mehr aus der Tradition eines Typen-

Welttheaters, wie es im Barockzeitalter gespielt wurde, zu verstehen als aus der Vorstellung, wie Schillers Zeitgenossen den Menschen auf der Bühne zeigen wollten.
– Auch die Sprache ist nicht nur die der Stürmer und Dränger. Immer wird die Sprache des Affekts, die die Aufbruchsstimmung der Sturm-und-Drang-Schriftsteller zum Ausdruck bringt, unterbrochen von einer durch den Verstand kontrollierten Sprache. Einerseits ist die Sprache derb umgangssprachlich, andererseits entspricht ein Teil des Wortschatzes dem gedanklichen, abstrakten Bereich. Die Begrifflichkeit bestimmt nicht nur die Rede des nüchternen und kalt berechnenden Franz, sondern auch die Karls. In dieser begrifflichen Sprache offenbart sich ein Denken, das sich an festen Normen orientiert. In Begriffen wie Tugend und Laster werden Vorstellungen der Aufklärung eingebracht.

Die Sprache des Gefühls und die des Verstandes vereinigen sich im Drama in einer übersteigerten Sprache, im Pathos. Das Pathos entsteht durch die Betroffenheit des Individuums. Karls Bereitschaft, seinem schuldhaften Leben ein Ende zu machen, sich einem göttlichen Gericht zu stellen, gründet in der Hoffnung auf eine göttliche Gerechtigkeit. Diesseitiges Leben wird gemessen an einer göttlichen Weltordnung. Aus dieser unerbittlichen Konsequenz entsteht die Betroffenheit und aus ihr das Pathos. Dies aber läßt sich aus den Vorstellungen des Barocktheaters herleiten.

Motive der Sturm-und-Drang-Epoche, der Erkenntniswille der Aufklärung, Ideen und dramatische Formen des Barockzeitalters kommen in diesem ersten Drama Schillers so zusammen, daß es ein Beispiel dafür ist, wie Werke Epochen spiegeln, aber auch von Tradition bestimmt sind und Zukunft entwerfen, denn in den Besonderheiten des früheren Dramas deuten sich schon Strukturen und Ziele an, die Schiller noch in seiner klassischen Zeit beschäftigen.

·1.2 Zum Theater im 18. Jahrhundert

‚Die Räuber' sind nicht in Stuttgart, der Stadt, in der Schiller seine Jugendzeit verbrachte, sondern in Mannheim uraufgeführt worden. Freiherr von Dalberg, der Theaterleiter, zwang Schiller zu Umarbeitungen. In einer ersten Fassung, die nicht gedruckt wurde, klagt Karl noch viel stärker als in der endgültigen Fassung „die verfluchte Ungleichheit in der Welt" an. Damit die Ungerechtigkeit ein Ende findet, muß der feudalistische Herrschaftsanspruch aufgegeben werden. Schiller sollte sich in der Kritik an den gesellschaftlichen Verhältnissen mäßigen. Dalberg mißfiel der rebellische Ton. Auch das Publikum verlangte, den aktuellen Bezug zur politischen Gegenwart zurückzunehmen. Dalberg forderte von Schiller, die Handlung in die Zeit des „Landfriedens" von 1495 zu verlegen. Die Schauspieler verteidigten zwar die ursprüngliche Fassung, aber Schiller gab doch nach. Er ging den Kompromiß ein; die Aufführung eines modischen Ritterstücks war ihm lieber als gar keine. Die Tradition des Theaters in Mannheim hat sicherlich beigetragen zu der Umarbeitung, zu der Schiller gezwungen wurde.

Die Situation in Mannheim kann als Beispiel für viele Theater im 18. Jahrhundert gelten. Das Theater in Mannheim war eines der deutschen Hoftheater, wie es sie in vielen Fürstentümern gab. Zwar wurde durch Dalberg in Mannheim eine Reform des Theaters eingeleitet, aber der Geschmack des Publikums und die Aufführungspraxis waren doch noch dem alten Hoftheater verpflichtet. Man spielte vor allem französische Theaterstücke. Von Molière allein waren es zwanzig. Man ahmte am Hof die Theaterkunst der Comédie Française nach, holte französische Schauspielertruppen an das Hoftheater.

Der Spielplan wurde noch maßgeblicher durch die italienische Oper bestimmt. Das Theater diente vor allem der Unterhaltung der Hofgesellschaft. Bei festlichen Ereignissen gab es nicht nur Bälle und Konzerte, sondern es wurde zu Ehren der Gefeierten, der Gäste, Theater gespielt. Man bevorzugte das, was gefällig war und auch Geld einbrachte. Den Bürgern wurde nur dann Einlaß gewährt, wenn die Hofgesellschaft nicht alle Plätze beanspruchte. Das Theater diente auch der glanzvollen Repräsentation. Die Architektur, die Anordnung der Ränge und Sitze, die Pracht der Ausstattung spiegelten diesen Anspruch wider. Und ihm entsprach am meisten die italienische Oper mit ihrem höfischen Glanz.

Man bemühte sich jedoch in Mannheim auch um das deutsche Schauspiel und engagierte Lessing als Dramaturg für das kurpfälzische Theater. Minister von Hompesch entließ ihn jedoch wieder. Das Wagnis einer Theaterreform, wie Lessing sie beabsichtigte, war ihm zu groß.

Nicht nur die Situation des Hoftheaters gab für Ideen zu einer Theaterreform Anlaß. Daneben bestand das *Wandertheater*. Es hatte ein anderes Publikum: die Bürger, das gemeine Volk. Es spielte in Bretterbuden auf Marktplätzen, in Wirtshaussälen, manchmal sogar unter freiem Himmel. Die Schauspielergesellschaften mußten sich wie viele freie Theater heute selbst finanzieren. Daher waren sie darauf angewiesen, alles selbst herzustellen: das Bühnenbild, die Kostüme, gegebenenfalls auch die Texte. Dabei machten sie Zugeständnisse an ihr Publikum, benutzten die Umgangssprache, den Dialekt, bevorzugten volkstümliche Stoffe für ihre Theaterspiele. Die Prinzipale, die Theaterleiter, waren darauf angewiesen, Theater zu spielen, das dem Geschmack des Publikums entsprach und wenig Geld kostete. Meist standen dem Prinzipal 15 bis 20 Schauspieler zur Verfügung. Sie beherrschten oft mehrere Rollenfächer; die Rollen waren fest umrissen und typisiert. Der Staat übernahm keine Kosten, aber er mischte sich auch nicht in das Programm ein. Er stellt nur einen Gewerbeschein aus, der es erlaubte, in einer bestimmten Region zu spielen. Es ist verständlich, daß unter den Schauspielern ein Sozialprestige herrschte, zumal da am Hof wie am Wandertheater Berufsschauspieler beschäftigt waren. Viele Schauspielergesellschaften bemühten sich darum, am Hoftheater spielen zu können, es hätte ihre finanzielle Sicherheit bedeutet. Aber dem standen oft unüberwindbare Schwierigkeiten entgegen. Die Schauspieler des Wandertheaters beherrschten nicht immer die französische und italienische Sprache, die am Hoftheater wegen des Repertoires Voraussetzung waren. Jedoch gelangten auch ohne diesen Aufstieg einige Schauspielergesellschaften zu großer Bedeutung, z. B. die Neubersche, die Schönemannsche, die Ackermannsche.

Beide, das Hof- und Wandertheater, bedurften einer Reform, und zwar der Institution und des Repertoires. Gottsched hatte schon in der ersten Hälfte des 18. Jahrhunderts auf das Repertoire und den Darstellungsstil des Wandertheaters Einfluß genommen. Er forderte, es sollte die Regeln der Poetiken beachten. Aber seine Reformen waren nur auf den Spielplan gerichtet und zu eng an Regeln orientiert.

In der zweiten Hälfte des 18. Jahrhunderts entstand die Idee eines deutschen Nationaltheaters. Es sollte die Aufspaltung in Hof- und Wandertheater überwinden und ein Theater für alle Stände sein. Man verfolgte mehrere Ziele. Das Theater sollte einen festen Standort haben, Werke deutscher Dichter aufführen, allen Ständen zugänglich sein, als Mittel zur Erziehung des Menschen dienen, die sittlichen Werte fördern. Lessing und Schiller förderten vor allem die Ideen zu einem deutschen Nationaltheater. 1765 gründete Lessing ein Nationaltheater in Hamburg, 1776 erhob Joseph II. die Wiener Hofbühne zum Nationaltheater. 1778 wurde Freiherr von Dalberg damit beauftragt, in Mannheim ein Nationaltheater zu errichten.

Zwar hatte sich schon vor ihm Marchand, ein Franzose, um eine deutsche Schaubühne in Mannheim bemüht. Als aber der Kurfürst Karl Theodor Mannheim verließ und seine Residenz in München nahm, wanderte die Theatergesellschaft mit ihm. Dalberg setzte seine Arbeit fort. Als ‚Die Räuber' von Schiller in Mannheim aufgeführt wurden, gab es dort schon ein deutsches Nationaltheater, aber die Hoftheatertradition war noch mächtig. Nur so ist zu erklären, daß Schillers Werk zwar aufgeführt wurde, er aber Umarbeitungen vornehmen mußte.

(1) *Das Innere des Stuttgarter Opernhauses zur Zeit Carl Eugens. Stich von Bauchart. Foto: Württembergische Landesbibliothek, Stuttgart*

Die tiefe Kluft zwischen dem fürstlichen Hoftheater und dem Wandertheater prägt im 18. Jahrhundert lange Zeit die Situation des Theaters in Deutschland. Erst in der zweiten Hälfte des Jahrhunderts beginnt mit der Gründung der ersten Nationaltheater (in Hamburg, Wien und Mannheim) ein neuer Abschnitt in der Geschichte des Theaters.
Das Stuttgarter Opernhaus (Abb. **1**), 1750 errichtet und 1758/59 bereits völlig neugestaltet, verdeutlicht Pracht und Prunk solcher Bauten. Es verfügte über 1200 Sitzplätze und mehr als 2000 Stehplätze. In ungeheuer aufwendigen Inszenierungen werden französische Schauspiele, Oper und Ballett vor dem Herzog und seinem adligen Publikum gespielt. Zutritt erhält nur, wer geladen ist. Der ausländische Einfluß ist für diese erste Phase der Entwicklung charakteristisch. Mit der Übernahme der französischen klassizistischen Spielweise wird der Versailler Höfling zum Prototyp des Helden der 'regelmäßigen' Tragödie (Abb. **2**). Die neue Spielweise wird zunächst durch französische Schauspielertruppen an deutschen Hoftheatern eingeführt und dann (noch in der ersten Jahrhunderthälfte) von deutschen Wandertruppen übernommen. Zeitgenössische Darstellungen zeigen, wie eingeschränkt die Aufführungsbedingungen dieser Schauspielergruppen waren (Abb. **3** und **4**). Man spielt dort, wo es eben geht: auf einem rasch gezimmerten

Nicht alles, so da gleist, als wahres Gold sich weist.

Der Comoediant.

Es ist nur alles ins gesicht
Mit Worten, Kleidern und Geberden
Bey dieser Lebens-Art gericht,
Im werck wirds kahl befunden werden;

Wer der Parade traut zuviel
Und sich den äussern Schein läßt blenden,
Bey dem wird sich daß freuden spiel
Zulest in ein tragoedie enden.

(2) *Deutscher Heldendarsteller der 'regelmäßigen' Tragödie. Kolorierter Kupferstich von Martin Engelbrecht. Augsburg, um 1730. Foto: Deutsches Theatermuseum, München*

Brettergerüst (Abb. **3**), in einer Scheune (Abb. **5**) oder in einer Gaststätte, oft auch mitten im Jahrmarktstrubel, und man behilft sich mit den notwendigsten Requisiten. Neben den neueren 'regelmäßigen' Stücken werden auch noch die älteren 'Haupt- und Staatsaktionen' (Abb. **4**) gespielt, pompöse und effekthascherische Stücke, die mit zumeist improvisiertem Spiel den Zuschauer in die Welt der großen Politik zu versetzen suchen.

Ein neues deutschsprachiges Theater setzt sich erst in der zweiten Hälfte des 18. Jahrhunderts durch. In dieser Entwicklung treffen viele Faktoren zusammen: die heftige Kritik am französi-

(3) *Joseph Stephan: Wandertruppe auf dem Anger in München. Öl auf Leinwand, um 1770. Ausschnitt. Foto: Deutsches Theatermuseum, München*

(4) *Deutsche Wandertruppe der Neuberin-Zeit macht sich in Nürnberg für eine Haupt- und Staatsaktion mit Held und komischer Person zum Auftritt fertig. Stich von Paul Decker d. Ä.(?), um 1700. Foto: Bildarchiv der Österreichischen Nationalbibliothek, Wien*

schen Schauspiel durch die Literaten (Lessing und insbesondere die Stürmer und Dränger), die zunehmende Produktion von aufführungswirksamen eigenen Stücken, die Verbesserung der schauspielerischen Leistungen und der allgemeine Niveauanstieg in der Aufführungspraxis und nicht zuletzt die Etablierung der ersten Nationaltheater in festen Häusern. Das 1775–1778 unter dem pfälzisch-bayerischen Kurfürsten Karl Theodor errichtete „Teutsche Comödienhaus" in Mannheim (Abb. **6**) ist dafür ein Beispiel. In diesem Haus, das rund 1200 Zuschauer faßte, be-

(5) *Wandertruppe in einer Scheune. Kupferstich von Riepenhausen nach einem Gemälde von William Hogarth, 1738. Foto: Bildarchiv preußischer Kulturbesitz, Berlin*

(6) *Das Nationaltheater in Mannheim. Kupferstich der Brüder Klauber in Augsburg. Aus: Vues de Mannheim, hrsg. von Johann Franz von der Schlichten, Mannheim 1782. Foto: Städtisches Reiss-Museum, Mannheim*

(7) *Schiller: ,Die Räuber', Uraufführung in Mannheim am 13.1.1782. Orginal-dekoration ,Galerie', IV. 2. Foto: Deutsches Theatermuseum, München*

(8) *Schiller: ,Die Räuber' , IV.5 oder V.2: Kolorierter Kupferstich von C. Müller nach G. E. Opitz. 52,0 x 60,5 cm. Graphische Sammlung der Nationalen Forschungs- und Gedenkstätten der klassischen deutschen Literatur in Weimar*

ginnt 1779, nachdem Karl Theodor seinen gesamten Hofstaat nach München verlegt hatte, die Arbeit des Mannheimer „National-Theaters". Die denkwürdige Uraufführung von Schillers ,Räubern' (Abb. **7, 8** und **9**) findet am 13. Januar 1782 statt. Von dem hohen künstlerischen An-spruch zeugen bereits die malerisch beeindruckenden Bühnendekorationen (Abb. **7**), die damit zu einem wichtigen Bestandteil der Inszenierung werden. Iffland, der die Rolle des Franz Moor spielte (Abb. **9**), prägt als Schauspieler wie als Autor publikumswirksamer Stücke (,Verbrechen aus Ehrsucht') in besonderer Weise den Mannheimer Darstellungsstil, für den – bei aller Anleh-nung an die Prinzipien einer naturgetreuen Darstellung – Tendenzen der Stilisierung der Wirk-lichkeit charakteristisch bleiben. Rückschlüsse auf die zeitgenössische Bühnendekoration und den Inszenierungsstil vermitteln auch die Kupferstichillustrationen Chodowieckis zu Schillers

(9) *Iffland als Franz Moor. Foto: Städtisches Reiss-Museum, Mannheim*

‚Kabale und Liebe' (Abb. **10, 11**), die 1785, ein Jahr nach den Frankfurter und Mannheimer Aufführungen des Trauerspiels, erschienen sind. Die Schauplätze des Stückes (hier die einfach möblierte Bürgerstube, dort der üppig ausgestattete Adelspalast) werden in der Darstellung sorgfältig unterschieden.

Ich liebe Mylady — Liebe ein bürgerliches Mädchen

II. Aufz. 3. Auftr.

(10) *Schiller: ‚Kabale und Liebe',
II.3. Kupferstich von Daniel Niko-
laus Chodowiecki, 1785. Samm-
lung Redslob im Goethe-Museum,
Düsseldorf, Foto: Walter Klein,
Düsseldorf*

*Tochter! Tochter! gib acht daß du Got-
tes nicht spottest, wenn du seiner am meisten von Nöthen hast.*

V. Aufz. 1. Auftr.

(11) *Schiller: ‚Kabale und Liebe', V.1.
Siehe zu 10.*

2 Grundlagen der literarischen Entwicklung im 18. Jahrhundert

2.1 Zum Begriff der Aufklärung im 18. Jahrhundert

Obwohl schon im 18. Jahrhundert Formulierungen wie die vom 'Zeitalter der Aufklärung' oder von der 'aufgeklärten Zeit' zusammen mit denen vom 'Zeitalter der Vernunft', von dem 'erleuchteten Zeitalter', dem 'Zeitalter der Kritik' verwendet wurden, ist die Entstehung des Begriffs 'Aufklärung' nicht so selbstverständlich, wie es heute erscheinen mag. Die Gründe für die langsame Herausbildung und Durchsetzung des Begriffs sind vielfältig. Sicherlich hat der Umstand, daß Aufklärung über das 18. Jahrhundert hinaus als aktuelle Aufgabe und nicht ausschließlich als Wesensmerkmal eines vergangenen Zeitalters angesehen wurde, dabei eine wichtige Rolle gespielt. Sicherlich hängt es auch damit zusammen, daß im 19. und 20. Jahrhundert Gegenströmungen stärker weiterwirkten als die Aufklärung und ihre politisch-liberalen Bewegungen. Auch war der Aufklärungsbegriff schon im 18. Jahrhundert uneinheitlich, gegensätzlich, ja widersprüchlich bestimmt. Darüber, was unter 'Aufklärung' begriffen werden sollte, bestand sogar bei den Anhängern und Vertretern der Ideen, die heute im Epochen- und Bewegungsbegriff der 'Aufklärung' zusammengeschlossen sind, keine Einigkeit.

Trotz dieses vielfältigen Charakters der Aufklärung gibt es Definitionen, die einprägsam und zugleich zutreffend sind und an denen sich eine erste Bestimmung orientieren kann. Seit der Epoche der Aufklärung bezeichnet der Begriff immer ein kritisches Denken mit dem Ziel, das Zusammenleben der Menschen in der Gesellschaft zu verbessern. In diesem Sinne hat aufklärerisches Denken praktische Absichten. Mit Hilfe dieser Bestimmung, die für die Aufklärungsbewegung in der Geschichte grundsätzlich gilt, lassen sich die Merkmale der Aufklärungsbewegung, die in der zweiten Hälfte des 17. Jahrhunderts einsetzt und im 18. Jahrhundert ihren Höhepunkt erreicht, in einem ersten Zugriff erfassen. Im folgenden geht es um die spezifische Ausprägung in Deutschland. Die komplizierte Verflechtung mit der europäischen Aufklärung, insbesondere mit der englischen und französischen, kann dabei nur punktuell berücksichtigt werden.

Das *Primat der Kritik* ist eines dieser bestimmenden Merkmale. Die Autorität der Kanzel, des Katheders, der Kanzleien büßte ihre selbstverständliche Gültigkeit ein.

Ein weiteres bestimmendes Merkmal ist die Maxime von der *Erklärbarkeit der Phänomene*. Entscheidende Instanz wird die menschliche Vernunft.

Drittens meint Aufklärung das Überprüfen der herkömmlichen Lebens- und Denkpraxis mit dem Anspruch, die Interessen der nichtadligen Schicht angemessen zu vertreten (siehe Seite 63).

Im 18. Jahrhundert bezog sich das Denken der Aufklärung zuerst und vor allem auf theoretische und praktische Fragen der *Religion*. Die sich in Glaubensfragen einschaltende 'Vernünftigkeit' versteht sich dabei nicht als bloße Verstandeserkenntnis, sondern sie versucht eine Verbindung herzustellen zwischen dem vernünftigen, selbstverantworteten Denken des Menschen und den für lebensnotwendig erachteten Grundsätzen der Religion. Wie soll das Verhältnis von Vernunft und Offenbarung gedacht werden?

Darauf waren unterschiedliche Antworten möglich. Für die kirchlich-orthodoxen Lehrmeinungen bildet die Offenbarung weiterhin Richtmaß, der die Vernunft untergeordnet wird. Die Umkehrung dieses Verhältnisses bewirkt eine radikale Religionskritik und Vorstufen eines materialistischen Denkens. Für die Aufklärung in Deutschland ist das Bemühen um eine Harmonie von Vernunft und Offenbarung charakteristisch.

Lessing hat sich mit theoretischen Schriften, aber auch mit dem dichterischen Werk, dem Drama ‚Nathan der Weise‘, an diesen theologischen Auseinandersetzungen beteiligt (siehe 6.2).

An der Entfaltung dessen, was Aufklärung sein und was sie leisten sollte, beteiligten sich jedoch nicht nur die Theologie, sondern alle Wissenschaften, vornehmlich die *Philosophie*. Die Philosophie übernimmt in der Aufklärung die Aufgabe, Fragen verschiedener Wissenschafts- und Lebensbereiche zusammenzuschließen. Das führt dazu, daß der philosophische Aspekt der Aufklärung relativ selten isoliert, vielmehr im Zusammenhang mit theologischen, literarischen, kulturellen und gesellschaftlichen Fragestellungen behandelt wird. Wir gehen im folgenden nur dann auf philosophische Aspekte ein, wenn sie unmittelbar auf die Literatur eingewirkt haben.

Auch *Kants* Beantwortung der Frage ‚Was ist Aufklärung?‘ am Ende des Jahrhunderts (1784) beschränkt sich nicht auf eine philosophische Definition, sondern gibt Anleitung zum praktischen Handeln. In diesem Aufsatz unterscheidet er scharf zwischen einem „aufgeklärten Zeitalter" und einem „Zeitalter der Aufklärung". Auf die Frage „Leben wir jetzt in einem aufgeklärten Zeitalter?" antwortet er: „Nein, aber wohl in einem Zeitalter der Aufklärung." Bei Kant wird die Aufgeklärtheit eines Zeitalters nicht bezeugt durch den Wissensstand, sondern durch die allgemeine Fähigkeit der Menschen, „sich ihres eigenen Verstandes ohne Leitung eines anderen sicher und gut zu bedienen". Diese Aufgeklärtheit ist für Kant Grundlage und Ausdruck der Mündigkeit der Menschen und erscheint ihm als der „Beruf jedes Menschen". Entsprechend definiert er am Anfang des Aufsatzes die Aufklärung als Vorgang: „Aufklärung ist der Ausgang des Menschen aus seiner selbstverschuldeten Unmündigkeit." Nach dieser Charakterisierung ist Aufklärung als Reform der Übergang zum selbständigen Denken. Obwohl die Aufklärung im Prinzip uneingeschränkt gelten soll, schränkt Kant ihren praktischen Gebrauch auf den ‘öffentlichen’ ein, worunter er – im Gegensatz zu unserem Verständnis des Wortes ‘öffentlich’ – den Gebrauch versteht, den jemand als Gelehrter von ihr vor dem ganzen Publikum der Leserwelt macht. Als Privatgebrauch bezeichnet er dagegen denjenigen, „den er in einem gewissen ihm vertrauten bürgerlichen Posten von seiner Vernunft machen darf nach Maßgabe seiner Pflichten ..." Kant erläutert diesen Unterschied an der Tätigkeit des Geistlichen, der als Amtsperson vor seiner Gemeinde im Gebrauch der Vernunft nicht frei sein kann, dagegen als Gelehrter Gebrauch von seiner Vernunft machen darf. Dieser ‘öffentliche’ Gebrauch der Vernunft ermöglicht Kritik an den Einrichtungen der Religion und der Kirche. Obwohl er auch die Möglichkeit andeutet, die Gesetzgebung zu kritisieren, so erhebt er doch die „Religionssachen" zum „Hauptpunkt der Aufklärung", weil hier die Unmündigkeit sich am schädlichsten für den Menschen auswirkt. Das ‘Zeitalter der Aufklärung’ ist nach Kant „das Jahrhundert Friedrichs", doch gilt diese Bezeichnung nur in dem Sinne, daß Friedrich „es für seine Pflicht halte, in Religionssachen den Menschen nichts vorzuschreiben, sondern ihnen darin volle Freiheit zu lassen". Nach dem Tod Friedrichs ist Kant auf diese Bemerkung nicht mehr eingegangen.

Die Grenzen der Aufklärung zeigen sich in diesem Aufsatz in der Verwendung des Begriffs ‘Öffentlichkeit’, der eine Gelehrtenrepublik meint und eine Entfernung vom Staat bedeutet. Entsprechend bedeutet ‘Privatheit’ ein bürgerliches Amt.

2.2 Pietismus und Empfindsamkeit

Der Pietismus als kirchliche und religiöse Reformbewegung übt Kirchenkritik als Institutionenkritik: Das Individuum steht selbstbewußt vor Gott und lehnt die Vermittlung durch die Kirche ab. Wenn der Pietismus die Bewährung der Frömmigkeit in der Verchristlichung der Welt fordert, dann hat das mit der Vorstellung der Aufklärer von einem tugendhaften Leben in der Welt vieles gemeinsam.

Die Verweltlichung (Säkularisierung) zeigt eine doppelte Wirkung: Indem das Religiöse säkularisiert wird, binden sich die frei gewordenen religiösen Kräfte an Weltliches. Das sind vor allem die Kräfte des Gemüts. Die neue Ich-Erfahrung bringt die Erfahrung der Einsamkeit mit sich, die auch im Pietismus gründet. Ob aber die Einsamkeit erlitten oder genossen wird – das empfindende Ich will sich nicht in sich selbst verschließen. Es sucht nach Ausdruck, nach Kommunikation. Briefwechsel, Tagebuch, Autobiographie als literarische und vorliterarische Formen der Selbstdarstellung werden gepflegt.

Der Pietismus wird auch von den unteren Schichten getragen. Vor allem im schwäbischen Pietismus zeigt sich eine soziale Komponente als bedeutsames Moment der Aufklärung.

Kompliziert sind die Beziehungen zwischen Aufklärung, Pietismus und der Bewegung der Empfindsamkeit. Lange hat man in der Forschung einen Gegensatz zwischen Aufklärung und Empfindsamkeit postuliert. Das war ein Irrtum. In der Forderung nach einem Gleichgewicht von Denken und Empfinden waren sich die Anhänger der wahren Aufklärung wie auch die der wahren Empfindsamkeit einig.

Die Empfindsamkeit muß als säkularisierter Pietismus verstanden werden. Das eigene Gefühl wird ernst genommen. Das bedeutet einen Protest gegen die Reglementierung des Gefühls durch die Etikette. Selbstbewußt wendet das Ich sich gegen die hierarchisch abgestufte Geltung der Person im höfischen Zeremoniell.

Einflüsse aus England müssen genannt werden. Während der deutsche Philosoph Wolff (1679–1754) die Ästhetik ziemlich unbeachtet läßt, ist der englische Aristokrat Shaftesbury (1671–1713) Vertreter einer an Platon orientierten Philosophie, die das sittlich Gute als schön, das Schöne als sittlich gut begreift. Gefühl und Empfindung sind für Shaftesbury Grundlage der moralischen und ästhetischen Anschauung der Welt, der sittlichen und ästhetischen Erziehung des Menschen. Neben Shaftesbury gehört der englische Pfarrer Young (1683–1765) zu den Anregern der Gefühlskultur, die, seit den 1740er Jahren in Klopstock und Gellert repräsentiert, aufklärerische Positionen beeinflußt. 1768 wurde auf Anraten Lessings der Roman ,Sentimental Journey' von Laurence Sterne als ,Empfindsame Reise' übersetzt. Um 1773 registrierte die Kritik übereinstimmend mit dem Begriff 'Empfindsamkeit' eine neuartige literarische und soziale Strömung. Zum öffentlichen Durchbruch verhalf ihr Goethes ,Werther' (1774).

2.3 Aufklärung, Bürgertum und Absolutismus

Im Verhältnis von Lebenswirklichkeit und Bewußtseinsprozeß traten im 18. Jahrhundert Diskrepanzen auf. Zwar kann man nicht einfach sagen, daß die geistige Entwicklung allein lebendig gewesen sei und alles andere, die geschichtliche, soziale und ökonomische Wirklichkeit dagegen stagniert habe. Viele Menschen dieser Zeit, Regierte und Regierende, waren zu Reformen in privaten und öffentlichen Bereichen bereit, doch erfuhr man unter den bestehenden Bedingungen das Utopische aufklärerischer Gedanken, man zog sich zurück auf private Moral, auf die Kunst. Die Bereitschaft zur Revolution bestand nur bei wenigen. Als die Revolution 1789 in Frankreich ausbrach, wurde sie in Deutschland von vielen begrüßt, ohne daß man sie sich selbst, für das eigene Land, wünschte. Man hoffte auf ein heilsames Erschrecken bei den Landesfürsten, erwartete einen Auftrieb der in Gang gesetzten Reformen, wurde sich aber erst spät, nach der eigentlichen Aufklärungsbewegung, klar, daß die Revolution den aufgeklärten Absolutismus in Deutschland geschichtlich überholt hatte.

Die politischen, sozialen und wirtschaftlichen *Voraussetzungen dieser Aufklärungsbewegung* können hier nur skizziert werden. Die Folgen des Dreißigjährigen Krieges waren im 18. Jahrhundert in manchen Landstrichen noch erkennbar. In Württemberg z. B. konnten die Bevölkerungsverluste erst nach mehr als hundert Jahren ausgeglichen werden. Dabei war allerdings die Situation in den einzelnen Teilstaaten je nach den bevölkerungspolitischen Maßnahmen der Landesfürsten sehr unterschiedlich. Binnenwanderungen und Auswanderungen, durch Konfessionsstreitigkeiten hervorgerufen, waren keine Ausnahme. So erholte Brandenburg/ Preußen sich von den Folgen des Dreißigjährigen Krieges vor allem durch die Aktivitäten der aus Frankreich zugewanderten Protestanten.

In der *wirtschaftlichen Entwicklung* gab es in Deutschland keine Industrialisierung wie z. B. in England, wohl aber müssen die Anlagen von Manufakturen in staatlicher Regie, die Förderung von privatwirtschaftlicher Produktion, die Bereitstellung von Arbeitskräften, Fortschritte in der Rationalisierung der Landwirtschaft als frühe Vorbereitung der Industrialisierung verstanden werden. Diese frühe Industrialisierung wird von *bürgerlichen Schichten* bestimmt.

Vielfalt und Spannung bestimmten die *politische Wirklichkeit*. Das Reich stellte noch immer den Rahmen dar, der die Existenz von geistlichen Staaten, reichsgräflichen und reichsritterschaftlichen Territorien, Reichsstädten und zahllosen Kleinstaaten möglich machte. Noch immer konnten Streitfälle vor die obersten Reichsgerichte gebracht werden. In der zweiten Hälfte des 18. Jahrhunderts denkt man noch einmal an die Reform des Reiches, wenn auch nun schon mit nationalem Akzent.

Es gab zwar die seit dem Westfälischen Frieden rechtlich anerkannte Selbständigkeit der Einzelstaaten; von ihr konnten jedoch nur die Großen Gebrauch machen. In diesen Staaten vollzog sich, wiederum ungleichmäßig, ein Prozeß der Zentralisierung und des Ausbaus der Verwaltung, an dem erstmals bürgerliche Schichten in erheblichem Maße beteiligt waren. Immer noch setzten Landesgrenzen politische und konfessionelle Unterschiede; nur unter den Gebildeten konnte sich ein Konsens der Meinungen ausbilden, und die unterschiedlichen Überzeugungen konnten nur hier mit Toleranz ausgetragen werden.

Die deutsche Aufklärungsbewegung ging einen Kompromiß mit dem Absolutismus ein. Sie erhielt sogar durch ihn ihre spezifische Ausprägung. Zwar sind diese beiden historischen Erscheinungen eigentlich nicht miteinander vereinbar, doch wurden diese Gegensätze über mehrere Jahrzehnte hinweg verdeckt. Die Vereinigung der Gegensätze zwischen dem Anspruch auf absolute Herrschaft und dem Primat der Kritik lag in erster Linie an den *Trägergruppen der deutschen Aufklärung:* Professoren, Lehrer, Theologen, Juristen, Publizisten, bürgerliche Intelligenz. Sie waren überwiegend mit den Territorialstaaten eng verbunden und materiell von ihnen abhängig. Die von ihnen angestrebten Reformen waren ohne die Bereitschaft der Obrigkeit nicht durchführbar. Die politischen und sozialen Ordnungen, an denen durchweg festgehalten wurde, bestimmten das Ausmaß der Reformen. Die Aufklärung zielt also nicht auf eine Abschaffung der ständischen Gesellschaft, sondern auf eine Reform des absolutistischen Systems.

Trägerschicht der Aufklärungsbewegung war das Bürgertum. Doch muß man sich klar sein, daß nicht von einer bürgerlichen Klasse im Deutschland des 18. Jahrhunderts gesprochen werden kann. Zum Bürgertum als der Summe von nichtadligen, nichtbäuerlichen, nebenständischen Kräften gehörten heterogene Gruppen (s. u.), Männer im Dienst der Fürsten oder der Kirche, Kaufleute. Sie alle besaßen keinen festen Platz in der ständischen Gesellschaft; sie alle waren die 'Bürgerlichen' im neuen Sinne, die weder ökonomisch noch im Anspruch auf und in der Teilhabe an Bildung eine homogene Gruppe bildeten. Die vielfältige Binnendifferenzierung der ständischen Gesellschaft läßt sich mit Hilfe der folgenden Skizzen verdeutlichen:

Skizzierung der Hauptgruppen im Statusaufbau einer Handelsstadt im 18. Jahrhundert

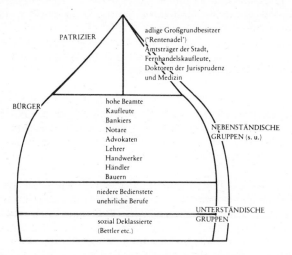

Skizzierung der Hauptgruppen im Statusaufbau einer Residenzstadt im 18. Jahrhundert

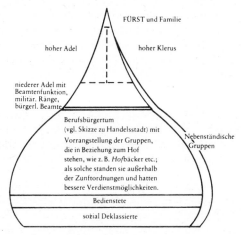

Zeichnungen aus: Wilfried Barner/Gunther Grimm/Helmut Kiesel/Martin Kramer: Lessing. Ein Arbeitsbuch für den literaturgeschichtlichen Unterricht. Verlag C. H. Beck, München 1975, S. 52f.

Mit dieser Trägerschicht war die Aufklärungsbewegung eine *städtische Bewegung*, ohne daß die Städte im 18. Jahrhundert eine Blütezeit zu verzeichnen hatten. Viele Landesstädte verloren ihre kommunale Selbstverwaltung an die landesfürstliche Gewalt. Die freien Handelsstädte wurden durch die absolutistischen Verwaltungsformen in die neue staatliche Organisation einbezogen. Von 133 freien Reichsstädten waren im 18. Jahrhundert noch 51 vorhanden. Beeinträchtigt wurde der Handel durch Binnenzölle, unterschiedliche Münzsysteme, ein kaum entwickeltes Kreditwesen, schlechte Verkehrswege. Der Handel wurde größtenteils auf Messen abgewickelt. Frankfurt war für den westlichen, Leipzig für den östlichen Außenhandel von Bedeutung. Hamburg war vor Bremen bedeutender Küstenumschlagplatz. Auf die Städte Norddeutschlands wirkte sich außerdem in der Entwicklung einer Stadtkultur die Nähe Englands und Hollands günstig aus. Diese wenigen Handels- und Messestädte konnten ihre Selbständigkeit erhalten. Sonst war der Handel stark an die fürstlichen Residenzstädte gebunden.

2.4 Literatur als Medium der Aufklärung

Die beiden grundlegenden, sich wechselseitig beeinflussenden Tendenzen im 18. Jahrhundert sind das *Anwachsen der Leserschaft* und der *Buch- und Presseproduktion.* 1770 waren höchstens 15 %, um 1800 schon 25 % der Bevölkerung potentielle Leser. Die Buchproduktion verdoppelte sich im 18. Jahrhundert auf 400000 - 500000 Titel, der Anteil der in Latein verfaßten Bücher ging von 28 % auf 14 %, schließlich auf 4 % zurück.

Die Zahlen machen zweierlei deutlich: Ein großer Teil der Bevölkerung war im 18. Jahrhundert an dem Bildungs- und Aufklärungsprozeß, der über das Buch vermittelt werden konnte, nicht beteiligt. Das Schlagwort „Volk ohne Buch" gilt für weite Kreise auch der bürgerlichen Schichten in diesem Jahrhundert. Andererseits ist ein schwunghafter Aufstieg der Buchproduktion im letzten Drittel des Jahrhunderts erkennbar. Die Ursachen für diese Entwicklung sind mannigfaltig.

Das Analphabetentum verringerte sich durch die Ausweitung des Schulwesens. Eine allgemeine Schulpflicht bestand nicht, in Preußen wurde sie 1717 dort eingeführt, „wo Schulen sind". Dort entstand eine lokale Unterrichtspflicht. Erst das preußische General-Land-Schul-Reglement von 1763 führte zu einem Durchbruch. Während die Städte schon seit dem Spätmittelalter Elementarschulen hatten, weiteten sie sich nun auf die Dörfer aus. Als ein Resultat dieser Erweiterung sank nach Schätzungen im Laufe des 18. Jahrhunderts die Zahl der Analphabeten von 80/90 % auf 50 %.

Angehörige des Bürgertums erkennen in der Bildung eine Möglichkeit, ökonomisch und sozial aufzusteigen. Die Lesegewohnheiten ändern sich. An die Stelle des intensiven Lesens, bei dem die Bibel, der Katechismus, religiöse und moralische Erbauungsbücher wiederholt gelesen werden, tritt eine Lesehaltung, die nach immer wieder neuen Lesestoffen Ausschau hält. Das wachsende Bedürfnis nach Lesestoffen bedingt eine wachsende Buchproduktion. Die *Romanproduktion* nimmt einen großen Aufschwung. Die Autoren der Trivialromane reduzieren das Abenteuer, die Utopie einer besseren Welt auf einfache Muster und mischen Motive und Themen zu einer leicht bekömmlichen Kost. Längst nicht alle Bücher, die auf dem Markt erscheinen, tragen zur Aufklärung der Bevölkerung bei.

Medium der deutschen Aufklärung sind in der ersten Hälfte des Jahrhunderts die *Moralischen Wochenschriften.* Sie verbreiten das aufklärerische Programm in weiten Bevölkerungskreisen. Sie haben englische Vorbilder (‚Spectator‘, 1711/12, ‚Guardian‘, 1713), die in Deutschland übersetzt und weit verbreitet sind. Die 'Moralischen Wochenschriften' haben einen sittlich-lehrhaften Inhalt, der in literarischer Form erscheint: als Fabel, als Brief, als Gespräch, als Abhandlung. Sie meiden spezielle Aktualität.

Der Katalog ihrer literarischen und publizistischen Möglichkeiten erweitert sich im Laufe des Jahrhunderts. Die Zeitschriften nehmen sich verstärkt sozialer und politischer Themen an. Daneben gibt es eine wachsende Zahl von Lesegesellschaften, Leihbibliotheken und geselligen Zusammenschlüssen.

In diesen *Frühformen einer literarischen Öffentlichkeit* können Gedanken der Aufklärung, insbesondere der fortgeschritteneren in England und Frankreich, frei von gesellschaftlichen Bindungen praktiziert werden. Diese Prozesse sind nicht an eine vom Staat abgehobene oder gar oppositionelle Gesellschaft gebunden; jedoch stellen sie ein Forum der Diskussion her, die in der Abhängigkeit vom absolutistischen Herrschaftssystem im Sinne der bürgerlichen Bewegung argumentiert. Es bleibt an die Gruppen von Aufklärern gebunden, die als Gelehrte oder als Beamte in den Territorialstaaten Reformvorschläge zu realisieren suchen.

Zu ihnen gehört auch der Schriftsteller. Der Aufklärer *Nicolai* äußert sich in seinem Roman ‚Das Leben und die Meinungen des Herrn Magisters Sebaldus Nothanker' kritisch über das Nebeneinander von Gelehrtenstand und Schriftstellerei, d. h. über die faktische Begrenzung der aufklärerischen Bewegung, sofern sie auf eine literarische Öffentlichkeit angewiesen war:

„Der Stand der Schriftsteller beziehet sich in Deutschland beinahe bloß auf sich selber, oder auf den gelehrten Stand. Sehr selten ist bei uns ein Gelehrter ein Homme de Lettres. Ein Gelehrter ist bei uns ein Theologe, ein Jurist, ein Mediziner, ein Philosoph, ein Professor, ein Magister, ein Direktor, ein Rektor, ein Konrektor, ein Subrektor, ein Bakkalaureus, ein Collega infimus, und er schreibt auch nur für seine Zuhörer und seine Untergebenen. Dieses gelehrte Völkchen von Lehrern und Lernenden, das etwa 20000 Menschen stark ist, verachtet die übrigen 20 Millionen Menschen, die außer ihnen deutsch reden, so herzlich, daß es sich nicht die Mühe nimmt, für sie zu schreiben; und wenn es zuweilen geschieht, so riechet das Werk gemeiniglich dermaßen nach der Lampe, daß es niemand anrühren will."

Die Öffnung der *Gelehrtenrepublik,* die Hinwendung zum Publikum, hatte 1773, als Nicolai diese Zeilen verfaßte, erst begonnen. Erst im letzten Drittel des Jahrhunderts erfaßte die Aufklärung den größeren Teil der Intelligenz, damit Teile der Universitäten, Gymnasien, Lateinschulen sowie Bürokratie und Geistlichkeit.

Obwohl das Lesebedürfnis wuchs, die Nachfrage nach dem Buch sich vergrößerte, war die wirtschaftliche und geistige Situation der Schriftsteller in diesem Jahrhundert nicht günstig. Lange blieb in Deutschland infolge der Kapitalknappheit nach dem Dreißigjährigen Krieg der Tauschhandel die beherrschende Verkehrsform auf dem Büchermarkt.

Auf den *Buchmessen* in Frankfurt, Straßburg, Stuttgart, Nürnberg, Leipzig und Breslau tauschten die Verleger die eigene Produktion gegen fremde. Der Handel vollzog sich bargeldlos und blieb dadurch an das fertige Produkt gebunden. Erst durch den Verkauf von Büchern bekam der Verleger Geld, das er für Materialkosten und Löhne brauchte. Die Verleger waren kaum in der Lage, den Autoren angemessene Honorare zu zahlen. Erst der wirtschaftliche Aufschwung in der zweiten Hälfte des Jahrhunderts und der Ausbau des Kreditwesens führten dazu, daß der Tauschhandel durch Konditions- und Kommissionshandel abgelöst wurde. Eine explosionsartige *Ausweitung des Buchmarktes* im letzten Drittel des Jahrhunderts war die Folge. Die Verleger verkauften die Bücher an die Sortimenter, die Buchhändler beschafften sich die Bücher von ihnen und verkauften sie an die Leser. Der Sortimenter hatte das Recht, unverkaufte Bücher zurückzugeben, der Verleger konnte dem Sortimenter Neuerscheinungen unverlangt zusenden. Klagen über gewinnsüchtige Verleger, die Trivialliteratur um des eigenen Profits willen verbreiten, aber auch Klagen über den schlechten Geschmack der Leser wurden nun häufiger.

Die *Schriftsteller* erhielten ein Honorar (Ehrengeschenk); es kann nicht als angemessene Entlohnung angesehen werden. Der Begriff verdeckt die wirtschaftlichen Bedingungen der literarischen Produktion. Waren bislang die Autoren auf die Förderung und den Auftrag der Fürsten oder der Kirche angewiesen (Mäzenatentum), so mußten sie nun ihre wachsende Selbständigkeit mit der *Abhängigkeit vom Markte* bezahlen. Die meisten Autoren konnten bei ihren Verlegern kein angemessenes Honorar fordern. Sie waren von der Gunst des Verlegers, dieser vom Markt abhängig. Während des Tauschhandels bekamen die Schriftsteller als Entgelt Freiexemplare ihrer eigenen Produktionen und Bücher aus dem Sortiment. Erst in der Mitte des Jahrhunderts stiegen mit der Entwicklung des Konditions- und Kommissionshandels die

Honorare und damit auch das Ansehen der Schriftsteller. Trotzdem blieb das Bücherschreiben Nebenberuf. Selbst *Lessing,* der erste 'freie Schriftsteller', war in Wolfenbüttel auf ein Bibliothekarsgehalt von 600-800 Reichstalern angewiesen. In seinem
Fragment ,Leben und leben lassen. Ein Projekt für Schriftsteller und Buchhändler',
entstanden nach 1772, macht er als Autor Vorschläge, Mißstände zu beseitigen, an
denen nicht nur er zu leiden hatte. Lessing fordert in dieser Schrift die Anerkennung
des geistigen Eigentums. Bis in die zweite Hälfte des Jahrhunderts war es üblich –
und dem Gedanken der Aufklärung besonders angemessen –, daß der Besitz von
Wissen zur Mitteilung verpflichtete. Was ein Schriftsteller einmal veröffentlicht hatte, unterlag dem Anspruch der Allgemeinheit, die damit nach Belieben verfahren
konnte. Gegen diese Vorstellung vom geistigen Eigentum wendet sich Lessing in dieser Schrift. Er tritt ein für das Verbot des Nachdrucks und eine gerechte Verteilung
von Gewinn und Verlust zwischen dem Schriftsteller, dem Drucker und dem Buchhändler. Selbstverlag und Subskription sollten mit den herkömmlichen Produktions-
und Verkaufsgewohnheiten des Buchhandels kombiniert werden. Lessing äußert in
dieser Schrift die Hoffnung, die Schriftsteller aus der Abhängigkeit von Verlegern
befreien zu können.

Zensur und *Selbstzensur* gehören in den Zusammenhang von Amt und Schriftstellerei, der in Kants Aufsatz von 1784 behandelt wird. Er führt zur Trennung zwischen
Gebrauch der Vernunft in amtlichen Stellungen und in der Eigenschaft als Gelehrter
vor dem Publikum der Leser. Die öffentliche Meinung darf sich nur bilden, wenn sie
dem Herrschaftsanspruch des Fürsten nicht entgegentritt.

Seit 1579 bestand die Kaiserliche Bücherkommission in Frankfurt. Sie übte bis ins 18.
Jahrhundert die Zensur aus. Während bis 1715 nur religiöse Schriften geprüft wurden, erfaßte die Zensur im 18. Jahrhundert weltliche, vor allem politische Literatur.

3 Aufklärung und Sturm und Drang als literarische Epoche

3.1 Zum Verhältnis von Aufklärung und Sturm und Drang

Die Verwendung der beiden Begriffe 'Aufklärung' und 'Sturm und Drang' im Sinne
einer literarhistorischen Periodisierung ist mit Schwierigkeiten verbunden. Die bisherige Literaturgeschichtsschreibung hat insbesondere die Abgrenzung des Sturm
und Drang von der Aufklärung und der Empfindsamkeit einerseits und von der Klassik andererseits sehr unterschiedlich vorgenommen. Im Blick auf die durch Goethe
und Schiller geprägte Weimarer Klassik wird der Sturm und Drang in der älteren Forschung oft einseitig als Phase des bloßen Durchgangs und der Vorbereitung (Vorklas-
sik) gewertet. ln Analogie zu der Lebensgeschichte Goethes und Schillers werden
Vorstellungen einer lebensgeschichtlichen Entwicklung der Autoren auf die Literatur selbst übertragen. Der Jugend der Stürmer und Dränger entspricht in dieser Sicht
das Aufbegehren gegen eine Gesellschaft, deren politische und soziale Ordnung als
bedrückend und widernatürlich, und gegen eine Kultur, die als fremd und künstlich
wahrgenommen wurde. Wenn die programmatischen Entwürfe wie auch die literarischen Werke in vielem bruchstückhaft und unvollendet blieben, so gilt dies nur als ein
weiteres Indiz für das Jugendlich-Unfertige dieser literarischen Bewegung.

Die Konsequenz solcher Überlegungen ist eine scharfe Trennung der Literatur des
Sturm und Drang von der der Aufklärung, während der Übergang zur Klassik eher
organisch gedacht wird, so als sei das im Sturm und Drang Angelegte erst in der 'Reife' der Klassik voll zur Entfaltung gekommen.

Ein anderes Abgrenzungsmodell benutzt die These vom angeblichen Irrationalismus des Sturm und Drang, der als eine spezifisch 'deutsche Bewegung' gegen die liberal-rationalistischen Strömungen der europäischen Aufklärung interpretiert und in einen Traditionszusammenhang mit der ebenso einseitig völkisch-national gewerteten Romantik gerückt wird. Es überrascht nicht, daß solche Denkmuster insbesondere in der nationalsozialistischen Zeit zum Ausdruck kommen.

Für die neuere Forschung ist das Bemühen charakteristisch, derartig einseitige Zuordnungen und Abgrenzungen zu vermeiden und das Verhältnis zwischen Aufklärung und Sturm und Drang differenzierter zu sehen. Je mehr die Aufklärung als die umfassende epochale Grundströmung verstanden wird, innerhalb deren sich mit der Emanzipation des Bürgertums auch die Formen bürgerlicher Kunst und Literatur konstituieren, um so eher kann der Sturm und Drang als eine neue Phase dieses Prozesses gewertet werden; als eine Bewegung nämlich, in der die Aufklärung weiterwirkt, auch wenn sich die neue Bewegung mit zeitlich früheren Erscheinungsformen der Aufklärung, wie sie sich in Deutschland seit Beginn des 18. Jahrhunderts entwikkelt haben, zum Teil leidenschaftlich und kritisch auseinandersetzte.

Das Verhältnis von Aufklärung und Sturm und Drang wird also durch Kontinuität und Diskontinuität bestimmt. Ein solcher Erklärungsansatz, der auf Zuordnung und Abgrenzung zugleich zielt, macht es möglich, die deutsche Literatur der 70er und 80er Jahre des 18. Jahrhunderts wieder in ihrem Zusammenhang mit der gesamteuropäischen Aufklärungsbewegung zu sehen, ohne zu verkennen, daß der Sturm und Drang eine im wesentlichen auf die deutsche Literatur beschränkte Erscheinung bleibt. Die Gründe dafür liegen vor allem in jenen Verspätungen und Verzögerungen, die in Deutschland – im Unterschied zu anderen westeuropäischen Ländern – den Prozeß der Verbürgerlichung der Gesellschaft und der Kunst bestimmen.

3.2 Zur Periodisierung

Eine sinnvolle Verwendung der beiden Begriffe 'Aufklärung' und 'Sturm und Drang' muß also davon ausgehen, daß Aufklärung der übergeordnete Epochenbegriff ist: Das 'Jahrhundert der Aufklärung' bildet den Rahmen, innerhalb dessen die literarische Entwicklung unterschiedliche Phasen durchläuft. Sturm und Drang und Empfindsamkeit bezeichnen solche Bewegungen, die etwa ab der Jahrhundertmitte die zeitlich vorausgehenden Ausprägungen der literarischen Aufklärung auf ihre Weise verändern und weiterführen.

Orientiert man sich an den gängigen Vorschlägen zur Periodisierung, dann läßt sich der gesamte Entwicklungsprozeß wie folgt gliedern:

1. Übergangsphase	1680–1720/30	3. Hochaufklärung	1740/50–1770
2. Rationalistische Frühaufklärung	1720/30–1740/50	4. Spätaufklärung und Sturm und Drang	1770–1789

Der Begriff 'Übergangsphase' bringt zum Ausdruck, daß sich gegen Ende des 17. Jahrhunderts erst allmählich und regional begrenzt Frühformen einer bürgerlichen Kultur herausbilden, während die barocke höfische Kultur nach wie vor dominiert. Die rationalistische Frühaufklärung wird insbesondere durch das Systemdenken der Wolffschen Philosophie *(Christian Wolff, 1679–1754)* und literarisch durch die normativ-systematische Dichtungslehre Gottscheds *(Johann Christoph Gottsched, 1700–1766)* geprägt. Als 'Gottsched-Phase' wird diese Periode häufig auch von der folgenden 'Lessing-Phase' abgegrenzt, ein Verfahren, das die besondere Wirksamkeit dieser beiden Autoren auf die Früh- bzw. Hochaufklärung berücksichtigt.

Selbstverständlich dient eine solche Periodisierung nur der groben Orientierung. Sie gelangt immer dort an ihre Grenze, wo das zeitliche Nebeneinander unterschiedlicher Strömungen erfaßt werden soll. Für den hier in Frage stehenden Zeitraum be-

deutet das, daß etwa ab der Jahrhundertmitte die literarische Aufklärung, die Empfindsamkeit und das literarische Rokoko mit- und nebeneinander auftreten und daß
der Sturm und Drang als eine spätere literarische Strömung zu den weiterwirkenden
anderen hinzukommt. Jene komplexe 'Gleichzeitigkeit des Ungleichzeitigen' kennzeichnet mithin die vier Jahrzehnte der literarischen Entwicklung (von der Jahrhundertmitte bis zur Französischen Revolution), die in der folgenden Darstellung besonders berücksichtigt werden. Erst in diesem Zeitraum entstehen literarische Werke,
die – wenn auch mit sehr unterschiedlichen Wirkungsgeschichten – bis in die Gegenwart hinein weiterwirken.

3.3 Zum Selbstverständnis der Literatur in der Aufklärung

Während in der höfischen Kultur im Barockzeitalter und auch noch zu Beginn des 18.
Jahrhunderts die Literatur vor allem Repräsentationsfunktion hatte, erhält sie in der
Aufklärung eine neue Aufgabe. Sie übernimmt die Verbreitung bürgerlicher Moral-
vorstellungen. Sie dient der Selbstfindung und Stärkung des Selbstbewußtseins im
Bürgertum. Sie übernimmt dabei auch eine politische Funktion. Lessing hat sich in
seinen literaturtheoretischen Schriften um eine Neubestimmung der Literatur be-
müht. An seinen Aussagen läßt sich beispielhaft aufzeigen, welche Vorstellungen die
Zeit der Aufklärung von der Aufgabe der Literatur hatte und wie sie sie begründete.
Lessing setzt sich für eine öffentliche Kunstkritik ein. Wenn die Literatur eine mora-
lisch-politische Aufgabe übernehmen soll, dann bedarf es des Kritikers, der am einzelnen Werk überprüft, ob es diese Aufgabe erfüllt. Zwar gesteht Lessing auch dem
Publikum Urteilsfähigkeit und Mitspracherecht zu, aber er macht Einschränkungen.
Wenn sich die Erwartungen des Publikums mit denen des Kunstrichters nicht decken,
dann muß er ihm gegenüber eine erzieherische Aufgabe übernehmen. Er möchte damit keine Leserelite schaffen. Es geht ihm auch darum, soziale Schranken zu überwinden, aber er ist sich der Schwierigkeit bewußt, auf alle Leserschichten im aufklärerischen Sinne einwirken zu können.
So sehr Lessing den Kunstrichter aufwertet, ihm eine erzieherische Aufgabe zuspricht, so sehr unterscheidet er sich in seinen theoretischen Überlegungen von einem seiner Vorgänger, dem Literaturtheoretiker Gottsched. Dieser erhebt den Anspruch, daß nur der Kenner, das ist für ihn der Theoretiker, der Kritiker, im besten
Falle dann auch noch der Dichter selbst, die Kunstregeln aufstellt und beurteilen
kann. Lessing hingegen traut auch dem Publikum Urteilsfähigkeit zu. Die unterschiedlichen Auffassungen sind wahrscheinlich nicht nur auf ein anderes Bewußtsein
zurückzuführen, sondern auch die Rolle des Schriftstellers ist eine andere geworden.
Während für Gottsched als Auftragsdichter die unteren sozialen Schichten keine Rolle spielten, ist Lessing als 'freier' Schriftsteller an allen Leserschichten interessiert.
Im Zeitalter der Aufklärung werden auch die Gattungen neu bestimmt. Lessing hat
sich zu vielen Gattungen theoretisch geäußert, vor allem zu den lehrhaften Kleinformen, zum Beispiel zur Fabel, zur Satire, zum Epigramm, zum Aphorismus. Er hat
die theoretische Diskussion um das bürgerliche Drama, das Lustspiel weitergeführt.
Allein auf die Entwicklung des bürgerlichen Romans des 18. Jahrhunderts hat Lessing keinen Einfluß gehabt.
Im folgenden wird unter ausgewählten Aspekten der Beitrag Lessings zur Neubestimmung des Dramatischen und des Theaters dargelegt.
Wie schon in I.2 angedeutet, war Lessing der Mitbegründer des deutschen National-
theaters. In den ‚Briefen die neueste Literatur betreffend‘, vor allem im 17. und 81.
Literaturbrief, rechnet er mit Gottsched ab, kritisiert die Nachahmung des französischen Theaters am Hoftheater einerseits, das Wandertheater in seiner Verkommenheit andererseits, nennt Shakespeare als Vorbild für die deutschen Dramatiker. 1767

gründet er das ‚Hamburger Nationaltheater‘. Lessing bespricht als Kritiker die aufgeführten Stücke in einer zunächst wöchentlich erscheinenden Zeitschrift ‚Hamburgische Dramaturgie‘. Die Zeitschrift sollte die Wirkung des Hamburger Theaters in seiner aufklärerischen Aufgabe begleiten und unterstützen. Lessing gründete eine Druckerei, die Zeitschrift wurde gegen Vorbestellung und Vorbezahlung bezogen, aber es traten finanzielle Schwierigkeiten auf. Die Zeitschrift erschien unregelmäßig, das Publikum war nicht sehr rege, das Fortbestehen des Theaters und der Zeitschrift war gefährdet. Schließlich erschienen die Beiträge in Buchform, so daß Lessing seine Grundkonzeption vom Dramatischen weiterentwickeln konnte.

Dreierlei ist von der Theorie der Tragödie, die Lessing in der ‚Hamburgische[n] Dramaturgie‘ darlegte, hervorzuheben:

Erstens ging es ihm um das Prinzip der *Nachahmung* in der Kunst, und zwar nicht um einen bloßen Realismus. Er erweitert die Vorstellung von der „Natur der Erscheinungen“ um die „Natur unserer Empfindungen und Seelenkräfte“. Die Aufgabe des Dramatikers ist es nun, aus der Natur Elemente zu abstrahieren, sie in einen kausalen Sinnzusammenhang zu bringen. Die Kunst, die so entsteht, wird ein „Schattenriß von dem Ganzen des ewigen Schöpfers“. Mittels des Dramas ist Erkenntnis der Welt möglich.

Eine zweite Forderung ist der *„gemischte Charakter“*. Der Dichter, der seinen Dramen ein hohes Maß an Allgemeinheit geben soll, darf nicht den ausgefallenen Charakter darstellen. Der Märtyrer und der Bösewicht sind Lessing in gleicher Weise zu einseitig. Hinzu kommt, daß Lessing die Wirkungsabsicht der Tragödie, Furcht und Mitleid zu erregen, in abgewandelter Weise von Aristoteles übernimmt. Sie fordert auch den gemischten Charakter, denn ein Bösewicht kann kein Mitleid erwecken, er kann nur abschrecken. Mitleiden kann der Zuschauer nur, wenn er auf der Bühne ihm ähnliche Personen sieht. Das Mitleiden vollzieht sich nach Lessing durch das Erkennen und Empfinden der Leidenschaft des Helden als Ursache seines Unglücks. In dieser *Katharsis* sollen nicht einzelne Leidenschaften durch die Tragödie gereinigt und damit einzelne Tugenden gefördert werden, sondern eine allgemeine tugendhafte Gesinnung soll beim Zuschauer erreicht werden. Mit dieser Vorstellung der Katharsis als drittes wichtiges Element des Dramatischen stellt Lessing die Tragödie in den Dienst seiner moralischen Zielvorstellungen.

Am Beispiel der Tragödientheorie wird deutlich, daß der Aufklärer Lessing die Literatur von der Wirkung her zu bestimmen versucht. Die *Wirkungspoetik* ist der Beitrag der Aufklärung zur Literaturtheorie.

3.4 Zum Selbstverständnis der Literatur im Sturm und Drang

Der Begriff ‘Sturm und Drang’ bezeichnet jene nur kurze literarische Bewegung in den beiden Jahrzehnten vor der Französischen Revolution, die ihren Höhepunkt in den 70er Jahren hat, während Schiller mit seinen Jugenddramen bereits als Nachzügler gilt. Den Begriff kannten und gebrauchten schon die Zeitgenossen. Ursprünglich der Titel eines Schauspiels von Friedrich Maximilian Klinger (1776), setzt sich ‘Sturm und Drang’ rasch als Bezeichnung für ein gewandeltes Lebensgefühl durch, das eine Generation junger Autoren, vorzugsweise im Alter zwischen 20 und 30 Jahren, miteinander vereint. Der Begriff ‘Genieperiode’ bzw. ‘Geniezeit’, der verschiedentlich vorgezogen wird, verweist darauf, daß die Stürmer und Dränger sich selbst gern ‘Originalgenies’ nannten, während sie von anderen oft spöttisch-distanziert als ‘Kraftgenies’ apostrophiert wurden.

Nicht nur zeitlich, auch lokal läßt sich die Bewegung leicht eingrenzen: Der Kreis um *Herder, Goethe, Wagner, Merck* und *Lenz* (zuerst in Straßburg, dann in Frankfurt und Wetzlar) gibt in den Jahren 1770–1773 die entscheidenden Impulse, eine weitere

Gruppe in Göttingen (vor allem *Voß* und *Bürger*), schließlich der schwäbische Kreis *(Schubart, Weckherlin* und der junge *Schiller)* kommen hinzu – damit sind bereits die wichtigsten Träger der Bewegung und ihre regionalen Zentren genannt. Andere Autoren bleiben an der Peripherie, so etwa *Klinger,* die beiden Grafen *Stolberg, Maler Müller, Jung Stilling* u. a.

Wie der Sturm und Drang sich in einigen wenigen Jahren als eine literarische Bewegung konstituiert, dies ist ein für die deutsche Literatur völlig neuer Vorgang. Die gemeinsamen Überzeugungen und Ziele, eine Tendenz, sich in kleinen literarischen Zirkeln zusammenzusetzen, vor Freunden zu lesen und miteinander zu diskutieren, intensive Briefwechsel zu pflegen, eine gemeinsame Sprache zu sprechen – all dies fördert das Bewußtsein, einer Gruppe anzugehören, in der man sich miteinander verbunden fühlt.

Diese Gruppe hat nicht nur ihre eigene Zeitschrift, die ‚Frankfurter Gelehrten Anzeigen‘, 1772 und 1773 von Merck herausgegeben, sondern spätestens seit Goethes großen literarischen Erfolgen auch ein eigenes Publikum. Der ‚Götz von Berlichingen‘ erscheint 1773, ‚Die Leiden des jungen Werthers‘ ein Jahr später: Von nun an hat der Sturm und Drang Anhänger, die die neue Literatur geradezu enthusiastisch feiern, wie auch andererseits Gegner, die die jungen ‘Genies’ und ihre literarischen Produkte ebenso nachhaltig kritisieren.

Der Sturm und Drang hat *keine systematische Poetik* entwickelt. Es lassen sich jedoch einige Schriften und Abhandlungen nennen, die für das neue literarische Programm in besonderer Weise positionsbildend sind. Der von Herder herausgegebene Sammelband ‚Von deutscher Art und Kunst‘ (1773), der neben Herders eigenem ‚Shakespeare‘-Aufsatz auch Goethes Schrift ‚Von deutscher Baukunst‘ enthält, Goethes Rede ‚Zum Shakespearestag‘ (1771) und die ‚Anmerkungen übers Theater‘ von Lenz (1771-74) gehören dazu, auch Schillers Abhandlungen über das deutsche Theater, vor allem sein Aufsatz ‚Die Schaubühne als moralische Anstalt betrachtet‘ (in einer ersten Fassung 1785 erschienen), jedoch mit der Einschränkung, daß hier die aufklärerische Tradition sehr viel stärker zum Ausdruck kommt als in den anderen Beiträgen.

In den genannten programmatischen Abhandlungen des Sturm und Drang stehen einige Kategorien und Begriffe im Mittelpunkt, die bereits in der Ästhetik der Aufklärung eine wesentliche Rolle spielen, nunmehr aber spezifische Bedeutungserweiterungen bzw. Umwertungen erfahren. In der neuen *Genielehre* treten die Veränderungen besonders deutlich hervor. Im Sinne Gottscheds hat ein Dichter Genie, wenn er Witz, Scharfsinn, Einbildungskraft, Gelehrsamkeit und Geschmack in sich vereinigt, Fähigkeiten, deren Zusammenwirken die Vernunft besorgt. Bei Herder, Goethe, Lenz u. a. erfährt der Begriff demgegenüber eine wesentliche Bedeutungserweiterung, indem er für die keinerlei ästhetischen oder politisch-moralischen Normen unterworfene Schaffenskraft des Künstlers steht und damit für dessen Individualität, die neben der Vernunft nun auch die gesamten emotionalen Kräfte mit umfaßt. ‘Kraft’, ‘Empfindung’, ‘Gefühl’, ‘Liebe’, ‘Herz’, Individualität als Einheit von Geist, Seele und Leib – das sind die zentralen Vorstellungen. Ihnen liegt ein ganzheitliches Menschenbild zugrunde, in dem ‘Sinne und Leidenschaften’ nicht mehr als wider die Harmonie der Vernunft agierende Störelemente, sondern als produktive Kräfte begriffen werden. In diesem Sinne spielt der Sturm und Drang also nicht das Gefühl gegen den Verstand aus, sondern er fordert die Verwirklichung und Entfaltung aller menschlichen Kräfte und Fähigkeiten.

Was für den Menschen allgemein gilt, gilt für den *Künstler* in besonderer Weise. Die Analogie zu einer göttlichen Schöpferkraft wird immer bemüht, um den besonderen Anspruch dieses Konzepts zu verdeutlichen. Wie Gott als „Poet am Anfang der Taten“ (Hamann) die Natur und den Menschen geschaffen hat, so verwirklicht sich der Künstler im Kunstwerk. Der Künstler als ein zweiter Prometheus: Goethe hat in seiner bekannten Hymne (1774) dafür ein Beispiel gegeben. Shakespeare, Homer, Ossian

– das sind die großen literarischen Vorbilder. In ihren Werken sieht man Natur als organische Ganzheit, so wie Goethe sie auch im Straßburger Münster entdeckt, einem Denkmal gotischer Baukunst, die bislang dem öffentlichen Zeitgeschmack eher als Beispiel für Un-Kunst galt. Gerade hier wird deutlich, wie die Neubestimmung der ästhetischen Kategorien auf dem Hintergrund und in Opposition zu der höfischen Repräsentativkunst erfolgt, wie sie zum Beispiel in der französisch-klassizistischen Tragödie immer noch bestimmend für die Theaterpraxis in den Residenzstädten war und gegen die sich die neue Literatur nur allmählich durchzusetzen vermag.

Herder schafft auch die Grundlage für ein neues *Geschichtsbewußtsein*. Während die Aufklärung den Geschichtsprozeß im Sinne einer kontinuierlichen Fortschrittsbewegung interpretiert, die im Zeitalter der Vernunft ihren 'natürlichen' Höhepunkt erreicht hat, kehrt Herder die Bewertung der historischen Entwicklung eher um. Er überträgt das Modell der Lebensabschnitte des Menschen von der Kindheit bis zum Alter auf den Geschichtsprozeß und unterscheidet das „goldene Zeitalter der kindlichen Menschheit" (die frühen Hochkulturen), die „Knabenzeit" (Ägypten), die „Jünglingszeit" (Griechenland) und schließlich das „Mannesalter" (Römisches Reich), dem nach einer Phase des Verfalls in der ritterlichen Kultur des Mittelalters eine neue Blüte folgt.

In dieser Vorstellung wird die eigene Zeit wieder zu einer Zeit des Niedergangs, deren 'Papierkultur' immer wieder beklagt wird. Im bloßen Räsonnement und mechanischen Denken, dem „Geist der neueren Philosophie", zeigt sich für Herder vor allem Erstarrung, die es mit den Mitteln der Kunst aufzubrechen gilt. Erstarrt sind in anderer Weise aber auch die tradierten Formen der Literatur. Deshalb wendet der Sturm und Drang sich mit aller Leidenschaft gegen jede normativ-systematische Poetik.

Für die *Lyrik* bedeutet das, daß einfache, volkstümliche Formen dominieren. Die Begeisterung des Sturm und Drang für jede Art von Volkskunst bewirkt ein besonderes Interesse am Volkslied (Goethe, Herder, Bürger u. a.), an der Romanze und Ballade (Goethe, Hölty, Bürger u. a.). Nicht die möglichst kunstvolle Nachahmung der überlieferten lyrischen Form, sondern die möglichst ausdrucksstarke Vermittlung authentischer Erfahrung wird jetzt zur obersten Norm. Das schließt, wie besonders Schubart und Bürger zeigen, die Integration kritisch-aufklärerischer Momente keineswegs aus.

Im Bereich des *Romans* setzt sich, sieht man von der Ausnahme des ‚Werther' ab, die Tradition der aufklärerischen Literatur am deutlichsten fort. Anders dagegen im *Drama,* der zweifellos bevorzugten Gattung des Sturm und Drang. Die Ablehnung der klassisch-französischen Regeltragödie, durch Lessing bereits weitgehend vorbereitet, und die Orientierung am Theater Shakespeares erfolgen nun besonders kompromißlos. Goethes ‚Götz von Berlichingen', im Druck 1773 erschienen, liefert sofort das Muster für eine neue Form des nationalen Theaters. Die Kurzszenentechnik, eine mehrsträngige Handlungsführung und eine individualisierende Sprache stehen, wie die erregt geführte Diskussion über den ‚Götz' zeigt, in deutlichem Kontrast zu den überlieferten Normen des aufklärerischen Theaters.

4 Literatur als Medium der Kritik: kleine literarische Formen

Den Herrschaftsanspruch der Kritik im Zeitalter der Aufklärung hat *Kant* (1724–1804) in der Vorrede zu seiner ,Kritik der reinen Vernunft' eindeutig ausgesprochen:

„Unser Zeitalter ist das eigentliche Zeitalter der Kritik, der sich alles unterwerfen muß. Religion durch ihre Heiligkeit und Gesetzgebung durch ihre Majestät wollen sich gemeiniglich derselben entziehen. Aber alsdann erregen sie gerechten Verdacht wider sich und können auf unverstellte Achtung nicht Anspruch machen, die die Vernunft nur denjenigen bewilligt, was ihre freie und öffentliche Prüfung hat aushalten können." (Die Bemerkung fehlte – nach dem Tod Friedrichs des Großen – in der Vorrede zur zweiten Auflage 1787.)

Der Ausdruck 'critique' hat sich im Laufe des 17. Jahrhunderts eingebürgert. Man versteht unter ihm die Kunst einer sachgerechten Beurteilung, die sich besonders auf die antiken Texte bezieht. Das Wort wird zunächst von den Humanisten verwandt, Urteilsfähigkeit und gelehrte Bildung sind ihm zugeordnet. Als man die philologische Methode auf die Heilige Schrift ausweitet, nennt man auch dieses Verfahren 'Kritik'. Man ist kritisch und christlich zugleich und setzt sich ab gegen ungläubige Kritik durch deren Bezeichnung als 'criticaster'. Die Kritik steht noch im Dienst der religiösen Parteien. Es bildet sich im Zuge der Textkritik an der Heiligen Schrift aus den religiösen Streitigkeiten eine neue Front heraus, die daraus entsteht, daß sich die Vertreter der einander feindlichen Kirchen einem ihnen allen gemeinsamen Gegner gegenübersehen. Es ist die Front zwischen Vernunft und Offenbarung, die die erste Hälfte des 18. Jahrhunderts bestimmt hat. *Bayle* (1647–1706), ein Geschichtsphilosoph, sagt:

„Man muß notwendig zu dem Schluß kommen, daß jedes einzelne Dogma, ob man es nun als in der Heiligen Schrift enthalten ausgibt oder sonst aufstellt, falsch ist, wenn es von klaren und deutlichen Erkenntnissen der Vernunft widerlegt wird, besonders, soweit es sich um die Moral handelt..."

Die Bereiche der Vernunft und der Religionen werden kritisch getrennt, um die Herrschaft der Vernunft und das Vorrecht der Moral über die Religionen zu sichern.
Dagegen zieht Bayle der Kritik ganz entschieden eine zweite, eine andere Grenze, die sie nicht überschreiten darf, ja die eine vernünftige Kritik, gerade weil sie vernünftig ist, gar nicht überschreiten kann. Es ist ihre Grenze gegen den Staat.
Mag die Herrschaft im Staat gerecht oder ungerecht sein, immer sei es ein Verbrechen, sich gegen sie zu erheben. Es sei der Trug, zu hoffen, daß sich die Suche nach Objektivität in die Politik übertragen ließe. Bayle unterscheidet zwischen der richtenden Instanz der Kritik und der politischen Zuständigkeit des Staates.
Auch *Voltaire* (1694-1778) beruft sich auf diese Scheidung, um den unpolitischen Charakter seiner Kritik zu begründen. Was er treibe, sei Kunstkritik. Indem Voltaire literarische, ästhetische und historische Kritik übt, kritisiert er aber in seinen Schriften indirekt die Kirche und auch den Staat. Damit gewinnt seine Kritik eine politische Bedeutung. Die Politik der absolutistischen Staaten wird in den Prozeß der Kritik hineingenommen. Damit entsteht aus der Kritik, die ihren scheinbar unpolitischen Prozeß führt, ein Prozeß zwischen dem „règne de la critique" und der Herrschaft des Staates. Scheinbar unpolitisch und überpolitisch, ist sie tatsächlich doch politisch.

„Wenn, ohne falsch zu sein, man nicht alles das schreibt, was man tut, dann, ohne inkonsequent zu sein, tut man auch nicht alles, was man schreibt."

In dieser Äußerung *Diderots* (1713-1784) wird eine dritte Wende innerhalb des 18. Jahrhunderts deutlich. Die Kritik ist so souverän geworden, daß sie weiterherrscht auch ohne die Personen, die sie ausgelöst haben. Die Schriften verbergen nicht nur die wahren Gedanken des Autors, weil die staatliche Zensur ihn dazu zwingt, sondern in den Schriften findet der Mensch sich selbst nicht mehr wieder. Bezeichnend für das Dilemma, in das man dabei geraten kann, ist die Äußerung Friedrichs des Großen, die er 1742 seiner ‚Histoire de mon temps' voranschickt:

„Ich hoffe, daß die Nachwelt, für die ich schreibe, den Philosophen in mir vom Fürsten und den anständigen Menschen vom Politiker unterscheiden wird."

4.1 Kritik und Satire im 18. Jahrhundert

Zur Theorie der Satire
Johann Christoph Gottsched: Versuch einer kritischen Dichtkunst vor die Deutschen. Des II. Theils VI. Capitel (1730)
Georg Christoph Lichtenberg: Vermischte Schriften (1800-06)

Satirische Werke
Christian Ludwig Liscow: Eines berühmten Medici glaubwürdiger Bericht von dem Zustande, in welchem er den (S.T.) Herrn Prof. Philippi den 20ten Juni 1734 angetroffen
Gottlieb Wilhelm Rabener: Sammlung satirischer Schriften (1751–55)

Die Satire hat im 18. Jahrhundert eine große Bedeutung. Sie ist keine Gattung, sondern eine Empfindungs- und Schreibweise. Spätestens seit *Schillers* Essay *‚Über naive und sentimentalische Dichtung'* ist die Satire theoretisch aus der Bindung an ein abgegrenztes Genre gelöst und eindeutig als 'Empfindungsweise' definiert worden. Indem Schiller die Satire der sentimentalischen Dichtung zuordnet, einer aus der Spannung des Dichters zur Natur entspringenden Empfindungsweise, begründet er sie als eine dichterische Erkenntnisform, die zwar letztlich zu bestimmten künstlerischen Verfahrensweisen führen wird, die aber nicht einfach durch die Wahl einer literarischen Form, sondern aus dem Verhältnis des Autors zur Wirklichkeit definiert wird:

„Satirisch ist der Dichter, wenn er die Entfernung von der Natur und den Widerspruch der Wirklichkeit mit dem Ideal [...] zu seinem Gegenstand macht [...]. In der Satire wird die Wirklichkeit als Mangel dem Ideal als der höchsten Realität gegenübergestellt."

Die satirische Schreibweise erscheint so im 18. Jahrhundert in vielerlei Formen: als Sinnspruch, als Fabel, als Brief, als Abhandlung. Schließlich greift das Satirische auf den Roman und das Lustspiel über. Während die Satire des Mittelalters und der frühen Neuzeit sich eher streitend und strafend versteht, wendet sich der Satiriker der Aufklärung in höherem Maße der scherzhaft heiteren Satire zu.
Auch die Maßstäbe der Kritik, die in der Satire geübt wird, ändern sich mit der Aufklärung. Im 16. und 17. Jahrhundert wird der Zustand der Welt oder die Moral der Gesellschaft nicht aus ihren eigenen Bedingungen satirisch erfaßt, sondern der Satiriker bezichtigt sie ihres grundsätzlichen Unwertes gegenüber dem christlichen Menschenbild und der göttlichen Weltordnung. *Gottsched* steht in seiner theoretischen Bestimmung durchaus noch in dieser Tradition. In seinem, *Versuch einer kritischen Dichtkunst vor die Deutschen. Des II. Theils VI. Capitel: Von Satiren'* heißt es:

„Sie ist nehmlich ein moralisches Strafgedichte über einreissende Laster, darinn entweder das lächerliche derselben entdecket, oder das abscheuliche Wesen der Bosheit mit lebhaften Farben abgeschildert wird. [...] Man kann also sagen, die Satire sey das Gegentheil von den Lobgedichten, welche nur die guten und löblichen Thaten der Menschen abschildern und erheben [...]."

Hier wird die Satire noch als Strafgedicht verstanden, doch wenden sich die Satiriker der Aufklärung immer mehr der scherzhaft-heiteren Satire zu, mit der sie das Ziel der Besserung leichter zu erreichen glauben. An einer erzieherischen Wirkung der Satire wird im Laufe des Jahrhunderts festgehalten. Sie steht auch bei anderen Theoretikern im Dienst der Wahrheit, man erwartet, daß durch die lächerliche Darstellung von Torheiten andere von gleicher 'Unvernunft' abgeschreckt werden. Die Satire soll weniger lehren als bilden. Sie schult das Erkenntnisvermögen und hilft die Wirklichkeit zu durchschauen. In letzter Konsequenz solcher Entwicklung sollen im satirischen Text Urteil und Bewertung nicht mehr direkt erscheinen, sondern dem Leser überlassen werden.

„Die erste Satire wurde aus Rache gemacht. Sie zur Besserung seiner Nebenmenschen gegen die Laster und nicht gegen den Lasterhaften zu gebrauchen, ist schon ein geleckter, abgekühlter, zahm gemachter Gedanke" (Lichtenberg: Aphorismus).

Bei *Lichtenberg* tritt dann auch die in der zweiten Hälfte des 18. Jahrhunderts immer häufiger aufkommende Forderung auf, die Wirkungsabsicht des 'prodesse' auf den Umwegen des 'delectare' zu verwirklichen. Für Lichtenberg ist Satire ohne 'Witz' undenkbar.
Die *satirische Dichtung* spiegelt die Entwicklung in der Auffassung von der Satire und ihrer Aufgabe wider; allerdings ist es unmöglich, alle Spielarten des Satirischen im 18. Jahrhundert in einem Entwicklungsstrang zu erfassen.

Liscow ist der erste große Satiriker der Aufklärung, bewegt sich jedoch mit seinen persönlichen Satiren an der Grenze, auf der Satire ins Pasquill (Schmähschrift) umschlägt, und er hat dieses Genre wohl auch in einigen seiner Schriften überschritten. Bereits zu Lebzeiten wird ihm bei der satirischen Auseinandersetzung mit dem Gelehrten Philippi der Vorwurf gemacht, er schreibe gegen einen ihm Unbekannten, und zwar auf Betreiben seiner Freunde, er schreibe anonym, nenne aber seinen Gegner beim Namen und bediene sich skrupelloser Methoden (etwa Veröffentlichungen von privaten Manuskripten Philippis) bis hin zur völligen Vernichtung des Gegners. Und wirklich geht Liscow so weit, der vernichtenden Kritik an Philippis Veröffentlichungen – er ist ein Vielschreiber und ein Gegner der Wolffschen Philosophie – den Rest zu geben. Die Satire ‚Eines berühmten Medici glaubwürdiger Bericht von dem Zustande, in welchem er den (S.T.) Herrn Prof. Philippi den 20ten Juni 1734 angetroffen‘ bezieht sich auf eine Wirtshausschlägerei, in die Philippi verwickelt und dabei von zwei preußischen Offizieren derart zugerichtet worden war, daß man ihn nach Hause tragen mußte. Liscow in der Rolle des Arztes stellt ein Attest über Philippis Tod aus, nachdem er ihn all seine Schriften bereuen läßt.

Rabener vertritt die Ansicht, daß sich die Satire vom Pasquill, der Schmähschrift, unterscheiden müsse, und er verteidigt die allgemeine, gefallende Satire gegen die persönliche Satire:

„Es ist wahr, es gibt in allen Ständen Thoren, aber die Klugheit erfordert, daß man nicht alle tadle, ich werde sonst durch meine Übereilung mehr schaden, als ich durch meine billigsten Absichten nützen kann."

Die beiden Satiren ‚Versuch eines deutschen Wörterbuches‘ und ‚Beytrag zum deutschen Wörterbuche‘ sind eine Ausprägung der für Rabener typischen Listenform, in der alle möglichen Torheiten eine nach der anderen behandelt werden. Unter dem Stichwort 'Verstand' z.B. sammelt er Redewendungen zu dem Begriff. Er kommt bei der Deutung dieser Redensarten zu dem Schluß, daß der Mensch ohne Verstand nichts anderes ist als ein Armer. Er mag sonst alles haben, es hilft ihm nichts.

In *Lichtenbergs* Satiren wird zwar niemals ausdrücklich von der Sittlichkeit gesprochen, und doch ist er auch ein Moralsatiriker. In seinem Pseudodialog zwischen einem Hofrat und einem Auditor demaskiert er die Charakterlosigkeit und Unmoral in ihrer Sprache. Das Zerrbild des Gesprächs ist das Geschwätz. Im Geschwätz sucht die Sprachlosigkeit sich zu artikulieren. Es bildet, stilistisch gesehen, den Gegensatz zum individuellen Ausdruck; moralisch gesehen ist die 'Konversation' verlogen und nichtig. Die Unverbindlichkeit der Konversation wird in dem Pseudodialog von Lichtenberg bloßgestellt. Mit der Sprachkritik verbindet sich bei ihm das Sprachspiel:

> „Hofrath Y: Wie ist denn zeithero das Befinden gewesen?
> Auditor X: Ihnen aufzuwarten noch zur Zeit recht wohl.
> Y: Der Herr Vater und Frau Mutter sind doch auch noch wohl?
> X: Ihnen aufzuwarten, es geht ja Gottlob so an. –
> Sie laßen sich beiderseits gehorsamst empfehlen.
> Y: Danke gehorsamst..."

Das Publikum des Satirikers stammt fast ausschließlich aus den gebildeten Schichten des städtischen Bürgertums. Zwischen diesem Publikum und dem Autor besteht ein Konsens in den Wert- und Normvorstellungen. Es ist aufschlußreich, festzustellen, in welchen Verklausulierungen, Verallgemeinerungen, Verhüllungen die Satire die Wirklichkeit kritisiert, um der Zensur zu entgehen.

4.2 Kritik und Fabel im 18. Jahrhundert

> **Christian Fürchtegott Gellert:** Fabeln und Erzählungen (1746–48)
> **Gotthold Ephraim Lessing:** Fabeln. Drei Bücher nebst Abhandlungen mit dieser Dichtungsart verwandten Inhalts (1759)
> **Gottlieb Konrad Pfeffel:** Fabeln und Erzählungen (1783)

Das Jahrhundert der Aufklärung bringt in Deutschland eine Flut von Fabeldichtungen und dichtungstheoretischen Äußerungen über den Zweck der Fabel hervor. Fabeln zu schreiben wird gewissermaßen Mode, da sie der wesentlichen Aufgabe der Aufklärung, der „Enthüllung der Wahrheit" , dient. Die Fabel hat also zunächst einen pädagogischen Zweck. Mit dieser moralischen Zielrichtung löst sich die Fabeldichtung von der Bindung an vorwiegend religiöse Themen, wie sie vom Mittelalter bis zum Barock üblich ist. In dieser Zeit wird sie häufig wie biblische Gleichnisse in Predigten und Traktaten verwandt. Doch verringert sich in der zweiten Hälfte des 16. Jahrhunderts die Bedeutung der Fabel in Deutschland: Die Auflagen gehen zurück, Neubearbeitungen gibt es kaum noch. Bis etwa 1740 tritt die Gattung in eine 'Latenzzeit' ein, in der sie der offiziellen Hochschätzung entbehren muß. Die höfische Kultur des Barock hat wenig Platz für die Fabel in ihrer Schlichtheit des Stils und der Aussage, in ihrem Wirklichkeitsbezug und dem Ziel, sich an jedermann zu wenden. Im absolutistischen Frankreich entstehen im 17. Jahrhundert jedoch die Fabeln von La Fontaine, die als Fabelsammlungen, begleitet von theoretischen Abhandlungen, nach Deutschland kommen.

Am Ende der Fabelabhandlung: ‚Fabeln. Drei Bücher nebst Abhandlungen mit dieser Dichtungsart verwandten Inhalts' bestimmt *Lessing* die Fabel neu:

„Wenn wir einen allgemeinen moralischen Satz auf einen besonderen Fall zurückführen, diesem besonderen Falle die Wirklichkeit erteilen, und eine Geschichte daraus dichten, in welcher man den allgemeinen Satz anschauend erkennen kann: so heißt diese Erdichtung eine Fabel."

Lessing entwickelt diese Fabeldefinition in der Auseinandersetzung mit früheren Erklärungen über Sinn und Form der Fabel. Innerhalb des 18. Jahrhunderts läßt sich ein Wandel der Fabelfunktion von naiver Moraldidaxe am Anfang über anschaulich amüsante Unterhaltung (Gellert) und zielgerichtete Erkenntnis (Lessing) bis zur engagierten politischen Dichtung (Pfeffel) feststellen. Die Fabel der Aufklärung wird vom Bürger zunächst für Bürger geschrieben.

Gellert ist erster Exponent des sich wandelnden gesellschaftlichen Bewußtseins im 18. Jahrhundert. Seine Fabeln richten sich bereits gegen die Auswüchse des aufstrebenden bürgerlichen Erwerbslebens. Der Fürst und der Feudalstaat sind für Gellert unantastbar. Für den Wert des Bürgers ist entscheidend, wie treu er dem Staate dient. Gellert versucht, eine gesellschaftliche Anpassungslehre auf 'galante' Weise zu entwickeln.

Bei *Lessing* fehlt das unterhaltsam Gefällige. Er hält sich an die epigrammatische Kürze im Dienst der Erkenntnisgewinnung. Lessings Fabeln setzen sich nirgendwo explizit mit der zeitgenössischen Realität auseinander. Sie enthalten nicht Beobachtungen, sondern moralische Sätze – gewonnen aus der Tradition der spöttischen Verallgemeinerung typischer Verhaltensweisen. Gleichwohl können seine Fabeln als realistisch gelten, weil sie sich zugleich, wenn auch indirekt, mit der unidealen banalen Realität beschäftigen. Historischer Hintergrund dieser Beschäftigung ist die Konfrontation traditioneller ständischer Über- und Unterordnung mit dem aufkommenden Gleichheitsstreben. Lessings aufklärerische Fabeln lösen die traditionelle Perspektive 'von unten' auf die Chancen des Überlebens hin auf in einen unparteiischen Überblick über 'beide Seiten'.

Dabei geht es ihm mehr um die Erkenntnis des Systems, welches dieses Oben und Unten hervorbringt, als um die erfolgreiche Anpassung oder Aufhebung der Unteren. Gleichwohl gibt es Fabeln Lessings, die die ständische Ordnung des Feudalabsolutismus in ihren Grundlagen in Frage stellen, indem sie scharf die Ideologie des 'ehrenhaften' Dienstes, mit dem sich das Bürgertum in diese Ordnung einfügt, kritisieren.

Der Aufbau der Lessing-Fabeln steht in Zusammenhang mit seinen theoretischen Überlegungen zur Gattung, und zwar in intentionaler wie in formaler Hinsicht:

Der proklamierte Zweck der Fabel, einen „allgemeinen moralischen Satz" „anschauend" zu Erkenntnis zu bringen, zeigt, daß sich Lessing der Möglichkeit der Fabel bewußt war, durch die Darstellung eines fiktiven Vorgangs auf die Realität zu verweisen. Die Prinzipien, die er dabei für wichtig erachtet (– allgemeiner moralischer Satz – Zurückführung auf einen besonderen Fall – Ausstattung dieses Falles mit 'Wirklichkeit' – Erdichten einer Geschichte daraus – anschauende Erkenntnis –), drücken in der Begrifflichkeit die Beziehungen zwischen diesen beiden Sphären (der fiktiven und der nichtfiktiven) aus: Die 'Geschichte' muß so konstruiert sein, daß sie in jedem Fall die „anschauende Erkenntnis" fördert. Deshalb zeichnen sich Lessings Fabeln formal in besonderer Weise durch die Kürze aus, weil die Bildrede in knappem und präzisem Vortrag am zweckmäßigsten dieser Intention dienlich sein kann.

In der Reduzierung des Geschehens auf ein szenisches Bild liegt die Möglichkeit der Straffung und des zielstrebigen Hineilens auf ein Fazit, das die Erkenntnis vermittelt. Dieses Fazit ist bei Lessing meistens in einer durch den Dialog (den Lessing wohl wegen seiner Reduktionsleistung favorisiert hat) gestalteten Pointe enthalten.

Die Aussage des letzten Dialogpartners artikuliert die beabsichtigte Einsicht so, daß sie zwar durch bewußte Aussparung angedeutet wird, daß es aber dem Leser überlassen bleibt, das Fazit aus der treffenden Schlußaussage selbst zu ziehen.

Die inhaltlich-thematische Variation, die Lessing gegenüber seinen Vorlagen vornimmt, liegt hauptsächlich in der Auflösung der klassischen Tiertypik, die bis dahin das Feld der Fabelbearbeitungen beherrscht hat. Lessing versteht sich als Kritiker, nicht als Revolutionär, denn er ruft nicht dazu auf, die Macht zu brechen, sondern er will den Schwachen zur Erkenntnis verhelfen, wo die Blößen der Mächtigen liegen. Diese gemäßigte Haltung Lessings kann seine ‚Tanzbär-Fabel' im Vergleich zu den Fassungen des gleichen Motivs bei Gellert und Pfeffel verdeutlichen.

Alle drei Fassungen stehen in der bürgerlichen Aufklärungs-Anschauung, sich von theologisch-religiöser Bevormundung zu lösen. Bei *Gellert* geht es um die Demonstration zweier menschlicher Schwächen, die das bürgerliche Zusammenleben stören könnten (Neid und Prahlsucht):

> Sei nicht geschickt, man wird dich wenig hassen,
> Weil dir dann jeder ähnlich ist;
> Doch je geschickter du vor vielen andern bist,
> Je mehr nimm dich in acht, dich prahlend sehn zu lassen.
> Wahr ist's, man wird auf kurze Zeit
> Von deinen Künsten rühmlich sprechen;
> Doch traue nicht, bald folgt der Neid
> Und macht aus der Geschicklichkeit
> Ein unvergebliches Verbrechen.

Dagegen kritisiert *Lessing* nicht mehr allgemeinmenschliches Verhalten, sondern einen sozialen Typ seiner Zeit, indem er den Tanzbär zum Höfling werden läßt:

> Der Tanzbär
>
> Ein Tanzbär war der Kett' entrissen,
> Kam wieder in den Wald zurück,
> Und tanzte seiner Schar ein Meisterstück
> Auf den gewohnten Hinterfüßen.
> „Seht", schrie er, „das ist Kunst; das lernt man in der Welt.
> Tut es mir nach, wenn's euch gefällt,
> Und wenn ihr könnt!" – „Geh", brummt ein alter Bär,
> „Dergleichen Kunst, sie sei so schwer,
> Sie sei so rar sie sei,
> Zeigt deinen niedern Geist und deine Sklaverei."
>
> Ein großer Hofmann sein,
> Ein Mann, dem Schmeichelei und List
> Statt Witz und Tugend ist;
> Der durch Kabalen steigt, des Fürsten Gunst erstiehlt,
> Mit Wort und Schwur als Komplimenten spielt,
> Ein solcher Mann, ein großer Hofmann sein,
> Schließt das Lob oder Tadel ein?

Diese Kritik ist jedoch weit entfernt von der Haltung Pfeffels, dessen Fabel sich im Gefolge der Französischen Revolution (also gut 30 Jahre später) eindeutig auf die Seite der Unterdrückten stellt und deren Interessen agitatorisch vertritt: Pfeffels Tanzbär wird zum Paradigma für den unfreien Menschen, der gewaltsam die Ketten seiner Knechtung zerbricht:

> Ihr Zwingherrn, bebt! Es kömmt ein Tag,
> An dem der Sklave seine Ketten
> Zerbrechen wird, und dann vermag
> Euch nichts vor seiner Wut zu retten.

4.3 Sozialkritische Tendenzen der Volkspoesie

> **Johann Gottfried Herder:** Auszug aus einem Briefwechsel über Ossian und die Lieder alter Völker (1771)
> **Christian Friedrich Daniel Schubart** (Hrsg.): Die deutsche Chronik (1774–93)
> Sämtliche Gedichte mit Vorbericht auf der Feste Asperg (1785–87)
> **Gottfried August Bürger:** Herzensausguß über Volkspoesie (1776)
> Gedichte (1778)

Die kritische Funktion von Literatur gewinnt in den 70er und 80er Jahren des 18. Jahrhunderts eine neue Dimension. Der Bruch zwischen der kulturbestimmenden Minderheit des adlig-großbürgerlichen Lesepublikums und der Masse des ungebildeten Volkes wird für die Stürmer und Dränger zunehmend zum Problem. Wenn auch die neuen Vorstellungen über Literatur und ihre Aufgabe in der Öffentlichkeit in vielem disparat und uneinheitlich sind, so kann die 'literarische Revolution' des Sturm und Drang doch auch als Versuch verstanden werden, mit der neuen Literatur über den Kreis des bisherigen Lesepublikums hinaus breitere Schichten der Bevölkerung zu erreichen. Für das Ziel, über die literarische Darstellung Kritik öffentlich zu machen, bedeutet dies, daß nunmehr die geistreich-witzigen Formen der literarischen Kritik zurücktreten und statt dessen einfachere und volkstümlichere Formen der Darstellung gewählt werden. Die Begeisterung der jungen Autoren für die Formen und Gehalte der Volkspoesie, ihr Bestreben, die in den einzelnen Regionen weiterlebenden Volkslieder zu sammeln und diese Tradition im eigenen Werk fortzusetzen, ist Ausdruck dieser veränderten Einstellung.
Herders Theorie der Volksdichtung und seine Anregungen zum Sammeln alter Volkslieder, wie er sie in seinem ‚Auszug aus einem Briefwechsel über Ossian und die Lieder alter Völker' 1771 darlegt, beeinflussen nicht nur Goethe und den Straßburger Kreis des Sturm und Drang.

Auch *Bürger,* ein dem Göttinger Hain nahestehender Autor, sieht sich durch Herders Hochschätzung der Volksdichtung in seinem eigenen Vorstellungen bestätigt. In einem mit ‚*Herzensausguß über Volkspoesie*' programmatisch überschriebenen Beitrag (1776 veröffentlicht) klagt er, die Dichtkunst gebe sich in Deutschland zu gelehrt und sie orientiere sich zu sehr an ausländischen Vorbildern. Sie könne daher auch keine nationale Breitenwirkung entfalten. Für diese Fehlentwicklung – und das ist besonders aufschlußreich – macht Bürger nicht den unzureichenden Bildungsstand der Bevölkerung verantwortlich, sondern eine falsche Einstellung der Autoren ihrem Publikum gegenüber. Damit wendet er sich kritisch gegen ein überkommenes Literatur- und Kunstverständnis, dem selbst dort, wo es sich 'bürgerlich' gibt, noch ein elitäres Moment anhaftet. Bürger sieht nur einen Weg, der aus dieser Fehlentwicklung herausführt: Dichtung muß wieder echte Popularität gewinnen, eine Popularität, wie sie in seiner Einschätzung die ‚Ilias' und die ‚Odyssee' einmal für die Griechen gehabt haben. Das heißt aber, daß die Autoren wieder dort anknüpfen und lernen müssen, wo Volksdichtung nach wie vor lebendig ist, z. B. in den Liedern, wie sie „unter den Linden des Dorfs, auf der Bleiche und in den Spinnstuben" immer noch gesungen werden.
Bürger hat insbesondere mit seinen Balladen versucht, dieses Programm einer auf Breitenwirkung zielenden Literatur zu verwirklichen. 1773 erscheint im ‚Göttinger Musenalmanach auf das Jahr 1774' seine Ballade ‚*Lenore*', ein Beispiel, das die Darstellungsmöglichkeiten dieser neuen Gattung und zugleich den Namen des Verfassers in Deutschland auf Anhieb bekannt macht.

„Der Stoff ist aus einem alten Spinnstubenliede gewonnen. [...] Es sollte meine größte Belohnung sein, wenn es recht balladenmäßig und simpel komponiert, und dann wieder in den Spinnstuben gesungen werden könnte" (Bürger an Boie, 10. Mai 1773).

In der ‚Lenore' aktualisiert er die Volkssage eines Mädchens, das vergeblich auf die Rückkehr des Geliebten aus der Schlacht wartet, indem er das Ende des Siebenjährigen Krieges und die Rückkehr der Truppen nach dem Frieden von Hubertusburg 1763 als Handlungsrahmen nimmt. Schon die zweite Strophe läßt erkennen, auf welche Weise die volkstümliche Darstellung sozialkritische Gehalte vermittelt:

> Der König und die Kaiserin
> Des langen Haders müde
> Erweichten ihren harten Sinn
> und machten endlich Friede.

Wenn Lenore ihren geliebten Wilhelm unter den zurückkehrenden Soldaten vergeblich sucht und über die Einsicht, daß der Krieg ihr mit dem Geliebten jeden Lebensinhalt genommen hat, an Gott und der Welt verzweifelt, dann steht sie als Beispiel dafür, wie das Lebensglück der kleinen Leute durch den „Hader" der Großen zerstört wird. Lenore – und das macht sie zu einer charakteristischen Figur der Sturm-und-Drang-Dichtung – ist nicht mehr bereit, die Mahnungen der Mutter zu akzeptieren und ihr Leid als gottgewollte Prüfung hinzunehmen. Sie rebelliert gegen die christlich verbrämten kleinbürgerlichen Moralvorstellungen der Mutter und damit gegen eine der wichtigsten Stützen feudaler Herrschaft. Zwar wird Lenore für diese Vermessenheit am Schluß der Ballade bestraft, und insofern wird die kritische Perspektive noch einmal abgeschwächt, dennoch wirkt die rebellische Geste über den beschwichtigenden Schluß hinaus.

Noch direkter kommt die sozialkritische Anklage in der Ballade ‚Des Pfarrers Tochter zu Taubenhain' (1781) zum Ausdruck, in der Bürger das für die Literatur des Sturm und Drang so bedeutsame Motiv des Kindesmords aufgreift (siehe 5.3). Die Kritik gilt zunächst der Gestalt des zynisch-gewissenlosen Junkers von Falkenstein, der seine sozial privilegierte Stellung dazu mißbraucht, die junge, lebensunerfahrene Pfarrerstochter zu verführen und sie ins Elend zu stürzen. Kritisiert wird aber auch der hartherzige Pfarrer („ein harter und zorniger Mann") als Vater des Mädchens, der, als er von der Schwangerschaft erfährt, die Tochter brutal mißhandelt und sie aus dem Hause weist. Bürger gibt hier ein deutlich anderes Vaterbild, als es sonst in der Literatur der Zeit, vor allem im Bürgerlichen Trauerspiel erscheint. Es fehlt die liebevolle Zuneigung, die bei allem Beharren auf den sittlich-moralischen Grundsätzen immerhin Verständnis für die Tochter ermöglicht; geblieben ist nur noch der moralische Rigorismus, mit dem der Fehltritt bestraft wird. Mit dieser Kritik zielt Bürger auf die gesamte kirchliche Orthodoxie, die sich allen Bestrebungen einer Strafrechtsreform im Sinne einer liberaleren Verfolgung des Kindesmords besonders hartnäckig widersetzte.

Bürgers Kritik gilt aber letztlich einer staatlich-gesellschaftlichen Ordnung, die das Opfer der Verführung mit dem Tode bestraft, während der eigentlich Schuldige ungestraft davonkommt. Im Bild der nach ihrem Tod unerlöst umherirrenden armen Seele wird eine solche Ordnung als soziale Unordnung bloßgestellt. Es ist daher nur konsequent, wenn Bürger auf ein öffentliches Schuldbekenntnis der Kindermörderin verzichtet.

Radikaler noch als in seinen Balladen hat Bürger seine Kritik an den Verhältnissen in einem Gedicht artikuliert, in dem er die Klagen über fürstliche Willkürherrschaft einem Bauern in den Mund legt. 1776 unter dem Titel ‚Der Bauer an seinen Fürsten' veröffentlicht, erhält es 1789 in der zweiten Ausgabe von Bürgers Gedichten seine endgültige Fassung. Die neue Überschrift ‚Der Bauer. An seinen Durchlauchtigen Tyrannen' rückt in der paradoxen Anrede die kritische Tendenz bereits ironisierend

in den Blick. Dreimal fragt der Bauer nach der Rechtfertigung jener Herrschafts-
praktiken, die er als Untertan zu erdulden hat und über die seit den Bauernkriegen
des 16. Jahrhunderts immer wieder Beschwerden laut geworden waren:

> Der Bauer
>
> An seinen durchlauchtigen Tyrannen
>
> Wer bist du, Fürst, daß ohne Scheu
> Zerrollen mich dein Wagenrad,
> Zerschlagen darf dein Roß?
>
> Wer bist du, Fürst, daß in mein Fleisch
> Dein Freund, dein Jagdhund, ungebleut
> Darf Klau' und Rachen haun?
>
> Wer bist du, daß durch Saat und Forst
> Das Hurra deiner Jagd mich treibt,
> Entatmet, wie das Wild? –
>
> Die Saat, so deine Jagd zertritt,
> Was Roß und Hund und du verschlingst,
> Das Brot, du Fürst, ist mein.
>
> Du Fürst hast nicht, bei Egg' und Pflug,
> Hast nicht den Erntetag durchschwitzt.
> Mein, mein ist Fleiß und Brot! –
>
> Ha! du wärst Obrigkeit von Gott?
> Gott spendet Segen aus; du raubst!
> Du nicht von Gott, Tyrann!

In den Schlußstrophen wird der widerrechtliche und widernatürliche Charakter dieser Herrschaftspraxis als Anmaßung entlarvt und zurückgewiesen. Das Legitimati-
onsprinzip des Gottesgnadentums kann nicht für Willkür und Unrecht in Anspruch
genommen werden. Vielmehr legitimiert sich fürstliche Herrschaft nur dann, wenn
sie zum Wohle der Untertanen erfolgt.

Auch *Schubart* wird – ähnlich wie Bürger – nicht direkt zum Kreis der Stürmer und
Dränger hinzugerechnet. Wie dieser fühlt aber auch Schubart sich mit den jungen
Autoren und ihrer neuen Literatur stark verbunden. Viele seiner Gedichte lassen in-
haltlich und formal eine deutliche Nähe zu Bürger erkennen. Dies gilt zumindest für
die Tendenz, zeitkritische Gehalte in einfachen, z. T. volksliedhaften Formen auszudrücken, wie sie in den bekanntesten seiner Gedichte zu beobachten ist.
In den 1787 entstandenen ‚Kapliedern' (‚Abschiedslied' und ‚Für den Trupp') greift
Schubart das Motiv des Soldatenhandels auf, wie es wenige Jahre zuvor Schiller in
‚Kabale und Liebe' (siehe 5.2) getan hat. Der aktuelle Anlaß ist der Verkauf eines
württembergischen Regiments an die Holländisch-Ostindische Kompanie zum Einsatz gegen die Engländer in Südafrika. Schubart schreibt dazu am 22. Februar 1787
an den Berliner Verleger Himburg:

> „Künftigen Montag geht das aufs Vorgebirg der guten Hoffnung bestimmte württembergische
> Regiment ab. Der Abzug wird einem Leichenconducte gleichen, denn Eltern, Ehemänner,
> Liebhaber, Geschwister, Freunde verlieren ihre Söhne, Weiber, Liebchen, Brüder, Freunde –
> wahrscheinlich auf immer. Ich hab' ein paar Klaglieder auf diese Gelegenheit verfertigt, um
> Trost und Muth in manches zagende Herz auszugießen. Der Zweck der Dichtkunst ist, nicht mit
> Geniezügen zu prahlen, sondern ihre himmlische Kraft zum Besten der Menschheit zu gebrau-
> chen."

Schon die erste Strophe des ‚Abschiedslieds' vermittelt einen Eindruck von der einfachen, aber ausdrucksstarken Sprache des Liedes:

> Auf! auf! Ihr Brüder, und seyd stark!
> Der Abschiedstag ist da.
> Schwer liegt er auf der Seele, schwer!
> Wir sollen über Land und Meer
> Ins heisse Afrika.

Auch ohne die Fürsten und das Unrecht des Menschenhandels beim Namen zu nennen, vielleicht auch gerade deshalb finden diese beiden Lieder in der von Schubart
vertonten Fassung eine für die damalige Zeit ungewöhnliche Verbreitung. In anderen
Gedichten kommt Schubarts politische Gesinnung sehr viel offener zum Ausdruck.

Das ‚Freiheitslied eines Kolonisten‘ ist dafür ein bekanntes Beispiel. Hier ergreift Schubart bereits 1775 Partei für die amerikanischen Kolonisten und ihr Unabhängig-keitsstreben. Dabei grenzt er das politisch-selbstbewußte Freiheitsstreben der Ame-rikaner scharf ab gegen das sich der Fürstenherrschaft sklavisch unterwerfende Eu-ropa.

Schubarts bekanntestes Gedicht ist wohl ‚*Die Fürstengruft‘*. Es ist schwer zu ent-scheiden, ob der Text selbst oder die persönliche Situation des Autors bei der Nieder-schrift die zeitgenössische Wirkung des Gedichtes stärker beeinflußte. Das Gedicht entstand 1780 im vierten Jahr der Gefangenschaft Schubarts auf dem Hohenasperg bei Ludwigsburg. Die Umstände seiner Verhaftung (man mußte Schubart zunächst aus der Freien Reichsstadt Ulm auf Württemberger Gebiet locken, um ihn dort fest-nehmen zu können), die Einkerkerung ohne Gerichtsverfahren, ohne Darlegung der Gründe und ohne schriftliches Urteil hatten in Deutschland als Beispiel fürstlicher Willkürjustiz beträchtliches Aufsehen erregt. Seitdem hatte Schubart unter vor allem anfangs schärfsten Haftbedingungen (Isolationshaft, Besuchs- und Schreibverbot) die Jahre im Kerker verbracht. Nachdem 1780 die Hoffnungen auf Freilassung sich zerschlugen, diktierte Schubart einem Mann namens Fourier ‚Die Fürstengruft‘. Der Text gelangte auf nicht näher bekannte Weise an die Öffentlichkeit und wurde in der von Wieland herausgegebenen Zeitschrift ‚Teutsches Museum‘ gedruckt.

Auch dieses Gedicht thematisiert die Herrschaft deutscher Landesfürsten. Aus der Perspektive eines einsamen Wanderers, der „in der dunkeln Verwesungsgruft" beim Anblick der „alten Särge" von Entsetzen gepackt wird, ruft Schubart die den Zeitge-nossen bekannten Klagen über das Treiben der Großen in Erinnerung. Über diese Erinnerungen hinaus evoziert das Bild auch die Vision eines Jüngsten Gerichts:

> Wo Todesengel nach Tirannen greifen,
>   Wenn sie im Grimm der Richter weckt,
> Und ihre Greu'l zu einem Berge häufen,
>   Der flammend sie bedeckt.

Mit der Offenheit und Direktheit, mit der der Despotismus der Landesfürsten an-geklagt wird, ist ‚Die Fürstengruft‘ ein ungewöhnliches Beispiel politischer Lyrik im späten 18. Jahrhundert. Mit dem Verweis auf die Vergänglichkeit ihrer Macht und die Wirksamkeit einer göttlichen Gerechtigkeit, der die Fürsten wie alle Menschen un-terstellt sind, wird der Absolutheitsanspruch fürstlicher Herrschaft erneut relativiert und – wie bei Bürger – das Wohlergehen der Untertanen (sie sollen „satt und froh ge-macht" werden) als das eigentliche Ziel dieser Herrschaft herausgestellt.

5 Selbstdarstellung des Bürgertums auf dem Theater

Der Gedanke, das Theater als Forum zur politisch-moralischen Selbstverständigung und damit als Medium einer Selbstdarstellung des Bürgertums zu nutzen, begleitet die Entwicklung eines bürgerlichen Dramas in Deutschland von den Anfängen der Theaterreform Gottscheds über Lessing bis hin zu den Stürmern und Drängern. Da-bei richtet sich das Interesse einmal auf die Gründung eines deutschen Nationalthea-ters, das sich institutionell sowohl von der Spielpraxis der Wanderbühnen als auch von den Hoftheatern der Residenzstädte abgrenzen soll. Zum andern konzentriert sich die Diskussion auf die für ein solches Theater geeigneten Stücke: Wenn das Thea-ter ein Abbild der realen, bürgerlichen Welt liefern soll, müssen die dramatischen Formen der Tragödie und der Komödie diesem Darstellungszweck angeglichen wer-den.

Seit Mitte des 18. Jahrhunderts wird daher die *Ständeklausel* als Unterscheidungsmerkmal der dramatischen Gattungen immer offener kritisiert und verworfen. Der noch für Gottsched weitgehend verpflichtende Grundsatz, daß das tragische Gesche-hen den aristokratischen Helden erfordere, während in der Komödie die Torheiten des Bürgers belacht werden dürfen, ist nun im Blick auf eine angemessene Selbstdar-stellung des Bürgers auf dem Theater nicht mehr akzeptabel. Aus der Kritik an der klassizistischen Tragödie wie an der 'Verlachkomödie' erwachsen die neuen Formen des Bürgerlichen Trauerspiels und des rührenden Lustspiels, die gemeinsam haben, daß der Bürger und die bürgerliche Welt auf neue Weise dargestellt werden.

Es ist allerdings aufschlußreich, *wie* die Selbstdarstellung des Bürgertums in der Dra-menliteratur zum Ausdruck kommt. Alle Erwartungen, daß sich die auf sozialen Auf-stieg drängenden Gruppierungen des Bürgertums gegen den Adel kämpferisch-selbstbewußt in Szene setzen, werden durch die verwirrende Vielfalt unterschiedli-cher Stücke eher widerlegt als bestätigt. Charakteristisch für das bürgerliche Drama ist nicht so sehr der mit oder gegen den Adel offen ausgetragene soziale Konflikt als vielmehr ein neues Wertebewußtsein, das nicht als ein spezifisch ständisches, son-dern als ein allgemein-menschliches propagiert wird.

Lediglich im Bereich der Moral kann zunächst eine Gegenposition zum Adel gewon-nen werden. Hier liegt der Grund, warum im bürgerlichen Drama der Konflikt so stark unter die Perspektive der Moralität des Handelns rückt. Tugend und empfind-same Moral werden als allgemeinmenschliche Qualitäten ausgewiesen, damit sie um so wirkungsvoller jener Welt höfisch-politischer Unmoral entgegenstehen, von der auch breite Kreise des Adels, insbesondere des niederen Adels, ausgeschlossen sind.

Es ist daher auch kein Widerspruch, wenn Adlige die Rolle des Helden im bürgerli-chen Drama innehaben. Entscheidend ist, sie denken 'bürgerlich' und verdeutlichen in ihrem Handeln, wie man „die Tugend verehrungswürdig und beliebt und das La-ster verächtlich und verabscheuungswürdig" machen kann, wie es bei Pfeil in seiner Abhandlung ‚Vom bürgerlichen Trauerspiel' aus dem Jahre 1755 heißt. Die im bür-gerlichen Drama häufig zu beobachtende Solidarisierung mit dem nichthöfischen Adel entspricht nicht nur der allgemeinen Aufwertung des bürgerlichen Sozialpresti-ges, sie zeigt auch, daß 'bürgerlich' noch keine feste soziologische Kategorie für den dritten Stand bildet. 'Bürgerlich' ist zumeist Synonym für privat, für menschlich und tugendhaft. Die damit angesprochenen Werte können auch Kreise des niederen Adels auf sich beziehen. Die Kehrseite des Prozesses, den Adel in der Literatur zu verbürgerlichen, um selbst teilzuhaben an dessen Reputation, ist allerdings die schroffe Abgrenzung vom „gemeinen Volk", dem aufgrund der mangelnden Erzie-hung die Voraussetzungen abgesprochen werden, die neuen Ideale zu verwirklichen.

5.1 Kritik am bürgerlichen Ehrbegriff in der Komödie:
Lessing ‚Minna von Barnhelm oder Das Soldatenglück'

> **Gotthold Ephraim Lessing:** Theatralische Bibliothek (1754)
> Minna von Barnhelm oder Das Soldatenglück (1767)   Philotas (1759)

Die Komödie als Kritik am bürgerlichen Ehrbegriff. In Lessings Komödie ‚Minna von Barnhelm' sind in der dramaturgischen Struktur wie auch in den einzelnen dramati-schen Personen noch herkömmliche Muster der Komödie erkennbar. Die Figur des Just und des „Bedienten" haben ihre Vorbilder in der sächsischen Typenkomödie. Tellheims starre Ehrauffassung erinnert ebenso an Vorbilder in der satirischen Typen-komödie, die ihre komische Wirkung aus der moralisierend-satirischen Behandlung einzelner „Laster" bezieht. Auch die anderen Figuren wie der Wirt, Werner, Riccaut sind aus dem konventionellen Rollenfach-Repertoire herzuleiten. Ebenso ist das dramaturgische Movens – Minnas Intrige, sich dem uneinsichtigen Tellheim als arme Enterbte darzustellen – in gewisser Weise ein Rückgriff Lessings auf vorgegebene Muster der Intrigenkomödie.

Lessings Verdienst besteht jedoch darin, daß er die Fabel seines Lustspiels aus einem anderen als dem moralisierenden Interesse seiner Vorgänger und demgemäß mit anderen Mitteln der Personencharakterisierung entwickelt. An die Stelle von Typen und deren Lastern setzt er in sich widersprüchliche, vielschichtige Charaktere, die in ihren Verhaltensweisen Repräsentanten des gesellschaftlichen Zustandes werden. Lessings Interesse, das er in das Lustspiel ‚Minna von Barnhelm‘ einbringt, ist ein politisches. Er beläßt es dann auch nicht bei dem Schema der klassischen Komödie.

Tellheims Ehrverlust – Stoff für eine Tragödie? In der Komödie wird ein ernstes Thema behandelt, Kritik an einem leeren Ehrbegriff und einem übersteigerten Ehrgefühl geübt.

Tellheim ist in seiner Ehre verletzt worden. Er besitzt, nach Ende des Siebenjährigen Krieges, kein Geld mehr und fühlt sich zutiefst gekränkt durch die ehrenrührigen Umstände seiner Dienstentlassung. Man wirft ihm vor, er habe von den sächsischen Ständen für die Bereitschaft, sie mit einer niedrigen Unterstützungssumme abzufinden, einen Wechsel bekommen. Er wird des Betrugs und der Bestechung verdächtigt. Tatsache ist, daß er den auf den Wechsel ausgewiesenen Betrag den sächsischen Ständen vorgeschossen hat, mit der Aussicht, ihn nach dem Krieg zurückzubekommen. Zur Klärung des Falles darf er die Stadt nicht verlassen. Darauf hat er sein Ehrenwort gegeben.

Der Verdacht des Betrugs richtet sich auf ihn als Privatmann wie als Angehörigen des Militärs. Redlichkeit und Reputation sind in Frage gestellt. Die Ehre Tellheims ist verletzt.

Er reagiert darauf mit einem übersteigerten Ehrgefühl, er weigert sich, unter den gegebenen Umständen, mit Minna die Ehe einzugehen, er macht sich lächerlich mit dem „Gespenst der Ehre“, wie Minna das übersteigerte Ehrgefühl nennt.

Der Konflikt zwischen Ehre und Liebe ist ein ernstes Problem, das Leiden an diesem Konflikt bis zu selbstzerstörerischen Gedanken rückt die Gestalt in die Nähe der Tragödie. Aber es ist eben dann doch ein Lustspiel daraus geworden. Tellheims Situation, sein Ehrverlust, bietet nach der Ansicht Lessings keinen Anlaß für ein Trauerspiel. Tellheim ist, in der Sprache Lessings, in eine „gräßliche Situation“ geraten, sie gibt keinen Stoff für ein Trauerspiel her. Sie ist dadurch gekennzeichnet, daß ein rechtschaffener Mann unverschuldet ins Unglück, hier aber in den Verlust der Ehre, gerät, unabhängig von seinem Charakter, unabhängig davon, ob er gut oder böse ist. Und damit verliert die „gräßliche Situation“ die Basis für einen tragischen Konflikt. Lessing wählt eine Mischform. Einerseits orientiert sich das Lustspiel an der traditionellen Komödie, aber doch mehr äußerlich in der Übernahme des Personals und einzelner Motive. Zugleich aber ist ‚Minna von Barnhelm‘ ein bürgerliches Drama mit einem ernsten Thema. Die Komödie ist weder lustig, wie die alte Verlachkomödie es war, noch ist sie ernst wie das Bürgerliche Trauerspiel. Lessing bestimmt 1754 in der ‚Theatralischen Bibliothek‘ die Komödie so:

„Das Possenspiel will nur zum Lachen bewegen, das weinerliche Lustspiel will nur rühren, die wahre Komödie will beides.“

Die ernste Situation Tellheims, die Aufdeckung der Ursachen seines gekränkten Ehrgefühls werden in dem Lustspiel eher verdeckt als aufgeklärt. Die Informationen darüber sind spärlich, werden verzögert, sind dann noch ungenau; jedenfalls wird das Publikum lange im dunkeln gelassen. Um so mehr muß das Sprechen und Handeln Tellheims übersteigert wirken. Und doch läßt er sich nicht einfach wie eine komische Figur auf einen Nenner bringen, er läßt sich nicht einfach verlachen, er rückt in der

Mischung seiner Charaktereigenschaften in die Nähe des normalen Bürgers, in dem sich der Bürger als Zuschauer wiedererkennen konnte. Die von der Aufklärung entwickelte Konzeption einer tugendhaften, verinnerlichten Diesseitigkeit hat über eine bestimmte soziologische Schicht hinausgewirkt. Tellheims, des adligen Offiziers, Redlichkeit ist eine ganz und gar bürgerliche Tugend; sein übersteigertes Ehrgefühl, sein auf bloßes Ansehen, Reputation angewiesener Ehrbegriff ist eine bürgerliche Untugend.

Der Zuschauer rückt auf die Seite Minnas, die den Versuch unternimmt, Tellheim von seiner Krankheit zu heilen und damit für sich zu gewinnen.

Mit Hilfe einer Komödienverwirrung, einem Spiel im Spiel, versucht Minna, ihr Ziel zu erreichen. Den Ring, den Tellheim durch Just beim Wirt versetzt, um sich Geld zu verschaffen, erkennt sie als den Ring ihres Verlobten. Glücklich darüber, den Geliebten in ihrer Nähe zu wissen, löst sie den Ring ein und beginnt ein Spiel, das ihr den Verlobten wieder in die Arme führen soll. Minnas Ringspiel, das sie anfangs überlegen einsetzt, das Tellheims Ehrgefühl entlarven und widerlegen soll, entgleitet ihr aber. Tellheim wird durch ihr Spiel weder belehrt, noch ändern sich die äußeren Bedingungen. Minna fällt dem von ihr Angezettelten anheim, Riccaut ist ihr angemessener Partner, auch er liebt wie Minna das Spiel.

Da das Ringspiel seine Wirkung verfehlt, beginnt Minna ein anderes Verwirrspiel. Franziska erzählt für sie die Geschichte, ihr Onkel habe sie enterbt, sie sei auf die Heirat mit Tellheim angewiesen. Nun ist es für ihn Ehrensache, Minna zu ehelichen, wie es zuvor Ehrensache gewesen ist, sich Minna zu entziehen. Tellheim verwirft aber seinen spontan gefaßten Plan, sich Geld zu leihen und mit Minna zu entfliehen. Minnas Vorstellung, sie seien nun beide gleich, ihre Lage sei mit der Tellheims vergleichbar, ist falsch. Tellheim verliert seine Reputation nicht aus dem Auge. Er will das Land verlassen. Erst das königliche Handschreiben löst den Konflikt. Es löst die Verwicklung ohne Zutun der beteiligten Personen.

Wie ist es aber nun mit der Sache der Ehre?

Schon früh ist im Stück davon die Rede. In III.2 erhält Franziska von Just für Minna einen Brief, in dem Tellheim ihr die Gründe darlegt, die ihn zur Absage der Ehe wegen seiner verletzten Ehre führen. In III.10 gibt Franziska den Brief zurück und behauptet, Minna habe ihn nicht gelesen, obwohl der Brief geöffnet worden ist. Erst in IV.6 erfährt der Zuschauer, was Tellheim in seinem Brief an Minna geschrieben hatte und wie es mit seinem Ehrverlust steht: Tellheims Ehrensache ist eine Geldsache. Es geht nicht um die Standesehre (Offiziersehre), auch nicht um die Ehre als Stimme des Gewissens. Tellheim ist öffentlich des Betruges bezichtigt worden, er ist in seiner bürgerlichen Reputation gekränkt. Seine Ehre muß wiederhergestellt werden.

Die Sache der Ehre – Ethik der Öffentlichkeit. Lessing hat in einem seiner wenigen Gedichte sich selbst in seinem Verhältnis zur Ehre zu bestimmen und zu erklären versucht. Es beginnt mit einer Absage an die Ehre: „Die Ehre hab ich nie gesucht", und endet mit einer Bescheidung auf sich selbst: „Weiß ich nur, wer ich bin."

Diese Abscheu des jungen Lessing (1752) gegenüber der Ehre könnte als falsche Bescheidenheit des noch jungen Schriftstellers gedeutet werden, der in der Beschränkung auf sich selbst noch nichts an Erfolg und Ehre zu vermelden und damit zu verlieren hat, ja vielleicht in dieser Pose der Bescheidenheit Ehre erheischen möchte. Aber so privat ist die Sache der Ehre nicht auszulegen.

Im 18. Jahrhundert hat sich längst eine Ethik der Öffentlichkeit entwickelt, in der der Ehrenkodex ein wichtiger Bestandteil ist. Es soll auch die Öffentlichkeit davon überzeugt sein, daß jemand etwas taugt – so sah man in der Ehre vorwiegend einen sozialen Wert. „Öffentlichkeit" bedeutet die Gruppe der „Leute vom Stande", die dem gleichen Ehrenkodex verpflichtet sind. Ehre *hat* man; verliert man sie, gehen in der Selbst- und Fremdeinschätzung desjenigen, der keine Ehre hat, auch alle anderen Werte leicht verloren. Der Entehrte steht unter dem Zwang, seine Ehre wiederherzustellen. Die Ehre ist zunächst ein Standesprivileg des Adels und der sich hauptsächlich aus dem Adel rekrutierenden Offiziere. Die bürgerliche Gesellschaft schafft sich ein eigenes Tugendsystem, das im Laufe ihrer Entwicklung jedoch nicht im Kontrast zur höfisch-feudalen Tugend gebildet wird, sondern das schon fertige Tugendsystem übernimmt und reguliert. Die Ehre ist ein zentraler Wert auch in ihrem Tugendkatalog. Ihre Verabsolutierung kann zur Zerstörung der Persönlichkeit und zur Mißachtung humanen Denkens und Handelns führen. Und daran leidet der Aufklärer Lessing.

Das Problem der Ehre in der frühen Tragödie ‚Philotas‘ und in ‚Minna von Barnhelm‘. Schon während des Siebenjährigen Krieges (1759) schrieb Lessing unter dem Eindruck fragwürdiger Soldatenehre, der „Ehre, fürs Vaterland zu bluten", das Trauerspiel ‚Philotas‘, in dem der ‘Held’, ein patriotischer Jüngling, in der Gefangenschaft des Kriegsgegners lieber den Tod wählt, als sein ‘Heldentum’ aufzugeben. Sein schwärmerisches Ehrgefühl entlarvt sich im Verlauf der Tragödie als ein Mantel, der Sinnlosigkeit verdeckt. Am Schluß des Stückes weiß Philotas nicht mehr, für welche politischen Grundsätze er sein Leben eingesetzt hat. Er bleibt dennoch der Überzeugung treu: Wer um der Ehre willen das Leben hingibt, dient der besseren Sache. In ihm herrscht „das Feuer der Ehre", dem er als Möglichkeit, in der Ohnmacht des Krieges, des Kampfes sich selbst zu erheben, verfällt. Er – „ein Kind" – erkennt nicht, daß ihm das Heldenpathos, dieses Ehrgefühl als Pflichtübung zudiktiert worden ist. Er begeht in der Gefangenschaft Selbstmord, um der Erniedrigung durch den Feind, den Sieger, zu entgehen. Die Gegenfigur, König Aridäus, hält Philotas die Fragwürdigkeit seines Tuns vor, aber sie ist von Lessings Zeitgenossen wenig beachtet worden. Man hat das frühe Drama als Verherrlichung des Patriotismus mißverstanden. Wahrscheinlich verhinderte die Erfahrung des Siebenjährigen Krieges zur Zeit der Entstehung des Werkes die der Absicht Lessings angemessene Rezeption. Lessing nimmt sich in seinem Lustspiel ‚Minna von Barnhelm‘ am Ende des Siebenjährigen Krieges der Sache der Ehre noch einmal an. Wenn die Tragödie ‚Philotas‘ zur Zeit ihres ersten Erscheinens noch als Verherrlichung des Patriotismus mißverstanden werden konnte, dann läßt das Lustspiel ‚Minna von Barnhelm‘ beim Publikum keinen Zweifel mehr an der Einstellung Lessings zum fragwürdigen Ehrbegriff seiner Zeitgenossen aufkommen. Das Festhalten an der Ehre, in ‚Philotas‘ schon als Scheintugend entlarvt, erweist sich im Lustspiel als Untugend.

5.2 Der Antagonismus zwischen höfischer Welt und bürgerlicher Familie: Lessing ‚Emilia Galotti‘ – Schiller ‚Kabale und Liebe‘

> **Gotthold Ephraim Lessing:** Miß Sara Sampson (1755)
> Emilia Galotti (1757–72)
> **Friedrich Schiller:** Kabale und Liebe (1784)

Lessings ‚Emilia Galotti‘ und Schillers ‚Kabale und Liebe‘ gehören nicht nur zu den wichtigsten und bekanntesten Beispielen des Bürgerlichen Trauerspiels, sie repräsentieren auch einen besonderen Typus: Gezeigt wird, wie bürgerliche Welt- und Lebensordnung in höfische Intrige verstrickt wird und darin scheitert. Die zentralen Motive, die in den Standesgegensätzen verankerten Konflikte, die Personen als typische Rollenträger der feudalen Gesellschaft, den Wechsel der Schauplätze zwischen Adelspalast und Bürgerstube haben beide Stücke gemeinsam. Schiller verweist zudem durch viele wörtliche Übernahmen auf Lessings ‚Emilia Galotti‘ als sein Vorbild. Lessing hat in Anlehnung an englische Vorbilder (Lillos ‚Der Kaufmann von London‘, 1731) mit ‚Miß Sara Sampson‘ 1755 das erste deutsche Bürgerliche Trauerspiel vorgelegt. Seitdem kennzeichnen die folgenden Merkmale die neue Gattung:

① der gezielte Bruch mit der 'Ständeklausel', der zufolge lediglich hohe Standespersonen in der Tragödie als Opfer tragischer Verwicklungen gezeigt werden durften;
② die Verlagerung des Geschehens weg von der großen höfisch-politischen Kulisse in den Bereich der bürgerlich-privaten Welt, die damit das Gegenmodell liefert zur repräsentativen Öffentlichkeit adlig-höfischer Lebensweise, und
③ die moralisch-aufklärerische Belehrung als neue Funktionsbestimmung des Theaters und die Propagierung einer bürgerlichen Tugendlehre und empfindsam-moralischen Gefühlskultur.

Die höfische Welt

Lessing legt den Schauplatz der Handlung von ‚*Emilia Galotti*' in eine kleine Residenzstadt irgendwo in Italien zur Zeit der Renaissance gegen Ende des 17. Jahrhunderts. Hettore Gonzaga ist Fürst von Guastalla. Er hat sich, wie schon die erste Szene zeigt, leidenschaftlich in Emilia Galotti, die Tochter eines Obersten, verliebt, die mit ihrer Mutter in der Residenz lebt, während der Vater seine Güter auf dem Lande verwaltet. Damit deutet zunächst alles auf eine neue Liaison des Fürsten hin, zumal da die bisherige Geliebte, die Gräfin Orsina, in Ungnade gefallen ist. Ein Bild Emilias, das der Maler Conti bringt, steigert den Wunsch des Fürsten, Emilia zu besitzen. Um so bestürzter ist er, als er erfährt, daß Emilias Vermählung mit dem Grafen Appiani noch am selben Tag vollzogen werden soll und daß der Graf die Absicht hat, sich mit seiner Frau auf das Land zurückzuziehen. Der Entschluß des Fürsten, dies zu verhindern, steht fest. Marinelli erhält dazu alle Vollmachten.

Das Bild des Prinzen in diesen den Konflikt exponierenden Szenen bestimmen einige den Zeitgenossen durchaus vertraute Kennzeichen höfischer Macht: die amourösen Abenteuer, die politische Heirat mit der Prinzessin von Massa, aber auch seine Rolle als Kunstmäzen oder als oberster Richter. Andererseits wirkt der Prinz in seiner leidenschaftlichen Verwirrung nicht wie ein Souverän. Er zeigt überraschend viel Herz und ist daher unfähig, sich auf die anstehenden Amtsgeschäfte zu konzentrieren. Der Prinz leidet unter dem Rollenkonflikt, der einen Ausgleich zwischen seinen Aufgaben als Monarch und seinen individuellen Bedürfnissen und Interessen auszuschließen scheint.
Lessing läßt nicht den Bürger, sondern den Prinzen die Kritik an höfisch-aristokratischer Lebensweise formulieren. Seine Klagen über die „ersten Häuser", in denen „das Zeremoniell, der Zwang, die Langeweile und nicht selten die Dürftigkeit herrschet", die resignierend vorgetragene Einsicht, durch die bevorstehende politische Heirat „das Opfer eines elenden Staatsinteresses" zu werden, das Bewußtsein der eigenen Isoliertheit („Der Fürst hat keinen Freund! kann keinen Freund haben!") und die so überraschend unaristokratische und empfindsame Schwärmerei für Emilia und ihre Tugendhaftigkeit rücken ihn zunächst in irritierende Nähe zu jener anderen, 'bürgerlichen' Welt, auch wenn er deren Ordnung und Harmonie zerstören wird.

Schiller wählt, anders als Lessing, in ‚Kabale und Liebe' eine deutsche Residenz als Schauplatz der Handlung. Der Fürst bleibt anonym im Hintergrund. Den Anspruch und die Machtfülle absolutistischer Regierungsgewalt repräsentiert Präsident von Walther. Selbst durch dunkle Machenschaften an die Macht gekommen, ist es sein einziges Ziel, diese Macht für sich und den einzigen Sohn, Ferdinand von Walther, zu erhalten. In dieser Situation bringt Ferdinands Liebe zu Luise, der Tochter des Stadtmusikanten Miller, die tragische Verwicklung in Gang. Ist es bei Lessing der Prinz, der sich einer Vermählung Emilias in den Weg stellt, so ist es in Schillers Drama der Präsident, der die nicht standesgemäße Verbindung seines Sohnes mit einem Bürgermädchen mit allen Mitteln zu verhindern trachtet.

Es ist bezeichnend, daß in beiden Stücken die Inhaber höfischer Herrschaftsgewalt weder Betrug noch Verbrechen scheuen, um die eigenen Ziele zu realisieren. Prinz Gonzaga überläßt zwar das Handeln seinem intriganten Vertrauten Marinelli und zeigt sich bestürzt, als er das wahre Ausmaß des Verbrechens erkennt, dennoch wird er durch sein Einverständnis mitschuldig an dem Anschlag, dem Graf Appiani zum Opfer fällt.

Der Präsident in Schillers Drama ist völlig frei von Skrupeln. Bevor er sich auf die von Wurm ausgeklügelte Intrige einläßt, ist ihm jedes Mittel recht, Druck auf Luise und ihre Eltern auszuüben. Die widerrechtlichen Übergriffe auf die Familie Miller offenbaren nicht nur deren Schutzlosigkeit, sie sind auch Beispiel für die Willkür absolutistischer Herrschaft deutscher Landesfürsten. Schiller wird hier viel konkreter als Lessing: die brutale Praxis des Soldatenverkaufs, wie sie in der berühmt gewordenen Kammerdienerszene bloßgestellt wird, die Genuß- und Verschwendungssucht eines Fürsten, der das erpreßte Geld in Geschenke für seine Favoritin umsetzt, die eitle Dummheit und schmarotzerhafte Arroganz jener Hofschranzen, wie sie in der Person des Hofmarschalls von Kalb karikiert werden – Schiller zeichnet ein realistisch-düsteres Bild jener Zustände, die er selber kennt.

Die bürgerliche Familie als Gegenmodell? Der höfischen Welt der „Kabale" setzen Lessing und Schiller die private Welt der Familie gegenüber. Die tugendhafte Tochter, deren Unschuld und Ehre bedroht sind, der Vater, der als patriarchalisches Oberhaupt der Familie die Tochter vor dem Verderb des Lasters bewahren will, und die in Fragen der Moral weniger rigide denkende Mutter, die das Glück der Tochter nicht zuletzt in dem möglichen sozialen Aufstieg sieht, repräsentieren die für das Bürgerliche Trauerspiel typische Personenkonstellation. Es ist die Struktur der bürgerlichen Kleinfamilie, wie sie sich historisch in Deutschland im 18. Jahrhundert allmählich herausbildet. Allerdings sind die sozialen Unterschiede zwischen der Familie Galotti und der des Stadtmusikanten beträchtlich. Besitz und öffentliches Ansehen Odoardo Galottis relativieren den sozialen Abstand zum Adel. Die geplante Vermählung Emilias mit dem Grafen Appiani mag zwar ungewöhnlich sein; doch nur Marinelli sieht in Emilia ein „Mädchen ohne Vermögen und ohne Rang" und in der Heirat mit Appiani ein „Mißbündnis", das den Grafen gesellschaftlich diskreditieren wird (I.6). Ein Skandal aber, der „die Fugen der Bürgerwelt auseinander treiben, und die allgemeine, ewige Ordnung zu Grund stürzen würde" (so Luise über ihre Liebe zu Ferdinand, III.4), ist diese Verbindung keineswegs.

Odoardo Galotti teilt mit dem Grafen Appiani wenn auch nicht den Adelsrang, so doch die antihöfische Gesinnung. Wie er selbst den Hof und die Stadt meidet, begrüßt er auch die Absicht Appianis, sich nach der Heirat aus der Öffentlichkeit zurückzuziehen und „in seinen väterlichen Tälern sich selbst zu leben" (II.4). Nur fernab von der höfischen Welt kann sich Odoardo ein familiäres Leben ungefährdet durch höfische Verführung vorstellen. Der diesem Denken zugrunde liegende moralische Rigorismus (Claudia spricht von der „rauhen Tugend", II.5) führt zu einem Mißtrauen, das einem offen-vertrauensvollen Verhältnis gegenüber Frau und Tochter im Wege steht. Die entscheidende Zuspitzung des Konflikts beginnt für Odoardo daher dort, wo Marinelli nach dem Tod Appianis den Plan ausklügelt, Emilia ohne die Eltern nach Guastalla zurückbringen zu lassen.

Der moralische Rigorismus verbindet Odoardo über die unterschiedliche soziale Position hinweg mit dem alten Miller. Auch Miller kennt nur eine Sorge, daß Luise ihren guten Namen verlieren könnte. Allerdings motiviert Schiller diese Sorge um die Tugend der Tochter differenzierter. Es geht dem Vater nicht ausschließlich um ein moralisches Prinzip; vielmehr steht mit Luises Zukunft auch die eigene zur Diskussion, und eine gesicherte gemeinsame Zukunft kann sich Miller nur mit einem „wackern ehrbaren Schwiegersohn" (I.1) vorstellen. Luise erfährt die christlichen Wert- und

Moralvorstellungen des Vaters, auch wenn sie sie innerlich voll akzeptiert, als Verpflichtung und als Zwang. Gegenüber Lessing hat Schiller die emotionale Bindung zwischen Vater und Tochter verstärkt, doch wird auch Luise letztlich nicht nur Opfer feudaler Willkür, sondern auch der väterlichen Forderungen, die ihr das Recht auf Selbstverwirklichung in ihrer Liebe zu Ferdinand verweigern.

Es ist insbesondere diese patriarchalische Struktur, die die Familie des Bürgerlichen Trauerspiels immer wieder ins Zwielicht rückt. Es zeigt sich, daß auch in diese Welt der Zurückgezogenheit und der festen sittlich-moralischen Grundsätze Autoritätsstrukturen hineinreichen, wie sie das absolutistische System im ganzen bestimmen.

Tragische Konfliktlösung. In beiden Stücken führt der Antagonismus Hof – Familie zum tragischen Schluß.

Aus der Erkenntnis, *Emilia* nicht anders vor der höfischen Verführung bewahren zu können, tötet Odoardo seine Tochter und unterstellt sich selbst der Richtergewalt des Prinzen. Dieser wird als der eigentlich Schuldige zwar erkannt, bleibt aber ungestraft. Der Gedanke, die Waffe nicht gegen die eigene Tochter, sondern gegen den Prinzen zu erheben, drängt sich dem Vater zwar auf, er wird aber sofort wieder verworfen. Ein solches Handeln im Affekt und aus Rache ist mit dem moralischen Bewußtsein Odoardos und seiner Tochter unvereinbar. Nicht einmal die Möglichkeit, die Schuld des Prinzen öffentlich anzuprangern – ein Weg, den die Gräfin Orsina immerhin andeutet –, wird in Betracht gezogen. Odoardo bleibt nur der Ausblick auf eine göttliche Gerechtigkeit. Nachdem die Tugend und Unschuld Emilias durch die Tat Odoardos bewahrt bleiben, werden die Schuld des Vaters und die Verantwortlichkeit des Prinzen einem himmlischen Richter überantwortet. Im Unterschied zu der römischen Virginia-Fabel, wo der Tat des Vaters ein Volksaufstand und Verhaftung und Tod des Schuldigen folgen, betont Lessing auch in der Lösung den privaten, nicht öffentlichen Charakter des Konflikts.

Auch *Schillers Stück* hat einen tragischen Ausgang. Ferdinand vergiftet sich und Luise aus Verzweiflung darüber, daß sich die Hoffnungen auf eine Erfüllung seiner Liebe zerschlagen. Daß er mit seiner rasenden Eifersucht das Opfer einer arglistigen Täuschung ist, erkennt er zu spät. Damit scheitert diese Liebe vordergründig an der durch den Präsidenten und seinen Helfershelfer Wurm ausgeklügelten Briefintrige, in die Luise erpresserisch einbezogen wird. Doch ist dieses Scheitern wiederum nur Ausdruck dafür, daß sich die in der standesübergreifenden Liebe Ferdinands zu Luise aufleuchtenden Hoffnungen auf eine andere, bessere Welt zerschlagen, wenn sie mit den politischen und gesellschaftlichen Strukturen des alten Feudalsystems in Konflikt geraten.

Schiller verstärkt gegenüber Lessing den Eindruck, daß die Bürger die eigentlichen Opfer sind. Luise und ihr unglücklicher Vater haben im Schlußakt keine Möglichkeit mehr, in den Ablauf der Ereignisse noch entscheidend einzugreifen. Nicht die mit viel Tugendpathos vollzogene Selbstzerstörung wie bei Lessing, sondern der Giftmord Ferdinands steht am Ende. Indem Ferdinand wie ein zweiter Richtergott über Luises Leben verfügt, demonstriert er eine Anmaßung und Selbstgerechtigkeit, die zuletzt doch noch die Kluft zwischen ihm und dem eher kleinbürgerlichen Denken Luises verdeutlicht. Luise ist Opfer in mehrfacher Weise: Der Druck der höfischen Erpressung, das Bewußtsein ihrer moralischen Verpflichtung gegenüber dem Vater und die tief empfundene Liebe zu Ferdinand bewirken einen nicht mehr lösbaren Konflikt, in dem ihr nur die Hoffnung auf ein besseres Jenseits verbleibt und damit der Verzicht auf die Verwirklichung der eigenen Glücksansprüche.

Mit einer weiteren Änderung sprengt Schiller schon fast die Formtradition des Bürgerlichen Trauerspiels: In der letzten Szene sind nicht nur die am Geschehen unmittelbar Beteiligten auf der Bühne; der alte Miller erscheint vielmehr „mit Volk und

Gerichtsdienern, welche [wie es in der Regieanweisung heißt] sich im Hintergrund sammeln". Für die Schuld des Präsidenten werden die Gerichte zuständig sein, und der politische Skandal wird sich nicht mehr vertuschen lassen. Anders als Lessing rückt Schiller den dramatischen Vorgang damit wieder in eine Perspektive des Öffentlichen, die Lessing bewußt eliminiert hatte.

5.3 Das Bürgerliche Trauerspiel als Ständetheater:
Lenz ‚Die Soldaten' – Wagner ‚Die Kindermörderin'

> **Jakob Michael Reinhold Lenz:** Der Hofmeister (1774)   Die Soldaten (1776)
> **Heinrich Leopold Wagner:** Die Kindermörderin (1776)

‚Die Kindermörderin' von Wagner und ‚Die Soldaten' von Lenz, beide 1776 im Druck erschienen, zählen zu den wichtigsten Dramen des Sturm und Drang und nehmen auch in der Geschichte des Bürgerlichen Trauerspiels einen besonderen Platz ein. Im Vergleich zu früheren Beispielen der neuen Gattung wird die bürgerliche Welt in beiden Stücken wirklichkeitsnäher und differenzierter dargestellt. Dabei geraten die in den sozialen Verhältnissen wurzelnden Ursachen der tragischen Verwicklung konkreter in den Blick. Beide Autoren nutzen die Möglichkeiten des Theaters, um auf soziale Mißstände hinzuweisen; insofern stehen beide in der Tradition der Aufklärung. Dramaturgisch aber erproben sie neue Darstellungsmöglichkeiten, wobei Lenz noch radikaler als Wagner die überlieferte Form des Bürgerlichen Trauerspiels auflöst und einen neuen Dramentypus entwickelt.

Verführung als literarisches Motiv. Mit der Verführung des bis dahin unbescholtenen Bürgermädchens durch den sozial Höherstehenden wählen beide Autoren ein für das Bürgerliche Trauerspiel typisches Handlungsmuster. In den ‚Soldaten' ist es Marie Wesener, Tochter eines Galanteriewarenhändlers in Lille, die in Desportes einen adligen Offizier als Verehrer gefunden hat, obwohl sie mit dem Tuchhändler Stolzius so gut wie verlobt ist.

Wagner wählt die Familie des Metzgermeisters Humbrecht, in dessen Haus der Leutnant von Gröningseck einquartiert ist, der sich dann auch prompt in Evchen, die 18jährige Tochter des Hauses, verliebt. Der bei Lessing und Schiller handlungsbestimmende Dualismus Hof – Familie wird also variiert durch das in den Garnisonstädten typische Nebeneinander von Bürgertum und adligen Offizieren, die durch ihre Verpflichtung zur Ehelosigkeit und durch den ihnen eigenen Lebensstil in einen spezifischen Gegensatz zur bürgerlich-familiären Lebensordnung geraten.

Die Verführung als das die tragische Handlung auslösende Moment haben beide Stücke also gemeinsam. Hält man jedoch die Anfangsszenen vergleichend nebeneinander, dann werden ganz unterschiedliche Darstellungsintentionen deutlich.

Bei *Wagner* gelangt die Verführung bereits im ersten Akt an ihr Ziel: In einem verrufenen Lokal macht von Gröningseck Evchen zu seiner Geliebten, nachdem er zuvor die Mutter mit einem Schlaftrunk ausgeschaltet hat. Der Ball, den man gemeinsam besucht, ist lediglich Auftakt in einem sorgfältig ausgedachten Verführungsplan. Wagner hebt in dieser Verführungsszene das moralische Versagen des adligen Offiziers besonders hervor. Er unterstreicht dies, indem er Evchen, kaum daß sie „zur Hure gemacht" worden ist, ein Pathos der „beleidigten Tugend" (so ihre eigenen Worte) in den Mund legt, das sie in die Nähe einer Emilia Galotti rückt. Die Bestimmtheit, mit der sie von Gröningseck ihre Bedingungen diktiert, läßt sie zumindest in diesem Augenblick als sozial ebenbürtig erscheinen. Dessen Versprechen, sie nach Ablauf von fünf Monaten und der Rückkehr von einer Reise zu heiraten, und ihre Einwilligung, solange zu warten, ohne sich ihren Eltern mitzuteilen, bestimmen die für die weitere Handlung wesentliche Frage, ob die Verbindung über die Standesgrenzen hinweg tatsächlich zustande kommt.

Diese Frage stellt sich auch nach den ersten Szenen in *Lenz'* Soldatenkomödie. Allerdings entwickelt Lenz im Unterschied zu Wagner die Geschichte der Verführung Maries indirekter und behutsamer. Schon in den ersten Begegnungen mit Desportes, der seine Besuche im Hause Wesener macht, wird deutlich, daß sich Maries Empfinden und Denken im Umgang mit Desportes langsam und für sie selbst unmerklich ändern. Die Komplimente, die Geschenke, der Besuch in der Komödie – jeder Schritt entfernt sie mehr von ihrem bürgerlichen Milieu. Je mehr sich aber für sie die alten Bindungen lösen, um so hilfloser und anfälliger wird sie für das, was ihr Desportes in Aussicht stellt. Es ist nicht nur das erotische Moment, sondern die Faszination eines anderen Lebensstils, der Marie immer mehr verfällt. Sie hofft zwar ebenso wie Evchen, daß dieser Weg aus der kleinbürgerlichen Enge hinausführt, aber sie ist im Unterschied zu dieser nicht mehr in der Lage, ihre Hoffnungen und ihre eigene Situation kritisch zu überprüfen. Gerade hier bricht Lenz mit einer für das Bürgerliche Trauerspiel wesentlichen Tradition. Die Verführte kann sich nicht mehr moralisch über den Verführer erheben, sie kann das weitere Schicksal nur noch leidend erdulden.

Die Zuspitzung des Konflikts. Bei aller Verwandtschaft in der Thematik setzen Lenz und Wagner in der weiteren Entwicklung des Geschehens doch unterschiedliche Akzente. In den ‚Soldaten' tritt Desportes' wahrer Charakter immer offener zutage. Er flieht und hinterläßt Schulden, wofür der alte Wesener gutgläubig zu bürgen bereit ist. *Marie* läßt sich nun mit Desportes' Freund, dem Leutnant Mary, ein in der Hoffnung, so mit dem Verschwundenen wieder Kontakt zu bekommen. Dabei gerät sie jedoch in der Öffentlichkeit immer mehr in Verruf. Die Gräfin Laroche versucht sie aus diesem Teufelskreis sozialer Diskreditierung zu befreien, indem sie Marie bei sich aufnimmt. Diese aber flieht, als sie von Mary erfährt, Desportes liebe sie immer noch.

Die Flucht bleibt auch *Evchen* nicht erspart. Sie flieht allerdings von zu Hause, wo es ihr über Monate hinweg gelungen ist, die Schwangerschaft als Folge der im ersten Akt geschilderten Verführung zu verheimlichen. Evchen hat zunächst allen Grund, zuversichtlich zu sein. Von Gröningseck will sie heiraten. Nach der Beförderung nimmt er Urlaub und reist mit dem Versprechen, zwei Monate später wieder zurück zu sein und dann um ihre Hand anzuhalten, in seine bairische Heimat, um dort seine finanziellen Verhältnisse in Ordnung zu bringen. Jetzt aber setzt die Briefintrige des Leutnants von Hasenpoth ein, der aus seinem Standesdenken heraus die Verbindung um jeden Preis verhindern will. Evchen erhält einen von Hasenpoth fingierten Brief, aus dem sie nur schließen kann, daß sie das Opfer falscher Erwartungen geworden ist. In der Annahme, daß Gröningseck nicht zurückkommt, verläßt sie ihr Elternhaus, um der Strenge ihres Vaters und der Schande zu entfliehen und ihr Kind irgendwo in der Fremde zur Welt zu bringen.

Die Entwicklung der Handlung verdeutlicht erneut, wo die unterschiedlichen Darstellungsintentionen der beiden Autoren liegen. *Wagner* spitzt den Konflikt vor allem auf das juristische Problem des Kindesmords zu. Ihm geht es darum, zu zeigen, daß Evchens Lage in ihrer eigenen Sicht ausweglos geworden ist. Die Flucht ist Abbruch aller bisherigen Bindungen und Aufgabe aller Hoffnungen, dem Verhängnis doch noch zu entgehen. Anders *Lenz:* Maries Flucht, als Faktum nur mitgeteilt in der Reaktion anderer, ist ein letzter vergeblicher Versuch, das gesellschaftlich Unmögliche wider alle Einsicht, die ihr die Gräfin zuvor nahegelegt hat, dennoch zu versuchen. Die weitere und endgültige Zerstörung der bürgerlichen Familie zeigt *Lenz* nur noch in Momentaufnahmen: Marie auf dem Weg nach Armentières, halb verhungert und verwahrlost, der verzweifelte Vater, finanziell durch die Bürgschaften ruiniert, auf der Suche nach seiner Tochter. In der Kurzszenentechnik, die Lenz aus dem Shakespeare-Theater übernimmt, findet die sich zuspitzende Hektik des Geschehens ihren adäquaten Ausdruck. Die Auflösung der dramatischen Form verweist auf die allgemeine Auflösung gesellschaftlicher Ordnung, wie sie sich im Schicksal Maries und ihrer Familie vollzieht.

Die Zerstörung der bürgerlichen Familie bildet auch bei *Lenz* und *Wagner* das Ende des Trauerspiels. Allerdings bleibt in beiden Stücken das Schicksal der Hauptfiguren letztlich ungeklärt. Marie Wesener ist zur Prostituierten geworden, die, um zu überleben, die Männer auf der Straße anspricht. Evchen Humbrecht tötet aus Verzweiflung ihr Kind und muß nach den Gesetzen der Zeit mit der Todesstrafe rechnen. Insofern sprechen die Umstände in beiden Stücken eine deutliche Sprache. Dennoch enthält der Schluß hier wie dort einige Hoffnungsmomente. Die dramatische Wiedererkennungsszene zwischen Marie und ihrem Vater ist nicht nur Ausdruck für die durch Desportes „verwüstete und verheerte Familie", wie es der Obriste kommentiert. Sie kann auch auf eine für beide neue und gemeinsame Zukunft hindeuten.

Auch Evchens Schicksal bleibt in der Schwebe. Von Gröningseck kommt zwar zu spät und kann den Kindesmord nicht mehr verhindern. Er will sich jedoch in Versailles direkt an die „gesetzgebende Macht" wenden, um Gnade für Evchen zu erwirken. Der die staatliche Gerichtsbarkeit repräsentierende Fiskal beurteilt diese Möglichkeit zwar skeptisch, räumt aber ein, daß es in solchen Fällen oft „auf die Umstände" ankomme.

Damit ist das für beide Stücke zentrale Stichwort gefallen. Da Lenz und Wagner an den 'Umständen' und ihrer Veränderung interessiert sind, tritt zum Schluß der vorgeführte exemplarische Fall hinter das allgemeine Problem zurück. Lenz läßt in einer Schlußszene Angehörige des Adels, deren fortschrittliche Gesinnung sich in ihrem bürgerlich-empfindsamen Mitgefühl äußert, den Fall als Folge der Ehelosigkeit adliger Offiziere kommentieren. Maries Schicksal wie auch das ihrer Familie wird zum Beispiel, zugleich wird die Frage gestellt, wie diese Verhältnisse zu ändern seien. Auch wenn der in diesem Zusammenhang diskutierte 'Reformvorschlag', eine „königliche Pflanzschule für Soldatenweiber" einzurichten, um die sexuellen Bedürfnisse der Offiziere auf diese Weise aufzufangen, eher abwegig erscheint, bringt das Stück als ganzes die Forderung, die sozialen Konflikte politisch zu lösen, zwingend zum Ausdruck.

Das ist in Wagners ‚Kindermörderin' nicht anders. Auch dort rückt der Schluß ein soziales Problem, die schuldhafte Verantwortung einer Kindermörderin für ihre Tat, ins Bild. Auch dort steht am Ende nicht die in bürgerlichem Tugendpathos verankerte Hoffnung auf eine außerirdische Gerechtigkeit und einen himmlischen Richter, sondern die eminent praktische Frage, wie Evchen als „arme Betrogene vom Schafott zu retten" sei, wie es der Magister formuliert. Der offene Schluß, die fehlende dramaturgisch überzeugende und befriedigende Lösung ist insofern Ausdruck dafür, daß die in den Stücken von Lenz und Wagner gezeigten sozialen Konflikte auch real ungelöst sind und daß das Schauspiel dieses Problem allenfalls darstellen, nicht aber 'lösen' kann.

Traditionsbildung

Die Geschichte des Bürgerlichen Trauerspiels erlebt mit Schillers ‚Kabale und Liebe' einen Höhepunkt und einen vorläufigen Abschluß. Die Klassik verzichtet auf diese dramatische Form und greift auf eine frühere literarische Tradition, das klassizistische Drama, zurück. Parallel dazu vollzieht sich die Trivialisierung des Bürgerlichen Schauspiels zum rührselig-populären Familienstück, wie sie in den DramenIfflands (‚Verbrechen aus Ehrsucht', 1784) und Kotzebues (‚Menschenhaß und Reue', 1789) deutlich zu beobachten ist. Die selbstgefällig-saturierte bürgerliche Lebenswelt in diesen Werken läßt die Tragik des Konflikts und sozialkritische Angriffe, die neben dem Adel auch das Bürgertum selbst treffen, nicht mehr zu. Eine Erneuerung des bürgerlichen Dramas erfolgt erst im 19. Jahrhundert. Neben einigen weniger bekannten Stücken von Gutzkow (1811–1878) ist es vor allem Hebbels 1844 entstandene ‚Maria Magdalene‘, die die Tradition des kritisch-realistischen bürgerlichen Dramas wieder aufgreift und fortführt.

Die Dramatik des Sturm und Drang wirkt allerdings noch in anderer Hinsicht traditionsbildend. Insbesondere die formalen Neuerungen durch Lenz, aber auch durch Wagner u. a., und die in ihnen angelegten realistischen Darstellungsmöglichkeiten sind für die Weiterentwicklung des deutschen Dramas und der deutschen Theatergeschichte von wesentlicher Bedeutung. Die Linie reicht über Büchner (‚Woyzeck‘), Hauptmann (‚Rose Bernd‘), Wedekind (‚Frühlings-Erwachen‘) u. a. bis ins 20. Jahrhundert. Die Stücke von Lenz und Wagner haben zudem namhafte zeitgenössische Bearbeiter gefunden. So hat Brecht 1949/50 den ‚Hofmeister‘ bearbeitet. Eine Bearbeitung der ‚Kindermörderin‘ durch den Brecht-Schüler Peter Hacks folgte 1957, und 1968 legte Heinar Kipphardt eine bearbeitete Fassung der ‚Soldaten‘ vor.

6 Literatur und Geschichtsbewußtsein

Für die Entwicklung eines neuzeitlichen Geschichtsbewußtseins ist die zweite Hälfte des 18. Jahrhunderts von entscheidender Bedeutung. Der Begriff ‘Geschichte’, verstanden als Inbegriff alles Geschehenen, gewinnt erst jetzt seine eigentliche Bedeutung. ‘Geschichte’ ist fortan immer mehr als die bloße Einzelbegebenheit (so die ursprüngliche Begriffsbedeutung), mehr auch als die Summe solcher Ereignisse (wie man den Begriff seit der mittelhochdeutschen Zeit verstanden hatte) und mehr als die Erzählung über solche Begebenheiten, als ‘Historie’ im Sinne eines Berichts über Geschehenes (in dieser Bedeutung ist der Begriff seit dem 15. Jahrhundert belegt). Auf einer höheren Abstraktionsebene bezeichnet Geschichte nunmehr einen die Natur und die menschliche Gesellschaft stetig verändernden Entwicklungsprozeß, der die Vergangenheit, die Gegenwart und die Zukunft umfaßt.

Die allmähliche Entfaltung eines solchen Geschichtsbegriffs ist Ausdruck eines tiefgreifenden Wandels im Geschichtsdenken. Jahrhunderte hindurch hatte die christlich-jüdische Heilslehre den Rahmen einer Geschichtstheologie bestimmt, für die das in der biblischen Offenbarung geweissagte Reich Gottes Ziel der Geschichte war. Dieser Geschichtstheologie ist das Nachdenken über geschichtlich-soziale Entwicklungen, über den Wandel im historischen Ablauf im Grunde fremd. Vom Bezugspunkt der Geburt Christi aus wird die vorhergehende und die folgende Zeit als ‘Zwischenzeit’ interpretiert, die aufgrund des menschlichen Sündenfalls auf die göttliche Erlösung angewiesen bleibt.

Die Aufklärung säkularisiert dieses teleologische Geschichtsverständnis, indem sie nun an die Stelle der biblischen Heilslehre die von der menschlichen Vernunft erkannte Wahrheit als leitendes Prinzip der geschichtlichen Entwicklung setzt. Die Geschichte der Menschheit stellt sich unter dieser Voraussetzung dar als ein kontinuierlich vorwärtsschreitender Prozeß der Befreiung der menschlichen Vernunft von allen Hindernissen oder, wie *Kant* es 1784 in seiner bekannten Abhandlung über die Frage ‚Was ist Aufklärung?‘ formulieren wird, als „Ausgang des Menschen aus seiner selbstverschuldeten Unmündigkeit“.

Lessing steht mit seinem geschichtsphilosophischen Denken deutlich in dieser Tradition der Aufklärung. 1780 erscheint seine Schrift über ‚Die Erziehung des Menschengeschlechts', in der er seine Vorstellungen über die Verwirklichung des göttlichen Heilsplans mit einer Stufenlehre der historischen Entwicklung im Sinne einer ‚Erziehung des Menschengeschlechts' verbindet. Im Hinblick auf den alten Streit, ob Offenbarung und Vernunft miteinander vereinbar seien, plädiert Lessing für ein historisch-kritisches Verständnis der Offenbarung: Die Schriften des Alten und des Neuen Testaments sind demnach Dokumente einer moralischen Orientierung aus unterschiedlich frühen Entwicklungsphasen der Menschheitsgeschichte, die Lessing als Kindheits- und Jünglingsalter bezeichnet. Nach diesen historisch notwendigen Durchgangsstadien bildet die eigene Zeit den Beginn einer neuen Phase, in der die menschliche Vernunft die Offenbarungswahrheiten zunehmend deutlicher als „Vernunftwahrheit" erkennt. Die Schrift schließt mit einem optimistischen Ausblick auf eine „Zeit der Vollendung", in der die Menschheit „das Gute tun wird, weil es das Gute ist".

Das Geschichtsdenken des Sturm und Drang weist im Vergleich zu solchen aufklärerischen Positionen noch einmal spezifisch eigene Akzentuierungen auf. *Herder* gibt hier die entscheidenden Anregungen. Sein früher Beitrag ‚Auch eine Philosophie der Geschichte zur Bildung der Menschheit', 1773 geschrieben und ein Jahr später veröffentlicht, faßt erstmals seine geschichtsphilosophischen Vorstellungen zusammen; Elemente dieses neuen historischen Denkens bestimmen jedoch schon frühere Schriften wie etwa das ‚Journal meiner Reise im Jahr 1769'. Mit dieser Schrift vor allem beeinflußt Herder während seines Aufenthalts in Straßburg (September 1770-April 1771) den Kreis der Straßburger Freunde, zu denen auch Goethe und Lenz gehören.

Herder hält an der Vorstellung des Fortschritts in der Geschichte fest – dies verbindet ihn mit aufklärerischen Positionen. Doch vollzieht sich dieser Fortschritt in seinen Augen nicht mehr linear und kontinuierlich, sondern in einem komplexen und der menschlichen Vernunft letztlich nicht mehr einsichtigen Prozeß, der Brüche und Sprünge keineswegs ausschließt. Damit wendet Herder sich ausdrücklich gegen jene Aufklärer, die sich die geschichtliche Entwicklung allzu vereinfacht als einen Prozeß des stetigen Fortschritts erklären und entsprechend alles Frühere unhistorisch aus der Perspektive des eigenen 'aufgeklärten' Zeitalters messen. Herder betont demgegenüber den Eigenwert jeder historischen Epoche, die in ihrer Individualität und Eigenständigkeit nur aus sich heraus verstanden werden kann. Geschichte wird in dieser Sicht zum organischen Entwicklungsprozeß aufeinanderfolgender Epochen, die – ähnlich wie im Leben des Menschen – Phasen der Jugend, der Reife, des Alterns und des Todes aufweisen.

Herder hat diese geschichtstheoretischen Überlegungen in seiner Schrift ‚Auch eine Philosophie zur Geschichte der Bildung der Menschheit' nicht systematisch entwikkelt. Die für den Sturm und Drang charakteristische Abneigung gegen jede logisch strenge Theoriebildung bestimmt auch hier die Form der Darstellung.

Ähnlich unsystematisch greifen die Autoren des Sturm und Drang dieses neue Geschichtsdenken auf. *Goethes* Interesse an der Geschichte wird zweifellos durch den Einfluß Herders wesentlich verstärkt. Die kritische Distanz gegenüber der eigenen Zeit als einer Zeit des historischen Umbruchs, die ästhetisierende Behandlung der Geschichte als eines dramatischen Schauspiels, die stilisierende Verklärung historischer Epochen, die bislang einseitig abgewertet worden waren, und die Begeisterung für die Kunst der Gotik, für das Drama Shakespeares oder für die Volkslieder – all dies findet sich auch bei Herder. Dennoch setzt Goethe – wie der ‚Götz' zeigt – nicht einfach Herders Anschauungen über Geschichte in Literatur um. Goethes Interesse an der Geschichte zielt im Unterschied zu Herder mehr auf die große historische Persönlichkeit, die mit ihrem Wirken und ihren Absichten in diesen Geschichtsprozeß hineingestellt ist und mit diesem in Konflikt gerät.

6.1 Utopie und Idylle im 18. Jahrhundert

Thomas Morus: Insel Utopia (1516)
Daniel Defoe: Robinson Crusoe (1719)
Johann Gottfried Schnabel: Wunderliche Fata einiger Seefahrer, absonderlich Alberti Julii, eines geborenen Sachsen, auf der Insel Felsenburg (1731–43)
Salomon Geßner: Idyllen (1756) Anonym: von dem Verfasser des Daphnis
Johann Heinrich Voß: Die Pferdeknechte (1775) – veröffentlicht in Bodes ‚Gesellschafter‘ und im ‚Göttinger Musenalmanach für das Jahr 1776‘

Auf dem Hintergrund der Geschichtsauffassung der Aufklärung müssen zwei literarische Schreibweisen gesehen werden, die im 18. Jahrhundert eine selbständige und angesehene Form der Literatur bilden: Utopie und Idylle. So verschieden ihre Ausprägungen sind – die Utopie entwirft Zukunft, die Idylle vergegenwärtigt paradiesische Vergangenheit –: beide setzen der wirklichen Welt ein Gegenbild entgegen, ein goldenes Zeitalter, das es in der Frühzeit gegeben habe und das vielleicht einmal wiederkommen werde, wenn die Menschen der friedlosen und korrupten Welt eine bessere entgegensetzen. Beide, Utopie und Idylle, haben die Entschlossenheit zur Harmonie, wenn auch in unterschiedlichen Vorstellungen von einer harmonischen Welt, wenn auch mit unterschiedlichen Ansprüchen an den Leser. So unverkennbar der gemeinsame Ausgangspunkt ist, so verlangen sie doch – genauer betrachtet – Unterscheidung.

6.1.1 Der utopische Roman
Unter Utopie verstehen wir den theoretisch-literarischen Entwurf einer möglichen Welt, die Grenzen und Möglichkeiten einer jeweiligen Wirklichkeit übersteigt und eine substantiell andere, bessere Welt anzielt. Dieser Entwurf ist ein Gedankenexperiment, aber er ist nicht als bloßes Spiel gemeint, sondern beansprucht eine gewisse Verbindlichkeit des So-soll-es- und So-kann-es-Sein. Utopie ist das Land Nirgendwo, das einmal – nicht im ganzen, aber in wesentlichen Strukturen – irgendwo sein soll.

Utopien entzünden sich an Krisen, daran, daß ein Ordnungssystem nicht mehr funktioniert, also z. B. nicht mehr Frieden, nicht mehr wirtschaftliche Sicherheit gewährleistet, nicht mehr Herrschaft legitimiert, oder daran, daß die führenden Repräsentanten des Geistes in einem grundsätzlichen Widerstreit zu dem System stehen. Die Utopie ist Kritik, sie richtet sich nicht gegen Personen, sondern sie richtet sich gegen das ganze System, und zwar nicht reformerisch gegen diesen oder jenen Zug des Systems, sondern gegen seine herrschenden Prinzipien.

Das 18. Jahrhundert ist zwar nicht mehr die Zeit der großen Utopien, wohl aber die große Zeit der Utopien. An die 40 Utopien sind allein in Frankreich erschienen. Der durch den Absolutismus entmachtete, in die Privatheit von Gesinnungen zurückgedrängte, aber so doch auch freigelassene Bürger beginnt im Namen der Tugend und der Vernunft gegen das absolutistische System den Prozeß, ja den Angriff. Die Tugend der bürgerlichen Gesellschaft soll den Staat und seine Institutionen in Schranken setzen. Die Vernunft vollzieht im Namen des Naturrechts die Destruktion des Überkommenen. Die Zukunft wird der Ort der Vernunftwahrheit. Die Zukunft – der utopische Entwurf – erweist sich als Übergang zur realen Entwicklung einer besseren Welt, die in der Utopie vorweggenommene Vervollkommnung des Menschen erfüllt das Zeitalter. Die Zukunft wird nicht nur geplant, sondern anschaulich und in einem Gesamtbild entworfen.

Es lassen sich im 18. Jahrhundert zwei Ausprägungen des utopischen Romans unter-

scheiden. Sie sind an die Raumvorstellung 'Insel' gebunden. Gegenüber der Sozial-
utopie des Thomas Morus haben sie an utopischem Gehalt verloren.

6.1.2 Die Robinsonade: Daniel Defoe ‚Robinson Crusoe‘

Geist und Form von Daniel Defoes ‚Robinson Crusoe‘ sind den Bekenntnissen des
Augustin verpflichtet und sicherlich nicht ohne Einfluß auf die ‚Bekenntnisse einer
schönen Seele‘ in Goethes ‚Wilhelm Meister‘. Denn was Defoe hier vorführt, das ist
nicht die Entdeckung einer neuen Sozialordnung bzw. der Wandlungsmöglichkeit sozialer Institutionen, sondern die Wandlungsmöglichkeit des Individuums, das zur
Selbstreflexion und Selbstdisziplin erwacht, dokumentiert in Form des *Tagebuches*.
Auch Robinson findet auf seiner Insel ein Utopia, ein Paradies:

„Vor allem lebte ich hier allen Schlechtigkeiten der Welt entrückt, für mich gab es weder die
Fleischeslust noch die Augenlust, noch die Eitelkeit des Lebens. Ich kannte keinen Neid, denn
ich besaß alles, was mir jetzt Freude machen konnte, ich war Herr dieses ganzen Gebietes, und
ich konnte mich, wenn es mir gefiel, König und Kaiser dieses ganzen Gebietes nennen, das ich
in Besitz hatte. Für mich gab es keinen Rivalen [...]. Ganze Schiffsladungen Korn konnte ich
produzieren [...], ich besaß genug Holz, um eine Flotte zu bauen [...]. Ich hatte genug, um mich
zu ernähren und meine Bedürfnisse zu befriedigen, was sollte ich mit mehr? [...] Ich lernte mehr
auf das zu achten, was mir Freude machte, als auf das, was mir noch fehlte – und das erfüllte
mich oft mit einem heimlichen Glücksgefühl, wie ich es gar nicht beschreiben kann."

Aber diese glückliche Inselwelt ist nicht das Gegenbild einer verderbten wirklichen
Welt, sondern das Ebenbild des „verlorenen Paradieses" seiner Väterwelt, also ein
„wiedergewonnenes Paradies". Man muß Robinsons Lobrede auf das selbstgeschaf-
fene Inselparadies nur vergleichen mit des Vaters Lobrede auf den „Mittelstand",
dem er angehörte und dem der Sohn treu bleiben soll, um zu erkennen, daß es die
gleichen Werte sind, die jene verschmähte Vaterwelt und dieses Inselparadies des
Sohnes auszeichnen: Der Vater gab ihm damals folgendes zu bedenken:

„Ich gehörte dem Mittelstand an, dem besten und glücklichsten Stand in der Welt, wie ihn lange
Erfahrung gelehrt habe, denn dieser kenne nicht das Elend [...] der arbeitenden Klasse, den
Ehrgeiz und die Mißgunst der Oberklasse. Der Neid, mit dem uns die anderen Klassen betrachten, zeige doch genügend, wie glücklich die unserige sein müsse. Auch ein König [...] hätte seinen Platz lieber zwischen den Extremen, zwischen hoch und niedrig gehabt. Und selbst der weise Salomo bezeuge, daß in der Mitte das wahre Glück liege [...]. Dem Mittelstand seien alle Tugenden und Freuden beschieden [...]. Nun drang der Vater ernst und liebevoll in mich, mich
nicht wie ein dummer Junge ins Unglück zu stürzen, vor dem mich ein gütiges Geschick offensichtlich bewahren wolle."

So dokumentiert Defoes Robinsonade zwei Schwellenerlebnisse des aufstrebenden
Bürgertums: Die jeweils bereits etablierte Vätergeneration wird sich ihres überlegenen Sozialprestiges über alle anderen sozialen Schichten gewiß; die jeweilige junge
Generation aber sieht sich mit schweren psychischen Problemen konfrontiert, denn
das Hineinwachsen in die streng rational konstruierte Vernunftwelt des Bürgertums
fordert die Verbindung von fast unvereinbaren Kräften: unbeirrbare Kreativität und
Anpassung. Robinson verweigert diese Anpassung.
Die ersten Schiffbrüche erkennt er sogleich als „Strafe des Himmels für [sein] leicht-
fertiges Verlassen des Vaterhauses [...]; faßte den Entschluß, reuevoll wie der verlorene Sohn zu [seinem] Vater heimzukehren". Aber es bedurfte noch weiterer „Straf-
gerichte". Die Insel wird für ihn jahrelang zum Ort der Gefangenschaft, der Verban-
nung, bis er unter schwerster Arbeit und Krankheit und schrecklichen Gerichtsträu-
men endlich zur Selbstbesinnung kommt:

„Erst jetzt, als ich erkrankt war und die Schauer des Todes mich leise anrührten, als mein Le-
bensmut unter dem Druck der Krankheit zu versagen begann und das Fieber meine Kräfte er-
schöpfte, jetzt erwachte mein Gewissen aus einem langen Schlaf. [...] Mein Traum wurde wieder

lebendig in mir, und die Worte: Alles dies hat dich nicht zur Ruhe veranlaßt, gingen mir ernstlich durch den Kopf; andächtig flehte ich um Reue. [...] Ich betete in vollem Bewußtsein meiner Lage [...], und von da an wuchs die Hoffnung in mir, daß Gott mich doch noch erhören werde. [...] Ich hatte bisher unter dem Wort Errettung nur die Errettung aus meiner Gefangenschaft verstanden, denn wenn die Insel auch geräumig war, für mich bedeutete sie doch wirklich ein Gefängnis im schlimmsten Sinn des Wortes. Jetzt aber faßte ich die Worte ganz anders auf [...]."

Wenige Tage später zeigte sich die Wirkung dieser inneren Wandlung bei einer „Entdeckungsreise" auf seiner Insel:

„Das Land schien mir so frisch, üppig und blühend, alles stand in einem so saftigen Frühlingsgrün, daß es mir wie ein gepflegter Garten vorkam. Ich stieg dieses köstliche Tal ein wenig hinab und ließ meine Augen, freilich nicht ohne Wehmut, über das Land schweifen: Ich stellte mir vor, daß alles dies mein Eigentum sei und ich der Herr und Gebieter über das ganze Land, das mir nach allen Rechten gehörte."

Aus dem verlorenen Sohn und Unglücksmenschen wird von nun an der neue Adam, der diesen Paradiesgarten pflegen darf und ihn sich zum Reich des Friedens, der Arbeit und der dankbaren Genügsamkeit gestaltet:

„Ich hatte mich völlig in den Willen Gottes ergeben [...] und fand so endlich die vollkommene Ruhe des Gemüts."

So ist Defoes Bekenntnisbuch des Robinson Crusoe das Dokument einer inneren Wandlung und Selbstfindung, durch die ihm die kreativen Kräfte zuwachsen, um sein Gefängnis zu einer vollkommenen, paradiesischen Welt, einem Utopia, umzugestalten.

Ein bürgerlich-christliches Individuum, das das Hineinwachsen in die christliche Väterwelt ohne Konflikte vollziehen und bekennen kann, zeigt *Goethe* 50 Jahre später in dem Bildungsroman ‚Wilhelm Meister' und nennt es in der Begrifflichkeit des deutschen Idealismus eine „schöne Seele". Mit Defoe verbindet ihn das Bewußtsein von der Bedeutung religiöser bzw. weltanschaulicher Reflexion und Selbstreflexion für die Selbstfindung des bürgerlichen Jugendlichen.
Die Selbstfindung und die daraus erwachsende Erschaffung seines Reiches Utopia haben ihre Ursache im Irrationalen, im „Wunder", wie Robinson unermüdlich bezeugt. Auch von dieser Grunderfahrung bewahrt der bürgerliche Entwicklungsroman etwas, wenn Wilhelm Meister sich vergleicht mit „Saul, [...] der auszog, seines Vaters Eselinnen zu suchen, und ein Königreich fand".
Das Motiv des Robinson, insularische Abgeschlossenheit von der menschlichen Gesellschaft, findet beim Lesepublikum des 18. Jahrhunderts Anklang. Es erscheinen viele Nachahmungen, man faßt sie in dem Sammelbegriff 'Robinsonaden' zusammen. Sie bestimmen die Entwicklung des Kinder- und Jugendbuches. Die Bearbeitung des Pädagogen Joachim Heinrich Campe, ‚Robinson der Jüngere' (1799), steht am Ende der zahlreichen Umgestaltungen des ‚Robinson Crusoe'. Sie machen einen großen Teil der Trivialliteratur aus, die immer mehr Leser erreicht. Die Robinsonaden entwickeln sich in verschiedene Richtungen. Immer verläßt der Reisende das Vertraute. Oft ist die Reise nur kurz, freiwillige und unfreiwillige Landungen führen zu Entdeckungen, eine abenteuerliche Reise wird beschrieben. Oder der Held entdeckt neue Staatsgebilde, die die Realität korrigieren, bekämpfen oder ins Lächerliche karikieren. Sie sind Variationen, manchmal nur Karikaturen der ursprünglichen Utopie. Die Reise vollzieht sich mit wundersamen Verkehrsmitteln oder auch nur im Traum. Die Heimreise – und meist kehren die Abenteurer reumütig zurück – ist meist ebenso wunderbar. Die freiwillige Eingliederung in die vertraute Gesellschaft beschließt meist die Reise, und damit ist die Utopie endgültig aufgegeben.

6.1.3 Die Fluchtutopie: Schnabel ‚Insel Felsenburg‘

Die Insel ist ein sozusagen „wirklich bestehendes" (im geographischen Raum ge-dachtes) besseres Gegenbild zur gesellschaftlichen Wirklichkeit. Sie liegt außerhalb der Gesellschaft. Man träumt davon, auf dieser Insel zu sein, und wandert aus zu ihr. Sie ist also Asyl. Die Insel rückt in die Analogie zum christlichen Paradies und ist dar-um ein besserer Gegenbereich zum Draußen, mit dem zugleich Staat und Gesell-schaft abgelehnt werden. Es findet ein doppelter Rückzug statt: der Rückzug aus der Gesellschaft auf das Ich und die Gemeinschaft und aus der Welt in die Isolation der Insel.

Dazu gehören Schnabels ‚Insel Felsenburg‘ und die deutschen Südseevorstellungen in den Trivialromanen des 18. Jahrhunderts.

Schnabel erzählt, wie der Sachse Albert Julius nach einem Schiffbruch auf einer einsamen Insel mit der nach allerlei Wirrnissen allein übriggebliebenen Concordia, die seine Gemahlin wird, ein patriarchalisches Staatswesen einrichtet. Später kommen Schiffbrüchige und europäische Auswanderer hinzu. Deren Lebensgeschichten, die alle von schlimmen Erfahrungen in Europa handeln, machen im wesentlichen den Umfang des Romans aus.

Schnabel ist bemüht, seine Geschichte als wahre Erzählung auszugeben; es fehlt im 18. Jahrhundert nicht an Versuchen, nach diesem erwünschten Eiland auszuwan-dern. Während Robinson und die Robinsons in den Nachahmungen sich mit ganzer Kraft von ihrem Eiland wegsehen, wird die Insel Felsenburg für Albert und Concor-dia ein Asyl vor Verfolgung und Bosheit in Europa. Anders als Defoe geht es Schna-bel nicht darum, die Welt zu erfahren. Man kann nur glücklich werden, wenn man sich aus ihr zurückzieht.

Nirgends zeigen sich die Unterschiede zwischen der Robinsonade und der ‚Insel Fel-senburg‘ deutlicher als in der Gestaltung der Inseln. Robinsons Exil wird niemals zu-sammenfassend geschildert, sondern wird erst nach und nach und nie vollständig er-forscht. Zur Insel Felsenburg hingegen wird im ersten Band ein Grundriß beigege-ben, auf den die Beschreibung sich stets bezieht. Von vornherein ist deutlich, daß die Insel völlig beherrscht wird. Sie erscheint als irdisches Paradies. Die Natur kommt dem Menschen entgegen. Er gestaltet sie zum Garten, zur Kulturlandschaft um. Die Insel Felsenburg hat nur Sinn als Gegenbereich zu dem Bild Europas, das im Roman erscheint. Es ist der Entwurf einer Gegenwelt aus bürgerlich-pietistischem Geist, durch den gezeigt wird, daß der Mensch nicht grundsätzlich schlecht ist, sondern daß er durch üble Sitten verdorben wird.

Deshalb steht dem Europa des Romans die Schilderung des idealen Lebens einer frommen, auf Tugend und Einfachheit gegründeten, nicht ständischen Gemeinde ge-genüber. Damit hat die Insel Felsenburg nichts mehr mit der Robinsonade zu tun.

Der Standort des Erzählers in dem Roman Schnabels ist auf der Insel Felsenburg selbst. Die ‚Insel Felsenburg‘ – so fingiert Schnabel – wurde auf der Insel als eine Art Chronik niedergeschrieben. Nur durch einen in der Vorrede erzählten angeblichen Unglücksfall wird das Manuskript in Europa publik. Dadurch blickt in der Perspekti-ve des Romans kein Europäer nach Utopia, sondern ein Felsenburger nach Europa. Der Leser aber wird nach Felsenburg versetzt und sieht mit den Augen der Insulaner. Diese Utopie regt ihn kaum an, über die Verhältnisse in seinem eigenen Land nach-zudenken, er selbst wird diesen Verhältnissen entrückt.

6.1.4 Die Idylle

Während die Utopie die Totalität menschlichen Zusammenlebens in eine ideale Ord-nung bringen möchte, beschränkt sich die Idylle auf einen abgegrenzten Raum, in dem geschichtslos – ewig wiederkehrend – menschlich natürliche, erfreuliche Le-bensumstände möglich sind, abgesondert von allen Widerwärtigkeiten der realen Welt. Sie besitzt keine klar gefügte Struktur, sondern ist durch ein Reihe von Motiven gekennzeichnet, die eben diese kleine, harmonische Welt versinnbildlichen: Schäfer, Bauern, Liebende, Kinder, friedvolle, alte Menschen beleben in scheinhafter Handlung die Landschaft, weitab von der Zivilisation, ein Arkadien, das Vorstellungen vom Paradies wachruft. Was jeweils unter diesen menschlichen Grundformen, diesen paradiesischen Zuständen verstanden wird, ist die Sache der Epoche und des einzelnen Dichters.

Stritt man sich vor Geßner darum, ob Fiktion oder Realität die Idylle bestimmen solle, so führt Geßner die Gattung aus dieser Spannung heraus. Er befriedigt das Bedürfnis nach Idealität wie das nach Natürlichkeit, indem er beides verbindet und das *Empfinden* als maßgebliches Kriterium für die Idylle setzt. In seiner Vorrede beruft er sich auf das *Naturgefühl* als oberste Instanz. Die Gemälde aus dem goldenen Weltalter gefallen, „weil sie oft mit unseren seligsten Stunden, die wir gelebt haben, Ähnlichkeit zu haben scheinen". Geßner verlagert die Instanz, die über Wahrheit zu entscheiden vermag, ins Subjektive. Er bevölkert seine Idylle mit „sonderbaren Schönheiten", denen der Dichter „ihr Rauhes" zu nehmen hat, „ohne den ihnen eigenen Schnitt zu verderben". Die Landschaft bietet dem Naturgefühl, der Begeisterung für die Natur Nahrung, die Menschen entsprechen der Vorstellung vom „natürlichen Guten", so daß die Leser die „Einfalt der Natur" empfinden, ohne noch nach dem Realitätsgehalt der Idylle fragen zu wollen.

In der zweiten Hälfte des Jahrhunderts wird gegen die arkadischen Vorstellungen vom Landleben, wie sie Geßners Idylle bestimmen, protestiert. Sie werden mit der rauhen Realität, mit der Armut des Fronbauern konfrontiert. Die Wendung zur Wirklichkeit verbindet sich bei *Voß* mit einer sozialpädagogischen Absicht. *Die Pferdeknechte* (in der gleichnamigen Idylle), von großer Nüchternheit, klagen den Gutsherrn an, der dem leibeigenen Knecht Hochzeit und Freiheit versprochen hat, sie aber verweigert, weil ihm das mühsam ersparte Geld zum Loskauf nicht genügt.

Aber dieser Anti-Idylle setzt Voß in späteren Idyllen doch wieder den lehrhaften Ausgleich entgegen, die realistische Szenerie bleibt Staffage. Die Wahl des Hexameters, die Festlegung bestimmter Redeformen rücken die Idyllen trotz des Dialekts, den er in einigen seiner Idyllen aufnimmt, ins zeitlos Allgemeingültige.

6.2 Eine Utopie der idealen Kommunikationsgemeinschaft:
Lessing ‚Nathan der Weise‘

> **Gotthold Ephraim Lessing:** Veröffentlichung von Hermann Samuel Reimarus ‚Fragmente eines Ungenannten‘ (aus dem Nachlaß) (1774)   Ernst und Falk. Gespräche für Freimaurer, Teil I-III (1778)   Nathan der Weise (1779)   Ernst und Falk, Teil IV und V (1780)   Die Erziehung des Menschengeschlechts (1780)

Die Selbstdeutung Lessings: Zur Entstehung des Dramas. Wenn man von der Selbstdeutung Lessings ausgeht, dann ist auch dieses Drama eine Utopie. In der „Ankündigung" vom 8. August 1778 heißt es:

> „Da man durchaus will, daß ich auf einmal von einer Arbeit feiern soll, die ich mit derjenigen frommen Verschlagenheit nicht betrieben habe, mit der sie allein glücklich zu betreiben ist: so führt mir mehr Zufall als Wahl einen meiner alten theatralischen Versuche in die Hände, von dem ich sehe, daß er schon längst die letzte Feile verdient hätte. Nun wird man glauben, daß ihm diese zu geben, ich wohl keine unschicklichen Augenblicke hätte abwarten können, als Augenblicke des Verdrusses, in welchen man immer gern vergessen möchte, wie die Welt wirklich ist. Aber mitnichten: die Welt, wie ich sie mir denke, ist eine ebenso natürliche Welt, und es mag an der Vorsehung wohl nicht alleine liegen, daß sie nicht ebenso wirklich ist."

Lessing wendet sich seiner „alten Kanzel, dem Theater", zu, wie er in einem Brief an Elise Reimarus schreibt. Nach den Vorstellungen und Erfahrungen Lessings ist die wirkliche Welt keine natürliche, die sie sein könnte; die Menschen verhindern die Übereinstimmung von Natürlichkeit und Wirklichkeit. Dieser Zustand der Welt ist weder von der Vorsehung gewollt noch geschichtsphilosophisch zu rechtfertigen. Die Übereinstimmung wiederherzustellen, die Welt darzustellen, wie sie sein sollte, „wie ich sie mir denke", das meint Lessing nur auf der Bühne veranschaulichen und darlegen zu können. Und so verbindet er mit dem Drama den Anspruch, den Zuschauern eine Utopie vorzustellen.

Lessing greift zu einem Zeitpunkt auf die dramatischen Entwürfe zum ‚Nathan' zurück, da er als Bibliothekar in Wolfenbüttel die Behinderung der öffentlichen Rede und Diskussion in Glaubensfragen am eigenen Leibe erfahren hat und das Theater als „Sprachrohr" für seine Utopie wahrnimmt.

Der Herzog von Braunschweig verbot am 13. Juli 1778 dem Bibliothekar Lessing in Wolfenbüttel, einen öffentlichen Disput über theologische Fragen fortzusetzen. 1774 hatte er begonnen, Schriften des Religionskritikers Hermann Samuel Reimarus mit Kommentaren herauszugeben. Lessing veröffentlichte sieben sogenannte Fragmente, in denen Reimarus beide Testamente vom Standpunkt einer natürlichen, vernünftigen Gotteserkenntnis, des Deismus, kritisiert. Obwohl in den Kommentaren Lessings deutlich wird, daß er sich nicht mit dem Standpunkt des Rationalisten identifiziert, er eigentlich nur mit der Veröffentlichung der Fragen eine theologische Diskussion in der Gelehrtenwelt einleiten und die Wolfenbütteler Bibliothek im Gespräch halten will, wurde er scharf kritisiert. Allein die Herausgeberschaft eines solchen Werkes genügte für die Kritik. Als 1777 der Hamburger Pastor Goeze eingriff und seine kirchenpolitische Macht gegen Lessing einsetzte, beeinflußte der Pastor den Herzog von Braunschweig, dem Wolfenbütteler Bibliothekar den öffentlichen Disput zu verbieten. „In diesem Augenblick des Verdrusses, in welchem man immer gern vergessen möchte, wie die Welt wirklich ist", setzt nun Lessing mit dem ‚Nathan' der wirklichen Welt eine ‘natürliche' entgegen. Lessing interpretiert den ‚Nathan' also als einen Entwurf von Wirklichkeit, einen Entwurf einer Welt, wie sie sein könnte, nämlich nichts anderes als eine natürliche Welt. Die Übereinstimmung der Welt, wie sie ist, und der Welt, wie sie sein könnte, ist, wie oben dargelegt wurde, ein Kennzeichen der Utopie. Wie die mögliche Welt in die wirkliche Welt zu überführen ist, dazu vermittelt das Drama den handelnden Personen – wenn auch graduell unterschieden –, vor allem aber dem Zuschauer die nötige Erkenntnis.

Raum und Zeit des utopischen Entwurfs. Daß Lessings Utopie in der räumlichen Ferne des Orients erscheint, hat mehrere Gründe. Im Zeitalter des entstehenden Welthandels übten die nichtchristlichen Kulturen eine starke Faszinationskraft auf die gebildete Gesellschaft des Abendlandes aus. Lessing appelliert an ein vorhandenes Leserinteresse, wenn er im ‚Nathan' den Orient als Schauplatz wählt.

Lessing legt die Handlung in die Zeit der Kreuzzüge, ins Jahr 1192. Ort der Handlung ist Jerusalem, die für die drei Offenbarungsreligionen heilige Stadt. Es ist daher ein geeigneter Schauplatz, um die Diskussion der Priorität einer Religion auszutragen.

1187 eroberte der mohammedanische Sultan Saladin Jerusalem und dehnte seine Macht im Vorderen Orient aus. In der historischen Zeit der politischen und religiösen Unruhen läßt Lessing die Lehre von der Toleranz und der Möglichkeit der Versöhnung entstehen.

Das (Wunsch-)Bild eines Zeitalters, in dem Menschlichkeit und Toleranz gelebt werden können, bedeutet zugleich Kritik an Lessings eigener Zeit. Er entfaltet seine aufklärerischen Gedanken gegen Verblendung und Fanatismus auf dem Hintergrund selbst erlebter Engstirnigkeiten und Zwänge.

Nathan, in die Zeit der Kreuzzüge gesetzt, ist ein mündiger Mensch des 18. Jahrhunderts, der den Prozeß der Aufklärung voranzutreiben vermag.

In der Ringparabel wird auf weit zurückliegende „graue Jahre" verwiesen; am Ende der Parabel wird von der fernen Zukunft „in tausend Jahren" gesprochen. Die unterschiedlichen Zeitebenen vermitteln den Eindruck eines historischen Prozesses, in dem Intoleranz allmählich überwunden werden kann. Am Schluß steht die Utopie einer Versöhnung aller.

Das Familienstück – utopischer Entwurf einer harmonischen Gesellschaftsordnung. ‚Nathan' kann als Entwurf einer von der Vorsehung geordneten Welt gelten. Die Diskrepanz zwischen historischer Wirklichkeit und geschichtsphilosophischem Ziel zu überwinden, das ist die Aufgabe des Menschen.
Aus Lessings Überzeugung wird deutlich, daß sich in der Aktivität des Menschen ein göttlicher Weltplan erfüllt. Am Anfang des Stückes stehen sich drei Parteien gegenüber: Nathan und Recha, der Tempelherr, Sittah und Saladin.
Am Ende steht die Versöhnung aller im Bild der Familie. Die Handlung entwickelt sich als eine Zusammenführung einer Familiengemeinschaft, die über die drei Religionen hinausragt.

In Jerusalem lebt der reiche Kaufmann Nathan, dem die Christen sieben Söhne getötet haben. Er hat darauf Recha, ein Christenmädchen, an Kindes Statt angenommen und mit Hilfe Dajas, einer Christin, erzogen. Als Nathan von einer Reise heimkehrt, erfährt er, daß ein junger Tempelritter, ein Gefangener des regierenden Sultans Saladin, Recha aus den Flammen einer Feuersbrunst gerettet habe. Nathan lädt den Retter in sein Haus, dieser lehnt ab, weil Nathan Jude ist. Erst nach mehreren Einladungen besucht der Tempelherr Recha. Er verliebt sich in sie. Nathan will davon nichts wissen. Der Tempelherr, dem Daja die christliche Herkunft Rechas verraten hat, trägt den Fall dem Patriarchen von Jerusalem vor. Dieser bezeichnet als Strafe für ein solches Verhalten den Feuertod.
Mit dieser Handlung verbindet sich eine andere. Sultan Saladin, dessen Freigebigkeit schon so weit geführt hat, daß seine Schwester die Hofhaltung bezahlen muß, ist wieder einmal in Geldnot. Er läßt den reichen Kaufmann Nathan kommen, um Geld von ihm zu leihen. Da er jedoch auch von der Weisheit des Juden gehört hat, stellt er ihm die Frage, welche Religion die wahre sei. Nathan antwortet darauf mit der Ringparabel. Saladin ist betroffen von der Weisheit Nathans, er schließt Freundschaft mit ihm. Als Saladin Recha mit dem Tempelherrn verloben möchte, wehrt Nathan ab. Er hat erfahren, daß Recha und der Tempelherr Geschwister sind. Beider Vater ist der verschollene Bruder Sultan Saladins. So erweisen sich die als Jüdin aufgezogene Recha, der christliche Tempelherr und der Muselmann Saladin als Glieder einer einzigen Familie.

Im Modell der Familie ist der sozial-ethische Gehalt des Stückes erkennbar. Erkennbar wird auch seine Herkunft aus der Tradition der christlichen Sozialvorstellungen, in deren Zentrum die Familie steht. Das Bild der Familie trägt die Erinnerung an den verlorenen Zustand des Heils in sich und die Hoffnung, diesen Zustand wiederzugewinnen. Der symbolische Charakter der „stummen Wiederholungen allseitiger Umarmungen" am Schluß des Stückes verlangt die Deutung eines geschichtsphilosophischen Entwurfs und verweigert sich der Deutung des Dramas als bloßes Familienstück.

‚Nathan' – *Drama der Verständigung.* Die rein faktischen Beziehungen, die als Vorgeschichte der Handlung vorausgesetzt werden – die Rettung Rechas, die Begnadigung des Tempelherrn, die Annahme Rechas als Nathans Tochter –, sind nicht ohne weiteres moralisch wertvoll; sie werden im Verlaufe des Stückes durch freundschaftliche Beziehungen abgelöst. Nur der Patriarch wird nicht zum Freund. Der Wandel wird ermöglicht durch die Bereitschaft und Fähigkeit aller zum Gespräch. Die Gespräche sind als wörtlich genommene Aufklärung ein konstituierendes Merkmal der Utopie Lessings. Wenn Nathan es im Gespräch mit seiner Tochter (I.2) gelingt, ihren Wahnglauben, von einem Engel gerettet zu sein, zu zerstören und ihr die Einsicht zu vermitteln, daß wahre Wunder der Menschlichkeit alltäglich werden können, dann weist dieses Gespräch der Verständigung den Weg zum Verstehen und zur Versöhnung aller. Oder in dem Gespräch Nathans mit dem Tempelherrn (II.5) ist der Beginn noch mit sozialen und religiösen Vorurteilen des Ritters gegenüber dem reichen Juden Nathan besetzt. Der Tempelherr will nichts mit Nathan und dem Judenmädchen zu tun haben. Nathan durchbricht das Vorurteil, indem er zuerst auf der geschäftlichen Ebene argumentiert („Ich bin ein reicher Mann. – Der reiche Jude war mir nie der bessere Jude"), dann in das Persönliche übergeht und auf die gemeinsame Möglichkeit aller Menschen, gut zu sein, hinweist („Ich weiß, wie gute Menschen denken, weiß, daß alle Länder gute Menschen tragen"). Er beruft sich dabei auf Erfahrung und fordert dreierlei: „nicht makeln, sich vertragen, sich nicht vermessen". Die gleiche Erfahrung von Intoleranz in der historischen Situation beider führt zur Einsicht in die Notwendigkeit religiöser Toleranz.

Am ausgeprägtesten ist die Utopie der Verständigung in dem Gespräch zwischen Nathan und Saladin (III.4,5), in die die Ringparabel eingebettet ist. Wenn auch Saladin von Nathan Geld will, um seiner Großherzigkeit frönen zu können, so nimmt Nathan den Vorwand Saladins, die Frage nach der wahren Religion, auf, hebt das Gespräch in die öffentliche Diskussion („Ach, möge doch die ganze Welt uns hören") und entwirft mit der Ringparabel ein Denkmodell, das keinen einfachen Vernunftschluß erlaubt. Er vermeidet es, Vernunftgründe für eine der drei Religionen anzuführen. Er rekonstruiert in Anlehnung an die Parabel Boccaccios in ‚Decamerone' die Geschichte der drei Ringe, doch enthält die Rekonstruktion Ungewißheit: Der Richter fällt keinen Spruch, sondern gibt einen Rat, und am Ende muß der Richter auf jenen Richter verweisen, dessen Wahrheit auch er nicht kennt. Doch kann der zeitliche Richter seinen Rat als Prinzip des menschlichen Zusammenlebens erheben. Dieses wird durch den Glauben erreicht, daß durch die Vorsehung die Menschen und ihr sittliches Streben auf eine höhere Stufe der Vollkommenheit geführt werden. Das persönlich verantwortete Handeln des Menschen ist nach dem Rat des Richters eine notwendige Voraussetzung für diese Entwicklung. Damit wird die Utopie Verpflichtung für menschliches Handeln im Ablauf der Geschichte.

Der Gedanke von der Verwirklichung des Guten um des Guten willen verbindet die Parabel mit der theoretischen Schrift ‚Die Erziehung des Menschengeschlechts'. Sie hat trotz der apodiktisch erscheinenden Paragrapheneinteilung etwas Dialogisches. Stellenweise wird ein Du angeredet. Der religiöse Weg der Menschheit wird als ein Erziehungsplan Gottes angesehen. Die historischen Offenbarungsreligionen werden nun statt in der Gleichzeitigkeit in ihrer Aufeinanderfolge gesehen, die schließlich in einer Zeit des „ewigen Evangeliums" gipfeln, d. h. in einer religiösen Vernunft, in der das Gute um des Guten willen getan wird.

Die Grenzen der Utopie. Nathans Vorstellungen von einer besseren Welt bestimmen auch sein Handeln. Er stellt freiwillig sein Eigentum dem Sultan zur Verfügung (vgl. III.7, IV.3). Und doch bringt Lessing dem Zuschauer auch ins Bewußtsein, daß Besitz Gut-Sein verhindern kann. Nathan warnt selbst vor Wuchergeschäften, aber vor allem relativiert Al Hafi die Utopie. Al Hafi kann als „Kerl im Staat" nicht mehr als „Mensch" und „Freund" fühlen, er ist entschlossen, nicht „anderer Sklave" zu sein, und wandert aus, geht an den Ganges, wo er meint, sich selbst leben zu können. Der frühzeitige Abgang Al Hafis (II.9) läßt erkennen, daß Lessing von der Isolation, der Flucht nicht viel hält, daß er Selbstverwirklichung in sozialer Verantwortung im ‚Nathan' darzustellen versucht. Aber die Gestalt Al Hafis machte dem Theaterpublikum des 18. Jahrhunderts auch bewußt, daß eine Diskrepanz besteht zwischen den ökonomischen Bedingungen der wirklichen Welt und seinem Entwurf von einer besseren. Wenn auch das Geld, der Besitz Nathan nicht daran hindern, gut zu sein – Al Hafis Flucht kann er nicht verhindern. In der Vereinigung aller am Schluß fehlt Al Hafi.

Der Dialog als Medium der Wahrheitsfindung – ,Ernst und Falk'. In engem Zusammenhang mit der utopischen Perspektive, wie der ‚Nathan' sie entwirft, stehen die ‚Gespräche für Freimaurer'.

1771 war Lessing in Hamburg einer Freimaurerloge beigetreten, sehr bald setzte seine Enttäuschung ein. In den fünf ‚Ernst und Falk' betitelten ‚Gesprächen für Freimaurer' (1778, 1780) sucht er den idealen Begriff von der 'Wesenheit' einer Freimaurerei zu vermitteln, die – nicht an Institution und Namen gebunden – auf eine allgemeine, aufgeklärte Humanität und die Herrschaft des Guten abziele. Der Dialog ist auch hier das Medium der Wahrheitsfindung, die Sprache ist auch hier die gesprochene Sprache, allerdings eine rhetorisch überhöhte. Der Dialogform der Freimaurergespräche entspricht die Ringparabel. Beides ist esoterische Rede, beides dient der Vergegenwärtigung einer Wahrheit, die sich noch Geltung verschaffen muß.

Vor allem Teile des zweiten und dritten Gesprächs wirken wie Kommentare zum ‚Nathan'. Ganz situationsgebunden setzt das zweite Gespräch ein. Nach wenigen Worten wird die Sprache doppelsinnig, aus der Betrachtung der Ameisen, einem Vergleich mit den Bienen werden die Begriffe der Ordnung, der Gesellschaft, der Regierung entwickelt. Der Sinn des Staates und seiner Verfassungen steht mit einem Male als Thema da. Staatsverfassungen stören als menschliche Erfindungen die Entfaltung der natürlichen Welt. Sie richten Scheidemauern auf. So wird „das Mittel, welches die Menschen vereinigt, um sie durch diese Vereinigung ihres Glücks zu versichern", nämlich die Staatsordnung, zugleich Ursache ihrer Trennung. Unterschiedliches Klima verursacht unterschiedliche Bedürfnisse, aus den unterschiedlichen Bedürfnissen entstehen unterschiedliche Gewohnheiten und Sitten, schließlich unterschiedliche Religionen. Somit bilden weitere Schranken: die Vorurteile der „Völkerschaft", der „angeborenen Religion", der ständischen bürgerlichen Gesellschaft. Die Trennungen sind unvermeidlich. Es entsteht eine doppelte Aufgabe: die Pflege der menschlichen Bindungen innerhalb einer Staatsverfassung, die höhere Aufgabe aber ist die Aufhebung dieser Trennungen kraft der Vernunft. Die Verwirklichung dieser Aufgabe liegt bei den „Weisesten und Besten eines jeden Staats", Lessing nennt sie die „Freimäurer", aber ihr Rang erwächst nicht aus der Zugehörigkeit zur Loge, sondern in der menschlichen Haltung. Der Name ist symbolisch zu sehen. Von hier aus verstehen wir das Handeln der Menschen im ‚Nathan', vor allem aber das Handeln Nathans selbst.

6.3 Das Drama als Sinnbild der Geschichte: Goethe ‚Götz von Berlichingen'

Johann Wolfgang von Goethe: Zum Shakespearestag (1771)   Geschichte Gottfriedens von Berlichingen mit der eisernen Hand dramatisirt (sog. Urgötz) (1771) Götz von Berlichingen mit der eisernen Hand. Ein Schauspiel (1773)
Johann Gottfried Herder (Hrsg.): Von deutscher Art und Kunst (hierin Herders Shakespeare-Aufsatz) (1773)

Geschichtsbewußtsein ist für die jungen Autoren des Sturm und Drang zunächst kritisches Bewußtsein der eigenen Zeit gegenüber. Dieses Bewußtsein wird bestimmt durch ein fundamentales Spannungsverhältnis: Einerseits lähmt das Gefühl der Ohnmacht angesichts gesellschaftlicher Verhältnisse, die der Entfaltung der eigenen produktiven Kräfte kaum Möglichkeiten gewähren. Andererseits schlägt diese resignative Haltung leicht um in ein trotziges Aufbegehren gegen die Zwänge der Zeit – ein Protest, der sich vor allem in einem übersteigerten Selbstwertgefühl Luft zu schaffen versucht.

Goethe hat in der Figur des Götz dieses widerspruchsvolle Lebensgefühl eindrucksvoll Gestalt werden lassen – ein Umstand, der den spektakulären Erfolg dieses Stük-
kes mit erklären hilft. Die erste Fassung, der sog. ‚Urgötz‘, wird im Herbst 1771 in
wenigen Wochen niedergeschrieben. Herder erhält das Manuskript mit der Bitte um
eine Stellungnahme zugeschickt. (Im Druck erscheint diese frühe Fassung erst 1832
nach Goethes Tod.) Im März 1773, wiederum in einigen wenigen Wochen, nimmt
Goethe eine Überarbeitung seines Stückes vor, das noch im Juni desselben Jahres unter dem Titel ‚Götz von Berlichingen mit der eisernen Hand. Ein Schauspiel‘ im
Druck erscheint.

Shakespeare als Vorbild. Für die Dramatisierung der Lebensgeschichte einer solchen
historischen Figur findet Goethe in den Dramen Shakespeares ein Vorbild. Seine Rede ‚Zum Shakespearestag‘, auch sie ein Dokument für die Shakespeare-Begeiste-
rung des Sturm und Drang, wird (wie der ‚Urgötz‘) im Herbst 1771 verfaßt und am 14.
Oktober anläßlich einer Shakespeare-Feier vor Freunden in Frankfurt vorgetragen.
Die Lektüre der Dramen Shakespeares hat, wie Goethe in der Rede bekennt, ihm
die Augen geöffnet für eine neue Dramaturgie, die die künstlichen Regelmäßigkei-
ten des klassischen französischen Dramas als „lästige Fesseln unserer Einbildungskraft“ ablehnt. Was hier für die Einheiten des Ortes, der Zeit und der Handlung gilt,
gilt auch für die Darstellung der Charaktere auf der Bühne. Auch sie müssen aus jenen Fesseln des „sogenannten guten Geschmacks“ befreit werden, damit sie wieder
in ihrer wahren Natur („nichts so Natur als Shakespeares Menschen“) zum Vorschein
kommen.

„Und was will sich unser Jahrhundert unterstehen, von Natur zu urteilen. Wo sollen wir sie her
kennen, die wir von Jugend auf alle geschnürt und geziert an uns fühlen und an andern sehen.“

Hier wird einmal mehr der zeitkritische Aspekt der Dramentheorie des Sturm und
Drang erkennbar. Das in den gesellschaftlichen Konventionen eingesperrte Ich muß
erst wieder zu einem Leben befreit werden, in dem Tätigkeit und Handeln die obersten Werte darstellen.
In den Dramen Shakespeares findet Goethe solche Charaktere und eine Dramaturgie, die „die Geschichte der Welt vor unsern Augen an dem unsichtbaren Faden der
Zeit“ wie in einem „Raritätenkasten“ vorbeiziehen läßt. So wie Shakespeares Stücke
sich alle drehen „um den geheimen Punkt (den noch kein Philosoph gesehen und bestimmt hat), in dem das Eigentümliche unseres Ichs, die prätendierte Freiheit unseres Wollens, mit dem notwendigen Gang des Ganzen zusammenstößt“, so kann auch
das zeitgenössische Theater diese historische Entwicklung nicht mehr im Sinne der
Aufklärung erklären. Es kann Geschichte allenfalls wie in einem Bilderbogen veranschaulichen. Der ‚Götz‘ – und das gilt für den ‚Urgötz‘ noch deutlicher als für die
überarbeitete Fassung – zeigt das Wirken des großen Individuums in der Geschichte
genau in diesem Sinne.

Die 'alte' und die 'neue Zeit'. Die Aktualität des ‚Götz‘ gründet für die Stürmer und
Dränger vor allem in der zeitkritischen Tendenz des Stückes. Das territorial-absoluti-
stische System der Gegenwart wird zum Gegenstand einer Kritik, die die Wurzeln des
Übels aus der historischen Entstehungsphase dieser Herrschafts- und Wirtschaftsordnung im 16. Jahrhundert aufdeckt. Diesen Zielpunkt der Kritik hat Goethes Geschichtsdrama also mit dem Bürgerlichen Trauerspiel gemeinsam, nur wird hier nicht
die bürgerliche Familie, sondern einer jener letzten reichsunmittelbar lebenden Ritter der höfischen Welt gegenübergestellt.
Götz lebt frei und unabhängig auf seiner Burg Jagsthausen im Fränkischen, nur Gott
und seinem Kaiser fühlt er sich untertan. Sein Verhältnis zu den Menschen, mit denen er zusammenlebt, ist geprägt durch Offenheit, gegenseitiges Vertrauen und ver-

antwortungsvolle Anteilnahme. Das gilt für seine Familie: Elisabeth, seine Frau, seinen Sohn Karl und Maria, seine Schwester, wie auch für seine Freunde, unter denen Franz von Sickingen, Hanns von Selbitz (beide Ritter wie Götz), Lerse, aber auch der Jugendfreund Weislingen herausragen.

Mit väterlicher Zuneigung hängt er an seinem Ritterjungen Georg. Ihm gegenüber beschwört er jene Zeit, in der es auch unter den deutschen Fürsten noch „treffliche Menschen" und wahre Vorbilder gegeben hat:

> „Gute Menschen, die in sich und ihren Untertanen glücklich waren; die einen edlen freien Nachbar neben sich leiden konnten, und ihn weder fürchteten noch beneideten; denen das Herz aufging, wenn sie viel ihresgleichen bei sich zu Tisch sahen, und nicht erst die Ritter zu Hofschranzen umzuschaffen brauchten, um mit ihnen zu leben" (III.20).

In diesen Worten wird die Utopie eines harmonisch-idyllischen Zusammenlebens erkennbar, deren Basis die offen-vertrauliche Beziehung zwischen Herrscher und Beherrschten, zwischen Fürst und Untertanen bildet. Die soziale Ordnung bleibt zwar ständisch gegliedert und streng patriarchalisch, aber Herrschaft bewährt sich erst in sozialer Verantwortung, als Dienst am Nächsten und im Kampf „um den Namen eines tapferen und treuen Ritters", wie es Götz noch einmal mit Blick auf sich selbst gegen Ende des vierten Aufzuges zum Ausdruck bringt.

Ein solches Modell des Zusammenlebens setzt den regional begrenzten, überschaubaren Herrschaftsraum voraus. Damit wird das von Götz beschworene Modell zum Gegenbild eines zentralistisch organisierten, großflächigen Territorialstaats, wie er sich in Deutschland seit dem 16. Jahrhundert erst herausbildet. Götz' Vorstellungen von einem Leben in allgemeiner Glückseligkeit stehen in Widerspruch zu jenen Normen, wie sie einmal in der Realität höfischer Herrschaftspraxis und zum andern in den wirtschaftspolitischen Interessen der freien Reichsstädte zum Ausdruck kommen. Der Fürstbischof von Bamberg mit seinem Hof und die Kaufleute von Nürnberg liefern dafür das jeweilige Beispiel. Ihre Allianz im Stück erklärt sich als eine Allianz gemeinsamer Interessen, zur Stabilisierung der eigenen Macht für die einen und zur unbehelligten Erweiterung von Wirtschaft und Handel für die anderen. Die Konkurrenz gegen den andern und der Versuch, die eigenen Interessen gegen die Rivalität anderer durchzusetzen, ist bei allen sonstigen Unterschieden hier wie dort das dominierende Prinzip.

Goethes Schauspiel zeigt, wie diese Tendenzen einer neuen Zeit die Fundamente des sozialen Zusammenlebens gefährden, wenn nicht gar zerstören. Daß sich die politische Herrschaft der Fürsten (anders als bei Götz) völlig vom Volk losgelöst hat, verdeutlichen die wenigen Szenen, die Einblick in die höfische Welt gewähren, zur Genüge. Die sozialen Gegensätze lassen friedliche Eintracht, wie sie Götz in Erinnerung ruft, nicht mehr zu. Vor allem unter der Landbevölkerung gärt es. Der Vorwurf, daß die Fürsten den Bauern „die Haut über die Ohren ziehen", ein Vorwurf, der im ‚Urgötz' noch drastischer zum Ausdruck kommt, verweist auf die offene Erhebung und den Aufstand, in dem diese sozialen Spannungen schließlich eskalieren.

Höfisches Leben wirkt aber auch nach innen zerstörend. Weislingens Schicksal ist dafür ein eindringliches Beispiel. In der Jugend zusammen mit Götz aufgewachsen, unterliegt er bereits früh der Faszination, die das Leben bei Hofe für den jungen Adligen bietet. Noch einmal durch Götz aus dieser Welt herausgerissen, fühlt er sich wieder frei und faßt sogar den Entschluß, Maria zu heiraten und mit ihr ein neues Leben zu führen. Dann jedoch läßt er sich erneut zu einer Rückkehr an den Hof überreden, und Liebetrauts taktisches Manöver, mit dem er im Auftrag Adelheids Weislingen umstimmt, steht beispielhaft für höfische Überredungsstrategie und Fremdbestimmung, der Weislingen sich fortan unterwerfen muß.

In der Liaison Adelheid-Weislingen gewinnt die Zerstörung zwischenmenschlicher Beziehungen als Folge höfischer Lebensweise erst ihren eigentlichen Ausdruck. In ihrer Machtbesessenheit kann Adelheid eine Verbindung mit einem Mann nur noch aus politischem Kalkül eingehen. Die Barriere des Mißtrauens und der enttäuschten Erwartungen bleibt unüberwindlich. Es ist nur konsequent, wenn sich ihre Hoffnungen schließlich von Weislingen ab und einem Mächtigeren zuwenden, Karl von Spanien, dessen Wahl zum Kaiser unmittelbar bevorsteht.

Kampf um Recht und Freiheit. Der in Goethes ‚Götz‘ gestaltete dramatische Konflikt wird auf unterschiedlichen Ebenen ausgetragen. Vordergründig geht es um Rechtsstreitigkeiten. Was im ersten Aufzug noch recht privat und scheinbar harmlos als ‘Händel’ zwischen Götz und dem Bischof von Bamberg beginnt, weitet sich im Verlauf des Geschehens immer stärker aus zu einer offen kriegerischen Auseinandersetzung, in deren Verlauf Götz und seine wenigen Verbündeten sich einer immer größer werdenden Allianz von Gegnern gegenübersehen.

Doch nicht die Überlegenheit im Kampf entscheidet diesen Streit. Es ist vielmehr die andere politische Taktik seiner Gegner, der Götz immer wieder unterliegt. Beim Kaiser hat Götz (wie auch Selbitz und Sickingen) zwar einen guten Namen, aber niemand, der seine Interessen vertritt. Wie man es dagegen schafft, daß der Gegner vom Kaiser in die Acht erklärt und eine Reichsexekution gegen ihn angeordnet wird, demonstriert Weislingen auf dem Reichstag zu Augsburg (III.1). Götz hat dieser politischen Strategie, die das Eigeninteresse geschickt als Kampf für das Allgemeinwohl zu tarnen weiß, wenig mehr als seine Treuherzigkeit entgegenzusetzen. Es paßt in diesen Zusammenhang, wenn er schließlich nicht nach offenem Kampf, sondern nach erneutem Wortbruch seiner Gegner gefangen und in Heilbronn vor ein kaiserliches Gericht gestellt wird. Zwar kann Götz – dank des Eingreifens Franz von Sickingens – für sich noch einmal freien Abzug erlangen; er ist danach jedoch ein gebrochener Mann. Die letzte Episode als Anführer der aufständischen Bauern besiegelt nur noch seinen Untergang.

Wenn Götz im Kampf um sein gutes altes Recht scheitert, dann scheitert mit ihm auch jene Rechtsauffassung, auf die er sich fortwährend beruft. Es ist die Position des althergebrachten Rechts, das das Recht auf Selbsthilfe und damit die Fehde als legales Rechtsmittel mit umfaßt. Gegen dieses Rechtsverständnis setzen sich die Zentralisierungsbestrebungen des absolutistischen Territorialstaats zur Wehr. Der moderne Staat muß, wenn er funktionsfähig sein soll, nicht nur eine politische und wirtschaftliche Einheit, er muß vor allem eine Rechtseinheit bilden. Wie der Bischof von Bamberg zeigt (I.4), unterstützen die Fürsten daher eine kaiserliche Rechtspolitik, die auf das Verbot der Fehde, die Einsetzung kaiserlicher Gerichte und die Fixierung eines einheitlichen Reichsrechts hinzielt. Die Rezeption des römischen Rechts, dessen Vorzüge der junge bürgerliche Rechtsgelehrte Olearius am Bamberger Hof so nachdrücklich hervorhebt, gehört in diesen Zusammenhang.

Götz stellt sich gegen diese Entwicklung, auch wenn dieser Kampf historisch aussichtslos ist. Er tut dies aus zwei Gründen: Einerseits durchschaut er, daß das Plädoyer der Fürsten für ein „befriedetes Land" nicht uneigennützig ist. Die von ihnen gewünschte Ruhe im Reich, so Götz im Gespräch mit Weislingen (I.3), „wünscht jeder Raubvogel, die Beute nach Bequemlichkeit zu verzehren". Andererseits stärken die bisherigen Erfahrungen mit der Rechtsprechung die Befürchtung, das neue Recht diene nicht den Interessen derer, die es beanspruchen, dem Volk also, sondern es nütze vor allem jenen, die es – wie zum Beispiel Olearius in Bologna – studiert haben. Die von Goethe in die überarbeitete Fassung integrierte Bauernhochzeit, die Schlußszene des zweiten Aufzugs, hat ihre Funktion entsprechend als Karikatur auf die „ordentlichen Gerichte", die einen Prozeß auf Kosten der Betroffenen über Jahre hinaus hinschleppen.

Zu dem äußeren Konflikt, in den Götz hineingestellt ist, kommt noch ein innerer. Es ist sein Freiheitsverlangen, das bei gleichzeitigem Versuch, dem Kaiser die Treue zu halten, scheitern muß. Freiheit ist für Götz ein Schlüsselbegriff. Er versteht darunter jedoch nicht das soziale Privileg des Adels, andere zu beherrschen, noch hat er – wie die Nürnberger Kaufleute – jene bürgerlichen Freiheiten im Sinn, die ihnen ermöglichen, ungestört den eigenen Geschäften nachzugehen. Freiheit, wie Götz sie versteht, ist an zwei Voraussetzungen gebunden: Einmal wird die innere Charakterfestigkeit vorausgesetzt, die Unabhängigkeit der Person als einer psychisch-physischen Gesamtbefindlichkeit, die sich durch die Harmonie mit sich selbst wie mit der Umwelt, in der man lebt, auszeichnet. Zum andern gehört zur Freiheit, daß der Mensch jenen Raum zur Verwirklichung der eigenen Identität auch erhält, den er von Natur aus braucht. Indem Götz im Begriff der Freiheit beides zusammendenkt, kann er für die Stürmer und Dränger auch zur Identifikationsfigur werden, zum Ideal, das in kritischer Absicht gegen die vielfältigen Fesseln und Einschränkungen der eigenen Zeit gehalten wird.

Götz kann dieses Leben in Freiheit nur beschwören, es zu realisieren gelingt ihm dagegen nicht. In seinen Möglichkeiten, die eigene Freiheit zu entfalten, ist er von Anfang an gefährdet und eingeschränkt. „Es wird einem sauer gemacht, das bißchen Leben und Freiheit", ist bezeichnenderweise einer der ersten Sätze (I.2), mit denen Götz seine eigene Situation charakterisiert. Noch deutlicher aber wird die Diskrepanz zwischen Ideal und Realität, wenn Götz seine Vorstellungen von einem Leben in Freiheit im Blick auf eine visionär geschaute Zukunft zusammenfaßt:

„Wollte Gott, es gäbe keine unruhige Köpfe in ganz Deutschland! wir würden noch immer zu tun genug finden. Wir wollten die Gebirge von Wölfen säubern, wollten unserm ruhig ackernden Nachbar einen Braten aus dem Wald holen, und dafür die Suppe mit ihm essen. Wär uns das nicht genug, wir wollten uns mit unsern Brüdern, wie Cherubim mit flammenden Schwertern, vor die Grenzen des Reichs gegen die Wölfe, die Türken, gegen die Füchse, die Franzosen, lagern, und zugleich unsers teuern Kaisers sehr ausgesetzte Länder und die Ruhe des Reichs beschützen. Das wäre ein Leben! Georg! wenn man seine Haut für die allgemeine Glückseligkeit dran setzte" (III.20).

Die Worte werden durch die Situation, in der sie gesprochen werden, noch verstärkt. Es ist jene Szene gegen Ende des dritten Aufzugs, in der Götz die Belagerung seiner Burg durch die Truppen der Reichsexekution und damit einen Zustand weitgehender Unfreiheit ertragen muß. In dieser Situation wird aber auch erkennbar, wie stark die Handlungsmöglichkeiten für Götz bereits eingeschränkt sind und wie weit sein Leben von jenem Kampf „für die allgemeine Glückseligkeit" entfernt ist. Götz muß kämpfen, um seine „Haut davon zu bringen", wie Georg es erkennt, als ihm bewußt wird, daß sie „eingesperrt sind". Diesen Kampf kann Götz nicht gewinnen, da er sich selbst in seiner Treue gegenüber Kaiser und Reich die Hände bindet. In Heilbronn erwirkt er zwar noch einmal einen ehrenhaften Abzug, doch muß er Urfehde schwören und sich auf seine Burg zurückziehen. Das heißt, eine weitere Beschränkung hinzunehmen, so daß der Abstand zu dem beschworenen Ideal immer größer wird.

Götz' Tod als Ende einer historischen Epoche. Daß seine Zeit zu Ende geht, bemerkt Götz schon in der letzten Szene des vierten Aufzugs. Sein eigenes Schicksal, der nahe Tod des Kaisers und die ersten Unruhen der rebellierenden Bauern sind ihm Anzeichen einer unmittelbar bevorstehenden Zeitenwende. Der fünfte Aufzug zeigt nun die Aktionen der aufständischen Bauern in einer Perspektive, in der Götz mit seinem Rechts- und Ehrverständnis nur noch zum radikal isolierten Außenseiter werden kann. Die kurze Zwischenzeit bis zu seinem Tod im Gefängnis, seine Rolle als Anführer der Bauern, der Versuch, den Kampf um deren Rechte in geordnete Bahnen zu lenken, dokumentieren nur die Vergeblichkeit seines Bemühens. Goethe hat, in der Druckfassung des Stückes noch deutlicher als in der Erstfassung, die Bauernkriege lediglich als allgemeinen Hintergrund für die Auflösung von Recht und Gesetz ins

Bild gerückt. Die Ereignisse gehen über Götz und seine Absichten hinweg, ohne daß er noch handelnd in sie einzugreifen vermöchte. Am Ende steht das Bild des sterbenden Götz, der in sich selbst verglüht, wie es Elisabeth nennt, und der die Zukunft in einer düsteren Mahnung umschreibt:

„Schließt eure Herzen sorgfältiger als eure Tore. Es kommen die Zeiten des Betrugs, es ist ihm Freiheit gegeben. Die Nichtswürdigen werden regieren mit List, und der Edle wird in ihre Netze fallen."

Der in diesen Worten sich dokumentierende Geschichtspessimismus ist unverkennbar. Er wird noch verstärkt, wenn Götz' letzte Worte, sein Ruf „Himmlische Luft – Freiheit! Freiheit!" von Elisabeth kommentiert werden mit „Nur droben bei dir. Die Welt ist ein Gefängnis." Wird hier nicht jede Möglichkeit einer Lösung der im Stück dargestellten gesellschaftlichen Konflikte grundsätzlich verlagert in den Bereich religiöser Hoffnungen, die sich erst im Jenseits erfüllen? Heißt das, daß die von Götz mit soviel Nachdruck beschworene Utopie eines Lebens in Freiheit, ohne Zwänge und Verstümmelungen, sich letztlich als uneinlösbar erweist?

Skepsis und Pessimismus hinsichtlich der weiteren geschichtlichen Entwicklung kommen im ‚Urgötz' noch stärker zum Ausdruck als in der Zweitfassung. Dennoch setzt Goethe auch Gegengewichte, die Hoffnung auf Veränderung selbst da behaupten, wo im Bewußtsein der Götz' Sterben miterlebenden Akteure sich nur noch Resignation äußert. Zu diesen Gegengewichten gehört bereits, daß die in der Perspektive des Stücks schuldig Gewordenen schon ‘bestraft' worden sind: Weislingen, der durch die eigene Frau vergiftet wird, Franz, der sich aus Verzweiflung über seine Mithilfe an diesem Verbrechen zu Tode stürzt, und Adelheid, die in einer dramaturgisch besonders eindrucksvoll gestalteten Szene durch die Richter des heimlichen Gerichts zum Tode verurteilt wird.

Götz' Ende steht in deutlichem Gegensatz zu diesem Strafgericht. Goethe verklärt diesen Tod in einer Szene, deren idyllischer Charakter einen seltsamen Kontrast bildet zum Scheitern seines Helden. Die Verlagerung der Szene vom finsteren Gefängnisturm in das kleine Gärtchen des Wärters, wo Götz noch ein letztes Mal Sonne, Luft und die Anzeichen des beginnenden Frühlings genießen kann, schafft einen Bedeutungshintergrund, der – ganz im Sinne der Herderschen Geschichtsphilosophie – Götz' Tod als Ende einer historischen Epoche interpretiert, auf die notwendigerweise ein Neuanfang folgt. Daß Götz stirbt, während rings um ihn herum die Natur im Frühling zu neuem Leben erwacht (eine wichtige Änderung des Schlusses, die Goethe in der überarbeiteten Fassung vornimmt), verstärkt diese Hoffnung auf Neubeginn noch. Das Wie und Wohin dieser weiteren Entwicklung bleibt allerdings offen, und hierin kann man durchaus die Grenzen des geschichts- und zeitkritischen Bewußtseins sehen, die der junge Goethe als einer der Repräsentanten des Sturm und Drang ebensowenig wie andere Autoren seiner Generation zu überschreiten vermag.

7 Die Erfahrung des Subjektiven in der Literatur des 18. Jahrhunderts

Das Interesse am Menschen ist ein Kennzeichen des aufklärerischen Denkens. Die Frage, wie das Denken, Fühlen und Handeln des Menschen auf die Glückseligkeit aller ausgerichtet werden kann, verfolgt vor allem ein praktisches Interesse. Dies gilt für das ganze Jahrhundert: Das Ziel, ein harmonisches Zusammenleben der Menschen, frei von Konflikten, bleibt konstant; dagegen wird die Frage, wie dieses Ziel am besten zu erreichen sei, im Verlauf des 18. Jahrhunderts recht unterschiedlich beantwortet.

Für die frühe, rationalistische Phase der Aufklärung ist die Überzeugung charakteristisch, daß die eine Aufklärung der menschlichen Verstandeskräfte Tugend als moralisches Verhalten des einzelnen erreicht und damit die wichtigste Voraussetzung für das postulierte Ziel geschaffen werden kann. Im Mittelpunkt solcher Tugenden, wie sie insbesondere durch die 'Moralischen Wochenschriften' propagiert werden, stehen Frömmigkeit, Bescheidenheit, Sparsamkeit, Mäßigung und Arbeitsamkeit. Der Protestantismus und der Calvinismus haben die Grundlagen eines solchen frühbürgerlichen Bewußtseins entscheidend mitgeprägt.

Mit der Tugendlehre verbunden ist allerdings eine rigide Triebunterdrückung. Die sinnliche Natur des Menschen wird als ständige Störquelle angesehen, die der Entwicklung der gesellschaftlich wünschenswerten Tugenden hemmend im Wege steht. Die Vernunft des Menschen gerät so in einen Widerspruch zu seiner Sinnlichkeit, und die Kontrolle der affektiven Bedürfnisse, wenn nicht gar ihre Unterdrückung, scheint zunächst die einzige Lösung dieses Widerspruchs zu bieten.

Gegen diesen starren Vernunft-Sinnlichkeit-Dualismus richten sich aber schon bald Gegenbewegungen. Der Gedanke, daß nicht nur die Verstandeskräfte, sondern auch das Empfindungsvermögen des Menschen der Aufklärung bedürfen und daß ein Handeln in der Gesellschaft insbesondere auf die Entwicklung der sittlichen Empfindungen angewiesen bleibt, führt zu einer differenzierteren Sicht der Gefühle. Die sich seit der Mitte des 18. Jahrhunderts herausbildende Erfahrungsseelenkunde liefert die Unterscheidung zwischen einer äußeren, über die Sinneswahrnehmung vermittelten Erfahrung und einer inneren Erfahrung, die sich auf das eigene Ich richtet und zu der das moralische Gefühl hinzugerechnet wird. Diese Empfindungen gelten nun nicht mehr als bloße Störungen der Vernunft, sondern als ihr unverzichtbarer Bestandteil, der wie die Verstandeskräfte auf eine harmonische Entfaltung angewiesen ist. Diese Aufgabe, das moralische Gefühl und die sittlichen Empfindungen zu entwickeln, soll aber gerade die Kunst und hier vor allem die schöne Literatur übernehmen.

Die 70er Jahre markieren in diesem Prozeß einen weiteren Entwicklungsschritt. Der Sturm und Drang knüpft mit seiner Forderung nach einer harmonischen Entfaltung aller Kräfte des Menschen einerseits an die empfindsamen Strömungen der vorhergehenden Jahre an. Andererseits steigert er diese Forderung, indem er das Recht auf Leidenschaft zivilisationskritisch nicht nur gegen höfische Dekadenz, sondern auch gegen das Gelassenheitsideal bürgerlicher Lebensweise einklagt. Sinnlichkeit und Triebnatur des Menschen werden damit auf eine neue Weise Thema und Problem der Literatur.

7.1 Die Entwicklung von Tagebuch, Autobiographie und Roman in der Aufklärung und im Sturm und Drang

---

Christoph Martin Wieland: Geschichte des Agathon (1766, 1773 Neufassung)
Johann Wolfgang von Goethe: Die Leiden des jungen Werthers (1774)
Johann Heinrich Jung-Stilling: Heinrich Stillings Jugend (1777)
Carl Philipp Moritz: Anton Reiser (1785–90)

In der frühen Aufklärung sind drei Grundtypen des autobiographischen Schreibens nachweisbar: die abenteuerliche Lebensgeschichte oder Privatchronik, die Berufs- oder Gelehrtenchronik und die religiöse Autobiographie. Im Verlauf des 18. Jahrhunderts lösen sich bei wachsendem Selbstbewußtsein die Erzählkonventionen auf, neue Mitteilungsbedürfnisse entstehen, und aus der Mischung der traditionellen

Formtypen können neue Darstellungsweisen hervorgehen. Am stärksten verändert sich der Typus der religiösen Bekehrungschristen (Vorbild: die ‚Confessiones' des Augustinus, 426), insbesondere das pietistische Seelentagebuch und die pietistische Autobiographie. Der eigenen Sündhaftigkeit eingedenk, erfährt der fromme Mensch die Erweckung oder Erleuchtung, durch die er zur wahren Frömmigkeit gelangt. Er beobachtet sich selbst auf diesem Weg und schreibt seine Erfahrungen auf. Sie werden dadurch für den einzelnen überprüfbar und für die anderen Mitglieder der Gemeinde mitteilbar; sie können ihnen als Ansporn und Vorbild dienen. Der maßgebliche Lehrer des deutschen Pietismus, Philipp Jakob *Spener* (1635–1705), hat die erzieherische Funktion von Tagebuch und Bekehrungsgeschichte ausdrücklich hervorgehoben.

Die Gefahr einer übersteigerten und sich verselbständigenden Selbstbeobachtung in dieser pietistischen Glaubenspraxis erkennt und formuliert Herder, wenn er sich gegen den Verfasser eines solchen Seelentagebuches wendet, der „[...] selbst den geheimen Unrath seines Herzens für solch ein Heiligthum hält, daß er ihn nicht ablegen mag, ohne zugleich eine Herde gläubiger und frommer Schaafe als Arznei zu verkaufen [...]", denn: „[...] Er legt die Krambude seines Herzens andern zur Schau aus [...]."

Während das Tagebuch der frommen Eigenbeobachtung und Gewissenskontrolle dient, wird in der pietistischen Autobiographie größerer Wert auf die Beschreibung der äußeren Lebensumstände gelegt, um die eigentliche Bekehrung um so glänzender hervortreten zu lassen.

Glaube und Welt werden ins Verhältnis zueinander gesetzt. In einer der ersten pietistischen Autobiographien von Hermann *Francke* (1690/91) nehmen Aussagen zur Erziehung, über seine Erfahrungen als Lehrer, als Übersetzer einen breiten Raum ein. Aber auch in seiner Autobiographie werden alle Erlebnisse dem religiösen Bekehrungsschema angepaßt, das in der autobiographischen Darstellung der Selbstvergewisserung wie der Erbauung der Gemeindemitglieder dient. Von besonderem Einfluß ist die Sammlung ‚Auserlesene Lebensbeschreibungen heiliger Seelen' von Gerhard Tersteegen (1733-1753). Die Vorstellung, einen persönlichen Glaubensdurchbruch erleben zu müssen, und die einengende Belehrung durch andere führen den Gläubigen zu einer übersteigerten Selbstwahrnehmung. Allmählich geht dabei die religiöse Zielrichtung verloren oder wird abgelöst durch das moralische Interesse an einer Handlungs- und Gewissenskontrolle.

Ein literarisches Zeugnis für diese Veränderung ist das Tagebuch Albrecht von *Hallers* (postum 1787), der als Literaturwissenschaftler und Dichter europäischen Ruf genießt. Das sich selbst wahrnehmende Ich rückt in diesem Prozeß in den Mittelpunkt des Interesses; dabei verlagert sich das Mittel der Bekehrung auf die Selbstanalyse, der Glaube wird psychologisiert. Ein Beispiel für die Säkularisation der pietistischen Autobiographie ist ‚Bernd's eigene Lebensbeschreibung' von Adam Bernd (1738). Die Charakterbeschreibung rückt in den Mittelpunkt, die Erfahrung des religiösen Durchbruchs ist nur der Anlaß, das Ich zu analysieren, die Melancholie, die Depressionen, die das Leben von Jugend an bestimmt haben, zu beschreiben. Es wird nach den Ursachen, nach der möglichen Überwindung dieser Zustände gefragt. Menschliche Handlungen sind nach Bernd durch körperliche und seelische Zustände bedingt. Die Poesie erhält eine therapeutische Funktion. Er fordert eine Seelsorge, die die Seele zu heilen vermag. Das sind Einsichten und Forderungen, die schon im 18. Jahrhundert die psychologische Analyse vorbereiten. Das Tagebuch ist der unmittelbarste Ausdruck für solche Seelenerfahrung.

Selbstbekenntnis und Erbauung werden in der zweiten Hälfte des 18. Jahrhunderts erweitert durch die Naturerfahrung, in der die religiöse Erbauung durch eine weltliche ersetzt wird. Liebe und Freundschaft, vermittelt durch das gemeinsame Erlebnis der Natur, werden zu Themen der Autobiographie. Die für die religiöse Bekehrung eigentümliche innige und seelenvolle Sprache dient nun sowohl der Beschreibung der tief empfundenen Seelenfreundschaft wie der Schilderung von Naturerlebnissen. Umgekehrt speist sich nun die religiöse Autobiographie aus den schon literarisierten Formen der Liebeslyrik und der Naturbeschreibung.

Die Autobiographie ‚Heinrich Stillings Jugend' von Johann Heinrich *Jung* (1777) ist ein Beispiel einer Lebensbeschreibung, die schon literarische Züge hat. Die entscheidende Antriebskraft für Stillings Aufstieg vom Handwerker zum Schulmeister, schließlich zum Gelehrten ist die übersteigerte Sensibilität, „[...] er wußte [...] nichts von der Welt, nichts von Lastern, er kannte kein Falsches [...], sein Gemüt war also mit wenigen Dingen angefüllt, aber alles, was darin war, war so lebhaft, so deutlich, so verfeinert, so veredelt [...]". Die autobiographische Absicht besteht in der Rechtfertigung seines Aufstiegs. Darin ist die weiterwirkende Tradition der Gelehrtenautobiographie auszumachen. Außerdem will er seine Freunde mit seiner Lebensgeschichte auf „romantische Weise" belehren, wie ein Lebensgang durch die Beschaffenheit des eigenen Gemüts und durch die Vorsehung sich zu Höherem entwickelt. Der Held erhält einen dem Autor ähnlichen Namen. Ein fiktiver Erzähler vergegenwärtigt Jung Stillings Leben. Lieder und Märchen, die eingestreut sind, verstärken die poetische Wirkung.

Im Zusammenhang mit und doch unabhängig von Tagebuch und Autobiographie entwickelt sich im 18. Jahrhundert der *Roman*. Aus der Tradition des 17. Jahrhunderts bleiben zwei Typen verbindlich und sind wandlungsfähig: der hohe oder höfische oder Staatsroman und der niedere oder komische oder Picaroroman.
Im *Staatsroman* sind Personen des Adels die Träger der Handlung, Abenteuer bestimmen das Geschehen. Die Auflösung der Konflikte, die Überwindung aller Schwierigkeiten geschieht durch die göttliche Vorsehung, die Gelassenheit der Helden erklärt sich aus ihrer Bereitschaft, sich bei aller Undurchsichtigkeit des Geschehens dieser Fügung anheimzustellen.
Dagegen spielt der *Picaroroman* in den unteren Schichten. Stärker als im Staatsroman ist hier das biographische Schreibmuster prägend, wie es sich im ‚Simplicius Simplicissimus' Grimmelshausens zeigt (1669). Alltägliches Leben wird geschildert. Während im 17. Jahrhundert die Irrtümer und Torheiten den Helden aus der sündhaften Welt in die Abgeschiedenheit führen, wird dieser Romantyp im 18. Jahrhundert vom *bürgerlichen Roman* abgelöst, der praktische Lebensnähe und bürgerliche Moralvorstellungen in ein biographisches Schema einbringt. Als 1740 Richardsons ‚Pamela, or Virtue Rewarded' erscheint, wird dieser Roman Vorbild für die Darstellung tugendhafter, empfindsamer Charaktere in deutschen Romanen.
Aber auch diese Tendenz des bürgerlichen Romans erfährt im Laufe des Jahrhunderts noch einmal Veränderung. *Wieland* setzt sich in seinem Vorbericht zu seinem Roman ‚*Geschichte des Agathon*' (1766), erweiterte Fassung 1773, mit der Entwicklung des bürgerlichen Romans auseinander. Er wendet sich gegen die Darstellung vollkommener Charaktere und setzt sich für eine genaue Beschreibung der Helden mit allen Lastern und Schwächen ein. Die Wahrhaftigkeit im Roman besteht nach seiner Vorstellung in der Beschreibung der inneren und äußeren Ereignisse, die Entwicklung des Helden muß psychologisch 'richtig', muß realistisch abgebildet werden.
Entsprechend diesen Forderungen schildert Wieland in seinem Roman ‚Geschichte des Agathon' mit psychologischer Genauigkeit den Bildungsweg des Helden vom weltfremden Träumer zum praktischen Aufklärer. Ironie und Reflexion des Erzählers schaffen Distanz. Die Verlegung der Handlung in die Antike zitiert die kulturelle Blüte der vorbildhaften Zeit und widerlegt den Vorwurf der bloßen Fiktion, unter dem die Gattung Roman bis dahin litt. Durch die psychologische Genauigkeit in der Beschreibung der Seelengeschichte wird Authentizität hergestellt. Das Spannungs-

verhältnis von Fiktion und Authentizität wird in einem neuen Verständnis von Wahrheit in der Kunst aufgehoben. Nicht die Historizität eines Stoffes, sondern die psychologische Genauigkeit und innere Stimmigkeit der Beschreibung seelischer Zustände, nicht die Unmittelbarkeit des Bekenntnishaften allein, sondern deren Wechsel mit reflektierender Distanz des Erzählers machen den Kunstcharakter des Romans aus.

Christian Friedrich von *Blankenburg,* der den Roman Wielands für den ersten guten deutschen Roman hält, schreibt als Leitfaden für Romanschreiber 1774, das Beispiel Wielands vor Augen, einen ‚Versuch über den Roman‘. Es ist die wichtigste theoretische Äußerung über den Roman und seine Entwicklung im 18. Jahrhundert. Da der Roman den Leser nicht nur unterhalten, sondern auch Einfluß auf seine Sitten haben soll, fordert er weitere Verbesserungen dieser Kunstform, die im 18. Jahrhundert erst allmählich ihre Legitimation und Anerkennung findet. Die Gefahr, daß der Leser sich in eine ‘romanhafte Welt’ flüchtet, die phantastisch und wirklichkeitsfern zur Flucht vor dem praktischen Leben verführt, ist einer der Vorwürfe, denen Wieland mit seinem Roman, Blankenburg mit der Theorie begegnet. Blankenburg fordert die exemplarische Darstellung individuellen Lebens. Der Romanschreiber soll „ein aufmerksamer Beobachter des menschlichen Herzens" sein, um durch die Darstellung der Individualität, nicht durch bloße Setzungen von moralischen Wertvorstellungen der Vervollkommnung des Menschen zu dienen.

Im Zusammenwirken der religiösen Autobiographie und des neuen bürgerlichen Romans entstehen in der zweiten Hälfte des Jahrhunderts zwei Werke, die auf besondere Weise die Erfahrung der Subjektivität ermöglichen, und zwar beim Autor, beim dargestellten Helden und beim Leser: Moritz: ‚Anton Reiser‘ und Goethe: ‚Die Leiden des jungen Werthers‘.

7.1.1 Moritz ‚Anton Reiser‘ – ein psychologischer Roman

Moritz selbst nennt seine Lebensgeschichte einen „psychologischen Roman". Sein Leben ist von seiner Kindheit bis zu seinem Tode durch pathologische Strukturen gekennzeichnet. Die verhinderte Ausbildung seines Selbstbewußtseins läßt ihn in einer ständigen Diskrepanz zwischen eigenen Wünschen und den Möglichkeiten ihrer Realisierung leben. Die daraus resultierende neurotische Struktur seiner Persönlichkeit, sein Hang zu Melancholie, Depressionen und Hypochondrie lassen sein Interesse für die Ursachen seiner psychischen Deformation aufkommen. Deshalb bedeutet die Niederschrift seiner Jugendjahre eine Möglichkeit, diese Ursachen zu entdecken. Diese autobiographische Intention wird aber erweitert durch ein allgemeines Interesse an den Ursachen psychischer Konflikte. Diese Überschreitung der subjektiven Situation definiert endgültig den Begriff ‘psychologischer Roman’. Das individuelle Leben wird zum exemplarischen Fall. Die romanhafte Gestaltung des eigenen Lebens vollzieht sich aus der Sicht des Therapeuten.

Die Entstehungsgeschichte des ‚Anton Reiser‘ verläuft auf drei Ebenen: als pietistisches Tagebuch, als psychologisches Dokument im ‚Magazin der Erfahrungsseelenkunde‘, schließlich als Roman. Die unmittelbare Selbstdarstellung im Tagebuch wird abgelöst durch die wissenschaftliche Darstellungsweise im Magazin, im Roman schließlich wird eine Ästhetisierung und Psychologisierung unternommen.

Schon aus der unterschiedlichen Namengebung geht hervor, daß der Romanheld nicht identisch ist mit dem Verfasser. Durch sein psychologisches Interesse distanziert sich Moritz von seinem eigenen Leben in der Darstellung und stellt die Geschichte seiner Kindheit und Jugend aus der Perspektive eines Erzählers vor, der zum Therapeuten seines Helden wird. Held und Erzähler erfahren eine Annäherung, wenn der Erzähler sein eigenes Ich als „niedrige Seele" einschätzt, aber er bleibt der Kommentierende, der ein höheres Erkenntnisvermögen als der Held hat.

Doch nicht nur die Trennung von Erlebtem und Dargestelltem ist ein Mittel des Romans, sondern auch der Symbolgehalt des Namens. In ‚Anton Reiser‘ verbergen sich bereits zwei zentrale Motive der gesamten Lebensgeschichte: 'Anton' gilt als abgeleitet vom 'Heiligen Antonius', der aus seiner sozialen Umwelt in die Einsiedelei floh. Der Nachname 'Reiser' weckt die Assoziation des Reisens, der Sehnsucht, der Anton durch seine Theaterleidenschaft nachkommt. Die Bedürfnisse nach Einsamkeit und Wanderschaft sind keine Gegensätze, sondern bedeuten beide eine Flucht vor der konkreten Wirklichkeit. Der Ortswechsel wird zum Symbol für eine neue Existenzmöglichkeit. Die Motive des Reisens und Wanderns, der Lektüre und des Theaters werden zum Symbol der Flucht und Befreiung, der Hoffnung auf Wiedergeburt. Die Literatur wird zum Symbol der Ersatzwelt, die sich Anton schon in frühester Kindheit aufbaut. Er schwärmt für Shakespeare, eine Steigerung seiner Idealwelt bringt die Lektüre des ‚Werther‘. So wird Antons Leben selbst romanhaft, und zwar im Sinne des damaligen Verständnisses: unrealistisch, phantastisch, übertrieben. Schließlich wird das Theater zum Symbol für das Bedürfnis nach Ausdehnung. Anton sucht hier statt künstlerischer Verwirklichung eher Selbstbestätigung durch Identifikation mit einem fiktiven Dasein. Dabei gerät er in den Konflikt von sozialer Realität und idealer Norm, was sein Verhältnis zwischen innerer und äußerer Welt nur noch weiter auseinanderfallen läßt.

Der Erzähler hebt einzelne Phasen der psychischen Entwicklung besonders hervor. Die ersten elf Lebensjahre werden auf jeweils drei bis sechs Seiten geschildert, während sein zwölftes Lebensjahr 35 Seiten umfaßt. In diesem Jahr beginnt Anton seine Hutmacherlehre in Braunschweig. Ein erster längerer Ortswechsel und die ersten Erfahrungen als Lehrjunge fallen zusammen. Durch das strenge Verhalten seines Lehrherrn gerät Anton zeitweise in äußerste Verzweiflung, die ihn bis zu einem Selbstmordversuch führt. Während dieser Zeit entwickelt sich außerdem seine Leidenschaft zu predigen. Extremsituationen, die Antons Leben prägen, bestimmen das zwölfte Lebensjahr, so daß die Ausführlichkeit der Darstellung dieses Lebensabschnitts begründet ist.

Noch ausführlicher werden die letzten zwei Jahre seines Lebens dargestellt. Auf 156 Seiten wird die Entwicklung von Antons poetischer Neigung zu seiner Leidenschaft für das Theater und das Wandern geschildert. Die Bereiche Literatur, Theater und Wandern fördern Antons Einbildungskraft. Zugleich werden die Konfrontationen mit der Realität intensiver, ja sogar bedrohlich. Als Anton bei einer Rollenbesetzung für den ‚Clavigo‘ keine Rolle erhält, ist er so gekränkt, daß ihn „der Vorfall in eine Art von wirklicher Melancholie führte". In diesen beiden Jahren befestigen sich Antons Melancholie und Hypochondrie. Das Resultat einer lieblosen Erziehung, des Einflusses einer fanatischen Sekte bei eigener körperlicher und seelischer Labilität ist mit Abschluß dieser beiden Jahre erreicht.

Noch deutlicher als in der Rolle des Erzählers manifestiert sich der Anspruch des Psychologen in den Vorreden zu den vier Teilen des Romans. Sie sind nicht poetisch gestaltet; entscheidend ist die psychologische Intention, und damit werden die Vorreden zum ‚Anton Reiser‘ zum Mittel des psychologischen Romans.

7.1.2 Goethe ‚Die Leiden des jungen Werthers‘

Unter den Briefromanen des 18. Jahrhunderts kommt den ‚Leiden des jungen Werthers‘ eine Sonderstellung zu. Nirgendwo sonst bildet der Subjektivismus des Helden so uneingeschränkt Thema und Darstellungsprinzip wie in diesem Erstlingsroman Goethes. Sein Verfasser, als Autor immerhin schon seit dem früher erschienenen ‚Götz‘ bekannt, wird mit dem ‚Werther‘ erst populär. Die Verbreitung des Romans über Nach- und Neudrucke und über Übersetzungen ins Französische (bereits 1775), ins Englische (1779) und ins Italienische (1781) ist so spektakulär, daß sie nicht nur dem Autor, sondern auch der noch jungen Gruppierung des Sturm und Drang eine über den nationalen Bereich hinausreichende Bedeutung verleiht.

Bruch der Leseerwartungen. In Deutschland entfacht der Roman gleich nach seinem Erscheinen eine Diskussion, die die vorangegangene ‚Götz‘-Debatte noch übertrifft. Dabei geht es nicht nur um literarische Fragen. Das im 18. Jahrhundert entwickelte Konzept einer aufklärerischen Literatur setzt die Vermittlung bürgerlicher Normen und Wertvorstellungen als oberstes Ziel. Dem entspricht im Bereich des Romans eine Literatur, die am Schicksal des Helden die Überlegenheit bürgerlicher Tugenden über Laster und Unmoral höfischer Lebensweise unverhüllt propagiert. Goethes ‚Werther‘ bricht nun auf eine besonders radikale Weise mit solchen Erwartungen an Literatur und ihre Aufgaben.

Erzählt wird die Geschichte eines Mannes, der die Aussicht auf eine für den Bürgerlichen glänzende berufliche Karriere aufgibt, der sich in eine schwärmerisch-unglückliche Liebe verirrt und schließlich Selbstmord begeht, als sein Leiden für ihn keine andere Fluchtmöglichkeit zuläßt. Entscheidender noch als die im Grunde recht banale Geschichte ist die von Goethe gewählte Perspektive der Darstellung, die grundsätzliche Zweifel aufkommen läßt, ob der im Zentrum bürgerlichen Selbstverständnisses stehende Gedanke der individuellen Selbstverwirklichung unter den im ausgehenden 18. Jahrhundert gegebenen Verhältnissen überhaupt zu realisieren sei. Insofern wird der Roman für viele Kritiker zum Skandal.

Auch Lessing geht es um die besondere Art und Weise, wie Goethe die ‚Leiden des jungen Werthers‘ in dessen Briefen zum Ausdruck bringt, wenn er am 26. 10. 1774 in einem Brief an Eschenburg schreibt:

„Haben Sie tausend Dank, für das Vergnügen, welches Sie mir durch die Mittheilung des Goethe'schen Romans gemacht haben. Ich schicke ihn nun einen Tag früher zurück, damit auch Andere dieses Vergnügen je eher je lieber genießen können. Wenn aber ein so warmes Produkt nicht mehr Unheil als Gutes stiften soll: meinen Sie nicht, daß es noch eine kleine kalte Schlußrede haben müßte? Ein Paar Winke hinterher, wie Werther zu einem so abenteuerlichen Charakter gekommen; wie ein andrer Jüngling, dem die Natur eine ähnliche Anlage gegeben, sich davor zu bewahren habe. Denn ein solcher dürfte die *poetische* Schönheit leicht für die *moralische* nehmen, und glauben, daß der *gut* gewesen seyn müsse, der unsere Teilnehmung so stark beschäftiget. Und das war er doch wahrlich nicht.“

Lessings Kritik gilt also dem Autor bzw. der Figur des Erzählers, der sich darauf beschränkt, Werthers Geschichte zu dokumentieren, und der bewußt darauf verzichtet, aus einer distanziert-überlegenen Position diesen Fall für den Leser zu kommentieren. Die Reaktion der Stürmer und Dränger auf derartige Einwände ist aufschlußreich. Sie zeigt, daß die auch in Lessings Stellungnahme erkennbare aufklärerisch-didaktische Funktionsbestimmung der Literatur zwar nicht grundsätzlich in Frage gestellt, aber doch in entscheidenden Punkten modifiziert wird. Wenn für Lessing die Trennung zwischen 'poetischer' und 'moralischer' Schönheit noch fraglose Voraussetzung bildet und von daher die ästhetische Darstellung der belehrenden Wirkung untergeordnet wird, so gewinnt für die Autoren des Sturm und Drang das Poetische einen Eigenwert, aus dem das Moralische gar nicht mehr herausgetrennt werden kann. Wenn eine Darstellung poetisch ist, dann trägt sie ihre eigene Moral in sich. Die moralische Wirkung auf den Leser ist dann die notwendige Folge.

Lenz liefert in seinen ‚Briefen über die Moralität der ‘Leiden des jungen Werthers’‘ ein markantes Beispiel für diese neue ästhetische Position. Er weist die Vorwürfe, Goethes Roman biete „eine subtile Verteidigung des Selbstmords“ und „die Darstellung so heftiger Leidenschaften [sei] dem Publikum gefährlich“, nicht nur als gegenstandslos und unbegründet zurück, sondern versucht umgekehrt die in der Darstellung Goethes zum Ausdruck kommende besondere 'Moralität' nachzuweisen.

„Laßt uns einmal die Moralität dieses Romans untersuchen, nicht den moralischen Endzweck, den sich der Dichter vorgesetzt (denn da hört er auf, Dichter zu sein), sondern die moralische Wirkung, die das Lesen dieses Romans auf die Herzen des Publikums haben könne und haben müsse.“ „Und die moralische Wirkung“, so heißt es an etwas später Stelle, „besteht im Falle des Werther gerade darin, daß er uns mit Leidenschaften und Empfindungen bekannt macht, die jeder in sich deutlich fühlt, die er aber nicht mit Namen zu nennen weiß. Darin besteht das Verdienst jedes Dichters."

Die Stürmer und Dränger stehen – das zeigen die letzten Worte von Lenz besonders deutlich – durchaus in der Tradition der Aufklärung; sie definieren jedoch die Aufgabe der Literatur als Kunst neu. Es geht darum, die Wirklichkeit authentisch und unmittelbar zu erfassen und neue, bislang ausgesparte Bereiche der Wirklichkeit der poetischen Darstellung zugänglich und damit überhaupt erst erfahrbar zu machen. Soweit es sich dabei um die Wirklichkeit des Menschen handelt, sollen seine emotionalen Kräfte nicht mehr (wie in der vorangegangenen rationalistischen Phase der Aufklärung) der Vernunft untergeordnet werden; vielmehr zielt das neue Menschenbild auf eine harmonische Entfaltung *aller* Kräfte des Menschen. Damit wird der Anspruch auf Selbstverwirklichung noch einmal intensiviert. Goethes ‚Werther' bringt die in diesem Anspruch enthaltenen inneren Widersprüche auf eine provozierende Weise zum Ausdruck.

Werthers Subjektivismus. Die Stilisierung des Herzens zum Zentrum der Persönlichkeit ist das kennzeichnende Merkmal von Werthers subjektivistischer Lebenseinstellung. Werther weiß zwar, was ihn in den Augen anderer besonders auszeichnet: seine kenntnisreiche Bildung, sein scharfer Verstand, seine beruflichen Fähigkeiten und Anlagen, doch gilt ihm all dies nur wenig gegenüber jener inneren Kraft, die allein seine Individualität und Identität bestimmt. „Ach was ich weiß, kann jeder wissen", schreibt er im Brief vom 9. Mai. „Mein Herz hab ich allein."
Rückt so das Herz ins Zentrum von Werthers Selbstverständnis, so wird das Gefühl zur eigentlichen Kraft und Triebfeder des Handelns. Es vermittelt eine intuitive Erkenntnis, der Werther alle wichtigen Lebensentscheidungen anvertraut. So, wie er sich zu Beginn des Romans auf sein Herz beruft, um dem Freund die Abreise zu erklären, so wird er es im weiteren Verlauf des Geschehens bei allen anstehenden Entscheidungen immer wieder tun. Und wenn sein Versuch, sich über die berufliche Laufbahn bei Hofe in die Gesellschaft zu integrieren, schließlich scheitert, dann ist ihm dies nur ein Beweis dafür, daß er mit diesem Schritt nicht der Stimme seines Herzens, sondern lediglich dem Drängen Dritter und ihrer nüchtern-vernünftigen Überlegungen folgte.
Auch in der Beziehung zu anderen Menschen gehorcht Werther seinem Gefühl. Er findet leicht Kontakt und Anerkennung, doch beklagt er immer wieder die Äußerlichkeit und Oberflächlichkeit solcher Verbindungen. Die Beziehung zu anderen Menschen wird ihm erst dort wirklich wichtig, wo er den anderen als Teil einer inneren Herzensgemeinschaft wahrnimmt, die sich durch die potentielle Gleichheit des Erlebens und Empfindens auszeichnet. Nur wenige, mit denen Werther zusammentrifft, genügen diesem Anspruch: die früh verstorbene Jugendfreundin, Wilhelm, der Freund und Adressat der Briefe, das Fräulein von B. und vor allem Lotte. Werther macht wiederholt die beglückende Erfahrung, daß im Umgang mit diesen Menschen die vielfältigen Verständigungsbarrieren und damit auch die Gefahren der Isolation und Vereinzelung, in die Werther aufgrund seiner Egozentrik notwendigerweise gerät, entfallen können. Allerdings gelingt dies nur in ganz seltenen Augenblicken, während sonst die resignierende Einsicht dominiert, daß dem Bedürfnis nach Kontakt und Mitteilung enge Grenzen gesteckt sind.

„Ich möchte mir oft die Brust zerreißen", notiert Werther am 27. 10., „und das Gehirn einstoßen, daß man einander so wenig sein kann. Ach die Liebe, Freude, Wärme und Won ne, die ich nicht hinzubringe, wird mir der andere nicht geben, und mit einem ganzen Herzen voll Seligkeit werde ich den andern nicht beglücken, der kalt und kraftlos vor mir steht."

Ein Ausdruck des Subjektivismus ist weiterhin die für Werther charakteristische

Konzentration der Wahrnehmung auf die eigene Psyche. Häufig ist die Wahrnehmung der Außenwelt nur Anlaß, die innere Befindlichkeit und emotionale Gestimmtheit zu erfassen. Dies gilt für Werthers Verhältnis zur Natur in ähnlicher Weise wie für seine Beschäftigung mit Kunst und Literatur. Hier wie dort geht es nicht um die Auseinandersetzung eines Ichs mit der Außenwelt, sondern um die Intensivierung einer bereits vorgeprägten inneren Gestimmtheit. Deshalb sucht und erlebt Werther die Natur ganz unterschiedlich, und deshalb auch bestimmt die heiter-erhebende Homer-Lektüre den Anfangsteil des Romans, während die düster-tragischen Ossian-Gesänge die entsprechende Spiegelung für den zweiten Teil und insbesondere für den Schluß des Romans liefern.

Der Rückwendung auf das eigene Ich liegt ein Lebensgefühl zugrunde, das die Möglichkeiten einer produktiven Selbstverwirklichung unter den gegebenen Bedingungen nicht nur skeptisch beurteilt, sondern letztlich leugnet.

„Wenn ich die Einschränkung ansehe, in welcher die tätigen und forschenden Kräfte des Menschen eingesperrt sind; wenn ich sehe, wie alle Wirksamkeit dahinaus läuft, sich die Befriedigung von Bedürfnissen zu verschaffen, die weiter keinen Zweck haben, als unsere arme Existenz zu verlängern, und dann, daß alle Beruhigung über gewisse Punkte des Nachforschens nur eine träumende Resignation ist, da man sich die Wände, zwischen denen man gefangen sitzt, mit bunten Gestalten und lichten Aussichten bemalt – Das alles, Wilhelm, macht mich stumm. Ich kehre in mich selbst zurück, und finde eine Welt!" So lautet Werthers Eintragung vom 22. Mai.

Sieht man von dem Schlußsatz ab, dann äußert sich in diesen Worten ein radikal pessimistisches Welt- und Lebensgefühl. Das Leben als Kerker, aus dem nur der Tod hinausführt – dieses an den ‚Götz' erinnernde Bild bestimmt und lähmt Werthers Denken. Die im Schlußsatz der zitierten Textstelle anklingende Hoffnung kann nicht darüber hinwegtäuschen, daß diese ‘innere Welt' für Werther wiederum nur punktuell erreichbar ist, und dies auch nur unter den Voraussetzungen, wie sie in diesem frühen Stadium der Romanhandlung gegeben sind. Im weiteren Verlauf des Geschehens zeigt sich zunehmend deutlicher, daß dieser Rückzug in die Welt des eigenen Ichs die vielfältigen Versagungen und Enttäuschungen, die Werther erlebt, keineswegs kompensieren kann. Die Hoffnung, so auf Dauer den Anpassungszwängen der Gesellschaft zu entgehen, erweist sich als trügerisch. Als letzte und radikalste Lösung bleibt schließlich nur der Selbstmord, mit dem Werther seinen Rückzug aus der Welt vollendet.

Werthers Subjektivismus ist nicht nur Thema des Romans, er ist auch sein beherrschendes Darstellungsprinzip. War der *Briefroman* schon seit Richardson in besonderer Weise geeignet, die Subjektivität des Helden zum Ausdruck zu bringen, so verstärkt Goethe diese Tendenz noch, indem er das Geschehen ausschließlich aus der Perspektive Werthers darstellt. Da der Herausgeberbericht sich ganz darauf beschränkt, dessen Geschichte zu Ende zu erzählen, wird die in den Briefen Werthers enthaltene Perspektive absolut gesetzt. Gegenpositionen, die dessen Beurteilung relativieren oder in Frage stellen, kommen nicht direkt zu Wort, sondern nur in der subjektiven Wiedergabe Werthers.

Die suggestive Wirkung des Romans kommt nicht zuletzt durch den besonderen Briefstil zustande, in dem die emphatische Gefühlsaussprache alle darstellend-berichtenden Passagen überlagert. Werther weiß selbst, daß er kein guter ‘Historienschreiber' ist. Er muß sich oft zwingen, die Ereignisse in ihrer chronologischen Abfolge wiederzugeben, damit sie für den Leser überhaupt verständlich werden. Immer wieder drängt sich der innere Erregungszustand in die sprachliche Mitteilung, unterbricht diese und lenkt zurück auf das eigene Ich. Dieser Rang zur totalen Selbstreflexion bewirkt, daß viele Briefe, zumal die kürzeren, gar nicht mehr erkennen lassen, daß sie an einen bestimmten Adressaten gerichtet sind. Der Akzent liegt so sehr auf der Ich-Aussprache, daß es sich ebensogut um Auszüge aus einem Tagebuch handeln könnte.

Das bürgerliche Subjekt im Konflikt mit der Gesellschaft. Die gesteigerte Subjektivität Werthers führt notwendig zum Konflikt mit der Gesellschaft. In der Konzeption des Romans kommt dieser Konflikt in unterschiedlichen Konstellationen zum Ausdruck. Er deutet sich bereits an in dem problematischen Verhältnis Werthers zu seiner Mutter. Nach dem frühen Tod des Vaters ist sie für Werthers Erziehung verantwortlich. Sie vor allem zwingt dem Sohn ihre Vorstellungen über eine angemessene Berufslaufbahn als Gesandter oder Geheimrat in der höfischen Bürokratie auf, und sie gehört zu jenen, die ihn – seinen eigenen Worten zufolge – „ins Joch geschwatzt und ihm so viel von Aktivität vorgesungen" haben. Sie veranlaßt nach dem Tod ihres Mannes den Umzug aus Werthers Geburtsort (dem „lieben vertraulichen Ort") in die „verhaßte Stadt" und eröffnet damit einen Leidensweg, auf den Werther rückblickend nur noch die „fehlgeschlagenen Hoffnungen" und zerstörten Illusionen konstatieren kann. Der Schluß liegt nahe, daß Werther die von ihm verachteten Forderungen der Gesellschaft zuerst als Forderungen der willensstrengen Mutter kennenlernt und daß bereits die gestörte Mutter-Kind-Beziehung durch den Druck gesellschaftlicher Anpassungszwänge bedingt ist.

In der Person Alberts wird Werther ein Mensch gegenübergestellt, der die sozial gewünschten Normen und Verhaltensmuster vorbildlich repräsentiert. Der Verlobte und spätere Ehemann Lottes ist damit das genaue Gegenbild Werthers. Daß er „ein braver, lieber Kerl" ist, „dem man gut sein muß" (30. Juli), daß er am Hof „sehr beliebt ist" und dort „ein Amt mit einem artigen Auskommen" erhalten wird (10. August), sind erste Hinweise in den Briefen Werthers, die nicht nur Aufschluß geben über Alberts angesehene soziale Position, sondern auch über Werthers Schwierigkeiten, sich auf diesen Rivalen einzustellen. Diese Schwierigkeiten wachsen, je mehr es Albert in der Folge gelingt, das gemeinsame Rollenspiel in der Dreierbeziehung gelassen hinzunehmen und zu Werther eine freundschaftliche Beziehung aufzubauen, deren Entwicklung jedoch zwiespältig bleibt.

Die tiefe Gegensätzlichkeit im Denken beider Männer tritt in dem Disput über den Selbstmord schließlich offen zutage (12. August). Für Albert ist Selbstmord ein Handeln aus innerer Schwäche, allenfalls zu erklären, aber nicht zu billigen, da er die Grundregeln menschlichen Zusammenlebens untergräbt. Werther wendet sich gegen diese Ausschließlichkeit und Allgemeingültigkeit, mit der solche Gesetze als Maßstab menschlichen Handelns angesehen werden, ohne daß „die inneren Verhältnisse einer Handlung erforscht" werden. In seiner Argumentation ist der Selbstmord nur ein Handeln aus Leidenschaft, das nicht nach irgendwelchen vorgegebenen sozialen Normen, sondern nach individueller Notwendigkeit bewertet werden muß. Werther reklamiert damit für sich – wie für alle „außerordentlichen Menschen, die etwas Großes, etwas Unmöglichscheinendes würkten" (ebd.) – das Recht, die Normen des eigenen Handelns aus der Natur seines Wesens und seines Charakters abzuleiten. Die Verbindlichkeit christlich-religiöser wie auch bürgerlich-aufklärerischer Wertvorstellungen wird damit zwar nicht grundsätzlich abgelehnt, aber dennoch deutlich relativiert.

Unverkennbar artikuliert sich in dieser Einstellung Werthers das hochentwickelte Selbstbewußtsein eines Individuums, das mit den vielfältigen sozialen Einschränkungen der ständischen Gesellschaftsordnung notwendigerweise in Widerspruch gerät. Wie dieser latent angelegte Konflikt zum gesellschaftlichen Skandal führt, dokumentieren Werthers Briefe zu Beginn des zweiten Romanteils, als er ein letztes Mal versucht, durch Übernahme einer Stellung bei Hofe sich mit dieser Gesellschaft und ihren Erwartungen zu arrangieren. Obwohl Werther auch hier Freunde und Gönner findet, die die außergewöhnliche Begabung des jungen Mannes erkennen und fördern wollen, scheitert der Versuch. Die Tatsache, daß die aristokratische Gesellschaft ihm die soziale Anerkennung verweigert, daß er sich im Rahmen einer Abendgesellschaft von dem Grafen auffordern lassen muß, die im Salon versammelten adligen Gäste zu verlassen, und das darauf einsetzende Gerede, mit dem die Öffentlichkeit die soziale Zurechtweisung zum gesellschaftlichen Skandal stilisiert, treffen Werther in seinem Selbstbewußtsein so tief, daß er die Arbeit unter solchen Bedingungen nicht mehr fortführen kann. Er bittet um seine Demission.

7.2 Authentische Erfahrung: Lyrik des jungen Goethe

> **Johann Wolfgang von Goethe** (Gedichte): Das Schreien (1767) Es schlug mein Herz. Geschwind, zu Pferde! (1771) Maifest (1771) Prometheus (1774)

Die Lyrik des jungen Goethe, genauer, die seit 1770 entstandenen Gedichte gelten allgemein als frühe Beispiele einer neuartigen Form lyrischer Dichtkunst, die weit über den Sturm und Drang hinaus bis in die Moderne traditionsstiftend gewirkt hat. Lyrik als Ausdruck einer einmaligen individuellen Erfahrung, als sich in Sprache enthüllende Subjektivität, als Dokument eines gesteigerten Ichbewußtseins – solche und ähnliche Formeln versuchen das Neue dieser Goetheschen Lyrik auf den Begriff zu bringen. Freilich bildet sich die neue Form nicht abrupt; Goethe hat immer wieder Gedichte geschrieben, die erkennbar früheren literarischen Traditionen verpflichtet sind. Dies gilt auch für viele, die der Sturm-und-Drang-Phase zugerechnet werden. Wenn dennoch von einem Strukturwandel in der Lyrik des jungen Goethe gesprochen wird, dann im Blick auf solche Beispiele, in denen die neue Form besonders deutlich zum Ausdruck kommt.
Herder hat schon 1771 in seinem ,*Auszug aus einem Briefwechsel über Ossian und die Lieder alter Völker*' von zwei Ausdrucksmöglichkeiten „unserer gegenwärtigen Dichtkunst" gesprochen:

„Erkennet ein Dichter, daß die Seelenkräfte, die teils sein Gegenstand und seine Dichtungsart fordert und die bei ihm herrschend sind, *vorstellende, erkennende* Kräfte sind, so muß er seinen Gegenstand und den Inhalt seines Gedichts in Gedanken so überlegen, so deutlich und klar fassen, wenden und ordnen, daß ihm gleichsam alle Lettern schon in die Seele gegraben sind, und er gibt an seinem Gedichte nur den ganzen, redlichen Abdruck. Fordert sein Gedicht aber Ausströmung der Leidenschaft und der Empfindung oder ist in seiner Seele diese Klasse von Kräften die würksamste, die geläufigste Triebfeder, ohne die er nicht arbeiten kann, so überläßt er sich dem Feuer der glücklichen Stunde und schreibt und bezaubert."

Es liegt nahe, in dieser Gegenüberstellung Herders die unterschiedlichen produktionsästhetischen Normen und Vorstellungen wiederzufinden, wie sie für die rationalistisch-aufklärerische Literatur einerseits und für den Sturm und Drang andererseits charakteristisch sind. Herder argumentiert in seiner Abhandlung aber differenzierter und vorsichtiger. Vor allem verbindet er mit seiner Abgrenzung keine qualitative Abwertung; er versucht lediglich, zwei unterschiedliche Möglichkeiten, wie Gedichte entstehen, idealtypisch zu fixieren: entweder „lange und stark und lebendig gedacht oder schnell und würksam empfunden", wie er wenig später formelhaft zusammenfaßt. Die Künstlichkeit einer solchen Trennung konstatiert er selbst, indem er einräumt, daß viele Autoren die beiden Arten des Dichtens miteinander zu verbinden suchten.
Lyrik als „Ausströmung der Leidenschaft und Empfindung" findet Herder vorzugsweise unter den Volksliedern. Die zeitgenössischen Autoren, die er in diesem Zusam-

menhang anführt, ordnet er entweder der erstgenannten Richtung zu (so z. B. Haller, Kleist und Lessing), oder er sieht in ihrem Werk beide Richtungen miteinander vereint (wie etwa bei Ramler, Wieland und Gerstenberg). Lediglich Klopstocks Gedichte – und diese auch nur in den „ausströmendsten Stellen", wie er einschränkend hinzufügt – gelten ihm als Beispiele für Lyrik „von der zweiten Art".

7.2.1 Die Lyrik Klopstocks als Vorbild

Die Einflüsse Friedrich Gottlieb Klopstocks (1724–1803) auf den Sturm und Drang lassen sich leicht nachweisen. Besonders intensiv sind die Beziehungen zum 'Göttinger Hain', dem Klopstock 1774 selbst als Mitglied beitritt. Die Verbindung zum Straßburger Kreis vermittelt wiederum Herder. 1771 erscheint in Darmstadt als Privatdruck (34 Exemplare für zuvor ausgesuchte Besitzer) eine erste Sammlung von Oden und Elegien Klopstocks, die durch Herder auch nach Straßburg gelangt. Noch im gleichen Jahr wird die erste Gesamtausgabe der Oden Klopstocks gedruckt, die die seit 1748 einzeln erschienenen Gedichte zusammenfaßt. ‚Der Zürchersee' (1750) und ‚Die Frühlingsfeier' (1759) zählen zu den bekanntesten. Diese Lyrik wie auch die ebenfalls seit 1748 nach und nach erscheinenden ‚Gesänge' des ‚Messias', eines biblischen Epos in Hexametern, verhelfen Klopstock zu einem ungewöhnlichen, wenn auch nicht unumstrittenen Ansehen in der Öffentlichkeit.

Die Lyrik des jungen Goethe ist durch Klopstock nachhaltig beeinflußt. In seiner Altersbiographie ‚Dichtung und Wahrheit' schreibt Goethe:

„Nun sollte aber die Zeit kommen, wo das Dichtergenie sich selbst gewahr würde, sich seine eignen Verhältnisse selbst schüfe und den Grund zu einer unabhängigen Würde zu legen verstünde. Alles traf in Klopstock zusammen, um eine solche Epoche zu begründen."

Goethe verweist damit auf die epochale Bedeutung, die Klopstock als Autor und seine Dichtung für die Literatur in Deutschland hat. Seit 1750 materiell weitgehend abgesichert durch die Pension des dänischen Königs, ist Klopstock der erste Autor, der sich, ohne einen bürgerlichen Beruf auszuüben, ganz seiner Aufgabe als Dichter widmet. Er sieht im Dichter die freie Schöpferpersönlichkeit, die die Poesie als „ein Werk des Genies" versteht. 1756 erscheint seine Abhandlung ‚Von der heiligen Poesie', die die Genieästhetik des Sturm und Drang bereits in wichtigen Punkten vorwegnimmt. „Das Herz zu rühren" wird ihm zur wichtigsten Aufgabe der Dichtung. In der expressiv-pathetischen Sprache seiner Gedichte versucht Klopstock immer wieder die eigene „heroische Gemütsbewegung" zum Ausdruck zu bringen. Freundschaft, Liebe, Natur, die geheimnisvolle Unendlichkeit der göttlichen Schöpfung, aber auch die patriotische Begeisterung für das Vaterland sind die zentralen Motive. Auch wenn in manchen Gedichten die auf Intensivierung des Gefühls zielende Sprache stark überhöht und kunstvoll konstruiert erscheint (dies gilt allerdings noch wesentlich stärker für den ‚Messias'), so ist es doch die neue Ausdrucksmöglichkeiten eröffnende Sprache Klopstocks, die die jüngeren Autoren des Sturm und Drang besonders beeindruckt. Herder urteilt bereits 1767/68 in seinen ‚Fragmenten über die neuere deutsche Literatur':

„Es ist Klopstock, der erste Dichter unseres Volkes, der, so wie Alexander Macedonien, die Deutsche Sprache seiner Zeit nothwendig für sich zu enge finden mußte: der sich also in ihr eine Schöpfersmacht anmaßte, diese zur Bewunderung ausübte, und zu noch größerer Bewunderung nicht übertrieb: ein Genie, das auch in der Sprache eine neue Zeit anfängt."

7.2.2 ‚Scherzhafte Lieder'

Goethes Gedichte aus der Vorstraßburger Zeit sind aufschlußreich lediglich in entwicklungsgeschichtlicher Sicht. Die meisten der in Leipzig zwischen 1765 und 1768 entstandenen Beispiele zeigen, wie Goethe sich in einem Muster modisch-scherzhafter Lyrik versucht, in einer bestimmten literarischen Tradition, wie er sie vorfindet und in der der Einfluß Klopstocks noch nicht erkennbar ist. Das folgende Beispiel stammt aus einer 1758 in Leipzig erschienenen Sammlung mit dem bezeichnenden Titel ‚Scherzhafte Lieder‘:

> Christian Felix Weiße: Der Kuß
>
> Ich war bei Chloen ganz allein   Ich wagt' es doch und küßte sie
> Und küssen wollt' ich sie.   Trotz ihrer Gegenwehr.
> Jedoch sie sprach, sie würde schrein Und schrie sie nicht? Ja wohl, sie schrie –
> Es sei vergebne Müh'.   Doch lange hinterher.

Liebe als Thema wird, wie das Beispiel zeigt, auf eine geistreich-witzige Art behandelt. Konventionell ist sowohl der strenge, ganz auf die Schlußpointe ausgerichtete Aufbau als auch die inhaltliche Ausgestaltung des Motivs. Der Mädchenname Chloe (griechisch, ‚grün‘) verweist auf den Vorstellungshintergrund der antikisierenden Schäferdichtung, in der die Liebe zwischen den Geschlechtern in eine unwirklich-idealisierte Welt verlagert und zum literarischen Gesellschaftsspiel stilisiert wird. Es geht dieser Literatur nicht um die Vermittlung von Erfahrungen, schon gar nicht um „Ausströmung von Leidenschaft und Empfindung" im Sinne Herders. Das Gedicht zielt vielmehr auf gesellschaftlich sanktionierte Unterhaltung für ein literarisch interessiertes Publikum, das mit dieser Gattung wohlvertraut ist.

Daß *Goethe* in der Leipziger Zeit an diese Tradition anknüpft, zeigt sein Gedicht *‚Das Schreien‘* (1767), in dem er das gleiche Motiv wie Weiße aufgreift:

> Jüngst schlich ich meinem Mädchen nach,   Da droht' ich trotzig: „Ha, ich will
> Und ohne Hindernis   Den töten, der uns stört!"
> Umfaßt' ich sie im Hain; sie sprach: „Still", winkt sie lispelnd, „Liebster, still!
> „Laß mich, ich schrei' gewiß!"   Damit uns niemand hört!"

7.2.3 Lyrische Vergegenwärtigung des Ichs: Goethes ‚Sesenheimer Lieder‘

Von März 1770 bis August 1771 lebt Goethe in Straßburg, um dort sein Jurastudium abzuschließen. Die in dieser Zeit entstandenen Gedichte, die ‚Sesenheimer Lieder‘, tragen ihren Namen nach dem kleinen, nahe bei Straßburg gelegenen Ort, wo Goethe die Pfarrerstochter Friederike Brion kennen- und liebenlernt. Die Gedichte waren zunächst nicht für den Druck und die Veröffentlichung bestimmt. Erst 1775 erscheinen einige erstmalig in der Zeitschrift ‚Iris‘. So auch die beiden bekanntesten unter ihnen: ‚Es schlug mein Herz. Geschwind, zu Pferde!‘, ein Gedicht aus dem Frühjahr 1771, das in einer späteren Werkausgabe den Titel ‚Willkommen und Abschied‘ erhält, und das im Mai 1771 entstandene ‚Maifest‘, später als ‚Mailied‘ in die Sammlungen aufgenommen.

Im ‚Maifest‘ artikuliert sich ein hymnischer Preis auf Liebe und Natur, worin ein emphatisch-begeistertes Ich seine wahre Erfüllung gefunden zu haben scheint:

> Wie herrlich leuchtet   Und Freud und Wonne
> Mir die Natur!   Aus jeder Brust.
> Wie glänzt die Sonne!   O Erd', o Sonne,
> Wie lacht die Flur!   O Glück, o Lust,
> Es dringen Blüten   O Lieb', o Liebe,
> Aus jedem Zweig   So golden schön
> Und tausend Stimmen   Wie Morgenwolken
> Aus dem Gesträuch   Auf jenen Höhn [...]

Schon in der zweiten Zeile der ersten Strophe wird die Frühlingspracht der Natur auf das eigene Ich bezogen. Wie „Blüten aus jedem Zweig" dringen „Freud und Wonne aus jeder Brust". Der Parallelismus dieser Zeilen verweist auf eine geheime, nicht näher zu bestimmende Identität zwischen der inneren Natur des Menschen und der äußeren, wahrgenommenen Natur. Die Grenzen zwischen Ich und Umwelt verschwinden. Das Bild der Natur bleibt dabei weitgehend unbestimmt, ebenso unbestimmt wie die Gestalt des Mädchens, die in den Schlußstrophen besungen wird:

O Mädchen, Mädchen,   Wie ich dich liebe
Wie lieb' ich dich!   Mit warmen Blut,
Wie blinkt dein Auge,   Die du mir Jugend
Wie liebst du mich!   Und Freud' und Mut

So liebt die Lerche   Zu neuen Liedern
Gesang und Luft,   Und Tänzen gibst.
Und Morgenblumen   Sei ewig glücklich,
Den Himmelsduft,   Wie du mich liebst.

Liebe also nicht als die konkrete Liebesbeziehung zu einem bestimmten Wesen, sondern als psychische Gemütslage und Gestimmtheit des Sprechers sich selbst wie der Welt gegenüber ist das Thema des Gedichts. Die 'Geschichte' dieser Liebe, vor allem ihre gesellschaftlich-sozialen Bedingungen, spielt daher keine Rolle. Die Wahrnehmung des Sprechers konzentriert sich vorrangig auf das eigene Ich, das durch das innere Erlebnis der Liebe und Natur ein neues Bewußtsein seiner selbst gewinnt.

Ganz ähnlich wird die Liebe in ‚*Willkommen und Abschied*' thematisiert, auch wenn in diesen Strophen der nächtliche Ritt, die Ankunft bei der Geliebten und der Abschied am nächsten Morgen 'erzählt' und damit Stationen eines 'Ereignisses' suggeriert werden. (Auffälligerweise bleiben jedoch die Ankunft selbst wie auch die Zeit zwischen Ankunft und Abschied in der Darstellung ausgespart.) Wiederum gewinnt die Gestalt des Mädchens keine individuellen Züge. Im Vordergrund stehen erneut das Ich des Sprechers und die in seinem Sprechen zum Ausdruck kommende Vergegenwärtigung der Liebe. Das Bewußtsein der inneren Kraft und der seelischen Erregtheit bestimmt schon die beiden Anfangszeilen:

Es schlug mein Herz. Geschwind, zu Pferde! / Und fort, wild wie ein Held zur Schlacht.

In der späteren Fassung lautet die zweite Zeile: „Es war getan fast eh gedacht", womit zwar der Eindruck jugendlicher Kraft gemildert, dafür aber die für den Sturm und Drang charakteristische Betonung des Handelns gegenüber dem Denken ausdrücklich hervorgehoben wird. Die folgende Naturschilderung mit ihren ungewöhnlich ausdrucksstarken Bildern ist nicht Selbstzweck, sondern Kontrast für den Mut des Helden.

Die Nacht schuf tausend Ungeheuer,   Mein Geist war ein verzehrend Feuer,
Doch tausendfacher war mein Mut,   Mein ganzes Herz zerfloß in Glut.   (1. Fassung)

Von diesem Schluß der zweiten Strophe erfolgt abrupt der Übergang zu der Begegnung mit der Geliebten. Diese Liebe ist nicht mehr erotische Tändelei, sondern „Zärtlichkeit", die die Leidenschaft lediglich als „Fülle des Herzens", nicht aber als offen artikulierte sexuelle Begierde kennt. Deshalb kann das Gedicht auch trotz der Klage über den Abschiedsschmerz mit einem Preis auf das „Glück, geliebt zu werden! und [zu] lieben" enden: Die Verabsolutierung der Liebe zum allein bestimmenden Lebensgefühl wird damit als das für die Sesenheimer Lieder zentrale Motiv noch einmal zum Ausdruck gebracht.

Die Romanze mit der jungen Friederike Brion liefert zweifellos den für diese Gedichte bestimmenden Erlebnishintergrund. Dennoch ist der Begriff 'Erlebnislyrik', wie er lange Zeit auch in der Literaturwissenschaft für die ‚Sesenheimer Lieder' verwendet wurde, eher mißverständlich, da er leicht zu der Annahme verleitet, als komme in diesen Gedichten das so und nicht anders biographisch Erlebte spontan zur Darstellung. Eine solche Annahme verstellt den Blick dafür, daß auch diese Texte Kunstprodukte sind, die ihrerseits in einer literarischen Tradition stehen. Es ist jene Tradition, auf die der junge Goethe erst durch Herder aufmerksam wird. Die engen persönlichen Kontakte in Straßburg, wo Herder sich von September 1770 bis April 1771 aufhält, sind für Goethe von entscheidender Bedeutung.

7.2.4 Schöpferisches Selbstbewußtsein: Die ‚Prometheus'-Hymne

Bildet die Verabsolutierung des Ichgefühls in den ‚Sesenheimer Liedern' bereits den zentralen Bezugspunkt, so findet sie in der ‚Prometheus'-Hymne ihren offensten Ausdruck. Das Gedicht gehört zur Gruppe der Jugend-Hymnen, deren bekannteste (‚Mahomets-Gesang', ‚Ganymed', ‚Prometheus' und ‚An Schwager Kronos') zwischen der Jahreswende 1772/73 und Herbst 1774 entstanden sind. ‚Prometheus' war ursprünglich als Teil eines gleichnamigen Dramas konzipiert, von dem jedoch nur die ersten beiden Akte als Fragment vorliegen. Der Erstdruck der Hymne erfolgte – ohne Wissen Goethes – erst 1785.

Mit Prometheus wählt Goethe eine Gestalt der griechischen Mythologie, die für den Sturm und Drang eine Symbolfigur in mehrfacher Hinsicht war. Der Sage nach brachte Prometheus den Menschen das Feuer, das Zeus ihnen verweigern wollte. Die dieser Tat zugrunde liegende trotzige Auflehnung gegen Zeus bestimmt gleich zu Beginn Aussage und Sprechgestus des Gedichts:

Bedecke deinen Himmel, Zeus,	Doch lassen stehn,
Mit Wolkendunst!	Und meine Hütte,
Und übe, Knaben gleich,	Die du nicht gebaut,
Der Disteln köpft,	Und meinen Herd,
An Eichen dich und Bergeshöhn!	Um dessen Glut
Mußt mir meine Erde	Du mich beneidest.

Einer anderen Überlieferung zufolge hat Prometheus die Menschen geschaffen. Damit ist er die Symbolfigur für die schöpferische Kraft des Individuums, die der Sturm und Drang insbesondere im Genie des Künstlers wirken sieht. Hier findet die rebellische Geste gegen Zeus erst ihre eigentliche Berechtigung. Was immer Prometheus geschaffen hat, nicht die Hilfe der Götter, sondern er selbst, sein „heilig glühend Herz", hat es „vollendet". Entsprechend endet die Hymne mit einer Schlußstrophe, die das Bewußtsein eigener Schöpferkraft noch einmal gesteigert in Worte faßt:

Hier sitz' ich, forme Menschen	Genießen und zu freuen sich,
Nach meinem Bilde,	Und dein nicht zu achten,
Ein Geschlecht, das mir gleich sei,	Wie ich.
Zu leiden, weinen,	

Symbolfigur ist Prometheus aber auch noch in einem anderen Sinne. Auch wenn Goethes Gedicht diese Perspektive nicht thematisiert: Die Abkehr des Prometheus von den Göttern führt notwendigerweise in die Vereinzelung. Er wird zwar die Welt mit seinen Geschöpfen bevölkern, aber dies um den Preis einer völlig abgesonderten Situation. Von hier wird ein Rückbezug auf jenes Ichgefühl und subjektivistisch-übersteigerte Selbstbewußtsein möglich, wie es in den Sesenheimer Liedern zu finden ist. Das dort gefeierte Erlebnis von Natur und Liebe, in dem das Ich zu sich selbst findet, ereignet sich ebenfalls nur in gesellschaftlicher Abgeschiedenheit und Isoliertheit. Die ‚Prometheus'-Hymne und die Sesenheimer Lieder gestalten jeweils Situationen, in denen dieses Selbstbewußtsein sich als innere Kraft behauptet und behaupten kann, weil es nicht auf Widerstände trifft. Im ‚Werther' dagegen bewirkt der Subjektivismus das Scheitern und den Untergang des Helden. Ähnliches gilt für Götz, um den es zum Schluß seines Lebens immer stiller wird und der schließlich in tragischer Vereinsamung stirbt.

Klassik /Romantik

'Klassik' ist in Deutschland weitgehend als 'Weimarer Klassik' verstanden worden, die ihre Physiognomie aus der Spezifik der von Goethe und Schiller zwischen 1786 und 1805 verfaßten Werke erhält. Sie scheint identisch mit dem Wirken dieser beiden Autoren. Doch besonders die Schaffenszeit Goethes greift über die 'Klassik' hinaus, gehört auch anderen literarischen Epochen an. – Die Kennmarken der deutschen 'Romantik' lassen sich aus der literarischen Theorie und Praxis der Schlegel, Novalis und Tieck in den Jahren um 1800 gewinnen. Da diese Autoren um diese Zeit in engster Verbindung miteinander arbeiten, ähneln sich ihre Grundsätze, ihre Schreibweisen, ihre Themen in hohem Maß. Eine Reihe von Autoren läßt sich ihnen zugesellen, die, zeitlich unmittelbar anschließend, ihren Grundsätzen verpflichtet ist.

So faszinierend die Epocheneinteilung in 'Klassik' und 'Romantik' mit ihren zeitweise parallelen, aber kontrastiven Richtungen ist, die großen Einzelnen dieser Jahre machen sie problematisch: Jean Paul, Hölderlin, Kleist. Sie fügen sich nicht dem gewählten Epochenschema, können aber auch nicht als 'Mischtypen' abgetan werden. Ihr außergewöhnlicher dichterischer Rang liegt in der persönlichen Ausprägung klassischer und romantischer Ideen und Formen, in der persönlichen Einschmelzung älterer Traditionen, in der Wirkung auf Zeitgenossen und Spätere begründet. Die traditionelle epochengliedernde Literaturgeschichtsschreibung hat ihnen behelfsweise ein gemeinsames Zwischenkapitel gewidmet. Doch sie stellen keine geschlossene dritte Strömung oder Richtung dar: Gemeinsam ist ihnen zunächst nur ihre diese Epochenaufteilung aufbrechende Statur. Jeder von ihnen ist eine eigene Kraft, jeder ist fast seine eigene 'Epoche'.

Je reicher eine Zeit an disparaten, großen Gestalten ist, um so schwerer wird die Herausarbeitung der vielfältigen Facetten und Gegenrichtungen fallen. Eine Literaturgeschichte in Epochen stößt hier an ihre Grenzen in der Bevorzugung des Typischen vor dem Besonderen.

Erster Teil: Klassik

1 Einführung in die Epoche

1.1 Gebrauch der Begriffe 'Klassik' und 'klassisch' bei Goethe und Schiller

Weder Goethe noch Schiller beziehen die Bezeichnung 'klassisch' auf ihr eigenes Werk; auch bezeichnen sie die Zeit, in der sie schreiben, nicht als 'Deutsche Klassik'. Im Gegenteil: In einem Aufsatz über den 'Literarischen Sansculottismus' (1795), erschienen im ersten Jahrgang der von Schiller herausgegebenen Zeitschrift ,Die Horen', schreibt Goethe:
„Wir wollen die Umwälzung [gemeint ist die Französische Revolution] nicht wünschen, die in Deutschland klassische Werke vorbereiten könnte." Er fragt: „Wann und wo entsteht ein klassischer Nationalautor?" und gibt folgende Antwort:

„Wenn er in der Geschichte seiner Nation große Begebenheiten und ihre Folgen in einer glücklichen und bedeutenden Einheit vorfindet; wenn er in den Gesinnungen seiner Landsleute Größe, in ihren Empfindungen Tiefe und in ihren Handlungen Stärke und Konsequenz nicht vermißt; wenn er selbst vom Nationalgeiste durchdrungen, durch ein einwohnendes Genie sich fähig fühlt, mit dem Vergangenen wie mit dem Gegenwärtigen zu sympathisieren; wenn er seine Nation auf einem hohen Grade der Kultur findet, so daß ihm seine eigene Bildung leicht wird [...] und so viele äußere und innere Umstände zusammentreffen, daß er kein schweres Lehrgeld zu zahlen braucht, daß er in den besten Jahren seines Lebens ein großes Werk zu übersehen, zu ordnen und in einem Sinne auszuführen fähig ist."

Von all diesen Bedingungen sieht Goethe im Deutschland seiner Zeit nur wenige erfüllt. Es mangelt vor allem an der wichtigsten Voraussetzung: „Einen vortrefflichen Nationalschriftsteller kann man nur von der Nation fordern." Eine Nation ist aber Deutschland zu dieser Zeit keineswegs. Durch ihre „geographische Lage eng zusammengehalten", ist es „politisch zerstückelt". Und jene revolutionären Umwälzungen, die vonnöten wären, aus Deutschland eine Nation zu machen, will Goethe angesichts der Französischen Revolution nicht wünschen. Es fehlt Deutschland „ein Mittelpunkt gesellschaftlicher Lebensbildung". Ein „großes Publikum ohne Geschmack" beherrscht die literarische Szene. Der einzelne Schriftsteller lebt isoliert innerhalb einer „durch alle Teile des großen Reiches zerstreuten Menge" , und er sieht sich obendrein zumeist dem Zwang ausgesetzt, sich „aus Sorge für einen Unterhalt" Arbeiten hinzugeben, „die er selbst nicht achtet", durch die er sich aber die Mittel verschaffen muß, „dasjenige hervorbringen zu dürfen, womit sein ausgebildeter Geist sich allein zu beschäftigen strebt".

Wissend um die Trostlosigkeit der deutschen Zustände, begreifen weder Goethe noch Schiller ihre eigene Zeit als eine Zeit der 'Deutschen Klassik'. Wo sie von 'Klassik' sprechen, meinen sie entweder die Tendenz der Kunst zur 'Klassizität' im Sinne formvollendeter dichterischer Größe und 'Simplizität', die Schiller in der griechischen Kunst vorgebildet sieht, oder sie meinen mit 'klassisch' 'antik', wie Goethe, wenn er in der fünften ‚Römischen Elegie' schreibt: „Froh empfind ich mich nun auf klassischem Boden begeistert." Sieht man einmal von Goethes späterer Verwendung des Begriffs 'klassisch' als Oppositionsbegriff zu 'romantisch' im Sinne des Gegensatzes 'objektiv'/'subjektiv' bzw. 'gesund'/ 'krank' ab, lehnen sich somit Goethe und Schiller ganz an den üblichen Gebrauch des Begriffs 'klassisch' im 18. Jahrhundert an.

1.2 Begriffsgeschichtliche Aspekte: 'klassisch' , 'Klassik'

Der lateinische Ausdruck 'classicus' gilt zunächst in Rom der Bezeichnung von Angehörigen der höchsten Vermögensklasse (classis prima). Der steuerrechtliche Terminus wird erst in der Spätantike von dem Gelehrten Gellius auf den 'Autor von Rang' übertragen. Im 18. Jahrhundert schließlich wird der Begriff 'klassisch' zum ersten Male auch von deutschen Schriftstellern verwandt. 1748 spricht man in bezug auf Gottscheds ‚Grundlegung einer Deutschen Sprachkunst' von einem 'klassischen', d. h. mustergültigen bzw. meisterhaften Werk. Da die abendländische Kultur seit dem Mittelalter, insbesondere aber seit der Renaissance in der Antike Vorbild und Maßstab fand, erweitert sich die Bedeutung des Begriffs 'klassisch' im deutschen wie vorher schon im französischen Sprachraum, indem 'klassisch' und 'antik' nun miteinander gleichgesetzt werden. Klassische Autoren sind demnach zunächst die antiken, zum andern aber auch die nichtantiken, jedoch nach den Maßstäben der Antike gemessenen, mustergültigen Autoren einer Nation. Entsprechend meint 'Klassik' die gesamte griechisch-römische Antike, dann aber auch die wesentlichen Kulminationspunkte einer kulturgeschichtlichen Entwicklung überhaupt.

Neben die historische Bedeutung ('klassisch' im Sinne von 'antik') und neben die normative für mustergültige, aufgrund bestimmter Normen den antiken Schriftstellern gleichgestellte neuzeitliche Autoren und Künstler tritt schließlich noch eine dritte Bedeutung: 'Klassisch' ist nun auch die Bezeichnung für einen bestimmten Stil, den man als 'harmonisch', 'maßvoll', 'in sich vollendet', 'ausgewogen in Form und Inhalt', 'ausgereift' glaubt charakterisieren zu können.

1.3 'Deutsche Klassik' als Produkt der nationalpolitischen Literaturge-schichtsschreibung des 19. Jahrhunderts

Erst die Literaturgeschichtsschreibung des 19. Jahrhunderts spricht von der Zeit Schillers und Goethes als der Zeit der 'Deutschen Klassik'. Erstmals gebraucht *Heinrich Laube* diesen Begriff in seiner ‚Geschichte der deutschen Literatur' (1839) als Epochenbezeichnung für die Zeit von Lessing bis Goethe, die er mit 'Das Klassisch-Deutsche' überschreibt. Er folgt dabei einem Periodisierungsschema, wie es einige Jahre zuvor *Gervinus* in seiner ‚Geschichte der poetischen National-Literatur der Deutschen' (1834) geprägt hatte. Gervinus, der als einer der Göttinger Sieben 1837 seines Amtes als Professor an der dortigen Universität enthoben wurde, Mitarbeiter an der propreußisch-liberalgesinnten ‚Deutschen Zeitung' und Mitglied der Frankfurter Nationalversammlung war, plante eine Literaturgeschichte, in der „durch die scheinbar chaotische Mannigfaltigkeit [der Literatur] aus der Ferne ein Gesetz der Entwicklung" zu erblicken war. Die Vollendung der gesamten deutschen Literatur sieht Gervinus in den klassischen Werken Goethes und Schillers. Die 'Deutsche Klassik' als Kulminationspunkt der geistigen Entwicklung der Deutschen sei das Versprechen, das nun auch politisch durch die Einigung Deutschlands und dessen demokratische Umgestaltung eingelöst werden müsse. Der Vollendung der deutschen Nationalliteratur, in der „Goethe und Schiller zu einem Kunstideal zurückführten, das seit den Griechen niemand mehr als geahnt hatte" , sollte eine nationale Blütezeit folgen.
Der von Gervinus vorgeschlagenen Periodisierung der deutschen Literaturgeschichte folgen im wesentlichen die Literaturhistoriker des 19. Jahrhunderts. Mit der Reichsgründung von 1871 verschieben sich jedoch die politischen Bezüge dieser Art der Literaturgeschichtsschreibung. Was Gervinus noch als Aufgabe in der Zukunft erschienen war, scheint mit der Reichsgründung selbst eingelöst worden zu sein. Die Klassik als geschichtliches Vorbild und als Mahnung wird nun zum Besitz und zur Bestätigung. In den beiden 'Klassikern' Schiller und Goethe spiegelt sich das deutsche Bürgertum, in ihnen findet es Selbstbestätigung und -glorifizierung. Die Klassik wird endgültig in den Dienst der Nation und der Germanisierung gestellt, sie wird ihres europäischen Kontextes im 18. Jahrhundert wie auch ihrer eigenen Widersprüche beraubt.

1.4 Gefahren der Enthistorisierung der 'Deutschen Klassik'

Die ideologische und politische lnanspruchnahme der Klassiker durch das deutsche Bürgertum verschuldete die Enthistorisierung der 'Deutschen Klassik', zwang den Werken Schillers und Goethes den Schein des Überzeitlichen auf, gewann ihnen 'ewige' Stilnormen und Gehalte ab und verkürzte das literarische Geschehen, indem sie aus dem Zeitraum zwischen 1780 und 1805 nur noch den Werken Schillers und Goethes Geltung zuerkannte. Solche verengte und unhistorisch wertende Literaturgeschichtsschreibung verstellt sich die Sicht auf die literarische Entwicklung. Sie verdrängt beispielsweise den europäischen Kontext des Klassizismus, innerhalb dessen auch die Werke Goethes und Schillers stehen. Sie läßt Kleist, Jean Paul oder Hölderlin zu Randfiguren des literarischen Geschehens werden. Sie ist außerdem blind für literarische Strömungen, die sich parallel zur Weimarer Klassik entwickeln oder ungebrochen fortsetzen. Dazu gehören beispielsweise die Literatur der sog. Spätaufklärung wie der literarische Jakobinismus. Da sie ihren Blick nur auf den literarischen Höhenkamm einstellt, bemerkt sie nicht, von welchen Zeugnissen der literarische Markt beherrscht wird, und verzichtet so auf die Möglichkeit, das Weimarer Literaturkonzept u. a. auch als eine Gegenbewegung eines kleinen Kreises von Intellektuellen gegen die Masse der Trivialliteratur der Zeit zu verstehen.

Es geht demnach nicht an, die Weimarer Klassik aus ihrem literarischen Umfeld herauszulösen. Sie integriert das in Aufklärung und Sturm und Drang Geleistete, hebt es in Form einer Synthese auf höherer Ebene auf. Der Prozeß literarischer Entwicklung macht es schwer, feste Grenzen zwischen einem Davor und einem Danach zu ziehen. Bezeichnend ist, daß in der literaturgeschichtlichen Forschung der DDR die Klassik als Kulminationspunkt der bürgerlichen Aufklärung gilt, zu der auch der Sturm und Drang gerechnet wird. Für die englische Forschung existierte lange Zeit die Klassik als Epoche gar nicht, Goethe und Schiller galten als Romantiker.

1.5 Grundzüge der Epoche

Geht es um die Abgrenzung der Epoche, sind einige Schwierigkeiten zu bedenken: Die Literatur der sogenannten Weimarer Klassik ist in die europäische Literatur am Ausgang des 18. Jahrhunderts verwoben. Sie ist auch der Tradition der deutschen Aufklärung und den Impulsen des Sturm und Drang verpflichtet, und ihre Grenzen zur Romantik verschwimmen. Anfang und Ende der Weimarer Klassik lassen sich anhand von historischen Ereignissen oder anhand des Erscheinens bestimmter literarischer Werke nicht eindeutig bestimmen. Auch fällt es schwer zu entscheiden, welche Schriftsteller der Weimarer Klassik zuzurechnen sind. Dennoch ist es gerechtfertigt, die Weimarer Klassik als einen bestimmten Abschnitt innerhalb der Entwicklung der deutschen Literatur herauszustellen. Dafür gibt es folgende Gesichtspunkte:

a) Die Klassik ist eine Abgrenzungsbewegung in mehrfacher Hinsicht. Goethe und Schiller lösen sich aus dem Kreis der Sturm-und-Drang-Autoren, wechseln an den Weimarer Hof über, kooperieren schließlich in ihrer schriftstellerischen Arbeit. Im Schutze dieses Bundes wehren sich beide gegen literarische Erscheinungen, die ihren Prinzipien nicht verpflichtet sind. Dies trifft zum einen Jean Paul, Hölderlin, Kleist und sodann die Jenaer Gruppierung der Frühromantiker. Zum andern bedeutet die von ihnen streng eingehaltene Ausrichtung der Literatur auf einen kleinen Kreis von Lesern den Kampf gegen die sich immer weiter verbreitende Trivialliteratur. Die Abkapselung gegenüber dem Alltäglich-Trivialen verbindet sich mit der Wahl des Weimarer Hofs als eines kulturellen Zentrums, denn die hier gepflegte höfische Kultur, ihre verfeinerten Lebensformen und Kommunikationsweisen gelten dem bürgerlichen Dichter Goethe als Ideal einer ästhetischen Lebensweise.

b) Goethe und Schiller erfahren die Begrenztheit des Menschlichen und entwickeln den Sinn für die Objektivität in Natur und Geschichte. Die Absolutsetzung des Ichs, seiner Subjektivität, weicht der Erfahrung der „Grenzen der Menschheit".

Goethes und Schillers Aufhebung des Sturm und Drang erzwingt den Wechsel der literarischen Formen und die Orientierung an antiken literarischen Mustern.

c) Aus dem erneuten Versuch, Subjektivität und Objektivität miteinander harmonisch zu vermitteln, gehen Entwürfe der Humanität hervor, die in den Ideen der Toleranz und einer fortschreitenden Menschheitsgeschichte zum Teil noch dem Denken der Aufklärung verpflichtet sind. Die Antike als Zeit gelebter Humanität wird erinnernd vergegenwärtigt. Sie stellt z. B. im Schönheitsideal (Kalokagathie) oder in der Harmonie von Vernunft und Sinnlichkeit die Orientierungspunkte für eine neue Lebensweise vor.

Die Weimarer Klassik formuliert ein Erziehungsprogramm. Sie entwirft im autonomen Kunstwerk einen Vor-Schein der harmonisch ausgebildeten Individualität. Überzeugt davon, daß sich nur durch das ausgebildete Individuum auch das Gemeinwesen zur geglückten Sozietät entwickle, gestaltet sie idealisierte Modelle der Persönlichkeitsentfaltung, in der die Vermittlung von Objektivität und Subjektivität gelingt. In dem Bildungsideal zeichnet die Klassik der Zeit eine Möglichkeit vor, den Zustand der Entfremdung zu überwinden, damit der Mensch sich „nicht in dieser Entfremdung verliere, und daß vielmehr von allem, was er außer sich vornimmt, immer das erhellende Licht und die wohltätige Wärme in sein Inneres zurückstrahle" (Humboldt).

d) Auch wenn die Klassiker versuchen, Literatur und Tagespolitik voneinander getrennt zu halten, ist dennoch ein großer Teil ihrer Werke als indirekte Auseinandersetzung mit der Französischen Revolution zu verstehen. Sie vermeiden zwar, die Literatur politischen Zwecken zu unterstellen oder direkt Stellung zu nehmen wie der literarische Jakobinismus, der die Literatur zum Medium politischer Erziehung umfunktioniert. Aber sie streben die ästhetische Versöhnung an, in der ein Ausgleich zwischen Adel und Bürgertum möglich wird. Während die Jakobiner Partei für die Revolution nehmen, setzen Schiller, Goethe und auch Hölderlin auf Reform, die durch die ästhetische Erziehung unterstützt oder vorbereitet werden soll. So formuliert Schiller programmatisch in der Ankündigung der ‚Horen', daß in der Zeitschrift „alle [...] Beziehungen auf den jetzigen Weltlauf und auf die nächsten Erwartungen der Menschheit" verboten seien. Das Publikationsorgan der Klassiker will sich von dem „allverfolgenden Dämon der Staatskrise" absetzen und die Gemüter durch ein „allgemeines und höheres Interesse an dem, was rein menschlich und über allen Einfluß der Zeiten erhaben ist, wieder in Freiheit [...] setzen und die politisch geteilte Welt unter der Fahne der Wahrheit und Schönheit wieder [...] vereinigen". Alles soll ausgeschieden sein, „was mit einem unreinen Parteigeist gestempelt ist". Der Kunst ist es aufgegeben, „wahre Humanität zu befördern. Man wird streben, die Schönheit zur Vermittlerin der Wahrheit zu machen und durch die Wahrheit der Schönheit ein dauerndes Fundament und eine höhere Würde zu geben."

1.6 Möglichkeiten der Periodisierung

Es besteht weitgehend darüber Einigkeit, für die Klassik den Zeitraum zwischen 1786 und 1805 anzusetzen. Maßgeblich für diese Eckdaten ist Goethes Bekenntnis, seine Italienreise (1786–1788) sei für ihn eine 'Wiedergeburt' gewesen. Durch den frühen Tod Schillers im Jahre 1805 findet das Bündnis zwischen Goethe und Schiller ein jähes Ende. Es scheint jedoch angebracht, die Darstellung der Klassik bereits mit Goethes Ankunft am Weimarer Hof im Jahre 1775 beginnen zu lassen, denn mit den ersten Weimarer Jahren werden wichtige Grundlagen der Weimarer Klassik geschaffen. Folgende Orientierungsdaten bieten sich für eine Binnengliederung an:

1775-1786	Goethes erster Aufenthalt in Weimar
1785–1787	Schiller in Leipzig und Dresden
1786–1794	Goethes erste und zweite Italienreise; Französische Revolution, Teilnahme Goethes an der Campagne in Frankreich und der Belagerung von Mainz
1789	Schillers Übersiedlung nach Jena
1794-1805	Bündnis Schillers mit Goethe und gemeinsame literarische Arbeit bis zu Schillers Tod

Es ergibt sich für eine literaturgeschichtliche Darstellung die Schwierigkeit, das Spätwerk Goethes einzuordnen, widersetzt es sich doch jeglicher Epochenzuweisung. Aus Gründen der Übersichtlichkeit soll jedoch hier das Spätwerk im Zusammenhang der Klassik dargestellt werden. Für eine solche Einordnung spricht zumindest, daß

Goethes Alterswerk in vieler Hinsicht der Versuch ist, die von ihm aufgebaute klassische Position rückgängig zu machen. Gerade die Widerlegung seines eigenen klassischen Werkes durch sein Alterswerk sollte skeptisch machen und Vorsicht im Umgang mit den Klassikern und der ihnen angedichteten überzeitlichen Kunstnorm walten lassen.

1.7 Klassik als literarisches Experiment

Man dürfte den Autoren der Weimarer Klassik näherkommen, wenn man Nietzsches Rat aus seiner zweiten ‚Unzeitgemäßen Betrachtung' sich zu eigen macht und die Klassiker als 'Suchende' begreift.

„Was urteilt aber unsere Philisterbildung über [die Klassiker]? Sie nimmt sie einfach als Findende und scheint zu vergessen, daß jene selbst sich nur als Suchende fühlten. Wir haben ja unsere Kultur, heißt es dann, denn wir haben ja unsere 'Klassiker'. Das Fundament ist nicht nur da, nein auch der Bau steht schon auf ihm gegründet – wir selbst sind dieser Bau. Dabei greift der Philister an die eigene Stirn. Um aber unsere Klassiker so falsch beurteilen und so beschimpfend ehren zu können, muß man sie gar nicht mehr kennen: und dies ist die allgemeine Tatsache. [...] Ihnen das so nachdenkliche Wort 'Klassiker' anzuhängen und sich von Zeit zu Zeit einmal an ihren Werken zu 'erbauen', das heißt, sich jenen matten und egoistischen Regungen überlassen, die unsere Konzertsäle und Theaterräume jedem Bezahlenden versprechen; auch wohl Bildsäulen stiften und mit ihrem Namen Feste und Vereine bezeichnen – das alles sind nur klingende Abzahlungen, durch die der Bildungsphilister sich mit ihnen auseinandersetzt, um im übrigen sie nicht mehr zu kennen, und um vor allem nicht nachfolgen und weiter suchen zu müssen."

Die Klassik ist aufgrund der historischen Konstellation ein einmaliges literarisches Experiment einer sich autonom setzenden Literatur, das in seinem ästhetischen Konzept nicht allgemeinverbindlich gemacht werden kann. Die von den Weimarern verkündete und verwirklichte Autonomie der Dichtung meint nicht deren Zeitenthobenheit, sondern die Freisetzung der Literatur von außerliterarischen Zwecken, und als solche ist sie eine ganz spezifische Antwort auf eine bestimmte historische Situation.

(1) *Ansicht von Weimar, um 1780. Kupferstich von G. M. Kraus. Foto: Archiv für Kunst und Geschichte, Berlin (West)*

(2) *Das 1774 abgebrannte Residenzschloß in Weimar. Aquarell. Foto: Archiv für Kunst und Geschichte, Berlin (West)*

So wie es der Stich von G. M. Kraus (um 1780) zeigt (Abb. **1**), hat Weimar sich Goethe präsentiert, als er 1775 auf Einladung des Herzogs Karl August dort seinen Wohnsitz nahm. Man hatte nach dem Schloßbrand von 1774 (Abb. **2**), durch den die Bühne vernichtet wurde, nicht mehr Theater gespielt. Ersatzweise richtete Anna Amalia, die Mutter Karl Augusts, ein Liebhabertheater ein. In ihren Räumen fanden auch Lesungen statt; Goethe trug z. B. Teile der Erstfassung seines ‚Wilhelm Meister‘ vor. Liebhaberaufführungen wurden vorbereitet (Abb. **5**). Erst 1784 erhielt Weimar wieder ein Berufstheater (Abb. **3**), das mit einem Zuschuß von 300 Talern und manchen sonstigen Vergünstigungen vom Hofe unterstützt wurde. Josef Bellomo leitete

(3) *Das alte Hoftheater in Weimar, um 1800. Holzstich nach einer Zeichnung von O. Schulz, Foto: Bildarchiv preußischer Kulturbesitz, Berlin (West)*

(4) *Rekonstruktion des Zuschauerraumes im Weimarer Hoftheater nach dem Umbau durch N. F. Thouret, 1798. Foto: Nationale Forschungs- und Gedenkstätten der klassischen deutschen Literatur in Weimar*

das Theater, bis Goethe 1791 die Direktion übernahm; erst 1817 gab er sie wieder ab. Die Innenraumgestaltung (Abb. **4**) ist ein Beispiel für die der Antike architektonisch nachempfundene Klassizität. Erste Versuche einer Historisierung in Kostüm und Dekoration (Abb. **6** und **7**), aber auch der Hang zu empfindsamer Gestaltung (Abb. **8**) und zugleich zur Allegorisierung (Abb. **9**) machen jene Mischung der Stile in der Bühnenpraxis der damaligen Zeit deutlich, in die Goethe durch die hohe Stilisierung von Deklamation, Gestik und Mimik einen weiteren Akzent brachte.

(5) *Literarische Geselligkeit bei der Herzogin Anna Amalia von Weimar. Um 1795. Aquarell von Melchior Krauss. Zentralbibiothek Weimar. Foto: bildarchiv preußischer kulturbesitz, Berlin. Anna Amalia sitzt in der Mitte, dritter von links ist Goethe, ganz links sitzt H. Meyer, ganz rechts Herder.*

(6) *Schiller: ‚Wallensteins Lager‘ , Dekoration und Gruppenbild. Kolorierter Stich von Christian Müller. Weimar, Schillerhaus. Foto: Freies Deutsches Hochstift*

(7) *Schiller: ‚Wallensteins Tod‘, III. 23: Max’ und Theklas Abschied. Kolorierter Stich von Christian Müller, 1810, nach einem Original von Johann August Nahl. Weimar, Schillerhaus. Foto: Nationale Forschungs- und Gedenkstätten der klassischen deutschen Literatur in Weimar*

(8) *Schiller: ‚Wilhelm Tell‘, IV. 1, Weimarer Bühnenbild. Kolorierte Radierung von Chr. Gottlob Hammer nach K. L. Kaaz, 1804. Foto: Nationale Forschungs- und Gedenkstätten der klassischen deutschen Literatur in Weimar*

(9) *Entwurf für den Vorhang des Weimarer Theaters von G. M. Kraus, 1805. Nach: Hans Knudsen: Goethes Welt des Theaters. Ein Vierteljahrhundert Weimarer Bühnenleitung. Verlag des Druckhauses Tempelhof, Berlin 1949, S. 61*

2 Weimar als literarisches Zentrum

2.1 Weimar zur Zeit Goethes

Am 7. November 1775 traf Goethe, einer Einladung Karl Augusts von Weimar folgend, in Weimar ein. Die Gründe, die ihn dazu bewogen hatten, Frankfurt zu verlassen, waren zum einen die Unzufriedenheit mit seiner juristischen Berufstätigkeit in Frankfurt, zum andern der Wunsch, sich in einem neuen Wirkungsfeld, konfrontiert mit neuen Aufgaben, selbst zu erziehen und seine Kraft der Phantasie an der Empirie zu überprüfen. In einem Brief an seine Mutter rechtfertigt er nachträglich seinen Entschluß, gegen den Willen des republikanisch gesinnten Vaters an den weimarischen Musenhof zu gehen:

„Das Unverhältnis des engen und langsam bewegten bürgerlichen Kreises zu der Weite und Geschwindigkeit meines Wesens hätte mich rasend gemacht. Bei der lebhaften Einbildung und Ahndung menschlicher Dinge, wäre ich doch immer unbekannt mit der Welt, und in einer ewigen Kindheit geblieben, welche meist durch Eigendünkel, und alle verwandte Fehler, sich und anderen unerträglich wird. Wieviel glücklicher war es, mich in ein Verhältnis gesetzt zu sehen, dem ich von keiner Seite gewachsen war, so ich durch manche Fehler, des Unbegriffs und der Übereilung mich und andere kennen zu lernen, Gelegenheit genug hatte, wo ich, mir selbst und dem Schicksal überlassen, durch so viele Prüfungen ging, die viele hundert Menschen nicht nötig sein mögen, deren ich aber zu meiner Ausbildung äußerst bedürftig war."

Weimar mit seinen nicht ganz 6000 Einwohnern bildete den Marktflecken für das umliegende Land und den Regierungssitz für die vereinigten Herzogtümer Weimar und Eisenach. Ohne Industrie, ohne einen ausgeprägten Mittelstand bestand die Bevölkerung Weimars zu gut einem Drittel aus Dienstboten und Gelegenheitsarbeitern, zu fast zwei Fünftel aus Kaufleuten und Handwerkern und zu mehr als einem Viertel aus Staats- und Stadtbeamten oder Angehörigen akademischer Berufe. Eine deutliche Kluft ging durch die Bevölkerung zwischen einer Handvoll höfischer Adliger, den Tüchtigeren unter den Angehörigen akademischer Berufe und höheren Beamten einerseits und der einfachen Bevölkerung andererseits. Weimar, „nicht eine kleine Stadt, sondern [eher] ein großes Schloß" – wie Madame de Staël bemerkt –, war ganz auf den Hof hin ausgerichtet. In dieser Umgebung von „kleinstädtischen Spießbürgern, welchen man weder die Verfeinerung einer Hofstadt noch sonderlichen Wohlstand anmerkt" – wie ein anonymer Schriftsteller in seinen ‚Reisen durch Thüringen' berichtet –, fand Goethe am Hof dennoch einige für ihn interessante und wichtige Persönlichkeiten, die von der kunstliebenden Mutter Karl Augusts, Anna Amalia – sie hatte gerade ihre Regentschaft an ihren Sohn abgetreten –, nach Weimar berufen worden waren. Zu diesem Kreis gehörten: Wieland als Prinzenerzieher (seit 1772); Charlotte von Stein, die Frau des weimarischen Stallmeisters, zu der Goethe über zehn Jahre ein besonders enges Verhältnis hatte; die Hofdame Luise von Göchhausen; Johann Karl Musäus, der Herausgeber der Volksmärchen der Deutschen; Karl Ludwig von Knebel, Erzieher des Prinzen Konstantin und bekannt als Übersetzer antiker Dichtung; schließlich der Drucker und Verleger Friedrich Justin Bertuch. In späteren Jahren zählten zum engeren Weimarer Kreis noch der weimarische Kanzler Friedrich von Müller, der Kunstgelehrte Johann Heinrich Meyer, der Philologe Friedrich Wilhelm Riemer und Goethes späterer Sekretär und Gesprächspartner Johann Peter Eckermann. Auf Goethes Anregung hin erhielt Johann Gottfried Herder 1776 die Stelle eines Generalsuperintendenten, schließlich siedelte Schiller 1799 endgültig von Jena nach Weimar über, womit der Grundstein einer bis zu Schillers Tod währenden schriftstellerischen Zusammenarbeit und Partnerschaft gelegt war.

2.2 Das Bündnis zwischen Schiller und Goethe

Johann Wolfgang von Goethe/Friedrich Schiller:
Xenien (1796)   Balladen (1797/98)

Die Freundschaft zwischen Schiller und Goethe datiert seit 1794. Eine erste Begegnung im Jahre 1788 war ohne Folgen geblieben. Anläßlich eines Geburtstagsbriefes, in dem Schiller ein treffendes Charakterbild Goethes zeichnet, gesteht Goethe in einem Antwortschreiben vom 27. 8. 1794 an Schiller:

„Ich habe den redlichen und so seltenen Ernst, der in allem erscheint, was Sie geschrieben und getan haben, immer zu schätzen gewußt, und ich darf nunmehr Anspruch machen, durch Sie Selbst mit dem Gange Ihres Geistes, besonders in den letzten Jahren, bekannt zu werden. Haben wir uns wechselseitig die Punkte klar gemacht, wohin wir gegenwärtig gelangt sind, so werden wir desto ununterbrochener gemeinschaftlich arbeiten können."

Die gemeinschaftliche Arbeit ist von Anfang an daraufhin angelegt, angesichts der aus den politischen Ereignissen im Zuge der Französischen Revolution überall zu beobachtenden Parteiungen ein Gegenmodell freundschaftlichen Umgangs zu leben. In einem Schreiben an Fritz von Stein spricht Goethe demzufolge seine Hoffnung aus, mit Schiller „gemeinschaftlich zu arbeiten, zu einer Zeit, wo die leidige Politik und der unselige körperlose Parteigeist alle freundschaftlichen Verhältnisse [...] zu zerstören droht". Was das Bündnis zwischen beiden Dichtern ermöglichte, war zum einen ihr gemeinsames Interesse an Antike und Renaissance, zum andern die Verstörung durch die Ereignisse in Frankreich und Deutschland; was ihr Bündnis so fruchtbar werden ließ, waren die unterschiedlichen Vorlieben für die Naturwissenschaften auf seiten Goethes, für Philosophie und Geschichte auf seiten Schillers und die daraus resultierenden Spannungen: Schiller ging von der an der kantischen Philosophie orientierten spekulativen Idee aus, Goethe von der Anschauung, dem „beobachtenden Blick, der so still und rein auf den Dingen ruht".

Zeugnisse der gemeinsamen Arbeit sind die Zeitschriften ‚Horen‘ und ‚Propyläen‘. Schiller ermunterte Goethe zur Umarbeitung des sogenannten ‚Urmeister‘ (= Wilhelm Meisters theatralische Sendung) zu ‚Wilhelm Meisters Lehrjahre‘, zur Weiterarbeit am ‚Faust‘. Er spielte die Rolle des Kunstrichters bei der Entstehung von Goethes ‚Hermann und Dorothea‘ und den ‚Unterhaltungen deutscher Ausgewanderten‘, bearbeitete, da er von Goethe zur Mitarbeit am Weimarer Hoftheater eingeladen wurde, dessen ‚Egmont‘. Goethe wiederum beriet Schiller bei der Konzeption seiner Dramen (‚Wallenstein‘, ‚Maria Stuart‘ usw.).

Ein Jahr nach Erscheinen der gemeinsam verfaßten ‚Xenien‘ im ‚Musenalmanach für das Jahr 1797‘ dokumentierte sich erneut, aber jetzt in ganz anderer Weise, die fruchtbare Zusammenarbeit zwischen Schiller und Goethe. Beide hatten im Zuge ihrer vornehmlich brieflich ausgetragenen Diskussion über eine Neubestimmung der literarischen Gattungen und deren Wirkung ihr früheres Interesse für die Ballade erneuert, die Goethe später als den ‘Urtypus der Poesie’ bestimmte, „weil hier die Elemente noch nicht getrennt, sondern wie in einem lebendigen Ur-Ei zusammen sind", aus dem sich durch weitere Differenzierung die lyrische, epische und dramatische Behandlung eines Stoffes als verschiedene Möglichkeiten seiner literarischen Verarbeitung ergeben. Die wichtigsten Balladen, die in den Jahren 1797/98 und in den folgenden Jahren entstanden, sind Schillers ‚Der Ring des Polykrates‘, ‚Der Handschuh‘, ‚Der Taucher‘, ‚Die Kraniche des Ibykus‘, ‚Die Bürgschaft‘, ‚Der Graf von Habsburg‘ und Goethes ‚Der Schatzgräber‘, ‚Die Braut von Korinth‘, ‚Der Gott und die Bajadere‘, ‚Der Zauberlehrling‘, das ‘Hochzeitslied’, ‚Der Totentanz‘ und ‚Ballade‘.

Sicherlich festigte das Bündnis zwischen Schiller und Goethe die gemeinsame Arbeit. Was es aber insbesondere absicherte, war die Faszination darüber, im anderen jeweils das notwendige Komplement zu sich selbst gefunden zu haben. Nach der Schillerschen Typologie (s. Schillers Abhandlung *Über naive und sentimentalische Dichtung*, 1795/96) trafen sich hier der 'Idealist' und der 'Realist', der 'sentimentalische' und der 'naive' Dichter. Unverkennbar trug auch zu dem guten Verhältnis zwischen Schiller und Goethe bei, daß sie sich gemeinsam gegen den Sturm und Drang als eine in ihren Augen überwundene Phase der Literatur aussprachen und in ihrem ablehnenden Urteil gegenüber Kleist, Hölderlin und Jean Paul übereinstimmten. Sie distanzierten sich gemeinsam von der Trivialliteratur der Zeit. Dieser dreifache Distanzierungsversuch ließ die Übereinstimmung zwischen ihnen um so größer werden.

2.3 Distanzierungsversuche

Johann Wolfgang von Goethe:
Einfache Nachahmung der Natur, Manier und Stil (1789)
Friedrich Schiller:
Verbrecher aus verlorener Ehre (1786)   Über Bürgers Gedichte (1791)
Otto Heinrich Freiherr von Gemmingen:
Der deutsche Hausvater (1780)
August Wilhelm Iffland:
Verbrechen aus Ehrsucht (1784)   Die Hagestolzen (1793)
Christian August Vulpius:
Rinaldo Rinaldini der Räuberhauptmann. Eine romantische Geschichte unseres Jahrhunderts (1798)
August von Kotzebue: Die deutschen Kleinstädter (1803)

2.3.1 Distanzierung vom Sturm und Drang

Goethes Gang nach Weimar als Versuch, sich von seiner Sturm-und-Drang-Phase zu distanzieren, trug symptomatische Züge, denn wie er versuchten auch andere Sturm-und-Drang-Autoren, von ihrer bisherigen Existenz- und Schreibweise Abstand zu gewinnen. Goethe wählte den Weimarer Hof als ein kulturelles Zentrum, denn die hier gepflegte höfische Kultur, die verfeinerten Lebensformen, die kultivierten Kommunikationsweisen galten dem bürgerlichen Dichter als Ideal einer ästhetischen Lebensweise.

Lenz mußte bemerkt haben, daß sich Goethe in Weimar von der historisch überholten Sturm-und-Drang-Gruppierung mit aller Gewalt losreißen wollte. In seinem 1776 entstandenen, erst später in den 'Horen' (1797) erschienenen, Fragment gebliebenen Roman 'Der Waldbruder', der als Pendant zu 'Werthers Leiden' gedacht war, porträtierte er in der Gestalt Rothes Goethe. In einem Brief an die Hauptfigur Herz, in die Jakob Michael Reinhold Lenz seine eigene Biographie einzeichnete, heißt es:

„Ich [Rothe] lebe glücklich wie ein Poet, das will bei mir mehr sagen, also glücklich wie ein König. Man nötigt mich überall hin und ich bin überall willkommen, weil ich mich überall hinzupassen und aus allem Vorteil zu ziehen weiß. [...] Die Selbstliebe ist immer das, was uns die Kraft zu den andern Tugenden geben muß, merke dir das, mein menschenliebiger Don Quischotte! [...] Ich weiß, du knirschest die Zähne zusammen, aber mein Epikureismus führt doch wahrhaftig weiter, als Dein tolles Streben nach Luft- und Hirngespinsten."

Auch Schillers Kritik an *Bürger* ('Über Bürgers Gedichte') aus dem Jahre 1791 ist nicht nur die Abrechnung mit einem Sturm-und-Drang-Autor, sondern zugleich die Kritik an einer dem Sturm und Drang eigentümlichen Tendenz zur Volkstümlichkeit

(s. Gottfried August Bürgers Abhandlung ,Von der Popularität der Poesie', 1784, und ,Herzensausguß über Volkspoesie', 1776). Schiller distanziert sich von dem ausdrücklich als 'Volkssänger' sich verstehenden Bürger, indem er ihm vorwirft, daß seine „Muse überhaupt einen zu sinnlichen, oft gemeinsinnlichen Charakter zu tragen scheine, daß ihm Liebe selten etwas anderes als Genuß oder sinnliche Augenweide, Schönheit oft nur Jugend, Gesundheit, Glückseligkeit nur Wohlleben sei". Er tadelt an Bürger, daß dieser sich „ausschließlich der Fassungskraft des großen Haufens" bequeme und dabei auf den Beifall auch „der gebildeten Klasse" verzichte, statt den „ungeheuren Abstand, der zwischen beiden sich befinde, durch die Größe seiner Kunst aufzuheben und beide Zwecke vereinigt zu verfolgen". Von klassischer Position her geurteilt, mangelt es Bürger als dem Repräsentanten des Sturm und Drang demnach an „Idealisierkunst", an jener Kraft der Sublimation, dank deren das Sinnliche und Leidenschaftliche, „das Individuelle und Lokale" zum Allgemeinen, zur „Vollkommenheit" und „Harmonie" erhoben werden könnte.

Eben dieses „innere Ideal von Vollkommenheit, das in der Seele des Dichters wohnt", vermissen Goethe und Schiller auch an Kleist, Jean Paul und Hölderlin, denn nicht nur einige Sturm-und-Drang-Autoren wie Klinger und Lenz zog Weimar magnetisch an (Goethe gewährte beiden Aufnahme, unternahm jedoch nichts, als sie sich kompromittierten und vom Hofe verwiesen wurden), sondern auch diese jungen Autoren fühlten sich durch Weimar angezogen. Sie wählten dort zumindest für kurze Zeit ihr Domizil, Hölderlin und Kleist unterwarfen sogar ihre Werke dem Urteil Goethes und Schillers, maßen sich an diesen beiden und wollten an ihnen gemessen werden.

2.3.2 Distanzierung von Jean Paul, Hölderlin und Kleist

Charlotte von Kalb, die Freundin Schillers und Hölderlins, lud *Jean Paul* nach Weimar ein. Der „Kampf- und Tummelplatz des Geistes", wie Jean Paul Weimar treffend bezeichnete, war ein kompliziertes Gelände. 1796 wurde er vor allem im Kreise Herders sehr herzlich aufgenommen, aber allzubald geriet er in das weimarische Cliquenwesen. Man spielte ihn, seine Subjektivität gegen die Objektivität der Klassiker aus; andererseits profitierte er von den Klassikern, indem sich sein in dieser Zeit verfaßter Roman ,Titan' den Ideen der Klassiker näherte. Seine Unterstützung Herders bei der Auseinandersetzung mit Kant trug ihm zwar Herders ganze Sympathie ein, bedingte aber gleichzeitig die reservierte Haltung, die Goethe und Schiller ihm gegenüber an den Tag legten, selbst als Jean Paul für längere Zeit (1798–1800) sein Domizil in Weimar aufschlug.

Distanziert hatten sie schon seinen Besuch im Jahre 1796 aufgenommen. So schrieb Goethe am 22. Juni 1796 an Schiller: „Richter [Jean Paul] ist ein kompliziertes Wesen, daß ich mir die Zeit nicht nehmen kann, Ihnen meine Meinung über ihn zu sagen." Schiller antwortete nach der ersten Begegnung: „Ich habe ihn ziemlich gefunden, wie ich ihn erwartete; fremd wie einer, der aus dem Mond gefallen ist, voll guten Willens und herzlich geneigt, die Dinge außer sich zu sehen, nur nicht mit dem Organ, womit man sieht." So fremd und darum – trotz aller Achtung – letztlich unannehmbar wie Jean Paul erschien auch *Hölderlin* Goethe und Schiller. Und das, obwohl sich Hölderlin in seiner ersten Schaffensphase außer an Klopstock insbesondere an der Lyrik Schillers orientierte. Charlotte von Kalb sorgte dafür, daß er sich in Jena, später dann in Weimar ansiedelte. Schiller nahm sich Hölderlins, seines „liebsten Schwaben", zunächst gern an, und auch noch während Hölderlins Aufenthalt in Frankfurt im Hause Gontard blieb der Kontakt zu Schiller aufrechterhalten. Schiller nahm den ,Hyperion' in der zweiten Fassung in seine Zeitschrift ,Neue Thalia', Gedichte wie ,An die Natur' oder ,Sonnenuntergang' in einen seiner Almanache auf. Dennoch verschloß sich Schillers Verständnis, sobald Hölderlin seinen persönlichen Stil gefunden hatte. Bemerkenswert ist Schillers entsprechende Mitteilung an Goethe:

„Aufrichtig, ich fand in diesen Gedichten viel von meiner eigenen sonstigen Gestalt, und es ist nicht das erstemal, daß mich der Verfasser an mich mahnte. Er hat eine heftige Subjektivität und verbindet damit einen gewissen philosophischen Geist und Tiefsinn. Sein Zustand ist gefährlich, da solchen Naturen so gar schwer beizukommen ist, [...] Ich würde ihn nicht aufgeben, wenn ich nur eine Möglichkeit wüßte, ihn aus seiner eignen Gesellschaft zu bringen und einem wohltätigen und fortdauernden Einfluß von außen zu eröffnen."

Die Abweisung weiterer Schiller zugesandter Gedichte, Schillers und Goethes Desinteresse an einer von Hölderlin geplanten Zeitschrift und schließlich die ausbleibende Antwort Schillers auf einen Bittbrief Hölderlins, an der Universität Jena Vorlesungen über die griechische Literatur abhalten zu können, schnitten den losen Kontakt zu den Weimarern endgültig ab.

Weniger auf Schiller als auf Goethe hin orientiert, suchte auch *Kleist* die Anerkennung durch Schiller und Goethe. Aber auch ihn traf das Verdikt, das Schiller in einem Brief an Goethe (17. 8. 1797) gegen Jean Paul und Hölderlin fällte. Zwar erkannten Schiller wie Goethe die Genialität Jean Pauls, Hölderlins und Kleists, aber gleichsam als Selbstschutz wehrten sie sich gegen das „absolut und unter allen Umständen so subjektivisch Überspannte und Einseitige" der drei Autoren. „Ich möchte wissen", so schreibt Schiller, „ob es an etwas Primitivem liegt, oder ob nur der Mangel einer ästhetischen Nahrung und Einwirkung von außen und die Opposition der empirischen Welt, in der sie leben, gegen ihren idealischen Hang diese unglückliche Wirkung hervorgebracht hat."

2.3.3 Distanzierung von der Trivialliteratur

Manche Züge der Weimarer Klassik sind nur verständlich, wenn man sie auch als einen Versuch versteht, gegen die den Leser der Zeit überflutende Trivialliteratur anzuschreiben. Der Autonomieanspruch der Klassiker meint auch die bewußte Abwendung von den Erwartungen der Masse der Leser. Wenn Goethe in seiner Abhandlung über ‚Einfache Nachahmung der Natur, Manier und Stil' (1789) den je individuellen, auf das Sujet hin ausgerichteten Stil fordert, tut er dies sicherlich auch in Hinsicht auf die alles gemein machende Manier der Erfolgsautoren seiner Zeit. Und wenn Schiller in seiner Auseinandersetzung mit Bürger sich gegen die „schlechte" und „falsche" Popularität des Schriftstellers wehrt, so hat er dabei wohl auch ein Auge auf die ihn umgebende Trivialliteratur:

„Es ist also nicht genug, Empfindung mit erhöhten Farben zu schildern; man muß auch erhöht empfinden. Begeisterung allein ist nicht genug; man fordert die Begeisterung eines gebildeten Geistes. Alles, was der Dichter uns geben kann, ist Begeisterung eines gebildeten Geistes. Alles, was der Dichter uns geben kann, ist seine Individualität. Diese muß es also wert sein, vor Welt und Nachwelt ausgestellt zu werden. Diese seine Individualität so sehr als möglich zu veredeln, zur reinsten herrlichsten Menschheit hinaufzuläutern, ist sein erstes und wichtigstes Geschäft, ehe er es unternehmen darf, die Vortrefflichen zu rühren."

Der Dichter darf sich nicht dem Volk oder der Masse „gleichmachen", sondern muß ebenfalls „zu dem Volke bildend herniedersteigen", um es schließlich zu sich „hinaufzuziehen". Die klassische Dichtung ist nicht für die Masse, sondern für den kleinen Leserkreis konzipiert. Dennoch hat Schiller sich vorübergehend auch mit Stoffen und Formen der zeitgenössischen Trivialliteratur auseinandergesetzt.

Schillers Studium der Geschichte und sein Versuch, einen größeren Leserkreis zu erreichen. Durch Goethes Vermittlung wurde Schiller zwar als außerordentlicher Professor der Philosophie und Geschichte in Jena angestellt, wo er am 26. 5. 1789 seine erste öffentliche Vorlesung hielt, aber bei karger Besoldung entging Schiller nicht schweren finanziellen Sorgen, die ihn zur Überanstrengung nötigten und schon im Jahre 1791 aufs Krankenlager warfen. Eine Schenkung des Herzogs Friedrich Christian von Augustenburg und des Grafen Schimmelmann (für 3 Jahre je 1000 Taler) entriß ihn zwar der drückendsten Bedrängnis, dennoch ist es nur zu verständlich, daß er sich nach Möglichkeiten eines finanziellen 'Zubrotes' umsah: „Ich muß von Schriftstellerei leben, also auf das sehen, was einträgt." Schiller hoffte, daß Publikationen auf dem Feld der Geschichte sich als einträglicher erweisen würden als die schöngeistige Literatur. In einem Brief an seinen Freund Körner schreibt er.: „Die Geschichte ist ein Feld, wo alle meine Kräfte ins Spiel kommen und wo ich doch nicht immer aus mir selbst schöpfen muß. Bedenke dieses, so wirst du mir zugeben müssen, daß kein Fach so gut dazu taugt, meine ökonomische Schriftstellerei darauf zu gründen sowie auch eine gewisse Art von Reputation; denn es gibt auch einen ökonomischen Ruhm." Neben den historischen Abhandlungen wie z. B. der ,Geschichte des Abfalls der Vereinigten Niederlande' (1788) und der ,Geschichte des Dreißigjährigen Kriegs' (1791/92) wählte Schiller darum auch Stoffe und Formen der zeitgenössischen Trivialliteratur, um den Erwartungen des Publikums weitgehend entgegenzukommen, so etwa in dem Romanfragment ,Der Geisterseher' (1789), von dem er sich selbst als „Schmiererei" zu distanzieren versuchte, oder im ,Verbrecher aus verlorener Ehre' (1786). Beide Arbeiten waren ausgesprochen publikumswirksam, da er in beiden Fällen an beliebte triviale Erzählmuster des späten 18. Jahrhunderts anknüpfte. Aber er versuchte zugleich, die vorgegebenen literarischen Muster zu transformieren.

Schillers Erzählung ,Verbrecher aus verlorener Ehre' orientiert sich zwar an den zahllosen historischen und fiktiven Räubergeschichten des 18. Jahrhunderts; aber Schiller konzentriert sich in der Auswahl des Erzählten eben nicht wie seine Vorläufer und Nachfolger auf abenteuerliche Handlungen, schaurige Taten, dramatische Verfolgung und Ergreifung der Verbrecher. Von der zum Zwecke der Abschreckung sonst breit ausgemalten Gerichtsverhandlung oder der schauerlichen Bestrafung findet sich nichts als ein kurzer Hinweis, daß der 'Held' der Geschichte „durch des Henkers Hand starb". Statt dessen konzentriert sich das Interesse des Erzählers ganz darauf, „in der unveränderlichen Struktur der menschlichen Seele und in den veränderlichen Bedingungen, welche sie von außen bestimmen, die Wahrheit" zu suchen. Nicht das „Seltsame und Abenteuerliche einer solchen Erscheinung" wie der Christian Wolfs, des Verbrechers aus verlorener Ehre, sollen den Leser „reizen", vielmehr soll ihm durch die „Leichenöffnung seiner Laster" der Sinn für „Menschlichkeit und Gerechtigkeit" eröffnet werden. Der Erzähler beschränkt sich nicht darauf, die „Neugier zu begnügen". Indem er den Leser in die sozialen und psychischen Zwänge Christian Wolfs Einblick nehmen läßt und nicht nur Wolf seine „Handlungen vollbringen, sondern auch Wollen sehen" läßt, transformiert er die Räubergeschichte in eine „Schule der Bildung". Er läßt den Leser selbst über Christian Wolf zu Gericht sitzen, lenkt aber dessen Urteil durch die Weise des Erzählens dahin, daß dieser den „sanften Geist der Duldung" in sich entwickele, „ohne welchen kein Flüchtling zurückkehrt, keine Aussöhnung des Gesetzes mit seinem Beleidiger stattfindet, kein angestecktes Glied der Gesellschaft von dem gänzlichen Brande gerettet wird".

Das bürgerliche Rührstück. Erst wenn man die Klassik auch als Versuch der Distanzierung von der zeitgenössischen Trivialliteratur versteht und in ihr auch den Versuch sieht, die Belletristik einer konstruktiven Kritik zu unterziehen, vermeidet man den Fehler, die Literatur zu Ende des 18. Jahrhunderts ausschließlich von der Dichtung Goethes, Schillers, Kleists, Jean Pauls oder Hölderlins bestimmt zu sehen. Erst so werden auch die tatsächlichen Proportionen des literarischen Marktes sichtbar.

Von Goethes ,Werken' druckte der Verleger Göschen beispielsweise 1787–1790 eine Ausgabe von 2000 und eine billige Ausgabe von 3000 Exemplaren. Verkauft wurden sie nur langsam. Die ganze Reihe fand gerade 602 Subskribenten, und nach zwei Jahren waren 536 weitere Exemplare der ersten vier Bände verkauft, neben etwa je zwei- bis dreihundert Exemplaren der Einzelausgabe der Dramen. Aber nicht nur die Statistiken über Auflagenhöhe und Buchverkauf belegen das mangelnde oder geringe Interesse, das das Publikum den Weimarern entgegenbrachte. Ein Blick auf die Aufführungszahl der bedeutenden deutschen Bühnen bestätigt das Beobachtete:

Das Mannheimer Theater, das erste deutsche Nationaltheater von Bedeutung, an dem Schiller einige Zeit gewirkt hatte, spielte in den 27 Jahren zwischen 1781 und 1808 z. B. 37 Stücke Ifflands an 476 Abenden und 115 Stücke Kotzebues an 1728 Abenden. In derselben Zeit wurden Schillers Schauspiel ‚Die Räuber' nur fünfzehnmal, ‚Die Verschwörung des Fiesko zu Genua' und ‚Don Carlos' nur dreimal, ‚Kabale und Liebe' nur siebenmal aufgeführt. In Dresden kamen zwischen 1789 und 1813 von insgesamt 1471 Aufführungen 477 auf Iffland und Kotzebue, ganze 58 auf Goethe, Schiller und Lessing zusammen. Weimar, dessen Theaterführung von 1791 bis 1817 in den Händen Goethes lag, unterscheidet sich in seiner Stückauswahl nicht sonderlich von den anderen deutschen Bühnen. Es ist symptomatisch, daß Goethe es 1791 nicht mit einem eigenen Stück, sondern mit Ifflands Drama ‚Die Jäger' eröffnete. Erst mit Schillers ‚Wallensteins Lager' ändert sich die Praxis minimal. Schiller steuerte pro Jahr ein Drama bei, und gelegentlich wurde versucht, die französischen Klassiker oder Shakespeare auf die Bühne zu bringen.

Die deutsche Bühne eroberten vornehmlich bürgerliche Rührstücke von Kotzebue, Iffland und Gemmingen. Sie wurden beinahe seriell hergestellt. Kotzebue verfaßte allein über 200 Dramen.

Das bürgerliche Trauerspiel hatte sich im 18. Jahrhundert u. a. aus der empfindsamen Komödie entwickelt, nun näherte es sich zum Ausgang des Jahrhunderts erneut der Form der Komödie. Das Happy-End ist in fast allen Stücken obligatorisch, das tragische Moment wird meist sentimentalisiert. Die sozialkritische Tendenz, Kennzeichen des bürgerlichen Trauerspiels der Sturm-und-Drang-Zeit, fehlt, oder ihm ist zumindest die kritische Spitze abgebrochen. Im bürgerlichen Familiengemälde sieht sich der Theaterbesucher eher selbst repräsentiert. Mit einer Spur von Selbstgefälligkeit richtet er sich in der theatralischen Illusion wiedererlangten häuslichen Glücks nach krisenhaften Erfahrungen oder Geschehnissen ein und gefällt sich im Lobpreis seiner bürgerlichen Tugenden. Nur selten sieht sich der Kleinstädter auf der Bühne so karikiert wie in Kotzebues gleichnamigem, gelungenem Lustspiel ‚Die deutschen Kleinstädter' (1803), aber auch in diesem Stück ist die Bösartigkeit gemildert zu eher harmlosem Spott.

Das bürgerliche, triviale Rührstück kommt dem Bedürfnis nach Selbstbestätigung des Theaterbesuchers entgegen, und die handwerkliche Versiertheit der Stückeschreiber, die, wie z. B. Iffland aufgrund seiner Tätigkeit als Schauspieler und Theaterleiter, aufs engste mit dem Medium des Theaters vertraut waren, erfüllte voll und ganz das Verlangen nach Unterhaltung. Aus der handwerklichen Geschicklichkeit, mit der die Schauspiele verfertigt wurden, resultierte die bis zum Überdruß praktizierte Schematisierung. Um dennoch der Gefahr der so erzeugten mangelnden Abwechslung und der Langeweile zu entgehen, schmückte z. B. Kotzebue einige seiner Stücke mit einem exotischen, das Publikum aufreizenden Kolorit. Iffland brachte farbenprächtige Dekoration, Kostüme und Massenszenen auf die Bühne. Dieser Inszenierungsstil setzte sich in direkten Gegensatz zu dem von Goethe intendierten Weimarer Stil, der auf statuarische Deklamation, durch Gesten nur minimal unterstrichenes Spiel und die strenge Stilisierung durch die Versform Wert legte.

Der literarische Markt. Die Trivialisierung, die sich im Theaterbetrieb zum Ende des 18. Jahrhunderts bemerkbar machte, fand ihre Entsprechung auf dem Buchmarkt. Hier nahm die Anzahl der Almanache und der darin enthaltenen, meist epigonal-empfindsamen Lyrik schlagartig zu. Die Romanproduktion verzeichnete einen bis dahin unbekannten Aufschwung. Die Ursachen der explosionsartigen Ausdehnung des literarischen Marktes im letzten Drittel des 18: Jahrhunderts und der damit einhergehenden Zweiteilung der Literatur in Dichtung und Unterhaltungsliteratur liegen in der sprunghaft zunehmenden Alphabetisierung weiter bürgerlicher Schichten.

Neuere Schätzungen nehmen für 1770 höchstens 15 %, um 1800 schon 25 % der Bevölkerung über sechs Jahre als potentielle Leser an. Entsprechend vergrößerte sich das Bedürfnis nach neuen Lesestoffen, vor allem auch deshalb, weil die zur Verfügung stehende Freizeit, zumindest für bestimmte gesellschaftliche Kreise, wuchs, das bürgerliche Familienleben sich entfaltete und an die Stelle des intensiven Lesens eine extensive Lebenshaltung trat, die nach immer wieder neuen Lesestoffen Ausschau hielt, statt ein Werk wiederholt zu lesen. Das wachsende Bedürfnis nach Lesestoffen bedingte eine Vergrößerung der Produktion. „Bei keiner Nation" – so urteilt der Schweizer Buchhändler und Schriftsteller Johann Georg Heinzmann – „ist das Bücherschreiben so zur Handarbeit und zum Nahrungszweig geworden, als es in Deutschland geschehen ist."

Kant durchschaut den Prozeß zwischen steigender Produktion und Konsumtion, wenn er in seiner Schrift ‚Über die Buchmacherei' schreibt:

> „Die Buchmacherei ist kein unbedeutender Erwerbszweig in einem der Kultur nach schon weit vorgeschrittenen gemeinen Wesen: wo die Leserei zum beinahe unentbehrlichen allgemeinen Bedürfnis geworden ist. – Dieser Teil der Industrie in einem Lande aber gewinnt dadurch ungemein, wenn jene fabrikenmäßig betrieben wird; welches aber nicht anders, als durch einen den Geschmack des Publikums und die Geschicklichkeit jedes dabei anzustellenden Fabrikanten zu beurteilen und zu bezahlen vermögenden Verleger geschehen kann. – Dieser bedarf aber zur Belebung seiner Verlagshandlung eben nicht den inneren Gehalt und Wert der von ihm verlegten Ware in Betrachtung zu ziehen; wohl aber den Markt, worauf, und die Liebhaberei des Tages, wozu die allenfalls ephemerischen Produkte der Buchdruckerpresse in lebhaften Umlauf gebracht, und, wenngleich nicht dauerhaften, doch geschwinden Abgang finden können."

So wuchs die Zahl der Schriftsteller, die durch neue Vertragsbedingungen und die Eindämmung des Raub- und Nachdrucks besser an der Schriftstellerei verdienen konnten als noch einige Jahrzehnte zuvor, von 1771 (etwa über 3000) bis 1776 auf 4300; 1784 zählte man 5200, 1791 dann 7000 und um die Jahrhundertwende schließlich 10000 Schriftsteller. Wer als freier Schriftsteller unter diesen Marktbedingungen sein Brot verdienen wollte, konnte sich nicht auf literarische Experimente einlassen, sondern mußte sich der literarischen Mode beugen – dem, was der Publikumsgeschmack ihm abverlangte. Am höchsten im Kurs stand im letzten Drittel des 18. Jahrhunderts der Roman. Er war an die Stelle des theologisch-erbaulichen Schrifttums getreten und steigerte seinen Anteil am Gesamtbüchermarkt von 4 % im Jahre 1770 auf 11 % und damit 75 % der belletristischen Literatur. Was an Romanen dem lesehungrigen Bürger zum Kauf angeboten wurde oder in den Leihbibliotheken, die im Gegensatz zu den meist aus Privatinitiative hervorgehenden Lesegesellschaften nach rein kommerziellen Gesichtspunkten eingerichtet waren, zur Ausleihe bereitstand, darüber gibt eine – sicherlich um der Pointe willen überspitzte – Anekdote von Kleist Auskunft:

‚Klassische Leihbibliothek'
„Wir wünschen ein paar gute Bücher zu haben" – Hier steht die Sammlung zu Befehl –„Etwa von Wieland" – Ich zweifle fast – „Oder von Schiller, Goethe" – Die mögten hier schwerlich zu finden sein – „Wie? Sind alle diese Bücher vergriffen? Wird hier so stark gelesen?" – Das eben nicht – „Wer liest denn hier eigentlich am meisten?" – Juristen, Kaufleute und verheiratete Damen. – „Und die unverheirateten?" – Sie dürfen keine fordern. – „Und die Studenten?" – Wir haben Befehl, ihnen keine zu geben – „Aber sagen Sie uns, wenn so wenig gelesen wird, wo in aller Welt sind denn die Schriften Wielands, Goethes, Schillers?" – Halten zu Gnaden, diese Schriften werden hier gar nicht gelesen. –„Also Sie haben sie gar nicht in der Bibliothek?" - Wir dürfen nicht. – „Was stehn denn also eigentlich für Bücher hier an diesen Wänden?" – Rittergeschichten, lauter Rittergeschichten, rechts die Rittergeschichten mit Gespenstern, links ohne Gespenster, nach Belieben. – „So so." – –

Der Trivialroman bot dem Publikum 'nach Belieben' Familien-, Ritter-, Schauer-, Geister-, Bundes- und Räuberromane oder deren raffinierte Mischung, die alle Genres vermengte (s. z. B. Christian August *Vulpius* [Goethes Schwager]: ‚Rinaldo Rinaldini der Räuberhauptmann‘, 1798). Die Versatzstücke lagen bereit und wurden je nach Bedarf zu einer Handlung verbunden: illegitime, geheimnisvolle, scheinbar unstandesgemäße Abkunft des Helden; seine Erziehung in einer ihm unangemessenen Umgebung, in der sich gleichwohl seine wahre Bestimmung erahnen läßt; Familienhaß und Erbstreitigkeiten; die moralische Bedrohung der Heldin durch den Gegenspieler und die damit gebotene Rettungsmöglichkeit durch den Helden, Verfolgung, Vergewaltigung, Befreiung und Flucht, Trennung und Wiederfinden. Die Herkunft der einzelnen Versatzstücke aus dem galanten Abenteuerroman und aus dem moralisch-didaktischen Roman der Aufklärung ist unübersehbar. Die häufige Verlagerung der Geschichte ins Mittelalter dient lediglich der Verkleidung, mit der man der englischen 'gothic novel', dem Gespensterroman, folgt. Der Trivialroman, getarnt durch einen noch immer hochgehaltenen erzieherisch-aufklärerischen Anspruch, kam wie die Trivialdramatik primär dem Unterhaltungsbedürfnis des Lesers entgegen und bot ihm, was ihm die Aufklärung genommen hatte: die Lust an der Angst und die Konfrontation mit dem Irrationalen und Unheimlichen. Der Roman der Romantiker konnte hier wieder anknüpfen.

2.4 Der Dichter und der Weimarer Hof – Goethes ‚Torquato Tasso‘

Goethes Verbindung zum Weimarer Hof bedeutete für ihn, daß er nicht wie viele der Trivialliteraturautoren auf die Schriftstellerei als einzige Quelle ihres Lebensunterhaltes angewiesen war. Sein Eintritt in die Weimarer Hofgesellschaft löste demnach auch keinen Rückfall in eine neue Phase poetischer Lobrednerei aus, vielmehr bewahrte Goethe jene der Poesie hinzugewonnene bürgerliche Dimension. Zwar entstanden in den Weimarer Jahren Auftragsarbeiten wie Maskenzüge, Gelegenheitsgedichte, Singspiele u. a., aber gleichzeitig bildete die Poesie einen Raum, in dem er ganz private Gedanken und Gefühle aussprechen konnte. Gerade dieses problematische Verhältnis von Privatheit und Öffentlichkeit der Poesie thematisierte er in seinem in Weimar begonnenen Drama ‚Torquato Tasso‘ (erschienen 1790), das wie ‚Egmont‘ und ‚Iphigenie‘ erst in Italien seine endgültige Gestalt fand.
Im historischen Gewande des Renaissancedichters Tasso am Hofe von Ferrara gestaltete er das Verhältnis zwischen dem bürgerlichen Schriftsteller und dem aristokratischen Kreise. Die feine, kultivierte Hofgesellschaft fordert vom Dichter Maß und entsagende Begrenzung, aber so berechtigt auch diese Forderungen sind, sie setzen die Hofgesellschaft nicht ganz ins Recht. Auch das Schöpfertum des Dichters hat sein Recht, es geht nicht voll in der von der Hofgesellschaft geforderten höfisch-repräsentativen Dichtung auf, die nur nach Erheiterung, Verschönerung und Glorifizierung ihrer selbst trachtet. Das Dilemma Tassos ist nicht aufhebbar: Er ist auf die Hofgesellschaft angewiesen, und doch erfährt er gerade hier seine Einsamkeit, wie Goethe selbst erfahren mußte, daß sein Dichtertum unter den höfischen Aufgaben litt. Die bürgerlich-moderne, vom Individuum getragene und an den einzelnen gerichtete Dichtung steht in einem schroffen Gegensatz zur repräsentativ-höfisch-feudalen Kunstform.

Das Drama ist – charakteristisch für die Dramatik der Klassik – handlungsarm, was die Kritik der Zeit Goethe anlastete. Der italienische Dichter Torquato Tasso hat sein Epos ‚Das befreite Jerusalem‘ beendet und es dem Fürsten Alfons von Ferrara, seinem Mäzen, überreicht, an dessen Hof er lebt. Der Herzog läßt ihm dafür durch seine Schwester Leonore den Lorbeerkranz aufs Haupt setzen. Antonio, Minister des Herzogs, tritt hinzu. Er ist gerade aus Rom von schwierigen, aber erfolgreichen Staatsgeschäften zurückgekehrt. Er mokiert sich über den leicht erworbenen Sieg Tassos und zeiht ihn der Kühnheit, sich Vergil oder Ariost gleichzustellen. Im Überschwang seines Glücks bietet Tasso Antonio die Freundschaft an, da die Prinzessin es wünscht. Der Versuch jedoch mißlingt. Der bedächtige und reservierte Antonio weicht vor Tasso zurück. Durch die Abweisung aufs neue gekränkt, läßt Tasso sich dazu hinreißen, gegen Antonio den Degen zu ziehen. Der gerade hinzutretende Fürst schlichtet den Streit, tadelt Antonio und bestraft Tasso milde mit einem Zimmerarrest. Tasso führt der Arrest zu Ausbrüchen des Mißtrauens. Er glaubt in allem nur die „ganze Kunst des höfischen Gewebes" zu sehen, glaubt sich von allen verraten und verlassen, vor allem von der Prinzessin, die ihm jedoch nach wie vor wohl gesinnt ist. Leonore Sanvitale versucht schließlich eine Vermittlung herbeizuführen. Antonio findet sich bereit, mit Tasso Frieden zu schließen. Tasso fordert als Zeichen seiner Aufrichtigkeit, daß er ihm beim Fürsten die Erlaubnis erwirke, Ferrara verlassen zu dürfen. Mit Widerstreben gewährt es Alfons, weil er glaubt, daß die krankhafte Stimmung nicht anders geheilt werden könne. Beim Abschied von der Prinzessin überwältigt Tasso erneut sein Gefühl; statt Abschied zu nehmen, macht er ihr ein Liebesgeständnis und will sie in stürmischer Umarmung an sich reißen. Die sofortige Abreise des Fürsten, der Prinzessin und der Gräfin ist die Folge, und Tasso wirft sich Antonio als rettendem Felsen im Schiffbruch seines Lebens in die Arme.

Sich auf eine Äußerung J. J. Ampères beziehend, ,Tasso' sei ein „gesteigerter Werther", berichtete Goethe über die Entstehung ,Tassos' im Gespräch mit Eckermann am 3. Mai 1827:

„Wie richtig hat er [Ampère] bemerkt, daß ich in den zehn Jahren meines weimarischen Dienst- und Hoflebens so gut wie gar nichts gemacht, daß die Verzweiflung mich nach Italien getrieben, und daß ich dort, mit neuer Lust zum Schaffen, die Geschichte des Tasso ergriffen, um mich in Behandlung dieses angemessenen Stoffes von demjenigen frei zu machen, was mir noch immer aus meinen weimarischen Eindrücken und Erinnerungen Schmerzliches und Lästiges anklebte."

Wieder einmal – wie beim ,Werther' – hatte demnach Goethes „altes Hausmittel" angeschlagen, Lebenskrisen durch deren Objektivation im dichterischen Werk zu überwinden. Aber trotz Goethes Aussage, daß der ,Tasso' aus dem „Innersten [seiner] Natur" entsprungen sei, wäre es doch falsch, im Lustschloß Belriguardo nur den Weimarer Hof, in den handelnden Figuren des Stückes nur die historisch maskierten Freunde Goethes aus Weimar zu sehen (Herzog = Karl August; Prinzessin = Frau von Stein usw.). Caroline Herder übermittelte in einem Brief an ihren Mann das Stichwort, mit dem Goethe selbst den „eigentlichen Sinn" seines Schauspiels bezeichnete: „Es ist die Disproportion des Talents mit dem Leben", das im dramatischen Prozeß zur Anschauung kommt. Der bis zum Ende des Dramas nicht gelöste Konflikt resultiert aus der Widersprüchlichkeit, in die sich das poetische Genie angesichts der es bedrängenden höfischen Gesellschaft und deren Erwartungen gesetzt sieht. Dabei ist es nicht so, daß Goethe undialektisch verführe und eine Seite, etwa das sich autonom dünkende poetische Subjekt, ins Recht, die Gesellschaft, die den Poeten in seine Schranken weist und von ihm eine Poesie erwartet, die er nicht mehr zu geben bereit ist, ins Unrecht setzen würde. Beide Seiten bedingen sich gegenseitig, sind aufeinander angewiesen. Nur aus jener von Tasso tief und schmerzlich empfundenen Disproportion zwischen seinem Streben nach Unbedingtheit und dem Sich-verwiesen-Sehen auf die Unzulänglichkeiten des Wirklichen entsteht die Poesie als Ausdruck der Sehnsucht nach letzter Harmonie. Die schöpferische Kraft entspringt aus dem ungestillten Verlangen, „die goldne Zeit, die [Tasso] von außen mangelt, in seinem Innern wiederherzustellen". So sieht sich Tasso ganz auf sich selbst gestellt, er ist der Einzelgänger, der sich von der Gesellschaft absetzt. Er ist einsam, und aus dieser Einsamkeit entstehen sein Argwohn, sein Mißtrauen, schließlich sein Wahn. Er bedarf immer des Regulativs durch die Wirklichkeit. Scheiternd an ihr in seinem zweimaligen Versuch, sich ihr zu verbinden, indem er Antonio als Freund, die Prinzessin als Geliebte zu gewinnen sucht, sieht er sich zuletzt doch auf sie als seine Rettung angewiesen. Das besagen die letzten Zeilen des Dramas, in denen Tasso dem gewandten und erfolgreichen Weltmann Antonio gegenüber seine tragische Existenz als Dichter in einem Bild beschreibt:

„Ich kenne mich in der Gefahr nicht mehr
Und schäme mich nicht mehr, es zu bekennen.
Zerbrochen ist das Steuer, und es kracht
Das Schiff an allen Seiten. Berstend reißt
Der Boden unter meinen Füßen auf!
Ich fasse dich mit beiden Armen an!
So klammert sich der Schiffer endlich noch
Am Felsen fest, an dem er scheitern sollte." (V, 5.)

Aber aus diesem Scheitern gewinnt Tasso die poetische Energie:

„Und wenn der Mensch in seiner Qual verstummt,
Gab mir ein Gott, zu sagen, wie ich leide." (Ebd.)

Der Schwebezustand zwischen Wirklichkeitsflucht und Wirklichkeitsgier, die Klage
darüber, daß die Natur aus Tasso und Antonio „nicht einen Mann [...] formte", und
schließlich das Unbehagen und Unvermögen, sich dem zu beugen, was sich ziemt, also der gesellschaftlichen Konvention, statt dem zu folgen, „was gefällt", all das sind
für Tasso Antriebe zur Poesie. In ihr schafft er sich ein Reich, in dem er frei sein kann:

„Frei will ich sein im Denken und im Dichten;
Im Handeln schränkt die Welt genug uns ein." (IV, 2.)

Genau diese Einschränkung im Handeln und die Bändigung seiner poetischen Einbildungskraft waren es aber, die Goethe bewogen hatten, nach Weimar zu gehen.

3 Begrenzung

3.1 Goethes Tätigkeit als Minister und Naturwissenschaftler

Johann Wolfgang von Goethe:
Die Metamorphose der Pflanzen (1790)
Dem Menschen wie den Tieren ist ein Zwischenknochen der obern Kinnlade zu-
zuschreiben (1784)   Über den Granit (1784)   Zur Farbenlehre (1810)

Während Klopstock am dänischen Hof durch das Mäzenat Friedrichs V. von weiteren
Pflichten frei war und sein Epos ‚Der Messias' vollenden konnte, suchte Goethe am
Weimarer Hof ganz andere Aufgaben. Goethe war willens, sich diesen Aufgaben voll
hinzugeben, wie aus einem Brief vom 22. Januar 1776 an seinen Freund Merck hervorgeht: „Ich bin nun ganz in alle Hof- und politischen Händel verwickelt und werde
fast nicht mehr wieder weg können. Meine Lage ist vorteilhaft genug, und die Herzogtümer Weimar und Eisenach sind immerhin ein Schauplatz, um zu versuchen, wie
einem die Weltrolle zu Gesicht stünde." Zu seinem Aufgabenbereich gehörte die
Führung des erst 18jährigen Herzogs und die Mitverantwortung für das Land. Nacheinander und zum Teil nebeneinander verwaltete er die Finanzen, den Berg- und
Wegebau und das Militärwesen als Mitglied des ‘Conseils' des Herzogs.
Nur kleinere dramatische Arbeiten konnten vollendet werden, so ‚Die Geschwister',
‚Die Mitschuldigen' (zweite Fassung) und ‚Der Triumph der Empfindsamkeit' (entstanden 1776-78, gedruckt 1787). Auch der ‘Urmeister' (‚Wilhelm Meisters theatrali-
sche Sendung', begonnen 1777, herausgegeben 1911) blieb Fragment.
So wie die literarische Produktivität stagnierte, mußte Goethe auch in seinem prag-
matisch-politischen Handeln Mißerfolge verzeichnen. Zwar durfte er sich als Erfolg

zuschreiben, aus dem zunächst draufgängerischen Fürsten Karl August einen beson-
nenen Herrscher gebildet zu haben (s. Goethes Gedicht: ‚Ilmenau‘, 1783, wo es, bezogen auf den Herzog, heißt: „Du kennst lang' die Pflichten deines Standes/Und
schränktest nach und nach die freie Seele ein"), aber die Reformpläne im Landwirt-
schaftswesen (Bodenreform, fiskalische Entlastung der Bauern) scheiterten. Innerhalb des Conseils stieß er als Bürgerlicher auf die Standesvorurteile der Aristokraten, die Karl August dadurch zu überwinden versuchte, daß er ihn 1782 durch den
Kaiser in den Adelsstand erheben ließ. Schließlich verlief auch das Verhältnis zu der
verheirateten Charlotte von Stein entgegen der Erwartung Goethes. Er fühlte sich
hin- und hergerissen zwischen Hochachtung, Liebe und geschwisterlicher Zuneigung. So trifft sicherlich nur zur Hälfte jenes Bild zu, das Goethe von sich in der
Hymne ‚Seefahrt‘ (1776) zeichnet:

> Doch er stehet männlich an dem Steuer.
> Mit dem Schiffe spielen Wind und Wellen,
> Wind und Wellen nicht mit seinem Herzen.
> Herrschend blickt er auf die grimme Tiefe
> Und vertrauet, scheiternd oder landend,
> Seinen Göttern.

Solche Selbstgewißheit steht im Widerspruch zu einem Ekel über „das durchaus
Scheißige dieser zeitlichen Herrlichkeit" oder zu den Charlotte von Stein übermittel-
ten Beobachtungen am Hofe, wie beispielsweise in einem Brief vom 19. Mai 1778:

„So viel kann ich sagen, je größer die Welt, desto garstiger wird die Farce, und ich schwöre, keine Zote und Eselei der Hanswurstiaden ist so ekelhaft als das Wesen der Großen, Mittlern und
Kleinen durcheinander. Ich habe die Götter gebeten, daß sie mir meinen Mut und Gradsein erhalten wollen bis ans Ende, und lieber mögen das Ende vorrücken, als mich den letzten Teil des
Ziels lausig hinkriechen lassen."

Nicht erst der hektische Aufbruch nach Italien war eine Flucht aus der bedrückenden
Atmosphäre Weimars, die Goethe Frau von Stein gegenüber folgendermaßen begründete: „Wer sich mit der Administration abgibt, ohne ein regierender Herr zu
sein, der muß entweder ein Philister oder ein Schelm oder ein Narr sein." Die zehn
Jahre seines ersten Weimarer Aufenthalts waren erfüllt von kleinen Fluchtversuchen.
So entstand das Gedicht ‚Über allen Gipfeln / Ist Ruh' (1780) auf einer Wanderung auf
den Kickelhahn, die Goethe unternahm, „um dem Wuste des Städtchens, den Klagen, dem Verlangen, der unverbesserlichen Verworrenheit der Menschen" für kurze
Zeit auszuweichen. In den wenigen Zeilen beschwört er die harmonische Eingliederung des Menschen in den Kosmos als zukünftiges Versprechen.
In Weimar trat an die Stelle der Naturbetrachtung im Sinne Rousseaus eine wissenschaftliche Beobachtung. Verbunden mit seinen konkreten beruflichen Verpflichtun-
gen im Herzogtum und angespornt aus ernsthafter Liebhaberei, widmete Goethe
sich in den 80er Jahren der Mineralogie, der Botanik, der Anatomie und der Wetter-
kunde, der Geologie und schließlich der Farbenlehre. 1784 gelang ihm sogar eine
nicht unbedeutende anatomische Entdeckung des menschlichen Zwischenkiefer-
knochens. Die Erfahrungen, die Goethe so in seinem ersten Weimarer Jahrzehnt
durch seine politische Praxis, durch das Verhältnis zu Frau von Stein und schließlich
durch seine naturwissenschaftlichen Studien machen mußte, spiegeln sich in der damals entstandenen Dichtung deutlich wider.

3.2 ,Grenzen der Menschheit' – Goethes Hymnendichtung

Noch nicht ganz ein Jahr nach seiner Ankunft in Weimar legte Goethe einem Brief an seinen Freund Lavater ein Gedicht unter dem Titel ,Dem Schicksal' (1776) bei, das er später in seine ,Schriften' (1789) bezeichnenderweise unter dem Titel ,Einschränkung' aufnahm. Der deutliche Bezug auf die Weimarer Situation ist zwar nun gegenüber der ersten Niederschrift des Gedichtes abgeschwächt, aber noch immer vorhanden:

> Ich weiß nicht, was mir hier gefällt,
> In dieser engen kleinen Welt
> Mit holdem Zauberband mich hält.

Einige Zeilen später wird das Schicksal, durch das Goethe sich in die „kleine Welt" Weimars verschlagen sieht, um Hilfe angerufen, „das rechte Maß" zu treffen. Einschränkung auf das rechte Maß, darum ging es Goethe in Weimar. Im Rückblick erschien ihm der Sturm und Drang als ein maßloses Gebaren, dem der Sinn für die dem Menschen notwendige Begrenzung fehlt, ,Werther' war eine solche erste Abrechnung mit dem Streben nach unbegrenzter, jegliche Konvention negierender Unmittelbarkeit. Am deutlichsten wird jener Wandel, der sich allmählich in Goethes Dichtung vollzieht und sich dem klassischen Stil, der Suche nach Ausgewogenheit nähert, in der Lyrik, die während der ersten Weimarer Jahre entstand. Hier wiederum sind es vor allem die Hymnen ,*Grenzen der Menschheit*' (1781), ,*Gesang der Geister über den Wassern*' (1779), ,*Das Göttliche*' (1783) und schließlich ,*Meine Göttin*' (1780), die sich deutlich von den Hymnen des Sturm und Drang (,Wanderers Sturmlied', ,Prometheus', ,Ganymed') unterscheiden. Die extreme Ichbezogenheit der frühen Hymnen, ihre Hermetik und die Kühnheit der sprachlichen Fügung haben einem ruhigeren, distanzierteren Ton Platz gemacht. Der Satzbau wird regelmäßiger, die für die frühen Hymnen charakteristischen Wortzusammensetzungen fehlen, die Gedichte sind strenger durchgliedert. Der freie Rhythmus erzwingt hier ein langsam-feierliches, das bedeutungsvolle Einzelwort akzentuierendes Sprechen. An die Stelle des genialischen Anspruchs im ,Prometheus' oder der alle Grenzen zwischen Ich und Kosmos auflösenden pantheistischen Haltung im ,Ganymed' ist eine distanziertere Sicht des Menschen getreten. Während die frühen Hymnen die Grenzen zwischen Gott und Mensch verwischen, kreisen die vier oben genannten Hymnen, die zwischen 1779 und 1783 entstanden, um die „Grenzen der Menschheit" oder den fundamentalen Gegensatz zwischen dem Göttlichen einerseits und dem menschlichen Los andererseits. Der Mensch ist zwar in den Naturzusammenhang eingebunden, aber die pantheistische Vergöttlichung der Natur tritt ganz zurück:

> [...] unfühlend
> Ist die Natur:
> Es leuchtet die Sonne
> Über Bös' und Gute
> Und dem Verbrecher
> Glänzen wie dem Besten
> Der Mond und die Sterne.

Der Mensch steht unter den „ewigen, ehrnen, großen Gesetzen" der Natur. Ihre Kausalität herrscht blind, sie verteilt Glück und Unglück wahllos unter den Menschen, so daß das menschliche Leben sinnlos zu sein scheint. Dennoch nimmt der Mensch innerhalb des Reiches der Natur eine Sonderstellung ein:

Nur allein der Mensch
Vermag das Unmögliche:
Er unterscheidet,
Wählet und richtet;
Er kann dem Augenblick
Dauer verleihen.

Er allein darf
Den Guten lohnen,
Den Bösen strafen,
Heilen und retten,
Alles Irrende, Schweifende
Nützlich verbinden.

Es sind die Fähigkeit zur kritischen Unterscheidung und zur prüfenden Abwägung sittlicher Werte und das daraus abgeleitete Richteramt gegenüber dem Mitmenschen, die den Menschen aus dem unentrinnbaren Bannkreis der gefühllosen Natur herausheben. Die sittliche Kraft im Menschen erhebt ihn, verleiht seinen Taten Dauer und läßt etwas von dem Göttlichen „ahnen". So beginnt das Gedicht ‚Das Göttliche' mit dem Appell

> Edel sei der Mensch,
> Hilfreich und gut!

In der Ausrichtung des Handelns an den sittlichen Werten gewinnt der Mensch die Ausnahmeposition unter „allen Wesen, die wir kennen". Sein Beispiel „lehrt, jene zu glauben". Indem er den Göttern zu gleichen versucht, ist er „ein Vorbild jener geahnten Wesen", die,

> Als wären sie Menschen,
> Täten im großen,
> Was der Beste im kleinen
> Tut oder möchte.

Der Unterschied zwischen dem Göttlichen und dem Menschlichen ist damit nicht aufgehoben, aber er erscheint nun nicht mehr so kraß wie zu Anfang. Ähnlich verläuft auch der Argumentationsprozeß innerhalb der Hymne ‚Grenzen der Menschheit'. Auch dort wird dem Menschen eine Stellung zugewiesen, die es ihm allenfalls erlaubt, „den letzten Saum" von Gottes „Kleide" zu küssen. Es wäre vermessen, wenn er sich erdreisten würde, sich mit den Göttern zu messen, sie „mit dem Scheitel zu berühren", denn

> Nirgends haften dann
> Die unsichern Sohlen,
> Und mit ihm spielen
> Wolken und Winde.

Würde er aber „mit markigen Knochen" allein „auf der wohlgegründeten dauernden Erde" stehen, so könnte er sich nicht einmal mit der Eiche oder Rebe vergleichen. Endliches und Unendliches kreuzen sich somit im Menschen. Während vor den Göttern viele Wellen wie „ein ewiger Strom" sind, hebt den Menschen „die Welle und verschlingt [ihn], so daß [er] versinkt". Aber wenn auch das einzelne Individuum dazu verurteilt ist, unterzugehen („Ein kleiner Ring begrenzt unser Leben"), bilden doch die vielen Geschlechter zusammen eine „unendliche Kette". Es obliegt also dem einzelnen, in seinem begrenzten Dasein „unermüdet das Nützliche und Rechte" zu schaffen.

3.3 Die Grenzen des 'dämonischen Charakters' – Goethes ‚Egmont'

Die Erfahrung von Begrenzung und Gesetzmäßigkeit im Bereich der Natur, denen sich auch das Individuum zu beugen hat, artikuliert sich nicht nur in der Lyrik, sondern noch deutlicher im Drama. Goethes ‚Egmont' (1788), aber auch Schillers ‚Don Carlos' und ‚Wallenstein' formulieren in je unterschiedlicher Weise das Zerbrechen des einzelnen Individuums an der es begrenzenden Wirklichkeit. Schiller und Goethe fanden unabhängig voneinander zum Stoff der niederländischen Unabhängigkeitsbewegung, aber obwohl das historische Geschehen um die Ablösung der Vereinigten Niederlande von der spanischen Regierung die Stoffvorlage für ein politisches Tendenzstück hätte abgeben können, vermieden beide die politische Akzentuierung in der dramatischen Bearbeitung. Goethe richtet sein Interesse auf die Anfangsphase der Bewegung und stellt mit Egmont eine aristokratische Gestalt in den Mittelpunkt der Handlung. Schiller legt seinen Schauplatz nach Spanien. Von der Niederländischen Revolution ist nur andeutungsweise die Rede, der eigentliche Konflikt ereignet sich hier am spanischen Hofe. Der antagonistische Konflikt in Goethes ‚Egmont‘ zwischen den ihre alten Privilegien und Freiheiten einfordernden Niederländern und der spanischen Krone, die die „Kraft des niederländischen Volkes, [sein] Gemüt, den Begriff, den [es] von sich selbst hat, schwächen, niederdrücken, zerstören will, um es bequemer regieren zu können", wird nicht voll ausgespielt. Mit Egmont ist eine Zentralfigur in den Vordergrund des Stückes gestellt, die nicht die harte Auseinandersetzung, sondern den Kompromiß zwischen der Wiederherstellung der niederländischen Privilegien und den spanischen Ansprüchen auf absolute Herrschaft sucht.

Beim Armbrustschießen in Brüssel kommt das Gespräch der freiheitlich gesinnten Bürger immer wieder auf ihren Abgott Graf Egmont, den sie lieber als Regenten der Niederlande sehen würden als die vom spanischen König Philipp eingesetzte Margarete von Parma. Diese beschuldigt Egmont, an dem Unglück in Flandern schuldig zu sein, da er den ketzerischen Religionslehren, die sich im Lande auszubreiten beginnen, als erster Vorschub geleistet habe. So interpretiert Wilhelm von Oranien die Situation richtig, wenn er angesichts des mit einem Heer aus Spanien heranrückenden Herzogs Alba Egmont rät, mit ihm zusammen umgehend Brüssel zu verlassen. Doch Egmont schlägt sorglos Oraniens Rat aus, indem er sich auf seine vermeintliche Unantastbarkeit als Ritter des Goldenen Vlieses stützt. Alba hält kurz darauf mit seiner Soldateska Einzug in Brüssel. Die Soldaten verhindern jegliche Zusammenrottung der aufgebrachten Bürger, deren einziger Trost und einzige Hoffnung die Anwesenheit Egmonts in Brüssel ist. Indessen hat Alba bereits Anstalten getroffen, den ahnungslosen Egmont zu verhaften. Ein von Alba nur so lange hingezogenes Gespräch, bis ihm die Festnahme von Egmonts Geheimschreiber gemeldet wird, dient dazu, den völlig arglosen Egmont zu reizen und damit einen äußeren Grund zu seiner Festnahme zu haben. Egmont wird zum Tode verurteilt. In einem letzten Schlaf, unmittelbar vor seiner Hinrichtung, erscheinen ihm freundliche Traumbilder: Daß sein Tod den Provinzen die Freiheit verschaffen werde, verheißt ihm eine allegorische Erscheinung, die die Züge Klärchens trägt, seiner Geliebten aus bürgerlichem Hause, die mit Gift ihrem Leben ein Ende setzt, als sie von Egmonts Verhaftung hört und sehen muß, daß es unmöglich geworden ist, einen Volksaufruhr zu Egmonts Befreiung anzuzetteln.

Egmont ist keine ‘Führerfigur’ im Sinne der Sturm-und-Drang-Dramatik. Er findet zwar die Zuneigung des Volkes, aber ihm käme nie in den Sinn, sich an die Spitze der Bürgerschaft zu stellen, denn er ist letztlich eine zutiefst unpolitische Gestalt. Er ist jemand, „welcher durch sein ganzes Leben gleichsam wachend geträumt, Leben und Liebe mehr als geschätzt, oder, vielmehr nur durch den Genuß geschätzt". Egmont geht das politische Kalkül ab; er weist die Sorge von sich. Er ermangelt des für den Politiker unabdingbaren Blicks in die Zukunft, wie ihn Oranien hat. Statt dessen ist er ganz dem Augenblick hingegeben:

„Sind uns die kurzen bunten Lumpen zu mißgönnen, die ein jugendlicher Mut, eine angefrischte Phantasie um unsers Lebens arme Blöße hängen mag? Wenn ihr das Leben gar zu ernsthaft nehmt, was ist denn dran? Wenn uns der Morgen nicht zu neuen Freuden weckt, am Abend uns keine Lust zu hoffen übrig bleibt, ist's wohl des An- und Ausziehens wert? Scheint mir die Sonne heut, um das zu überlegen, was gestern war? und um zu raten, zu verbinden, was nicht zu erraten, nicht zu verbinden ist, das Schicksal eines kommenden Tages? [...] Wie von unsichtbaren Geistern gepeitscht, gehen die Sonnenpferde der Zeit mit unsers Schicksals Wagen durch; und uns bleibt nichts, als mutig gefaßt die Zügel festzuhalten, und bald rechts, bald links, vom Steine hier, vom Sturze da, die Räder wegzulenken. Wohin es geht, wer weiß es? Erinnert er sich doch kaum, woher er kam." (II. Egmonts Wohnung.)

Egmont setzt auf den „ganzen freien Wert des Lebens". Wenn Schiller in seiner Rezension des ‚Egmont' polemisch fragt, was dieser „eigentlich Großes tue", so ver-
schiebt er zu Unrecht den Aspekt, denn Egmont ist nicht in seinem Handeln, sondern
in seinem Sein groß. Und in seiner Individualität selbst liegt auch jener Grundwiderspruch, der ihn scheitern läßt. In Egmonts eigenen Worten: „Es glaubt der Mensch,
sein Leben zu leiten, sich selbst zu führen; und sein Innerstes wird unwiderstehlich
nach seinem Schicksal gezogen." Der „dämonische" Charakter – auf diesen Begriff
wird Goethe später selbst seinen Egmont bringen – erfährt nur in sich selbst die Begrenzung. Das Dämonische verleiht ihm einerseits die ‘attrattiva', jene Anziehungskraft, die sich so deutlich in der Zuneigung des Volkes, Klärchens, Oraniens, ja selbst
der Königin zeigt (am Ende, kurz vor seiner Hinrichtung, vermag Egmont sogar den
Sohn seines größten Widersachers, Alba, für sich einzunehmen). Andererseits verleiten Egmont aber gerade die „ungemeßne Lebenslust und das grenzenlose Zutrauen
zu sich selbst", die ihm drohende Gefahr zu verkennen. Er ist „verblendet". Erst im
Durchgang durch das Stadium der begrenzenden Sorge, im Angesicht des bevorstehenden Todes vermag er, sich seiner selbst wieder zu vergewissern, und erlangt so seine eigentliche Freiheit. Erst so kann er durch seinen Tod den Niederländern „ein Beispiel geben", und Klärchens Erscheinung im Traume kann als Allegorie der „göttlichen Freiheit", aber auch als Vor-Schein der politischen Freiheit gedeutet werden.

3.4 Der scheiternde Idealist – Schillers ‚Don Carlos'

Die Verschränkung von Privatem und Öffentlichem, die bei Goethes im ‚Egmont'
entwickelten Freiheitsbegriff deutlich wird, ist auch typisch für Schillers Drama ‚Don
Carlos' (1787). Schiller beginnt sich mit dem Stoff des ‚Don Carlos' zu befassen, kurz
nachdem er sein zweites bürgerliches Trauerspiel, ‚Kabale und Liebe', beendet hat.
Er betritt mit dem Stoff des ‚Don Carlos' neues Terrain, denn ‘große Staatspersonen'
werden zu dramatischen Figuren. Dem „politischen Stück", dem „kühneren Ta-
bleau", das er für ‚Don Carlos' entwirft, haften aber noch immer Züge des „bürgerlichen Sujets" an, so daß Schiller sich selbst eingestehen muß, sein Drama bilde „ein
Familiengemälde im fürstlichen Hause". Diese Widersprüchlichkeit – hier bürgerliches Sujet, dort großes historisches Stück – bedrängt die Einheitlichkeit der Konzeption des ‚Don Carlos', die um so mehr noch in Frage gestellt ist, als sich in einer späteren Schaffensphase das Interesse Schillers auf die Figur des Posa verlagert, vor der
das Interesse an der Carlos-Gestalt in den Hintergrund tritt. Schiller selbst sucht in
seiner Verteidigungsschrift über ‚Don Carlos' (‚Briefe über Don Carlos', 1788) gegenüber den Kritikern, die Anstoß an der mangelnden Einheit des ‚Don Carlos' nahmen, jenes vereinheitlichende Moment des Dramas zu bestimmen und glaubt, es im
Humanitätsideal finden zu können. Dieses Ideal äußert sich vor allem in dem zentralen Gespräch zwischen König und Marquis Posa. Hier entwirft Posa das visionäre
Bild eines ‘menschlichen Staates':

> „[...] Sanftere
> Jahrhunderte verdrängen Philipps Zeiten;
> Die bringen mildre Weisheit; Bürgerglück
> Wird dann versöhnt mit Fürstengröße wandeln,
> Der karge Staat mit seinen Kindern geizen,
> Und die Notwendigkeit wird menschlich sein." (III, 10.)

Voraussetzung eines solchen Staatsgebildes, in dem die Menschheit wieder in ihre alten „geheiligten Rechte" eingesetzt ist, wäre die Gedankenfreiheit:

„Ein Federzug von dieser Hand, und neu
Erschaffen wird die Erde. Geben Sie
Gedankenfreiheit." (Ebd.)

Nur wenn durch Freiheit der „Menschheit verlorner Adel" wiederhergestellt ist, wird
der Bürger wieder,

„was er zuvor gewesen,
Der Krone Zweck – ihn binde keine Pflicht
Als seiner Brüder gleich ehrwürd'ge Rechte". (Ebd.)

Im Gedanken an die Gründung eines solchen Staates überwindet Carlos seine Liebe
zur Königin, läßt sie in der Idee der Freisetzung eines Volkes ganz aufgehen. Im Humanitätsideal muß aber auch Posa seine Freundschaft gegenüber Carlos bewähren,
versagt jedoch, wenn er das, was er als Idealist plant, in die Wirklichkeit umsetzen
soll und dazu Carlos als 'Werkzeug' gebraucht. Die Handlungsführung des ,Don Carlos' findet demnach ihre Mitte in der Darstellung der Widersprüchlichkeit personaler
Liebe und Freundschaft einerseits und der begrenzenden politischen Notwendigkeit
andererseits. Aus dieser Sicht erweist sich auch die Figur des Königs als die eigentlich
tragische Figur, muß er doch in seiner Person selbst diesen unüberwindlichen Zwiespalt von königlicher Rolle und Mensch austragen. Schillers ,Don Carlos' ist folglich
kein Tendenzdrama im Sinne seiner Sturm-und-Drang-Dramen, denn es geht Schiller trotz anderslautender Beteuerungen weniger um die Propagierung seiner Idee
der Gedankenfreiheit als darum, zu zeigen, wie die Ideen der Humanität, Freiheit
und Liebe an der Notwendigkeit innerhalb des geschichtlichen Raumes scheitern
und scheitern müssen. Das Scheitern als gesetzliche Notwendigkeit ist die tiefere
'poetische Wahrheit', die Schiller darstellen will und um derentwillen er gar die 'historische Wahrheit' hintansetzen muß. Nur der Zuschauer kann im ästhetischen Akt
der Rezeption des Dramas Anteil an der Freiheit gewinnen, denn die im Theater-
raum erzeugte Sympathie „verbrüdert, löst in ein Geschlecht auf, macht den Zuschauer seiner selber und der Welt vergessen und nähert ihn dem himmlischen Ursprung" (s. Schillers Abhandlung *Die Schaubühne als eine moralische Anstalt betrachtet*, 1785). Nur im Theater, in der abgezirkelten Sphäre der Kunst, nicht aber in
der geschichtlichen Wirklichkeit, kann der Mensch 'Mensch' sein.

3.5 Die begrenzende Macht des 'Gemeinen' – Schillers ,Wallenstein'

Was im ,Don Carlos' an einer Nebenfigur, nämlich Posa, aufgezeigt wird, beherrscht
in Schillers in den Jahren 1796–1799 entstandener Trilogie ,Wallenstein' (Wallensteins Lager, Die Piccolomini, Wallensteins Tod) die Zentralfigur. Der Idealismus
Wallensteins, sein Versuch, ein neues Reich zu gründen, scheitert an der gemeinen
Realität. Bereits im ,Prolog' des Dramas umreißt Schiller die der Hauptfigur innewohnende Dialektik, wenn es heißt:

„Auf diesem finstern Zeitgrund malet sich
Ein Unternehmen kühnen Übermuts
Und ein verwegener Charakter ab.
Ihr kennet ihn - den Schöpfer kühner Heere,
Des Lagers Abgott und der Länder Geißel,
Die Stütze und den Schrecken seines Kaisers,
Des Glückes abenteuerlichen Sohn,
Der, von der Zeiten Gunst emporgetragen,
Der Ehre höchste Staffeln rasch erstieg
Und, ungesättigt immer weiter strebend,
Der unbezähmten Ehrsucht Opfer fiel.

Von der Parteien Gunst und Haß verwirrt
Schwankt sein Charakterbild in der Geschichte;
Doch euren Augen soll ihn jetzt die Kunst,
Auch eurem Herzen menschlich näher bringen.
Denn jedes Äußerste führt sie, die alles
Begrenzt und bindet, zur Natur zurück,
Sie sieht den Menschen in des Lebens Drang
Und wälzt die größre Hälfte seiner Schuld
Den unglückseligen Gestirnen zu."

Wallenstein will Frieden im Zeichen einer neuen Ordnung schaffen. Octavio umschreibt Wallensteins Ziel:

„Nichts will er, als dem Reich den Frieden schenken;
Und weil der Kaiser diesen Frieden haßt,
So will er ihn – er will ihn dazu zwingen!
Zufriedenstellen will er alle Teile,
Und zum Ersatz für seine Mühe Böhmen,
Das er schon innehat, für sich behalten." (Die Piccolomini, V, 1.)

Aber wie in Wallenstein selbst sein Hang zur Freiheit und seine Machtgier eine unreine Mischung eingehen, kollidieren bei der Umsetzung seiner Gedanken in die Wirklichkeit Freiheit und Notwendigkeit. Es macht die tragische Ironie des Dramas aus, daß sich Wallenstein in jenem Netz verfängt, das er selbst geknüpft hat. Zu Beginn des großen Monologs in I,4 (Wallensteins Tod) ahnt er etwas von der Eigendynamik der Wirklichkeit, die sich seiner Bestimmung und Berechenbarkeit entzieht:

„Wär's möglich? Könnt ich nicht mehr, wie ich wollte?
Nicht mehr zurück, wie mir's beliebt? Ich müßte
Die Tat vollbringen, weil ich sie gedacht,
Nicht die Versuchung von mir wies – das Herz
Genährt mit diesem Traum, auf ungewisse
Erfüllung hin die Mittel mir gespart,
Die Wege bloß mir offen hab gehalten?
[...]
Strafbar erschein ich, und ich kann die Schuld,
Wie ich's versuchen mag! nicht von mir wälzen;
Denn mich verklagt der Doppelsinn des Lebens,
Und – selbst der frommen Quelle reine Tat
Wird der Verdacht, schlimmdeutend, mir vergiften. [...]
[...] So hab ich
Mit eignem Netz verderblich mich umstrickt,
[...]
In meiner Brust war meine Tat noch mein;
Einmal entlassen aus dem sichern Winkel
Des Herzens, ihrem mütterlichen Boden,
Hinausgegeben in des Lebens Fremde,
Gehört sie jenen tück'schen Mächten an,
Die keines Menschen Kunst vertraulich macht."

Wallenstein scheitert am Gemeinen, sowohl am Gemeinen, an dem er selbst aufgrund seiner Machtgier teilhat, als auch am Gemeinen der Wirklichkeit, die sich ihm und seinen Plänen widersetzt:

„[...] Das ganz
Gemeine ist's, das ewig Gestrige,
Was immer war und immer wiederkehrt
Und morgen gilt, weil's heute hat gegolten!
Denn aus Gemeinem ist der Mensch gemacht," (Ebd.)

Die Wirklichkeit ist doppelsinnig und damit letztlich unberechenbar.

Nur Max Piccolomini und Thekla vermögen sich den Bestimmungen der Wirklichkeit zu entziehen, denen alle anderen Gestalten unterliegen und die ihre Pläne zerschlagen oder gar ins genaue Gegenteil umkehren, indem sie den Tod als den einzig möglichen Ausweg wählen, um in ihm die ungelebte und unlebbare Utopie zu retten und im Gedächtnis an ihren Tod aufzubewahren.

In der Gestaltung des ‚Wallenstein' schlägt sich Schillers auch professionell an der Universität Jena betriebene Beschäftigung mit der Geschichte nieder. Wie Goethe das Studium der Natur, so ließ Schiller das Studium der Geschichte darauf aufmerksam werden, welch enge Grenzen dem einzelnen Individuum, selbst dem großen, gesetzt sind. Schiller verbietet sich somit in der Trilogie den Idealismus, die Möglichkeit, „die er noch im ‚Carlos' nutzte, die fehlende Wahrheit durch schöne Idealität zu ersetzen". Im ‚Wallenstein' – so gesteht er in einem Brief an Wilhelm von Humboldt (21. 3. 1796) – will er es probieren, „durch die bloße Wahrheit für die fehlende Idealität (die sentimentalische nämlich) zu entschädigen". Die Schwierigkeit steigert sich noch, wenn man bedenkt, daß

„der eigentliche Realism den Erfolg nötig hat, den der idealistische Charakter entbehren kann. Unglücklicher Weise aber hat Wallenstein den Erfolg gegen sich, und nun erfodert es Geschicklichkeit, ihn auf der gehörigen Höhe zu erhalten. Seine Unternehmung ist moralisch schlecht, und sie verunglückt physisch. Er ist im Einzelnen nie groß, und im Ganzen kommt er um seinen Zweck. Er berechnet alles auf die Wirkung, und diese mißlingt. Er kann sich nicht, wie der Idealist, in sich selbst einhüllen und sich über die Materie erheben, sondern er will die Materie sich unterwerfen, und erreicht es nicht."

Diese Materie, deren Opfer Wallenstein wird, will Schiller anschaulich machen: „Die Base, worauf Wallenstein seine Unternehmung gründet, ist die Armee", wie Schiller in einem Brief an Körner (28. 9. 1796) erwähnt, und nur so ist zu verstehen, warum er den ganzen ersten Teil der Trilogie zu einer bislang für das Theater ungekannten realistischen Schilderung von Wallensteins Lager nutzt. Die Macht, die er der Realgeschichte beimißt, erzwingt von ihm, daß er durchgehend „die Handlung wie die Charaktere aus ihrer Zeit, ihrem Lokal und dem ganzen Zusammenhang der Begebenheiten schöpft", so eine bislang ungekannte Farbigkeit erzielend.

Es bleibt jedoch die Frage, ob Schiller als Dramatiker im ‚Wallenstein' ganz auf das verzichtete, was er noch als die Aufgabe des Universalhistorikers in seiner Jenaer Antrittsvorlesung ‚Was heißt und zu welchem Ende studiert man Universalgeschichte?' umschrieben hatte:

„Aus der ganzen Summe [der geschichtlichen] Begebenheiten hebt der Universalhistoriker diejenigen heraus, welche auf die heutige Gestalt der Welt und den Zustand der jetzt lebenden Generation einen wesentlichen, unwidersprechlichen und leicht zu verfolgenden Einfluß gehabt haben. Das Verhältnis eines historischen Datums zu der heutigen Weltverfassung ist es also, worauf gesehen werden muß, um Materialien für die Weltgeschichte zu sammeln. [...] Der Universalhistoriker rückt von der neuesten Weltlage aufwärts dem Ursprung der Dinge entgegen."

Es läßt zumindest aufmerken, daß Napoleon eine Aufführung des ‚Wallenstein' durch das Théâtre français verbot, weil man ihn in dem 'Usurpator' hätte porträtiert finden können. Und eine weitere Parallele zwischen der Gegenwart Schillers und der Vergangenheit wird erkennbar, wenn man bedenkt, daß sowohl der Dreißigjährige Krieg als auch die Koalitionskriege zur Zeit Schillers ein Europa erschütterndes Phänomen waren. Erst der Westfälische Friede stiftete 1648 eine neue Ordnung. Die deutlichen Konturen eines vergleichbaren Ordnungsprinzips sah Schiller für seine Zeit noch nicht. Ihm zeigte sich nur, wie durch die Macht des Gemeinen die Idee der Französischen Revolution pervertiert und Europa in die Krise geraten war.

4 Die Auseinandersetzung mit der Französischen Revolution

4.1 Das zwiespältige Verhalten der deutschen Intellektuellen

Mit Begeisterung, zumindest aber mit Wohlwollen beobachtete die geistige Elite
Deutschlands zunächst die Ereignisse in Frankreich seit der Einberufung der Gene-
ralstände im Jahre 1788. *Herder* feierte den Sturm auf die Bastille als „Taufe der
Menschheit" und „Fest des Bundes" zwischen Gott und seinem Volke, *Hölderlin*
sprach angesichts der Revolution von einer „neuen Schöpfungsstunde". *Klopstock*
pries in seinem Gedicht ‚Les états generaux' die Franken:

Der kühne Reichstag Galliens dämmert schon;   Verzeiht, o Franken! (Name der Brüder ist
Der Morgenschauer dringt den Wartenden   Der edle Name), daß ich den Deutschen oft
Durch Mark und Bein: o komm, du neue,   Zurufte, das zu fliehn, warum ich
Labende, selbst nicht geträumte Sonne! [...]   Ihnen jezt flehe, euch nachzuahmen.

Aber schon während der Auseinandersetzungen innerhalb der verfassunggebenden
Nationalversammlung, spätestens aber nach den Greueln der Septembermorde und
schließlich der Enthauptung Ludwigs XVI. kehrte sich die anfängliche Euphorie in
Skepsis und Ablehnung um. Klopstock erinnerte in seiner gleichnamigen Ode die
Franzosen an ihr 'Versprechen' (1795):

Kein Eroberungskrieg! So scholl das heilige Wort einst,
Das ihr uns gabt, verehret, als nie verehret ein Volk ward,
und (so deucht' es uns) Stimmen Unsterblicher wiederholten:
Künftig nicht mehr Eroberungskrieg.
Und jetzt führet ihr ihn, den allverderbenden, [...]

Wieland, der zunächst, hingerissen durch die französischen Ereignisse, beobachtete,
wie dort eine „Nation auf einmal wie ein einzelner Mann aufstand, um für ihre neuer-
wählten Göttinnen, Freiheit und Gleichheit, zum Sieg oder in den Tod zu gehen",
konstatierte schon recht bald, daß das französische Volk für eine freiheitliche Verfassung und für die Freiheit selbst „noch nicht reif" sei. Noch schroffer reagierte *Schiller*
angesichts des Verlaufs der Französischen Revolution: „Ich kann seit 14 Tagen keine
französische Zeitung mehr lesen, so ekeln diese elenden Schindersknechte mich an."

4.2 Der literarische Jakobinismus

> **Johann Georg Forster**: Reise um die Welt (1779/80)
> Ansichten vom Niederrhein (1791–94)
> **Adolf Freiherr von Knigge**:
> Benjamin Noldmanns Geschichte der Aufklärung in Abyssinien (1791)
> Josephs von Wurmbrand… politisches Glaubensbekenntniß, mit Hinsicht auf die
> französische Revolution und deren Folgen (1792)
> **Johann Andreas G. Fr. Rebmann**:
> Kosmopolitische Wanderungen durch einen Theil Deutschlands (1793)

Während der größte Teil der literarischen Intelligenz in Deutschland trotz anfänglicher Zustimmung also die Französische Revolution ablehnte, blieb ein kleiner Teil
von Schriftstellern auch nach den blutigen Septembermorden, dem Sturz der Giron-
de und der Hinrichtung Ludwigs XVI. den Idealen der Französischen Revolution
verbunden. Diese Gruppe revolutionärer Demokraten war der Ansicht, daß Freiheit

und Gleichheit nicht durch Reform, sondern allein durch eine vom Volk getragene Revolution den feudalen Mächten abzuringen waren. Entsprechend schrieben sie auch der Literatur, entgegen den Klassikern, die Funktion zu, das Volk revolutionsbereit zu machen.

Die Literatur der Jakobiner, wie diese Gruppe von Schriftstellern sich in Anlehnung an die französischen Jakobiner selbst nannte oder von ihren Gegnern so tituliert wurde, knüpfte sehr eng an das Konzept der aufklärerischen Literatur des 18. Jahrhunderts an. Die Publikumsschicht, für die sie schrieben, bildeten nach ihrer Aussage nicht mehr primär die „jungen Kandidaten, angehenden Pastoren oder Studenten", das Publikum der Jakobiner bestand vielmehr „aus Friseuren, Kammerjungfern, Bedienten, Kaufmannsdienern und dergleichen". Es galt, mit Hilfe der Literatur in diesen Kreisen einen Prozeß politischer Selbstverständigung in Gang zu setzen, Aufklärung zu betreiben, Mißstände anzuprangern, zu agitieren, Handlungskonzepte zu entwerfen und schließlich darauf zu dringen, das Gedachte und für richtig Befundene in die Praxis umzusetzen. Wollte man jedoch das Volk aufklären, in seinen legitimen Forderungen bestärken und zu Aktionen mobilisieren, mußte man es in einer den Massen möglichst adäquaten Weise tun, d. h., die Intention der deutschen Jakobiner, sich mit ihrer Literatur an das Volk zu wenden und sich mit ihrer Literatur letztlich in den Dienst des Volkes zu stellen, ließ sich nur dann realisieren, wenn man für die Literatur eine volksgemäße Sprache und Form fand. Die beabsichtigte Funktionalisierung und Operationalisierung der Literatur erforderte somit zum einen die Wahl solcher literarischer Genres, die dem Leser vertraut waren, zum andern die Benutzung literarischer Muster und Stilmittel, die vorwiegend eine Appellfunktion ausübten oder sie unterstützten.

So erklärt sich die Vorliebe des literarischen Jakobinismus für die noch in der Tradition der Moralischen Wochenschriften stehende Zeitschrift, das Flugblatt, die politische Rede. Die traktatähnliche Abhandlung, durch die verkrustete Vorstellungen aufgebrochen und den Ideen der Menschenrechte, des Republikanismus, des Patriotismus und Kosmopolitismus der Weg geöffnet werden sollte, bediente sich der in aufklärerischer Tradition stehenden Form des fiktiven Gesprächs oder des im Volke bekannten, nun aber säkularisierten Katechismus. Während für die Klassiker wegen der außerästhetischen Zweckgebundenheit die Verwendung rhetorischer Mittel und der Gebrauch lehrhafter Dichtungsformen weitgehend verpönt waren, nutzten die Vertreter einer demokratisch-revolutionären Literatur Formen wie Fabel, Aphorismus, Satire oder den unterhaltend-belehrenden Kalender.

Was die Lyrik betraf, so sahen sich die Jakobiner vor große Schwierigkeiten gestellt, gab es doch innerhalb der deutschen Literatur fast keine Vorbilder politischer Lyrik mit Ausnahme einiger Gedichte Schubarts, Pfeffels oder Bürgers. Gerade aber die Lyrik war aufgrund ihrer Einprägsamkeit ein wichtiges Medium politischer Bewußtseinsbildung und Solidaritätsstimmung, wie die ‚Marseillaise' bewiesen hatte. So entstanden zunächst Nachdichtungen und Variationen der ‚Marseillaise', zu denen bald andere Kampf- und Agitationslieder kamen. Allen Liedern eignet ein hohes Maß an Sangbarkeit. In ihrer Form sind sie häufig Nachahmungen beliebter Vers- und Strophenformen; häufig wird auf bekannte Melodien von Kirchen- oder Trinkliedern zurückgegriffen. Eher auf die bildungsbürgerliche Lektüre als auf den Gebrauch bei Kampfhandlungen oder Festen (zum Beispiel beim Pflanzen sog. Freiheitsbäume) waren die odischen oder hymnischen Lobpreisungen von Freiheit, Gleichheit und Vernunft ausgerichtet. An diese Publikumsschicht wandten sich auch wohl primär die satirischen Romane Knigges und die Reisebeschreibungen von *Campe, Forster, Rebmann* und *Reichardt*.

Mit besonderem Enthusiasmus widmete man sich dem Schauspiel, versprach man sich doch vom Theater eine große Wirkung auf die Masse. „Eben diese Kunst, welche von der schlauen Despotie nur zu lange zum süßen Mohnsafte umgeschaffen war, unsre für große Dinge gewiß nicht unempfängliche Seelen in tatenlosen Schlummer einzuwiegen, sei das Gegengift für die von ihr selbst geschlagenen Wunden!" – so erläuterte Deyer die Theaterkonzeption der Jakobiner und fuhr fort:

„Eben diese Kunst, die sich zeither nur beschäftigte, uns das Glückliche und Süße des einzelnen Menschen in seinen häuslichen Verhältnissen in Bildern zu zeigen, die alle großen Ideen, die die Beispiele der Franzosen und der freien Völker aller Zeiten in uns entzündeten, ersticken und uns in dem Glücke des einzelnen die Wohlfahrt des Ganzen vergessen machen sollte, eben diese Kunst [...] soll inskünftige, weit entfernt, uns stets die kleinlichen Bilder unsrer eignen Glückseligkeit zu zeigen, sich zum Ziele die Betreibung des allgemeinen Wohles machen."

Doch allein in Mainz konnte nach der Einrichtung einer Republik das Theaterkonzept der Jakobiner in Form eines 'National-Bürgertheaters' für kurze Zeit realisiert werden.

Die Jakobiner waren, was ihre schriftstellerische Arbeit betrifft, optimistisch. „Die allgemeine Stimme des Volks ist es, die durch die Schriftsteller redet", so heißt es in Adolf Freiherr Knigges ‚Josephs von Wurmbrand [...] politischem Glaubensbekenntniß, mit Hinsicht auf die Französische Revolution und deren Folgen' (1792):

„Allein nicht nur ist keine Befugnis, es ist auch keine Möglichkeit da, die Aufklärung zurückzuhalten; und wenn sie nun einmal [...] ihre Fortschritte macht, so ist es die Pflicht derer, die über so wichtige Gegenstände reiflicher nachgedacht haben, ihren Mitbürgern den Leitfaden zu bessrer Anordnung ihrer Gedanken zu geben – das ist wahrer Schriftsteller-Beruf. Auf diese Weise kann der Gelehrte, wenn er das Bedürfnis seines Zeitalters richtig kennt, sehr nützlich werden."

Aber all dieser Optimismus, der aus diesem Zitat Knigges deutlich wird, verbindet sich dennoch mit einem gehörigen Maß an Skepsis über den Grad der literarischen Wirksamkeit auf die politische Praxis. So ist es Ausdruck dieser Skepsis, daß viele der schriftstellernden Jakobiner gleichzeitig aktiv in der Politik mitwirkten. Das berühmteste Beispiel: Johann Georg *Forsters* Engagement innerhalb der Mainzer Republik. Forster war konsequenter Anhänger der Französischen Revolution, Abgeordneter der Mainzer Jakobiner in Paris und 1792/93 führendes Mitglied des jakobinischen Mainzer Klubs. Er trat für den Anschluß des linksrheinischen Deutschlands an Frankreich ein. Aufgrund seiner Aktivitäten wurde er vom Reich als Landesverräter geächtet.

Weimarer Klassik und literarischer Jakobinismus sind demnach zwei unterschiedliche, extrem zueinander stehende Antworten auf die Herausforderung durch die in der Französischen Revolution aufgebrochenen Probleme. Die Jakobiner sahen sich auch selbst in einen solchen Gegensatz zu den Klassikern gebracht. So polemisiert Friedrich Christian Laukhard direkt gegen das von Schiller in der ‚Horen'-Vorrede entwickelte ästhetische Programm:

Es ist „sehr irrig [zu] behaupten: Keine Regierung könne die Völker bürgerlich frei machen, bevor diese sich nicht selbst moralisch frei gemacht hätten. Dies ist wahrlich eben so viel, als wenn man behaupten wollte, man müsse keinem erlauben, eher gehen zu lernen, bis er tanzen gelernt hätte. [...] Auf eben diesem verkehrten [...] Wege finden wir auch den Herausgeber und die Verfasser der Horen."

Damit sind die unterschiedlichen, nicht miteinander zu vereinbarenden ideologischen Ausgangspositionen und die daraus abgeleiteten ästhetischen Verfahren in aller Klarheit benannt. Während sich die Partei der Jakobiner der Ansicht verschrieb, die revolutionäre bürgerliche Befreiung habe der moralischen Befreiung voranzugehen und die Poesie sei ganz in den Dienst dieses Befreiungsversuches zu stellen, vertrat die andere Partei die Auffassung, zuerst müsse auf dem Wege der Reform die moralische Befreiung erfolgen, um die bürgerliche herbeizuführen, und bei dieser moralischen Emanzipation habe die Poesie ihren Teil zu leisten. Die solchermaßen divergierenden Ansichten lassen verständlich werden, warum Goethe und Forster, als sie in Mainz zusammentrafen, sich nichts zu sagen hatten, obwohl *Forster*, berühmt durch seine ,Reise um die Welt' (1779/80) und die ,Ansichten vom Niederrhein (1791–94), ein nicht uninteressanter Gesprächspartner für Goethe gewesen wäre. Aber für Goethe, der mit dem Herzog Karl August am Rheinfeldzug teilnahm, gebot es der Takt, „von politischen Dingen" nicht zu reden, denn: „Man fühlte, daß man sich wechselseitig zu schonen habe, denn wenn er [Forster] republikanische Gesinnungen nicht ganz verleugnete, so eilte ich offenbar, mit einer Armee zu ziehen, die eben diesen Gesinnungen und ihrer Wirkung ein entschiedenes Ende machen sollte."

4.3 Goethes Auseinandersetzung mit der Französischen Revolution

> **Johann Wolfgang von Goethe**: Die Aufgeregten (1791/92)
> Der Bürgergeneral (1793)   Unterhaltungen deutscher Ausgewanderten (1795)
> Hermann und Dorothea (1797)   Die natürliche Tochter (1804)

Goethes Teilnahme am Rheinfeldzug im Gefolge des Herzogs sollte jedoch nicht zu der Annahme verleiten, er sympathisiere eindeutig mit der konterrevolutionären Seite. Er selbst umschrieb seinen Standpunkt zusammenfassend anläßlich eines Gesprächs mit Eckermann (4. 1. 1824) folgendermaßen:

„Es ist wahr, ich konnte kein Freund der Französischen Revolution sein, denn ihre Greuel standen mir zu nahe und empörten mich täglich [...]. Ebensowenig aber war ich ein Freund herrischer Willkür. Auch war ich vollkommen überzeugt, daß irgendeine große Revolution nie Schuld des Volkes ist, sondern der Regierung. Revolutionen sind ganz unmöglich, sobald die Regierungen fortwährend gerecht und fortwährend wach sind, so daß sie ihnen durch zeitgemäße Verbesserungen entgegenkommen und sich nicht so lange sträuben, bis das Notwendige von unten her erzwungen wird. Weil ich nun aber die Revolutionen haßte, so nannte man mich einen Freund des Bestehenden. Das ist aber ein sehr zweideutiger Titel, den ich mir verbitten möchte. Wenn das Bestehende alles vortrefflich, gut und gerecht wäre, so hätte ich gar nichts dawider. Da aber neben vielem Guten zugleich viel Schlechtes, Ungerechtes und Unvollkommenes besteht, so heißt ein Freund des Bestehenden oft nicht viel weniger als ein Freund des Veralteten und Schlechten."

Die Ursachen für die Französische Revolution waren Goethe nicht verborgen geblieben. Auch seine Amtstätigkeit in Weimar hatte ihm hierzu genügend Anschauungsmaterial geboten. In einem Brief an Knebel (13. 4. 1782) berichtet er:

„So steig ich durch alle Stände aufwärts, sehe den Bauersmann der Erde das Notdürftige abfordern, das doch auch ein behäglich Auskommen wäre, wenn er nur für sich schwitzte. Du weißt aber, wenn die Blattläuse auf den Rosenzweigen sitzen und sich hübsch dick und grün gezogen haben, dann kommen die Ameisen und saugen ihnen den filtrierten Saft aus den Leibern. Und so gehts weiter, und wir habens so weit gebracht, daß oben immer in einem Tage mehr verzehrt wird, als unten in einem beigebracht [...] werden kann."

4.3.1 Ausgleich statt Revolution – Goethes Revolutionskomödien

Goethe weiß, wie seine Gräfin in dem Drama ,*Die Aufgeregten*' (1791/92), daß „das Volk wohl zu drücken, aber nicht zu unterdrücken ist und daß die revolutionären Aufstände der unteren Klassen eine Folge der Ungerechtigkeiten der Großen sind". Seine Ablehnung der Französischen Revolution resultierte demnach nicht aus einer uneingeschränkten Bejahung des Ancien régime, sondern aus der Verstörung, die er angesichts „des garstigen Gespenstes, das man Genius der Zeit nennt" (so in einem Brief an Johann Heinrich Meyer, 17. 7. 1794), empfand. Nicht nur, daß er „den Thron gestürzt und zersplittert, eine große Nation aus ihren Fugen gerückt und [...] die Welt

schon aus ihren Fugen" sah (s. ‚*Campagne in Frankreich*‘, 1792, 1822); was ihn vor allem bedrängte, war die Angst vor dem „revolutionären Pöbel". In den ‚*Maximen und
Reflexionen*‘ (ab 1809) bemerkt er:

„Nichts ist widerwärtiger als die Majorität; denn sie besteht aus wenigen kräftigen Vorgängern,
aus Schelmen, die sich akkommodieren, aus Schwachen, die sich assimilieren, und der Masse,
die nachtrollt, ohne nur im mindesten zu wissen, was sie will."

Vor solchen Schelmen wollte Goethe warnen und davor, daß „man voreilig in
Deutschland künstlicherweise ähnliche Szenen herbeizuführen trachtete, die in
Frankreich Folge einer großen Notwendigkeit waren". Im ‚*Bürgergeneral*‘ (1793)
zeichnet er in der Hauptfigur des Schnaps, in dem unvollendet gebliebenen Stück
‚*Die Aufgeregten*‘ (1792) in der Figur des Barbiers Breme, der den Kopf voller revolutionärer Phrasen hat, zwei verlachenswürdige Gestalten, die aus egoistischen Motiven oder aus purer Phantasterei heraus die Revolution von Frankreich nach Deutschland verpflanzen wollen. Sowohl im ‚Bürgergeneral‘ als auch in den ‚Aufgeregten‘
sind es letztlich die Einsichtigen aus den Reihen des Adels, die den heraufbeschwore-
nen Konflikt einzudämmen verstehen.
Goethe mußte jedoch erkennen, daß mit der Lustspielform das Sujet nicht adäquat
zu bewältigen war. Aus dem Mißgriff in der literarischen Form lernend, plante er eine
Tragödie über das ‚*Mädchen von Oberkirch*‘, das lieber sterben als sich dem Kult der
Göttin der Vernunft beugen will. Aber Goethe konzipierte nur wenige Szenen dieses
Stückes. Gleichfalls scheiterte der Plan zur dramatischen Trilogie ‚*Die natürliche
Tochter*‘ (1804), in der er sich nach eigener Aussage ein letztes „Gefäß" bereiten woll-
te, darin er alles, was er „so manches Jahr über die Französische Revolution und de-
ren Folgen geschrieben und gedacht, mit geziemendem Ernst niederzulegen" hoffte.
Nur der erste Teil der Trilogie konnte vollendet werden.

4.3.2 Diskurs statt Dissens – Goethes ‚Hermann und Dorothea‘ und die ‚Unterhaltungen deutscher Ausgewanderten‘

In Goethes in den Jahren 1796/97 entstandenem Epos in neun Gesängen, ‚Hermann
und Dorothea‘, werden die Ordnung verbürgenden Verhältnisse der bürgerlichen Familie der Französischen Revolution und ihren Wirren entgegengesetzt. Angeregt
durch Voß' Epos ‚Luise‘ (1795) und durch dessen Übersetzung der Homerischen
Epen ‚Odyssee‘ (1781) und ‚Ilias‘, läßt sich in den 90er Jahren ein verstärktes Interesse bei Goethe am Versepos, der höchsten literarischen Gattung auch noch nach der
Beurteilung der Ästhetiker des 18. Jahrhunderts, feststellen. Die Französische Revolution brachte Goethe das ‚*Reineke*‘-Epos (1794) näher: „Hier", so schrieb er an
Charlotte von Kalb am 28. 6. 1794, „kommt Reineke Fuchs, der Schelm, und verspricht sich eine gute Aufnahme. Da dieses Geschlecht auch zu unsern Zeiten bei
Höfen, besonders aber in Republiken sehr angesehen und unentbehrlich ist, so
möchte nichts billiger sein, als seine Ahnherrn recht kennen zu lernen." Und auch in
‚Hermann und Dorothea‘ bildet die Französische Revolution den Hintergrund des
Geschehens, obwohl Goethes Vorlage eine erbauliche Anekdote aus der Emigra-
tionsgeschichte von den aus dem Erzbistum Salzburg vertriebenen Lutheranern bildete. Goethe legt das Geschehen jedoch in einen kleinen, überschaubaren rechts-
rheinischen Ort.

Hermann, Sohn des wohlhabenden Wirtes, lernt die zu einer Gruppe von Flüchtlingen gehören-
de Dorothea kennen, als er den auf der Flucht befindlichen linksrheinischen Deutschen unterwegs Geschenke überbringen will. Wieder zu Hause angekommen, gerät er mit seinem Vater,
der sich gerade zusammen mit der Mutter, dem Pfarrer und dem Apotheker über die wirren
Zeitläufe unterhält, in Streit, weil sich der Vater eine reiche Schwiegertochter ins Haus wünscht.
Hermann gesteht seine plötzlich entbrannte Liebe zu der armen Dorothea. Man kommt überein, daß der Pfarrer und der Apotheker sich nach dem Leumund des Mädchens erkundigen sol-

len. Beide bringen in Erfahrung, daß Dorothea sich bei einem Überfall französischer Truppen vorbildlich und heldenhaft verhalten hat. Hermann führt darauf Dorothea, die durch den ungeschickt formulierten Antrag Hermanns glaubt, als Magd gedungen worden zu sein, in sein Elternhaus. Nachdem der Pfarrer das Mißverständnis aufgeklärt hat, steht einer Heirat zwischen Hermann und Dorothea nichts mehr im Wege.

Der Gefährdung und der Unordnung der Verhältnisse, die die Französische Revolution mit sich brachte, setzt Goethe ein Bild der Ordnung entgegen. Die Unruhe der Zeit ist in der Ruhe des Homer angenäherten Erzählflusses aufgehoben, der sich liebevoll den Einzelheiten widmet. Den gewaltsamen Veränderungen setzt Goethe Bilder und Szenen entgegen, in denen sich durch die Stilisierung zum Typischen 'überzeitliche' Verhältnisse und 'Ursituationen' des menschlichen Lebens wie Familie, Liebe, Generationsabfolge usw. präsentieren sollen. Heinrich Meyer gegenüber legte Goethe seine Absichten dar: „Ich habe das reine Menschliche der Existenz einer kleinen deutschen Stadt in dem epischen Tiegel von den Schlacken abzuscheiden gesucht, und zugleich die großen Bewegungen und Veränderungen des Welttheaters aus einem kleinen Spiegel zurück zu werfen getrachtet." Im bürgerlichen Idyll wird das „Deutsche des Stoffes idealisiert" und mit dem „Homerischen der Form" in eins gesetzt, wie Schiller Goethes poetische Verfahrensweise beschreibt. So gelingt es, daß der Leser – wie A. W. Schlegel treffend feststellt – „überall zu einer milden, freien, von nationaler und politischer Parteilichkeit gereinigten Ansicht der menschlichen Angelegenheiten erhoben" wird. In ‚Hermann und Dorothea' entwirft Goethe ein Modell,

„wie intellektuelles, moralisches und politisches Fortschreiten mit Zufriedenheit und Ruhe, wie dasjenige, wonach die Menschheit als nach einem allgemeinen Zweck streben soll, mit der natürlichen Individualität eines jeden, wie das Betragen einzelner mit dem Strom der Zeit und der Ereignisse vereinbar ist, daß beides zu höherer allgemeiner Vollkommenheit zusammenwirkt. [...]"

So urteilt 1799 der Goethe zu dieser Zeit sehr eng verbundene Wilhelm von Humboldt.

Man würde jedoch die Zerbrechlichkeit des von dem Liebespaar am Ende des Epos erreichten Glückszustandes verkennen, wollte man nicht sehen, daß Goethe keineswegs seinem Vorgänger Voß in der Zeichnung einer gemächlichen, durch nichts erschütterten bürgerlichen Idylle folgt. Beharren und Veränderung sind die beiden Pole, zwischen denen sich ‚Hermann und Dorothea' bewegt. Hermanns Eltern haben sich angesichts der Trümmer verlobt, in welche ein großer Brand die Stadt gelegt hat; Dorotheas erster Verlobter kam bei den Ereignissen in Paris um; Dorothea selbst befindet sich auf der Flucht, das kleine Städtchen selber ist, wenn auch nicht unmittelbar, von den heranziehenden französischen Heeren bedroht. Auf solchem unsicheren Hintergrund entwickelt sich das Geschehen in ‚Hermann und Dorothea'. Die „stillere Wohnung" – in die Goethe seinen Leser führen will –, „wo sich, nah der Natur, menschlich der Mensch noch erzieht", ist umgeben vom Tosen der Zeit. Im Epos siegt nur für einen Augenblick der „Mut in dem gesunden Geschlecht", wie Goethe es in seinem Einleitungsgedicht ‚Hermann und Dorothea' ausspricht; aber dieser Sieg ist – das machen die „traurigen Bilder der Zeit", die in die Idylle eingezeichnet sind, deutlich – jederzeit bedroht.

Wie Goethe in der idealtypisch gezeichneten Liebe zwischen Hermann und Dorothea ein Gegenbild zu den chaotischen Zuständen zeichnet, „wo alles sich regt, als wollte die Welt, die gestaltete, rückwärts lösen in Chaos und Nacht sich auf und neu sich gestalten", entwirft er auch in den ‚*Unterhaltungen deutscher Ausgewanderten*' (1795) eine Form des humanen Überstehens der unsicheren Zeit. Die Rahmenhandlung dieses Erzählwerks, das zuerst in Schillers ‚Horen' erschien, berichtet von einer

Gruppe deutscher Flüchtlinge, die ihre Besitzungen aus Furcht vor den heranrückenden Kriegsereignissen verlassen haben. Politische Gegensätze und Streitigkeiten
brechen innerhalb dieser Gruppe aus, ihre Geselligkeit ist gefährdet. Durch das Erzählen von Geschichten soll die verlorene Harmonie wiederhergestellt werden.
„Lassen Sie uns wenigstens an der Form sehen, daß wir in guter Gesellschaft sind", so
fordert die Baronin die sie begleitenden Personen auf. Die Erzählungen schließen
folglich das öffentlich-politische Sujet aus, denn alle „Unterhaltung über das Interesse des Tages" wird von der Baronin strikt verboten, um eine „gesellige Schonung auszuüben". Zunächst werden einfache, durch eine „interessante einzelne Begebenheit" ausgezeichnete Gespenster- und Liebesgeschichten erzählt. Es folgen „moralische" Erzählungen, schließlich als letzte Geschichte das ‚Märchen'. Aber, ob Anekdote, Erzählung, Novelle oder Märchen, es geht weniger um die moralische Belehrung durch die Geschichten als um die künstlerische Form, in der sie erzählt werden.
Die ästhetische Formung und der sich am Kunstwerk bildende Geschmack sind zugleich Einübung in die ‚gute Gesellschaft', Überwindung des Chaos, wie die Geschichten veranschaulichen, daß „außer der Neigung noch etwas in uns ist, das ihr das
Gleichgewicht halten kann, daß wir fähig sind, jedem gewohnten Gut zu entsagen
und selbst unsere heißesten Wünsche von uns zu entfernen".

4.4 Schillers Auseinandersetzung mit der Französischen Revolution

> **Friedrich Schiller**:
> Über die ästhetische Erziehung des Menschen in einer Reihe von Briefen (1795)
> Maria Stuart (1800)   Die Jungfrau von Orleans (1801)
> Die Braut von Messina oder die feindlichen Brüder (1803)
> Wilhelm Tell (1804)   Demetrius (1804)

In dem großen Rechenschaftsbericht an den Herzog Friedrich von Augustenburg am
13. Juli 1793 – einer Vorstufe zu der 1795 erschienenen Abhandlung ‚Über die ästhetische Erziehung des Menschen in einer Reihe von Briefen' – bezog Schiller Stellung zu
den „großen Ereignissen der Zeit", die ihn zunächst mit einiger Hoffnung erfüllt hatten, dann jedoch aufs tiefste enttäuschten:

„Wäre das Faktum wahr – wäre der außerordentliche Fall wirklich eingetreten, daß die politische Gesetzgebung der Vernunft übertragen, der Mensch als Selbstzweck respektiert und behandelt, das Gesetz auf den Thron gehoben, und wahre Freiheit zur Grundlage des Staatsgebäu-
des gemacht worden, so wollte ich auf ewig von den Musen Abschied nehmen, und dem herrlichsten aller Kunstwerke, der Monarchie der Vernunft, alle Tätigkeit widmen. Aber dieses Faktum ist es eben, was ich zu bezweifeln wage. Ja, ich bin soweit entfernt, an den Anfang einer Re-
generation im Politischen zu glauben, daß mir die Ereignisse der Zeit vielmehr alle Hoffnungen
dazu auf Jahrhunderte benehmen."

Die hier artikulierte Enttäuschung resultiert für Schiller aus der Beobachtung, daß
die Idee der Französischen Revolution sich nicht in die Wirklichkeit hatte umsetzen
lassen. Der Verlauf der Ereignisse hatte ihn darüber belehrt, daß sich die ursprünglich angestrebte Einrichtung einer Republik als eines auf Vernunft gegründeten Staates nicht hatte verwirklichen lassen. Er sah die Perversion der Zweck-Mittel-Rela-
tion bestätigt, die er bereits im ‚Don Carlos' anhand der Figur Posas angedeutet hatte. Er verurteilte, daß zu viele den Weg zu einem „Ideal politischer Glückseligkeit"
durch alle Greuel der Anarchie verfolgten: „Wie viele gibt es nicht, die [...] keine Bedenken tragen, die gegenwärtige Generation dem Elende preiszugeben, um das
Glück der nächstfolgenden dadurch zu befestigen. Die scheinbare Uneigennützig-

keit gewisser Tugenden gibt ihnen einen Anstrich von Reinigkeit, der sie dreist genug macht, der Pflicht ins Angesicht zu trotzen, und manchem spielt seine Phantasie den seltsamen Betrug, daß er über die Moralität hoch hinaus und vernünftiger als die Vernunft sein will." Damit – so meint Schiller – korrumpiere die Französische Revolution ihre eigenen Ideale, mache den Menschen zum puren Objekt von Willkürhandlungen und erreiche damit gerade jene Fortdauer und Verfestigung der Entfremdung, woraus sie den Menschen erlösen wolle. Schiller sieht angesichts der 'Ereignisse der Zeit', daß der Mensch noch nicht reif für seine politische und bürgerliche Freiheit ist. Die gesellschaftliche Revolution, wie sie in Frankreich versucht wurde, revolutioniert nicht den einzelnen Menschen, vielmehr ist es der einzelne Mensch, der seinen Charakter zuerst veredeln muß, damit auch die Gesellschaft sich revolutioniert: „Politische und bürgerliche Freiheit bleibt immer und ewig das herrlichste aller Güter, das würdigste Ziel aller Anstrengungen und das große Zentrum aller Kultur; aber man wird diesen herrlichen Bau nur auf dem festen Grunde eines veredelten Charakters aufführen." Damit ist – Goethe vergleichbar – das Individuum der Gesellschaft vorgeordnet. Bereits 1788 hatte Schiller an Karoline von Beulwitz geschrieben, er glaube, „daß jede einzelne ihre Kraft entwickelnde Menschenseele mehr [sei] als die größte Menschengesellschaft, wenn [man] diese als ein Ganzes betrachte. Der größte Staat ist ein Menschenwerk, der Mensch ist ein Werk der unerreichbaren großen Natur. [...] Der Staat ist nur eine Wirkung der Menschenkraft, nur ein Gedankenwerk, aber der Mensch ist die Quelle der Kraft selbst und der Schöpfer des Gedankens."

4.4.1 Die Antizipation der Freiheit in der Kunst – Schillers ‚Über die ästhetische Erziehung des Menschen in einer Reihe von Briefen'

Wenn der Staat oder die Gesellschaft zunächst unfähig sind, den Menschen zu veredeln, so ist genau hier die Aufgabe der Kunst zu suchen. Darum nimmt Schiller nicht „auf ewig von den Musen Abschied", denn er mißt der Kunst genau jene Kraft der Erneuerung zu, die das Politische seines Erachtens nicht leisten kann. Die ästhetische Erziehung schafft jenen notwendigen Unterbau, auf den sich die 'Monarchie der Vernunft' gründen kann. Der Kunst ist aufgegeben, die Entfremdung des Menschen aufzuheben. Als Ideal schweben Schiller die

„griechischen Staaten [vor], wo jedes Individuum eines unabhängigen Lebens genoß und, wenn es not tat, zum Ganzen werden konnte". An die Stelle der geschichtlich überlebten Polis ist jedoch ein „kunstreiches Uhrwerk" getreten, „wo aus der Zusammenstückelung unendlich vieler, aber lebloser Teile ein mechanisches Leben im Ganzen sich bildet. Auseinandergerissen wurden jetzt der Staat und die Kirche, die Gesetze und die Sitten; der Genuß wurde von der Arbeit, das Mittel vom Zweck, die Anstrengung von der Belohnung geschieden. Ewig nur an ein einzelnes kleines Bruchstück des Ganzen gefesselt, bildet sich der Mensch selbst nur als Bruchstück aus; ewig nur das eintönige Geräusch des Rades, das er umtreibt, im Ohre, entwickelt er nie die Harmonie seines Wesens, und anstatt die Menschheit in seiner Natur auszuprägen, wird er bloß zu einem Abdruck seines Geschäfts, seiner Wissenschaft. Aber selbst der karge fragmentarische Anteil, der die einzelnen Glieder noch an das Ganze knüpft, hängt nicht von den Formen ab, die sie sich selbsttätig geben (denn wie dürfte man ihrer Freiheit ein so künstliches und lichtscheues Uhrwerk vertrauen?), sondern wird ihnen mit skrupulöser Strenge durch ein Formular vorgeschrieben, in welchem man ihre freie Einsicht gebunden hält."

Die Kunst wendet sich folglich an den inneren Menschen, sucht ihn aus der gesellschaftlich bedingten Zerstückelung und Vereinseitigung seiner selbst herauszuführen, indem sie ihn wieder zu einem Ganzen bildet. Der Zivilisationsprozeß hat notwendigerweise mit sich gebracht, daß sich die einzelnen Kräfte und Vermögen des Menschen differenzierten und dadurch vervollkommneten, dies aber auf Kosten der menschlichen Totalität. So sieht Schiller z. B. im gegenwärtigen Zustand das völlige Auseinanderklaffen von Vernunft und Sinnlichkeit. Allein die Kunst vermag den

Menschen etwas von seiner ursprünglichen und wiederzuerlangenden Totalität ahnen zu lassen. Durch die Versöhnung des Form- und Stofftriebes im ästhetischen Spieltrieb verspricht sich Schiller aber nicht nur die Gesundung des Individuums, sondern auch die Besserung der ganz von den Sinnen bestimmten „niedern und zahlreichern Klassen" wie der an „Erschlaffung" und „Depravation" leidenden Adelsgesellschaft. In der Kunst erlangt der Mensch in Form des Vor-Scheins seine verlorengegangene Freiheit zurück, denn die Kunst ist Freiheit in der Erscheinung. Die ästhetische Erziehung ist somit Mittel zur Veredelung des Charakters. In ihr lassen sich „Quellen eröffnen", die von dem Staat nicht abgeleitet sind und sich also bei allen Mängeln desselben „rein und lauter erhalten", so daß man sich von der ästhetischen Erziehung auch eine „politische Verbesserung" erhoffen könne. Die Kunst ist also auf ein politisches Ziel hin ausgerichtet. Um aber dieses politische Ziel zu erreichen, muß die Kunst – wie es in der Ankündigung der ‚Horen' heißt – „dem beschränkten Interesse der Gegenwart" entgegentreten und sich auf das, „was rein menschlich und über allen Einfluß der Zeit erhaben ist", konzentrieren:

„Wir [die Künstler] wollen dem Leibe nach Bürger unserer Zeit sein und bleiben, weil es nicht anders sein kann; sonst aber und dem Geiste nach ist es das Vorrecht und die Pflicht des Philosophen wie des Dichters, zu keinem Volk und zu keiner Zeit zu gehören, sondern im eigentlichen Sinne des Wortes Zeitgenosse aller Zeiten zu sein."

Die hier geforderte Autonomie der Dichtung ergibt sich aus der Überlegung, daß jede Einmischung der Poesie in die Händel der Zeit, daß jede direkte und einseitige Parteinahme für die Interessen der Gegenwart notwendigerweise eine erneute Indienstnahme der Poesie für übergeordnete Zwecke bedeuten würde, die Poesie also mithin ihre Freiheit verspielen würde. Nur durch die Autonomie der Dichtung können die „eingeengten und unterjochten Gemüter wieder in Freiheit gesetzt werden", nur im zwecklosen, ästhetischen Spiel gewinnt der Mensch sich wieder:

„Um es endlich einmal herauszusagen", so heißt es im 15. Brief zur ästhetischen Erziehung, „der Mensch spielt nur, wo er in voller Bedeutung des Wortes Mensch ist, und er ist nur da ganz Mensch, wo er spielt."

4.4.2 Der Weg in die Freiheit – Schillers ‚Wilhelm Tell'
Den Menschen seine Freiheit ahnen lassen will nach Schillers Auffassung auch die Tragödie. Hier zeigt sich dem Zuschauer „Stirn gegen Stirn" das die Natur durchwaltende „böse Verhängnis". Mittels des ästhetischen Scheins wird er mit ihm konfrontiert, und diese „Bekanntschaft [...] ist Heil für uns".

„Zu dieser Bekanntschaft [...] verhilft uns das furchtbar herrliche Schauspiel der alles zerstörenden Veränderung [...] verhelfen uns die pathetischen Gemälde der mit dem Schicksal ringenden Menschheit, der unaufhaltsamen Flucht des Glücks, der betrogenen Sicherheit, der triumphierenden Ungerechtigkeit und der unterliegenden Unschuld, welche die Geschichte in reichem Maße aufstellt und die tragische Kunst nachahmend vor unsre Augen bringt. Denn wo wäre derjenige, der, bei einer nicht ganz verwahrlosten moralischen Anlage [...] bei solchen Szenen verweilen kann, ohne dem ernsten Gesetz der Notwendigkeit mit einem Schauer zu huldigen, seinen Begierden augenblicklich den Zügel anzuhalten und, ergriffen von dieser ewigen Untreue alles Sinnlichen, nach dem Beharrlichen in seinem Busen zu greifen? Die Fähigkeit, das Erhabene zu empfinden, ist also eine der herrlichsten Anlagen der Menschennatur, die sowohl wegen ihres Ursprungs aus dem selbständigen Denk- und Willensvermögen unsre Achtung, als wegen ihres Einflusses auf den moralischen Menschen die vollkommenste Entwickelung verdient. Das Schöne macht sich bloß verdient um den Menschen, das Erhabene um den reinen Dämon in ihm; und weil es einmal unsre Bestimmung ist, auch bei allen sinnlichen Schranken uns nach dem Gesetzbuch reiner Geister zu richten, so muß das Erhabene zu dem Schönen hinzukommen, um die ästhetische Erziehung zu einem vollständigen Ganzen zu machen und die Empfindungsfähigkeit des menschlichen Herzens nach dem ganzen Umfang unsrer Bestimmung, und also auch über die Sinnenwelt hinaus, zu erweitern."
(Schillers Abhandlung ‚Über das Erhabene', 1801.)

Schillers Theorie der Tragödie unterscheidet sich somit in einem wesentlichen Punkte von der Lessings. „Darstellung des Leidens – als bloßen Leidens – ist niemals Zweck der Kunst", so betont er im Gegensatz zu Lessing. Die Darstellung des Leidens ist ihm nur Mittel zum eigentlichen Zweck:

„Der letzte Zweck der Kunst ist die Darstellung des Übersinnlichen, und die tragische Kunst insbesondere bewerkstelligt dieses dadurch, daß sie uns die moralische Independenz von Naturgesetzen im Zustand des Affekts versinnlicht. Nur der Widerstand, den es gegen die Gewalt der Gefühle äußert, macht das freie Prinzip in uns kenntlich. [...] Das Sinnenwesen muß tief und heftig leiden; Pathos muß da sein, damit das Vernunftwesen seine Unabhängigkeit kundtun und sich handelnd darstellen könne." (Schillers Abhandlung ‚Über das Pathetische', 1801.)

Eine solche Demonstration des „freien Prinzips in uns" sind Schillers Dramen ‚Maria Stuart' (1800), ‚Die Jungfrau von Orleans' (1801) und auch ‚Wilhelm Tell' (1804). Sie alle zielen letztlich auf die Kundgabe der „Unabhängigkeit des Vernunftwesens" ab, sei es in der Gestalt des historischen Dramas, der legendenhaft-romantischen Tragödie, sei es im 'Volksstück', als das ‚Wilhelm Tell' in gewissem Sinne gelten kann. Der Weg in die Freiheit entfaltet sich stets in einem triadischen Schritt, von Arkadien durch die Geschichte nach Elysium.

Schiller deutet im ‚Wilhelm Tell' die Befreiungsgeschichte der Schweiz als einen Übergang von der paradiesischen, naiven Idylle durch den Raum der Geschichte, wo Recht und Unrecht aufeinanderstoßen, zur erneuten Idylle, dem 'ästhetischen Staat'. Die Situation der ersten Szene (grüne Matten, Dörfer und Höfe im hellen Sonnenschein, Kuhreihen und harmonisches Geläut der Kuhglocken etc.) verweist auf die Idylle. Eine pastorale Szenerie wird ausgemalt, in der ein archaisch anmutendes, nach patriarchalischen Beziehungen sich vollziehendes Leben seinen Platz hat. Hier herrscht noch die „uralt fromme Sitte der Väter", angeborne Bande gelten, die „alte Sitte" hat „vom Ahn zum Enkel" unverändert fortbestanden. In diese archaisch-arkadische Welt bricht, angekündigt durch Sturm und Gewitter, das politische Geschehen ein. Mit Geßler ändern sich die unmittelbaren Beziehungen der Menschen untereinander, die Fremdherrschaft schafft Entfremdung, setzt an die Stelle konkret patriarchalischer Herrschaftsverhältnisse die abstrakte Macht, Gewalt und Institution. Als Antwort auf die neue geschichtliche Situation formieren sich die Schweizer in neuer Weise. Sie lösen sich vom alten Leben, bilden zusammen ein Kollektiv, wo sich der einzelne im Verzicht auf seine individuelle Verwirklichung dem Ganzen des Staates unterstellt („Bezähme jeder die gerechte Wut / Und spare für das Ganze seine Rache, / Denn Raub begeht am allgemeinen Gut, / Wer selbst sich hilft in seiner eignen Sache").

Als ein solcher Außenseiter führt sich aber zunächst Tell auf. Im Anblick der Zwingburg – der Bezug zur Bastille ist unverkennbar – ermahnt er Stauffacher, Geduld und Schweigen zu bewahren, da er in seiner Naivität noch darauf baut, daß die österreichische Herrschaft wie ein Naturvorgang wieder verschwinden werde. Darin täuscht er sich. Es gilt nicht länger, daß man „dem Friedlichen gern den Frieden" gewähre. Tell muß in der Apfelschußszene erkennen, daß die von ihm auch weiterhin gewollte rein private, nur auf sich selbst vertrauende Existenz mit der historischen Stunde unvereinbar geworden ist. In die Situation gesetzt, sein eigenes Leben und das seines Kindes dadurch zu retten, daß er das Leben des Kindes durch einen Meisterschuß riskiert, verliert Tell seine Naivität, er wird zur geschichtlichen Tat getrieben. Er beschließt, die Repräsentationsfigur österreichischer Fremdherrschaft, Geßler, zu ermorden. Vor dem Mord an Geßler erwägt er in einem Monolog diese Tat. Bewußtsein tritt zu der Tell bislang eigenen Spontaneität des Handelns hinzu und zeigt damit jenes neue Stadium an, in das Tell eingetreten ist. Umgekehrt lernen die Schweizer anhand der Apfelschußszene die spontane Tat („Die Stunde dringt, und rascher Tat bedarf's – Der Tell ward schon ein Opfer eures Säumens"). Überall fallen nun die

Zwingburgen und Tyrannenschlösser, und „herrlich ist's erfüllt", was auf dem Rütli beschworen wurde. Wie sich Tat und Reflexion auf beiden Seiten durchdringen, ergänzen sich nun das Tun des einzelnen (Tell) und das Handeln aller, so daß am Ende die alte patriarchalische Herrschaftsform durch eine Gemeinschaft der Freien und Gleichen ersetzt wird. Berta von Bruneck verzichtet auf ihre adligen Vorrechte, Ulrich von Rudenz erklärt seine Knechte frei. In diesem Versöhnungsakt ist Tells Mord aufgehoben, die Erhebung galt nur der widernatürlichen Fremdherrschaft. Der Ausgleich der Stände vollzieht sich aus der Einsicht der handelnden Figuren; auch hier also ein Gegenmodell zur Französischen Revolution.

4.5 Die Erziehung des Volkes – Hölderlins ‚Hyperion'

Friedrich Hölderlin:
Hyperion (1797–99)
Der Tod des Empedokles (1798–1800)
Ältestes Systemprogramm des Deutschen Idealismus (1796)

In Hölderlins Drama ‚Der Tod des Empedokles' (1798–1800), das in mehreren Fassungen vorliegt, lehnt die Titelgestalt, der griechische Philosoph aus Agrigent (483–424 v. Chr.), unmißverständlich die ihr angetragene Königswürde ab:

> „Dies ist die Zeit der Könige nicht mehr [...]
> Euch ist nicht
> Zu helfen, wenn ihr selber euch nicht helft [...]
> So wagts! was ihr geerbt, was ihr erworben,
> Was euch der Väter Mund erzählt, gelehrt,
> Gesetz und Brauch, der alten Götter Namen,
> Vergeßt es kühn [...]
> [...] reicht die Hände
> Euch wieder, gebt das Wort und teilt das Gut,
> O dann ihr Lieben teilet Tat und Ruhm
> Wie treue Dioskuren; jeder sei
> Wie alle [...]" (Erste Fassung, II, 4.)

In dieser Rede des Empedokles lassen sich die Ideale der Französischen Revolution: „Freiheit, Gleichheit und Brüderlichkeit", wiedererkennen; das politische Vermächtnis des Empedokles richtet sich nicht nur an das Volk der Agrigentiner, sondern auch an die zeitgenössischen Leser Hölderlins.

Aus Begeisterung für die Französische Revolution und ihre Ziele formierte sich im Tübinger Stift ein politischer Klub, dem auch Hölderlin angehörte. Hegel und Schelling – wie Hölderlin Anhänger der Jakobiner – waren ihm ebenfalls beigetreten. Noch am 14. Juli 1793 pflanzten die Stiftler am Jahrestag der Revolution einen Freiheitsbaum, aber bereits einige Monate später schrieb Hölderlin an seinen Bruder einen Brief, dem zu entnehmen ist, daß er die Verwirklichung der Revolutionsziele in weite Ferne gerückt sieht:

„Meine Liebe ist das Menschengeschlecht [...] das Geschlecht der kommenden Jahrhunderte [...] die Freiheit muß einmal kommen, und die Tugend wird besser gedeihen in der Freiheit heiligem erwärmenden Lichte als unter der eiskalten Zone des Despotismus. [...] Dies ist das heilige Ziel meiner Wünsche und meiner Tätigkeit – dies, daß ich in unserm Zeitalter die Keime wecke, die in einem künftigen reifen werden."

Angesichts dieser auch hier noch nachklingenden Begeisterung für die Ideen der Französischen Revolution ist es verständlich, daß Hölderlin dem Rat seines Freundes Stäudlin folgte und in seinen ‚Hyperion‘ (1797-99) „versteckte Stellen über den Geist der Zeit" einschaltete. Zur Taktik des Versteckens gehörte, daß er die Szenerie des Briefromans in das zeitgenössische Griechenland legt, wo seit 1770 Griechen im Bündnis mit den Russen für ihre Befreiung von den Türken kämpfen.

Hyperion, Sohn eines reichen griechischen Kaufmanns, wird auf einer der griechischen Inseln geboren. Hier wächst er auf und erlebt in der Versenkung in die Natur „einen Zustand der höchsten Einfalt". Nach dem Verlust dieses idealen, ursprünglichen Harmoniezustandes versucht er, dieses einmal erfahrene Einssein „mit allem, was lebt", zu erneuern. Er fühlt sich herausgerissen aus der „Ruhe der Kindheit". Besinnung, Reflexion, Vernunft und Wissenschaft haben ihn zum „Fremdling" gegenüber der Natur werden lassen; er hat den ursprünglichen, paradiesischen „Garten der Natur [verlassen], wo [er] wuchs und blühte". Hyperions Trauer um den Verlust dieses Zustandes und seine Versuche, ihn wiederzuerlangen, bedingen seinen „elegischen" Charakter. Alle Versuche, den ursprünglichen Zustand des Einseins mit der Natur und den Göttern zu erneuern, müssen scheitern. Weder der Freundschaftsbund mit Alabanda, die Liebe zu Diotima, die Erfahrung der Schönheit, noch die Vergegenwärtigung der athenischen Demokratie oder die Teilnahme am Kampf der Griechen gegen die Türken stillen Hyperions Drang nach letzter Harmonie. Die Wirklichkeit widersetzt sich stets dem Streben Hyperions; den „Kindern des Augenblicks" ist es verwehrt, der in der Ekstase vorgestellten Einheit Dauer zu verleihen.

So sucht Hyperion die Befreiung aus seinem Bannkreis durch ein „lebendig Geschäft". Er begeistert sich für den griechischen Freiheitskampf, kämpft an der Seite Alabandas im „guten" Krieg, damit erneut der „junge Freistaat dämmre und das Pantheon alles Schönen aus griechischer Erde sich erhebe". Die hohen Ziele des Kampfes werden jedoch durch die Wirklichkeit pervertiert. Die eigenen Leute „haben geplündert, gemordet, ohne Unterschied", die Raubgier tobt, der Befreiungsversuch verliert sein Ziel aus dem Auge „so daß Hyperion resignierend feststellen muß, daß er „durch eine Räuberbande sein Elysium hat pflanzen wollen". Schon zuvor, nach der ersten Bekanntschaft mit Alabanda, war es zwischen beiden strittig gewesen, welcher Stellenwert dem Staat und einer gewaltsamen Veränderung der Staatsform beizumessen sei. Hyperion hielt Alabanda vor: „Du räumst dem Staate denn doch zu viel Gewalt ein. Er darf nicht fordern, was er nicht erzwingen kann. Was aber die Liebe gibt und der Geist, das läßt sich nicht erzwingen. […] Immerhin hat das den Staat zur Hölle gemacht, daß ihn der Mensch zu seinem Himmel machen wollte. Die rauhe Hülse um den Kern des Lebens und nichts weiter ist der Staat. Er ist die Mauer um den Garten menschlicher Früchte und Blumen. Aber was hilft die Mauer um den Garten, wo der Boden dürre liegt? Da hilft der Regen vom Himmel allein. O Regen vom Himmel!! O Begeisterung! Du wirst den Frühling der Völker uns wiederbringen."

Hyperion kann nur Begeisterung erregen, um damit den Frühling unter den Völkern vorzubereiten. In Griechenland hält ihn nach dem Tode Diotimas und Alabandas nichts mehr, er kehrt bei den Deutschen ein, aber Deutschland, das Land der Barbaren, verweigert sich ihm, so daß er als Eremit nach Griechenland zurückkehrt. Ganz zurückgezogen erfährt er hier, daß eine „neue Seligkeit dem Herzen aufgeht, wenn es aushält und die Mitternacht des Grams durchduldet, und daß, wie Nachtigallgesang im Dunkeln, göttlich erst in tiefem Leid das Lebenslied der Welt uns tönt". Als Dichter kündet er mitten im Leid von der künftigen Versöhnung der Welt und läßt sie in seinem Gesang aufscheinen. Indem er als Prophet die künftige „Versöhnung mitten im Streit" ahnen läßt, wird er „zum Erzieher des Volkes" mittels der Poesie und nimmt nunmehr jene Aufgabe wahr, die ihm bereits Diotima zugeschrieben hatte. Nicht also Alabandas Revolutionskonzept erweist sich demnach als tauglich, sondern die ästhetische Erziehung des Volkes tritt auch bei Hölderlin – wie bei Schiller – als die dringlichere Aufgabe an die Stelle der gewaltsamen Veränderung. Statt der

Revolution vertritt Hölderlin das Konzept einer radikalen Revolutionierung der Poesie, die Prophetie werden muß, damit alles „von Grund aus anders werde! Aus der Wurzel der Menschheit sprosse die neue Welt! Eine neue Gottheit walte über ihnen, eine neue Zukunft kläre vor ihnen sich auf."

Welche Kraft Hölderlin der 'Idee der Schönheit' zumißt, wird deutlich im sogenannten ‚*Ältesten Systemprogramm des Deutschen Idealismus*' (1796) – vermutlich eine Gemeinschaftsarbeit Hölderlins, Schellings und Hegels. Auch hier ist der Staat nur Mittel zum Zweck: „Die Idee der Menschheit voran – will ich zeigen, daß es keine Idee vom Staat gibt, weil der Staat etwas mechanisches ist. [...] Wir müssen also auch über den Staat hinaus! – Denn jeder Staat muß freie Menschen als mechanisches Räderwerk behandeln; und das soll er nicht; also soll er aufhören." Die Idee der Schönheit ist allem übergeordnet:

> „Ich bin nun überzeugt, daß der höchste Akt der Vernunft, der, indem sie alle Ideen umfaßt, ein ästhetischer Akt ist, und daß Wahrheit und Güte, nur in der Schönheit verschwistert sind. Der Philosoph muß eben so viel ästhetische Kraft besitzen, als der Dichter. [...] Die Philosophie des Geistes ist eine ästhetische Philosophie. [...] Die Poesie bekömmt dadurch eine höhere Würde, sie wird am Ende wieder, was sie am Anfang war – Lehrerin der Menschheit; denn es gibt keine Philosophie, keine Geschichte mehr, die Dichtkunst allein wird alle übrigen Wissenschaften und Künste überleben."

In der Konsequenz dieses Denkens liegt damit die Forderung nach einer neuen Dichtkunst, in der die Ideen ästhetisch zur Erscheinung kommen und damit dem „Aufgeklärten und dem Unaufgeklärten" zugänglich werden. Dann wären auch Freiheit und Gleichheit möglich:

> „Nimmer der verachtende Blick, nimmer das blinde Zittern des Volkes vor seinen Weisen und Priestern. Dann erst erwartet uns gleiche Ausbildung aller Kräfte, des Einzelnen sowohl als aller Individuen. Keine Kraft wird mehr unterdrückt werden, dann herrscht allgemeine Freiheit und Gleichheit der Geister!"

5 Konzepte der Humanität

5.1 „Edle Einfalt, stille Größe" – Winckelmanns Bild der Antike

> **Johann Joachim Winckelmann:** Gedanken über die Nachahmung der griechischen Werke in der Malerei und Bildhauerkunst (1755)

Sich im Begrenzten, Endlichen einzurichten, zu vollenden in der Harmonie seiner Kräfte, darin zentrierte sich das Menschenbild, das die Klassik entwarf. Dabei vermied sie die Einseitigkeit der Aufklärung, die den Menschen entweder als rein rationales oder – in der Folge des Französischen Materialismus – als rein sensualistisches Wesen begriff, indem sie alle dem Menschen innewohnenden Kräfte berücksichtigte, die es zu einer in sich vollkommenen Einheit auszugestalten galt. Ebenso revidierte die Klassik das Menschenbild des Sturm und Drang, indem sie weder die prometheische Variante der ungebundenen Selbstsetzung noch die ganymedische Variante einer sich mit dem Unendlichen vermischenden Menschheit gelten ließ (s. Goethes Hymnen ‚Prometheus' und ‚Ganymed'), sondern den Menschen als einen zwar herausgehobenen, aber dennoch mit der Natur und ihren Gesetzen zutiefst verbundenen Teil derselben begriff. „Der Mensch vermag zwar manches durch zweckmäßigen Gebrauch einzelner Kräfte, er vermag das Außerordentliche durch Verbindung mehrerer Fähigkeiten; aber das Einzige, ganz Unerwartete leistet er nur, wenn sich die sämtlichen Eigenschaften gleichmäßig in ihm vereinigen. Das letzte war das glückliche Los der Alten, besonders der Griechen in ihrer besten Zeit; auf die beiden ersten sind wir Neuern vom Schicksal angewiesen." So heißt es in Goethes ‚Winckelmann'-Aufsatz aus dem Jahre 1805.

Winckelmann hatte diese Sicht der Antike eröffnet, indem er in seinen beiden Schriften ‚Gedanken über die Nachahmung der griechischen Werke in der Malerei und Bildhauerkunst' (1755) und ‚Geschichte der Kunst des Altertums' (1764) das Interesse auf die griechische Antike, weniger auf die bis dahin fast ausschließlich gültige römische Antike lenkte. Mit seinem Begriffspaar „edle Einfalt" und „stille Größe" versuchte er, das Wesen der griechischen Kunst in einer gültigen Form zu erfassen und einen Weg zu weisen, auf dem die Neueren sich dem Ideal der Alten annähern könnten: „Der einzige Weg für uns, groß, ja wenn es möglich ist, unnachahmlich zu werden, ist die Nachahmung der Alten."

Im klassischen Humanitätsideal vereinigen sich drei Momente:
erstens Orientierung am Humanitätsideal der Antike, insbesondere der Griechen;
zweitens Gewißheit, daß sich erst im Kunstwerk der Mensch seiner höchsten Vollendung vergewissern kann, denn „indem [das Kunstwerk] sich aus den gesamten Kräften [des Menschen] geistig entwickelt, nimmt es alles Herrliche, Verehrungs- und Liebenswürdige in sich auf und erhebt, indem es die menschliche Gestalt beseelt, den Menschen über sich selbst, schließt seinen Lebens- und Tatenkreis ab und vergöttert ihn für die Gegenwart, in der das Vergangene und Künftige begriffen ist", wie es Goethe in der oben genannten Abhandlung formuliert;
drittens die Reflexion des zeitlichen Abstands zur Antike und die Frage, ob und wie jener Abstand zwischen den Alten und den Neuen überbrückbar sei.

5.2 Humanität und Geschichte – Herders ‚Ideen zur Philosophie der Geschichte der Menschheit'

> **Johann Gottfried Herder:**
> Ideen zur Philosophie der Geschichte der Menschheit (1784–91)

Der Frage des Verhältnisses zwischen Humanität und Geschichte geht insbesondere Herder nach. Er versucht, Humanität in seinem großangelegten geschichtsphilosophischen Versuch ‚Ideen zur Philosophie der Geschichte der Menschheit' (1784–91) als das die Geschichte treibende und bestimmende Prinzip nachzuweisen:

„Humanität ist der Zweck der Menschennatur, und Gott hat unserm Geschlecht mit diesem Zweck sein eigenes Schicksal in die Hände gegeben." Die Geschichte, verschiedene Räume und verschiedene Zeiten, sind der Ort, in dem die Humanität als der „Charakter unsres Geschlechts" dem Menschen „angebildet werden muß", denn „wir bringen ihn nicht fertig auf die Welt mit; auf der Welt aber soll er das Ziel unsres Bestrebens, die Summe unsrer Übungen, unser Wert sein. Das Göttliche in unserm Geschlecht ist also Bildung zur Humanität. […] Die Bildung zu ihr ist ein Werk, das unablässig fortgesetzt werden muß, oder wir sinken, höhere und niedere Stände, zur rohen Tierheit, zur Brutalität zurück."

Humanität meint Menschwerdung des Menschen, Selbstvervollkommnung durch Befreiung und organische Entwicklung der in ihm angelegten Möglichkeiten. Der Mensch ist nicht Mittel zu einem ihm noch übergeordneten Zweck, er ist sich selbst Zweck, und zu diesem „offenbaren Zweck […] ist unsere Natur organisiert: zu ihm sind unsere feineren Sinne und Triebe, unsre Vernunft und Freiheit, unsere zarte und daurende Gesundheit, unsre Sprache, Kunst und Religion uns gegeben". Die Geschichte der Völker, die Herder in seinen ‚Ideen' nachzuschreiben versucht, wird so zu einer „Schule des Wettlaufs zur Erreichung des schönsten Kranzes der Humanität und Menschenwürde". Selbst die Irrwege, die die Menschheit in ihrer Entwicklung beschreitet, gereichen ihr letztlich zur Verbesserung. Da alles in der Natur „auf der bestimmtesten Individualität ruhet", mußte sich die Menschheit in einzelne Individuen, Gesellschaften und Nationen differenzieren, damit sie sich in der Totalität ihrer Anlagen und Kräfte ganz entfalten kann. Die Unvergleichbarkeit der Individualitäten und der Nationen mit andern rechtfertigt jede einzelne Entwicklungsstufe bzw. jede besondere Darstellungsform der Menschheit, denn jede „trägt das Maß ihrer Vollkommenheit" in sich, indem sie den Ausgleich widerstrebender Kräfte in sich ausbildet. Die einzelnen historischen Stufen, jeweils selbst gerechtfertigt, bilden in ihrer Zeitenfolge doch den Fortgang des Menschengeschlechts. Die allen Menschen gleichermaßen eigene Vernunft und die Fähigkeit zur Traditionsbildung garantieren, daß

„die menschliche Vernunft im Ganzen des Geschlechts ihren Gang fortgehet: sie sinnet aus, wenn sie auch noch nicht anwenden kann: sie erfindet, wenn böse Hände auch lange ihre Erfindung mißbrauchen. [...] Indem sie Leidenschaften bekämpfet, stärkt und läutert sie sich selbst, indem sie hier gedruckt wird, fliehet sie dorthin und erweitert den Kreis ihrer Herrschaft über die Erde. Es ist keine Schwärmerei, zu hoffen, daß, wo irgend Menschen wohnen, einst auch vernünftige, billige und glückliche Menschen wohnen werden: glückliche nicht nur durch ihre eigene, sondern durch die gemeinschaftliche Vernunft ihres ganzen Brudergeschlechtes."

5.3 Das 'Neue Sehen' – Goethes Italienreise und die ‚Römischen Elegien'

> **Johann Wolfgang von Goethe**: Römische Elegien (1795) Italienische Reise (1816–17 veröffentlicht)   West-östlicher Divan (1819)

Goethes Epos ‚Die Geheimnisse' (1784/85) – Herder zitierte zu seinen ‚Ideen' daraus einige Strophen – weist noch manche Züge eines aufklärerischen Humanitäts- und Toleranzideals auf. Eine neue Sicht menschlicher Vollendung tat sich für ihn erst in dem Augenblick auf, als er selbst klassischen Boden betrat. Goethe begab sich, Weimar fliehend, 1786 nach Italien. Hier erschloß sich ihm eine ganz neue Form von Sinnlichkeit. Kurz vor seiner Rückkehr nach Deutschland Mitte 1788 berichtete er an Frau von Stein: „Ich darf wohl sagen: ich habe mich in dieser anderthalbjährigen Einsamkeit selbst wiedergefunden; aber als was? – Als Künstler!" Auf diese neue Sehweise der Dinge kam es ihm an: „Mir ists nur jetzt um die sinnlichen Eindrücke zu tun, die mir kein Bild und kein Buch geben kann." Das subjektive Moment ist ganz zugunsten der Erfassung des Objektiven zurückgetreten. Entsprechend heißt es wieder in einem Brief an Frau von Stein: „Es dringt eine zu große Masse Existenz auf einen zu, man muß eine Umwandlung seiner selbst geschehen lassen." Das neue Sehen, das Goethe in Italien erlernt, ist kein planes Hinschauen. Im Sehen, dadurch, daß man das „Auge licht sein" läßt, erschließt sich das Wesentliche der Dinge, des Lebendigen: „Was ist doch ein Lebendiges für ein köstliches, herrliches Ding! Wie abgemessen in seinem Zustand, wie wahr, wie seiend!" „Wie ich die Natur betrachte, betrachte ich nun die Kunst" (Goethe an Frau von Stein). Aber auch das Umgekehrte gilt: Die Bewunderung, die er den griechischen Kunstwerken entgegenbringt, erklärt er damit, daß „diese hohen Kunstwerke [...] zugleich als die höchsten Naturwerke [...] nach wahren und natürlichen Gesetzen vorgebracht" seien. Diese Erfahrung, daß Kunst, Natur und Leben harmonisch zusammenstimmen können, äußert sich in den ‚Römischen Elegien' (1795). Die siebte Elegie beginnt:

> wie fühl' ich in Rom mich so froh! gedenk' ich der Zeiten,
> Da mich ein graulicher Tag hinten im Norden umfing,
> Trübe der Himmel und schwer auf meine Scheitel sich senkte,
> Farb- und gestaltlos die Welt, um den Ermatteten lag,
> Und ich über mein Ich, des unbefriedigten Geistes
> Düstre Wege zu spähn, still in Betrachtung versank.
> Nun umleuchtet der Glanz des helleren Äthers die Stirne;
> Phöbus rufet, der Gott, Formen und Farben hervor.

Das Betrachtete wird erst durch den Geist der Liebe belebt:

> Eine Welt zwar bist du, o Rom; doch ohne die Liebe
> Wäre die Welt nicht die Welt, wäre denn Rom auch nicht Rom.

Die Liebe zu der Witwe Faustine ist sinnlich-glücklich und entspricht so gar nicht dem Typus der 'Seelenliebe', wie sie für Goethes Dichtung, abgesehen von seiner Leipziger Rokokolyrik, bisher maßgeblich war. Wie die ‚Römischen Elegien' den Augenblick eines gesteigerten, sich seiner selbst ganz vergewissernden Daseinsgefühls festzuhalten versuchen, zeigen sie gleichzeitig aber auch die Brüchigkeit und Unwiederholbarkeit solchen Lebens. Die Liebe ermöglicht den Zugang zur Antike, bedarf jedoch gleichzeitig der Distanzierung von ihr. Nicht anders ist der Dichter als Bedingung seiner Kunst auf die Inspiration Amors angewiesen, muß aber zugleich auf sie verzichten, um den „stillen Genuß reiner Betrachtung" dichterisch zu formen. Erotik, der geschichtsträchtige klassische Boden Roms und schließlich als dritter Motivkreis die Mythen des Altertums verschmelzen in den Elegien aufs engste.
Goethe stellte sich mit den Elegien zum erstenmal innerhalb seiner Lyrik in eine antike Tradition. Später in den ‚Sonetten' (1815), aber auch im ‚West-östlichen Divan' (1819) knüpfte er an andere Traditionsstränge an. Die römischen Elegiendichter Properz, Tibull und Ovid sind die klassisch-antiken Vorbilder für die ‚Erotica Romana', wie die ‚Römischen Elegien' zunächst betitelt werden sollten. Aber das klassische Vorbild adaptierte Goethe nicht unverändert. Er war sich des Zeitenabstandes bewußt.
In der XIII. Elegie läßt er Amor sagen:

> Altklug lieb' ich dich nicht! Munter! Begreife mich wohl!
> War das Antike doch neu, da jene Glücklichen lebten!
> Lebe glücklich, und so lebe die Vorzeit in dir!

Es geht also nicht um die klassizistische Aneignung der für vorbildlich gehaltenen Antike, vielmehr um die Anverwandlung und Erneuerung des Alten in der Gegenwart. Vergleichbar wird Goethe verfahren, wenn er sich in ‚Iphigenie' an die attische Tragödie anlehnt, wenn er in ‚Hermann und Dorothea' die Nähe zu Homer, in den ‚Xenien' (1796) oder in seinem Lehrgedicht ‚Die Metamorphose der Pflanzen' (1799) die Nähe zu Martial bzw. Lukrez sucht.

5.4 Die Gefährdung des Humanen – Goethes ‚Iphigenie auf Tauris'

Wie Goethe in den ‚Römischen Elegien' versucht, sich der Antike im Bewußtsein des Zeitenabstandes zu nähern, ohne antike Dichtung zu imitieren, bildet er auch seine ‚Iphigenie' (1787) als „gräcisierendes" Schauspiel, ohne freilich die Bauformen des klassischen antiken Dramas zu übernehmen. So verzichtet er trotz des Euripideischen Dramas, das ihm als Vorlage zur ‚Iphigenie' diente, auf die Verwendung des Chores, führt die Handlung ganz aus dem mit dem Chor vermittelten Bereich der Öffentlichkeit in die Sphäre der Innerlichkeit und Privatheit der Figuren. Schiller bemerkte sogleich im alten Gewand die Modernität der ‚Iphigenie':

„Ich habe mich sehr gewundert, daß sie auf mich den günstigen Eindruck nicht mehr gemacht hat, wie sonst; ob es gleich immer ein seelenvolles Produkt bleibt. Sie ist aber so erstaunlich modern und ungriechisch, daß man nicht begreift, wie es möglich war, sie jemals einem griechischen Stück zu vergleichen. Sie ist ganz nur sittlich; aber die sinnliche Kraft, das Leben, die Bewegung und alles, was ein Werk zu einem echten dramatischen specificiert, geht ihr sehr ab."

Während noch ‚Götz von Berlichingen‘ oder ‚Egmont‘, insbesondere in den Volksszenen, von praller szenischer Sinnlichkeit strotzen, die an Shakespeares Drama erinnern, nähern sich ‚Tasso‘ und ‚Iphigenie‘, später dann noch ‚Die natürliche Tochter‘, ganz dem kargen, rein auf das gesprochene Wort und die andeutende Geste sich konzentrierenden Stil des französischen klassizistischen Dramas Racines. Diese Suche nach der dem Inhalt angemessenen „Harmonie im Stil" war es, die Goethe zu mehreren Umarbeitungen der ‚Iphigenie‘ veranlaßte, bis er schließlich in Italien die angemessene Form fand. Er bediente sich des Blankverses, den Lessing, abgesehen von anderen Versuchen, zum erstenmal im ‚Nathan‘ als das Maß des klassischen Dramas benutzt hatte. Die durch den fünffüßigen Jambus bewirkte Stilisierung und Vereinheitlichung des dramatischen Sprechens wird durch die starke Konzentration von Raum, Zeit und Handlung unterstützt.

So reduziert sich die dramatische Handlung der ‚Iphigenie‘ im wesentlichen auf zwei Entscheidungen (zum einen auf die Erfüllung oder Ablehnung von Thoas’ Ansinnen, die Priesterin zu heiraten, zum andern auf die Offenbarung oder Verheimlichung des Fluchtplans) und auf zwei Entdeckungen (zum einen auf das Wiedererkennen Orests als des Bruders von Iphigenie, zum andern auf die Aufdeckung des Orakelsinns). Was die Orest- und die Iphigenien-Handlung jedoch über den rein pragmatischen Zusammenhang hinaus verbindet, ist, daß beide Figuren, die Priesterin wie ihr Bruder, sich im Verlauf der Handlung ihres gemeinsamen Ursprungs vergewissern. Iphigenie wie Orest entstammen beide dem vom Fluch beladenen Tantaliden-Geschlecht, sie beide sind am Ende des Schauspiels nach Augenblicken tiefster Verzweiflung geheilt. Iphigenie sieht sich plötzlich, um das Leben des Bruders zu retten, in die Situation versetzt:

> „das heilige,
> Mir anvertraute, viel verehrte Bild
> zu rauben und den Mann [Thoas] zu hintergehn,
> Dem ich mein Leben und mein Schicksal danke.
> O daß in meinem Busen nicht zuletzt
> Ein Widerwillen keime! der Titanen,
> Der alten Götter tiefer Haß auf euch,
> Olympier, nicht auch die zarte Brust
> Mit Geierklauen fasse! Rettet mich
> Und rettet euer Bild in meiner Seele!" (IV, 5.)

Damit ist deutlich, was für Iphigenie in der Auseinandersetzung mit Thoas auf dem Spiele steht. In Frage steht das Bild, das der Mensch von sich entwirft, aber auch das Bild, das er von seinem Gott in sich trägt. Entsprechend heißt es in dem Gedicht ‚*Das Göttliche*‘:

> Heil den unbekannten
> Höhern Wesen,
> Die wir ahnen!
> Ihnen gleiche der Mensch!
> Sein Beispiel lehr’ uns
> Jene glauben.

Iphigenie gibt durch ihr Handeln eben dieses Beispiel, indem sie Orests, Pylades’ und ihr eigenes Leben Thoas in die Hand gibt, wenn sie diesem den Fluchtplan entdeckt:

> „Allein euch leg' ich's auf die Knie! Wenn
> Ihr wahrhaft seid, wie ihr gepriesen werdet,
> So zeigt's durch euern Beistand und verherrlicht
> Durch mich die Wahrheit!" (V, 3.)

Die Rettung geschieht somit nicht wie im antiken Drama durch den Eingriff der Götter von außen. In der freien Entscheidung, durch die eigene Tat vergewissern Orest und Iphigenie sich ihres eigenen, nun selbstbestimmten Ursprungs. Geschwisterlichkeit und Freundschaft sind jene utopischen Bilder menschlichen Zusammenlebens, die am Ende des Dramas stehen, um deren Brüchigkeit Goethe jedoch nur zu genau weiß, wenn er noch während der Arbeit an der ,Iphigenie' an Charlotte von Stein schreibt: „Hier will das Drama gar nicht fort, es ist verflucht, der König von Tauris soll reden, als wenn kein Strumpfwürker in Apolda hungerte." Und wenn Goethe in späteren Jahren seine ,Iphigenie' „verteufelt human" nennt, weist er damit nochmals darauf hin, daß Humanität inmitten des Barbarentums immer wieder neu zu erringen ist.

5.5 Poesie als Ort der Humanität – Schillers ,Die Götter Griechenlands'

> **Friedrich Schiller:** Die Götter Griechenlands (1788)   Die Künstler (1789)
> Das Ideal und das Leben (1795)   Der Spaziergang (1795)   Nänie (1800)

Wie für Goethe wurde für Schillers geistige Entwicklung neben seinem Studium der Geschichte das Studium der antiken griechischen Kunst und Kultur wesentlich. In Wieland, der ihn zur Mitarbeit an seinem ,Teutschen Merkur' gewann, fand er einen Lehrer. So berichtete Schiller im August des Jahres 1788 an seinen Freund Körner:

> „In den nächsten zwei Jahren habe ich mir vorgenommen, lese ich keinen modernen Schriftsteller mehr. [...] Nur die Alten geben mir jetzt die wahren Genüsse. Zugleich bedarf ich ihrer im höchsten Grade, um meinen eigenen Geschmack zu reinigen, der sich durch Spitzfindigkeit, Künstlichkeit und Witzelei sehr von der wahren Simplizität zu entfernen anfing. Du wirst finden, daß mir ein vertrauter Umgang mit den Alten äußerst wohl tun, vielleicht Klassizität geben wird."

Er übersetzte ,Iphigenie in Aulis', Szenen aus den ,Phönizierinnen' des Euripides und Teile aus Vergils ,Aeneis'. In die Jahre 1788/89 fallen der Plan eines großen Epos (,Friedericiade') und des Fragment gebliebenen Dramas ,Die Malteser', das er eigener Aussage nach ganz in „griechischer Manier" halten wollte. Das wohl beredste Zeugnis seiner Begeisterung für die Antike ist jedoch das 1788 entstandene Gedicht ,Die Götter Griechenlands', eine Elegie, in der in einzelnen Bildern jener Zustand beschworen wird,

> Da [die Götter] noch die schöne Welt regieret,
> An der Freude leichtem Gängelband
> Selige Geschlechter noch geführet,
> Schöne Wesen aus dem Fabelland –

Dem enthusiastisch gefeierten „Damals", „da der Dichtung zauberische Hülle/ Sich noch lieblich um die Wahrheit wand", wird das trostlose „Jetzt" entgegengesetzt:

> Schöne Welt, wo bist du? Kehre wieder,
> Holdes Blütenalter der Natur! [...]
> Ausgestorben trauert das Gefilde,
> Keine Gottheit zeigt sich meinem Blick,
> Ach, von jenem lebenswarmen Bilde
> Blieb der Schatten nur zurück.

An die Stelle der sinnlich erfahrenen Götterwelt der Griechen ist der eine Gott des Christentums getreten:

> Einen zu bereichern unter allen,
> Mußte diese Götterwelt vergehn.

Die Nähe der Götter hat einer abstrakten, sich des Diesseits entäußernden Gottesvorstellung Platz gemacht; die von den Göttern sichtbar durchwaltete Natur ist der „entgötterten Natur" gewichen. Einzig in der Kunst ist in der Moderne ein Raum geblieben, in den sich die alte Vorstellung einer Harmonie von Verstand und Sinnen gerettet hat:

> Ach, nur in dem Feenland der Lieder
> Lebt noch deine [der schönen Welt] fabelhafte Spur. [...]
> Ja, sie [die Götter] kehrten heim, und alles Schöne,
> Alles Hohe nahmen sie mit fort,
> Alle Farben, alle Lebensströme,
> Und uns bleibt nur das entseelte Wort.
> Aus der Zeitflut weggerissen, schweben
> Sie gerettet auf des Pindus Höhn;
> Was unsterblich im Gesang soll leben,
> Muß im Leben untergehn.

5.6 Humanität und Politik – Schillers Abhandlung ‚Über Anmut und Würde'

In der Antike glaubte Schiller die inzwischen verlorengegangene Harmonie von Vernunft und Sinnlichkeit noch vorhanden. In seiner 1793 veröffentlichten Abhandlung ‚Über Anmut und Würde' greift er die Frage nach der Wiederherstellung eben dieser Harmonie im Menschen nochmals auf. Dieser Aufsatz gehört zu den ästhetischen Beiträgen, die Schiller vorwiegend zwischen 1793 und 1795 schrieb und die sich entweder mit dem Problem der Objektivität des Schönen (‚*Kallias oder über die Schönheit*') oder der Wirkung der Tragödie auseinandersetzen (‚*Über den Grund des Vergnügens an tragischen Gegenständen*', ‚*Über die tragische Kunst*', ‚*Zerstreute Betrachtungen über verschiedene ästhetische Gegenstände*', ‚*Gedanken über den Gebrauch des Gemeinen und Niedrigen in der Kunst*', ‚*Vom Erhabenen*'). Allen Abhandlungen ist gemeinsam, daß sie direkte oder indirekte Auseinandersetzungen mit *Kants* Ästhetik (‚*Kritik der Urteilskraft*', 1790) darstellen. Sie war es vornehmlich, die Schiller den Weg zu Kants kritischer Philosophie öffnete, fand er doch bei Kant zum einen auf den Begriff gebracht, was ihn selbst beschäftigte, zum andern Äußerungen, die ihn zum Widerspruch oder Weiterdenken anregten. So verstörte ihn auf das äußerste der von Kant behauptete Gegensatz zwischen Pflicht und Neigung in der ‚*Kritik der praktischen Vernunft*' (1788). Dem hier allerdings von Schiller Kant nur unterstellten Rigorismus in der Moralphilosophie glaubte er begegnen zu müssen. Er konzediert Kant zwar, daß „der Anteil der Neigung an einer freien Handlung für die reine Pflichtmäßigkeit dieser Handlung nichts beweist", aber er glaubt dennoch daraus folgern zu können, daß sich „die sittliche Vollkommenheit des Menschen gerade nur aus diesem Anteil seiner Neigung an seinem moralischen Handeln erhellen kann. Der Mensch nämlich ist nicht dazu bestimmt, einzelne sittliche Handlungen zu verrichten, sondern ein sittliches Wesen zu sein." Kants Moralphilosophie birgt in sich die Gefahr, daß „alle Grazien davor zurückschrecken" und ein schwacher Verstand leicht dazu verführt wird, „auf dem Wege einer finstern und mönchischen Asketik die moralische Vollkommenheit zu suchen". Damit aber wäre die Harmonie des Menschen verfehlt, er wäre nicht „einig mit sich selbst". Solche Einigkeit ist erst dann erreicht, wenn sich „der Geist in der von ihm abhängenden sinnlichen Natur auf eine solche

Art äußert, daß sie seinen Willen aufs treuste ausrichtet und seine Empfindungen auf das sprechendste ausdrückt, ohne doch gegen die Anforderungen zu verstoßen, welche der Sinn an sie, als an Erscheinungen, macht, so wird dasjenige entstehen, was man Anmut nennt". Die Anmut als Ausdruck einer „schönen Seele", des „Siegels" der „vollendeten Menschheit", formuliert die Idee einer Harmonie im individuellen Bereich, die auch auf den staatlichen übertragbar ist. Ihr entspricht die liberale Regierungsform: „Wenn ein monarchischer Staat auf eine solche Art verwaltet wird, daß „obgleich alles nach eines Einzigen Willen geht, der einzelne Bürger sich doch überreden kann, daß er nach seinem eigenen Sinne lebe, und bloß seiner Neigung gehorche, so nennt man dies eine liberale Regierung."

5.7 Die Suche nach dem verborgenen Gott – Hölderlins Oden

Friedrich Hölderlin: Hyperions Schicksalslied (1798)   Der Frieden (1800)
Wie wenn am Feiertage... (1800)   Der Rhein (1801)   Patmos (1802/03)

In Hölderlins Briefroman preist Hyperion die Athener, die ihm als Beispiel „vollendeter Menschennatur" gelten. Der „Sinn für Freiheit", die griechische Religion und Kunst legen Zeugnis dafür ab, daß bei ihnen der „Moment der Schönheit kund geworden war unter den Menschen, da war im Leben und Geiste, das Unendlicheinige". Hyperion beschwört in hymnischer Prosa eine Zeit, in der sich Göttliches und Menschliches begegnen. Er weiß darum, daß diese Zeit endgültig vergangen ist, aber er hofft auf jenen Moment, wo erneut „Menschheit und Natur sich vereinen wird in Eine allumfassende Gottheit". Für die Jetztzeit gilt, was Hyperion im Hinblick auf die Ägypter sagt. „Wer mit dem Himmel und der Erde nicht in gleicher Lieb und Gegenlieb lebt, wer nicht in diesem Sinne einig lebt mit dem Elemente, worin er sich regt, ist von Natur auch in sich selbst so einig nicht, und erfährt die ewige Schönheit wenigstens so leicht nicht wie ein Grieche." Damit ist das zeitgenössische Dilemma umschrieben, der Zustand der Entfremdung gefaßt; die Hoffnung auf ein humanes Leben, auf die Aufhebung der Entfremdung und die Versöhnung mit den Göttern verlagert sich in die Zukunft. In der Zwischenphase verbleibt dem Menschen, sich an seine Kindheit zu erinnern und sich von seiner künftigen „vollendeten Natur" künden zu lassen. Die griechische Antike bürgt für Erneuerung des Menschen; denn: „Vollendete Natur muß in dem Menschenkinde leben, ehe es in die Schule geht, damit das Bild der Kindheit ihm die Rückkehr zeige aus der Schule zu vollendeter Natur." Das griechische Ideal als zurückzugewinnender Zustand menschlich-göttlicher Harmonie ist für Hölderlin nur eine Bildvorstellung, an deren Seite weitere Chiffren treten, die jenen Zustand vollendeter Menschennatur zu fassen versuchen. Die um 1800 entstandenen Oden und Hymnen Hölderlins, die er wie kaum ein Lyriker vor ihm mit aller Strenge an den griechischen Vorlagen ausrichtete, sind Umschreibungsversuche des „Anderen", das zu suchen und von dem zu künden Hölderlin sich anschickt und das er umschreibt als Heimat, Vaterland, mythologische Figur (Achill), Diotima oder im Bild des Stromes (Neckar, Main, Rhein) gestaltet.
Der Dichter zeichnet sich dadurch aus, daß er sich an den anderen Zustand erinnern und ihn ahnungsvoll vorwegnehmen kann. Aber er bezahlt dieses Wissen mit einer ihn von den anderen abhebenden Unsicherheit. Diese Differenz beschreibt das Gedicht *Abendphantasie* (1799):

> Wohl kehren itzt die Schiffer zum Hafen auch,
> In fernen Städten, fröhlich verrauscht des Markts

Geschäftger Lärm; in stiller Laube
Glänzt das gesellige Mahl den Freunden.
Wohin denn ich? Es leben die Sterblichen
Von Lohn und Arbeit; wechselnd in Müh und Ruh
Ist alles freudig; warum schläft denn
Nimmer nur mir in der Brust der Stachel?

Und in der Ode ‚*Mein Eigentum*‘ (1799) heißt es vergleichbar:

Beglückt, wer, ruhig liebend ein frommes Weib,
Am eignen Herd in rühmlicher Heimat lebt,
Es leuchtet über festem Boden
Schöner dem sicheren Mann sein Himmel.

Denn, wie die Pflanze, wurzelt auf eignem Grund
Sie nicht, verglüht die Seele des Sterblichen,
Der mit dem Tageslichte nur, ein
Armer, auf heiliger Erde wandelt.

Zu mächtig, ach! ihr himmlischen Höhen, zieht
Ihr mich empor, bei Stürmen, am heitern Tag
Fühl ich verzehrend euch im Busen
Wechseln, ihr wandelnden Götterkräfte.

Die Poesie kann den quälenden Stachel nehmen, sie ist dem Unbehausten und Ruhe-
losen Schutz, bietet dem „heimatlosen Herzen" die erwünschte „bleibende Stätte":

Sei du, Gesang, mein freundlich Asyl! sei du,
Beglückender! mit sorgender Liebe mir
Gepflegt, der Garten, wo ich, wandelnd
Unter den Blüten, den immerjungen,
In sichrer Einfalt wohne.

Solange Hölderlin noch glaubt, in seiner Poesie als Form der Prophetie von der Versöhnung zwischen den Göttern und den Menschen künden zu können, ist seine Dichtung noch ungefährdet. Der hohe Anspruch, den er an sich und sein Werk stellt, führt
sein Schaffen notwendigerweise in die Krise. Die Radikalität, mit der er dichtet und
die ihm die Skepsis Goethes und Schillers eintrug, läßt ihn schließlich fragen, ob er
überhaupt würdig genug sei, das Amt, das er sich selbst auferlegte, auszuüben, ob
sich das Göttliche überhaupt in Poesie fassen lasse („Nah ist / Und schwer zu fassen
der Gott"), ja ob sich die Zeichenhaftigkeit der Welt ausdeuten lasse („Ein Zeichen
sind wir, deutungslos, / Schmerzlos sind wir und haben fast / Die Sprache in der Fremde verloren"). Die Krise, in der er sich befindet, hat Hölderlin wohl am eindringlich-
sten in jener abrupten Kehre zwischen der ersten und zweiten Strophe seines Gedichtes ‚*Hälfte des Lebens*‘ formuliert:

Mit gelben Birnen hänget   Weh mir, wo nehm ich, wenn
Und voll mit wilden Rosen   Es Winter ist, die Blumen, und wo
Das Land in den See,   Den Sonnenschein,
Ihr holden Schwäne,   Und Schatten der Erde?
Und trunken von Küssen   Die Mauern stehn
Tunkt ihr das Haupt   Sprachlos und kalt, im Winde
Ins heilignüchterne Wasser.   Klirren die Fahnen.

Die Zuversicht auf eine Renaissance vollendeter Menschennatur, auf eine Rückkehr
der Humanität und einen neuen Bund zwischen der Natur, den Göttern und Menschen ist äußerster Skepsis gewichen. Das Vertrauen darauf, im ästhetischen Gebilde
die künftige Harmonie ahnen zu lassen, wird verdrängt durch eine immer deutlicher
werdende Sprachskepsis (die Sprache ist der „Güter Gefährlichstes"). Hölderlins
Verstummen, vielleicht auch sein Wahnsinn, liegen in der Konsequenz seines radika-

len poetischen Anspruchs. Damit stand Hölderlin jedoch nicht allein, denn die Erfahrung der Zerbrechlichkeit des eigenen Humanitätskonzepts deutet sich in vielen klassischen Entwürfen an.

5.8 Entsagung und Humanität – Goethes ‚Wilhelm Meister‘

Die Konzepte der Humanität, die in der Klassik entwickelt wurden, weichen voneinander ab. Sie stimmen jedoch insofern überein, als die Antike für fast alle Autoren ein wichtiger Orientierungspunkt ist. Ihr Menschenbild hat Modellcharakter, auf das man sich beruft und das es wiederherzustellen gilt. Jedoch nur eine die Intention der Klassiker verfälschende Interpretation konnte ihnen unterstellen, daß das Humanitätsideal gesicherter Besitz sei. Das Gegenteil ist der Fall. Goethe, Schiller und Hölderlin wissen um die Zerbrechlichkeit des einmal erreichten Humanen. Goethe umschreibt ein neues Daseinsgefühl in seinen ‚Römischen Elegien‘ aus der elegischen Distanz. Er läßt in der ‚Iphigenie‘ das Ideal einer Kommunikationsgemeinschaft aufscheinen, die immer wieder mit dem Einsatz der ganzen Person zu erneuern ist. Schiller verweist auf den notwendigen, immer wieder gefährdeten politischen Rahmen, in dem das Ideal der Anmut erscheinen kann. Hölderlin schließlich zeigt in der Genese seines Werkes, wie die Radikalität des poetischen Anspruchs, von der Humanität zu künden, die Grundfesten der eigenen Poesie zerstört. Der hohe Anspruch, mit dem die Klassiker angetreten waren, führt sie in die Resignation. Dies wird besonders deutlich an der Entwicklung von Goethes ‚*Wilhelm Meisters Lehrjahre*‘ (1795/96), hervorgegangen aus: ‚*Wilhelm Meisters theatralische Sendung*‘, fortgesetzt in: ‚*Wilhelm Meisters Wanderjahre*‘ (1821).

Wilhelm Meister tritt seine Lehrjahre mit dem Anspruch an, seine Individualität voll zu entwickeln. In einem Brief an seinen Freund Werner umschreibt er sein Lebensziel: „Daß ich Dir's mit einem Worte sage: mich selbst, ganz wie ich bin, auszubilden, das war dunkel von Jugend auf mein Wunsch und meine Absicht." Ihm, dem Bürgerlichen, bleibt jedoch der Weg zur „harmonischen Ausbildung seiner Natur" verschlossen. Allein dem Edelmann ist eine „personelle Ausbildung" möglich: „Ein Bürger kann sich Verdienst erwerben und zur höchsten Not seinen Geist ausbilden; seine Persönlichkeit geht aber verloren, er mag sich stellen, wie er will." Während der Bürger sich stets der ihm gezogenen Grenzlinie bewußt sein muß, kennt der Edelmann „im gemeinen Leben gar keine Grenzen". Der Adel definiert sich durch das, was er ist, während der Bürger durch seine Persönlichkeit „nichts gibt und geben soll". Der Edelmann darf „tun und wirken", der Bürger muß sich mit Leistung und Besitz und der Ausbildung einzelner Fähigkeiten begnügen. Wo der Edelmann „scheinen" soll, muß sich der Bürger „brauchbar" machen, indem er sich auf seine Weise spezialisiert und „alles übrige vernachlässigt". „An diesem Unterschiede" – so konstatiert Wilhelm schließlich – „ist nicht etwa die Anmaßung der Edelleute und die Nachgiebigkeit der Bürger, sondern die Verfassung der Gesellschaft schuld; ob sich daran einmal etwas ändern wird und was sich ändern wird, bekümmert mich wenig." So kann Wilhelm sich seinen Wunsch einer harmonischen Ausbildung seiner Natur einzig und allein „auf den Brettern" des Theaters erfüllen. Nur dort glaubt er zur „öffentlichen Person" werden zu können, nur dort „erscheint der gebildete Mensch [seiner Klasse] so gut persönlich in seinem Glanz als in den oberen Klassen".

Goethes Held macht Erfahrungen im Kreise des bürgerlichen Erwerbslebens, in der Welt des Theaters, der Welt des alten Adels und schließlich im Kreise einer adeligen, aber nach bürgerlichen Maximen handelnden Turmgesellschaft, die – wie sich im Laufe des Romans allmählich offenbart – Wilhelms Geschick aus dem Verborgenen heraus gelenkt hat. Sicherlich geht Wilhelm aus diesen Begegnungen gereifter und, gebildeter hervor, aber am Ende der ‚Lehrjahre‘ steht doch nicht die vollendete, in sich ruhende Persönlichkeit, die Wilhelm sich als Endpunkt seines Bildungsprozesses vorstellte. Immer deutlicher wird der zunächst auf den einzelnen bezogene Bildungsbegriff ausgeweitet, indem Bildung nunmehr als eine Aufgabe innerhalb der Gesellschaft gefaßt wird. Die schöpferische Persönlichkeit wird auf den anderen und die Welt als Materie seiner Bildung verwiesen:

„Das ganze Weltwesen liegt vor uns, wie ein großer Steinbruch vor dem Baumeister, der nur dann den Namen verdient, wenn er aus diesen zufälligen Naturmassen ein in seinem Geiste entsprungenes Urbild mit der größten Ökonomie, Zweckmäßigkeit und Festigkeit zusammenstellt. Alles außer uns ist nur Element, ja ich darf wohl sagen, auch alles an uns; aber tief in uns liegt diese schöpferische Kraft, die das zu erschaffen vermag, was sein soll, und uns nicht ruhen und rasten läßt, bis wir es außer uns oder an uns auf eine oder die andere Weise dargestellt haben."

Das Individuum verdient seinen Namen nur, wenn es für alle Nutzen stiftet und sich mit Erfolg in die Gesellschaft einordnet. Und die moderne Gesellschaft, so wie Goethe sie beim Abfassen der Fortsetzung der ‚Lehrjahre‘ vor Augen hat, fordert von dem einzelnen nicht mehr die Vervollkommnung aller Kräfte, sondern die Konzentration auf eine einzelne Kraft oder Fähigkeit, mit der sie dem Gemeinwohl nutzen kann. An die Stelle der Idee einer vielseitigen Bildung tritt ein Bildungskonzept der Einseitigkeit: „Vielseitigkeit bereitet eigentlich nur das Element vor, worin der Einseitige wirken kann, dem eben jetzt genug Rahmen gegeben ist. Ja, es ist jetzt die Zeit der Einseitigkeiten; wohl dem, der es begreift, für sich und andere in diesem Sinne wirkt."

Vor allem im zweiten Teil, ‚Wilhelm Meisters Wanderjahre‘, ist somit die Erfahrung einer immer komplexer und weiträumiger werdenden Welt eingegangen: „Nur alle Menschen machen die Menschheit aus, nur alle Kräfte zusammengenommen die Welt." Die „entschlossene Tätigkeit", der „Forderung des Tages" zu gehorchen, wird die vordringlichste Aufgabe. Erst wenn „unsre redlichen menschlichen Gesinnungen" in einen „praktischen Bezug ins Weite" und nicht nur zu dem „Nächsten" gesetzt werden, kann den Ansprüchen einer modernen Welt Genüge getan werden. Ein sich auf den einzelnen konzentrierender Bildungsbegriff ist damit fragwürdig geworden. Der Mensch muß angesichts der Moderne viel eher einen Weg finden, seine selbstischen Wünsche zu beschränken und sie den Bedürfnissen der Gesellschaft anzupassen. Am bündigsten hat Goethe diese Maxime durch den Untertitel der ‚Wanderjahre‘ ausgedrückt: „Die Entsagenden".

Weil also ein fest umschreibbarer Höhepunkt eines Bildungsprozesses nicht mehr auszumachen ist, ändert sich auch die Erzählform. Während die ‚Lehrjahre‘ noch linear erzählt werden konnten, die Möglichkeit bestand, Wilhelms auf ein Ziel hin ausgerichtetes Streben chronologisch wiederzugeben, mußte Goethe bei den ‚Wanderjahren‘ sich anderer literarischer Techniken bedienen. Da sich die Vielschichtigkeit und Vielseitigkeit der Erfahrungen einer sich ankündigenden Moderne „nicht rund aussprechen und mitteilen" lassen, wählte Goethe ein Verfahren der Gegenüberstellung und Spiegelung, bei dem es dem „aufmerkenden" Leser überlassen ist, den „sich gleichsam ineinander abspiegelnden Gebilden den geheimeren Sinn" abzulauschen.

6 Goethes Alterswerk als Überwindung der Klassik – ‚Faust‘

> **Johann Wolfgang von Goethe:** Faust. Der Tragödie erster Teil (1808)
> Pandora (1809)   Die Wahlverwandtschaften (1809)   Dichtung und Wahrheit.
> Aus meinem Leben (1811)   West-östlicher Divan (1819)
> Wilhelm Meisters Wanderjahre oder die Entsagenden (1821)
> Trilogie der Leidenschaft (1827)   Novelle (1828)
> Faust. Der Tragödie zweiter Teil (1832)

Goethes Urteil über ‚Wilhelm Meisters Wanderjahre‘, sie seien eine der „incalcula-
belsten Produktionen“, gilt in gleicher Weise von seinem ‚Faust‘. In einem Gespräch
mit Eckermann läßt Goethe sich über sein noch nicht ganz zu Ende geführtes Werk
folgendermaßen aus: „Der ‚Faust‘ ist doch etwas ganz Inkommensurables, und alle
Versuche, ihn dem Verstande näherzubringen, sind vergeblich. Auch muß man bedenken, daß der erste Teil aus einem etwas dunklen Zustande des Individiuums hervorgegangen. Aber eben dieses Dunkel reizt die Menschen, und sie mühen sich daran
ab wie an allen unauflösbaren Problemen.“ Das Inkommensurable des Werkes liegt
somit zumindest zum Teil in der sich über sechzig Jahre hinziehenden Entstehungsgeschichte begründet. Goethes erste Beschäftigung mit dem Fauststoff datiert aus der
Zeit 1772–75, fällt demnach in die Sturm- und-Drang-Phase.
Goethe greift mit dem Faust-Stoff ein Thema auf, das schon lange Zeit literarisches
Sujet war. Das Vorbild gab jene historisch bezeugte, schon zu ihren Lebzeiten sagen-
umwobene Gestalt des Johannes Faust. Geboren um 1480 im württembergischen
Knittlingen, kurz vor 1540 im Breisgau gestorben, reiste dieser Arzt, Astrologe und
Schwarzkünstler durch die Städte des süddeutschen Raumes, aus denen er teilweise
ausgewiesen wurde. Er suchte Verbindung zu humanistischen Gelehrtenkreisen, hatte Kenntnisse auf dem Gebiete der Naturphilosophie (magia naturalis). Sein plötzlicher (gewaltsamer?) Tod gab Anstoß zur Sage, der Teufel habe sich ihn geholt. Als typische Gestalt an der Epochenschwelle zwischen Spätmittelalter und Renaissance
wurde Faust bald zum Gegenstand literarischer Bearbeitungen, an deren Anfang das
‚Faustbuch‘ steht. Seine erste gedruckte Fassung, von einem unbekannten Autor, ist
die 1587 bei Johann Spies in Frankfurt verlegte ‚Historia von D. Johann Fausten,
dem weitbeschreyten Zauberer und Schwartzkünstler‘, die wahrscheinlich von einem strengen Lutheraner geschrieben wurde, wie die konfessionspolemischen, anti-
papistischen Tendenzen vermuten lassen. Zugleich warnt das Buch vor einer Vernachlässigung des Bibelstudiums, vor Spekulation und Naturwissenschaft. Diese
Tendenz zeichnet sich noch deutlicher in der späteren Bearbeitung durch Georg Rudolf Widmann (1599) ab, während Johann Nikolaus Pfitzer in seinem 1675 erschienenen Werk ‚Das ärgerliche Leben und schreckliche Ende des vielberüchtigten Erz-
schwarzkünstlers Johannis Fausti‘ theologisches, philosophisches und naturwissen-
schaftliches Beiwerk wieder tilgt. Bereits 1604 veröffentlicht Christopher Marlowe in
England seine ‚Tragical history of Doctor Faustus‘, die im wesentlichen auf der Spies-
schen Fassung des Faustbuches beruht, das Marlowe vermutlich von einer vom Kon-
tinent nach England zurückkehrenden Komödiantentruppe erhalten hatte. Den Anfang des Dramas bildet hier ein nächtlicher Monolog Fausts, in dem der Renaissance-
mensch die Grenzen der überlieferten Welt durchstoßen will, aber letztlich an diesem
maßlosen Streben scheitert.
Als einen Menschen, der „absolut über sich selbst hinaus begehrt“, der „alle seine
Kraft gefühlt“, entdecken die Stürmer und Dränger Faust. Er wird für sie eine geeignete Selbstverständigungsfigur. Friedrich (Maler) Müller legt 1778 sein ‚Fausts Leben, dramatisiert‘ vor. 1791 stellt Friedrich Maximilian Klinger Faust als einen Sozial-

revolutionär dar (,Fausts Leben, Taten und Höllenfahrt'), der die übermenschliche Macht des Teufels dazu benutzen will, die Ungerechtigkeiten aus der Welt zu schaffen, aber dann als Skeptiker und Nihilist, der schließlich vom Teufel die eigene Vernichtung fordert, endet.

Goethes Faustprojekt datiert aus der Zeit des Sturm und Drang. Sein ,Urfaust' ist lediglich in einer 1887 von dem Germanisten Erich Schmidt wiederaufgefundenen Abschrift der Weimarer Hofdame Luise von Göchhausen erhalten. Goethe nahm, als er 1775 nach Weimar kam, Skizzen seines Faust-Dramas mit und las sie der dortigen Gesellschaft vor. Luise von Göchhausen lieh sich die Handschrift aus, schrieb sie ab, Goethe selbst vernichtete später das eigene Manuskript. Dieser ,Urfaust' ist ein 'Bruder' des Werther, kennzeichnet doch beide Gestalten jener unstillbare Drang, sich mit der Natur oder Welt eins zu fühlen. Fausts Problem: Er, der sich nur von 'Schauspielen' umgeben weiß, fragt sich: „Wo fass' ich dich, unendliche Natur? / Euch Brüste, wo? Ihr Quellen alles Lebens, / An denen Himmel und Erde hängt, / Dahin die welke Brust sich drängt – / Ihr quellt, ihr tränkt, und schmacht' ich so vergebens?" Faust ist hier ein Verwandter des Sturm-und-Drang-Genies, das sein Ich zum All erweitern will. Er will unbedingt sein, stößt aber dauernd an jene Grenzen, die ihm sein Bedingtsein als endliches Wesen vor Augen führen. So antwortet ihm der Geist in der Nacht-Szene: „Du gleichst dem Geist, den du begreifst, / Nicht mir!" Faust will die unmittelbare Teilnahme am Lebensprozeß, und dabei lädt er Schuld auf sich, so in der 'Gretchentragödie', die bereits im ,Urfaust' enthalten ist: Hier greift Goethe auf das bei den Stürmern und Drängern so beliebte Thema des Kindsmords zurück. Gretchen dient Faust lediglich als Mittel zu Unmittelbarkeitserfahrungen. Faust zerstört Gretchens idyllische Welt und Gretchen selbst, die durch ihn zur Tötung der Mutter und ihres Kindes verleitet wird und schließlich in Wahnsinn fällt, ehe der Henker sie holt. Faust verkennt, daß die Liebe im andern nicht nur Entgrenzung, sondern auch Begrenzung sucht und finden muß. Sein Programm heißt stattdessen: „Sich hinzugeben ganz und eine Wonne / Zu fühlen, die ewig sein muß! / Ewig! – Ihr Ende würde Verzweiflung sein". Schon der ,Urfaust' endet aber nicht ganz in solcher Verzweiflung. Wenn auch noch die Stimme von oben mit ihrem „Ist gerettet" als Widerrede zu Mephistopheles' lakonischem „Sie ist gerichtet" fehlt, klingt doch in der auch im ,Urfaust' schon vorhandenen „Stimme von innen, verhallend: Heinrich! Heinrich!" jene Faust rettende göttliche Gnade an, die in den späteren Bearbeitungen die Faust-Handlung umschließt und Faust in den bergenden Schoß, den 'Unbehausten' in sein 'Haus' zurückholt.

1790 veröffentlichte Goethe unter dem Titel ,Faust, ein Fragment' eine überarbeitete, im wesentlichen unter italienischem Einfluß entstandene geglättete Version seines ersten Faust-Entwurfes. Die Szene ,Wald und Höhle' ist hier eingeschoben. Prosaszenen gibt es nun nicht mehr. Zwischen 1797 und 1806 entstand ,Faust, der Tragödie erster Teil' (erschienen 1808). Schiller veranlaßte im wesentlichen die Wiederaufnahme und Weiterarbeit am ,Faust'. Die wichtigsten Veränderungen: Vorangestellt werden die ,Zueignung', das ,Vorspiel auf dem Theater', durch das die Theaterhaftigkeit alles Folgenden deutlich wird, schließlich der ,Prolog im Himmel'. Dieser läßt Faust als Paradigma des Menschen erscheinen, und er legt mit der zwischen Gott und Mephistopheles geschlossenen 'Wette' um Fausts Seele schon das gute Ende für Faust fest („Und steh beschämt, wenn du bekennen mußt: / Ein guter Mensch in seinem dunklen Drange / Ist sich des rechten Weges wohl bewußt."). Ferner wird in ,Faust I' die Szene ,Nacht. Vor Gretchens Haus' um die Valentin-Episode erweitert, hinzukommen die ,Walpurgisnacht' und die oben angedeutete Erweiterung der Schlußszene im Kerker. Eine gewisse Bindung gibt Goethe dem Szenenkaleidoskop durch die Ausformulierung des Paktes zwischen Faust und Mephisto, der auch noch für ,Faust. Zweiter Teil' (vornehmlich in den Jahren 1825–31 entstanden) seine Be-

deutung hat: „Werd' ich zum Augenblicke sagen: / Verweile doch! du bist so schön! / Dann magst du mich in Fesseln schlagen, / Dann will ich gern zugrunde gehn!"". Ist hier der festzuhaltende Augenblick gemeint, bezieht sich später der Schlußmonolog Fausts in ‚Faust II' auf das praktische Wirken im Rahmen einer Lebensgemeinschaft. Die aktive Tat wird dem passiven Genuß gegenübergestellt, wobei die Tat weniger als etwas Fertiges, sondern als Tätigkeit gemeint ist. Aber auch sie wird in Frage gestellt, denn der blinde Faust vermeint, das „Geklirr der Spaten" gelte dem „unternomme-ne[n] Graben", durch den er dem Meer fruchtbares Land abzugewinnen versucht, aber in Wirklichkeit sind es nur die Lemuren, die unter der makaber-ironischen An-leitung Mephistos dem hundertjährigen Faust das Grab schaufeln. Faust bricht in den Ausruf aus: „Solch ein Gewimmel möcht' ich sehn, / Auf freiem Grund mit freiem Volke stehn. / Zum Augenblicke dürft' ich sagen: / Verweile doch, du bist so schön! / Es kann die Spur von meinen Erdentagen / Nicht in Äonen untergehn. – Im Vorge-fühl von solchem hohen Glück / Genieß' ich jetzt den höchsten Augenblick."
Diese Textpartie kurz vor Schluß des ‚Faust. Zweiter Teil' knüpft an die Vertragsfor-mulierung an. Mephisto scheint gewonnen zu haben, aber eine himmlische Heer-schar schwebt rosenstreuend hernieder und entführt Fausts „Unsterbliches". Wenn Goethe schließlich Fausts Entelechie in der Schlußszene in hierarchisch gestufte gei-stige Regionen aufsteigen läßt, bleibt doch diese Rettung ironisch gebrochen, denn die christlich-mittelalterliche Bildsprache, deren sich die letzte Szene bedient, ist un-eigentliche Sprache und Form, reines Zitat, so daß selbst dieser Schluß nach jenem Gesetz verfährt, das Goethe in einem Schema zu ‚Faust' genannt hat: Die Widersprü-che zwischen Gehalt und Form, „statt sie zu vereinigen, disparater zu machen", sei sein Anliegen.
Mit dem Pakt zwischen Faust und Mephisto ist zwar ein Minimum an Handlungskon-tinuität geschaffen, dennoch bleibt der ‚Faust' als Drama etwas Inkommensurables in vieler Hinsicht. Goethe sprengt mit der von ihm gewählten Form alle vorliegenden Gattungsmuster des Dramas, indem sich im ‚Faust' Tragödie und Komödie, Fast-nachtsspiel und Mysterienspiel zu einer eigenartigen Einheit von Welttheater vermi-schen. Das Drama trägt epische und antiillusionistische Züge, es ist 'modernes' Theater, das die Dramenformen zu Goethes Zeit ganz und gar sprengt. Mannigfaltig-keit weist auch die metrische Form auf. Stanze, Knittelvers, klassischer Trimeter und Alexandriner wechseln miteinander, Ballade, Volkslied, Terzine, Madrigalvers und hymnischer Gesang stehen nebeneinander, so daß jede Szene, jede Situation den ihr einzig angemessenen Ausdruck findet. Während in ‚Faust I' noch eine sehr sprung-hafte, an die Sturm- und-Drang-Dramatik erinnernde Handlungsfolge vorhanden ist, fehlt diese im zweiten Teil der Faustdichtung fast ganz. Die Fausthandlung bildet hier allenfalls noch den roten Faden, an welchem eine selbständig gewordene Bilder-folge in sich weitgehend autonomer Szenen aufgezogen ist. Auch in ‚Faust II' greift Goethe folglich auf ein für seinen Altersstil charakteristisches Darstellungsprinzip zurück, das schon im Roman ‚Wilhelm Meisters Wanderjahre' zu beobachten war und das er in einem Brief an Karl Iken vom 27. September 1827 im Hinblick auf ‚Faust II' folgendermaßen umschrieb: „Da sich gar manches unserer Erfahrungen nicht rund aussprechen und direkt mitteilen läßt, so habe ich seit langem das Mittel gewählt, durch einander sich gegenübergestellte Gebilde den geheimeren Sinn dem Aufmerkenden zu offenbaren." An die Stelle der dramatischen Sukzession, eines zeitlichen Kontinuums, kausaler Handlungsverknüpfung und psychologischer Ent-wicklung und Wahrscheinlichkeit ist eine Reihung von aufeinander verweisenden Bildern, ein Symbolgeflecht als gleichsam simultan zu sehender Verweisungszusam-menhang getreten. Gemäß der Goetheschen Devise: „Alles was geschieht ist Sym-bol" (so Goethe am 2. April 1818 an Karl Ernst Schubarth) wird das Ganze, das Gött-liche eingeschlossen, nie sagbar, sondern nur andeutbar: „Indem [das Symbol] voll-kommen sich selbst darstellt, deutet es auf das übrige" (edda). Die symbolische

Struktur ist damit die eigentliche Antwort auf Fausts Streben, des Ganzen innezu-
werden, es in Besitz zu nehmen. Die Struktur des Werkes selbst widerlegt Fausts Unterfangen, des Göttlichen auf direktem, unmittelbarem Wege habhaft zu werden, ein
von vornherein zum Scheitern verurteiltes, weil der conditio humana widersprechen-
des Unterfangen, wie der Schluß von ‚Faust II‘ beweist, wenn Faust auf der Stufenlei-
ter der Erlösung des Göttlichen innewerden darf, und wie es Faust einmal in der
Ariel-Szene zu Beginn von ‚Faust II‘ erahnen kann, wenn er erkennen muß, daß ihm
der direkte Blick in die Sonne versagt und er stattdessen auf den farbigen „Abglanz"
und die „Trübung" angewiesen ist. Insofern dürfte es einem großen Mißverständnis
gleichkommen, wenn man in Goethes Faustdichtung nichts anderes sehen will als eine großangelegte Rechtfertigung des menschlichen Strebens. Wenn Faust für etwas
stehen soll, dann ist er der Prototyp des modernen Menschen. Goethe hat mit Be-
dacht eine historische Figur gewählt, um die sich bereits zu Lebzeiten eine Fülle von
Geschichten rankte und die sich als Dramenfigur und Warnfigur in den Volksbüchern
anbot. Seine Wahl fiel auf die Figur des Doktor Faustus, weil Faust eine typische Figur an der Epochenschwelle von der mittelalterlichen Ordo-Welt zur Moderne ist.
Faust ist der neuzeitliche Mensch, der voraussetzungslos, jenseits der alten Autoritä-
ten, ganz auf sich gestellt nach dem sucht, was „die Welt im Innersten zusammenhält". Fausts Stationenweg bezeichnen unterschiedliche Experimente, sich des Ganzen zu vergewissern, aber auf diesem Weg immer wieder zu scheitern. Dies gilt für die
Gelehrtentragödie und die Gretchentragödie. Weder die Wissenschaft noch die Liebe oder die Magie verhelfen Faust zu seinem Ziel. Auch die Macht erweist sich als un-
tauglich. All diese Experimente scheitern, weil Faust blind ist für die menschlichen
Grenzen und sein Maß nicht kennt. So wie er die Idylle um Philemon und Baucis zerstört, zerstört er auch sich selbst. Goethe verwirft nicht die in Faust demonstrierte
Autonomie des Menschen, aber er zeigt an Fausts Scheitern, daß der autonome
Mensch sich durch Entsagung und Verzicht in ein Ganzes eingliedern muß.
‚Faust‘ und ‚Wilhelm Meisters Wanderjahre‘ sind somit zwei komplementär zueinander stehende Werke. Das eine Werk zeigt den autonomen, das andere den entsagen-
den Menschen. Fausts Scheitern und die Ironie, die als Grundton vor allem den
Schluß von ‚Faust II‘ untermalt, verweisen auf die Lehre, die gegen Ende der Wan-
derschaft Wilhelm Meisters zusammenfassend so formuliert wird:

„daß man weder nötig habe, bis zum Mittelpunkt der Erde zu dringen, noch sich über die Grenzen des Sonnensystems hinaus entfernen, sondern schon genüglich beschäftigt und vorzüglich
auf Tat aufmerksam gemacht und zu ihr berufen werde. An und in dem Boden findet man für die
höchsten irdischen Bedürfnisse das Material, eine Welt des Stoffes, den höchsten Fähigkeiten
des Menschen zur Bearbeitung übergeben; aber auf jenem geistigen Wege werden immer Teilnahme, Liebe, geregelte freie Wirksamkeit gefunden. Diese beiden Welten gegeneinander zu
bewegen, ihre beiderseitigen Eigenschaften in der vorübergehenden Lebenserscheinung zu manifestieren, das ist die höchste Gestalt, wozu sich der Mensch auszubilden hat."

Zweiter Teil: Romantik

1 Einführung in die Epoche

1.1 Zum Begriff 'Epoche'

Die deutsche Literaturgeschichtsschreibung scheidet seit längerem 'Sturm und Drang', 'Klassik' und 'Romantik'. Zugunsten einer stärkeren begrifflichen Differenzierung verzichtet sie auf einen zusammenfassenden Namen für ein Zeitalter, das noch von dem Literaturwissenschaftler H. A. Korff in den 20er Jahren dieses Jahrhunderts als 'Goethezeit' begriffen wurde. In den angelsächsischen Ländern und in Frankreich benennt man den Zeitraum mit dem weitgefaßten Begriff 'Romantik', der z. B. Goethes ‚Leiden des jungen Werthers' (1774) und ‚Wilhelm Meister' (1795/96), Herders ‚Ideen zur Philosophie der Geschichte der Menschheit' (1784/91), Schillers Schrift ‚Über naive und sentimentalische Dichtung' und seine Briefe ‚Über die ästhetische Erziehung des Menschen' (1795/96) mit einschließt. Konsequenterweise vermeidet die deutsche Literaturgeschichtschreibung in ihrem engeren Romantikverständnis zumeist den Begriff 'Epoche', weil er in seiner üblichen Geltung einen zeitlich begrenzten und inhaltlich genauer bestimmbaren geschichtlichen Abschnitt meint. Jüngere Forschungsarbeiten sehen 'Romantik' nicht mehr bevorzugt im Kontrast zur 'Weimarer Klassik', sondern als ein Phänomen in komplexer geschichtlicher Verzahnung. Es läßt sich zeigen, daß 'Romantik' innerhalb der deutschen Entwicklung weniger eine Periode umfassender Veränderungen und unübersehbaren Neubeginns als vielmehr eine Phase fortdauernder politischer Wertbegriffe, kontinuierlicher wirtschafts- und sozialgeschichtlicher Bewegungen und durchgängiger geistiger Traditionen ist. Dementsprechend wäre eine Aufwertung der 'Romantik' zu einem historischen Epochenbegriff unangemessen. Sie wäre problematisch, weil sie den Blick auf die allgemeine Zeittypik verstellen, die innere Bewegtheit der Zeit und das Wechselspiel der Kräfte verdecken könnte. Sofern nun doch von der Romantik als einer Epoche gesprochen werden soll, kann das nicht ohne vorherige Erläuterungen und Bestimmungen geschehen, die 'Epoche' in einem engeren Verständnis meinen, z.B.: Romantik als 'Phase' im Sinne einer zeitlich begrenzten Erstreckung, als 'Gruppierung' im Hinblick auf bestimmte Personenkreise, als 'Richtung' in Anbetracht der geistigen Oppositionen, als 'Strömung' in der Bedeutung einer eigenen Kraft im Wechselspiel mit anderen, als 'Bewegung' unter dem Aspekt der geistigen Formation.

1.2 Zu den Begriffen 'Romantik' und 'romantisch'

Man belegt seit dem Beginn des 19. Jh.s die etwa zwischen 1795 und 1830 sich entfaltende philosophisch-literarische Bewegung um die Brüder Schlegel mit den Begriffen 'Romantik' und 'romantisch'. Noch um die Jahrhundertwende wird 'romantisch' zuerst in der Bedeutung 'im Roman vorkommend', 'wunderbar', 'phantastisch', 'unwirklich', 'unwahr', 'lebensfern', 'erfunden' gebraucht. Für die Aufklärer wie auch für alle, die einen Gegensatz zur klassischen Kunst ausdrücken wollen, hat es einen überwiegend abwertenden Klang. Herder, der es zur Abgrenzung von germanisch-romanischer Kultur gegen die 'antikische' verwendet, wertet es positiv. August Wilhelm Schlegel bezieht den Begriff 'romantisch' auf die mittelalterliche und die neuzeitliche, christlich geprägte Literatur im Gegensatz zur klassisch-antikischen; Friedrich Schlegel erweitert ihn auf das Poetische an sich, das sich nach seiner Anschauung im Roman in reiner Form verwirklicht findet. Die Gleichsetzung von 'romantisch' mit 'poetisch' bei Tieck nimmt hier ihren Ausgang. Novalis verwendet als erster das Substantiv 'Romantik' und meint damit 'Lehre vom Roman'. Heute versteht man unter 'romantisch' im allgemeinen Sprachgebrauch das Vorherrschen von Gefühl und Phantasie, von Introvertiertheit, Weltfremdheit, Naturverbundenheit.

1.3 Zum Verständnis der Romantik als einer literarischen Epoche

Grundzüge der Epoche. Romantik – zunächst verstanden als eine Bewegung um die Brüder Schlegel – folgt nicht auf die Klassik, sondern spielt sich in den Anfängen gleichzeitig, in unmittelbarer Auseinandersetzung mit deren Prinzipien und Vorstellungen ab. Die gleichen politischen, sozialen und geistigen Phänomene markieren den Lebensweg der romantischen Autoren – nur sind sie, fast alle in den 70er Jahren des 18. Jh.s geboren, etwa eine Generation jünger als die Klassiker. Die Französische Revolution trifft sie noch nicht als beruflich etablierte, gesellschaftlich weitgehend integrierte Bürger, sondern als Gymnasiasten, die etwas älteren auf der Schwelle zum Universitätsstudium. Nicht zuletzt rührt daher ihre anfänglich begeisterte Reaktion auf das epochale Ereignis. Ihre spätere Skepsis entspricht durchaus der Ablehnung oder Distanziertheit, die die Revolution durch Schiller und Goethe erfährt (vgl. o. S. 155ff.). Die älteren Romantiker – die Brüder Schlegel, Novalis, Tieck – empfinden ihre Positionen generell nicht als einen Gegensatz, sondern als eine Ergänzung und Erweiterung der Klassik. Ihre Erforschung des Sanskrit und der germanischen Vorzeit tritt gleichberechtigt neben die Begeisterung für die griechische und römische Antike. Die häufig zitierte Formulierung A. W. Schlegels, die auf Gegensätzlichkeit der klassischen und romantischen Kunstbestrebungen zielt, steht in Wirklichkeit völlig vereinzelt:

„Die Poesie der Alten war die des Besitzes, die unsrige ist die der Sehnsucht; jene steht fest auf dem Boden der Gegenwart, diese wiegt sich zwischen Erinnerung und Ahndung."

Schon 1806 schreibt Achim von Arnim in der‚Zeitung für Einsiedler':

„Der blinde Streit zwischen sog. Romantikern und sog. Klassikern endet sich. Was übrig bleibt, das lebt."

Die Romantiker wenden sich in erster Linie gegen die vernünftelnde Literatur der Aufklärungsnachfahren. Besonders Tieck hatte zwischen 1795 und 1798, als er für Friedrich Nicolais ‚Straußfedern' schrieb, Erfahrungen mit dessen moralisierender Unterhaltungsliteratur und profitorientiertem Geschäftsgebaren gemacht. An der Person des erfolgreichen Vielschreibers August Kotzebue, des Verfassers unzähliger, höchst erfolgreicher Theaterstücke, entzündet sich ihr Widerspruch (vgl. o. S. 139). Die Romantiker erneuern aber auch den Irrationalismus des Sturm und Drang. Ihr Ziel ist nicht ein Mensch, der sich vernünftig in die Gesellschaftsgegebenheiten einpaßt, sondern einer, der sich durch Bildung – als die Gesamtheit menschlicher Erfahrung – seinem Ziel einer zum Unendlichen hin möglichen Selbstbestimmung nähert. Ähnlich den Bemühungen der Autoren des Sturm und Drang um Befreiung des Menschen aus seinen ständischen und sozialen Fesseln oder denen der Klassik zur Lösung des Menschen aus seiner naturhaft-gesellschaftlichen und moralisch-geistigen Beschränktheit haben manche Ansätze der romantischen Vorstellung vom Menschen und von der ihm angemessenen gesellschaftlichen Organisation stark utopischen Charakter. Doch sind sie häufiger rückwärtsgewandt, mystifizierend oder eskapistisch ausgerichtet.
Zusammenfassend kann man folgende Akzentuierungen und Ausrichtungen hervorheben, mit denen sich die Romantiker von den unmittelbar vorausgehenden und gleichzeitigen literarischen Bewegungen unterscheiden und charakterisieren lassen:

Sie begründen literarische Mischformen als höchsten geistigen Ausdruck universalen Strebens; sie versuchen, die zeitgenössischen Beschränkungen menschlicher Denk- und Handlungsfreiheit durch neue Perspektiven aufzubrechen: den psychischen Innenraum, den Bezug zum Jenseits, die menschliche Vorgeschichte (Mythologie), die Kindheit des Individuums und des Volkes, die nationale Vergangenheit, die Versenkung in die Natur, die geographische Ferne (Exotik); sie betonen das Gefühl als ein wesentliches Wahrnehmungs- und Beurteilungsinstrument und geben sich einem grenzenlosen Subjektivismus (in Ruhelosigkeit und Weltschmerz) hin; sie erheben das Lyrische zur intensivsten menschlichen Ausdrucksform und die Musik zum reinsten künstlerischen Ausdrucksmittel.

Der Mangel an Tatkraft, der Rückzug in die Innerlichkeit, das Ausweichen in eine Welt der Vorstellungen ist schon von Zeitgenossen, z. B. Goethe, heftig kritisiert und auch von einigen Romantikern, z. B. Wackenroder und E. T. A. Hoffmann, als zumindest problematisch empfunden worden. Doch muß die Romantik nicht als die totale Negation ihrer Gegenwart, als bloße „Erinnerung und Ahndung" begriffen werden. Ihre frühe Radikalität – die Verabsolutierung des Subjekts, die Proklamierung der Irrationalität, die Forderung nach Poetisierung der Welt – entspricht durchaus der Jugend ihrer Vertreter und der Unbedingtheit, mit der man gleichzeitig in Frankreich politische Forderungen realisiert hat. Überbetonung des Subjekts, seiner Freiheit und Schöpferkraft, auch Ironie, Zynismus und nihilistische Welteinschätzung (Tieck: ‚Geschichte des Herrn William Lovell', 1795/96; Klingemann:‚Nachtwachen von Bonaventura', 1804) sind als unbewußte Kompensation der „verzweiflungsvollen Angst" angesichts der Folgen, die „jeder kleinen Tat [...] wie große Gespenster nachtreten", und angesichts der „Heerscharen des Elends [...] überall auf dem ganzen Erdenrund" (Wackenroder) interpretierbar.

Vor allem seit etwa 1808 scheut die Romantik nicht die Auseinandersetzung mit den gewerblich-industriellen Veränderungen. Sie sucht auch, den von ihr favorisierten Menschentyp im Kontrast zu dem durch Gewerbefleiß, Existenzsicherung, Gewinnstreben und Anpassung langsam sich deformierenden Bürger, dem Philister, zu entwickeln. Mannigfache, der zeitgenössischen Wirklichkeit entnommene Züge werden zur Ausgestaltung der dichterischen Welt genutzt. Diese romantische Literatur ist von beträchtlicher Bedeutung für die Entwicklung realistischer Dichtungen in den folgenden Jahrzehnten.

Zeitliche Begrenzung. Der Beginn der romantischen Bewegung 1795 läßt sich mit dem literarischen Auftreten der Schlegel, Tieck, Novalis annähernd genau ansetzen, die Bestimmung des Endes fällt dagegen schwer. Wenn in dieser Darstellung etwa das Jahr 1820 gewählt wird, dann aus folgenden Gründen:
Die Gruppe um die Brüder Schlegel erweitert sich um Personen und geistige Interessen, womit sie erst zu einer Bewegung wird. Diese Bewegung im Sinne einer relativ geschlossenen geistigen Formation fällt nach 1815 auseinander. Die Einbußen an Erneuerungskraft, an gedanklichem und literarischem Niveau lassen sich erklären mit dem Tod von Wackenroder (1798), Novalis (1801), Kleist (1811), Hoffmann (1822), mit dem Rückzug der Schlegels, der Grimms, Görres', Uhlands in die Wissenschaft, nicht zuletzt mit den völlig verwandelten Zeitverhältnissen. Weiter ist ein deutlicher Resonanzverlust – so paradox das auch erscheinen mag – ablesbar an der Trivialisierung romantischer Themen, Motive, Formen, Schreibweisen und am Abgleiten in eine populäre, überwiegend Unterhaltungszwecken dienende Literatur. Schließlich treten neue Namen in den Blickpunkt, mit denen zugleich gewandelte Einstellungen, andere Themen, Betrachtungsweisen und Schreibhaltungen in den Vordergrund der geistigen Szenerie rücken: Grillparzer und Raimund, Heine und Grabbe, in der literaturhistorischen Terminologie gesprochen: das beginnende Biedermeier und das Junge Deutschland.

Probleme einer Grenze bei 1820. Außerhalb der Betrachtung bleibt der Wandel in der Geschichtsauffassung (Adam Müller, Joseph Görres). Ausgehend von einer Sympathie für die Prinzipien der Französischen Revolution und einem Bewußtsein von Deutschlands vergangener historischer Größe, gibt deren Geschichtsdenken in der Ausrichtung auf ein gemeinsames patriotisches Interesse den widerstreitenden Kräften entscheidende Impulse für den begeisterten Aufruhr gegen die französische Fremdherrschaft; doch mündet es nach 1820 mehr und mehr in eine Ideologie zum Schutz restaurativer Politik ein. Nur vom Endpunkt dieser Entwicklung her erklärt sich eine Einschätzung der Romantik als einer politisch reaktionären Bewegung.

Von den Dichtern der romantischen Bewegung sind insbesondere Tieck (†1853) und Brentano (†1842) weit über 1820 hinaus literarisch produktiv. Tieck paßt sich den auf Wirklichkeitsnähe zielenden Zeitströmungen an und beeinflußt sie seinerseits mit einer Anzahl Novellen und Erzählungen (‚Der Aufruhr in den Cevennen‘, 1826; ‚Der junge Tischlermeister‘, 1836; ‚Des Lebens Überfluß‘, 1839; ‚Vittoria Accorombona‘, 1840). Brentano wendet sich, von der späten Überarbeitung und Veröffentlichung viel früher entstandener Märchen abgesehen, mit seiner Abreise 1818 aus Berlin nach Dülmen – zur Aufzeichnung der Visionen der stigmatisierten Nonne Anna Katharina Emmerick – der religiösen Zweckliteratur zu. Diese mehrt er mit konservativen Tendenzschriften, mit dem gewaltigen, nur teilweise ausgeführten Plan einer ‚Leben Jesu‘-Dichtung und später mit religiös durchdrungener Liebesdichtung.

Der einzige heute populäre Dichter der Romantik, Joseph von Eichendorff (1788–1857), hat bis 1820 erst den Roman ‚Ahnung und Gegenwart‘ (1815) mit etwa 50 eingelegten Gedichten, darunter ‚In einem kühlen Grunde‘, ‚O Täler weit, o Höhen‘, und die Novelle ‚Das Marmorbild‘ (1818) veröffentlicht. Die Erzählung ‚Aus dem Leben eines Taugenichts‘, für Generationen der Inbegriff der Romantik, erscheint vollständig erst 1826. Eichendorffs umfangreiches, bedeutsames literarisches Werk, das Roman, Erzählung, Lyrik, Drama, Versepos umfaßt, entsteht also zum größten Teil erst nach diesem Zeitpunkt.

Die Setzung einer Zeitgrenze überhaupt bedeutet, daß das Fortwirken der Romantik, z. B. im Schwäbischen Dichterkreis oder bei Platen, Lenau, Heine, aber auch die Neoromantik späterer Zeit nicht Gegenstand dieser Darstellung ist.

1.4 Möglichkeiten zur Untergliederung der Epoche

Auf den ersten Blick bestimmen Geschwisterpaare, Verwandtschaftsgruppen und Freundeskreise das Bild der Romantik: die Brüder Schlegel und Grimm, die Geschwister Clemens und Bettina Brentano; Achim von Arnim heiratet Bettina, Bernhardi heiratet Tiecks Schwester Sophie, die später A. W. Schlegels Geliebte wird; Caroline (geb. Michaelis, verwitwete Böhmer) heiratet zunächst A. W. Schlegel, dann Schelling; Dorothea (geb. Mendelssohn, geschiedene Veit) heiratet Fr. Schlegel; eng befreundet sind Wackenroder und Tieck, Tieck und Novalis, Brentano und Arnim, Arnim und die Grimms. Verschiedentlich publizieren auch Freunde gemeinschaftlich, wie z. B. Wackenroder und Tieck in den ‚Herzensergießungen eines kunstliebenden Klosterbruders‘ (1797). Dennoch ergibt sich kein einheitliches Bild. Das Fehlen einer stetigen Entwicklung ist unverkennbar. Die Romantik ist in hohem Maß von Diskontinuität geprägt, weshalb sie gewöhnlich in den Darstellungen untergliedert wird. Unterschiedliche Einteilungen, die sich z. T. sinnvoll ergänzen, stehen nebeneinander:

die zeitliche Unterteilung in eine stärker der Philosophie und Literaturkritik verpflichtete Frühromantik (1797–1804), in eine Hochromantik mit Dominanz historisch-politischer Interessen (nach 1805) und schließlich in eine Spätromantik (nach 1813);

die Unterscheidung nach den jeweiligen geistigen Zentren, also Jena (1796/1802)/ Berlin (1801/04), Heidelberg (1805/07), Berlin (1807/11);
eine Differenzierung nach Personengruppen (mit den Brüdern Schlegel, ihren Frauen Caroline und Dorothea, Tieck, Wackenroder, Novalis, Schelling, Schleiermacher, Steffens, Bernardi; mit Arnim, Brentano, Görres, Eichendorff, Loeben; mit Arnim, Brentano, Eichendorff, Kleist, Fouqué, Chamisso, A. Müller);
eine Ordnung nach den Zeitschriften als gemeinsamem Sprachrohr: ‚Athenäum' (1798–1800), ‚Europa' (1803/05), ‚Zeitung für Einsiedler' (1808), ‚Phöbus' (1808), ‚Berliner Abendblätter' (1810/11).

Schaut man sich an, inwieweit sich diese Unterteilungen decken, dann wird man wohl eine ältere Romantik, die weitgehend identisch mit der 'Frühromantik' ist, von einer jüngeren (ab 1805) trennen müssen.
Vorstellbar ist aber auch eine Gliederung, die ihre Einschnitte aus den politischen Zäsuren gewinnt. Ein solches Vorgehen erscheint um so sinnvoller, wenn man bedenkt, daß die Romantik in ihren Dichtungen nicht autonom, wie sie es selbst meint, sondern in hohem Maß Begleiterscheinung der Zeitbewegungen ist. Folgende Abschnitte müßten gebildet werden: die Zeit der Koalitionskriege bis 1805; die Zeit der Napoleonischen Eroberungen und der Freiheitskriege bis zum Wiener Kongreß; die Zeit der Restauration nach 1815.
Die folgende Epochendarstellung wählt einen anderen Weg. In ihm spiegeln sich zwar die Phasen der Romantik, das Verfahren ist jedoch systematisch. In Kapitel 2, ‚Kunst- und Lebensanschauung', werden insbesondere die kunstkritischen Grundlegungen der Romantik behandelt, in Kapitel 3, ‚Entgrenzungen', werden die psychologischen, historischen, geographisch-topographischen Ausweitungen der zeitüblichen Wirklichkeitserfassung beschrieben, im letzten Kapitel, ‚Konfrontationen', werden Auseinandersetzungen der Romantiker mit der zeitgenössischen Wirklichkeit vorgestellt.

2 Romantische Kunst- und Lebensanschauung

Friedrich Schlegel: Athenäum-Fragmente (1798 und 1800)
Novalis: Fragmentsammlung Blüthenstaub (1798)
Logologische Fragmente (1798)
Die Lehrlinge zu Sais (1798)
Joseph von Eichendorff: Wünschelrute (Gedicht. 1835)
Über die ethische und religiöse Bedeutung der neueren romantischen Poesie in Deutschland (Abhandlung. 1846)
Wilhelm Heinrich Wackenroder: Von zwei wunderbaren Sprachen und deren geheimnisvoller Kraft (1798)   Ein wunderbares morgenländisches Märchen von einem nackten Heiligen (1798)

2.1 Philosophische Prinzipien

Der 'subjektive Idealismus'. Die Frühromantik mit Fr. Schlegel und Novalis ist philosophisch, doch mit Ausnahme von Schelling nicht systematisch eingestellt. Sie schließt in ihren Überlegungen an die klassisch-idealistische Philosophie, besonders an *Johann Gottlieb Fichte* (1762–1814) an. Dieser hatte mit seiner Lehre vom Menschen – nicht Gott oder Natur – als dem Schöpfer des Seins den theoretischen Anknüpfungspunkt für die Verherrlichung einer schrankenlosen Individualität geboten. Die Romantik löst den bei Fichte vorhandenen Zusammenhang des tätigen Ichs mit der sinnlichen Außenwelt. Sie isoliert ferner den individuellen einzelnen, da sie die gemeinschaftsbezogenen Aspekte der Fichteschen Lehre bezüglich des empirischen Ichs, die Unterordnung des einzelnen unter die Erfordernisse der Gemeinschaft als Wurzel aller Sittlichkeit, vernachlässigt. Sie reduziert zudem die Subjektivität auf die künstlerische Einzelpersönlichkeit. Damit knüpft sie zugleich an die Genielehre des Sturm und Drang an.

In diesem Verständnis des 'subjektiven Idealismus' legt die Romantik den Grundstein zu all den Problemen, die sie in dichterischen Versuchen zu umschreiben und zu lösen sucht: die Propagierung des vor allem phantasietätigen Menschen; die durch die Einbildungskraft des Dichters erzeugten Welten der idealisierten Vergangenheit als einer neuen Gegenwart und Zukunft; den zerrissenen, sich mit seiner zeitgenössischen Wirklichkeit uneins fühlenden und einsamen Menschen; den Widerstreit zwischen Künstler und Bürger (Philister).

Die aktivistischen Impulse, die Fichte durch Rückführung des Seins auf das Tun dem Bürgertum vermittelt hatte, weichen einer Rechtfertigung der Tatlosigkeit:

„O Müßiggang, Müßiggang! Du bist die Lebensluft der Unschuld und der Begeisterung; dich atmen die Seligen und selig ist, wer dich hat und hegt, du heiliges Kleinod! einziges Fragment von Gottähnlichkeit, das uns noch aus dem Paradiese blieb." (Fr. Schlegel: ‚Lucinde‘, 1799.)

Die Welt als System. Bedeutsam für das romantische Denken ist Schellings Versuch, die Natur in ihrer Gesamtheit als dialektische Selbstentfaltung darzustellen. *Friedrich Wilhelm Schelling* geht in seinen ‚Ideen zu einer Philosophie der Natur‘ (1797) von einer Identität des Systems der Natur und des Systems des menschlichen Geistes aus. An die Stelle der mechanischen Naturerklärung des Rationalismus nach dem Prinzip der linearkausalen Betrachtungsweise tritt die teleologische Deutung. Der Sinn der Naturgebilde wird in der Bedeutung gefunden, die diese im Entwicklungssystem des Ganzen haben. An der Formenverwandtschaft der organischen Welt – man beachte in diesem Zusammenhang die Forschungen Goethes zur Morphologie – entwickelt Schelling die Einheit des Plans, den die Natur als die uns sichtbare, voranschreitende Handlung des unendlichen Geistes verfolgt. Im System der Natur steht am Ende das empfindende Wesen, der Mensch, in dem die 'objektive' Vernunft, die Schelling an die Stelle der subjektiven Fichtes setzt, Organismus wird.

Die Betrachtung der Natur als eines organischen Systems durch Schelling und seine Anhänger, den Physiker Ritter und den Naturphilosophen Steffens, eröffnet die Möglichkeit, die zeitgenössischen Entdeckungen und Fortschritte in den Naturwissenschaften (Elektrizität, Geologie, Chemie) in einen Zusammenhang zu bringen. Sie hat durchaus Entsprechungen im Denken Kants, Fichtes und Hegels. Hegel jedoch kritisiert scharf die „Unmethode" des Ahnens, des gefühlhaften Schließens und enthusiastischen Bildens von Analogiereihen und beklagt den Verzicht, Naturerfahrung einer klaren Begrifflichkeit und wissenschaftlichen Systematik zu unterwerfen.

Die 'intellektuale Anschauung'. Das von Schelling entwickelte Prinzip der „intellektualen Anschauung" als des eigentlichen Erkenntnisorgans hat besondere Bedeutung für den Religionsphilosophen Friedrich Schleiermacher, für Novalis und für andere Frühromantiker. Fr. Schlegel vermerkt in seinen Fragmenten: „Die intellektuale Anschauung ist der kategorische Imperativ der Theorie." Nicht Verstand, nicht Vernunft, sondern innere Anschauung bildet das Vermögen, „die himmlischen Dinge [...] zu erfassen und zu begreifen", wie Wilhelm Heinrich Wackenroder schon vor Schelling in seinem Aufsatz ‚Von zwei wunderbaren Sprachen und deren geheimnisvoller Kraft‘ (1798) ausgesprochen hatte. Wackenroder hatte aus dieser Erkenntnismöglichkeit gar eine Pflicht gemacht: „Darf er [der schwache Mensch] die dunkeln

Gefühle, welche wie verhüllte Engel zu uns herniederschweben, hochmütig von sich weisen?"

Auf die Anschauungen Schellings und besonders auch des Naturphilosophen, Theosophen und Geologen Franz von Baader hat Jakob Böhme (1575–1624), der von zahlreichen Frühromantikern schwärmerisch verehrt wird, mit seiner dynamischen Auffassung von der Natur und ihrer mystischen Erfassung eingewirkt. Aber auch der Einfluß Spinozas (1632–1677) in der Vermittlung durch Goethe ist spürbar.

Eklektizismus. System und Begriff sind den Romantikern wegen der damit verbundenen Beschränkung im Streben nach innerer Freiheit verdächtig. Ihrem sprunghaften Denken und Fühlen entspricht der momentane, oft hellsichtige Einfall in der Gestalt der kurzen Notiz oder des pointierten Aphorismus (Novalis: ,Blüthenstaub', 1798; Fr. Schlegel: ,Fragmente' 1798, ,Ideen' 1800). Bestimmt ist ihr Denken vom Kontrast, vom Hervorkehren der Dualität als These und Antithese im dialektischen Progreß und von der um 1800 gerade aktuellen naturkundlichen Polarität in Elektrizität und Magnetismus. Im Punktuellen sind die Romantiker oft voller Witz und Verstand, voller Ironie und Phantasie zugleich. Das zeigt sich z. B. im ,Athenäum', dem Hauptpublikationsorgan ihrer Reflexionen in den Jahren 1798–1800, weitgehend verfaßt und gestaltet von Fr. Schlegel. Die Tatsache, daß Novalis wie Schlegel sich ursprünglich gegenüber dem Gefühlskult von Wackenroder/Tieck und dem Mystizismus Schellings zurückhielten und die Verstandeskräfte gleich bewerteten („Witzige Einfälle sind die Sprüchwörter der gebildeten Menschen" oder „Witz als Prinzip der Verwandtschaften, ist zugleich das menstruum universale"), belegt die Spannweite und auch Widersprüchlichkeit der romantischen Prinzipien.

2.2 Kunstanschauung

Progressive Universalpoesie. Fr. Schlegel gibt im 116. ,Athenäum' Fragment eine Theorie der romantischen Poesie. Er bezeichnet sie als „progressive Universalpoesie", weil sie alle getrennten Gattungen der Poesie wiedervereinigt, Poesie, Philosophie und Rhetorik zueinander in Beziehung setzt, Poesie und Prosa, Genialität und Kritik, Kunstpoesie und Naturpoesie zu einer Gesamtkunst verbindet. Sie enthält alles, was nur poetisch ist, vom gehauchten Kuß bis zum umfassendsten ästhetischen System, sie ist ganz dem Dargestellten hingegeben und erhält doch in vollendeter Weise „den Geist des Autors", seine Individualität. Sie allein kann „ein Bild des Zeitalters" geben und zugleich dem Darstellenden die Freiheit zur poetischen Reflexion erhalten. Progressiv muß sie genannt werden, da sie als „als der höchsten und der allseitigen Bildung fähig… ewig nur werden" kann. Nur die romantische Dichtart ist unendlich und frei. Sie anerkennt, „daß die Willkür des Dichters kein Gesetz über sich" duldet. Die romantische Poesie ist identisch mit der Dichtkunst überhaupt.

Die Einschätzungen des ,Wilhelm Meister'. Schlegels Dichtungstheorie ist in der Auseinandersetzung mit Goethes ,Wilhelm Meister' (vgl. o. S. 173f.) entstanden. Wesentliche Bestimmungen romantischer Poesie findet Schlegel in diesem Roman eingelöst. Das kann er freilich nur, weil er Aspekte und Dimensionen dieser Dichtung mißversteht oder bewußt umdeutet: Schlegel sieht in ihr „die Absicht des Dichters, eine nicht unvollständige Kunstlehre aufzustellen", hebt den allegorischen Charakter der Romangestaltung hervor, registriert eine über dem ganzen Werk schwebende Ironie, vermutet hinter wunderbaren Zufällen, weissagenden Winken und geheimnisvollen Erscheinungen die erhabenste Poesie und hält das Ganze „durch die Willkür eines bis zur Vollendung gebildeten Geistes gelenkt". Zuletzt versteht Schlegel sogar den Schluß des Romans als den eigentlichen „Mittelpunkt dieser Willkürlichkeit" und verkennt, daß in diesem Erziehungsroman Meister über Stationen des Irrens, der Passivität, der Wirklichkeitsferne zur sittlichen Vollendung geführt wird, die sich gerade im praktischen Wirken innerhalb einer tätigen Gesellschaft bewährt. Schiller hat diesen Punkt in einem Brief an Goethe (8. 7. 1796) bezeichnet:

„Wenn ich das Ziel, bei welchem Wilhelm nach einer langen Reihe von Verirrungen endlich angelangt, mit dürren Worten auszusprechen hätte, so würde ich sagen: Er tritt von einem leeren und unbestimmten Ideal in ein bestimmtes tätiges Leben, aber ohne die idealisierende Kraft dabei einzubüßen."

Genau in diesem Punkt scheidet sich die klassische von der romantischen Weltanschauung.

Das wird noch deutlicher an der negativen Beurteilung des Werks durch *Novalis*. Keinesfalls kann er, der die Schlegelschen Einschätzungen nicht teilt, in ihm ein Muster der romantischen Poesie erblicken. Er findet im ,Wilhelm Meister' nur „eine poetisierte bürgerliche und häusliche Geschichte". In ihr geht das Romantische dadurch zugrunde, daß das Wunderbare „ausdrücklich als Poesie und Schwärmerei behandelt" wird, also Trennung statt Mischung vorliegt, auch dadurch, daß „Natur und Mystizismus" ganz vergessen sind und statt ihrer die Ökonomie über die Poesie, das Materielle über den Geist regiert. Das Werk ist seiner Meinung nach „eine Satire auf die Poesie, Religion etc.". Wenn Novalis an Goethe tadelt, daß er „die Musen zu Komödiantinnen, anstatt die Komödiantinnen zu Musen" macht, daß „Aventuriers, Komödianten, Mätressen, Krämer und Philister [...] die Bestandteile des Romans" sind, so finden wir hier als Kritik, was Novalis an anderer Stelle als programmatische Forderung formuliert hat:

„Die Welt muß romantisirt werden. So findet man den urspr[ünglichen] Sinn wieder. Romantisiren ist nichts, als eine qualit[ative] Potenzirung. Das niedre Selbst wird mit einem bessern Selbst in dieser Operation identificirt. So wie wir selbst eine solche qualit[ative] Potenzreihe sind. Diese Operation ist noch ganz unbekannt. Indem ich dem Gemeinen einen hohen Sinn, dem Gewöhnlichen ein geheimnißvolles Ansehn, dem Bekannten die Würde des Unbekannten, dem Endlichen einen unendlichen Schein gebe, so romantisire ich es [...]"
(,Logologische Fragmente', Nr. 105.)

Deutlicher noch als bei Schlegel ist hier der Anspruch einer Verwandlung der ganzen Welt, der Erschließung ihres ursprünglichen Sinns durch geistige Operationen des Ichs ausgesprochen. Kunstanschauung erweitert sich zur Lebensanschauung.

Unendlichkeit – Ironie und Fragment. Der Unendlichkeit des Universums – als Kosmos und als Bewußtsein – und der Erfüllung menschlicher Bestimmung in der Zeitlosigkeit dieser Unendlichkeit entspricht das Bestreben romantischer Theoretiker, die Poesie offenzuhalten. Dies belegen vorzüglich ihre intensive Beschäftigung mit der Frage der Ironie und die Bevorzugung des Fragmentarischen.

Ironie. Obwohl es üblich ist, von 'romantischer Ironie' zu sprechen, gibt es keine verbindliche Definition. Fr. Schlegel hat sich mehrfach zu ihrem Prinzip geäußert. Er begreift sie als paradoxe (polare) Gedankenführung, als das Zusammentreffen von Gegensätzlichem, als „Gefühl von dem unauflöslichen Widerstreit des Unbedingten und des Bedingten", demnach als Denkform, als Inhalt und als Wirkung.
Sie ist aber nicht nur Vehikel, das aus dem Gefühl „der Endlichkeit und der eigenen Beschränkung" (Schlegel) hinausführt, sondern zugleich Selbstkontrolle, „die Kraft, die dem Dichter die Herrschaft über den Stoff erhält" (Tieck).
Bei Novalis, der von „produktiver Imagination" spricht, wird Ironie bestimmt als „Schweben zwischen Extremen, die notwendig zu vereinigen und notwendig zu trennen sind". Nicht nur „producirt [sie] die Extreme", sie ist darüber hinaus „die Mater aller Realität, die Realität selbst".

Ironie ist also das Herrschaftsprinzip absoluter dichterischer Willkür und die Methode einer Annäherung an das Unendliche.

Fragment. Novalis notiert einmal, daß die „Darstellung der Philosophie [...] aus lauter Themas – aus Anfangssätzen – Prinzipien" bestehe. In diesem Sinn formuliert er „Anfänge interessanter Gedankenfolgen", die er überarbeitet, bessert, „fortschreiten" läßt. Ihrer Unvollständigkeit, Vorläufigkeit und Unvollkommenheit bewußt, sieht er sich auf dem Weg zu einer umfassenderen Wahrheit. Die fragmentarische Form entspricht dem erreichten Zustand und verspricht den erforderlichen Fortgang: „Als Fragment erscheint das Unvollkommene noch am erträglichsten – und also ist diese Form der Mitteilung dem zu empfehlen, der noch nicht im Ganzen fertig ist – und doch einzelne merkwürdige Ansichten zu geben hat." Liegt für Novalis die Bedeutung des Fragments in seinem Charakter des Vorläufigen und Vorübergehenden, so wird es für Fr. Schlegel zum adäquaten Spiegelbild der Wirklichkeit. Oft aber legt das Fragmentarische eine Diskrepanz zwischen Kunstwollen und Leistung offen, wie vor allem die großen Romanversuche zeigen.

Kunstziel und Kunsthaltung: Eichendorff, Wackenroder, Novalis. Eine gedrängte Formel für die Haltung des romantischen Dichters zur Welt hat *Eichendorff* in seinem ‚Wünschelrute' (1835) überschriebenen Vierzeiler gefunden:„Schläft ein Lied in allen Dingen,/ Die da träumen fort und fort,/ Und die Welt hebt an zu singen,/ Triffst du nur das Zauberwort." In seiner literaturhistorischen Abhandlung ‚Über die ethische und religiöse Bedeutung der neueren romantischen Poesie in Deutschland' (1846) schreibt Eichendorff noch präziser:

„[...] die arme, gebundene Natur träumt von Erlösung und spricht im Traume in abgebrochenen, wundersamen Lauten, rührend, kindisch, erschütternd, es ist das alte, wunderbare Lied, das in allen Dingen schläft. Aber nur ein reiner, gottergebener, keuscher Sinn kennt die Zauberformel, die es weckt." (Abschnitt ‚Brentano'.)

Poesie entbindet also die Natur, die den Menschen einschließt, von ihren Fesseln, Beschränkungen, Entstellungen; Poesie erlöst.
Bereits 1798 dichtet *Wackenroder* ‚Ein wunderbares morgenländisches Märchen von einem nackten Heiligen', in dem durch „ätherische Musik" „der Zauber gelöst und der verirrte Genius aus seiner irdischen Hülle befreit" wird. Er war gebannt in die Gestalt eines Heiligen, der angstvoll und rastlos das Rad der Zeit drehen mußte. Wackenroder entfaltet ein ätherisch-kosmisches Bild des durch poetischen Klang aus der Endlichkeit, d. i. aus Geschichte und Gesellschaft, entbundenen Menschen.
Ähnliche Gedanken wie Wackenroder bewegen wenig später *Novalis* in seiner fragmentarischen Dichtung ‚Die Lehrlinge zu Sais' (1798). Er hebt nicht so sehr die Überhöhung hervor, betont dafür stärker die Korrespondenz zwischen den Naturgegenständen und dem sprechenden, denkenden, ahnenden Ich. Sprache und Musik werden als die Kraft dargestellt, mit der es möglich ist, sich die Natur anzuverwandeln, sich der Natur einzuverleiben:

„[...] aber mir scheinen die Dichter noch bei weitem nicht genug zu übertreiben, nur dunkel den Zauber jener Sprache zu ahnden und mit der Phantasie nur so zu spielen, wie ein Kind mit dem Zauberstabe seines Vaters spielt. Sie wissen nicht, welche Kräfte ihnen untertan sind, welche Welten ihnen gehorchen müssen. Ist es denn nicht wahr, daß Steine und Wälder der Musik gehorchen und, von ihr gezähmt, sich jedem Willen wie Haustiere fügen? [...] Drückt nicht die ganze Natur so gut, wie das Gesicht, und die Gebärden, der Puls und die Farben, den Zustand eines jeden der höheren, wunderbaren Wesen aus, die wir Menschen nennen? Wird nicht der Fels ein eigentümliches Du, eben wenn ich ihn anrede? Und was bin ich anders als der Strom, wenn ich wehmütig in seine Wellen hinabschaue, und die Gedanken in seinem Gleiten verliere? Nur ein ruhiges, genußvolles Gemüt wird die Pflanzenwelt, nur ein lustiges Kind oder ein Wilder die Tiere verstehn."

Poesie ist welterschließend, Musik das eigentliche Wesen der Natur, der Dichter der Mittler. Es kann nicht verwundern, daß bei einer derartigen Funktionsbeschreibung von Dichtung und einer solchen Legitimation des Dichters Musik eine so hervorragende Bedeutung gewinnt. Nie zuvor in der deutschen Literatur wird Musik als Motiv, als Handlungselement, als Ausdrucksmittel so häufig, so intensiv, so konstitutiv verwendet. Neu ist der seine Gemütsverfassung heraussingende, der auf die mannigfaltigen Töne und Geräusche lauschende Held (Heinrich in Novalis' ,Heinrich von Ofterdingen'; Eichendorffs Taugenichts). Das Akustische ist ein vorherrschender Zug:„Die Poesie ist Musik für das innere Ohr [...]" (Novalis), die Musik ist Seelenausdruck für das äußere. Daher hat man mit ihrer Entdeckung durch Wackenroder/Tieck (,Herzensergießungen eines kunstliebenden Klosterbruders', 1796) seit je die Periode romantischer Literatur beginnen lassen. Die Einbeziehung der Musik ist nicht gattungsgebunden. Sie spielt in der erzählenden Literatur eine gleich bedeutsame Rolle wie in der Lyrik (,Ritter Gluck', ,Kreisleriana', ,Das Sanctus' u. a. von E. T. A. Hoffmann; ,Die heilige Cäcilie oder die Gewalt der Musik' von Kleist).

Im Zentrum der dichterischen Bestrebungen der Romantik steht der Roman. Dennoch dominiert das Lyrische, und zwar in Form des schwärmerischen, phantasiebegabten und oftmals singenden oder musizierenden Romanhelden, als Klangreiz in der Sprache, als Stilprinzip der gleitenden Übergänge, als Motiv der sanften Beziehungen, sowie in der Verwendung von Musik, in der Mischung der Gattungen, in den gesungenen Einlagen (Liedern). Das Lyrische entspricht am meisten dem Selbstverständnis vieler Romantiker: Sehnen statt Wollen, Träumen statt Handeln, Singen statt Arbeiten (,Aus dem Leben eines Taugenichts').

3 Entgrenzungen

3.1 Wendung nach innen

Novalis: Hymnen an die Nacht (1799)
Gotthilf Heinrich von Schubert: Ansichten von der Nachtseite der Naturwissenschaft (1808)   Die Symbolik des Traumes (1814)
Wilhelm Heinrich Wackenroder/Ludwig Tieck:
Herzensergießungen eines kunstliebenden Klosterbruders (1796)
Phantasien über die Kunst für Freunde der Kunst (1799)

Seit Novalis die Parole ausgegeben hat: „Nach innen geht der geheimnisvolle Weg" (,Heinrich von Ofterdingen'), bemühen sich die romantischen Autoren darum, die „Wissenschaft der menschlichen Geschichte" durch Beobachtung innerer Zusammenhänge voranzubringen. In ihrer Fragestellung unterscheiden sie sich kaum von rationalistischen Psychologen aus der Vätergeneration (z. B. Karl Philipp Moritz und Immanuel David Mauchart: ,Magazin für Erfahrungsseelenkunde', 1783–93), in ihrer Methode jedoch fundamental. Novalis hat die Differenz in den Wegen prägnant bezeichnet: „Der eine, mühsam und unabsehlich, mit unzähligen Krümmungen, der Weg der Erfahrung; der andere, fast *ein* Sprung nur, der Weg der innern Betrachtung." In einer Art Wesensschau wird „die Natur jeder Begebenheit und Sache gleich unmittelbar" erfaßt. Dichterisches Vermögen ist imstande, dem Geschauten Ausdruck zu geben. Dichtung wird auf diese Weise nicht nur zu einer Wissenschaft neben anderen, sondern zur eigentlich zentralen.

3.1.1 Abkehr von der Tagwelt

Novalis: ‚Hymnen an die Nacht'. Zu den charakteristischen Themen der Romantik zählen die Nacht, der Schlaf, der Traum, der Tod. Novalis hat diese Thematik mit seinen ‚Hymnen an die Nacht' (1799) vorgegeben. Als Vorbilder sind im Motivischen vor allem Edward Young mit seinem Werk ‚The Complaint, or Night Thoughts' (‚Nachtgedanken', 1742–44), in der Haltung Klopstock und Hölderlin zu nennen; mystischer und pietistischer Einfluß ist nachweisbar.

Die epochale Bedeutung dieser ‚Hymnen' liegt in ihrer rigorosen Propagierung menschlicher Daseinserfüllung im Jenseits, mit der sie eine Wende innerhalb der deutschsprachigen Weltanschauungslyrik markieren. Aufklärung und Klassik hatten den Menschen aus den Ansprüchen sowohl der christlichen Religion wie der feudalhierarchischen Ideologie zu befreien gesucht, indem sie seine Selbstverwirklichung im Diesseits zu begründen und literarisch zu gestalten trachteten.

Novalis jedoch knüpft an die christlichen Vorstellungen eines spirituellen jenseitigen Lebens an. Schlaf und Traum führen aus der Tagwelt hinaus in eine andere Welt, in der die tote Braut (Sophie von Kühn, † 1797) gegenwärtig, die mystische Vereinigung mit ihr möglich ist. Die Nacht ist auch Bild für den Tod, der das Tor zum ewigen Leben bedeutet. Sowohl der Weg nach innen wie der ins Jenseits werden im Nachthymnus beschritten. Deshalb beherrscht die ‚Hymnen' nicht die äußere Anschauung der Nacht, sondern ihre metaphysische Wesenserfahrung: „Abwärts wend ich mich zu der heiligen, unaussprechlichen, geheimnisvollen Nacht. Fernab liegt die Welt – in eine tiefe Gruft versenkt – wüst und einsam ist ihre Stelle" (erste Hymne). Die Welt versinkt in einer Gruft, nicht der tote Mensch, dessen Geist und Seele im Tod in „himmlische Freiheit" aufsteigen und eine „selige Rückkehr" in den „alten, herrlichen Himmel" (vierte Hymne) feiern.

Wenn Novalis die Mythenwelt durchschreitet, dann tut er es auf der Suche nach einer Lösung des existentiellen Todesproblems. Nicht die ästhetische Kompensation der Lebenssorgen bewegt ihn, wie er sie an der klassizistischen Ästhetik (Schiller: ‚Die Götter Griechenlands' – vgl. o. S. 169f.) kritisiert. Diese sucht mit Hilfe der griechischen Mythologie den schönen Schein eines archaischen, überschaubaren Lebenszusammenhangs zu wahren. Novalis hingegen wendet sich angesichts einer Gegenwart des Warentauschs und rationaler Wissenschaftlichkeit, die er als die Herrschaft der „dürren Zahl" und des „strengen Maßes" (fünfte Hymne) charakterisiert, nicht sehnsuchtsvoll rückwärts der griechischen Welt zu, sondern läßt ein neues Weltalter anbrechen. Die anfängliche Ineinssetzung von Nacht und persönlicher Liebesvereinigung wird auf die Menschheit ausgeweitet und mit Blick auf die Erlösungstat Christi in eschatologischer Heilsgewißheit formuliert: „Du bist der Tod und machst uns erst gesund" (fünfte Hymne). Christus hat nach christlicher Überzeugung den Tod besiegt; der Mensch kann daher der Aufhebung seiner Begrenztheit und Endlichkeit gewiß sein. Die Vorstellung einer unsterblichen Seele sichert die Unendlichkeit des Individuums. Der Geschichte eröffnet sich mit der Heraufkunft des Christentums neue Perspektiven.

Doch Novalis selbst gewinnt aus diesem Triumph über den Tod keine Kraft zur Gestaltung der geschichtlichen Welt, konkret: seiner Gegenwart. Mit Blick auf deren Endlichkeit fragt er zu Beginn der sechsten Hymne: „Was sollen wir auf dieser Welt / Mit unsrer Lieb' und Treue. / Das Alte wird hintangestellt, / Was soll uns dann das Neue", um als Antwort die „Rückkehr" aus „dieser Zeitlichkeit" in die „Heymath" zu verkünden. Diese Heimat aber, „zeitlos und raumlos", ist die „Herrschaft" der Nacht, des Traums, des Rausches (zweite Hymne) und schließlich – in der Aufhebung der Geschlechtsgegensätze – die Vereinigung mit der Braut, mit Christus, im Tod.

Die literarischen Nachfolger von Novalis nehmen seine Thematik und seine Motive auf. Seine metaphysische Durchdringung der Nacht erreichen oder aber erstreben sie nicht. Doch kaum einer von ihnen verzichtet auf die ‚Nacht' als eine Zeit menschlicher Sinnenschärfe und gesteigerter Empfänglichkeit, als eine Zeit wundersamer Erscheinungen, grauenvoller Ängste, aber auch der Selbsterfahrung und Welterkenntnis (z. B. Klingemann: ‚Nachtwachen von Bonaventura‘, 1804; Hoffmann: ‚Nachtstücke‘, 1816/17; selbst Kapiteleinteilungen heißen ‘Vigil’).

Bewußtseinserweiterung. Die Rückkehr des Menschen im Schlaf zu seinen organischen Ursprüngen oder zu den jenseitigen Regionen fasziniert die ganze Generation. Die naturkundlichen Spekulationen und Untersuchungen sind bestimmt vom Bemühen, Zugang zum Unbewußten zu finden. Dem Traum als einem Phänomen auf der Schwelle der verschiedenen Bewußtseinsstufen, von dem Mediziner und Naturphilosophen Carl Gustav Carus als ein „Betätigen des Bewußtseins innerhalb der in die Sphäre des bewußtlosen Zustandes zurückgewandten Seele" bezeichnet, gehört die besondere Zuwendung gerade auch der romantischen Dichter. Nicht nur quantitativ (allein bei Hoffmann fast 600 Nennungen des Wortes ‘Traum’) ist die Rolle des Traums in romantischer Dichtung faßbar; in Dichtungen unterschiedlicher Gattungszugehörigkeit sind Träume strukturbildend, in Tiecks Märchen (um 1800), Novalis’ Roman ‚Heinrich von Ofterdingen‘ (1802) und Brentanos ‚Romanzen vom Rosenkranz‘ (1803–12), in Kleists Drama ‚Das Käthchen von Heilbronn‘ (1808), Eichendorffs Roman ‚Ahnung und Gegenwart‘ (1815), Arnims Erzählung ‚Die Majoratsherren‘ (1820).

Die prognostische Bedeutung des Traums hat der Naturphilosoph Gotthilf Heinrich von Schubert in seinem Werk ‚Die Symbolik des Traumes‘ (1814) erforscht. Bedeutsam ist seine Ansicht einer allen Menschen gemeinsamen Symbolsprache, durch welche die menschliche Natur „mit einem anderen, Höheren oder Niederen, eins zu werden, Teil, Organ desselben zu sein vermag".

In den ‚Ansichten von der Nachtseite der Naturwissenschaft‘ (1808) behandelt G. H. v. Schubert weitere Zustände des Bewußtseins wie tierischen Magnetismus, hypnotischen Somnambulismus, Nachtwandeln, Schlafwachen, Hellsehen, in denen er Möglichkeiten einer spirituellen Verbindung mit dem Übersinnlichen und einer telepathischen Seelenvereinigung sieht. Auch im Wahnsinn wird entgegen der in der Zeit üblichen Einschätzung nicht eine Phase geistig-seelischer Störung oder des Persönlichkeitsverfalls gesehen; in Anknüpfung an alte, in die Antike reichende Vorstellungen gilt er als ein Zustand, in dem außergewöhnliche Kräfte freigesetzt, Verbindungen zu anderen Welten hergestellt, prophetische Gaben entfaltet werden können.

Alle diese Phänomene, einschließlich Rausch, Besessenheit und Bewußtseinsspaltung, haben besonders für die Dichtung E. T. A. Hoffmanns motivische und strukturelle Bedeutung erlangt (z. B. ‚Der Goldne Topf‘, 1814 ‚Die Elixiere des Teufels‘, 1815/16 ‚Der Sandmann‘, 1816).

Die Grenzen der bekannten Wirklichkeit werden überschritten, die erfahrbare Welt wird weit in bis dahin unbekannte psychisch-geistige Bereiche ausgedehnt.

Das Märchen, das Reales und Irreales nicht trennt, wird zu einer bevorzugten Form. Es gilt nicht nur in traditioneller Weise als eine Möglichkeit realitätsüberschreitender Wunschdarstellung, sondern als eine realistische Gattung, da es den Zusammenhang der eigentlichen, nämlich ganzen Welt wiederzugeben vermag.

Bewußtseinserweiterung in Traum, Rausch und Wahn ist eine zentrale Thematik der Romantik. Sie vor allem hat Nachfolger gefunden und weit über die deutschsprachigen Grenzen gewirkt, nachweislich z. B. auf Edgar Allan Poe und Charles Baudelaire.

Bergmetaphorik und Bergsymbolik. Die Naturphänomene, eingeschlossen der Mensch mit seinen Innenräumen, stehen untereinander in einem „lebendigen, mannigfaltigen Zusammenhange" (Novalis: ‚Heinrich von Ofterdingen‘). Es ist daher selbstverständlich, wenn mit der Erforschung der geheimnisvollen Innenwelt der Berge – Ausbau der Bergakademien in Freiberg/Thüringen und Clausthal-Zellerfeld/

Harz – den Romantikern mehr als bloße Analogien sichtbar werden. Die Arbeit des Bergmanns ähnelt nicht nur der des Seelenforschers und kann daher symbolisch verstanden werden, sie ist letztlich in die äußere Natur verlegte Seelenforschung. Im ‚Heinrich von Ofterdingen‘, in Tiecks ‚Runenberg‘ (1804), in Hoffmanns Erzählung ‚Die Bergwerke zu Falun‘ (1819) steht der geheimnisvolle Berg im Mittelpunkt. Die Bergleute in Falun z. B. finden tief im Berg eine unversehrte, jugendliche Leiche, die von einer steinalten Frau als ihr verschollener Bräutigam identifiziert wird. Bergarbeit legt demnach frühere Lebensphasen oder wie im ‚Runenberg‘ verborgene tiefenpsychologische Schichten frei. Bergabbau und Innenschau sind beide Bestandteil der Naturgeschichte; nicht zuletzt darin liegt für die Romantiker die Berechtigung ihrer Mischung.

3.1.2 Gefühlskult am Beispiel der ‚Herzensergießungen eines kunstliebenden Klosterbruders‘ von Wackenroder/Tieck

Bedeutsam für die romantische Haltung ist die Priorität, die Gemüt und Gefühl im Bereich der Kunstproduktion und Kunsterfassung, ja in der gesamten Lebenseinstellung einnehmen sollen. Zahlreich sind Äußerungen, in denen 'Gefühl' bzw. 'Gemüt' in ihrer zentralen Bedeutung bestimmt werden, z. B: „Dem Zauberstab des Gemüts tat sich alles auf" (Schleiermacher); Poesie als „Darstellung des Gemüts – der inneren Welt in ihrer Gesamtheit" und als „Gemüterregungskunst" (Novalis).

Wackenroder und Tieck wenden sich in den ‚Herzensergießungen eines kunstliebenden Klosterbruders‘ (1796) entschieden gegen die zeitgenössischen Kunstdiskussionen, gegen Kunstbetrieb und Künstlerideal, in denen die 'Vollkommenheit' des Kunstwerkes, also – nach damaligem Sprachgebrauch – seine Wahrheit und Schönheit, für Künstler und Kritiker verbindlich nach Regeln der Mathematik normiert werden. Dem rationalistisch geprägten Bemühen nach Deutlichkeit und größter Genauigkeit bei der Entwicklung objektiver Beurteilungsmaßstäbe setzen sie eine subjektivistische Auffassung entgegen. Nach ihr existiert die Kunst erstens als Idee im Geist des Künstlers, zweitens als Technik im Instrument, drittens ungeformt als Möglichkeit in der Materie. Da die künstlerische Idee bei ihrer materiellen Realisierung getrübt wird, gebührt einer Betrachtung der zugrunde liegenden Idee der Vorrang vor dem vollendeten Werk. Nicht die Analyse des Kunstwerkes, sondern die der Künstlergeschichte gibt über Größe von Künstler und Werk Aufschluß. Der wahre Künstler bildet allerdings seine Ideen nicht willkürlich aus, sondern ist Medium einer übernatürlichen Kraft. Folgerichtig wird Raffael, dem die Vollendung seiner Bilder in Träumen und Visionen eingegeben sein soll, als ein in hohem Maß religiöser Künstler gefeiert. Die Kunst steht im Dienst der Religion.

Aus diesem irrationalistischen Kunstverständnis ergibt sich die unmittelbare Forderung, Gemäldesammlungen nicht mehr als „Jahrmärkte", sondern als „Tempel" anzusehen, „wo man in stiller und schweigender Demut und in herzerhebender Einsamkeit" die Kunstwerke bewundern soll. „Sie sind nicht darum da, daß das Auge sie sehe; sondern darum, daß man mit entgegenkommendem Herzen in sie hineingehe, und in ihnen lebe und atme" (‚Herzensergießungen‘, Abschnitt ‚Wie und auf welche Weise man die Werke der großen Künstler der Erde eigentlich betrachten [...] müsse‘).

Dem überwiegend bürgerlichen Publikum wird damit ein von seinem höfischen Vorbild erheblich abweichendes Rezeptionsverhalten nahegebracht. Zugleich wird der Künstler zu einem Instrument der Gottheit befördert, der unmittelbaren Bevormundung durch Kritik und Publikum entrückt; es wird ihm Freiheit gegeben.

Wackenroder und Tieck erweitern in den ‚Phantasien über die Kunst‘ (1799) ihre Thematik um die Verherrlichung der Musik, die nach ihrer Auffassung imstande ist, Gefühle zu verewigen. Die auch in dieser Schrift verfochtene Identität von Kunst und Gefühl bestimmt das Kunstschaffen über Jahrzehnte. Sie hat die bürgerliche Kunstaneignung bis in unsere Zeit geprägt.

3.2 Rückwendung in die Vergangenheit

Novalis: Hyazinth und Rosenblüte, aus: Die Lehrlinge zu Sais (1798)
Heinrich von Ofterdingen (entstanden 1799/1800, veröffentlicht 1802)
Ludwig Tieck: Volksmärchen (1797)
Minnelieder aus dem Schwäbischen Zeitalter (1803)
Franz Sternbalds Wanderungen (1798)
Nibelungenlied (entstanden um 1210; gedruckt 1810)
Achim von Arnim/Clemens Brentano:
Des Knaben Wunderhorn (1805 und 1808)
Jacob und Wilhelm Grimm: Kinder- und Hausmärchen (1812/15/22)
Joseph Görres: Die teutschen Volksbücher (1807)
Achim von Arnim: Die Kronenwächter (1817)
Heinrich von Kleist: Die Hermannsschlacht (1808; veröffentlicht 1821)

3.2.1 Die Kindheit des Menschen

Ideal der Kindlichkeit. Schon vor den Romantikern wenden sich z. B. Hamann, Goethe, etliche Stürmer und Dränger gegen eine einseitige Verstandeskultur und sprechen sich dafür aus, an die Stelle von Regel und Systemzwang, zeremonieller Lebensgestaltung, Hang zur Vielwisserei, Unterdrückung von spontaner Gefühlsäußerung und Lustfeindlichkeit mehr Kindlichkeit, Naivität, Einfachheit, Spontaneität und Ursprünglichkeit zu setzen. Auch gewinnt die pietistische Tradition mit ihrer Neigung, Jesu Forderung nach Kindlichkeit (z. B. Matth. 18, 3: „Wenn ihr euch nicht bekehrt und werdet wie die Kinder […]") wörtlich und ernst zu nehmen, gegen Ende des Jahrhunderts an Einfluß. Zudem wirkt z. B. über Rousseau die Anschauung vom Kind als einem Wesen eigener Art und eigenen Wertes, dem Erwachsenen ebenbürtig und gleichberechtigt, auf die Zeitgenossen ein.

Diese unterschiedlichen Stimmen gegen eine Erstarrung der Kultur werden von den Romantikern aufgenommen und gleichsam zu einem Ideal der Kindlichkeit gesteigert. Clemens Brentano strebt zeit seines Lebens, dieses Ideal zu erreichen; in seiner Schwester sieht er es in hohem Maße verwirklicht. Bettina stilisiert allerdings ihr Verhalten den Erwartungen entsprechend; ihre Veröffentlichung von 1835 nennt sie ‚Goethes Briefwechsel mit einem Kinde'. – Kindlichkeit gilt als ein so hervorragender Wesenszug, daß er am Erwachsenen, wo immer möglich, betont wird. Man kann im Lob der Kindlichkeit das beliebteste Lobschema der Zeit um 1800 sehen.

Das Kind ist für Novalis, Tieck, Brentano, Hölderlin, Jean Paul, Dorothea Schlegel ein anbetungswürdiges, „himmlisches", ja „göttliches" Wesen. Es wird als Repräsentant des Goldenen Zeitalters, des vergangenen und des künftigen, verehrt. Novalis schreibt z. B.: „Wo Kinder sind, da ist ein goldenes Zeitalter" (‚Blüthenstaub', 97). Die Kinderzeit, die bei Eichendorff durchgängig als „die alte schöne Zeit" erscheint, wird – auch im Anschluß an Bemerkungen Schillers (‚Über naive und sentimentalische Dichtung') – mit der eigenen Kindheit oder mit dem Mythos der Kindheit identifiziert.

Die mythische Gestalt des 'Kindes' bei Novalis. Im Fragment ‚Die Lehrlinge zu Sais' von Novalis erscheint ein Kind eines Tages unter den Lehrlingen, dem der Lehrer sogleich „den Unterricht übergeben" will. Sein ätherisches Aussehen, der Klang seiner Stimme läßt in den Lehrlingen den Wunsch nach völliger Hingabe wach werden. Sein Wesen ist in den einzigen Satz gefaßt: „Es lächelte unendlich ernst." Der Lehrer kann in der Gewißheit, daß die Zeit des Übergangs ein Ende haben wird, die Zukunftsverheißung aussprechen: „Einst wird es wiederkommen […] und unter uns wohnen, dann hören die Lehrstunden auf." Dieses Kind, das wie ein Abgesandter einer höheren Welt auftritt, läßt den Lehrling ahnen, daß er „innerlich", in sich mehr wird erfahren können; es hinterläßt in ihm das Gefühl der „Verwandtschaft", der Verwandlung und der Hoffnung („mir [wäre] am Ende vielleicht der Busen offen, die Zunge frei geworden"). Dem von Novalis skizzierten Fortgang zufolge sollte das Kind am Schluß im Zusammenhang des endzeitlichen Jerusalem als „Messias der Natur" wieder auftreten. Novalis plante auch „die Aussöhnung der christlichen Religion mit der heidnischen" und sah für das Sais-Fragment vor, an die „Kosmogonien der Alten" anzuknüpfen. Daher erscheint die Deutung annehmbar, daß sich in diesem Kind christliche Vorstellungen mit solchen des ägyptischen Isis-Kultes verbinden: Jesus und Horus, göttliche Kinder, Heilsbringer.

Novalis: ‚Hyazinth und Rosenblüte'. Der Lehrling, nicht zur Begleitung des Kindes auserwählt, muß einen eigenen Weg finden. Die im ‚Natur' überschriebenen Teil des Fragments vorgetragenen Ansichten über das Verhältnis von Natur und Mensch verwirren ihn; jede erscheint ihm für sich berechtigt, untereinander widersprechen sie sich. Seine Ratlosigkeit soll das Märchen von Hyazinth und Rosenblüte beenden. Hyazinths Weg richtet sich nur scheinbar in die Ferne; denn das Märchen handelt von der inneren Reifung des fragenden, wißbegierigen und sehnsuchtsvollen Menschen, der seiner Kindheit entwachsen und seinem Einverständnis mit der Natur und seiner unschuldigen Liebe entfremdet ist. Er sucht tastend die Natur auf neue Weise zu erfassen, kriecht dabei in tiefe Schächte und sammelt in sich Bücherweisheit. Hyazinth gewinnt aber die Freiheit, „die Mutter aller Dinge", „die verschleierte Jungfrau" zu suchen, erst, nachdem eine „alte wunderliche Frau" das sein Leben bis dahin bestimmende Buch, Abschiedsgeschenk eines fremden Lehrers, verbrannt hat. Er durcheilt nun sämtliche Naturformationen und liest hingebungsvoll in dem allerorten aufgeschlagenen Buch der Natur, überall nach der Göttin Isis fragend. Schließlich, vor ihrer göttlichen Wohnung angelangt, schlummert er ein; ein Traum führt ihn in das Innerste ihres Tempels. Indem er ihren Schleier hebt, sinkt Rosenblütchen in seine Arme. Hyazinths Weg mündet in den Ursprung. Doch handelt es sich um ein „liebendes Wiedersehn" und Wiederfinden in der Steigerung zur „zweiten, höhern Kindheit", wie es analog im ‚Heinrich von Ofterdingen' heißt. Nun hebt eine traute Zeit an, denn „alles Fremde" ist verbannt. Hyazinth und Rosenblüte leben inmitten ihrer vielen Kinder, jedes ein „sichtbar gewordner Keim der Liebe zwischen Natur und Geist" – so Novalis in einem anderen Zusammenhang.

Das Goldene Zeitalter im ‚Heinrich von Ofterdingen' von Novalis. Novalis verkündet im ‚Heinrich von Ofterdingen' (1802) das Reich der Poesie. Er bestimmt sie als die Kraft – ähnlich der Einheit stiftenden Liebe –, das Auseinandertretende miteinander zu verbinden, die Wirklichkeit mit dem Märchenhaften als der höchsten Wahrheit, das Irdische mit dem Überirdischen, das Endliche mit dem Unendlichen harmonisch zu vereinigen. Vormals war alles Poesie, dereinst wird nach Durchdringung der Welt mit dem poetischen Geist alles wieder zu Poesie werden. Diese Durchdringung macht den Weg Heinrichs aus; er vollzieht sich zwischen Träumen, Märchen, Gesprächen und Begegnungen als ständigen „Erinnerungen". Auf diese Weise wird Heinrich seines Inneren gewahr; so ereignet sich auch die Einführung des geborenen Dichters in sein Reich der Innerlichkeit und des Gemüts. Dabei werden die „Erinnerungen" zugleich zu „Ahndungen" des künftigen Zeitalters. Der erste Teil des Romans, die ‚Erwartung', ist ein beständiger Weg nach innen. Die Welt verwandelt sich in einen Traum, aus dem im zweiten Teil, der ‚Erfüllung', eine neue Welt von mythischer Wirklichkeit geschaffen werden soll, in der die Zeit endgültig durch Zerstörung des Sonnenreiches vernichtet ist und alle Jahreszeiten und Menschenalter vereinigt sein werden.

Klingsors Märchen von Eros und Fabel bedeutet die Einweihung Heinrichs in die Geheimnisse der Zukunft; dem Leser gestattet es auch einen Ausblick auf das fragmentarische Romanende. Schon die Gattungswahl an dieser Stelle des Romans signalisiert den hohen Anspruch, denn Novalis hatte gefordert: „Das echte Märchen muß zugleich prophetische Darstellung – idealische Darstellung – absolut notwendige Darstellung sein. Der echte Märchendichter ist ein Seher der Zukunft." Im Fortgang des Romans war überdies der allmähliche Übergang in die einzig adäquate Darstellungsform, die des Märchens, vorgesehen.

Das Handlungsgerüst des Märchens: Sophie hat sich von König Arctur, ihrem Gatten, getrennt und das Reich verlassen, das in Eis versinkt. Während Eros (die Liebe) ruhelos in der Welt umherschweift, begleitet von Ginnistan (der Phantasie), muß sich Fabel (die Poesie) der Anschläge durch den prosaischen 'Schreiber' und die Parzen erwehren. Sie kann sich aus deren Gefangenschaft befreien. Es gelingt ihr, eine neue Zukunft zu stiften, indem sie das ganze Reich befreit, den gezähmten Eros mit Freya (dem Frieden) verbindet, Arctur mit Sophie versöhnt. Fabel spinnt einen goldenen, unzerreißlichen Faden, Sinnbild ihrer nun unvergänglichen Herrschaft.

Der Mittelteil der allegorischen Handlung wird vom Kampf bestimmt, den Fabel mit ihren Feinden führen muß: Sie überlistet 'Schreiber', den Repräsentanten einer gefühllosen und bösen Antiromantik, und schafft mit diesem Sieg über die falsche Aufklärung, deren Symbol die Sonne ist, die Voraussetzung, die irregegangene Geschichte wieder in richtige Bahnen zu lenken. Ihr Kampf gegen die Parzen hebt das Märchen aus der Zeitproblematik in die universelle Thematik des irdischen Schicksals überhaupt. Mit dem Triumph über die Parzen überwindet das *Kind* Fabel – also die Poesie – Zeit und Tod und gründet „das Reich der Ewigkeit, in Lieb' [Eros] und Frieden [Freya]", wie Fabel zum Abschluß singt.

Runges Kindmalerei. Die von Novalis poetisch bearbeitete Thematik gestaltet Runge mit den Mitteln der allegorischen Malerei. Runge schreibt über den Sinn seiner Tageszeitendarstellungen:

„Der Morgen ist die gränzenlose Erleuchtung des Universums. Der Tag ist die gränzenlose Gestaltung der Creatur, die das Universum erfüllt. Der Abend ist die gränzenlose Vernichtung der Existenz in den Ursprung des Universums, Die Nacht ist die gränzenlose Tiefe der Erkenntniß von der unvertilgten Existenz in Gott. Diese sind die vier Dimensionen des geschaffenen Geistes."

In seinen Ölgemälden ‚Der Kleine Morgen' (vgl. Abb. gegenüber) und ‚Der Große Morgen' steht Aurora, die Göttin der Morgenröte, im Zentrum, von geflügelten Gottheiten umgeben. Die anbrechende Zeit, verkörpert durch das Kind im Vordergrund, erhält einen aktuellen Akzent, wenn man in der Gestalt der Aurora nicht nur die antike Venus und die christliche Maria, sondern auch die zeitgenössisch häufig thematisierte Morgenröte als Freiheitsgestalt erkennt. Damit gewinnt die Rungesche Kunst eine dem Entstehungsjahr 1808/09 angemessene konkret-utopische Dimension.

3.2.2 Dokumente aus der Kindheit des Volkes

Nach der Jahrhundertwende verstärkt sich das Interesse an der deutschen Vergangenheit und ihrer Literatur. Die Jakobinerherrschaft in Frankreich hatte bei den meisten Romantikern den Zusammenbruch ihrer demokratischen Jugendideale zur Folge; Napoleonische Besetzung, politische Ohnmacht der zersplitterten Territorien und das allgemein verbreitete Gefühl großer Erniedrigung des Vaterlandes führen – gleichsam als kompensatorisches Gegengewicht – zur Glorifizierung von vergangenen Geschichtsperioden deutscher Vormachtstellung in Europa. Auch Industrialisierung und fortschreitende Kapitalisierung des alltäglichen Lebens mit ihren Begleiterscheinungen eines gesteigerten Egoismus, einer sich ausbreitenden materiellen

Denkweise bestärken die Romantiker in ihrer Rückbesinnung auf Zeiten vermeintlich einfacherer und ehrlicherer menschlicher Beziehungen und gesellschaftlicher
Verhältnisse.

Die romantische Bewegung knüpft an Bemühungen Herders an, der das erwachende
Nationalgefühl nach dem Siebenjährigen Krieg philosophisch und historisch durch
Untersuchungen über den Volksbegriff, den Ursprung der Sprache, Lieder alter Völker u. ä. legitimiert hatte. Er wies dem bis dahin als finster geschmähten Mittelalter
seinen Platz in der Entwicklung des Volkscharakters zu und entdeckte die mittelalterliche Literatur als eine wesentliche Quelle zu seiner Erforschung. 1778/79 gab Herder
die ‚Volkslieder‘ heraus, eine Sammlung von Liedern aller Völker und Zeiten, an der
u. a. auch Goethe und Lessing mitgearbeitet hatten.

Tiecks Bearbeitungen.   Als erster lenkt Ludwig Tieck mit seinen ‚*Volksmärchen*‘
(1797) die Aufmerksamkeit auf die alten Stoffe; besonders mit der darin enthaltenen

*Philipp Otto Runge: Der Kleine Morgen. Gemälde, 1808. Foto: Archiv für
Kunst und Geschichte, Berlin (West)*

Märchenkomödie ‚Der gestiefelte Kater' und dem Märchen ‚Der blonde Eckbert'
findet er in der literarischen Öffentlichkeit Beachtung. – Seine ‚*Minnelieder aus dem
Schwäbischen Zeitalter*' (1803) gelten heute als das Pionierwerk der romantischen Er-
neuerungsversuche. Zum einen sieht Tieck in dieser mittelalterlichen Minnelyrik mit
ihrem Reichtum an Formen, ihrer differenzierten Reimtechnik, ihrer strukturellen
Dichte, ihrer vollendeten Musikalität die eigenen Vorstellungen vorbildlich verwirklicht. Zum andern entspricht das Bemühen um die alte Literatur seinem Konzept der
„einen Poesie", das er in der Vorrede zu seiner Minneliedersammlung entwickelt:

> „[...] es gibt doch nur Eine Poesie, die in sich selbst von den frühesten Zeiten bis in die fernste
> Zukunft, mit den Werken, die wir besitzen, und mit den verlorenen, die unsere Phantasie ergän-
> zen möchte, sowie mit den künftigen, welche sie ahnden will, ein unzertrennliches Ganze aus-
> macht."

Nach seiner Vorstellung fördert die Lektüre älterer Literatur das Verständnis der gegenwärtigen Kunst, denn es „erklärt und ergänzt die alte Zeit die neue, und umgekehrt". Eine angemessene Vorstellung vom „Ganzen" gibt aber erst die umfassende
Kenntnis. Das Interesse richtet sich demgemäß auf „Entstehung und Kenntniß der
italienischen, spanischen, deutschen, englischen und nordischen Poesie" neben der
des Alterums, ist also in seinem Ansatz nicht national, sondern zeitlich und kulturell
umfassend. Besonderes Gewicht kommt in diesem Zusammenhang den *Übersetzungen* aus älteren Sprachstufen und fremden Sprachen zu. Vor allem sind es *A. W. Schlegel* (mit Übersetzungen der meisten Werke Shakespeares, zwei Bänden mit Werken
Calderons, Proben aus Dante, Tasso, Petrarca) und *Tieck* (mit der Übersetzung des
‚Don Quijote' von Cervantes), welche die Kenntnis nichtdeutscher Literatur fördern
und zugleich maßgeblich an der Herausbildung unserer Vorstellung von Weltliteratur
mitwirken.
Der Grundsatz der Bewahrung der Form erschließt der deutschen Literatur besonders in den Übersetzungen aus dem romanischen Sprachbereich bis dahin nicht gebräuchliche Strophen- und Versmaße. Das Bemühen wieder vor allem Tiecks, breiteren Volksschichten mittelhochdeutsche Literatur nicht um jeden Preis inhaltlich korrekt, dafür aber als klanglichen „Rausch von Freude und Lust" nahezubringen, findet nicht die Zustimmung der stärker wissenschaftlich ausgerichteten *Brüder
Grimm*. Sie betonen den historischen Abstand und lehnen poetisierende Übersetzungen ab; sie fordern die Lektüre des Originals und lassen höchstens die völlige
Umdichtung, wie sie Goethe im Versepos ‚Reineke Fuchs' vorgelegt hatte, gelten.
Die Brüder Grimm stehen der Möglichkeit einer Wiederbelebung der mittelalterlichen Poesie wie überhaupt dem von Tieck propagierten Gedanken einer neuen
Volksbildung durch die Lektüre von Volkspoesie („das Publikum zur Poesie er-
ziehn") skeptisch gegenüber.

‚*Nibelungenlied*'. Eine zentrale Rolle im Literaturkonzept spielt von Anfang an das
‚Nibelungenlied'. Seine Bearbeitung plant Tieck seit 1802; Schlegel erwägt 1803 einen „retouchierten Abdruck". Es erscheint schließlich 1810 in Friedrich von der Ha-
gens Bearbeitung und 1814 in der Übersetzung durch August Zeune. In seiner ‚Rede
über die Mythologie' (1800) beklagt Fr. Schlegel den fehlenden Mittelpunkt der zeitgenössischen Literatur („Wir haben keine Mythologie. Aber [...] wir sind nahe daran
eine zu erhalten, [...] eine hervorzubringen"). Bald danach äußert Tieck: „[...] aus
diesem Gedicht [‚Nibelungenlied'], wenn man die Nordische Mythologie daran
knüpft, kann vielleicht eine Art Ilias und Odyssee werden [...]" Er verspricht eine
derart erweiterte ‚Nibelungen'-Bearbeitung und gedenkt, so der Poesie ihre frühere
Einheit mit der Mythologie wiederzugeben. – Doch nach 1806 wird diese kulturelle
Zielsetzung von den politischen Ereignissen überholt. Patriotische, ja militärische
Motive fördern die Verbreitung des ‚Nibelungenliedes', das gar 1815 als ‚kleine Feld-

und Zeltausgabe' herausgebracht wird, „[...] da viele Jünglinge dies Lied als ein Palladium in den bevorstehenden Feldzug mitzunehmen wünschten [...]" (Zeune, im Jahre 1836).

Des Knaben Wunderhorn'. Angeregt durch die Tieckschen Unternehmungen, publizieren *Clemens Brentano* und *Achim von Arnim* in den Jahren 1805 und 1808 drei Bände ,Des Knaben Wunderhorn': 722 alte deutsche Lieder überwiegend volkstümlichen Charakters aus dem späten Mittelalter und der frühen Neuzeit. Sie betrachten ihre Sammlung als die Errettung des Volksgesangs in letzter Stunde, zu einem Zeitpunkt, an dem die Welt sich bereits in ein großes „Arbeitshaus" verwandelt habe.

Des Knaben Wunderhorn. Titelseite der Ausgabe aus dem Jahre 1808, Zweiter Teil. Foto: Bildarchiv preußischer Kulturbesitz, Berlin (West)

Die gesammelten Lieder (Handwerker-, Soldaten-, Liebes-, Kinderlieder, religiöse Lieder) entspringen nach Ansicht der Herausgeber der Arbeit des Volkes und wirken stimulierend auf es zurück – ein Gedanke von politischer Tragweite angesichts der herrschenden rechtlichen Unfreiheit, der geistigen Bevormundung durch Staat und Kirche und der sich verstärkenden Arbeits- und Wirtschaftszwänge.

Charakteristisch für die Entwicklung des Literaturbegriffs durch die Herausgeber ist die Ineinssetzung von 'Volkspoesie' und 'Naturpoesie' als Schöpfungen einer eher idyllisch gedachten Gesellschaft. Literarische Kritik und Originalität des individualisierten Künstlers werden verworfen, statt dessen Verständlichkeit, weite Verbreitung und Wirksamkeit zu Wertkriterien erhoben. Kritisiert wird – in Arnims Aufsatz ‚Von Volksliedern‘ als ‚Begleitwort‘ zum ersten Teil – „das Bemühen der Kunstsänger zu singen, wie Vornehme gern reden möchten, ganz dialektlos“, getadelt wird die von Gelehrten in ihrer „Nichtachtung des besseren poetischen Teiles vom Volke“ betriebene „Sprachtrennung“. Ganz generell wird die Entfremdung der führenden Stände „von dem Teile des Volks, der allein noch die Gewalt der Begeisterung ganz und unbeschränkt ertragen kann, ohne sich zu entladen in Nullheit oder Torheit“, bemängelt.

Dieser auf Harmonie zielende, die vorhandenen geistigen und sozialen Widersprüche einebnende Volksbegriff hat, wiewohl historisch falsch, seine Wirkung auf die Zeitgenossen – am Vorabend der Befreiungskriege gegen Napoleon – nicht verfehlt. Impulse auf die politische Lyrik sind ablesbar z. B. in Ernst Moritz Arndts Sammlung ‚Bannergesänge und Wehrlieder‘ (1813) oder Theodor Körners ‚Leier und Schwert‘ (1814).

Die Wirkung des ‚Wunderhorn‘ auf die romantische Lyrik ist beachtlich. Die kritischen Stimmen wie Goethes Mahnung beim Erscheinen des ersten Bandes, „sich vor dem Singsang der Minnesänger, vor der bänkelsängerischen Gemeinheit und vor der Plattheit der Meistersinger sowie vor allem Pfäffischen und Pedantischen höchlich [zu] hüten“, oder Görres’ Befürchtung, daß „die Subjektivität der Dichter [Arnim und Brentano] durchgedrungen und dabei etwas Fremdartiges der reinen Masse zugemischt“ sein könne, haben der Begeisterung keinen Abbruch getan. Namentlich Wilhelm Müller in seinen Zyklen ‚Die schöne Müllerin‘ (1820) und ‚Die Winterreise‘ (1823) – berühmt in ihrer Vertonung durch Franz Schubert –, Ludwig Uhland in Balladen und Gedichten, Heinrich Heine im ‚Buch der Lieder‘ (1827) und besonders Eichendorff nehmen den volkstümlichen Ton, aber auch Bilder, Sprachformeln und Stimmungen auf, variieren sie, bilden sie weiter. Als Beispiel für diesen Vorgang der schöpferischen Weiterbildung sei hier auf Eichendorffs Verse vom ‚Zerbrochenen Ringlein‘ („In einem kühlen Grunde, / Da geht ein Mühlenrad“), entstanden um 1810, hingewiesen, das die zweite Strophe von des ‚Müllers Abschied‘ („Da unten in jenem Tale, / Da treibt das Wasser ein Rad“) aus dem ‚Wunderhorn‘ fortspinnt; wenige Jahrzehnte später wird es selbst für ein Volkslied gehalten.

‚*Kinder- und Hausmärchen*‘. Angeregt durch das ‚Wunderhorn‘, geben die Brüder *Jacob* und *Wilhelm Grimm* nach jahrelanger Arbeit des Sammelns, nach textkritischen Untersuchungen zur Herstellung der reinsten und reichsten Grundform, nach sorgsamer Redaktion des Ganzen drei Bände ‚Kinder- und Hausmärchen‘ (1812/15/22) heraus. Die Grundsätze, die sie in der Kritik an der Herausgebertätigkeit von Tieck und Arnim/Brentano formuliert haben, können die Grimms nicht immer mit ganzer Strenge verwirklichen. Vielleicht hat aber gerade die poetische Leistung, die in der freien Umbildung und Verlebendigung der überlieferten Stoffe, aber auch in Tilgung von Tabuiertem sowie in der Harmonisierung allzu krasser sozialer Gegensätze, in der Bevorzugung der Hochsprache vor der Mundart zutage tritt, also das, was den charakteristischen 'Grimmschen Märchenstil' ausmacht, wesentlich zum enormen Erfolg der Sammlung als Lese- und Erzählstoff für Menschen jeden Alters beigetragen. Der wissenschaftliche Anteil, vor allem in Anmerkungen und Textvarianten im dritten Band, hat die Sammlung zum Grundstein einer bis heute nicht beendeten Forschungsarbeit gemacht.

,Die teutschen Volksbücher'. Aus eng verwandtem Geist hat 1807 *Joseph Görres* ,Die teutschen Volksbücher' publiziert. Es handelt sich um „das erste umfassende kritische Werk über ältere deutsche Literatur", wie ein Sachkenner 1810 schreibt. Görres hatte die auf den ersten Blick bunte Sammlung von „Historien-, Wetter- und Arzneybüchlein" nicht nur zusammengebracht, sondern jedes Stück nach Inhalt und Geschichte vorgestellt, kommentiert und knapp charakterisiert. Bezeichnend auch hier der weite Begriff 'Volksbuch', der eine Vielzahl populärer, nach Herkunft, Inhalt und Form aber ungleichartiger Texte abdeckt: Unter den Historien finden sich Heldendichtung und Ritterepen in der Gestalt des Prosaromans, Heiligenlegenden, eine Reisebeschreibung, historische Erzählungen, Handwerksbüchlein; daneben meint 'Volksbuch' auch Bauernregeln, Gesundheitsbüchlein, Traum- und Zauberbücher. Wenn Görres auch nicht alles uneingeschränkt wertschätzen und empfehlen kann (Traum- und Zauberbuch hält er für „Unsinn" und polizeilich zu verbieten), so bezeichnet er doch das meiste als „gewissermaßen den stammhaftesten Theil der ganzen Literatur". Die poetische Überlegenheit dieser Literatur – ganz analog zu Volksliedern und -märchen – resultiert aus ihrem Alter und aus ihrem nicht durch Standesschranken oder Sprachbarrieren begrenzten „Wirkungskreis". In Görres' Hochachtung vor der geistigen Kraft der „untern Volksklasse", seinem Verständnis und Mitgefühl mit den „gedrückten Bauern", seiner Sympathie für den „Volksnarr[en]" und „plebeyischen Tribun in der Schellenkappe", den Eulenspiegel, drückt sich seine wahrlich demokratische Gesinnung jener Jahre aus. Vergangenheitsbezogenheit entbehrt hier jeder Rückschrittlichkeit; sie enthält noch die politische und soziale Sprengkraft eines aus der Literatur gewonnenen neuen Selbstvertrauens und nationalen Stolzes. Befreiung und Wiedergeburt unter Einschluß der unverbrauchten kulturellen und moralischen Kräfte der „untern Volksklasse" bedeuten noch nicht den Einsatz der Vielen zur Wiederherstellung feudaler Macht.

3.2.3 Mittelalterbegeisterung

Heines Kritik. Wesentlich haben Heines Äußerungen in der ,Romantischen Schule' (1836) die Vorstellung von einer altertümlichen, ja reaktionären Mittelalterbegeisterung bilden helfen. Dort schreibt er über die vielgelesenen Romane, Rittergeschichten und -dramen des populären Friedrich de la Motte-Fouqué (1777–1843):

„Die retrograde Richtung, das beständige Loblied auf den Geburtsadel, die unaufhörliche Verherrlichung des alten Feudalwesens, die ewige Rittertümelei mißbehagte am Ende den bürgerlich Gebildeten im deutschen Publikum, und man wandte sich ab von dem unzeitgemäßen Sänger. [...] als der ingeniose Hidalgo Friedrich de la Motte-Fouqué sich immer tiefer in seine Ritterbücher versenkte und im Traume der Vergangenheit das Verständnis der Gegenwart einbüßte, da mußten sogar seine besten Freunde sich kopfschüttelnd von ihm abwenden."

In der Tat sind durch Fouqués Mittelalterdarstellung einem breiten Publikum Ideale erweckt worden, die einer fortschrittlichen Erneuerung gesellschaftlicher Ordnungen und staatlicher Organisation nach der Befreiung von der Napoleonischen Herrschaft nicht zuträglich sein konnten.

Doch tut man der romantischen Bewegung insgesamt unrecht, wenn man von diesen relativ späten – wenn auch wirksamen – Dichtungen her sein Urteil bildet.

Die Bedeutung des 'Mittelalters' im ,Heinrich von Ofterdingen' von Novalis. Bereits in der geschichtsphilosophischen Schrift ,Die Christenheit oder Europa' (1799) interpretiert Novalis das „christliche" Mittelalter als harmonische Vorzeit zur wirren Gegenwart. Er zielt dabei nicht auf die Rekonstruktion eines real-historischen Mittelalterbildes, sondern verwendet geschichtliche Materialien zur gleichnishaften Darstellung einer geistigen Wahrheit.

Auch ‚Heinrich von Ofterdingen‘ (1802) ist kein historischer Roman. Überhaupt sind konkret historische Bezüge von Raum und Zeit verhältnismäßig bedeutungslos in einem Werk, das gerade in der Darstellung des Wesens der Poesie auf die Aufhebung von Raum und Zeit hinarbeitet. Allerdings gilt das Mittelalter Novalis als „eine tiefsinnige und romantische Zeit [...], die unter schlichtem Kleide eine höhere Gestalt verbirgt“. Um diese „höhere Gestalt“ geht es ihm.

Novalis verwendet spätmittelalterliches Quellenmaterial (Johannes Rothes ‚Düringische Chronik‘, um 1415) und stützt sich auf Mittelalterstudien zu Kaiser Friedrich II. Bezeichnenderweise wählt er als zentrale Gestalten für seinen Roman die sagenhaften Sänger Klingsor und Heinrich von Ofterdingen, literarische Hauptgestalten im ‚Sängerkrieg auf der Wartburg‘ (um 1250), deren historische Existenz und deren Wirken bis heute dunkel sind. In das Romankonzept spielt auch die Novalis vertraute thüringische Volkssage vom Kyffhäuser, die sich ursprünglich an den letzten großen Stauferkaiser, Friedrich II., knüpft: So sollte sich der Held des Romans, Heinrich, nachdem er die Heldenzeit und das Altertum kennengelernt und das Morgenland durchreist und erforscht hatte, an den Hof Friedrichs II. begeben. Die „Sehnsucht nach dem Kyffhäuser“, durch ein altes Lied erweckt, sollte dann Heinrich mit Klingsors Hilfe in das Innere des Berges führen, wo er nicht nur die schlafende Mathilde, ihr gemeinsames Kind und die blaue Blume findet, sondern auch den an der Krone fehlenden Karfunkelstein, ein „altes talismanisches Kleinod“, entdeckt, dessen Rückkehr das „künftige Kaiserhaus“ erlöst. – An Friedrich II. scheint Novalis die ideale Verbindung von Macht und Geist, abend- und morgenländischer Kultur fasziniert zu haben. Sie hat seiner Absicht einer Verknüpfung der„entferntesten und verschiedenartigsten Sagen und Begebenheiten“ und seiner Vorstellung eines Endkaisers und einer Endzeit, gekennzeichnet durch die Aussöhnung der Religionen, die Verschmelzung der Kulturen, die Aufhebung der Zeiten, Jahreszeiten und Lebensalter, einen historischen Ausgangspunkt gegeben.

Wackenroder/Tieck: ‚Franz Sternbalds Wanderungen‘. Dieses Werk wurde als Gemeinschaftsarbeit mit Wackenroder geplant und nach dessen Krankheit und Tod 1798 von Tieck allein ausgeführt. Es handelt sich um den Versuch, einen romantischen Künstlerroman in unverkennbarer Orientierung an Goethes ‚Wilhelm Meister‘ als dem wegweisenden Muster des neueren Bildungsromans zu verfassen.

Franz Sternbald, Schüler Albrecht Dürers, verläßt Nürnberg, „um in der Ferne seine Kenntnisse zu erweitern und nach einer mühseligen Wanderschaft dann als ein Meister in der Kunst der Malerei zurückzukehren“. Seine Reise führt ihn durch Deutschland, die Niederlande, über Straßburg nach Florenz und Rom. Er verkehrt mit Bauern, Handwerkern, Fabrikanten, mit Kunstliebhabern und Aristokraten; er empfängt u. a. seinen Wirklichkeitssinn stärkende Ratschläge von Dürer, erfährt aber auch durch den romantischen Bohemien Florestan Anleitung zu erotischem Lebensgenuß und Unterweisung über die Sinnlichkeit der Kunst. Der mit dem Vorsatz, „immer ein Kind [zu] bleiben“, aufgebrochene Sternbald entwickelt sich im Verlauf seiner Reise zu einem kunstverständigen und welterfahrenen jungen Mann. In Rom findet er überraschend seine ihm zu Beginn der Wanderschaft wiedererschienene Geliebte aus der Kindheit. Damit endet der Roman vorzeitig, ohne daß Tiecks Plan, Sternbald an den Ausgangspunkt Nürnberg zurückzuführen, vollendet ist.

Der Roman hat den Untertitel ‚Eine altdeutsche Geschichte‘; die Handlung ist in den Anfang des 16 Jh.s gelegt. Doch ist die historische Wirklichkeit dieser Zeit nicht besonders deutlich ausgeprägt. Den Leser erinnern in erster Linie das Auftreten oder die Erwähnung von Personen wie Dürer, Pirckheimer, Lucas von Leyden, Holbein und die Nennung einiger ihrer bekannteren künstlerischen Arbeiten an die altdeutsche Zeit. Die Jahrhundertwahl hängt mit dem Kunst- und Künstlerideal zusammen, wie es in den Dürer-, Raffael- und Leonardo-Aufsätzen der ‚Herzensergießungen‘ und der ‚Phantasien über die Kunst‘ entwickelt ist. In diesen Idealvorstellungen durchdringen sich Kunst und Alltagsleben noch weitgehend gegenseitig in einer insgesamt als harmonisch und idyllisch skizzierten, vorzüglich bürgerlichen Gesellschaft. Aus dieser Realitätsverkennung gewinnt Tieck im ‚Franz Sternbald‘ ein utopisches Gegenbild zur problematischen Situation des Künstlers in der Gegenwart.

Von Arnim: ‚Die Kronenwächter‘. Dieser Roman Achims von Arnim, Teil eines umfangreicheren Werkplans, 1817 erschienen, spielt gleichfalls im 16. Jahrhundert.

Der Geheimbund der Kronenwächter hütet die Kaiserkrone. Vergeblich sucht er Abkömmlinge der Hohenstaufen (Berthold im ersten, Anton im zweiten Teil) auf die Wiederherstellung des Stauferreiches vorzubereiten. Berthold scheitert, weil er in seinem „zweiten Leben“, das ihm mittels einer Bluttransfusion durch den Doktor Faustus gegeben ist, von seiner ehemals bürgerlichen Lebensbahn abweicht, indem er nach einem veräußerlichten ritterlichen Lebensstil strebt, Nach Bertholds Tod bei einer Besichtigung der Hohenstaufengräber in Lorch tritt an seine Stelle der Maler Anton. Nach vielen Abenteuern lernt er seinen Vater kennen, der ihm die Geschichte seines Geschlechtes mitteilt. Anton, zum Hüter der Hohenstaufenkrone ausersehen, verzichtet unter dem Eindruck seiner Erfahrungen auf dieses Amt. Nach einer erhaltenen Notiz zu diesem nur skizzenhaft ausgeführten Teil sollte Anton am Ende die Burg der Kronenwächter zerstören. Die Krone aber, Symbol der Volkserneuerung und nationalen Einheit, muß weiter aufbewahrt werden, bis „ein von Gott Begnadeter alle Deutschen zu einem großen, friedlichen gemeinsamen Leben vereinigen wird“.

Man hat Arnim wegen der detaillierten Materialsammlungen zu Bauten, Trachten und Geräten, zu Sitten, Bräuchen und Lebensformen und wegen der angestrebten historischen Genauigkeit als den Antiquar unter den romantischen Dichtern bezeichnet. Doch steht nicht die Rekonstruktion vergangener Wirklichkeit im Zentrum seiner Bemühungen. Ihm geht es wesentlich um Geschichtsphilosophie, in welcher der Mythos den ihm von der Romantik zugewiesenen Platz weiterhin einnimmt. Auch Arnim verarbeitet die Kyffhäusersage, die er auf Friedrich I. (Barbarossa) bezieht. Sie ist ihm Ausdruck der im Volk lebendigen Zukunftshoffnungen. Vordergründig scheint es sich um eine Dichtung zu handeln, welche die nach 1815 verstärkt restaurativen Tendenzen stützt. Doch unübersehbar ist Arnims Kritik an der zeitgenössischen Verbindung von herrschsüchtiger Bürokratie und starr reaktionärer Haltung der ‚altadligen Fronde‘ in Preußen, „welche blind an eine notwendige Rückkehr derselben Verhältnisse glaubte, die lange ihnen bequem gewesen“ (‚Gräfin Dolores‘, 2. Abt., 18. Kap.). Arnim erkennt die unmittelbare Gefahr, die von allen geschichtsmythischen und heilsgeschichtlichen Konstruktionen ausgeht, wenn die dem Mythos innewohnende Hoffnung zur bloßen Legitimierung von Machtstreben und Macht mißbraucht wird. Im Unterschied zu Novalis und dem Tieck des ‚Sternbald‘ bewahren ihn aber auch umfassende Kenntnisse und stärkerer Realitätssinn vor einer unkritischen Idealisierung des Spätmittelalters. „Wir fühlen, daß die alte Zeit nicht viel taugte und die neue nicht vollendet ist.“ – Der Fortgang der Geschichte nach 1813 bringt nicht die von Arnim erhoffte Vollendung. Er muß schmerzlich erkennen, daß die Nation ihre Einheit auf der Grundlage einer ständisch-liberalen Verfassung in einem monarchisch-konstitutionellen Staat nicht gewinnt. Das Romankonzept büßt seine aktuelle Bedeutung ein. Die in Arnim aufkommende Resignation verhindert eine Fortführung des Romans.

Kleist: ‚Die Hermannsschlacht‘. Kleist, der ja auch im ‚Michael Kohlhaas‘ und im ‚Prinz Friedrich von Homburg‘ anhand von geschichtlichen Ereignissen aktuelle Einsichten zu vermitteln sucht, will mit dem Tendenzdrama ‚Die Hermannsschlacht‘ (1808; veröffentlicht 1821) den patriotischen Kräften ein Lehrstück für ihren Kampf gegen Napoleon schaffen. Mit der Darstellung der Vorbereitungen und des Ablaufs der siegreichen Schlacht der vereint kämpfenden Cherusker und Sueven über die Römer im Teutoburger Wald (9 n. Chr.) erteilt er in dichterischer Form Preußen und Österreich einen gleichsam geschichtlich vorgezeichneten Handlungsauftrag. Direkte Lehren werden aus der Geschichte gezogen; in unmittelbarer Gleichsetzung ähnlicher historischer Konstellationen wird das Gebot eines Verteidigungs- und Befreiungskrieges verkündet. Geschichte dient der Legitimierung gegenwärtiger Tat.

3.3 Räumliche Entgrenzung

> **Ludwig Tieck:** Der blonde Eckbert (1796)
> **Joseph von Eichendorff:** Sehnsucht (Gedicht. 1834)
> Aus dem Leben eines Taugenichts (1826)

3.3.1 'Waldeinsamkeit'

Im Europa der Jahrhundertwende dominiert eine ausbeuterische Einstellung zu den Schätzen der Natur. Die im Gefolge rationaler, systematischer Nutzung der Naturkräfte sich entwickelnden Industrien (Glas, Porzellan, Eisen) verschlingen zum Antrieb von Maschinen und beim Verhütten riesige Mengen von Holz, so daß im ausgehenden 18. Jahrhundert der gesamte Waldbestand von der Vernichtung bedroht ist. Die Entwaldungsgefahr, der man durch Dekrete in Belgien (1723), in Frankreich und verschiedenen deutschen Staaten frühzeitig zu begegnen sucht, erregt allenthalben die Gemüter aufs heftigste. Hundert Jahre später meint der Volkswirtschaftler Sombart, daß „der Mangel an Holz die Frage der europäischen Kultur war, deren Entscheidung für diese vielleicht bedeutsamer war als die andere, die die Zeit bewegte: ob Napoleon Sieger bleiben werde oder die verbündeten europäischen Mächte".
Die öffentliche Erregung spiegelt die Sorge, künftig auf den wichtigsten Rohstoff, auf Holz, verzichten zu müssen. Sie entspringt nicht ökologischen Überlegungen, erst recht keiner Naturliebe, sondern entspricht – mit anderem Vorzeichen freilich – dem rational-ökonomischen Zeitgeist, der auch die Ausbeutung bewerkstelligt.

Im ersten Jahrzehnt setzt die planmäßige Aufforstung ein. Diesen zweckgerichteten Unternehmungen gibt die Romantik sowohl in ihrer Naturphilosophie (Schelling; Novalis) einen über das Ökonomische hinausweisenden Sinn wie auch in der Emotionalisierung der Naturphänomene einen lebendigen Bezug.
Die vom Großstädter Tieck stammende Wortbildung 'Waldeinsamkeit' (‚Der blonde Eckbert‘, 1796) wird zu einem Schlagwort der Romantik, weil sie programmatisch dem Wald eine emotionale Qualität zuspricht und ihn in enge Beziehung zu den menschlichen Gemütsbedürfnissen setzt. Dabei richtet sich implizit die Entdeckung der Natur als einer neuen Lebensqualität gegen die Stadt als Inbegriff der Zivilisation; und der Preis der Einsamkeit des einzelnen inmitten von Wald und Feld zielt gegen die städtischen Menschenansammlungen (die Bevölkerung z. B. Berlins, der „Stadt der Soldaten und Manufakturen", versechsfacht sich im 18. Jh.). Im Bewußtsein einer größeren Öffentlichkeit wird schon zwei Jahrzehnte später Eichendorff, der an die Frühromantik anschließt, vor allem mit einigen Liedern (z. B. ‚Der Jäger Abschied‘; ‚Abschied‘) zum Sänger des Waldes schlechthin.
Der Mensch tritt in eine gefühlsmäßige Bindung zur Natur; darüber hinaus glaubt Bettina von Arnim, daß auch die Natur des Menschen bedürfe und lebendig an ihn herangehe, ja um Erlösung bitte. Der Naturphilosoph G. H. v. Schubert schreibt den Tieren unsterbliche Seelen zu.
Obwohl in endlosen Variationen von großer Suggestivkraft die Wechselwirkung zwischen der Seele des Menschen und den Kräften der Natur beschrieben wird, ist nur selten von der beschädigten Natur die Rede: Einmal ist in Chamissos ‚Peter Schle-

mihl' (9. Kap.) der verwüstete Wald erwähnt. Seine Zerstörung wird Naturkräften zugeschrieben, hier einem Bergbach. Doch geht man nicht fehl, die von „dem sonnenhellen Raum" natürlicherweise ausgehende Gefahr einer Entdeckung des fehlenden Schattens als eine Gefährdung überhaupt zu interpretieren. Bezeichnenderweise gibt es „die *Geschichte* dieser Verwüstung" zu erzählen; das ist ein Hinweis auf etwas anderes als eine Naturkatastrophe, nämlich auf Menschenwerk. – Eichendorff läßt die allegorische Gestalt Libertas (‚Libertas und ihre Freier', 1849) im Gespräch über die ehemals schönen Wälder ihrer Heimat bemerken: „Da ist viel abgeholzt seitdem, das wächst so bald nicht wieder nach auf den kahlen Bergen." Hier wird ausdrücklich Kritik an der selbstherrlichen Nutzung und Zerstörung der Natur geübt. Aber derartige Äußerungen sind nicht eigentlich Sache der Romantiker; auch bei Eichendorff findet sie sich erst in einem Märchen um die Jahrhundertmitte. Die Romantiker sprechen indirekt von dem, was sie bedrückt, indem sie Gegenwelten ersinnen. Daher darf der übermächtigen Bedeutung, die der Wald als Naturmetapher besitzt, zugleich auch ein zeitkritischer Gehalt unterstellt werden.

3.3.2 Fernweh und Wanderlust

Heimat und Ferne. Fernweh und Wanderlust bestimmen zahlreiche romantische Helden, so Franz Sternbald (Tieck), Heinrich von Ofterdingen (Novalis), Florentin (Dorothea Schlegel), Christian im ‚Runenberg' (Tieck), Peter Schlemihl (Chamisso), Taugenichts (Eichendorff). Auch in vielen Liedern wird die Sehnsucht nach der Ferne besungen (Wilhelm Müller: ‚Die schöne Müllerin'; Tieck: ‚Sehnsucht'; Eichendorff: ‚Der frohe Wandersmann', ‚Allgemeines Wandern', ‚Nachts', ‚Der verliebte Reisende').

Aus der Enge ihrer Lebensverhältnisse machen sich die Helden auf, eine Welt zu suchen, die – hervorgelockt durch alte Lieder oder geheimnisvolle Andeutungen – als Ahnung oder sehnsüchtiger Traum in ihrer Phantasie entstanden ist. Nur eines geringen Anstoßes bedarf es jeweils, und es wird Abschied genommen von einem treuen Freund, einer liebenden Mutter, einem verehrten Meister. Eine durch Familiensitte und gesellschaftlichen Brauch vorgezeichnete, zumeist auch gesicherte Existenz wird gegen ein vages Reiseziel, ein Leben in der Fremde, eine ungewisse Zukunft getauscht.

Das gibt Veranlassung zu vielen Fragen, deren Beantwortung gelegentlich mehr erfordert als Werkkenntnis: Wie stark müssen Neugierde, Wissensdurst sein, die diese Helden Familie und Heimat, Geborgenheit und Nähe, Sicherheit und Orientierung aufgeben lassen? Oder sind etwa diese 'Heimatwerte' mit anderen Akzenten versehen, weil vielleicht die Familie als beengend, die Heimat als öde erscheint, die Geborgenheit Einschluß, die Nähe Beschränkung bedeutet, Sicherheit durch Einordnung in einen krämerhaften oder bürokratischen Alltag erkauft werden muß und Orientierung die Lebensperspektive eines Philisters verlangt? Der Aufbruch der Romangestalten wird in der Erzählung begründet, nur – erfahren wir die eigentlichen Gründe? Was haben die Wege der Helden mit den Wünschen ihrer Autoren zu tun? Auch ist zu fragen nach der Art des Reisens, nach dem Ziel des Sehnens, nach dem Verhältnis des Romantikers zu den neuen Verkehrsmitteln seiner Zeit, nach den gesellschaftlichen Konsequenzen seiner Einstellung. Nicht zuletzt sind die literarischen Mittel – vor allem in der Lyrik – von Interesse, mit denen die Intentionen sprachlich realisiert werden und so Generationen von Epigonen das Rüstzeug für eine gefühlhafte Naturlyrik bereitgestellt wird.

Ersungene Welt am Beispiel von Eichendorffs ‚Sehnsucht'. Eichendorffs Gedicht ‚Sehnsucht', veröffentlicht 1834, stellt den Idealfall aller Gedichte dieser Thematik dar.

Es schienen so golden die Sterne,	Zwei junge Gesellen gingen
Am Fenster ich einsam stand	Vorüber am Bergeshang,
Und hörte aus weiter Ferne	Ich hörte im Wandern sie singen
Ein Posthorn im stillen Land.	Die stille Gegend entlang:
Das Herz mir im Leib entbrennte,	Von schwindelnden Felsenschlüften,
Da hab ich mir heimlich gedacht:	Wo die Wälder rauschen so sacht,
Ach, wer da mitreisen könnte	Von Quellen, die von den Klüften
In der prächtigen Sommernacht!	Sich stürzen in die Waldesnacht.

Sie sangen von Marmorbildern,
Von Gärten, die überm Gestein
In dämmernden Lauben verwildern,
Palästen im Mondenschein,
Wo die Mädchen am Fenster lauschen,
Wann der Lauten Klang erwacht
Und die Brunnen verschlafen rauschen
In der prächtigen Sommernacht. –

Dieses Gedicht enthält einen Großteil des Vokabulars, das wir mit den Begriffen 'Romantik' und 'romantisch' verbinden: „Sterne" und „Mondenschein" als Merkmale der Nacht, „Posthorn", „Laute", „Gesang" als Ausdrücke für Musik, „Felsenklüfte", „Wälder", „Quellen" als Repräsentanten der Natur. Die feudale Kultur wird signalisiert mit den Ausdrücken „Marmorbilder", „Lauben" , „Paläste", das jugendliche Personal ist präsent in „einsames Ich", „wandernde Gesellen", „lauschende Mädchen", Gefühl wird hervorgerufen durch „Herzschmerz", „heimliches Denken", „seufzendes Wünschen". Dieses Vokabular bestimmt den Eindruck im Groben; doch das Recht zur Überschrift „Sehnsucht" gewinnt Eichendorff nicht aus bloßen Benennungen, sondern aus der inneren Bewegung seines kunstvollen Arrangements. In einem Spannungsverhältnis befinden sich die gestirnte Weite zur einsamen Person am Fenster (typisch für Eichendorff und beliebt in der Malerei der Zeit; vgl. Abb. gegenüber), das stille Land zum Klang des Posthorns, der einsam Stehende zu den gesellig Gehenden, der Schweigende zu den Singenden. Eichendorff bietet dem Leser kontrastive Anordnungen dar, als deren Ausgangs- und Bezugspunkt das lyrische Ich fungiert. Doch verharrt Eichendorff in den anschließenden Strophen nicht bei der Ausführung der aufgestellten Korrespondenzen und Kontraste. In einem Kunstgriff läßt er das lyrische Ich nicht nur Gesang vernehmen, sondern er füllt mit dem Vokabular ebendieses Liedes die zweite Hälfte seines Gedichts. Das Lied singt von der Musik der Natur; es beschreibt aber zugleich auch Landschaft und konstituiert sie dadurch; es eröffnet Raum, gewinnt Ferne, schafft Welt. Die Bilder haben eine Verbreiterungstendenz: vom einsamen Ich zu den zwei Gesellen am Waldeshang, zu der eingeschlossenen Felsenlandschaft, zum offen liegenden Garten. Die geseufzte Fernsucht der ersten Strophe konkretisiert sich hier im Gesellenlied in Reisestationen, doch gewinnt sie kein festes Ziel, wie sich am perspektivischen Bau des Gedichts zeigen läßt. Zum Posthornruf tritt das Gesellenlied, aus dem Lautenklang und Brunnenrauschen erwachsen. Es deuten sich weitere Klangräume an, Musik in einer unendlich klingenden Progression. Das eigentliche Ziel liegt außerhalb des Gedichts.
‚Sehnsucht' kann als Musterbeispiel für die Technik des Evozierens und Imaginierens durch zugleich einfache wie raffinierte sprachliche Mittel gelten. Das Gedicht verwirklicht auch strukturell seinen Inhalt: die Entgrenzung.

Wunschziele. Bezeichnenderweise ist in ‚Sehnsucht' nicht eine durchgeführte, sondern eine ersungene Reise Gegenstand. Das Ich verharrt körperlich am Fenster; es reist imaginativ. Das Posthorn weckt eine diffuse Reiselust; kein Ziel, keine Bestimmung wird genannt. Die im Gesellenlied gewonnenen Konkretisierungen eröffnen dem Spiel der Reisephantasie Tore zu vorstellbaren Welten. Der Leser denkt vielleicht an das Italien des ‚Taugenichts' oder an die Kulturlandschaft im ‚Marmorbild'.

*Carl Gustav Carus: Fenster am Oybin bei Mondschein. Öl auf Leinwand,
27,5 x 31,5 cm. Ulm 1828. Foto: Sammlung Georg Schäfer, Schweinfurt.*

Doch bestimmt sich die Ferne weniger durch die geographische Lage eines Zielpunktes als durch die Diskrepanz zwischen der heimatlosen Eingebundenheit in den Alltagsbetrieb und dem „heimlichen", d. h. verschwiegenen Wünschen in eine andere Welt.
Ob es die gesellenübliche Wanderung auf dem Weg zur Meisterschaft des Franz Sternbald oder die von der Faszination durch den Runenberg gesteuerten Wege des jungen Christian sind, jeweils entfalten sich symbolische Beziehungen und Hintergründe: in christlicher Tradition die Pilgerschaft auf Erden als Vorbereitung auf ein jenseitiges Ziel; in säkularisierter literarischer Tradition die Entwicklungs- und Bildungsreise mit dem Ziel der Selbstfindung wie im ‚Parzival' Wolframs von Eschenbach (um 1210), im ‚Simplicissimus' Grimmelshausens (1669), im ‚Wilhelm Meister' Goethes (1795/96).

Errungene Welt am Beispiel des ‚Taugenichts' von Eichendorff. Italien ist seit dem Mittelalter Station der Begüterten auf ihrer Bildungsreise durch die Kulturwelt. Neue Attraktivität gewinnt dieses Ziel mit der von Winckelmann entfachten Begeisterung für die Antike (vgl. o. S. 164f.); der berühmteste Reisende ist Goethe. Den Romantikern, z. B. Wackenroder (Abschnitt ‚Sehnsucht nach Italien' in den ‚Herzensergießungen'), E. T. A. Hoffmann, Eichendorff, ist dieses Ziel zumeist ein unerfüllter Wunsch. Doch gerade der letztere ist mit seiner Novelle ‚Aus dem Leben eines Taugenichts' (1826) im Bewußtsein seiner Zeitgenossen und auch in dem unsrigen zum kompetenten Repräsentanten romantischer Wander- und Reiselust geworden.
Die Reise geht wieder nach Italien, das allerdings – man denke an die Gefährdungen durch die antike Schein- und damit Trugwelt im ‚Marmorbild' (1818) – keineswegs nur von Heiterkeit durchpulst ist; selbst im ‚Taugenichts' zeigt sich leise Skepsis. Nur

bleibt solche Kritik am Antike-Taumel der älteren Generation gerade für den ‚Taugenichts'-Leser zu subtil. Es stellt sich die Frage, was eine Gesellschaft, für die Erwerbsfleiß, soziale Sicherung, Ein- und Unterordnung zu den tragenden Wertvorstellungen gehört, dazu bewegt, gerade den ‚Taugenichts', diese Mischung aus gottergebener Unbekümmertheit, unzuverlässiger Unstetigkeit, ja fast immoralischer Freiheit, zu einer Lieblingslektüre zu wählen. Des Taugenichts Gestimmtheit beim Fortgang aus der Arbeits– und Erwerbswelt („Mir war es wie ein ewiger Sonntag im Gemüte") gibt Aufschluß über die geheimen Wünsche der Leser und erschließt den Hauptgesichtspunkt der Identifikation mit dem Helden. Die Leser sind bis auf den heutigen Tag zumeist weit davon entfernt, den ‚Taugenichts' als Kritik an der eigenen Existenzweise, gar als Handlungsanweisung für ein alternatives Leben zu lesen. Der reale „ewige Sonntag" liegt außerhalb ihres Strebens. Sie bescheiden sich mit dem schicklichen Freiraum phantasiegebundener Wunscherfüllung. Doch gerade darin, daß sich der ‚Taugenichts' für sie nicht in der Beschreibung einer konkreten Italienreise erschöpft, sondern – vor allem in der Unentschiedenheit und Ziellosigkeit – immerzu auch von einer utopischen Reise in den „ewigen Sonntag" handelt, liegt seine anregende Kraft. Daß die ‚Taugenichts'-Welt zudem als Gegenwelt zur zweckgerichteten Geschäftigkeit des modernen Lebens, ja als Protest gegen die Arbeitsversklavungen unserer Zeit zu lesen ist, mehrt die Dimensionen dieser zunächst so schlicht erscheinenden Dichtung.

Selbstfindung. Fernweh und Wanderlust erweisen sich als die Umsetzungen der immergleichen romantischen Sehnsucht nach Selbstbefreiung ins Räumliche. Sie korrespondieren dem Weg nach innen, dem Gang in die Kindheit der Menschheit, wie er sich in Mythenforschung und im Sammeln von Volksdichtung ausdrückt, und der Versenkung in die Geschichte. Von alldem schreibt Franz Sternbald seinem Freund in seiner Sprache:

> „Wir sprechen immer von einer goldenen Zeit und denken sie uns so weit weg und malen sie uns mit so sonderbaren und buntgrellen Farben aus. O teurer Sebastian! Oft dicht vor unsern Füßen liegt dieses wundervolle Land, nach dem wir jenseits des Ozeans und jenseits der Sündflut mit sehnsüchtigen Augen suchen. Es ist nur das, daß wir nicht redlich mit uns selber umgehen. Warum ängstigen wir uns in unsern Verhältnissen so ab, um nur das bißchen Brot zu haben, das wir selber darüber nicht einmal in Ruhe verzehren können? Warum treten wir denn nicht manchmal aus uns heraus und schütteln alles das ab, was uns quält und drückt, und holen darüber frischen Atem und fühlen die himmlische Freiheit, die uns eigentlich angeboren ist?"
> (Tieck: ‚Franz Sternbalds Wanderungen', 1. Buch, 4. Kap.)

3.4 Stil ohne Grenzen

> **Jean Paul:** Des Luftschiffers Giannozzos Seebuch (1803)
> **Clemens Brentano:** Das Märchen von dem Dilldapp (um 1806)

Mischung der Gattungen. Praktische Konsequenz der Lehre von der 'progressiven Universalpoesie' ist die Gattungsmischung. Sie wird am deutlichsten in der Hochschätzung des Romans sichtbar, der nach Fr. Schlegel „als gemischt aus Erzählung, Gesang und anderen Formen" zu denken ist. Tieck, Novalis, Brentano, später dann Eichendorff bieten diese Mixturen. Sie brechen damit die geschlossenen Gattungs- und Formtypen auf, die bei Goethe und Schiller einen Schwerpunkt der literaturtheoretischen Reflexionen bilden. Der Vorwurf ästhetischer Willkür wird ihnen jedoch nicht zu Recht gemacht, weil die in die Romanhandlung eingelegten Lieder, Gesänge, Erzählungen, Märchen – in der Veräußerlichung der inneren Welt, in der Präsenz des Fernen, in der Vergegenwärtigung des Vergangenen und Künftigen – den Charakter perspektivischer Ergänzungen oder der Raum-Zeit-Vervollständigungen haben. Die Einschübe unterbrechen gelegentlich zwar die Handlung, aber nur, um ihr neue Dimensionen hinzuzugewinnen.

Abschweifung und Bildlichkeit im Werk Jean Pauls. Die Disparatheit des Beieinanderliegenden und die Ähnlichkeit des Entfernten, die Diskontinuität des menschlichen Lebens sowie die unauflösbare Spannung von angestrebtem Ideal und widerstreitender Realität sucht Jean Paul zu gestalten. Dazu hat er sich einen eigenen Stil und eine an den englischen Romanautor Laurence Sterne anknüpfende Erzähltechnik geschaffen, die er in seiner ,Vorschule der Ästhetik' (1804) auch theoretisch begründet. Auflösung gewohnter syntaktischer Muster, Metaphernreihen, in denen Entlegenes miteinander verbunden ist, assoziative Vergleiche, Analogieketten und Gleichnisse prägen seinen Stil:

> „Das Schnupftuch – dieses Geifertüchlein bärtiger Kinder – ist die beste Herzensfloßfeder, die ich an solchen Fischen gesehen; die Mädchen sind wie Kalk, den der Freskomaler so lange bearbeiten und bemalen kann, als er naß ist. O warum bin ich nicht der Teufel oder seine Großmutter, um solche Neptunisten – die zu Vulkanisten zu erbärmlich sind – abzuholen und abzutrocknen in der Hölle?" (,Des Luftschiffers Giannozzos Seebuch', 1803, 4. Fahrt.)

Der auktoriale Erzähler gestattet sich in willkürlich scheinender Subjektivität Anspielungen, Abschweifungen, Leseranreden, Kommentierungen in Zwischenbemerkungen und Fußnoten, Selbstunterhaltung mit dem verdoppelten Ich, die Eröffnung von Nebenschauplätzen, Nebenhandlungen und deren Verselbständigung. Dadurch wird die traditionelle Handlungsfolge in Handlungsmomente zerstückelt und alle objektive Kausalität zur Unwirklichkeit degradiert. Angesichts der zusammengefügten Vielfalt der Formen hat man den Jean-Paulschen Roman mit einer Nummernoper verglichen, die Stücke unterschiedlichen Charakters – lyrische, dramatische, lehrhafte – in der Gestalt von Träumen, theatralischen Szenen, Briefen, Abhandlungen inselhaft gegeneinander absetzt.

Dieses Prinzip der 'Formlosigkeit' hat die Leser dieser Romane zu allen Zeiten verwirrt und die Kritiker zu höhnischen Ausfällen gereizt (z. B. Goethe: ,Der Chinese in Rom', 1797). Doch hinter den scheinbar ästhetischen Defiziten steht als Rechtfertigung Jean Pauls Wille, Totalität zu spiegeln, die freilich, im Gegensatz zum Goetheschen Harmonisierungsbestreben, die Heterogenität der Welt abbildet. Zu diesem Zweck wird der Wirklichkeitsstoff seiner zufälligen Ordnung entrissen und deformiert, damit er in neuer Gestalt neue Erkenntnisse hergibt. Dieser Vorgang ist dem Blick durch ein Fernrohr vergleichbar, das die Gegenstände, je nachdem, wie man es ansetzt, ins Riesenhafte vergrößert oder zu lächerlicher Bedeutungslosigkeit verkleinert. Im ersten Fall werden Menschen zu Titanen, die Weisen zu Gottesmännern, die Jungfrauen zu Madonnen, die geistig Mächtigen zu Dämonen und Magiern, die Ironiker zu Universalzweiflern, die Idylliker zu Paradiesesbewohnern; so findet sich das Verfahren in den letzten drei Büchern des ,Titan' (1792–1802). Der perspektivischen Verkleinerung zuzurechnen sind besonders satirische Passagen, so der Anfang des ,Siebenkäs' (1796/97) oder Walts Bemühungen in den ,Flegeljahren' (1804/05), die testamentarisch festgelegten Aufgaben zur Erlangung seiner Erbschaft zu erfüllen.

Die Übersicht, deren der Weltbetrachter bedarf, besitzt beispielhaft der in seinem Ballon Deutschland überfliegende Luftschiffer Giannozzo:

> „Könntest du doch jetzt unter meinem Luftschiff mithängen, Bruder Graul – dieser Name ist viel besser als dein letzter, Leibgeber –: du machtest gewiß die Sänftentüren meiner Luft-Hütte weit auf und hieltest die Arme ins kalte Ätherbad hinaus und das Auge ins düstere Blau – Himmel! du müßtest jetzt aufstampfen vor Lust darüber, wie das Luftschiff dahinsauset und zehn

Winde hinterdrein und wie die Wolken an beiden Seiten als Marsch-Säulen und Nebel-Türme langsam wandeln und wie drunten hundert Berge, in eine Riesenschlange zusammengewachsen, mit dem Gifte ihrer Lavaströme und Lawinen zornig zwischen den Ameisen-Kongressen der Menschen liegen – und wie man oben in der stillen heiligen Region nichts merkt, was drunten quält und schwillt." (,Des Luftschiffers Giannozzos Seebuch', 1. Fahrt.)

Giannozzo nutzt die Möglichkeit, die Welt unter sich zu lassen, aber sich auch nach Belieben ihre Details mit dem Fernglas wieder heranzuholen. So beobachtet er den Literaturzensor Fahland (mhd. 'valant', 'Teufel') beim Versuch, ein zur Schwärmerei neigendes Mädchen zu verführen, und kommentiert den Vorgang: „Fahland, wie seine ganze Diebesbande, hält das Abendrot und ganze Haine bloß als Springwurzeln an das weibliche Herz, damit dieses Vorlegeschloß der Person aufspringe; mit der Erdkugel und einigen Himmelskugeln und der zweiten Welt beeren sie die Schlinge für das dumme Schneußvögelein vor" (4. Fahrt).

Hier wird uns Fahlands Bemühen angezeigt, den Himmel einzuspannen, um zu seinem irdischen Ziel zu gelangen. Zugleich kommt das sehr ähnliche Verfahren Jean Pauls zur Sprache, in der Verbindung des Trivialen mit dem Erhabenen, des Gemeinen mit dem Hohen wenigstens punktuelle Totalität zu gewinnen. Doch entlarvt die gleich einsetzende Kommentierung das kunstvolle Weltarrangement in seiner Ungleichwertigkeit und zertrümmert es damit. Und dennoch entsteht insgesamt als Folge des ständig präsenten Erzähler-Ichs ein scheinbar systematischer Zusammenhang höchst unterschiedlicher Elemente. Die reine Objektwelt erfährt durch die Negierung der realen Beziehungen eine ungeahnte Entgrenzung.

Das Stilprinzip der 'Arabeske' bei Brentano.   Unter 'Arabeske', einem zunächst kunsthistorischen Stilbegriff, kann man – im Sinne der zeitgenössischen Dichtungstheorie – Verzierungen und Schnörkel der Phantasie ansehen, welche die gradlinig fortlaufende Handlung unterbrechen und gelegentlich auch überwuchern. Brentano sieht in der Arabeske – wie Fr. Schlegel und Jean Paul – ein Formprinzip, das weit über dekorative Ornamentik hinausgeht und in besonderer Weise die symbolisch-bildliche Darstellung künstlerischer Empfindung zu leisten vermag. Schlegel hatte die Arabeske aus der Naturpoesie abgeleitet, indem er sie als die Form der wildwachsenden Poesie definierte. In diesem Sinn heißt auch Brentanos ,Godwi' (1801) „ein verwilderter Roman". – Später gewinnt Brentano an Runges Arabeskenmalerei (vgl. Abb. S. 195), die er eine „tiefsinnige Bildersprache" von „anspruchsloser Zierlichkeit" nennt, sein individuelles Kompositionsprinzip.

„Dilldapp aber geriet in ein solches Laufen bergab und bergauf, durch Wälder und Felder, Land und Sand, Stock und Stein, Distel und Dorn, daß er nicht eher aufhörte, bis er nichts mehr sah vor lauter Nacht. Denn die Sonne hatte er schon über den Haufen gelaufen, und an der Abendröte hatte er die bunten Fensterscheiben eingerannt. Da hingen die Sterne ihre tausend Laternen zum Himmel heraus, und der Mond zog als Nachtwächter auf die Wache, um zu sehen, wer so erbärmlich laufe." (,Das Märchen von dem Dilldapp', um 1806.)

Ähnlich der arabesken Bewegung in ihrem endlosen, wuchernden Weiterschreiten in der Malerei steigert Dilldapp seinen beiläufigen Beginn zu einer grotesken Hetzjagd. Das Laufen verselbständigt und vergrößert sich in phantastische Verschlingungen; selbst Metaphern werden überrannt. Indem die Sprachbewegung die normale Ordnung verläßt, gewinnt sie einen tieferen Sinn.

4 Konfrontationen. Idealwelt und Wirklichkeit

4.1 Auseinandersetzung mit Zeitproblemen

Wilhelm Heinrich Wackenroder: Ein Brief Joseph Berglingers (1797)
Adelbert von Chamisso: Peter Schlemihls wundersame Geschichte (1814)
Novalis: Heinrich von Ofterdingen (1802)
Heinrich von Kleist: Michael Kohlhaas (1810)
Clemens Brentano:
Geschichte vom braven Kasperl und dem schönen Annerl (1817)

Die Romantiker machen die zeitgenössische politische, ökonomische, rechtliche und
soziale Wirklichkeit selten zum Gegenstand ihres Dichtens. Dennoch stehen sie mit
der Wahl ihrer Sujets in engem Bezug zu ihrer Zeit. Sie zielen auf den inneren Menschen, auf Veränderung seines Bewußtseins. Ihr emanzipatorisches Denken ist zudem während der Fremdherrschaft durch Napoleon gefesselt von der übermächtigen
Vorstellung einer Wiederherstellung nationaler Souveränität, Einheit und Größe.
Zwangsläufig verlieren so Forderungen nach sozialer Veränderung ihren Vorrang.

4.1.1 Kunstreligion und soziales Elend

Wackenroder: ‚Ein Brief Joseph Berglingers‘. Wackenroder ist in den ‚Herzensergießungen eines kunstliebenden Klosterbruders‘ maßgeblich beteiligt an der Ausarbeitung einer Kunstlehre, in der der Schaffensvorgang üblicher geistiger Produktivität
entrückt ist und die Rezeption in einem Akt gleichsam religiöser Ergriffenheit erfolgt. Doch wird Wackenroder früh von Zweifeln am hohen Anspruch der Kunst ge-
plagt. In den ‚Phantasien über die Kunst‘ (1799), insbesondere in dem darin enthaltenen ‚Brief Joseph Berglingers‘, gestaltet er sein Schwanken zwischen der Hochschätzung der Kunst als einer „die Geistes- und Herzenskraft des Menschen" verdichten-
den Kraft und der entgegengesetzten Einschätzung, daß die Kunst „ein täuschender,
trügerischer Aberglaube" ist, durch den schöne Werke den Anspruch des tätigen und
leidenden Menschen verdecken. Der Scheincharakter, das Illusionäre von Kunst-
übung und Kunstgefühl wird in Konfrontation mit der das Gewissen peinigenden sozialen Wirklichkeit offengelegt. Die Verwandlung von wirklichem Leben in Theater
in der Weise, daß man die „Bühne für die echte Muster- und Normalwelt" erklärt,
wird von Wackenroder als Mittel zur Beruhigung des Gewissens, zur Kaschierung
hilfloser Untätigkeit erkannt. Das Bestreben, „aus dem elenden Jammer irgend etwas Schönes und kunstartigen Stoff herauszuzwingen", wird als eine Form eitler
Selbstbefriedigung entlarvt. Der Kunstenthusiast in seiner Hingabe an die „lüster-
nen, schönen Akkorde" „mit ihren lockenden Sirenenstimmen" befindet sich in
Wahrheit auf der Flucht vor den ihn bedrängenden Ansprüchen der Unrecht, Elend,
Krieg und Not erleidenden Menschheit. Deren „herzergreifende Töne", deren Dis-
sonanzen sind die eigentliche Realität, die schönen Harmonien der Kunst daneben
„wie Seifenblasen". Zwischen Kunst und sozialer Wirklichkeit gibt es bei Wackenroder keine Vermittlung.
Die Frühromantiker in Wackenroders Gefolgschaft haben sich diese Vorstellung einer Unvereinbarkeit von Kunst und sozialer Wirklichkeit ganz zu eigen gemacht, allerdings in der Form, daß sie einer direkten Aufnahme sozialer Problematik in ihre
Dichtungen aus dem Weg gegangen sind. In dem später häufig behandelten Gegensatz von Kunst und Alltagswelt steht nicht die tatsächliche Not, sondern die Poesielo-
sigkeit der Normalität im Mittelpunkt.

4.1.2 Die Kapitalisierung des Lebens

Auch die sich anbahnenden oder gerade vollziehenden ökonomischen Umwälzungen, zum Teil Ursache für die soziale Problematik, werden von den Romantikern zumeist übergangen. Den meisten von ihnen ist nicht nur eine Beschäftigung mit den Niederungen des Alltags verhaßt, sondern das auf Poetisierung des Lebens zielende Programm verlangt den Schritt zur Idealisierung. So bleiben den Romantikern fast zwangsläufig wirtschaftliche Zusammenhänge verborgen. Beispielsweise ist Eichendorff zeit seines Lebens der Überzeugung, allein Mißwirtschaft seines Vaters habe zum Verlust des Gutes und Schlosses Lubowitz geführt.

Mit dem Tilsiter Edikt von 1807, das jedem Einwohner des preußischen Staates den Erwerb auch solcher Grundstücke gestattete, die zuvor wegen des 'ständischen Vorbehalts' nicht aus der Hand des Adels erworben werden durften, nimmt die Zahl städtischer Bürgerlicher (Fabrikanten und Handeltreibender) zu, die Landgüter aus unternehmerischem und kapitalistischem Verwertungsinteresse erwerben.

Chamisso: ‚Peter Schlemihls wundersame Geschichte'. Adelbert von Chamisso bringt für die neue Zeit charakteristische Motive in ‚Peter Schlemihl' (1814) ein.

Der Herr Thomas John, Peter Schlemihl, sein Diener Bendel, der unehrliche Bedienstete Raskal, alle erkaufen sich ihr weltliches Glück und ihr menschliches Unglück mit Unmengen von Gold und Geld, die sie dunklen Absprachen mit dem Teufel oder Teilhabe an diesem Reichtum durch Ergebenheit oder Diebstahl verdanken. Chamisso verteufelt den Erwerb von Großvermögen, er dämonisiert die Folgen bei durchaus realistischer Detaildarstellung der zeitüblich gewordenen Handlungsweisen und Lebensformen. Herr Thomas John bewohnt ein großes, neues Landhaus „von rot und weißem Marmor mit vielen Säulen", plant schon ein weiteres, gibt glanzvolle Gesellschaften, deren Gespräche sich unentwegt um den Reichtum drehen. „Wer nicht Herr ist wenigstens einer Million, der ist, man verzeih mir das Wort, ein Schuft!" äußert er unter Beifall. Doch zuletzt schaut „Thomas Johns bleiche, entstellte Gestalt" als ein Verdammter dem Teufel aus der Tasche. Peter Schlemihl, selbst den flimmernden Dukaten erlegen, tauscht seinen „herrlichen Schatten" gegen „Fortunati Glückssäckel", mit dessen Hilfe er ein prachtvolles Leben zu führen sich anschickt. Kein Wunsch scheint unerfüllbar: Häuser werden verschwenderisch eingerichtet, Feste veranstaltet. Der Wunsch, sich „anzusiedeln und ein sorgenfreies Leben zu führen", wird durch den Versuch, sämtliche „im Lande angebotenen" Güter zu erwerben, verwirklicht („[...] er kaufte auch nur für ungefähr eine Million [...], denn überall war ihm ein Fremder zuvorgekommen [...]"). Das Fehlen seines Schattens, Symbol für Identität, gesellschaftliche Integriertheit, Heimatzugehörigkeit, bringt ihn um sein Glück, stürzt ihn schließlich in Elend und seelische Krankheit. Mit dem Rat, „zuvörderst den Schatten, sodann das Geld" zu verehren, endet das Märchen.

Chamissos Polemik gegen die Auswirkung der Herrschaft des Geldes ist durchgehend ablesbar; indes durchschaut er nicht die Ursachen dieser Entwicklung. Er erläutert nicht gesellschaftliche Grundstrukturen, analysiert nicht rechtliche und ökonomische Voraussetzungen, sondern verwendet das Märchenmotiv des individuellen Einzelpaktes mit dem Teufel; noch ist keine Skizzierung ökonomischer Zwänge auf das Verhalten der Menschen möglich. Im Vordergrund steht das moralische Versagen des frei gedachten Einzelmenschen; dem Zwanghaften menschlichen Handelns wird immer noch im Verweis auf das rätselhafte Schicksal Ausdruck gegeben.

In diesen Aspekten zeigt sich der romantische Geist dieser Geschichte, der durch Verwendung von Märchenmotiven und Volksbuchelementen verstärkt wird. Die Hinwendung Schlemihls zur Natur nach seinem Auszug aus der Gesellschaft stellt eine Variante des Widerstreites Natur – Gesellschaft dar. Seine exotischen Naturforschungen sind als Ausdruck romantischen Fernwehs lesbar. Sie weisen aber zugleich auf versachlichte naturkundliche Beschäftigungen einer neuen Epoche, die im übrigen ihre Beobachtungen auf die sozialen Strukturen, wie Bettina von Arnim mit ihrem ‚Armenbuch' (1844), und auf die ökonomischen Zusammenhänge, wie Marx und Engels, ausdehnen wird.

Einstellung frühromantischer Autoren zum Geld. Schon *Tieck* führt seinen Sternbald in eine Gesellschaft, in der sich so gut wie alles um Geld und Gewinn dreht. Der Hausherr selbst rät ihm, die brotlose Kunst gegen einen Aufseherposten („mit einem sehr guten Gehalte") in seiner Fabrik einzutauschen (I,4). Der holländische Kaufmann Vansen bietet ihm seine Tochter zur Frau und ein sorgenfreies Leben als Maler. Tieck entwickelt hier ein Mäzenatentum der Neureichen, in dem die Kunst dekorative Funktion für das Kapital besitzt. Seine Kritik ist eindeutig, aber noch verhältnismäßig punktuell auf Einzelpersonen konzentriert (II,7).

Novalis nimmt zur Geldwirtschaft eine eher schwankende Haltung ein. Im ‚Heinrich von Ofterdingen' (5. Kap.) wird das Verhältnis des Bergmanns zum Gold als ein fast religiöses bestimmt, das sich erst dann schlagartig verändert, wenn die Edelmetalle zu „Waren geworden sind". Anderseits aber rühmen gerade die Kaufleute das Handelswesen, ohne daß ein kritischer Ton beigemischt wäre:

„Geld, Tätigkeit und Waren erzeugen sich gegenseitig, und treiben sich in raschen Kreisen, und das Land und die Städte blühen auf. Je eifriger der Erwerbfleiß die Tage benutzt, desto ausschließlicher ist der Abend den reizenden Vergnügungen der schönen Künste und des geselligen Umgangs gewidmet." (2. Kap.)

Die Kaufleute betrachten den Reichtum als ein Resultat bürgerlicher Tugenden und als die Voraussetzung für die Beschäftigung mit den Werken der Kunst. Der Geschäftstag gewinnt in all seinen Maßnahmen den Anschein der Rechtfertigung im Blick auf das, was er an geistiger Lebensgestaltung dieser Schicht ermöglicht. Doch gerade das veränderte Verhältnis zum Besitz als einem Mittel für anderes steht in Widerstreit zum Verhältnis der besonderen Aneignung der natürlichen Schätze durch den Bergmann. Er nämlich erkennt in Goldadern, den „zarten Blättchen zwischen den Spalten des Gesteins", nichts, was er unmittelbar zu besitzen trachtet, sondern vervollständigt diese Andeutungen zu einem symbolischen Ganzen, „belebt" dabei das Gold in der Erde, indem er es als einen Bestandteil seines eigenen Herzens und als Manifestation eines Höheren entdeckt.

Die Einstellung von Novalis ist geprägt von der Einsicht in den Verlust von Unmittelbarkeit, daß „in der gegenwärtigen Welt [...] alles durchaus bedingt" ist und „nur unter gewissen fremdartigen Voraussetzungen erlangt werden" kann (‚Fragmente und Studien 1799–1800', Nr. 686). Die Kritik richtet sich auf den unbedachten, willkürlichen Einsatz von Mitteln zur Erreichung von Zielen, auf die Verfälschung ursprünglicher Zwecke. Novalis' erster der ‚Politischen Aphorismen' zielt auf dieses Übel als die Wurzel vieler Mißstände: „Der Grund aller Verkehrtheit in Gesinnungen und Meinungen ist – Verwechslung des Zwecks mit dem Mittel."

4.1.3 Gesetz – Pflicht – Rechtsbewußtsein – Ehre

Das Verhältnis des einzelnen zu Größen wie Recht, Staat und Ordnung wird in Zeiten des staatlichen Zusammenbruchs meist stärker reflektiert als in Zeiten ruhigen Dahingehens. Die Veränderung zahlreicher alter Rechtszustände während der Napoleonischen Besetzung Deutschlands gibt darüber hinaus Veranlassung, über grundsätzliche Unterschiede in den Rechtsauffassungen nachzudenken. In dieser Zeit setzt die Beschäftigung der Romantiker mit alten Rechtsvorstellungen, die Sammlung und Veröffentlichung von Rechtsaltertümern ein (Savigny; Grimm).

Kleist setzt sich in drei Hauptwerken mit Problemkomplexen auseinander, die von zeitgeschichtlicher Dringlichkeit und zugleich von übergreifender Bedeutung sind: Im Schauspiel ‚Prinz Friedrich von Homburg' (1809/10) behandelt er die Frage nach dem Urteilsvermögen und der politischen Mündigkeit; im Lustspiel ‚Der zerbrochne Krug' (1808) sind die Möglichkeiten der Rechtsfindung und eines gerechten Urteils angesichts einer korrupten Justiz in den Mittelpunkt gerückt; die Erzählung ‚Michael Kohlhaas' (1810) befaßt sich mit der Ohnmacht des einzelnen und seiner Selbstjustiz aus Verzweiflung in Anbetracht einer willkürlichen adligen Obrigkeit.

Kleist: ,Michael Kohlhaas'. Der Roßhändler Michael Kohlhaas erfährt bei einem Grenzübertritt Unrecht und wird materiell schwer geschädigt. Statt Genugtuung zu erlangen, sieht er sich mit der Überheblichkeit und dem Desinteresse einer jagd- und weinseligen Adelsgesellschaft konfrontiert. Sein Bemühen, „öffentlich Gerechtigkeit" durch Klage bei einem Gericht, durch Vorsprache beim Kurfürsten zu erreichen, scheitert an Vetternwirtschaft und Intrigen. So beschließt er, „das Geschäft der Rache" selbst zu betreiben. Wenn sich Kohlhaas als „Statthalter Michaels des Erzengels" bezeichnet, dann drückt sich darin Resignation angesichts der Desolatheit staatlicher Gerichtsbarkeit aus; zugleich ist dies auch ein Hinweis darauf, von wo die weltliche Justiz ihre Legitimation empfängt, gegen wen sie verantwortlich ist und durch welche Kräfte sie eine Erneuerung finden kann. Die Racheakte von Kohlhaas führen zu vielfältigen Verstößen gegen die gleiche Rechtsordnung, deren Verletzung durch seine Widersacher den Ausgangspunkt gebildet hat. Daß Kohlhaas zu guter Letzt wegen Landfriedensbruchs zum Tod durch das Schwert verurteilt wird, liegt in der Unerbittlichkeit dieses Falles, in dem empfindliches Rechtsbewußtsein und verfeinertes Ehrgefühl aus einem Kläger einen Richter in höherem Auftrag werden lassen.

Brentano: ,Geschichte vom braven Kasperl und dem schönen Annerl' (1817). Auch Brentanos Kasper scheitert daran, daß er in einer Tugend ausschweift, wie Kleist es für Kohlhaas nennt, nämlich in seiner Ehrsucht. Wie der rechtschaffene Kohlhaas sich das Recht verschaffen will, das ihm verweigert wird, und dadurch schuldig wird, erwartet der ehrbar gewordene Kasper von seiner Umgebung Ehrenhaftigkeit, wird darin enttäuscht und nimmt die Schuld anderer auf sich. Auch dem schönen Annerl wird der übersteigerte Ehrbegriff zum Verhängnis. Entrechtet der eine, entehrt (im doppelten Sinn) die beiden anderen, werden alle drei schuldig: Kohlhaas durch Freveltaten, Kasper durch Selbstmord, Annerl durch Kindsmord. Die Rechtmäßigkeit ihrer Bestrafung wird in beiden Texten nicht in Frage gestellt. Kohlhaas wie auch Kasper und Annerl erfahren nachträglich Genugtuung: Alle drei werden „anständig" begraben, das Volk sympathisiert mit ihnen, ihre Nachkommen werden begünstigt.

Der Zeitbezug bei Kleist und Brentano. Im Unterschied zu Kasper, der verbissen private, individuelle Ehre sichern will, tritt Kohlhaas im erbitterten Kampf gegen Institutionen zu guter Letzt für ein allgemeines Prinzip ein. Der Ausschnitt geschichtlicher Wirklichkeit ist bei Kleist größer, die Konturen gesellschaftlicher Einrichtungen sind greifbarer. Es scheint auch, daß der historische Fall, den Kleist aufgreift und gestaltet, seiner Gegenwart gilt. Rechtsanmaßung generell wird von ihm angeprangert, gleich ob sie in Rechtsverweigerung oder in Selbstjustiz besteht.
Bei Brentano drohen nicht weltliche, sondern „Gottesgerichte". Die Opfer kollidieren weniger mit einer feindseligen Obrigkeit als mit verinnerlichten Grundsätzen ehrenvoller Lebensgestaltung. Gerechtigkeit wird hergestellt unabhängig von der Willkür oder Großzügigkeit einer Obrigkeit. Der Zeitbezug ist ablesbar an der Veräußerlichung der Ehrvorstellung, die keineswegs an strengen Prinzipien des Christentums orientiert ist, sondern in den Mustern ständischer Lebensformen ihre Erfüllung findet. Brentano zeigt, wie Menschen trotz strengster Grundsätze völlig falsch ausgerichtet sein können: Beispielhaft weisen Repräsentationsstücke wie ein Pferd und höheren Ständen abgeguckte Verhaltensformen auf Fehlorientierungen. Der vermeintliche Aufstieg gelingt durch Absolvierung des Militärdienstes bzw. durch Verkauf der Arbeitskraft in der Stadt. Personen unterschiedlicher Herkunft zeigt Brentano in ähnlichen Situationen. Dabei erweist sich das Wertsystem der einen als zu starr, das der anderen als brüchig. Die ihren eigenen, angemessenen Grundsätzen Entfremdeten gehen an den übernommenen Prinzipien zugrunde. Brentano läßt die ständische Ordnung unangetastet; er kritisiert gerade das Verwischen ihrer Grenzen. Maßstab und Orientierung gibt eine höhere, zeitlose, christliche Ordnung.

4.2 Philister und Künstler

> **Joseph von Eichendorff:** Die zwei Gesellen (Gedicht. 1818)
> **Ernst Theodor Amadeus Hoffmann:** Der Goldne Topf (1814)

Ungenügen an der Normalität kennzeichnet Art und Richtung romantischer Wirklichkeitsbetrachtung. Besonders die jüngeren Romantiker wie E.T.A. Hoffmann und Eichendorff entwickeln ihre Erzählwelt kontrastiv zur Umwelt, die sie häufig als Negativfolie einsetzen. So entsteht beim Leser nicht selten der Eindruck einer doppelten und qualitativ in sich unterschiedenen Welt.

In *Eichendorffs* Gedicht ‚Die zwei Gesellen‘ (1818) werden die beiden Lebensmöglichkeiten, die der philiströsen Geborgenheit und die der Gefährdung in einer Künstlerexistenz, exemplarisch auseinandergelegt. Der Ausgangspunkt beider Gesellen scheint gleich zu sein: Beide „strebten nach hohen Dingen, die wollten [...] was Recht's in der Welt vollbringen". Doch des einen Weg mündet bald in Seßhaftigkeit, in Eingebundenheit in eine Generationenkette; der des andern endet in den Verlockungen der Sirenen, im Untergang. Wie am Taugenichts in Eichendorffs gleichnamiger Erzählung und am Anselmus im ‚Goldnen Topf‘ *E. T. A. Hoffmanns* sichtbar wird, benennt diese Entfaltung nicht zwei getrennte Existenzformen, sondern die ambivalenten Strebungen, Veranlagungen und Realisierungen ein und desselben Menschen.

Die Selbstbeschränkung des Philisters. Den Philister charakterisiert nach Auffassung der Romantiker am eindeutigsten sein völliges Aufgehen in der Normalität und Durchschnittlichkeit. *Novalis* notiert: „Philister leben nur ein Alltagsleben", und bestimmt „Alltagsleben" als „Zirkel von Gewohnheiten", der „aus lauter erhaltenden, immer wiederkehrenden Verrichtungen" besteht (‚Blüthenstaub‘, Nr. 77). Zu diesen Verrichtungen zählt nicht nur die Arbeit, sondern gleichermaßen das Vergnügen („ihr Vergnügen verarbeiten sie, wie alles, mühsam und förmlich"). Die „Poesie mischen sie" – so Novalis – „nur zur Nothdurft unter, weil sie nun einmal an eine gewisse Unterbrechung ihres täglichen Laufs gewöhnt sind". Der Philister wird darüber hinaus als starr an Formeln und Grundsätzen orientiert, als den Konventionen, aber auch den Moden folgend gekennzeichnet. Weil er alles „um des irdischen Lebens willen" tut (Novalis), ihn die „kümmerliche Sorge für morgen" (Tieck) treibt, müssen ihm alle Bereiche des Übernatürlichen verschlossen bleiben. Der Philister erweist sich als von Nützlichkeitserwägungen geprägt; bei ihm überwiegt die rationale Weltbetrachtung.

Seine Abneigung vor unkonventionellen emotionalen Regungen und ihrem Ausdruck ist verstehbar als Sorge vor Situationen der herabgesetzten Selbstkontrolle. Seine Angst vor derartigen Zuständen ist nicht unbegründet angesichts der reduzierten konstruktiven Kraft, der eingeschränkten Phantasie und Kreativität, aber auch angesichts einer von Kind an von ihm verlangten und von ihm gepflegten Selbstbeschränkung. Die – in Hoffmanns Dichtung meist unter Alkoholeinfluß – entbundenen Kräfte des Philisters äußern sich zuallererst destruktiv (‚Der Goldne Topf‘, 9. Vigilie).

Besonders dem philiströsen Beamten kommt in einem System der durch Vorschriften, Zensur und soziale Kontrolle eingeschränkten individuellen Freiheiten eine wahrhaft staatstragende Funktion zu. Seine häufige und intensive Beschreibung bei Hoffmann und Eichendorff beruht auf deren Erfahrung in langjähriger eigener Beamtentätigkeit. Doch zielt ihre Kritik nicht auf den Staatsdiener allein, sondern sucht in ihm die gesellschaftlichen und staatlichen Einrichtungen zu treffen. Nicht also dem sich ob seines Sicherungsbedürfnisses emotional und intellektuell selbst beschädigenden Bürger, sondern auch den Verhältnissen, die ihn hervorbringen und anlocken, gilt ihre Aufmerksamkeit.

Die Gefährdung des poetischen Menschen – E. T. A. Hoffmann: ‚Der Goldne Topf'. Tritt Heinrich von Ofterdingen aus dieser Welt fort in eine vergangene, in der harmonische Ordnung, Vertrautheit der Menschen untereinander und Einklang mit der Natur herrschen, so versucht Hoffmann in dem Märchen ‚Der Goldne Topf' (1814), Idealwelt und Wirklichkeit in ihrer Verschränkung zu zeigen.
Die Empfänglichkeit des jungen Studenten Anselmus für außergewöhnliche Reize und phantastische Erscheinungen wird von Hoffmann konfrontiert mit dem philiströsen Unverständnis städtischer Bürger, sämtlich Vertretern der Alltagswelt. Anselmus wird einbezogen in eine Welt der magischen Verbindungen, von Zauber und Gegenzauber. Er ist dieses unverderbt kindliche Gemüt, dem der Blick in die Wunder der Natur und die Wege zu Serpentina, einem im Zustand der Entzückung geschauten Schlänglein, offenstehen. Auf seinem Weg schreitet Anselmus mit Fleiß und Geschick, nicht jedoch ohne die Gefahr eines Rückfalls in irdische Leidenschaften, voran. Sein Lohn besteht im goldnen Topf als Hochzeitsgeschenk und einem „Rittergut" im entrückten Atlantis, wo er fortan mit Serpentina in schönstem Einvernehmen lebt. Die Seligkeit des Anselmus ist nichts anderes „als das Leben in der Poesie, der sich der heilige Einklang aller Wesen als tiefstes Geheimnis der Natur offenbaret".
Medium für den künstlerischen Menschen – und Anselmus wird als Dichter bezeichnet – ist die Liebe, die verzehrende, verklärende, spirituale Künstlerliebe. Sie befähigt den Anselmus, die mit rätselhaften Zeichen übersäten Handschriften des Archivarius abzuschreiben. Dieses Kopieren ist wiederum Sinnbild für das poetische Schaffen, die Mithilfe Serpentinas eine Umschreibung für Inspiration. Es ist bezeichnend, daß Anselmus seine Fähigkeit verliert, die Manuskripte zu entziffern, sobald er in den Bannkreis der Philisterin Veronika gerät, die unbedingt Anselmus' Frau und Hofrätin werden möchte. Der Tintenklecks ist gleichsam der Verlust der Kreativität, der durch die Berührung mit der Alltagswelt eingetreten ist; die gläserne, unproduktive Gefangenschaft ist die Folge. Diese Alltagswelt besitzt indes für den Künstler durchaus Anziehungskraft. So sieht sich Anselmus doppelt gefährdet: durch seine Wünsche nach Veronikas Liebkosungen und durch seine Gedanken an Speziestaler, den Lohn für seine Kopiertätigkeit.

Die Verschränkung der Welten. E. T. A. Hoffmann bedient sich zur Darstellung des übersinnlichen Reiches und der in ihm wirkenden Kräfte einer zu seiner Zeit modernen mythisch-symbolischen Anschauung von rational nicht faßbaren Zusammenhängen. Das mythische Geschehen bildet einen zweiten Handlungsstrang zum Alltagsgeschehen. Hoffmanns Kunstgriff besteht nun darin, daß er unaufhörlich die Grenzlinie zwischen den Wirklichkeiten umspielt. Er bietet viele erzählerische Mittel, z. B. Perspektivenwechsel und ironische Distanz des Erzählers, auf, um den Leser zu irritieren und seine Selbstsicherheit hinsichtlich von Realitätseinschätzung und Wirklichkeitserkenntnis zu erschüttern. Übersinnliche Kräfte sollen nicht nur als möglich erscheinen, sondern sie werden als unabweisbare Erfahrungstatsachen begründet. Das mythische Geschehen – gemeint sind des Anselmus Umgang mit dem Archivarius und mit Serpentina – bildet konsequenterweise keinen geschlossenen Teil des Märchens, sondern ist unauflöslich verquickt mit dem gewöhnlichen Leben getreu der romantischen Einsicht, daß die Geisterwelt unmittelbar in die normale hineinragt.

4.3 Entzweiung und Aufspaltung:
Doppelgängerliteratur – Jean Paul, E. T. A. Hoffmann, Tieck

> **Jean Paul:** Siebenkäs (1796)   Titan (1792–1802)
> **Ernst Theodor Amadeus Hoffmann:** Die Elixiere des Teufels (1815/16)
> Lebensansichten des Katers Murr (1820/22)
> Geschichte vom verlornen Spiegelbilde (1815)
> **Ludwig Tieck:** Der blonde Eckbert (1796)

Sorge um die eigene Identität ist ein Thema von existentiellem Ausmaß bei einer Reihe romantischer Autoren. Zweifel an der Realität alles Bestehenden ist die Wurzel der Lebensangst, der Furcht vor unbekannten Mächten, der Ungewißheit und Unsicherheit im Hinblick auf die Einheit des Ichs. Das Weltgefühl der Zerrissenheit, die Trennung von Natur und Geist, die Gegenüberstellung von Innen- und Außenwelt, der gestörte Einklang des Menschen mit seiner Umwelt, die Aufsplitterung der menschlichen Verrichtungen, die Arbeitsteilungen und Spezialisierungen – all das gipfelt in der Ichspaltung des Individuums, des realen wie des erzählten.

Vom Gefühl unmittelbarer Bedrohung zeugen z. B. Tagebuchnotizen Hoffmanns lange vor seiner dichterischen Gestaltung des Problems: „Anwandlung von Todes-Ahndungen – DoppeltGänger –" (6.1.1804); „Ich denke mir ein Ich durch ein VervielfältigungsGlas – alle Gestalten die sich um mich herum bewegen sind Ichs und ich ärgere mich über ihr thun und lassen ppp" (6. 11. 1809).

Doppel-Ich.   *Jean Paul* prägt 1796 in seinem Roman ‚Siebenkäs‘ für die einander zum Verwechseln ähnlichen Freunde Leibgeber und Siebenkäs das Wort „Doppelgänger". Die im Namen Leibgeber angedeutete Entpersönlichungstendenz findet im Namenstausch der Freunde eine Bestätigung. Die Ersetzbarkeit des einen durch den anderen wird für den Fortgang der Handlung insofern genutzt, als Siebenkäs seinem Ehejoch entflieht, indem er seinen Tod vortäuscht und an Leibgebers Statt in der Fremde tätig wird.

An die Stelle hilfreicher Zugetanheit im ‚Siebenkäs‘ tritt in *E. T. A. Hoffmanns* Roman ‚Die Elixiere des Teufels‘ (1815/16) Grauen und Schrecken. Die Schicksale der Halbbrüder, des Mönches Medardus und des Grafen Viktorin, die voneinander nicht wissen, verschränken sich auf geheimnisvolle Weise. Der wahnsinnig gewordene Viktorin hält sich in seiner Krankheit für Medardus. Seine Identifizierung mit ihm geht so weit, daß er dessen eigene Gedanken ausspricht, so daß Medardus glaubt, sich selbst sprechen zu hören, sein innerstes Denken als Stimme von außen zu vernehmen. Dieses paranoische Bild wird ergänzt durch die Verfolgungsideen, denen er im Kloster ausgesetzt ist, durch den Liebeswahn, der sich an das nur flüchtig geschaute Bild der Geliebten knüpft, sowie durch krankhaft gesteigertes Mißtrauen und Selbstgefühl. Auch wird er von der Idee gequält, einen kranken Doppelgänger zu haben, worin ihn die Erscheinung des geistesgestörten Kapuziners bestärkt. Grausige Verbrechen, Fortsetzung blutschänderischer Beziehungen der Vorfahren, werden mit dem Bewußtsein des anderen begangen; Angst beherrscht den Roman, der als Beispiel der ‘Schwarzen Romantik’ weit über deutschsprachige Grenzen bekannt wurde.

Ich-Spaltung. Mehr als äußere Ähnlichkeit verbindet in den ‚Lebensansichten des Katers Murr‘ (1820/22) von *E. T. A. Hoffmann* das Schicksal des zur Geisteskrankheit disponierten Kreisler mit dem des wahnsinnigen Malers Ettlinger, dem Kreisler nach dem Ausspruch einer Romanfigur wie einem Bruder ähnlich sieht. Einmal hält Kreisler sein im Wasser geschautes Spiegelbild für den wahnsinnigen Maler und schilt ihn aus, während er unmittelbar darauf glaubt, sein eigenes Ich und Ebenbild neben sich einherschreiten zu sehen. Von tiefstem Entsetzen erfaßt, stürzt er ins Zimmer zu Meister Abraham und fordert ihn auf, den lästigen Verfolger mit einem Dolchstoß niederzumachen.

In *Jean Pauls* Roman ‚Titan' (1792ff.) steigert sich die Vorstellung des Hofmeisters Schoppe, vom Ich verfolgt zu werden, zur entsetzlichsten Pein. Er denkt sich die Seligkeit in einer ewigen Befreiung vom Ich. Fällt sein Blick nur zufällig einmal auf seine Hände oder Beine, so erfaßt ihn schon die Furcht, er könne sich erscheinen und „den Ich" sehen. Die Angst geht bei ihm so weit, daß er die verhaßten Spiegel deshalb zerschlägt, weil ihm aus ihnen sein Ich entgegentritt. Und wie Kreisler den Doppelgänger töten will, so sendet Schoppe an Albano seinen Stockdegen mit der Aufforderung, die unheimliche Erscheinung zu vernichten.

In Hoffmanns ‚Geschichte vom verlornen Spiegelbilde' (1815), einem Gegenstück zu Chamissos ‚Peter Schlemihl', verhängt der Kaufmann Spikher alle Spiegel, weil sie sein Spiegelbild nicht mehr wiedergeben. Wie Schlemihl seinen Schatten, so hat er sein Spiegelbild als Folge eines Paktes mit dem Teufel verloren: Beide Male handelt es sich um die symbolische Interpretation eines Identitätsverlustes.

Revenant-Gestalten. Bei den Revenants, Verkörperungen wiedererstandener Toter oder aufgelebter vergangener Lebensphasen, handelt es sich um dem Doppelgänger verwandte, von altem Aberglauben gespeiste Vorstellungen. In ihnen ersteht Vergangenheit in der Gegenwart, so in Hoffmanns ‚Elixieren', ‚Die Brautwahl' (1818), ‚Meister Floh' (1821). Insbesondere sei an *Tiecks* Märchen ‚Der blonde Eckbert' (1796) erinnert, in dem nicht nur der von Eckbert erschossene Walther in Hugo wiederkehrt, sondern zuletzt beide als Gestalten enthüllt werden, unter denen die Alte Eckberts inzestuöse Liebe zu Bertha zu ahnden gesucht hat.

Die Doppelgängerthematik hat zahlreiche Bearbeitungen gefunden. Nicht immer führt unmittelbare, persönliche Betroffenheit, wie sie an Hoffmann sichtbar wird, zu ihrer Gestaltung. Der Doppelgänger erfährt eine Verselbständigung als literarisches Motiv, das sich hervorragend zur Erzielung komischer wie geheimnisvoller Effekte eignet, sowohl beim komödiantenhaften Verwechslungsspiel eingesetzt werden als auch bloßer Verkleidungsfreude Ausdruck verleihen kann.

4.4 Romantische Lebensläufe

Heinrich von Kleist:
Prinz Friedrich von Homburg (1809/10; veröffentlicht 1821)

In diesem Zusammenhang soll die Rede sein von romantischen Lebensläufen, weniger aus Gründen ihrer möglichen Bedeutung für die Entschlüsselung der Werke als vor allem zur Veranschaulichung und Überprüfung der romantischen These, daß sich jede Kunstanschauung zur Lebensanschauung ausweiten müsse. Daher ist zu fragen, inwieweit Romantiker das Philiströse hinter sich gelassen haben, ob sie in der Poetisierung des Lebens vorangekommen und inmitten einer sich rasch verändernden Welt gleichsam als neue Menschen in Erscheinung getreten sind.

4.4.1 Romantikerfrauen
In auffälligem Kontrast zu den zahlreichen blutjungen, bildschönen, ätherisch reinen Mädchengestalten in Erzählungen und Romanen stehen reife, lebenserfahrene Frauen im Mittelpunkt der frühromantischen Freundschaftszirkel in Jena und Berlin: Ca-

roline und Dorothea, beide kulturell bedeutsamen, geistig emanzipatorischen Elternhäusern entstammend.

Caroline (1763–1809), Tochter des Göttinger Orientalisten Michaelis, lebt Anfang der 90er Jahre verwitwet mit ihrer Tochter Auguste in der Mainzer Republik. Wegen ihres leidenschaftlichen Eintretens für die republikanischen und demokratischen Ideen, ihrer Freundschaft zu zahlreichen Republikanern, insbesondere der Familie Forster, nicht zuletzt wegen ihres Verhältnisses mit einem französischen Offizier, von dem sie einen Sohn hat, steht sie in höchst zweifelhaftem Ruf. Vor der sozialen Ächtung bewahrt sie die Eheschließung (1796) mit August Wilhelm Schlegel (*1767), der soeben durch Vermittlung Schillers eine Dozentur an der Universität Jena erhalten hat. Wenige Jahre später wendet sich Caroline dem zwölf Jahre jüngeren Schelling zu, den sie 1803 heiratet.

Dorothea (1763–1839), Jüdin, Tochter des Berliner Philosophen und Kaufmanns Moses Mendelssohn, läßt sich 1798 vom Bankier Veit scheiden, um Friedrich Schlegel (*1772) zu folgen, den sie 1804 heiratet. Mit ihm gemeinsam konvertiert sie 1808 zum katholischen Glauben.

Diese beiden Frauen – neben ihnen Sophie Bernhardi (geb. Tieck), Henriette Herz, Rahel Levin, Sophie Mereau (spätere Brentano) und Bettina von Arnim (geb. Brentano) – bestimmen das gesellige und das geistige Klima der frühromantischen Zirkel. Sie sind unermüdlich tätig als intellektuelle Anregerinnen, scharfzüngige Kritikerinnen, als leidenschaftliche Briefschreiberinnen wie Caroline oder als selbstbewußte Schriftstellerinnen wie Dorothea (Lyrik; Roman ‚Florentin‘, 1801). Sosehr zunächst ihre freundschaftliche Offenheit Gleichgesinnte assoziieren hilft, ihr halböffentlicher Salon wie ihre Tischgemeinschaften den Kreis zu konsolidieren vermögen, so sprengt nachher gegenseitige Eifersucht und Abneigung das fruchtbare Gemeinschaftsleben. Kleinmütige Animositäten, amouröser Klatsch, Alltagstrivialitäten vergiften die freundschaftlichen Verbindungen. Die vormals als segensreich empfundene Intimität macht alle Teilnehmer an diesem Leben zu Mitwissern und verleitet manchen, z. B. in den Ehescheidungsverfahren, zu parteilichen Aussagen. Denn so vehement wie das geistige Engagement, so frei von ökonomischer Rückversicherung oder sozialer Rücksichtnahme sind die Partnerbeziehungen. Es springt dabei ins Auge, mit welcher Entschiedenheit, unbesorgt um Ruf und Konventionen, diese schriftstellernden Frauen ihr persönliches Glück zu gewinnen trachten. Der ihnen gemäße Weg ist nicht Entsagung, von Susette Gontard (Diotima) und Hölderlin gelebt, in Goethes ‚Wahlverwandtschaften‘ propagiert, sondern Scheidung aus alten Fesseln als Befreiung zu neuer Bindung.

4.4.2 Außerordentliche Lebenswege

Clemens Brentano (1778–1842), dem ein stattliches Vermögen die Entscheidung zum Beruf eines unabhängigen Dichters erleichtert, weist eine exzentrische Lebensbahn ganz besonderer Art auf. Zunächst schockiert er zwei Jahrzehnte Verwandte, Freunde und Zeitgenossen mit seinen skandalösen Liebesverhältnissen. Dann gleitet er in das andere Extrem, das mit seiner sogenannten Generalbeichte von 1817 und dem jahrelangen Aufenthalt bei der stigmatisierten Augustinerin Anna Katharina Emmerick gekennzeichnet werden kann. Noch 1835 heißt es in einer brieflichen Mitteilung über ihn: „Er hat den schlechtesten Ruf und sieht in der Tat etwas satanisch aus […]“. Weder ökonomische Zwänge noch gesellschaftliche Spielregeln schnüren Brentano ein. Seine Gefährdung erwächst aus dem Gegenteil, aus einem Mangel an realer Begrenzung: einmal aus dem Fehlen konkreter Aufgaben; dann aus seiner Bereitschaft zu grenzenloser Anverwandlung und Übersteigerung des Übernommenen, wie sie in seinem an Tieck orientierten, satirischen Erstling ‚Gustav Wasa' (1800) und an seinem Roman ‚Godwi' (1801), der sich an das arabeske Stilprinzip von Fr. Schlegels Roman ‚Lucinde' (1799) anlehnt, ablesbar sind. Ihn gefährdet besonders, wie er selbst bekennt, die Abhängigkeit von einer dem Willen nicht unterworfenen, selbsttätigen Phantasie; ihn bedroht geradezu die übergroße Neigung, durch imaginative Vorwegnahme die angestrebte Wirklichkeit vorzeitig zu erschöpfen. In einem Brief an Runge (12. 1. 1810) beklagt Brentano diesen Mangel an Realitätssinn:

„Sie werden vielleicht selbst schon erfahren haben, daß man sich mit Wünschen und Hoffnungen so herzlich herumtragen kann, daß man endlich glaubt, es sei alles bereits gelungen und erfüllt, ja mir ist es mit solchen Täuschungen in meinem Leben einigemahl schon so ernstlich ergangen, daß ich im vollen Genuß des Planes bis zur Sättigung gelangt, und dadurch um das Werck selbst gekommen bin, das zwischen beiden liegen sollte."

Brentanos Kräfte erlahmen immer wieder vor Vollendung der Pläne, weil ihn gleichsam als Reaktion auf die Schreibbesessenheit der lähmende Zweifel überfällt, ob nicht das ausgesprochene Wort den Sinn verfälsche. Diese Sprachkrise verstärkt sich zeitweilig zu einem Inspirationsverlust. Als Brentano nach 1824 die Sprache wiederfindet, publiziert er, den veränderten Zeitverhältnissen gehorchend, überwiegend polemische Tagesschriften. Seine neu entstehende Dichtung (vgl. 1.3, Seite 182) verschließt er weitgehend dem Einblick einer ihm fremd gewordenen Öffentlichkeit.

Heinrich von Kleist (1777–1811) gehört der romantischen Generation an. Doch trotz zahlreicher Kontakte und Bekanntschaften und zeitweiliger Zusammenarbeit mit Adam Müller und Tieck ist er keiner der Gruppierungen zuzurechnen. Seine Dramen und Erzählungen weisen beträchtliche Unterschiede zu den von den Romantikern bevorzugten Dichtungstypen und Stilformen auf. Doch deshalb den mächtigen Einfluß romantischer Ideen auf ihn zu leugnen, hieße ihn stärker isoliert sehen, als er es tatsächlich als Folge seines kompromißlosen Charakters war. Kleists Leben spiegelt ungeglättet die widersprüchlichen Zeitverhältnisse. Ruheloses Probieren, rascher Wechsel von Neubeginn und Abbruch sind die Kennzeichen einer andauernden Lebenskrise.
Die der Familientradition gemäße, zunächst eingeschlagene Offizierslaufbahn gibt Kleist 1799 auf. Er studiert einige Zeit Philosophie, Physik, Mathematik, Staatsökonomie, strebt jedoch bald die Tätigkeit eines freien Schriftstellers an und macht hierzu die Bekanntschaft von Zschokke, Wieland, Geßner, Goethe, Schiller. In dieser Zeit verlobt er sich und entlobt sich zwei Jahre später. Er reist rastlos, solange es die finanziellen Mittel erlauben, durch Europa. Für kurze Zeit versucht er, in der ländlichen Abgeschiedenheit einer Schweizer Insel Ruhe zu finden; doch finanzielle Schwierigkeiten erzwingen den Abbruch des Experiments. Wirtschaftliche Notlagen veranlassen Kleist, 1800/01 und 1804/06 Stellungen im Staatsdienst anzunehmen bzw. 1811 anzustreben. 1803 plant er, auf französischer Seite gegen England zu kämpfen, doch wird er nach Deutschland zurückgeschickt. Krankheit und Verzweiflung führen Ende des Jahres zu völligem Zusammenbruch; in dieser Zeit beabsichtigt er, Tischler zu werden. 1809 kommt er zu spät, um auf österreichischer Seite am Krieg gegen Napoleon teilzunehmen.
In all den Jahren schreibt Kleist, doch ohne ein Vertrauen in die vermittelnde Kraft der Sprache zu gewinnen. In Phasen des Selbstzweifels vernichtet er immer wieder Aufzeichnungen und fast fertige Manuskripte. Eine Inszenierung eigener Theaterstücke bleibt ihm verwehrt; die zustande gekommenen Aufführungen sind ohne Erfolg. Die von ihm herausgegebenen Zeitschriften, die er weitgehend mit eigenen Texten füllt, sind nicht ohne Resonanz, aber dennoch kurzlebig: ‚Phöbus. Ein Journal für die Kunst' (1807–09); ‚Germania' (1809); ‚Berliner Abendblätter' (1810/11). Mit den ‚Abendblättern' verwirklicht Kleist einen neuen Typ lokaler Tageszeitung, in der

politische Nachrichten und Kommentare, literarisches Feuilleton und Theaterbe-
richterstattung gemischt sind. Indes sichert ihm keine der vielfältigen Tätigkeiten eine feste Position im literarischen Leben.

Zu einer unbedrängten Schriftstellerexistenz fehlt Kleist die ökonomische Unabhängigkeit, wie sie z. B. Achim von Arnim besitzt, der ein Leben ungestörter wissenschaftlicher und literarischer Arbeit in der Zurückgezogenheit seines Landgutes und
in leidlichen Verhältnissen führen kann. Er vermag auch nicht, sich den Anforderungen der gesellschaftlichen Verhältnisse so weit anzupassen wie z. B. die Brüder Schlegel, Uhland oder die Brüder Grimm, die sich die vorhandenen Freiräume akademischer Lehrtätigkeit oder bibliothekarischer Beschäftigung zunutze machen. Außerdem geht ihm der Wille, vielleicht auch die Kraft, zu einer Doppelexistenz ab, wie sie
wenige Jahre später beispiellos E. T. A. Hoffmann als preußischer Kammergerichts-
rat und nachtschwärmender Dichter und Komponist leben wird.

Kleist stellt sich – allen Mißerfolgen und Entmutigungen zum Trotz – immer von neuem seinen Problemen, in denen er solche seiner Zeit erkennt. In seinem letzten Drama, *Prinz Friedrich von Homburg* (1809/10), greift er auf das historische Ereignis
der Schlacht von Fehrbellin (1675) zurück, in der die zahlenmäßig unterlegenen
deutschen Truppen die Schweden besiegen und damit den Grundstein für den Aufstieg Brandenburgs zu einer der führenden Mächte Europas legen. Fast überdeutlich
formuliert Kleist die Verbindung zu den zeitgenössischen Erfordernissen, wenn er
das Drama in dem Satz „In Staub mit allen Feinden Brandenburgs!" enden läßt. Lange hat daher auch das staatspolitische Verständnis des Stückes seine Interpretation
beherrscht. Doch schon an der überaus reservierten Aufnahme des Dramas, namentlich im preußischen Königshaus, kann man ablesen, daß die Vielschichtigkeit des
,Prinz Friedrich von Homburg' den Zeitgenossen nicht entgangen ist: Gewichtiger
als der Aufruf zu patriotischer Solidarität und nationaler Befreiung wird Kleists Kritik an der preußischen Führung und sein Eintreten für eine Reform des Heeres gewertet. Sie stößt ebenso wie der im Drama dargestellte Konflikt zwischen der „Ordre
des Krieges" und der „Ordre des Herzens" auf Ablehnung. Kleist läßt dem Prinzen
von Homburg, der gegen die Ordre zu früh in die Schlacht eingegriffen hat, den Prozeß machen und ihn zum Tode verurteilen. Er verschärft damit gegen seine Quelle,
nach der dem Prinzen lediglich ein Verweis erteilt worden ist, den Widerstreit zwischen Staatsraison und subjektiver, gefühlbestimmter Willkür. Gerade in der Abwei-
chung von der geschichtlichen Wirklichkeit, in der Überzeichnung der aufeinander-
prallenden, extremen Positionen wird Kleists individuelle Zeiterfahrung wie sein
persönliches Lebensgefühl sichtbar. Im Drama eröffnet das vom Prinzen ausgesprochene Einverständnis mit dem Urteil dem Kurfürsten die Möglichkeit zur Begnadigung. Damit kann die Versöhnung zwischen dem „Kriegsgesetz" und den „lieblichen
Gefühlen", die beide herrschen sollen (IV, 1), schließlich poetische Wirklichkeit werden.

Für Kleists Leben allerdings bleibt eine solche Versöhnung ein Traum, eine Utopie.
Vor den unlösbaren Spannungen zwischen den gesellschaftlichen Gesetzmäßigkeiten
und seiner eigenen inneren Wahrheit kapitulierend, nimmt Kleist sich das Leben.
„Die Wahrheit ist, daß mir auf Erden nicht zu helfen war", schreibt er im letzten Brief
(21. 11. 1811) an seine Stiefschwester Ulrike. So endet ein Dichter, der wie kein zweiter Ernst gemacht hat mit der radikalen Verbindung von Politik, Kunst und Leben.

Biedermeier – Vormärz / Bürgerlicher Realismus

Die Konzeption dieser Literaturgeschichte sieht das einzelne Werk im Mittelpunkt der Erörterung: Am Kunstgebilde sollen Aspekte erarbeitet oder geprüft werden, die für das Verständnis der ganzen Epoche wichtig erscheinen; an einer Konstellation von auseinandertretenden und doch zusammengehörigen Autoren, ihren Arbeitsweisen, Kunstbegriffen und Werken, läßt sich eine Epoche als Einheit von Widersprüchen erkennbar machen. Der Sinn eines derartigen Ansatzes ist bei einer Epoche wie „Biedermeier – Vormärz" unmittelbar einleuchtend, läßt sich doch der Zeitraum 1815–48 weder von historischen noch von kulturellen Gesichtspunkten her als Einheit sehen; die Gleichzeitigkeit von Gegensätzen verhindert von sich aus eine chronikartige Darstellung. Die Brüche und Verwerfungen in der politischen und literarischen Landschaft erlauben in der Tat nur eine „Annäherung" an die Epoche. Bedauerlich ist, daß aus Umfangsgründen auf ein Kapitel „Wiener Dramatik" verzichtet werden mußte, der österreichische Beitrag zur Epoche ist weit mehr als nur ein Mosaikstein. Der Erzähler Stifter kann einige Aspekte repräsentieren.

Einheitlicher bietet sich die Epoche des bürgerlichen Realismus dem Betrachter dar. Doch geht der Blick auf die gesamteuropäische Literatur, dann treten neue, bis dahin nicht so offenbare Verschiebungen zutage: Der Zeit- oder Gesellschaftsroman zum Beispiel, der den Realismus am besten kennzeichnet, fand in Deutschland zunächst eine nach innen gekehrte Ausformung; erst Fontanes Berliner Romane knüpfen, sehr spät, an die europäische Erzählkultur an. Diesen Kontext nicht nur zu erwähnen, sondern auch interpretatorisch einsichtig zu machen, hätte den Rahmen gesprengt.

Erster Teil: Biedermeier – Vormärz

1 Annäherung an die Epoche

1.1 Aspekte der Zwischenlage: Immermanns Zeugnis

In seiner autobiographischen Schrift ‚Die Jugend vor fünfundzwanzig Jahren' (1839) macht sich der Erzähler, Dramatiker und Intendant des Düsseldorfer Theaters, Karl Leberecht Immermann, Gedanken über seine eigene Generation. Er spricht von der besonderen Unruhe und Unsicherheit derer, die um die Jahrhundertwende geboren wurden und die während der Napoleonischen Besetzung und der nachfolgenden Befreiungskämpfe jung waren. Und er vergleicht den Zustand dieser Generation mit dem eines Kranken:

„Die Natur kann sich in einem solchen Falle durch ein Fieber helfen, welches den gröbsten Krankheitsstoff auswirft, aber die Nachwehen des Fiebers bleiben lange: das Zittern der Nerven, die Schwäche, die Unsicherheit des ganzen Befindens; und in diesen Nachwehen schleichen doch noch die Reste des Übels umher. Die Nachwehen unserer Krankheit und des kritischen Fiebers sind nun in der hier bezeichneten Richtung eine gewisse Halbheit, ein Gespaltenes und Doppeltes im Bewußtsein von den öffentlichen Dingen, in den Begriffen von Recht, Eigentum und Besitz. In diesen Regionen sind die Stifter der neueren deutschen Familie sämtlich entwickeltere oder unentwickeltere Hamlete. Und es kann nicht anders sein. [...] Der Hauptgrund des geistigen und gemütlichen Schwankens bleibt das Bewußtsein von der Größe der vergangenen Arbeit und von der scheinbaren Kleinheit oder unreinen Natur der Ausbeute."

Die Immermannsche Zustandsbeschreibung läßt sich beliebig ergänzen, benutzt sie doch zeitübliche Schlagwörter wie Nervosität, Lebensschwäche, Unsicherheit, Gespaltenheit. Bestätigend schreibt 1862 von Weltschmerz und Zerrissenheit dieser Generation der viel jüngere Novellist Berthold Auerbach in einem Rückblick auf den Dichter Nikolaus Lenau. Zwar sieht er nun, im Zeitalter des optimistischen Realismus, dies Lebensgefühl als vergangen an, auch rechnet er dieser „zerrissenen Generation" nun „viel Grillenhaftigkeit und Affektation" zu, doch läßt er sich ernsthaft auf die geschichtliche Bedeutung der Weltschmerzstimmung ein.
Das Besondere am Rückblick Immermanns, der von seiner Lebensgeschichte, seiner Karriere und seiner sozialen Stellung her eine weite Sicht über die nationalen Grenzen hinweg besaß, ist die Sicherheit der Ursachenforschung. Immermann spricht die politische und weltanschauliche Zwischenlage der Epoche 1815–48 deutlich an, der ökonomische Aspekt wäre nachzutragen.

Im *politischen* Bereich schreibt Immermann von der „unreinen Natur der Ausbeute". Gemeint sind die Befreiungskriege, in denen sich ein allgemeines politisches Bewußtsein Bahn brach und in deren Verlauf das Problem der nationalen Einigung in die politische Forderung nach einer neuen Verfassung übergeführt wurde. Doch der Deutsche Bund, der 1815 entstand, zementierte die Zerspaltenheit der Nation. Zwar war er gesamteuropäisch ein Garant für ein Gleichgewicht zwischen den Großmächten und den rund vierzig partikularen Kräften in Deutschland, doch wurde diese Stabilität erkauft mit der Unterdrückung bürgerlicher Freiheiten. Der Bund staute die freiheitlichen und nationalen Kräfte allzusehr zurück. Ein deutscher Nationalstaat wurde auf dem Wiener Kongreß nie ernsthaft diskutiert. So waren sich die nationalistischen wie die liberalen Zeitgenossen über diese 'Lösung' der nationalen Frage einig: ein rückwärts orientiertes Polizeiregime. Hinzu kam, daß die Frage einer neuen Verfassung an die einzelnen Territorialherrscher verwiesen wurde. Diese verhielten sich abwartend bis feindselig; die während der Befreiungskämpfe abgegebenen Versprechen wurden nicht gehalten. Enttäuschung darüber und über die verhinderte stärkere Beteiligung der Bürger am Regieren machte sich während der gesamten Epoche in Aufständen und Aktionen Luft. Die Idee eines einheitlichen nationalen Staates mit einem freien Binnenhandel war Programm aller Parteiungen und Kräfte, die gegen das System der politischen und gesellschaftlichen Restauration unter Metternich aufstanden.

Auch auf die *gesellschaftliche* Situation geht Immermann in seinem Rückblick ein: „[...] ein Gespaltenes und Doppeltes im Bewußtsein von den öffentlichen Dingen, in den Begriffen von Recht, Eigentum und Besitz". Die staatstragenden Kräfte der Restauration reagierten gegen die freiheitlichen Bestrebungen mit Pressegesetzen, verstärkter Zensur, Verboten von oppositionellen Gruppierungen und mit Exilierung. Die gewordenen Eigentumsverhältnisse wurden als natürlich gewachsen, daher als unverletzlich ausgegeben. Immermanns Hinweis auf den Verlust der sittlichen und rechtlichen Sicherheiten bezieht sich auf die Klammer des Herrschaftssystems, das durch Spitzelwesen, Verleumdung und Bestechung jede Art von diskutierender Öffentlichkeit abwürgte. So waren beide Seiten, das selbstbewußte, gebildete Bürgertum liberaler Prägung samt den meisten Schriftstellern und die politisch Mächtigen samt ihrem publizistischen Anhang, aufeinander bezogen in einem Rhythmus von relativer Befreiung und neuer Bedrückung.

Auf die *weltanschauliche* Situation in dieser Epoche der Zwischenlage nimmt Immermann mit jenen Worten seines Rückblicks Bezug, in denen er die deutschen Familienväter als Hamletfiguren bezeichnet. Zweifel und metaphysische Verunsicherung bestätigen jene Zeitgenossen, die von einer tiefen geistigen Krise dieser Jahrzehnte sprechen. Sie wurde mit bewirkt durch den Abbau der religiösen und philosophischen Ideen und Institutionen, die historisch mit dem Feudalsystem verbunden waren. Besonders die Dogmen und Erklärungsmodelle des Christentums sahen sich einer buchstäblich zersetzenden Kritik gegenüber; diese meinte immer auch die historische Allianz von Thron und Altar. Das weltanschauliche Unentschieden erlebten die Zeitgenossen als Traditionskrise.

Dieser Kritik antwortete im Kräftespiel von Befreiung und Unterdrückung eine entschlossene, publizistisch starke Gruppe, deren Hauptvertreter sich aus der protestantischen Erweckungsbewegung rekrutierten. In einer massenhaft produzierten und weitverbreiteten Erbauungsliteratur wurden die christlichen Religionen in ihrem Geltungsanspruch unterstützt und ihre politisch-moralische Lebenspraxis mit Bibelspruch, frommen Versen und belehrenden Abhandlungen propagiert.

In Immermanns Ursachensuche bleibt der *ökonomische* Aspekt für die Zwischenlage undeutlich. Noch funktionierte das spätmerkantilistische Wirtschaftssystem, wie es sich im 18. Jahrhundert herausgebildet hatte. Es war ein Wirtschaften, das den vorrangigen Zweck hatte, die Finanzkraft der Landesherren trotz der militärischen und privaten Ausgaben zu steigern. Andererseits erzwangen nun der technische Fortschritt und die beginnende Industrialisierung mit dem Ausbau des Verkehrs- und Informationswesens ein neues Wirtschaften.

In dessen Gefolge fanden soziale Umschichtungen statt, in denen die bislang ständisch organisierte Gesellschaft in eine von Klasseninteressen geprägte überführt wurde. Die Einführung der Gewerbefreiheit 1810 und die Aufhebung der Zünfte in Preußen 1811 waren Marksteine auf diesem Weg.

In dem neuen kapitalorientierten Wirtschaftssystem, dessen Träger der Bürger war, wurden zu anderen gesellschaftlichen Strukturen auch neue Wertsysteme notwendig. Diese lieferte der Liberalismus; er führte im frühen 19. Jahrhundert im Namen des freien Individuums die Opposition gegen den absoluten Staat an (wie bald auch gegen radikaldemokratische Bewegungen von unten). Der Liberalismus gab den gedanklichen und auch politischen Rahmen für eine Entwicklung, die freien Wettbewerb von selbständig wirtschaftenden Individuen voraussetzte und die daher territoriale Zollbarrieren und andere Beschränkungen des Handels abzubauen trachtete.

In diesem Umfeld bedeutete die Idee einer geeinten Nation, die diese ganze Epoche beherrschte, auch die Idee eines geeinten Binnenmarkts. Sie setzte einen politisch emanzipierten Bürger voraus, der zum Träger dieser dynamischen Wirtschaftsentwicklung werden konnte. Der Wiener Kongreß verzögerte diesen Prozeß, indem er die alten feudalen Zustände wiederherstellte. Die Auseinandersetzung in dieser Zwischenlage fand im wesentlichen publizistisch statt.

1.2 Das Lebensgefühl der Dichter

Die Nervosität, die Lebensschwäche, die Anspannung des Gemüts, die Karl Immermann beschreibt, bekundet sich bei jedem Schriftsteller anders, jedoch vergleichbar. Als angstvoller Ausruf tritt dieses Lebensgefühl bei dem adligen Lyriker Lenau (Nikolaus Franz Niembsch, Edler von Strehlenau, 1802–50) zutage. Lenau schrieb an den schwäbischen Dichter, Arzt und Magnetiseur Justinus Kerner mit bewegendem Pathos, das seine Angst nicht zudeckt:

„O Kerner, Kerner! ich bin kein Aszet, aber ich möchte gerne im Grabe liegen. Helfen Sie mir von dieser Schwermut, die sich nicht wegscherzen, nicht wegpredigen, nicht wegfluchen läßt! Mir wird oft so schwer, als ob ich einen Toten mit mir herumtrüge. Helfen Sie mir, mein Freund!" (15. 11. 1831)

Von ganz anderer Warte und aus einem ganz anderen Anlaß, nämlich in einem Brief-wechsel über literarische Fragen, belegt der Ästhetiker Friedrich Theodor Vischer die Immermannsche Diagnose. Vischer schrieb an Mörike, als dieser es ablehnte, ei-ne modische Novelle von Alexander von Ungern-Sternberg, ,Die Zerrissenen' (1832), auch nur in die Hand zu nehmen:

„Deine Abneigung gegen die modernen Zerrissenen kann ich nur mit Einschränkung gelten las-sen. Denn dieses Element liegt in der ganzen Zeit, und wir werden mit plastischem Zudecken des Risses vergeblich uns bemühen." (22. 10. 1833)

Von einem Riß im Weltgefüge redete auch der Lyriker und Publizist Heinrich Heine in seiner Schrift ,Zur Geschichte der Religion und Philosophie in Deutschland' (1834); der Dramatiker Georg Büchner gab schließlich eine sozialgeschichtliche Er-läuterung, wenn er in einem Brief an Karl Gutzkow aus Straßburg 1836 von einem „Riß zwischen der gebildeten und ungebildeten Gesellschaft" schrieb.
Neben der verzweifelten Selbstdiagnose Lenaus, der 1844 in geistige Umnachtung fiel, zeugen von einer Somatisierung des Lebensgefühls die von Nervenkrankheiten heimgesuchten oder in einem vorzeitigen Tod endenden Lebensgeschichten von Fer-dinand Raimund (1790–1836), Christian Dietrich Grabbe (1801–36), Wilhelm Hauff (1802–27), Wilhelm Waiblinger (1804–30) und Georg Büchner (1813–37). Selbst die Versuche, sich der Schwermut oder Persönlichkeitsspaltung durch eine besondere Art der Lebensführung zu erwehren, bestätigen das Bewußtsein der Gefährdung. In diesem Sinne bemühten sich um eine diätetische Sicherung des Lebens Eduard Möri-ke (1804–75) und die Freifrau Annette von Droste–Hülshoff (1797–1848), bei der schon 1814 Anzeichen einer schweren nervlichen Krise auftraten. Andere konzen-trierten sich auf die kleinen und sicheren Dinge der Natur und des Menschenlebens, um Zerrissenheit und Bindungsverlust aufzuheben; so Adalbert Stifter (1805–68) oder die Angehörigen des Schwäbischen Dichterkreises.
So läßt sich in der Dichterpersönlichkeit die historische Zwischenlage der Epoche im Gefühl der Zerrissenheit und des Weltschmerzes ausmachen, das mehr als nur eine Mode war. Es war eine gesamteuropäische Erscheinung, George Lord Byron und Alessandro Manzoni stehen wie ihre deutschen Dichterkollegen dafür ein. Denn in der Zerrissenheit verdichtete sich ein ohnmächtiger Zorn darüber, daß die Opposi-tion gegen die feudalen Machthaber kein politisch greifbares Ergebnis hatte; die Be-teiligung der Dichter, allen voran Lord Byron, an den griechischen Befreiungskrie-gen seit 1821 und die zahllosen sympathisierenden Gesänge anläßlich des Polenauf-stands 1830 zeugen von der politischen Basis des Lebensgefühls. Hinein mischte sich die Trauer über das Zerbrechen der alten Wertsysteme, die ethische und ästhetische Sicherheit geboten hatten. Man empfand sich hilflos dem Gefühl der Epigonalität ausgeliefert: Das noch übermächtige Alte schien die Schöpfung von Neuem zu ver-hindern. In seinem Zeitroman ,Die Epigonen' (1836) hat Karl Immermann dieses be-stimmte Lebensgefühl der Zwischenlage zum Thema gemacht.

1.3 Aspekte des literarischen Lebens

Einander konträre Kräfte prägten den Literaturbetrieb dieser Jahrzehnte. Die Ent-wicklung neuer Technologien wie die Schnelldruckpresse, die eine massenhafte Text-produktion ermöglichte, und ein rasch zahlreicher werdendes Publikum standen einer scharf gehandhabten Zensur gegenüber. Diese galt präventiv für Druckerzeugnisse unter 320 Seiten. Davon waren vor allem der aufstrebende Zeitungs- und Zeitschriftenmarkt betroffen, der das politische und kulturelle Informationsbedürfnis befriedigte. Seit den Karlsbader Beschlüssen 1819 galt die Präventivzensur allgemein.

Die Traditionskrise erzeugte ein Mit- und Gegeneinander von extrem unterschiedlichen Haltungen gegenüber Dichtung. Auf der einen Seite bekam Literatur eine ausdrücklich gesellschaftliche Funktion, die politischen Ideenschmuggel ebenso einbezog wie religiöse Erbauung und volkstümliche Pädagogik. Daß Literatur ins Leben einzugreifen habe, wurde von allen politischen Lagern betont. Dazu besann man sich auf das vorklassische System der Rhetorik und auf öffentlich wirksame Literaturformen. Neben diesem eingreifenden Literaturkonzept behauptete sich nach wie vor ein Kunstbegriff, der seine Normen von der Weimarer Klassik herleitete und eine formbewußte Dichtung forderte. Die Absicht, in die Gesellschaft zu wirken, und ein 'aristokratischer' Kunstanspruch konnten in einer Dichterpersönlichkeit im Widerstreit liegen: Heinrich Heine ist ein Beispiel. Der einzelne Autor schwankte oftmals orientierungslos zwischen den politischen Lagern. Er bewegte sich zwischen Bildungsdichtung für ein kultiviertes, lektüreerfahrenes Publikum, volkstümlich-pädagogischer Belletristik und Journalismus. Er war unentschlossen in seinem gesellschaftlichen Engagement; einzelne verweigerten sich gänzlich den Zeitproblemen. Die Spannung des 'Zwischen' ist den meisten Dichterbiographien mehr oder weniger deutlich eingeschrieben. Wie im ökonomischen, politischen und weltanschaulichen Bereich waren auch im literarischen Mischformen charakteristischer als klare Tendenzen. Die Gattungen, die in der Klassik als Trinität verstanden worden waren, verloren ihre alleinige Geltung, als Literatur wieder durchlässig wurde für außerkünstlerische Bereiche. Nun mischten sich verschiedene Stilformen je nach Wirkungsabsicht und Publikum: In beschreibenden Partien stehen Predigteinlagen wie in Jeremias Gotthelfs Dorfgeschichten; abstrakte Reflexionen unterbrechen Erzählungen wie in Heinrich Heines Reisebildern; neue Inhalte verbinden sich mit herkömmlichen Erzählverfahren wie im sozialen Roman der 1840er Jahre.

1.4 Phasen, Gruppierungen, Epochenname

Die Epoche umfaßt gut zwei Generationen von Dichtern: Ferdinand Raimund (1790–1836) und Franz Grillparzer (1791–1872) gehören zu ihr wie Georg Büchner (1813–37) und Georg Weerth (1822–56). Die frühen Autoren lernten Goethe in Weimar noch persönlich kennen, die späten Autoren sind zeitgleich mit Schriftstellern, deren Hauptwerk der Epoche des bürgerlichen Realismus angehört, etwa mit Theodor Fontane (1819–98) und Otto Ludwig (1813–65). Beide Generationen umspannt das Werk Ludwig Tiecks (1773–1853), der zudem die enge Verbindung der Epoche zur Romantik in seiner Person verkörpert; ihn achteten die Autoren des Zeitraums als „Erzählmeister".

Der Beginn der Epoche ist mit dem politischen Ereignis des Wiener Kongresses 1814/15 am besten bezeichnet. Mit den Befreiungskriegen entstand die Nationalstaatsbewegung, die diese Epoche politisch prägte. Die patriotischen Schriften Ernst Moritz Arndts und Theodor Körners postum wirksame vaterländische Lyrik gehören in diese Frühzeit.

Die 1820er Jahre wurden bestimmt durch scharfe Zensurmaßnahmen nach den Karlsbader Beschlüssen (1819). Charakteristisch ist eine spätromantische Bewegung, zu der Joseph von Eichendorffs ‚Aus dem Leben eines Taugenichts' (1826), Franz Grillparzers frühe Dramen und die Märchen des früh verstorbenen Wilhelm

Hauff ebenso gehören wie Teile von Heines ‚Buch der Lieder' (1827). Daneben etablierte sich eine liberale Publizistik, wie sie Ludwig Börne in seiner Frankfurter Zeitschrift ‚Die Waage. Eine Zeitschrift für Bürgerleben, Wissenschaft und Kunst' (1818–21) begonnen hatte. Auch entstanden erste Werke, die einem veränderten Literaturbegriff gehorchten (z. B. Heines ‚Reisebilder').

Diese Ansätze führte die jungdeutsche Bewegung in den 1830er Jahren fort; sie wurde ausgelöst durch die Julirevolution in Frankreich. Charakteristisch sind ein in die Tagespolitik eingreifender Literaturbegriff und zahlreiche neue publizistische Formen. Das Verbot der Bewegung 1835 beendete nur den lockeren äußeren Zusammenschluß.

Außerhalb der jungdeutschen Bewegung, aber gefördert durch sie, schrieb Georg Büchner sein radikales folgenloses Werk. Andererseits ist diese Zeit auch die des südwestdeutschen Biedermeier; diesen trug vor allem der Schwäbische Dichterkreis um Gustav Schwab, Justinus Kerner und, als Vaterfigur, Ludwig Uhland. Nikolaus Lenau stieß als Gast dazu; vom Kreis unabhängig, aber mit ihm verbunden, schrieb Eduard Mörike einen gewichtigen Teil seines Werks. Den eigentlichen Gegenpol zu den Jungdeutschen bildete das militant-konservative Schrifttum der protestantischen Erweckungsbewegung.

Am Ende der 1830er Jahre, eingeleitet durch David Friedrich Strauß' bibelkritische Untersuchung ‚Das Leben Jesu, kritisch betrachtet' (1835), begannen Schüler des Berliner Philosophen G. W. F. Hegel eine radikale Fortentwicklung und Politisierung Hegelscher Gedankengänge. Ludwig Feuerbachs ‚Das Wesen des Christentums' (1841) und Karl Marx' frühe Schriften zählten zu den wirkungsvolleren dieser junghegelianischen Werke, die den Vormärz im engeren Sinne philosophisch prägten. Literarisch maßgeblich waren in den 1840er Jahren die agitatorische Lyrik von Georg Herwegh, August Heinrich Hoffmann von Fallersleben und Ferdinand Freiligrath, Heines politisches Feuilleton aus Paris und das zahlreiche frühsozialistische Schrifttum; dieses entstand außerhalb des Deutschen Bundes in konspirativen Gruppen der Handwerker und Exilierten. Daneben, auch hier wieder die gleichzeitige Vielfalt der Epoche beweisend, wurden die glanzvollen dichterischen Hauptwerke des späten Biedermeier geschrieben: Adalbert Stifters Erzählungen, die Gedichte der Droste, Jeremias Gotthelfs Bauernromane.

Das Ende der Epoche ist wieder durch ein historisches Ereignis, die scheiternde bürgerliche Revolution 1848, bestimmt. Auch hier waren die Auswirkungen auf dem ideologischen und literarischen Sektor prompt und einschneidend. Der Rückzug des Bildungsbürgertums von der politischen Szene resultierte in einer anderen Auffassung von Kunst und in einer neuen Programmatik. Diese bezeichnete sich als Realismus und entwickelte ihr Selbstverständnis vorrangig aus der Kritik der Epoche 1815–48 (s. S. 279 ff.).

In der neuen Generation entstand der Epochenname 'Biedermeier': Der Parodist Ludwig Eichrodt nannte in den Münchner Fliegenden Blättern (1850–57) seine Figur eines schwäbischen Spießers „Gottlieb Biedermaier". Das herablassend-kritische Lächeln über die abgelaufene Zeit entstammt einem Lebensgefühl, das mit Zerrissenheit nichts anzufangen wußte, weil es selbst in einer Phase des ökonomischen Aufschwungs gründete. Eichrodt und seine Nachfolger belächelten das beharrende Element der zurückliegenden Zeit und spießten satirisch die Neigung zu kleinen Formen in den poetischen Werken der schwäbischen Dichter auf. Doch auch das Bild vom deutschen Michel mit der Schlafmütze verdeckt nur mühsam die geheime Angst, die die Realisten nachträglich noch vor einer Epoche verspürten, an deren Ende die gesellschaftliche Umwälzung versucht worden war. Der verniedlichende Blick aufs behagliche Biedermeier ist als ein Selbstschutz zu verstehen. Denn die neue Generation wußte, ohne dies zuzugeben, daß der politische Hintergrund für das Lebensgefühl der Zerrissenheit mit dem Niederschlagen der Revolution nicht belanglos geworden war. Der hier gewählte Doppelname 'Biedermeier – Vormärz' unterstreicht die Gleichzeitigkeit im Neben- und Gegeneinander von Veränderung und Beharrung, revolutionären und restaurativen Tendenzen.

(1) *Gustav Taubert: Im Berliner Lesecafé, 1832. Foto: Friedel Wallesch, Berlin-Wilhelmsruh.*

(1) Die literarische Kultur des Zeitraums 1815–48 blühte in einer durch Zensur, Verbote und Schnüffelei sehr eingeschränkten Öffentlichkeit. Lesekabinette und Lesegesellschaften, wie sie das bürgerliche 18. Jahrhundert – ebenfalls neben oder unterhalb einer vom Staat reglementierten Öffentlichkeit – entwickelt hatte, waren bevorzugte Orte des literarischen Austauschs und der Information. Hinzu kamen kulturelle Abende in adligen Salons und in Bürgerhäusern; auch sie fanden in mehr oder weniger geschlossenen Gesellschaften statt. **(2)** Den intimen und doch geselligen Charakter der Biedermeierkultur bezeugt die Flut der Taschenbücher und Almanache. Diese Publikationsorgane führten zierliche, oft weibliche Namen im Titel, sie wurden von bekannten Dichtern herausgegeben und boten abwechslungsreichen Stoff für den geselligen Verkehr über Literatur **(3)**. Sie waren auch ein Ort der literarisch-publizistischen Fehde wie im Falle des von Adelbert von Chamisso herausgegebenen Musenalmanachs: Der hochangesehene Dichter Gustav Schwab trat vom Amt des Redakteurs zurück, weil der Verleger eine Abbildung des im Pariser Exil lebenden Heinrich Heine ins Titelblatt aufgenommen hatte und dabei auf die Werbewirksamkeit des skandalumwitterten Autors spekulierte **(4)**. Eine 'andere' literarische Kultur kündigte sich schon in den 1830er Jahren mit dem publizistischen Kunstverständnis der Jungdeutschen an. Sie hatte ihren Höhepunkt im engeren Vormärz ab 1840:

(2) *Titelblatt und Titelkupfer. Stich von David Weiß. Foto: Märkisches Museum, Berlin (Ost).*

(3) *Titelblatt und Titelkupfer. Stich von J. Felsing. Foto: Schiller-Nationalmuseum, Marbach.*

Preis 1 Silbergroschen.

Der König von Thule

mitten

langem Zopp.

Eene romantische Ritter=Ballade ausßes 11" Jahrhundert.

· : : – ✹✺✦ : : ·

Es war mal een König in Thule,
Der hadden sehr dicken Kopp,
Und hinterdran hing, wie 'ne Spuhle,
Een förchterlich langer Zopp.

Un Minister hadd' er sehr ville,
Die waren sehr eifrig darob,
Un drehten ihm in der Stille,
Immer länger den langen Zopp.

Da freut' sich der Thuler König,
Un danzte: Juchheißa! hopp! hopp!
Un dabei drunk er nicht wenig;
Er drunk sich noch manchmal 'nen Zopp!

Det kostete aber natürlich
Manch' Knöppken und noch manchen Knopp.
Drum mußte das Volk ungebührlich
Bezahlen vor'n langen Zopp.

Da murrte det Volk hochverrätrisch,
Un sagte: „Verdien' Dir een Lob,
Un schneid' ab, echt landesväterisch,
Den uns drückenden langen Zopp!

Da ergrimmte der König von Thule,
Un wurde recht ölig grob:
„Wat wollt ihr!" sprach er: „In die Schule
Schon drug ick den langen Zopp!"

„Ick bin schon mit'n Zöppken geboren,
Un kommt ihr mir an den Kopp:
Denn schlag' ick euch um die Ohren,
Mit'n gesalbten langen Zopp."

„So ungeschwächt, wie ick ihn erbte,
So friegt ihn mein Nachfolger Bob;
Und wenn ooch der einstens mal sterbte,
So erbt sein Nachfolger den Zopp!"

So sprach er noch lange weiter,
Uff'n Thron, um All's außen Kopp;
Da wurde det Volk recht heiter,
Un dachte: „Na warte man Zopp!"

Wat dhat nu det Volk? — 't nahm die Scheere,
Un schnitt, ganz dichte bei'n Kopp —
Rietz! ratz! rumpo! gar zu sehre, —
Glatt weg den gesalbten Zopp.

Da fung nu der König an z' weenen, —
Det war ihm doch gar zu grob,
„Ach laßt mir doch," schluchzt er mit Thränen,
„Man een ganz kleen Endeken Zopp!"

Det Volk ward gerührt von dem Jammer,
Los war er von'n König sein'n Kopp;
Doch mitleidsvoll nahm ihn die Kammer:
Hier sünd' ihr den armodicken Zopp! —

Denkt ihr, die Geschicht' hätt' keen Tröppken
Moral nich? — Ick sag' euch: „Na ob!"
Begegnet euch wo een kleen Zöppken:
Rutsch weg! sonst wird's wieder 'n Zopp! —

Nach von Goethe.

Zu haben Charlottenstraße No. 15.

Druck von B. Brandt & Co. Niederstraße No. 54

(4) *Flugblatt. Foto: Geheimes Staatsarchiv, Preußischer Kulturbesitz, Berlin (West).*

(5) *Die Gartenlaube, Jahrgang 1866. Foto: Friedel Wallesch, Berlin-Wilhelmsruh.*

Politische Gedichte im populären Balladenton wurden zum Hohn der Zensur auf Flugblättern massenhaft verbreitet und suchten agitatorische Wirkung. Eine neue Generation von radikalen politischen Zeitungen und Zeitschriften fand guten Absatz, in ihnen wurde ernsthaft und mit großem Engagement die ideologische Bildung des Bürgertums vorangetrieben. **(5)** Dem kontrastiert, die Schärfe des Einschnitts der Jahre 1848/49 beweisend, die neue, harmlose Welle von Familienzeitschriften mit ihren bewußt auf Heim und Herd, Ruhe und Ordnung abgestellten Titeln. Ungleich den politischen Zeitschriften des Vormärz konnten diese Familienblätter ein Massenpublikum für sich gewinnen.

2 Epochenphysiognomie:
Zwischen Veränderung und Beharrung

2.1 Ansicht einer neuen Zeit: Heinrich Heine ‚Die Wanderratten'

Die Metternichsche Restauration von 1815 beurteilten schon die Zeitgenossen als letzten Versuch, den großen Prozeß aufzuhalten, in dem sich das hergebrachte feudale Herrschaftsgefüge auflöste und durch eine bürgerlich geprägte Gesellschaftsform ersetzt wurde. Von Metternich selbst wird die Einsicht in die Vergeblichkeit seiner Politik überliefert:

> „Mein geheimster Gedanke ist es, daß das alte Europa am Anfang seines Endes ist. Ich werde, entschlossen, mit ihm unterzugehen, meine Pflicht zu tun wissen. Das neue Europa ist andererseits noch im Werden, zwischen Ende und Anfang wird es ein Chaos geben."

Es ist bezeichnend für die Einheitlichkeit der Zeit 1815–48, so treffend sie mit dem Schlagwort 'Zerrissenheit' bezeichnet werden kann, daß diesem Wort Metternichs vergleichbare Gedanken Heinrich Heines zugesellt werden können. Heine verbindet in den Korrespondenzen aus Paris für die Augsburger ‚Allgemeine Zeitung' (1840–43) die Hoffnung auf etwas ganz Neues, das er in der demokratisch-proletarischen Bewegung heraufkommen sieht, mit der Trauer über das untergehende Alte, in dem der Kunst eine feste Aufgabe zugewiesen war. Unentschiedenheit auch hier. In dem Gedicht ‚Die Wanderratten', dessen Gedanken in Heines Berichten aus Frankreich vielfältig formuliert sind, heißt es:

[...]
Nicht Glockengeläute, nicht Pfaffengebete,
Nicht hochwohlweise Senatsdekrete,
Auch nicht Kanonen, viel Hundertpfünder,
Sie helfen Euch heute, Ihr lieben Kinder!

Heut helfen Euch nicht die Wortgespinste
Der abgelebten Redekünste.
Man fängt nicht Ratten mit Syllogismen,
Sie springen über die feinsten Sophismen.

Im hungrigen Magen Eingang finden
Nur Suppenlogik mit Knödelgründen,
Nur Argumente von Rinderbraten,
Begleitet mit Göttinger Wurst-Zitaten.

Ein schweigender Stockfisch, in Butter gesot-
Behaget den radikalen Rotten   [ten,
Viel besser als ein Mirabeau
Und alle Redner seit Cicero.

Weder auf politischem Wege noch mit Gewalt läßt sich nach Heine die Veränderung aufhalten. Verbraucht sind die traditionellen Begründungen dafür, daß die Welt gut sei, so wie sie ist; unglaubwürdig sind die theologischen und philosophischen Beschwichtigungen samt dem großen System der Rhetorik, deren Methoden zur Verschleierung von Herrschaft gut tauglich waren. Die Befriedigung der elementaren Lebensbedürfnisse der vielen ist oberstes Ziel, erst dann läßt sich wieder über Kunst reden. Für Heine ist charakteristisch, daß er diese Überzeugung in höchst kunstvoller Weise vorträgt: mit einer raffinierten Verschränkung von einfach-eingängiger Volksliedstrophik und überraschenden, komplexen Reimen, unter Vermeidung der herkömmlichen poetischen Metaphern und mit einer syntaktischen Zuspitzung auf die rhetorische Pointe. Ein derartiges Gedicht ist zeitgenössisch in dem Sinne, daß es angesichts der allseits bemerkten Veränderung die Verhältnisse an den Interessen der großen Mehrheit mißt, und das in der Form schöner Verse.

2.2 Die Jungdeutschen

Das politisch eingreifende Poesieverständnis ist verbunden mit Namen wie Ludwig Börne, Georg Büchner, Karl Immermann und Heinrich Heine; mit den sogenannten Jungdeutschen: Karl Gutzkow, Theodor Mundt, Heinrich Laube, Ludolf Wienbarg und Gustav Kühne; schließlich mit jüngeren Autoren, die in den 1840er Jahren den Ton angaben: Ferdinand Freiligrath, Robert Prutz, Georg Herwegh und Georg Weerth. Die französische Julirevolution steht politisch hinter dieser engagierten Art der Zeitgenossenschaft, die gesamteuropäisch war. Giuseppe Mazzinis republikanischer Geheimbund ‚Junges Italien‘ von 1832 ist ein Beispiel. Das neue Verständnis von Dichtung proklamierte Heinrich Laube in seinen politischen Briefen des ‚Neuen Jahrhunderts‘ so:

> „Unsere Zeit wimmelt von Stoffen zur Lyra, zum Epos. Male die große Göttin, die in der französischen großen Woche wieder aus dem Schatten der Purpurmäntel hervorgetreten, beschreibe, wie sie mit geflügelter Sohle durch Deutschland geeilt ist und an der Weichsel stillgestanden und schmetternd in die Trompete gestoßen hat: dichte, dichte!" (1832)

Das rhetorische Pathos ist bezeichnend für die Begeisterung, die die Julirevolution bei den Literaten hervorrief; schreibend eilte man den Polen bei ihrem vergeblichen Aufstand 1830 zu Hilfe. Das Junge Deutschland war eine lose Vereinigung, vergleichbar der Pariser Gruppe ‚Les Jeunes-France‘ von 1830. Der Name stammt aus der pathetischen Widmung, die Ludolf Wienbarg seinen Kieler Vorlesungen ‚Ästhetische Feldzüge‘ (1834) voranstellte: „Dem jungen Deutschland, nicht dem alten widme ich dieses Buch." Ein gemeinsamer Nenner war die Ablehnung des restaurativen Systems; mit mehr oder weniger vagen Konzepten der Geistesfreiheit, der Emanzipation der Frau und der Religionskritik versuchte man, eine ideelle Veränderung zu umreißen. Eine klare politische Linie gab es nicht, doch wurde die Gruppe zu einer Solidarität zusammengezwungen, als die politische Reaktion, veranlaßt durch den Literaturhistoriker Wolfgang Menzel, ernsthaft einschritt. Anlässe dazu gab es für die Behörden genug: Nach dem aufmüpfigen Fest südwestdeutscher Demokraten (Hambacher Fest) 1832 verhafteten sie die wichtigsten Agitatoren und hoben die Presse- und Versammlungsfreiheit auf; dann ereignete sich im April 1833 ein politisch sinnloser Sturm von Studenten auf die Frankfurter Polizeiwache; im Sommer 1834 forderte eine radikale Untergrundbewegung unter der Führung von Ludwig Weidig und Georg Büchner in einer Flugschrift ‚Friede den Hütten! Krieg den Palästen!‘ (‚Der Hessische Landbote‘). Man hob die konspirative ‚Gesellschaft der Menschenrechte‘ aus, doch Büchner gelang es, nach Straßburg zu fliehen. In diesem Kontext erfolgte am 10. 12. 1835 das bundesweite Publikationsverbot für die Jungdeutschen. Darin war Heine, der in Paris lebte, einbezogen, man hielt ihn für den geheimen Rädelsführer. Das Verbot der Jungdeutschen stützte sich auf den entrüsteten Aufschrei über vermeintliche Pornographie in Karl Gutzkows Roman ‚Wally, die Zweiflerin‘ (1835). Der Autor hatte lediglich durch schwülstige Szenen leserreizende Akzente seinem sonst ernsten Anliegen setzen wollen; der Roman ist über weite Strecken ein erzähltes Plädoyer für die geistige und sinnliche Emanzipation.

Dichtungsbegriff. Anders als die poetische Produktion der Jungdeutschen blieb ihr neues Verständnis von Poesie gültig:

> „Der Dichter vereinsamt sich nicht mehr, er sagt sich von keiner gesellschaftlichen Beziehung mehr los, kein Interesse des Volkes und der Menschheit bleibt seinem Herzen fremd; er ist nicht nur demokratischer, er ist auch universeller geworden." (Georg Herwegh: ‚Die neue Literatur‘. In: ‚Deutsche Volkshalle‘, 18/1839)

Die Jungdeutschen und ihre Nachfolger im Vormärz sahen sich nicht als Dichter im Sinne der Klassik und in den Fußstapfen von Goethe und Schiller, sondern definierten sich als Schriftsteller, die in poetischer Verarbeitung der politischen und kulturellen Ereignisse eine Geschichtsschreibung der Gegenwart leisten. So verschieden ihr Lebensalter, ihr persönlicher Einsatz für Tagesprobleme und vor allem ihre künstlerische Begabung auch waren, wichtige Züge hatten sie gemeinsam. Sie besaßen ein besonderes Gespür für Entwicklungen in der Gegenwart, eine Nervosität, die sich aktiv zu Veränderungen verhielt. Zu dieser politischen Sensibilität gesellte sich als zweiter gemeinsamer Zug das stoffliche Interesse an der Zeitgeschichte. Die Schriftsteller nahmen an der zunehmenden Politisierung des öffentlichen Lebens teil, einige trieben diese bewußt voran. Auch die aus dem Adel stammenden Autoren waren keine Ausnahmen. Chamisso, Platen, Lenau und Anastasius Grün schrieben politische Gedichte und orientierten sich am Zeitgeschehen. Diese Einstellung beschrieb Heine in seinem Buch ‚Ludwig Börne. Eine Denkschrift‘ (1840):

„Ich, der ich mich am liebsten damit beschäftige, Wolkenzüge zu beobachten, metrische Wortzauber zu erklügeln […], ich mußte politische Annalen herausgeben, Zeitinteressen vortragen, revolutionäre Wünsche anzetteln, die Leidenschaften aufstacheln!“

Gegenwärtige Wirklichkeit sollte, das war das allgemeine Credo, nicht romantisiert oder gar verklärt, sondern in kritisch-eingreifender Absicht und in einem für ein breiteres Publikum bestimmten Stil dargestellt werden. Dieser aktiven Zeitgenossenschaft gesellte sich als dritter gemeinsamer Zug die Reflektiertheit hinzu. Indem man das Nachdenken über sich und seinen jeweiligen Standpunkt mit in das Schreiben einbezog, kam eine höchst eigentümliche Mischung von Subjektivität des Schreibers und Objektivität des Stoffes heraus.

2.3 Auseinandersetzung mit Goethe

Die Umwertung in der Literatur, die für die Zeitgenossen in deutlicher Weise vonstatten ging, geschah trotz der Wirkungsmächtigkeit Goethes, was heißt: trotz des schon damals weniger inspirierenden als lähmenden Vorbilds der Weimarer Klassik. In Herweghs Worten:

„Die neue Literatur ist ein Kind der Juliusrevolution. Sie datirt von der Reise Börne's nach Frankreich, von Heinrich Heine's Reisebildern. Sie datirt von der Opposition gegen Göthe.“ (‚Die Literatur im Jahre 1840‘. In: ‚Deutsche Volkshalle‘,2/1840)

Karl Immermann gab in seinem zeitkritischen Roman ‚Die Epigonen‘ (1836) einem epochalen Gefühl den Namen, nach einer großen schöpferischen Zeit nur nachschaffende Dichtung mit verfeinerter Technik und höchstem Formempfinden hervorbringen zu können. Friedrich Rückert (1788–1866) und August von Platen (1796–1835) schrieben aus diesem Gefühl heraus ihre orientalisierende und antikisierende Lyrik und taten sich als Übersetzer hervor. An Goethe orientieren sich in produktiver Weiterbildung Mörike, Grillparzer und Stifter – Autoren, die mit dem engeren Begriff des Biedermeier verbunden sind. Eine ähnliche Huldigungsadresse wie die Grillparzers an Ottilie von Goethe: „[…] da ihr verewigter Vater mir nicht bloß ein strahlender Leitstern, sondern mitunter auch ein strenger Mahner ist“ (13. 11. 1835), läßt sich, wenn auch abgeschwächt, bei Mörike finden.

Ganz anders, jedoch nicht einheitlich, verhielten sich die Liberalen zu Goethe. Börne versuchte sich in langer publizistischer Polemik. Er empfahl, sich an Jean Paul als einem Vorbild für die Einheit von Kunst und Leben zu orientieren. Auch Herders Kritik am Weimarer Idealismus wurde erneut aufmerksam gelesen, denn Herder spricht von der Kälte des Herzens bei Goethe. Jean Paul geißelt den Egoismus der feudalen Gesellschaft, die er in Goethe und Schiller literarisch repräsentiert sah. So setzten die Jungdeutschen eine Goethe-Kritik fort, die die Anti-Weimaraner (Johann

Gottfried Herder, Friedrich Jacobi, Jean Paul) zwei Generationen vorher erhoben hatten. Heine sah mit Goethes Tod das Ende der „Kunstperiode" gekommen. Er meinte damit eine durch Goethes Lebensdaten umschlossene Epoche, in der die Dichter in selbstgenügsamer Abschottung gegen die Zeitereignisse und gegenüber dem Publikum ihrer Berufung nachhingen, „die müßig dichtende Seele hermetisch verschlossen gegen die großen Schmerzen und Freuden der Zeit" (‚Französische Zustände', 1833). Abschottung, Kälte und formale Glätte: das soll ein Dichtungsverständnis beschreiben, das politische Enthaltsamkeit zugunsten der Kunstarbeit proklamiert. Demgegenüber setzte man das Engagement für das Hier und Jetzt und forderte eingreifende Literatur, die wenigstens das Bewußtsein des Publikums verändern sollte. Gegen die unbezweifelbare und einmalige, aber – in Börnes Urteil – menschenverachtende Kunst Goethes stellte man das Lob der neuen Autoren,

„die keinen Unterschied machen wollen zwischen Leben und Schreiben, die nimmermehr die Politik trennen von Wissenschaft, Kunst und Religion, und die zu gleicher Zeit Künstler, Tribun und Apostel sind". (H. Heine: ‚Die Romantische Schule', 1834)

Von seiner Goethe-Kritik ist Heine später abgerückt.

2.4 Zerrissenheit im Roman: Eduard Mörike ‚Maler Nolten'

Wilhelm Hauff: Mitteilungen aus den Memoiren des Satans (1826)
E. T. A. Hoffmann: Die Elixiere des Teufels (1815/16)
Karl Immermann: Die Epigonen (1836)
Eduard Mörike: Maler Nolten (1832)
Alexander v. Ungern-Sternberg: Die Zerrissenen (1832)

Das Gefühl der Orientierungsschwäche, die Einsicht, in eine neue geschichtliche Phase gekommen zu sein, ohne daß das Althergebrachte ungültig geworden wäre; auf der anderen Seite die ängstliche Beschwörung der Tradition – das zusammen machte das Lebensgefühl der Zerrissenheit aus. Das programmatische Bekenntnis zur Veränderung, das die Jungdeutschen und Heine formulierten, war lautstark genug; es konnte aber die epochale Grundstimmung nicht korrigieren. In Mörikes zwischen 1828 und 1832 geschriebenem Roman nahm sie literarische Gestalt an.

Personal und Atmosphäre. Zur Stimmung in Mörikes ‚Maler Nolten' und zur eigentümlichen Kompositionstechnik gibt es einen Hinweis von Mörikes engstem Freund, Ludwig Bauer – eine gute Einführung in das Lebensgefühl des Werks. Bauer schrieb kurz nach Erscheinen des Romans an Mörike:

„Denn unheilverkündend ist der ganze Horizont, der Noltens Leben umfängt, selbst die Farbe der Gegenden, der Flug der Vögel ist wie vor Ausbruch eines Gewitters [...] ein Grauen, das überhaupt nur dann in uns entsteht, wenn wir auf echt künstlerische oder rein menschliche Weise eben bis an den Saum eines Jenseits gehoben werden, ohne dabei das Diesseits zu verlieren." (18. 11. 1832)

Das Jenseitige erscheint verkörpert in der Gestalt der wahnsinnigen Zigeunerin Elisabeth, die immer dann in der Handlung erscheint, wenn einer Person das Sterben bevorsteht. Elisabeth fesselt ein dem Leser bis zur Buchmitte unbekanntes Band an den Maler Theobald Nolten – sie stammt aus der Verbindung von Noltens Onkel mit der Zigeunerin Loskine und ist selbst die vergessene Jugendliebe des Knaben Theobald. Jenseitig ist vor allem die Schicksalsverfallenheit und Todessehnsucht aller wichtigen Personen: der zwischen mehreren Frauen hin und her gerissene Maler, der in der Gegenwart nicht zurechtkommt und den die Vergangenheit am Ende einholt; sein Freund, der Schauspieler Larkens, der Schwermut und Zukunftslosigkeit in Intrigen und in einem vergeblichen Ausbruch in ein Handwerkerdasein aufzuhellen sucht und sich dann vergiftet; die Geliebte Noltens, die Försterstochter Agnes, die unter Wahnvorstellungen leidet und durch Larkens' gutgemeinte Briefintrigen an den Rand des Irrsinns gebracht wird und Selbstmord begeht. Schwermut und Leiden an der Zeit kennzeichnen auch eine Figur, die im Rahmen eines Schattenspiels auftritt, das Larkens und Nolten einer adligen Gesellschaft zum besten geben: König Ulmon im Phantasieland Orplid sehnt sich zu sterben, weil er keinen Ort im Hier und Jetzt hat; er ist vergangenheitssüchtig wie die Romanfiguren, die ihn als Schatten an die Wand werfen.

Erzählverfahren. Das Unheilverkündende, von dem Bauer spricht, entstammt auch der Komposition: Im Fortgang des Erzählens kommt die Gegenwartshandlung immer mehr ins Stocken, die Informationen über die Vergangenheit der Figuren und ihre verdrängten seelischen Traumata werden immer dichter; beschleunigt durch Einlagen und Erinnerungsstürze drängt sich die Vergangenheit immer drohender in die Gegenwart der Romanfiguren. In Analogie zum analytischen Drama bedient sich Mörike einer gegenläufigen Progression: Je weiter die Gegenwartshandlung voranschreitet, desto stärker lagern sich Schichten der Vergangenheit in ihr an. Daß der Leser, wie Ludwig Bauer bemerkt, dennoch nicht das Gefühl hat, er läse einen Schauer- und Schicksalsroman der sogenannten Schwarzen Romantik, etwa in der Nachfolge von E. T. A. Hoffmanns ,Die Elixiere des Teufels' (1815/16), liegt in dem Bemühen Mörikes, dem Fatalismus seiner Figuren eine psychologische Motivation zu geben. Diese wird im Fortgang der Erzählung immer dichter und zwingender.
Die Innenwelt der Figuren ist viel wichtiger als die erzählte Außenwelt. Bezeichnenderweise leben die Menschen der Außenwelt – der Hofrat, der Förster, der Präsident – im Ruhestand, das Berufsleben spielt keine Rolle, Politik und Geschäft erscheinen nur am Rande. Das Außen ist ins Innen zurückgenommen bzw. hat die vorrangige Aufgabe, die seelischen Vorgänge zu veranschaulichen. Die erzählte Natur erscheint deshalb meistens als Projektion der zerrissenen Seele Noltens oder einer anderen Figur. Der Darstellung des Innenlebens dienen die vielen genau placierten Liedeinlagen, in denen einzelne Figuren singend über die psychischen Antriebe der Handlungen Rechenschaft abgeben oder sie deuten. Es ist in diesem Zusammenhang bezeichnend, daß die Figur des Zerrissenen, der Schauspieler Larkens, keine Gelegenheit hat, seine Probleme singend zu verarbeiten. Er leidet unter einer doppelten Entfremdung: vom Alltag, der ihm ständig neue Rollen aufzwingt, und vom bürgerlichen Beruf, der ihm keine Möglichkeit bietet, seine Bestimmung zum tragischen Helden auszuleben.

Zeittypik. Mörikes Roman ist epochentypisch in der Verschmelzung von ganz verschiedenen Elementen. In greller Kontrastierung springt die Handlung zwischen dem biederen Forsthaus und dem gräflichen Schloß, stehen sich sozial unvereinbare Figuren gegenüber wie die einfache Agnes und die höfische Konstanze; das Übersinnliche steht unvermittelt zwischen raffinierten psychologischen Gedankengängen, rational motiviertes Handeln neben einem fatalistischen Treibenlassen. Zeittypisch ist auch, daß Mörike Erzählelemente des romantischen Schauerromans benutzt – um Originalität war man nicht besorgt. In beidem ist der Roman zu einem Ärgernis für die späteren Programmatiker des Realismus geworden. Denn für sie waren Durchsichtigkeit der Komposition und Eindeutigkeit der Gattung wichtige Forderungen. Zeittypisch ist schließlich die therapeutische Funktion, die das Schreiben am ,Maler Nolten' für Mörike besaß. In die Figuren des Schauspielers Larkens und des

Schattenkönigs Ulmon verlagert Mörike die ihn bedrängenden Probleme und probiert im Werk Lösungsversuche. In den ‚Peregrina'-Gedichten im Roman versucht er, sich die aufwühlende Bekanntschaft mit Maria Mayer, die er als Kellnerin in Ludwigsburg 1823 kennengelernt hatte, von der Seele zu schreiben. An der Figur Larkens studiert Mörike seine eigene hypochondrische und richtungslose Dichterexistenz; seine mürrische Einstellung gegenüber beruflicher Arbeit – von einem „verdrießlichen Zusammenleimen der Predigt" schrieb er am 20. 2. 1831 an Luise Rau – teilt er seinen Figuren mit; an Nolten delegiert er den Verlust an Spontaneität des Gefühls und vor allem die Furcht vor einer Überflutung durch die Fülle der Eindrücke und Reize.

„Eben die edelsten Keime deiner Originalität erforderten von jeher eine gewisse stete Temperatur, deren Wechsel soviel wie möglich nur von dir abhängen mußte, eine heimliche, melancholische Beschränkung, als graue Folie jener unerklärbar tiefen Herzensfreudigkeit, die so recht aus dem innigen Gefühl unseres Selbst hervorquillt",

heißt es von Larkens über den Maler – eine der schönsten und genauesten Selbstcharakteristiken Mörikes.

2.5 Versuche der Selbstbewahrung: Mörike und die Droste

Mörikes 'Diät'. Nach der Niederschrift von ‚Maler Nolten' zog Mörike biographische Konsequenzen. Er setzte sich aus dem bewegten Leben eines herumreisenden Pfarramtsverwesers ab auf die einsame Pfarrstelle von Cleversulzbach. Abgeschirmt nach außen, konnte er sich die Welt fernhalten.

Nicht als Autor des Nolten-Romans ist Mörike der Nachwelt im Gedächtnis geblieben, sondern als idyllisch lebender Pfarrer. Sein Entschluß mag seine Hypochondrie gemildert haben, doch sagte ihm auch später in seiner Stuttgarter Zeit ab 1851 der Großstadtaspekt nichts. Wie bewußt sich Mörike sogar von literarischer Arbeit zurückgezogen hatte – er blieb neun Jahre in Cleversulzbach –, bezeugt eine Briefäußerung an den Freund und Dichter Hermann Kurz: „[Ich] darf weder viel schreiben, noch lesen, noch denken und muß mir gerade dasjenige am meisten vom Leibe halten, was mir sonst Leben und Athem ist" (26. 5. 1837). Die Beschränkung der poetischen Arbeit auf wenige Stunden am Vormittag verhinderte, daß er ganz in Poesie aufging, wie das etwa bei Lenau der Fall war. Mörikes Freude an Gelegenheitsdichtung in Form von Versen für Poesiealben und Stammbücher zeigt, daß es reale Bereiche für ihn gab, in denen Poesie eine dienende Funktion behielt.

Indem er sich bewußt zurücknahm, entfernte er sich von seinen dichtenden Zeitgenossen; seine brieflichen Ausfälle gegen Kränklichkeit und Zerrissenheit nahmen zu. Auch distanzierte er sich vom politischen Geschehen und bewegte sich außerhalb des Zeittons und der Schreibweisen, die vom Literaturmarkt seiner Zeit begünstigt wurden. Dazu gehörten der gebildet zitierende Umgang mit der traditionellen Formenvielfalt (Platen), die spöttische Reflexion auf die Gefühlswelt (Heine) und das gesellig-elegante Erzählen (Tieck). Dichtungsbiographisch wandte sich Mörike Mitte der 1830er Jahre vom Erzählen zur Lyrik – seine erste Sammlung von Gedichten erschien 1838 bei Cotta in Stuttgart – und erarbeitete sich eine souveräne Verfügung über antike Formen. Seine von ihm selbst spöttisch vermerkte Faulheit war lebenskluge 'Diät' (an F. Th. Vischer am 13. 12. 1838), Einsicht in die Schwermut und Abmessung seiner poetischen Leistungsfähigkeit. An Mörike vorbei wuchs eine neue publizistische Poetik. Karl Gutzkow nannte Mörike, von seiner Warte aus mit einigem Recht, „einen Menschen in Schlafrock und Pantoffeln". Mörikes Verhalten wie Gutzkows Urteil sind Aspekte des Epochenschlagworts 'Zerrissenheit'. Denn in beiden offenbaren sich zwei gegensätzliche und doch aufeinander bezogene Weisen der Zeitgenossenschaft, die verschiedene Haltungen zu Literatur bedingten.

Die Religiosität der Droste. Die Begrenzungen der Annette von Droste Hülshoff (1797–1848) waren von anderer, womöglich noch typischerer Art. Schon früh ständig kränkelnd, konnte sie sich mit großer Energie aus dem Gefängnis von Herkunft, Lebensweise und Umwelt befreien, wenigstens zeitweilig. Wie kaum ein anderer dichtender Zeitgenosse hat die Droste die engen Konventionen der Restaurationszeit getragen, sie allerdings auch weithin bejaht: Als Frau mußte sie ihre dichterische Arbeit rechtfertigen, denn Selbstaussage stand ihrem Geschlecht eigentlich nicht zu. Als westfälisches Fräulein von Stand lebte sie inmitten eines enggeschlossenen Familienclans, der das Dichtergeschäft als „reinen Plunder, unverständlich und konfus" mißbilligte. Als unverheiratete Jungfer mußte sie gesellschaftlich zurückgezogen leben, man erwartete von ihr, daß sie nach den Kranken schaute und bei den Sterbenden saß, jedenfalls ihre eigenen Bedürfnisse hintanstellte. Schließlich war sie zeit ihres Lebens ein treues Mitglied der katholischen Kirche. Die politische Bewegung um sie herum ängstigte und empörte sie, insbesondere die langsame Auflösung der Ständeordnung machte ihr zu schaffen, schien das doch gegen eine gottgewollte Ordnung gerichtet zu sein. Sie unternahm keinen Versuch – wie etwa Ida Gräfin Hahn-Hahn und Fanny Lewald –, aus dieser Enge auszubrechen. Dazu war ihre physische Konstitution nicht beschaffen und auch ihre geistige nicht; der Verstand, das Kalkül erschienen ihr als die eigentlichen Feinde des Menschen: Die Aufklärung hatte das Böse in die Welt gebracht, indem sie die Heilswahrheiten in Frage stellte.

Wie viele ihrer dichtenden Zeitgenossen somatisierte die Droste die Umklammerung durch die traditionelle Väterwelt; mit 17 Jahren sprach sie in einem Brief zum ersten Male von ihrer „Auszehrung". Die Krankheit besserte sich hin und wieder, doch gesund wurde die Droste nie. Ihre dichterische Arbeit hat sie dem Körper abgerungen; gegen die gesellschaftlichen, familialen und physischen Begrenzungen erlaubte die schöpferische Arbeit eine Art Selbstbewahrung, insbesondere in den Jahren ab 1839, als in zwei Aufenthalten auf Meersburg das lyrische Hauptwerk entstand, begleitet und inspiriert durch die sinnlich-mütterliche Liebe zu dem siebzehn Jahre jüngeren Levin Schücking.

Die Selbstbewahrung, die ihre produktive Tätigkeit ermöglichte, beruht paradoxerweise auf den vielfältigen Begrenzungen. Von diesen erhielt sie Sicherheit; vom Katholizismus stammt sowohl der Grundtenor der kreatürlichen Angst, der sehr viele ihrer Gedichte zeichnet, als auch die Geborgenheit im Glauben. Dem Druck, den sie spürte, konnte sie ausweichen, indem sie ihn als ihr Geschick akzeptierte. Die vielen Gelegenheitsgedichte an Freunde und zu Anlässen von Geburt und Begräbnis zeigen wie bei Mörike, daß Dichten keine selbstgenügsame Sache war.

Mörike in Cleversulzbach, die Droste auf der Meersburg – andererseits Karl Immermann in der Handelsstadt Düsseldorf, Heine in Paris und der Reiseschriftsteller Hermann Fürst Pückler-Muskau ruhelos unterwegs: auch das kennzeichnet das Janusgesicht dieser Epoche.

3 Literatur als Geschichtsschreibung der Gegenwart

Stellvertretend für die Jungdeutschen, aber auch für die älteren Autoren, sofern sie wie Börne und Heine aktive Zeitgenossen dieser Epoche der Veränderung sein wollten, schrieb Karl Gutzkow 1837:

„Ich habe meinen Zweck erreicht, wenn dies Buch in dem Gewirre von Schriften, die unsere Zeit oft ohne Fug und Grund in die Zukunft vererbt, von irgendeinem Weisen, der das 19. Jahrhundert so schildern will, wie wir wohl das 18. schildern, einst als eine bestäubte und in irgendeinem Winkel mit Schutt bedeckte Quelle benutzt wird." (‚Die Zeitgenossen, ihre Schicksale, ihre Tendenzen, ihre großen Charaktere')

Ähnliches formulierte Heine für sein Erzählwerk ‚Der Rabbi von Bacherach'; selbst für dieses Romanfragment aus den mittleren 1820er Jahren, das erst 1840 erschien, reklamierte er, es solle als Geschichtsquelle für spätere Zeiten zu lesen sein.

3.1 Neue Gattungen

Aus der ausdrücklichen Zeitgenossenschaft, wie die Jungdeutschen sie pflegten, und aus dem neuen Dichtungsbegriff folgte notwendig eine Veränderung im individuellen und im allgemeinen Schreibverhalten. Während Mörike nach seiner Übersiedelung nach Cleversulzbach sich die antike Formkunst erarbeitete und Lyrik in eigenwilliger Nachfolge Goethes schrieb, während Grillparzer sich am dramatischen Vorbild Schillers orientierte und Stifter sich in seinen Erzählungen ausdrücklich der klassischen Formstrenge verpflichtet fühlte, gab es bei Börne, Heine, den Jungdeutschen und den Vormärzlern im engeren Sinne Erlebnislyrik nur in mehr oder weniger parodierter Form; eine neuartige Dramatik entstand unbeachtet bei den Außenseitern Georg Büchner und Christian Dietrich Grabbe. Der Bezug auf den politischen Alltag und auf die geschichtliche Gegenwart brachte neue Formen hervor, die publizistisches Gepräge hatten. Karl Gutzkow beschrieb sie rückblickend in einer dieser neuen Gattungen, in seiner essayistischen Sammlung ‚Die Zeitgenossen...' (1837):

„Moderne Literatur heißt Abspiegelung der Zeitgenossen in der Lage, worin sie sich befinden. Roman, Novelle, die kleine Abhandlung, Briefe, empfindsame Reisen, das sind so die einfachsten Formen, wie der moderne Autor seine Empfindungen, Träume und Charaktere einfängt."

In Opposition zur traditionellen Poesie entstanden publizistische Mischgattungen wie Kulturskizzen (Heines ‚Französische Zustände', 1833, und Gutzkows ‚Öffentliche Charaktere', 1835), Stadt- und Landberichte (Börnes ‚Briefe aus Paris', 1832–34, und Adolf Glaßbrenners ‚Bilder und Träume aus Wien', 1832), Lebenserinnerungen, die weniger die eigene Entwicklung als die prägende Umwelt und Zeitgeschichte aufzeichnen (Immermanns ‚Memorabilien', 1840–43) sowie Charakterporträts (Heinrich Laubes ‚Moderne Charakteristiken', 1835, und Heines ‚Ludwig Börne. Eine Denkschrift', 1840). Verändert wurden Reisebericht und Reiseerzählung (Hermann Fürst Pückler-Muskaus ‚Briefe eines Verstorbenen', 1830–32, und Theodor Mundts ‚Spaziergänge und Weltfahrten', 1838). Selbst poesiefremde Gattungen wie literarhistorische Skizzen wurden zu Erkundungen der Gegenwart genutzt (z. B. in Robert Prutz' ‚Die politische Poesie der Deutschen', 1845). Bezeichnend für alle neuen Schreibformen und Kleingattungen ist die Voraussetzung eines öffentlichen Interesses an der verhandelten Sache, ein Informations- und Aufklärungsbedürfnis seitens des Publikums sowie eine betonte Zeitgenossenschaft in Schreibanlaß und Blick auf die Wirkung. Der intensive Wechselbezug von Schriftsteller und Gesellschaft prägte Schreibhaltung, Stil und die Wahl der Prosa. Weniges kennzeichnet stärker den epochalen Einschnitt der Jahre 1848/49 als die Tatsache, daß mit dem Programm der Realisten die neu eroberten Formen einer reflektierten Beschreibungspoesie wieder aus dem Kanon der geachteten Dichtungsarten ausgeschlossen wurden.

3.2 Reiseliteratur als Beispiel

Ludwig Börne: Monographie der deutschen Postschnecke (1821)
Briefe aus Paris (1832–34)
Ferdinand Freiligrath und **Levin Schücking:**
Das malerische und romantische Westphalen (1840)
Heinrich Heine: Reisebilder (1826–31)
Atta Troll. Ein Sommernachtstraum (1842/47)
Deutschland. Ein Wintermärchen (1844)
Heinrich Laube: Reisenovellen (1834–37)
Hermann Fürst Pückler-Muskau:
Briefe eines Verstorbenen (1830–32) Vorletzter Weltgang von Semilasso (1835)

3.2.1 Eine weiträumige Gattung

Reiseliteratur und Literatur über fremde Länder ist seit der Antike eine Gattung, die sich mit vielen anderen überschneiden oder verbinden kann und die selbst immer für stilistische, formale und gedanklich-ideologische Neuerungen offen ist. Das Genre erlebte im überschaubaren Zeitraum von zwei Jahrhunderten vielfältige Ausprägungen.

Im 17. Jahrhundert zeichnete die Reiseliteratur das Exotisch-Wunderbare, das 'Curieuse', für ein vorwiegend seßhaftes Publikum auf; sie wurde ergänzt vom topographisch und statistisch interessierten Reiseführer, der ein informationsbedürftiges Publikum mit bisweilen wissenschaftlicher Genauigkeit unterrichtete. Um Weltläufigkeit ging es bei den Berichten von Bildungsreisen, wie sie wohlhabende Engländer im 18. Jahrhundert zu den historischen Stätten des Kontinents unternahmen; Laurence Sternes ‚Empfindsame Reise durch Frankreich und Italien' (1768) begründete mit einem subjektiv aufgelockerten, mit ausschweifenden Assoziationen und weiten Gedankensprüngen besetzten Stil die Tradition des empfindsamen Reiseberichts. Von ihr hat Heine gelernt. Daneben entwickelte sich eine Literatur der verstärkten Aufmerksamkeit auf das Wachsen des Ichs, das seiner selbst an staunenswerten Natur- und Kunstdenkmälern inne wird. Goethes Berichte seiner Reisen in die Schweiz (1775/79) und vor allem nach Italien (1786–88, 1790) wurden zum Muster ungezählter Bildungs- und Selbstfindungsreisen bis weit ins 19. Jahrhundert hinein.

Zum Traditionsrahmen gehört schließlich die politisch motivierte und für die Aufrüttelung des Lesers engagierte Reiseliteratur, die sich mit fortschreitendem Selbstbewußtsein des Bürgertums gegen Ende des 18. Jahrhunderts, vor allem im Jahrzehnt nach der Französischen Revolution, ausbildete. In Georg Forsters ‚Ansichten vom Niederrhein' (1791–94) gab das Reisen durch deutsche Lande Anlaß zur Kritik an der bestehenden schlechten Wirklichkeit oder, in dialektischer Verschränkung, war das Lob der politischen und sozialen Verhältnisse in der Fremde auf die Unterdrückung liberaler Ideen in der Heimat gemünzt. In der Abkehr von den Zielen der Französischen Revolution und in Kritik der fortschrittsgläubigen Aufklärung, wie sie in der Romantik sich durchsetzten, entstand die Reise nach innen: in ein historisches Innen eines verklärten Mittelalters (wie in Ludwig Tiecks ‚Franz Sternbalds Wanderungen', 1798) oder, wie in den Reise- und Suchpartien in Novalis' ‚Heinrich von Ofterdingen' (als Fragment 1802 erschienen), in die Tiefe der Seele.

Es ist bezeichnend für die politische und geistige Einschnürung in der Restaurationszeit, daß in den 1820er Jahren wieder Reiseberichte den Markt zu überschwemmen begannen, die Informationen aller Art über Sitten, Lebensverhältnisse, Künste und Eßgewohnheiten fremder Völker boten. Diese Art der Reiseliteratur übernahm oft die Aufgabe von Korrespondenzberichten aus fremden Hauptstädten und Erdteilen; in ihnen überwiegt sehr häufig das Interesse am Malerisch-Wunderlichen und Anekdotisch-Auffälligen eine mögliche politische Absicht. Pückler-Muskaus Arbeiten, etwa die ‚Briefe eines Verstorbenen' (1830–32), waren schon späte, außerordentlich populäre Exemplare dieser Richtung. Die strenge Zensur seit 1819 tat ein übriges, eine entschieden politische Berichterstattung abzuschnüren.

Bei der wechselnden Funktionalität der Gattung blieb ihre Weiträumigkeit für Gegenstände und Darstellungsweisen eine Konstante; sie ließ der Individualität des Schreibenden großen Raum. Ihre vielfältigen Möglichkeiten zu kritischer Reflexion wurden nun, zwei Generationen nach den radikalen Aufklärern des späten 18. Jahrhunderts, erneut freigesetzt.

3.2.2 Heinrich Heine ‚Reisebilder‘

Die Anordnung in der maßgeblichen zweiten Auflage der ‚Reisebilder‘ gibt einen guten Blick auf die Vielfalt der Schreibarten und Stillagen, die Heine mit der Zusammenstellung verschiedenster Arbeiten aus den Jahren 1826–31 unter einem populären Gattungstitel beabsichtigte.

Band 1 enthält den lyrischen Zyklus ‚Die Heimkehr‘, den stilistisch frisierten Bericht einer Wanderung, ‚Die Harzreise‘, und die Lyrik und Prosa vermischenden Zyklen ‚Die Nordsee‘, 1. und 2. Abteilung. Band 2 bringt das essayistische Prosastück ‚Die Nordsee‘, 3. Abteilung, dann ‚Ideen. Das Buch Le Grand‘, eine autobiographisch eingefärbte Huldigung Napoleons, und den Gedichtzyklus ‚Neuer Frühling‘. Band 3 enthält in Prosa die Hauptstationen der Reise nach Norditalien: ‚Reise von München nach Genua‘ und ‚Die Bäder von Lucca‘, und endet mit der berühmten scharfen Satire auf den Dichter Platen. Band 4 schließlich setzt die Reisebeschreibung unter dem Titel ‚Die Stadt Lucca‘ fort und wechselt dann zu einer höchst kritischen Betrachtung der gesellschaftlichen Wirklichkeit Englands unter der Überschrift ‚Englische Fragmente‘.

Die einzelnen Texte haben autobiographische Bezüge, insofern entsprechen sie einer Tradition der Gattung. Doch nützt es zum Verständnis wenig, zu wissen, daß Heine seine gelegentlichen Sommeraufenthalte auf der Insel Norderney für die ‚Nordsee‘-Texte auswertete. Denn deren Sinn liegt nicht in der Wiedergabe privater Erlebnisse oder in einer Schilderung von Land und Leuten; im Gegenteil: In ‚Nordsee‘, 3. Abteilung, erweitert Heine die kontrastierende Darstellung des Badelebens auf Norderney und der Fischerexistenz zu einem Angriff auf die feudalen Verhältnisse in Deutschland und zu einem ausführlich erläuterten Bekenntnis zu Napoleon. In ‚Die Harzreise‘ ist von der Wanderung nur die Lokalität übriggeblieben, das Ziel: Goethe in Weimar, ist bewußt ausgespart. Themen sind der Wissenschaftsbetrieb seiner Zeit, den Heine in der Satire auf die Universitätsstadt Göttingen und das Treiben der Studenten aufs Korn nimmt, und das gefühlige Naturerlebnis; Heine ironisiert es, indem er das erlebende Ich überbetont.

Heine nutzte die Reisebilder weder zu autobiographischen noch zu geographisch-kulturgeschichtlichen Schilderungen, sondern – in Kontrast zu Goethes Italienbild – zu einer aktiven Auseinandersetzung mit den Widersprüchen der Zeit. Daher die Fülle der freien Reflexionen über gesellschaftliche, künstlerische und moralische Zustände in der Form von Skizzen, Kurzcharakteristiken, essayistischen Abhandlungen und bildgewaltigen, zum Teil lyrischen Visionen. Lediglich ‚Ideen. Das Buch Le-Grand‘ knüpft nicht an ein Reiseerlebnis an. Doch bringt es in Stationen aus der Jugend Heines Hinweise auf seine Entwicklung hin zum Standpunkt der großen gesellschaftlichen Emanzipation, die Heine in der Gestalt Napoleons feiert.

Genaue Daten über Reiseroute, Beherbergung, Wetter und Kunstwerke sind bis zuletzt spärlich. Den Akzent tragen Stimmungen und Eindrücke, sie veranlassen Assoziationen und Reflexionen, deren Thema wiederholt in den Gegensatz Revolution – Restauration einmündet. Auch in den Italien-Stücken der Bände 3 und 4 geben die nachprüfbaren Stationen der Reise nur den roten Faden. Sie sind vor allem Ansatzpunkte für geistige Exkursionen: anläßlich der Stadt Verona in die Antike, die Heine nicht mit antiquarischem, sondern mit politischem Interesse problematisiert; anläßlich der Station Marengo, wie Napoleon die Österreicher schlug, zurück zur Revolution von 1789 und zur Gestalt Napoleons.

Neben den assoziativ aneinandergereihten Eindrücken der eigentlichen Reise stehen kleine, meist satirische Skizzen von Bildungsbürgern, denen häufig reale Personen des öffentlichen Lebens in Hamburg und München als Vorbild dienten. Auf diese Weise kommt im Zusammenhang des Werks auch eine Kritik des Kunstbetriebs zustande, für den das Reisen immer noch Mittel zum Bildungserwerb war. Im letzten Teil, ‚Die Stadt Lucca', weitet sich diese Kritik aus auf Religion und Kirche. In der Verfilzung von Klerus und Adel sah Heine das schwerste Bollwerk gegen freiheitliche Bestrebungen. Maßstab all dieser Kritik ist Frankreich, Heine macht das in den ‚Englischen Fragmenten' ausdrücklich klar.

Heines Schreibart hier ist nicht die der offenen Benennung; seine politische Position in den Reisebildern ist oft untergründig. Der Stil der zahllosen Anspielungen und Pointen, der kleinen Geschichten und amüsanten Assoziationen ist veranlaßt durch das neue Medium und seinen Leserkreis: das Feuilleton. Nicht nur die Sachverhalte und Dinge, sondern zugleich auch das gesellige Reden über sie, die Meinungsbildung, soll erfaßt werden. Heine schrieb für das Publikum der literarischen Zeitschriften. Diesem konnte er den häufigen Wechsel der Sprachebenen und Tonlagen zumuten. Das liberale kulturelle Leben der Zeit gelangte so auch stilistisch in die Reiseberichterstattung. Die ironischen Signale an einen einverständigen Leser machten diesem die Tolerierung schockierender politischer Meinungen leichter. Den argwöhnischen Zensoren blieben wenige Belege für Eingriffe. Heine ging so weit, im 12. Kapitel des Stücks ‚Ideen. Das Buch Le Grand' die Zensurtätigkeit sprachlich ins Bild zu bringen: Es setzte Zensurstriche zwischen die Worte „Die deutschen Zensoren" – – – – – – „Dummköpfe". Deswegen und wegen seiner unverhohlenen Napoleon-Begeisterung wurde dieser Band in mehreren Bundesländern verboten, Band 4 durfte in Preußen nicht erscheinen, 1836 setzte die katholische Kirche das gesamte Werk auf den Index.

Die Weiträumigkeit der Gattung benutzte *Ludwig Börne* in seinen *‚Briefen aus Paris'* (1832–34) in anderer Weise. Er weitete die politische Berichterstattung über das Paris der Julirevolution zu einer umfassenden kritischen Schilderung der gesellschaftlichen und künstlerischen Verhältnisse, immer mit dem Blick auf die Zustände (und Mißstände) in der Heimat: so, wenn er die nationalistische Deutschtümelei Ernst Moritz Arndts geißelte, dem deutschen Bürgertum einen handfesten Antisemitismus vorhielt oder allgemein sich über Untertanenmentalität erregte. „Wir sind keine Geschichtsschreiber, sondern Geschichtstreiber", schrieb Börne am 30. 1. 1831 und ging damit über Heine hinaus.

3.2.3 Heinrich Heine: ‚Deutschland. Ein Wintermärchen'

Auf dem Höhepunkt der politischen Vormärzlyrik setzte sich Heine grundsätzlich mit der Tendenzliteratur auseinander. Er schrieb einige seiner bekannteren Zeitgedichte wie ‚Bei des Nachtwächters Ankunft zu Paris', ‚Doktrin', ‚Die Tendenz', und er verfaßte *‚Atta Troll. Ein Sommernachtstraum'* (1842). Hier verkörpert der Bär Troll die inhaltsschwere, aber in Heines Augen ganz und gar unkünstlerische, daher eher schädliche Produktion der Hoffmann von Fallersleben, Herwegh, Freiligrath und anderer. Heine wählte erneut die Folie einer Reise: Die Bärenhatz führt durch verschiedene Lokalitäten, die mal in den Pyrenäen geographisch ortbar sind, mal Heines Phantasie entspringen. In diesem Zusammenhang einer entschieden politisch orientierten Poesie gehört das lyrische Versepos ‚Deutschland. Ein Wintermärchen' von 1844. Den Umkreis beschreibt Heine so:

„Meine Gedichte, die neuen, sind ein neues Genre, versifizierte Reisebilder, und werden eine höhere Politik atmen als die bekannten politischen Stänkerreime. Aber sorgen Sie frühe für Mittel, etwas was vielleicht unter 21 Bogen ohne Zensur zu drucken." (An seinen Verleger Campe am 20. 2. 1844)

Nach dem Zensurbeschluß der Karlsbader Konferenzen vom 20. September 1819 waren Drucksachen über 20 Bogen zensurfrei, da man mit einigem Recht annahm, daß dicke Werke über 320 Seiten von den wenigsten gelesen würden. Daher erschien das ,Wintermärchen' zuerst zusammen mit den ,Neuen Gedichten'.

Am 21. Oktober 1843 war Heine zum erstenmal nach seinem Wegzug nach Paris in Deutschland. Sein Ziel war Hamburg, die Rückreise ging am 7. Dezember über Hannover, Bückeburg, Minden, Paderborn, Teutoburger Wald, Hagen, Köln, Aachen nach Paris. Der Episodentechnik ist im ,Wintermärchen' eingespannt in die Stationen der tatsächlichen Reise, die von einzelnen Höhepunkten markiert werden: Grenzübergang (Caput I–II), Köln (Caput VI–VII), Kyffhäuser (XIV–XVII) und schließlich Hamburg (XXIII–XXXI). An diesen Stationen werden prinzipielle Konflikte erörtert, unter denen Heine Deutschland analysiert. Die anderen Wegstationen vermitteln visuelle, akustische und geschmackliche Reize; sie verleiten den Reisenden zu Bildern, Träumen und Reflexionen, die zumeist eine satirische Kritik des deutschen Alltags zum Inhalt haben.

Das erste Kapitel steckt den Horizont ab, innerhalb dessen sich die Reiseeindrücke und deren Kommentierung bewegen: das preußisch bestimmte Deutschland, dessen Herrschaftsverhältnis durch das Kartell von Thron und Altar gesichert ist, auf der einen Seite, die oppositionellen Liberalen auf der anderen Seite, die dagegen mit ihren stumpfen Waffen einer Forderung nach Verfassungsänderung anrennen. Als Kritik auch an diesen Liberalen ist das neue Lied zu lesen, das der Reisende jenem trügerischen Eiapopeia des Harfenmädchens entgegensetzt. Der Reisende begnügt sich nicht damit, die Indoktrination zu entlarven, in der die bestehende materielle und soziale Unterdrückung durch Vertröstungen verschleiert wird. Er stimmt selbst einen Gesang an über eine diesseitige Welt, in der die Erfüllung der leiblichen, ästhetischen und erotischen Bedürfnisse garantiert ist. Heine zitiert die gesellschaftliche Utopie der Saint-Simonisten: Nur auf dem Boden der materiellen Gleichheit – Brot ist für alle vorhanden – sind politische Einheit und persönliche Freiheit möglich; sie können nicht auf Deutschland beschränkt bleiben. Das ist die radikale Alternative zur gemäßigten politischen Forderung der Liberalen. Und doch distanziert sich Heine von dieser Alternative, indem er bewußt übertreibt: Brot, Schönheit und Lust stehen im saint-simonistischen Konzept in einem sinnvollen Zusammenhang, Heine addiert dazu „Zuckererbsen für jedermann": Die Lutschbonbons kleiner Kinder parodieren die vorangegangenen Glieder in der Aufzählung, ohne sie gänzlich zu verneinen.

Eine ähnliche Funktion der Relativierung hat einige Verse später die Rede von einer Lebenswirklichkeit, in der „die Sterbeglocken schweigen". Auch das ist hyperbolisches Sprechen; die Beschreibung wird ins Unmögliche gesteigert und dadurch ironisch entwertet. So unterläuft Heine selbst die antithetische Struktur des Kapitels. Denn in seinen Augen gibt es keine Vermittlung zwischen den aufgewiesenen Extremen: der reaktionären Ideologie, die schlechte Realität verschleiert, hier, der frühsozialistischen Utopie dort. Heine sieht keine Lösung, weil sich ihm Deutschland in aller Hoffnungslosigkeit der Lebens- und Herrschaftsverhältnisse darbietet: in Überwachung und Zensur (Caput II: Zoll), in der Allgegenwart des Militärs (Caput III und XVIII), in nationalistischer Propaganda (Caput IV: Dombau), in kriegerischer Gebärde gegen Frankreich (Caput V: Beckers Rheinlied), in der neuen Reichsideologie (Caput XIV ff.: Kyffhäuser).

Der Erzählstrang dieser Deutschland-Kritik heftet sich an die namentlich genannten Reisestationen. Nebenher läuft ein anderer Strang, der erzähltechnisch anknüpft an geographisch unkonkrete Reiseabschnitte: nächtlicher Wald (Caput XII), Straßenrand bei Paderborn (XIII), Abendbrottisch der Mutter (XX). In diesen Kapiteln geht es um wichtige Aspekte der Geschichte des Autors. Heine verbindet seine Biographie mit der Misere des Vaterlands, wenn er beispielsweise in der nächtlichen Rede an die Wölfe (XII) auf die Zweifel der Liberalen an seiner politischen Zuverlässigkeit parodistisch und zugleich ernsthaft Bezug nimmt oder wenn er im Gespräch zwischen

Mutter und Sohn ausweichende Antworten auf die Frage nach seiner nationalen und politischen Identität gibt. Heine verweigert sich einer klaren Festlegung. Das hat neben der Einsicht, daß zur Zeit die gesellschaftlichen Verhältnisse unveränderbar sind, auch private Gründe. Den wichtigsten behandelt die Köln-Episode (VI und VII): Wenn das, was der radikale Kritiker Heine politisch wünscht, in die Tat umgesetzt würde, dann würden zwar die anachronistischen Autoritätsfiguren zerschlagen, mit ihnen aber auch die geistige und künstlerische Tradition, der Heine sich als Dichter zurechnet. Das weiträumige Genre der 'neuen' Reiseliteratur erlaubte es, diese private Zerrissenheit ohne Zwang in die satirische Kritik der fremd gewordenen Heimat einzubringen.

3.3 Der Dramatiker als Geschichtsschreiber:
Georg Büchner ‚Dantons Tod' und ‚Woyzeck'

> **Georg Büchner:** Dantons Tod (1835)   Leonce und Lena (1836) (postum)
> Woyzeck (1836/37) (postum)
> **Christian Dietrich Grabbe:** Napoleon oder Die hundert Tage (1831)
> Hannibal (1835)   Die Hermannschlacht (1838)
> **Franz Grillparzer:** König Ottokars Glück und Ende (1825)
> **Heinrich v. Kleist:** Die Hermannsschlacht (1821) (postum)
> Prinz Friedrich von Homburg (1821) (postum)

‚Dantons Tod'
Büchner schrieb im Anschluß an die Veröffentlichung des Danton-Dramas einen Brief an die Familie, in dem er sein Stück gegen den naheliegenden Vorwurf der Unsittlichkeit und Blasphemie rechtfertigt. Dieser Brief gibt auch sein Selbstverständnis als Dramatiker wieder:

„Der dramatische Dichter ist in meinen Augen nichts als ein Geschichtsschreiber, steht aber *über* letzterem dadurch, daß er uns die Geschichte zum zweiten Mal erschafft und uns gleich unmittelbar, statt eine trockene Erzählung zu geben, in das Leben einer Zeit hinein versetzt, uns statt Charakteristiken Charaktere, und statt Beschreibungen Gestalten gibt." (28. 7. 1835)

Historiographie und historisches Drama. Das Sujet der Französischen Revolution stellt einen Autor unter das Diktat einer außerliterarischen Wahrheit, er kann nicht souverän über den Stoff verfügen. Insoweit ist er Historiograph. ‚Dantons Tod' gibt den historischen Zeitraum genau wieder: die zwei Wochen zwischen dem 24. März und dem 5. April 1794, vom Sturz der Hébertisten bis zur Enthauptung Dantons. Aber Büchner war kein interesseloser Historiograph. Die gesellschaftliche Veränderung war das für Stoffwahl und Gestaltung Entscheidende. Die Form der verhältnismäßig offenen Szenenfolge und die Offenheit des Schlusses – mit Dantons Tod ist nichts zu Ende; daß Robespierre ihm bald folgen wird, wird schon im Stück gesagt – sind nicht bewußte Entscheidungen für eine antiklassische Dramenform. Sie liegen vielmehr in der Sache, in der nicht zum Ende gekommenen revolutionären Bewegung. Die Geschichtsschreibung der Gegenwart besteht in der Tendenz des Stücks; diese im sozialen Engagement, in Büchners Interesse für die Unterprivilegierten. 1834, im ‚Hessischen Landboten', waren das die oberhessischen Bauern. Im Geschichtsdrama ist es das ausgebeutete Volk, das nicht zu seinem Recht kommt, sondern von allen benutzt wird, und das noch keinen Begriff von seinem revolutionären Potential hat. In diesem sozialen Interesse ging Büchner über die dem Geschichtsschreiber bekannten Quellen zur Französischen Revolution hinaus. Auch sind die im

Text des Dramas breit verarbeiteten, zum Teil wörtlich übersetzten Darstellungen von Mignet (²1824), Thiers (1823–27) sowie aus dem populären Sammelwerk ‚Unsere Zeit' (1826–30) allesamt dem Robespierre feindlich. Sie zeichnen das Bild der Französischen Revolution aus den Augen des davongekommenen Bürgertums; und dem sind die Dantonisten, die dem Terror nun mit Ekel gegenüberstehen, allemal näher. Mit dieser Perspektive kann Büchner sich nicht identifizieren, daran hindert ihn seine Anteilnahme an den leidenden Massen, für die die Revolution angeblich gemacht wurde. Die bürgerliche Ideologie seiner Zeit holte er mit der Arbeitsweise herein, die er im ‚Hessischen Landboten' entwickelt hatte: mit einer Montage von 'objektiven' Elementen der Geschichtsschreibung und Statistik und 'subjektiven' der eigenen Geschichtsdeutung. C. D. Grabbe kam in seinem Drama ‚Napoleon oder Die hundert Tage' (1831) mit einer vergleichbaren Montage zu einem Bild der Epoche im Psychogramm ihres sterbenden Helden.

Danton und Robespierre. Für Büchner sind weder Danton noch sein Gegenspieler nur theatralische Gestalten. Er nimmt beider Position ernst: die der pessimistischen Dantonisten, die scheitern, weil sie Relikte einer vergangenen Phase sind, und die der radikalen Sozialrevolutionäre, denen Töten zum Selbstzweck wird. Er mißt die Schuld an dem für die Massen enttäuschenden Ausgang der Revolution beiden zu. Daher stellt er die Gewissenskämpfe beider Protagonisten an dramaturgisch herausgehobener Stelle dar: Dantons Entschuldigung der Septembermorde (II, 5), Robespierres Rechtfertigung des anhaltenden Terrors (I, 6, Mittelteil). Im Gespräch zwischen beiden, dem ersten Höhepunkt der Handlung (I, 6), geht es um Schuld. Insofern steht Büchners Stück in der Tradition der klassischen Geschichtsdramen. Doch erschöpft es sich nicht im Problem der Moral. Sein Stück ist auch ein Lehrstück, denn die führenden Männer dieser Revolutionsphase verkörpern eine geschichtliche Bewegung, an die Büchner anknüpfen möchte. Und zwar im Blick auf die Notwendigkeit einer Umwälzung, in der die materiellen Bedürfnisse des Volks nicht wie bisher bloß Teile eines Programms sind, sondern tatsächlich befriedigt werden.

Die Eigenleistung Büchners gegenüber seinen historiographischen Quellen und gegenüber dem klassischen Drama des großen Einzelnen sind vor allem die Volksszenen. In ihnen ist das Volk nicht nur als Abstraktum, sondern als körperliche Gesamtheit oder in einzelnen Repräsentanten Hauptfigur. Von solchen Szenen aus dem ersten und dritten Akt ist es ein konsequenter Schritt zum ‚Woyzeck', in dem der eine ausgebeutete, ängstliche und wenig verstehende Einzelne als exemplarisches Opfer die Geschichte erleidet.

Büchners politische Einstellung. Büchners Brief an Karl Gutzkow, dem er seinen dramatischen Erstling angetragen hatte, widerlegt eine Einordnung in die Gruppe der liberalen Literaten. Den Jungdeutschen hat er nie angehört, er war politisch weiter als sie:

„Übrigens, um aufrichtig zu sein, Sie und Ihre Freunde scheinen mir nicht gerade den klügsten Weg gegangen zu sein. Die Gesellschaft mittels der Idee, von der gebildeten Klasse aus reformieren? Unmöglich! Unsere Zeit ist rein materiell; wären Sie je direkter politisch zu Werke gegangen, so wären Sie bald auf den Punkt gekommen, wo die Reform von selbst aufgehört hätte. Sie wären nie über den Riß zwischen der gebildeten und ungebildeten Gesellschaft hinausgekommen. [...] Unsere Zeit braucht Eisen – und dann ein Kreuz oder sonst was. Ich glaube, man muß in sozialen Dingen von einem absoluten Rechtsgrundsatz ausgehen, die Bildung eines neuen geistigen Lebens im Volke suchen und die abgelebte moderne Gesellschaft zum Teufel gehen lassen." (Aus Straßburg, 1836)

Diese Zeilen, die in einem früheren Brief an Gutzkow schon ähnlich formuliert sind, widerlegen auch eine mögliche Lesart des ‚Danton', nach der Büchner sich im Revolutionsstück die Idee einer gesellschaftlichen Umwälzung von der Seele geschrieben hätte. Und auch der vielzitierte „Fatalismus der Geschichte", den Büchner in einem Brief aus Gießen an die Straßburger Verlobte Minna Jaeglé Ende 1833 beschwört, bezieht sich nicht auf seine politische Einstellung im Grundsätzlichen.

„Ich studierte die Geschichte der Revolution. Ich fühlte mich wie zernichtet unter dem gräßlichen Fatalismus der Geschichte. Ich finde in der Menschennatur eine entsetzliche Gleichheit, in den menschlichen Verhältnissen eine unabwendbare Gewalt, allen und keinem verliehen."

Der Brief entstand vor seiner politischen Arbeit in Hessen im Rahmen der ‚Gesellschaft der Menschenrechte‘ und vor dem ‚Hessischen Landboten‘. Büchner brach zwar nach der Flucht aus Hessen im März 1835 seine Verschwörertätigkeit ab, doch war ihm nur der Sinn einer Revolution in Deutschland suspekt geworden. Er bestreitet ihren Zweck, sofern sie hier und heute stattfände. Deshalb ist es kein Bruch, wenn er vom Stück über die notwendig scheiternde Revolution (‚Danton‘) zur Karikatur feudaler Staatlichkeit und gelangweilten Müßiggangs (‚Leonce und Lena‘) und von einer zum Stimmvieh abgerichteten Volksmasse (‚Leonce und Lena‘, III, 1) zum einzelnen Opfer bürgerlich-gesellschaftlicher Abrichtung im ‚Woyzeck‘ weitergeht.

‚Woyzeck‘

Um Leiden geht es in Büchners letztem Stück, das er wahrscheinlich im Winter 1836/ 37 in mehreren Anläufen verfaßte.

Wenig ist erhalten: einige Bögen schlechten Papiers, zum Teil unleserlich gemacht durch chemische Mittel, die der erste Herausgeber, K. E. Franzos, benutzte, um den Text leserlich zu machen. Franz heißt einmal Louis, Marie wird anderswo Margreth und Louisl genannt. Die Schwierigkeiten, einen ‘richtigen’ Text herzustellen, sind nicht zu beheben. Doch lassen sich die Überlieferungsträger ohne Not in drei verschiedene Anläufe ordnen (H 1/2, H 3, H 4). Der fragmentarische Charakter der Textbasis und des Stücks hat eine Vielzahl konkurrierender Auslegungen ermöglicht.

Dramatisierte Zeitgeschichte. Zu seinem dritten Drama nahm Büchner erneut den Stoff aus der geschichtlichen Realität, diesmal aus der unmittelbaren Gegenwart, und mit dem Stoff auch die unklare Motivation des Geschehens und den diffusen Hintergrund. Was für ‚Dantons Tod‘ die zeitgenössische bürgerliche Geschichtsschreibung ist, das ist für ‚Woyzeck‘ die öffentliche Diskussion darüber, ob ein womöglich wahnsinniger Mörder hingerichtet werden dürfe. Beide Male gab es neben den tatsächlichen Vorgängen – dem Ablauf von zwei Wochen Anfang 1794 sowie der Vorbereitung und der Durchführung eines Mordes – einen ideologischen Rahmen, mit dem sich Büchner auseinandersetzte. Bei ‚Danton‘ ist es das verfälschende Geschichtsbild eines Bürgertums, das der Revolution glücklich entronnen ist, bei ‚Woyzeck‘ ist es die vorurteilsgeprägte Frage, wie weit menschliche Verantwortung anzusetzen sei.

1821 tötete der Friseur Johann Christian Woyzeck seine Geliebte mit sieben Stichen. Zwei Gutachten aus der Feder des hochgeachteten sächsischen Mediziners Clarus bestätigten ihm Zurechnungsfähigkeit; sie wurden in der ‚Zeitschrift für Staatsarzneikunde‘ abgedruckt und setzten eine lebhafte Diskussion in Gang, die durch zwei vergleichbare Morde aus der Unterschicht, einer von 1817, der andere von 1830, bereichert wurde. In Clarus’ Gutachten ist zwar die Rede von Woyzecks Wahnideen, doch nahm Clarus diesen Sachverhalt nicht ernst. Das Todesurteil wurde nach vergeblichen Gnadengesuchen am 27. 1. 1824 vollstreckt.

Dem offenbaren Tatmotiv der Eifersucht lagen im Fall Woyzeck komplexe psychische Vorgänge zugrunde, die Büchner aus dem Prozeßmaterial in seinen verschiedenen Anläufen entwickelte. In seinem Woyzeck konkurrieren Verfolgungswahn und tatsächliche soziale Unterlegenheit, Aberglauben und reale Existenzangst, Eifersucht und erlittene seelische Demütigung. Büchners Anteilnahme für sozial motivierte

Krankheitsbilder – der Schwermut, der Persönlichkeitsspaltung – fand am Fall Woyzeck einen erneuten Anhalt. Als Mediziner interessierte er sich für die Psychopathologie des Täters; seine Dramenfigur ist tatsächlich krank. Der Doktor beobachtet erfreut die Zunahme des Wahnsinns, auch Andres nimmt ihn wahr: „Du mußt Schnaps trinke und Pulver drin, der schnejdt das Fieber." Als belesener Zeitgenosse teilte Büchner das allgemeine Interesse an Grenzerscheinungen wie Magnetismus und Hellseherei, hinter dem Einsicht in die Nachtseiten der Natur steht, und verband es mit seiner Hauptfigur. Als sozial engagierter Dramatiker schließlich arbeitete er das soziale Bedingungsverhältnis der existentiellen Not Woyzecks heraus.

Konfliktdramaturgie. Die Zwangsvorstellungen Woyzecks ergeben mit seiner sozialen Abhängigkeit einen verschränkten dreischichtigen Konflikt, der die uneinheitlichen Arbeitskonzeptionen Büchners widerspiegelt: Woyzeck und Marie, Woyzeck und die übermächtige Umwelt, Woyzeck und seine inneren Stimmen. Dabei kommt der gesellschaftlichen Komponente eine führende Rolle zu, beispielhaft in der sowohl triebhaften als auch sozialen Motivation von Maries Untreue: „Über der Brust wie ein Rind und ein Bart wie ein Löw", sagt sie über den Tambourmajor; aber sie sagt auch (in einer anderen Fassung): „Der andre hat ihm befohlen und er hat gehn müssen. Ha! Ein Mann vor einem Andern." Die eher verdeckte gesellschaftliche Komponente der Dreieckskonstellation Woyzeck – Marie – Tambourmajor spielt Büchner in der anderen Figurenkonstellation voll aus: Er läßt an der Inhumanität der experimentierenden Wissenschaft des Doktors ebensowenig Zweifel wie an der Verantwortungslosigkeit des Hauptmanns seinen Untergebenen gegenüber. Tambourmajor, Doktor und Hauptmann gehören zu der Welt, in der Woyzeck lebt und die ihn leiden macht. Basis dieses Leids ist die Armut. Ihretwegen verdingt sich Woyzeck beim Doktor; um Geld kreist sein Denken an Marie („Das Geld für die Menage kriegt mei Frau"). Gegenüber der sozialen und ökonomischen Argumentation im Drama bleiben die herkömmlichen dramaturgischen Knotenpunkte wie Eifersuchtshandlung und Mordgeschehen bezeichnenderweise unausgestaltet. Überblickt man die verschiedenen Textzeugnisse, wird deutlich, wie konsequent Büchner auf die Finalität und die dramaturgische Geschlossenheit des traditionellen Dramas verzichtet; seinem Weltbild ist die zerstückelte, Endgültigkeit verneinende 'offene' Form angemessen, in der Verbindungen durch Leitmetaphern wie das blitzende Messer und die Farbe Rot hergestellt werden.

Die Kunstfigur Woyzeck. Als Dramenfigur ist Woyzeck ein gehäuftes Elend: Er ist nicht nur arm, abhängig und betrogen, sondern so arm, daß er sich als Versuchstier verdingen muß, so abhängig, daß er fast willenlos ist, und er ist überdies seinem Rivalen physisch und sexuell unterlegen. Gleichwohl ist Woyzeck nicht nur ein von äußeren Umständen Getriebener. Büchner legte ihn auch als in sich zerrissene und suchende Figur an. Woyzeck ist stark von innen her bedroht; das verbindet ihn mit der erzählten Figur Lenz in Büchners gleichnamiger Novelle. Indem Woyzeck fortwährend auf der Suche nach Sinn ist, versucht er, den Status quo zu überwinden. Sein bohrendes Fragen stürzt ihn in andere Abhängigkeiten, aber es macht aus dem Opfer den dramatischen Helden.

Büchners Anteilnahme zielt auf Verstehen. Wie schon in ‚Dantons Tod' spricht er als Autor kein Urteil, schon gar nicht einen Schuldspruch. Die Welt ist in Unordnung, und zwar so total, daß es überhaupt keinen, zumal keinen transzendenten Punkt des Heils und der Heilung gibt, weder für Lenz noch für Woyzeck. Im Märchen der Großmutter ist die Leben und Wärme spendende Sonne „ein verreckt Sonneblum". Das konkrete Leiden in dieser schlechten Welt und seine gesellschaftlichen Ursachen prangert Büchner im ‚Hessischen Landboten' an, im ‚Woyzeck' stellt er es dem Zuschauer buchstäblich vor die Augen. Die Umstände seines Leidens zu erkennen ist Woyzeck unfähig; dem Leser / Zuschauer will Büchner es ermöglichen.

4 Erzählte Dissonanzen. Zu Novelle und Roman

4.1 Geselligkeitskultur: Schreiben für Musenalmanache

1823 notierte der Dichter August von Platen in seinem Tagebuch über seinen Aufenthalt in Bayreuth: „Hier ist eine unglaubliche literarische Wut unter den Frauenzimmern, mehrere poetische Lesezirkel und dergleichen mehr." Informationsbedürfnis, Leselust und ein Drang zum gesellig-belehrenden Austausch, das prägte die Kultur des Biedermeier; eine Wurzel war die unentschiedene Zwischenlage der Epoche. Diese begünstigte eine halb öffentliche, halb private Geselligkeit in adligen Salons, größeren Bürgerhäusern und in der Familie. Für sie lieferten Publikationen, die in regelmäßigem Rhythmus erschienen, den Lesestoff: Musenalmanache, Taschenbücher, Volks- und Damenkalender mit klangvollen weiblichen Titeln wie Iris, Aglaja, Psyche. Die Sammelwerke waren in der Regel geplant und durchkomponiert, für ihre Qualität bürgten namhafte Autoren als Herausgeber wie Gustav Schwab, Adelbert von Chamisso und Wolfgang Menzel. Wilhelm Hauff zählte allein für 1828 „30 oder 40 Almanache". Sie und die sehr zahlreichen Taschenbücher wurden beliefert von einer gar nicht mehr zu beziffernden Zahl von durchschnittlichen Autoren, aber ebenfalls von heute noch beachteten: Stifter veröffentlichte seine Erzählungen in der oberösterreichischen ‚Iris‘, Tieck produzierte für zahlreiche Almanache gleichzeitig, und E. T. A. Hoffmann schrieb zeitweilig nur für Taschenbücher. Diese Sammelwerke waren die wichtigste Erwerbsquelle für Schriftsteller.

Die Publikationsform begünstigte kürzere Schreibformen, unter denen die Erzählung im Verlauf der Epoche immer stärker nach vorn drängte. Die Verschränkung von literarischer Unterhaltungskultur und Ökonomie erhellt eine Bemerkung Mörikes an F. Th. Vischer vom 8. 9. 1831: „[…] obwohl das Morgenblatt das Lyrische nicht mehr mit Geld honoriert. Desto anständiger wird der Bogen Prosa, Erzählung und dergleichen mit 30 Gulden, so viel ich weiß, bezahlt." Mörike nannte die Novelle noch nicht beim Namen, und tatsächlich stand diese noch im Rang einer wenig respektablen Gattung, sie war „Erzählung und dergleichen". Erst die Programmatiker des Realismus setzten die ästhetische Aufwertung der Novelle durch und bestimmten fortan das Verständnis von ihr (s. S. 295 f.). Als nicht versifizierte Literatur war die Novelle wie auch der Roman in den Poetiken und Theorien nicht geachtet, als typische Medien der Geselligkeitskultur hatten beide den Ruch einer Massenware, und dies mit Recht. Das Überangebot an Erzählungen belegt die bloße Tatsache, daß Luise Mühlbach, die Frau des jungdeutschen Theoretikers Theodor Mundt, die eine der meistgelesenen Autoren für Damenkalender war, in 36 Jahren 290 Bände mit Erzählungen auf den Markt brachte. Die Bezeichnung eines Erzählwerks war dementsprechend willkürlich. Noch Stifter nannte seinen ‚Nachsommer‘ 1857 nach langen Überlegungen „eine Erzählung".

Zwischen 1820 und 1840 häuften sich die Klagen von Autoren über die Verrohung des Geschmacks durch Novellen und Romane – ein sicheres Indiz für die eindeutige Wahl des lesenden Publikums. Dem Massencharakter der Erzählung entsprach die stoffliche Vielfalt und auch die ganz unterschiedliche Stilhöhe. Je nach angezieltem Publikum unterschieden schon die Theoretiker der 1830er Jahre eine volkstümliche von einer Salonnovelle und diese von der Problemerzählung, wie sie die Jungdeutschen für das liberale Bürgertum favorisierten. In jedem Falle sollte es in der Novelle um empirische Wirklichkeit gehen, und dies machte ihren Lesereiz aus: Man bekam ‘wirkliches’ Leben in größtmöglicher Verdichtung, scharfer Perspektivierung und meist unterhaltendem Ton vorgestellt, das man als Zeitgenosse nicht in der Lage war, selbst zu erleben. Zugleich versuchten die besten biedermeierlichen Novellisten – die Jungdeutschen und die politischen Autoren im Vormärz bevorzugten andere Genres

–, das Nichtalltägliche herauszuarbeiten; Ludwig Tieck nannte es unverblümt „das Wunderbare". ‚Die Judenbuche' der Droste (1842) steht in dieser Hinsicht neben Mörikes ‚Lucie Gelmeroth' (1839) und Ludwig Tiecks ‚Des Lebens Überfluß' (1838) – so unterschiedlich diese Erzählungen im einzelnen sind. Das breite Spektrum der Erzählkultur verdeutlichen die Gegensätze Stifter und Büchner.

4.2 Erzählen im Kontrast: Adalbert Stifter und Georg Büchner

Georg Büchner: Lenz (1835) (postum)
Annette von Droste-Hülshoff: Die Judenbuche (1842)
Jeremias Gotthelf: Dursli der Branntweinsäufer (1839)
Wie Joggeli eine Frau sucht (1841)
Franz Grillparzer: Der arme Spielmann (1848)
Eduard Mörike: Lucie Gelmeroth (1839)
Adalbert Stifter: Studien (6 Bände, 1844-50)   Der Nachsommer (1857)
Ludwig Tieck: Des Lebens Überfluß (1838)

4.2.1 Besänftigter Schrecken – Stifters Novellistik

‚Zuversicht'. In der Erzählkultur des Biedermeier wird Geselligkeit betont und oft in einer Rahmenhandlung in Szene gesetzt, die in einen Anlaß für das Erzählen ausläuft. Doch ragt der gesellig-kultivierte Kontext selten in die Erzählung selbst hinein. Die Verhaltens- und Handlungsvorschläge für den Leser ergeben sich aus dem Kontrast zwischen Rahmen und Erzählung; oder sie kommen aus einer Vermittlung zwischen Erzählanlaß und erzähltem Inhalt. Eine derartige didaktische Ausrichtung hat Stifters Erzählung ‚Zuversicht' von 1846, eine der kürzesten Erzählungen in Stifters Œuvre. Die Kernerzählung hat einen Umfang von knapp vier Seiten. Diese Gedrängtheit ist nicht repräsentativ für Stifters Novellenschreiben, auch die biedermeierliche Erzählkonvention pochte auf ausführliche Beschreibung. Beispielhaft ist ‚Zuversicht' jedoch für den biedermeierlichen Zweck des Novellenschreibens, das selten selbstgenügsam war; repräsentativ ist sie auch in der Aussage. Denn Stifters späteres negatives Urteil über die Revolution von 1848 und über die Rolle der Menschen im Umsturz der hergebrachten Verhältnisse deutet sich in der kurzen Erzählung schon an: In jedem Menschen wohnt unter dem Firnis von Anstand und sittlicher wie geistiger Kultur ein reißender Tiger; dieser durchstößt die dünne Haut der Zivilisation, wenn die allgemeine Sittlichkeit zerfällt wie in Revolutionszeiten (seien es die der Französischen Revolution, über die ‚Zuversicht' handelt, seien es die der späteren 1848er Revolution). Eine solche Orientierungslosigkeit entsteht auch, wenn der Mensch sich plötzlich außerhalb seiner gewohnten Ordnung findet, zum Beispiel im Fieber, oder wenn die Vernunft keine Kontrolle ausüben kann. Einen derartigen Zustand hat ‚Zuversicht' zum Thema.

Vater und Sohn haben lange Zeit in Einigkeit und Fürsorge füreinander gelebt. Sie zerstreiten sich, als der Sohn Liebe zu einem Mädchen unter seinem Stande faßt. Der Vater zwingt den Sohn, fortzuziehen, und verhindert so eine Heirat. In einer Schlacht während der Revolution treffen sie zufällig als Gegner aufeinander. Sie erkennen sich. Doch der Vater jagt mit gezogenem Säbel gegen den Sohn vor. Der flieht zuerst, erschießt dann aber den Vater und tötet sich selbst.

Auf die Pflege der moralischen Substanz, so lautet die Botschaft dieser Erzählung, kommt alles an. Stifter hat diese Pflege nach der Revolution von 1848 der Bildung übertragen wollen. Die großen weltgeschichtlichen Ereignisse interessierten ihn am

Rande, in ‚Zuversicht' bietet die Französische Revolution nur die Kulisse. Stifters Aufmerksamkeit gilt dem Kleinen, Unscheinbaren und angeblich Vertrauten; mindestens ebenso wie im Großen und Schrecklichen sieht er hier Veränderung als Gefahr oder Möglichkeit. Das ist biedermeierliche Auffassung. Stifter hat sie in der Vorrede zu seiner Novellensammlung ‚Bunte Steine' 1852 niedergelegt und in den Begriff „sanftes Gesetz" gefaßt. In der Erzählung äußert das als Sprachrohr des Autors ein „alter Mann mit schlichten weißen Haaren" – so hat Stifter auch die Person des weisen Freiherrn von Risach in seinem späteren Roman ‚Der Nachsommer' (1857) beschrieben. Der alte Mann, der ‚Zuversicht' erzählt, dankt in einer Art vorwegnehmender Moral der Geschichte seinem Gott,

„der mich so nebenher mit meinen kleinen Stürmen und Leidenschaften fertig werden läßt, da ich nicht ergründen kann, welche fürchterlichen in meinem Herzen schlafen geblieben sein mögen, die mich vielleicht unterjocht und zu Entsetzlichem getrieben hätten."

Dieser Balance hat Stifter viele Novellen gewidmet, unter die bekanntesten zu diesem Thema zählen ‚Turmalin' (1852) und ‚Die Mappe meines Urgroßvaters' (1841/70). Bewahrte Balance bedeutet Geborgenheit in der Welt. Sie setzt Stifter in einer Haltung des Protestes gegen die beunruhigenden Einflüsse der Umwelt und gegen den Unfrieden in der eigenen Seele. Gestalterisch zeigt sich die Balance im Ausgleich am Ende zwischen Rahmen und Inhalt der Erzählung ‚Zuversicht'. Da ist die oberflächlich moralisierende Gesellschaftsrunde, die sich in Konversation über die Französische Revolution ergeht und über das Verhältnis von Charakter und Zeitumständen parliert. Dagegen steht die hinter- und abgründige Familiengeschichte, die – ganz in der Tradition novellistischen Erzählens – auf eine unerhörte Begebenheit verdichtet ist, auf das überraschende Treffen von Vater und Sohn als Gegner in der Schlacht, die aus Menschen reißende Tiger macht. Die Lehre, die im Erzählten enthalten ist, wirkt nun auf die gesellige Runde versittlichend; unter den Zuhörern herrscht am Ende betroffenes Schweigen. Der Novellenschluß deutet, schlicht und ohne Ironie, den christlichen Horizont an, auf den diese Erzählung, wie in ähnlicher Weise ‚Die Judenbuche' der Droste, geöffnet ist:

„Da die Stunde der Trennung gekommen, sagten sie sich schöne Dinge, gingen nach Hause, lagen in ihren Betten und waren froh, daß sie keine schweren Sünden auf dem Gewissen hatten."

‚Granit'. Für das Erzählverfahren Stifters typisch ist die Novelle ‚Granit', die er 1847 begann und 1852 veröffentlichte. Sie steht am Beginn der Sammlung ‚Bunte Steine'. Der Ich-Erzähler berichtet knapp, wie er als Junge von einem Pechbrenner aus Spaß verschmiert und von der Mutter bestraft wird; ausführlich hingegen erzählt er, wie der Großvater dem verstörten Kind auf einem langen Spaziergang die Landschaft zeigt und es tröstet. Die weitgespannte Wiedergabe dieses Spaziergangs macht die Erzählung aus. Sie ist ein Gegenentwurf gegen die gängige Unterhaltungsnovelle der Zeit: im Verzicht auf Handlung, in der Reduktion des Personals auf zwei Menschen, in der Konzentration der räumlichen Verhältnisse und schließlich im Thema selbst, der Beruhigung und Unterweisung eines Kindes. Daß Stifter hier ganz er selbst als Erzähler ist, zeigen Anklänge an den späteren Roman *Der Nachsommer*', die bis zur wörtlichen Gleichheit gehen. Dem erschrockenen Kinde, das die Strafe der Mutter fürchtet, hält der Großvater entgegen: „Aber lasse nur Zeit, sie wird schon zur Einsicht kommen, sie wird alles verstehen, und alles wird gut werden." So redet auch Natalie im ‚Nachsommer' zu Heinrich Drendorf: sich Zeit lassen, verstehen lernen, alles wird gut werden, weil der Gang der Dinge zum Guten bestimmt ist. Diese Auffassung von der grundsätzlichen Bestimmung der Geschichte zum Guten veranlaßt Stifter immer erneut zur Anstrengung, eine Balance herbeizuführen und erzählend zu demonstrieren.
Enkel und Großvater lassen sich Zeit beim Spaziergang, denn auf ihm lernt der Jun-

ge die nähere Umwelt in einem geduldigen, stereotypen Wechsel von Frage und Antwort kennen: „Siehst du…?" – „Ja, Großvater, ich sehe es." Schritt für Schritt tasten beide die dem Kinde unvertraute Welt ab und nehmen sie benennend in Besitz, so wie Heinrich Drendorf das Anwesen des Freiherrn von Risach, den Asperhof, mehrmals umschreitend kennenlernt. Zwischendrin belehrt der Großvater den Enkel über Tote und Lebende, Feiertage und Gottes gute Schöpfung. Das Erzählen fließt nicht, es staut auch nicht auf, vielmehr schreitet es stetig und überaus langsam einher und nimmt die erzählten Dinge in sich auf. Stehenbleiben, Schauen, Hinweisen, Erklären, Bestätigen, Weitergehen – das sind die erzählten Aktivitäten. Dem Leser teilt sich dieses Erzählritual je nach Vorbildung und Vorliebe als Langeweile oder Faszination der Langsamkeit mit. Wie einer in die Balance mit seiner Umwelt kommt und sich ihrer redend vergewissert, das ist der Lernprozeß des Kindes in ‚Granit' und der des Heinrich Drendorf im ‚Nachsommer'. Der Vorgang dieser Art Welterkundung ist ein Ritual. Mit ihm schützen sich die Figuren gegen natürliche und seelische Katastrophen. Mit dieser Art Erzählen stemmte sich Stifter gegen die rasch verfließende Zeit und gegen den ihm mißliebigen Fortschritt. Der landschaftliche Kreis, den Großvater und Enkel ausschreiten, ist für Stifter ein Sinnbild des heilen, abgerundeten Lebens, und dies setzte er gegen die Tatsächlichkeit der aufgewühlten, revolutionsschwangeren Gegenwart.

4.2.2 Verlorene Balance – Büchners ‚Lenz'

Für Stifters Novellistik ist eine bestimmte Geste bezeichnend: Ein älterer Mann nimmt einen jüngeren als Schüler bei der Hand und führt ihn im ruhigen Gespräch durch die nahe Landschaft. Ganz anders sieht ein Erzählen aus, das statt pädagogischem Lehrsatz und Moral direkte Betroffenheit mitteilen will. Für Büchners ‚Lenz' liegt der Vergleich nahe mit der Flugschrift ‚Der Hessische Landbote' (1834), in der nicht nur der aufrüttelnde Inhalt, sondern vor allem auch die Darbietungsweise den Leser engagiert. Mit Büchners Erstlingsdrama ‚Dantons Tod' hat ‚Lenz' das Verfahren der Montage bereits vorliegender Texte in den eigenen gemeinsam. Denn Büchner benutzte ausgiebig die Tagebuchnotizen des Pfarrers Oberlin über den Aufenthalt des Dichters Jakob Michael Reinhold Lenz 1778 bei ihm im Waldbachtal. Büchners Interesse an seinem Stoff liegt auf der Hand. Da wird ein Autor porträtiert, dessen Stücke in den frühen 1770er Jahren in Inhalt und Form revolutionär waren; der Lebenslauf Lenz' nahm in vielem die Zerrissenheit der Zeitgenossen Büchners vorweg, vor allem die religiöse und weltanschauliche Verunsicherung, und schließlich löste eine heftige, vergebliche Liebe (zu Friederike Brion) den psychischen Terror bei Lenz gegen sich selbst aus.

Das Besondere an der Erzählung ‚Lenz', das von der zeitgenössischen Belletristik Abweichende, ist die Manipulation des Lesers durch den Stil. Mit ihr reiht sich Büchner ein in die Schreibweise der auf Veränderung bedachten Autoren, die mit ihrem Schreiben ins Leben ihrer Leser eingreifen wollten (auch wenn sich Büchner mit guten Gründen von den Jungdeutschen distanzierte). Der Eingangssatz in ‚Lenz' hat noch die distanzierte Erzählperspektive herkömmlicher Novellen, doch dann folgen in geballten Nominalgruppen die Eindrücke des wandernden Lenz aus dessen verquerer Sicht. Der abrupte Wechsel beider Darstellungsweisen ist für alles Weitere bezeichnend. Er erfolgt nicht regelrecht. Wenn es z. B. heißt: „[…] und dann dampfte der Nebel herauf und strich schwer und feucht durch das Gesträuch, so träg, so plump", dann gehören grammatikalisch die Adverbien zu den vorangehenden Verben. Aber „so" läßt sich nur auf Lenz beziehen, die Normalität der Satzperiode ist Täuschung: Der Leser wird abrupt in die Sicht des Helden hineingezogen. Von dem heißt es zunächst ‘normal': „Er ging gleichgültig weiter", doch wieder wird diese Schein-Objektivität vom Erzähler plötzlich abgelegt: „[…] Nur war ihm manchmal unangenehm, daß er nicht auf dem Kopf gehen konnte." Unproblematische Form und ungewöhnlicher, zuweilen absurd anmutender Inhalt gehen so eine explosive Mischung ein. Ein Erzähler ist dabei nicht individualisierbar. Held und Leser werden ganz dicht zusammengerückt, die Spannung des umherirrenden, sich einsam fühlenden, fortschreitend vom Wahnsinn geschüttelten Lenz geht auf den Leser über. Büchner gibt seine Einsichten in die Psyche Lenz' auf dem Wege unmittelbarer Darstellung weiter, er weiß sich über große Strecken des Berichts eins mit dem Helden. Daher fehlen oft Satzanfänge vom Typ „Lenz sah" oder „Er bemerkte"; dem Leser wird Identität mit Lenz stilistisch suggeriert.

Die Kluft zwischen Normalität und Exzentrizität ist leitmotivisch. Sie bestimmt Lenz' Lebensgefühl in Oberlins Haus und begründet seine Einsamkeitskrise mitten in der Atmosphäre des Behagens und der Mitmenschlichkeit. Anfälle und Ruhe wechseln in steigender Intensität bis hin zu einer relativ langen Zeit des Gleichgewichts. Sie wird im Haus des sterbenden Mädchens endgültig vom Ausbruch des religiösen Wahns abgelöst. Die Ich-Spaltung schreitet nun unaufhaltsam voran, durch den vermehrten Gebrauch des Pronomens „es" auch stilistisch signalisiert: Lenz ist für sich nicht mehr verantwortlich. Der Erzähler bestätigt den Verfall: „– es war die Kluft unrettbaren Wahnsinns, eines Wahnsinns durch die Ewigkeit." Nach einer offenbaren Textlücke beendet die teilnahmslose Schilderung eines dumpfen Endes die Geschichte von Lenz: „So lebte er hin." Gegen Ende der Erzählung fällt Büchner in einen nüchternen Berichtstil, der ihm Distanz verschafft gegenüber dem Wahnsinn. Den kranken Lenz dem Leser nahezubringen, ihn fühlbar, nicht nur begreiflich zu machen, darauf richten sich die stilistischen Anstrengungen Büchners. Die Ängste und Krisen bieten sich dem Leser als perspektivische, syntaktische und metaphorische Störungen im Text dar.

Büchner machte sich das briefliche Bekenntnis des Sturm-und-Drang-Dichters Lenz zu eigen, der schrieb: „Die Sprache des Herzens will ich mit Ihnen reden, nicht des Ceremoniells" (an C. G. Salzmann vom 3. 6. 1772). Die Sprache des Herzens meint die Verweigerung der Alltäglichkeit, auch des ästhetisch Herkömmlichen. Lenz setzte dagegen den Begriff 'Leben'. In der Nachfolge des Stürmers und Drängers zeugt Büchners Novelle von betroffener Anteilnahme an individueller und gesellschaftlicher Krankheit. In Thema, erzählter Figur und Erzählvorgang ist ‚Lenz' ein zeitgeschichtlich bedeutsamer und epochentypischer Kontrast zur Unterhaltungsnovelle und zu Stifters Erzählen.

In der schöngeistigen Literatur der Zeit waren psychische Krankengeschichten nicht selten, sie konnten mit der Neugier des Lesers am Ungewöhnlichen rechnen. Büchner jedoch macht nicht neugierig auf die private Krankengeschichte von Lenz; „– es war die Kluft unrettbaren Wahnsinns, eines Wahnsinns durch die Ewigkeit", resümiert der Erzähler. Das meint ein Leiden an Gott, an der schlechten Beschaffenheit seiner Schöpfung, an Natur und Mensch. Nichts anderes drückt das Bild vom Riß durch die Schöpfung aus, das Heine gebrauchte. Dem trostspendenden Oberlin sagt der Pfarrerssohn Lenz: „Aber ich, wär' ich allmächtig, sehen Sie, wenn ich so wäre, ich könnte das Leiden nicht ertragen, ich würde retten, retten." Der Zweifel an Gott, die tiefe religiöse Krise der Zeit und die persönliche Angst vor dem Leben kennzeichnen auch den zerrissenen Ästheten A in Søren Kierkegaards ‚Entweder – Oder' (1843), sie bewogen den Theologen zu seinem Essay ‚Der Begriff Angst' (1844). Gegen Gott als den Lenker der Geschichte erhob Heine in seinen späteren Lazarus-Gedichten Anklage. Büchners Thematik in ‚Lenz' war epochal, seine Darstellungsweise blieb singulär. Er versuchte keine Lösung des Problems; die Erzählung ist kein Fragment.

4.3 Zeitgenossenschaft im Roman

Willibald Alexis: Cabanis (1832)   Die Hosen des Herrn von Bredow (1846/48)
Friedrich Gerstäcker: Die Flußpiraten des Mississippi (1848)
Johann Wolfgang von Goethe:
Wilhelm Meisters Wanderjahre oder Die Entsagenden (1829)
Jeremias Gotthelf: Wie Uli der Knecht glücklich wird (1841, Neufassung 1846)
Käthi, die Großmutter (1847)   Uli der Pächter (1849)
Ida Gräfin Hahn-Hahn: Gräfin Faustine (1841)
Karl Immermann: Münchhausen (1838)
Fanny Lewald: Jenny (1843)
Walter Scott: Ivanhoe (1820)   Das Leben Napoleons (1827)
Charles Sealsfield: Das Kajütenbuch (1841)   Süden und Norden (1842)

Ein breites Spektrum kennzeichnet auch den Roman. Die Vielfalt ist bedeutsam für das Epochenverständnis, drückt doch die Verschiedenartigkeit der erzählenden Gattungen die zerklüftete geistige Landschaft deutlich aus. In Theorie und Praxis nahm der Roman in den Jahren 1815–48 einen großen Aufschwung. Goethes Spätwerk ‚Wilhelm Meisters Wanderjahre' (1829) wurde als sozialer Roman gelesen und damit beifällig für die neue Dichtungsauffassung in Anspruch genommen. Doch sind für die Epoche andere Romantypen charakteristischer.

Es gab zum einen eine Romanliteratur der Beharrung und der Wendung nach rückwärts. Sie ist zuerst zu nennen, weil sie am meisten gelesen wurde: Dorfroman und Dorferzählung. Ihr Mentor ist *Heinrich Zschokke* (1771–1848), der in der Nachfolge von Johann Heinrich Pestalozzi didaktische Dorferzählungen in Massen verfaßte, mit typischen Titeln wie ‚Das Goldmacherdorf – Eine anmutige und wahrhafte Geschichte für gute Landschulen und verständige Leute' (1817). Aus dieser Art Volkserzählung erwuchs der eigentliche Dorfroman, den der Schweizer Pfarrer *Jeremias Gotthelf* (eigentlich Albert Bitzius) zu einer großen und dauerhaften Blüte brachte. Die Seßhaftigkeit dieser Literatur steht in Gegensatz zu Reise- und Abenteuerromanen. Sie sind mit zwei Namen verbunden: *Sealsfield* und *Gerstäcker*. Beider Lebensgeschichte ging stofflich und perspektivisch in ihre Erzählungen ein.

Charles Sealsfield (eigentlich Karl Anton Postl, 1793–1804) war Kind mährischer Bauern und Ordenszögling, er entlief 1823 und wanderte nach Amerika aus. 1826 kehrte er nach Deutschland zurück und bot dem Verleger Cotta einen zweibändigen Roman an; gleich darauf reiste er wieder nach Nordamerika zurück. Sealsfield nahm am mexikanischen Bürgerkrieg teil, war Geheimagent in europäischen Hauptstädten und wurde schließlich in der Schweiz seßhaft.

Sealsfield schrieb Kulturskizzen mit abenteuerlicher Handlung und volkskundlichem Anspruch. Er stellte in politik- und kulturkritischer Hinsicht den rückständigen Verhältnissen in Deutschland und Österreich das Beispiel des demokratischen Amerikas gegenüber. In Opposition zu einer Mode der Salonromane, wie sie Paul Lindau schrieb, formulierte Sealsfield programmatisch: „Mein Held ist das ganze Volk, sein soziales, sein öffentliches, sein Privatleben." In seiner unkonventionellen Biographie ist ihm Friedrich Gerstäcker (1816–72) vergleichbar, auch ein Auswanderer, der sechs Jahre durch Nordamerika streifte. Seine Bücher, die amerikanisches Grenzer- und Pionierleben ohne kritische Attitüde schildern, erfuhren bald eine Umarbeitung zur Jugendlektüre und machten Gerstäcker im Gegensatz zu Sealsfield zu einem massenhaft gelesenen Autor.

Zeitgenossenschaft verrät auch das dritte Genre: der Frauenroman, der mit der Moral der Männergesellschaft abrechnet. In der Nachfolge der Romane der Französin

George Sand aus den 1830er Jahren traten in Deutschland als „Autorinnen des Zeit-
geistes" die Gräfin *Ida Hahn-Hahn* (1805–80) und die Bürgerliche *Fanny Lewald*
(1811–89) mit Büchern über Frauengestalten hervor. Der Gegenwartsproblematik
der Emanzipation kontrastiert nur scheinbar das Sujet des historischen Romans. Er
wurde in der Nachfolge von Walter Scott geschrieben, der über Jahrzehnte hin für
den Roman in Deutschland bestimmend blieb. Der wichtigste Autor historischer Romane in dieser Epoche, *Willibald Alexis* (eigentlich Wilhelm Häring, 1798–1871), näherte seine Werke fortschreitend der eigenen Gegenwart an. In den Romanen besonders aus der preußisch-brandenburgischen Geschichte verband Alexis seine realistische Darstellung vergangener Welt mit aktuellen Bezügen.

5 Tradition und Innovation: Möglichkeiten der Lyrik

Die Epochenkonstellation in der Lyrik – Mörike, die Droste, Heine – hat nicht derart
klare Umrisse, daß man Mörike den Part des innovativen Bewahrers der Tradition,
Heine den des Freiheitskämpfers im Ansturm gegen eben diese Tradition zuspielen
könnte, während der Droste die Veränderung der religiösen Naturlyrik verbliebe.
Unter dem Strich käme auch dabei die Reichhaltigkeit der Epoche heraus, weniger
schon die Dissonanz, keinesfalls aber die Tatsache, daß bei jedem einzelnen dieser
Autoren die Vielperspektivität des Zeitraums wahrnehmbar ist. Mörike blieb der
Autor von ‚Maler Nolten' auch in und nach Cleversulzbach; deshalb machte ihm das
biedermeierliche Pfarrerleben so zu schaffen. Die von Geschlecht, Stand und Religion gefesselte Droste verarbeitete Phantasien in ihren ‚Heidebildern' und im ‚Geistlichen Jahr', die ohne lyrische Überhöhung mancher Zeitgenosse als blasphemisch,
sündhaft und neurotisch empfunden hätte. Und Heine hat sich nie auf eine Position
festlegen lassen mögen und können: Den romantischen Lyrikern machte er den Garaus und bezeichnete doch seinen ‚Atta Troll' (1843) als das „letzte Waldlied der Romantik". Den liberalen und demokratischen Mitkämpfern warf er Tendenzpoesie vor
und schrieb 1844 selbst die politisch argumentierende poetische Satire ‚Deutschland.
Ein Wintermärchen'. Seine Kritik an den bestehenden kulturellen und politischen
Verhältnissen blieb die einzige Konstante.

5.1 Populäre Lyrik um 1830

Joseph von Eichendorff: Gedichte (1837)
Ferdinand Freiligrath: Gedichte (1839)
Nikolaus Lenau: Gedichte (1832)
August von Platen: Sonette aus Venedig (1835)
Friedrich Rückert: Liebesfrühling (1844)
Ludwig Uhland: Gedichte (1815, 14. Auflage 1840)

Lyrik in der klassisch-romantischen Nachfolge beherrschte in den 1830er Jahren
noch den Markt: ein Dichten als Ausdruck der individuellen Seelenlage, die in Naturmetaphern übersetzt wurde. In ihren besten Texten setzte die romantische Lyrik einen reibungslosen Einklang zwischen Gefühl und Naturlauf voraus; diese Fraglosig-
keit ging in eine einfache, die Dinge nur benennende Sprache ein. Uhlands ‚Lob des
Frühlings' von 1811 ist beispielhaft:

Saatengrün, Veilchenduft,   Wenn ich solche Worte singe,
Lerchenwirbel, Amselschlag,   Braucht es dann noch großer Dinge,
Sonnenregen, milde Luft!   Dich zu preisen, Frühlingstag?

Die gleiche Einsinnigkeit und Einstimmigkeit prägten dann aber auch noch z. B. Uhlands achtzeiliges Gedicht ‚Abendwolken‘ von 1834 und das von vielen Anthologien verbreitete zweistrophige ‚Die Lerchen‘ (1834). Dem Publikum war das recht: Uhlands ‚Gedichte‘ erlebten 1831 ihre fünfte Auflage und hatten dann, unter anderem in Protest gegen die agitatorische Tendenzpoesie der 1840er Jahre, einen erneuten Popularitätsaufschwung. Nicht zuletzt Heine hatte in seinem erfolgreichen ‚Buch der Lieder‘ (1827) eine ironische Abrechnung mit dieser Art von Poesie betrieben; es fanden sich auch für seine Manier noch genügend Nachahmer. Unzeitgemäß wurde die Lyrik in der Art Uhlands wegen des veränderten Verhältnisses von Individuum und Gesellschaft. Denn je stärker die innere Bewegung des Subjekts – sei’s als Liebesschmerz, Naturbegeisterung oder unbestimmte Sehnsucht – sich vor dem äußeren Druck der Gesellschaft behaupten mußte, je stärker also der Autor sich als Zeitgenosse fühlte, desto fragwürdiger wurde es, den Einklang von Ich-Gefühl und Natur fernerhin lyrisch zu beteuern. Schon Eichendorff suchte in seinen Volksliedstrophen eine Situation des Auf- oder Ausbruchs für seine singenden Gestalten, weg von der „geschäft’gen Welt“ (‚Abschied‘, 1810); die Spätromantiker des Schwäbischen Dichterkreises, Anfang der 1830er Jahre, reflektierten noch nicht einmal dies Abseits und Außerhalb, wenn sie ihr Sujet naiv bei Blumen, Sternen und Vögeln suchten.

In Heines Kritik am Schwäbischen Dichterkreis, an Gustav Schwab, Karl Mayer, Gustav Pfizer, Justinus Kerner, zu denen sich als Gast Nikolaus Lenau rechnete und unter die fälschlicherweise auch Mörike lange Zeit eingereiht wurde, ist die Rede von einer Lyrik der Gelbveiglein und Metzelsuppen (‚Der Schwabenspiegel‘, 1838); das trifft bei aller Übertreibung die Kennzeichen dieser Art Lyrik: die heimatliche Nähe, das kleine Naturding als Sujet und den moralisierenden Hinweis auf Ehrfurcht vor der Schöpfung, auf Bescheidung.

Eine andere Möglichkeit, Lyrik in der Krisenzeit zu schreiben, fanden August Graf von Platen und Friedrich Rückert. Sie griffen zurück auf strenge antikisierende Formen oder auf orientalische Muster. Karl Gutzkow prägte für beide das Scheltwort vom „Firniß der Classizität“. Beide Dichter bildeten Schulen, das Publikum las ihre Verskunst mit dem Behagen des Gebildeten. Der Auszug in die Ferne und Fremde mußte sich freilich nicht in der Form allein auswirken. David Friedrich Strauß verzeichnete, anläßlich der zweiten Auflage von Mörikes Gedichten, im Rückblick auf die 1830er Jahre auch eine thematische Exotik. Gemeint sind die ersten Gedichte von Ferdinand Freiligrath, die ab Mitte des Jahrzehnts in Almanachen und Feuilletons Aufsehen erregten, z. B. ‚Löwenritt‘ (1835):

Wüstenkönig ist der Löwe; will er sein Gebiet durchfliegen,
Wandelt er nach der Lagune, in dem hohen Schilf zu liegen.
Wo Gazellen und Giraffen trinken, kauert er im Rohre;
Zitternd über dem Gewalt’gen rauscht das Laub der Sycomore. […]

5.2 Mörikes Gedichte

Eduard Mörike: Gedichte (1838) (erweiterte Auflagen 1848, 1856, 1867)
Classische Blumenlese (1840)

Goethe-Nachfolge. 1828, kurz vor der Hauptarbeit am ‚Maler Nolten‘, schrieb Mörike ein Sonett mit dem Titel *‚Antike Poesie‘*. Es ist ein Bekenntnis zum Vorbild der „al-

ten Kunst", die er sich dann in der Cleversulzbacher Zeit intensiv erarbeitete: „[...]
Wer aber schöpft mit reiner Opferschale,/ Wie einst, den echten Tau der alten
Kunst?" Mörike spricht sich für eine Nachfolge Goethes aus: „Wie? soll ich endlich
keinen Meister sehn? / Will keiner mehr den alten Lorbeer pflücken?/ – Da sah ich
Iphigeniens Dichter stehn." Anknüpfend an diese Tradition, mußte er den Graben
überspringen, den die romantische Subjektivität gegen die Klassik gezogen hatte,
nämlich dadurch, daß sich in die objektive Gedichtgestalt ein ganz privates, zuweilen
ironisches Ich hineindrängte. Aus dem selbstgewählten zeitweiligen Weimarer Patro-
nat erklären sich die Einwände Mörikes gegen „Verzweiflungsexpectorationen",
aber auch gegen Ironie im Gedicht; er zog sich auf sich selbst zurück:

> Laß, o Welt, o laß mich sein!
> Locket nicht mit Liebesgaben,
> Laßt dies Herz alleine haben
> Seine Wonne, seine Pein! [...],

heißt es 1835 unter dem Titel ‚*Verborgenheit*'; ähnliches drückt das ‚*Gebet*' aus. Geographische, physische und emotionale Begrenzung sollte spätestens nach dem Erscheinen von ‚Maler Nolten' (1832) die Einflüsse einer sich verändernden Gesellschaft auf sein Dichten fernhalten.
Goethe-Nachfolge heißt für Mörike, den erfüllten Augenblick im Gedicht festzuhalten. Den gewährt die Natur nicht im Betrachten des kleinen Naturdings aus der Nähe, sondern als Geschenk, wenn sich für einen Moment Ich und Natur eins sind. In
Mörikes Lyrik geschieht das im Gewitter, bei Sonnenaufgang, in der Nacht und vor
allem in zeitlichen Zwischenbereichen wie Morgengrauen und Dämmerung (z. B. ‚*In
der Frühe*', 1828) oder in der Fülle einer Jahreszeit (wie ‚*Im Frühling*', 1828). Die momentane Vereinigung beschreibt Mörike als konkretes Stimmungsbild wie in ‚*Sep-
termbermorgen*' (1827):

Im Nebel ruhet noch die Welt,	Den blauen Himmel unverstellt,
Noch träumen Wald und Wiesen:	Herbstkräftig die gedämpfte Welt
Bald siehst du, wenn der Schleier fällt,	In warmem Golde fließen.

Es gibt in diesem Gedicht kein lyrisches Ich, das sich nach vorne drängt; Stimmung
und Plastizität fordern den Leser direkt zum Hinschauen auf. Was sich so gibt, als formulierte sich ein schlichter, unmittelbarer Eindruck wie von selbst, ist bei genauem
Hinschauen sehr raffiniert: eine ausgesuchte, treffende Metaphorik, die auch das
neuartige Beiwort nicht scheut („herbstkräftig"); die sinnliche Sprache läßt sich nicht
nur auf die gängigen optischen, sondern auch auf taktile und akustische Reize der
kleinen Landschaft ein (ruhen, träumen – in warmem Golde). Der Bau des Gedichts
erscheint ganz einfach, ist aber ein kunstvolles Gefüge aus Satzformen, Wortklängen
und Rhythmus; in der Mitte staut es durch Satzbau und Dreierreim den Redefluß und
läßt so die Bewegung im letzten Vers besonders hervortreten. Die Proportionen im
Text sind genau abgemessen und sind dem festgehaltenen Augenblick angepaßt: dem
Moment vor dem Aufbrechen der Fülle der Natur (ruhet noch – träumen), das zugleich ein Aufbruch vom Schlaf zu neuem Leben, zur Bewegung (fließen) ist.

Werkimmanente Poetik. Diese vor allem bei Goethe vorgeprägte Art der Sprach- und
Verskunst hat Mörike ausgebaut und in vielerlei Texten weiterentwickelt, so in dem
gegenüber ‚Septembermorgen' andersartigen Eingangsgedicht der Ausgabe von
1838, ‚*An einem Wintermorgen, vor Sonnenaufgang*'. Abermals werden synästhetisch
alle Sinnesorgane des Lesers an einer einzigen konzentrierten Empfindung beteiligt
(„O flaumenleichte Zeit der dunkeln Frühe"). In der letzten Strophe scheint der Vorgang der poetischen Zeugung mitgedacht zu sein:

> Dort, sieh! am Horizont lüpft sich der Vorhang schon!
> Es träumt der Tag, nun sei die Nacht entflohn;
> Die Purpurlippe, die geschlossen lag,
> Haucht, halbgeöffnet, süße Atemzüge:
> Auf einmal blitzt das Aug', und, wie ein Gott, der Tag
> Beginnt im Sprung die königlichen Flüge!

Die Bewegung der inneren Poetik hört dort auf, wo der Tag als Zeitbereich des Tuns, des Sich-Einlassens beginnt – an dem Punkt, an dem Anforderungen gestellt werden; die Reserve gegenüber dem Tag erscheint als Reserve gegenüber der Tat: Sie wird „im Sprung" zwar beschworen, aber nicht im Gedichtkörper realisiert. So wie hier ist Mörikes Poetik eher aus den Texten selbst als aus irgendwelchen Abhandlungen des Autors ablesbar. Beim Gedicht ‚Früh im Wagen' von 1843 fällt die schon fast manieristische Kühnheit der syntaktischen Verschränkung im Gedicht auf, ein Verzicht auf den ausdrücklichen Vergleich („Dein blaues Auge steht, / Ein dunkler See, vor mir, / Dein Kuß, dein Hauch umweht, / Dein Flüstern mich noch hier"). Wo Mörike hingegen die Naturbilder ausweitet zu eigenständigen Personifikationen, greift er auf stilistische Muster der vorgoetheschen Zeit zurück, zum Beispiel in ‚Um Mitternacht' (1827):

> Gelassen stieg die Nacht ans Land,
> Lehnt träumend an der Berge Wand,
> Ihr Auge sieht die goldne Waage nun
> Der Zeit in gleichen Schalen stille ruhn.

Die personifizierte Frau Nacht hat eine lange Tradition. Mörike gibt ihr ein individuell-intimes Gepräge – in der 2. Strophe heißt es: „Das uralt alte Schlummerlied / Sie achtet's nicht, sie ist es müd' "; so bleibt Personifikation nicht ein beliebiges Stilmittel, sondern wird Ausdruck eines besonders innigen Verhältnisses zur Nacht („Mutter") als einem seelischen Ruhepunkt; diese Verbindung ist durch die innere Poetik schon nahegelegt. Mörike hat im Naturbild einen persönlichen Mythos geschaffen (vgl. auch ‚Gesang zu zweien in der Nacht', 1825).

Das Gedicht gibt bei Mörike den Natureindruck in Zwischenfarben und -tönen ganz sinnlich wieder; dem entspricht die Zurücknahme eines besonderen lyrischen Ichs. Hierin ist Mörike epochentypisch, denn das bedeutete eine entschiedene Abkehr von der frühromantischen Weise zu dichten, in der sich die Subjektivität des Verfassers, in Mörikes Worten, oft eitel spreizte, wie beispielsweise in einem frühen Gedicht Heines:

> Ich wandelte unter den Bäumen
> Mit meinem Gram allein;
> Da kam das alte Träumen,
> Und schlich mir ins Herz hinein.   (Aus: ‚Junge Leiden', 1817-21)

Auch bei der Droste ist eine ähnliche Abwehrhaltung zu beobachten. Ganz selten spricht bei beiden ein Ich eindeutig von sich als einer unterscheidbaren Person. Selbst in den Liedern des ‚Peregrina-Zyklus', entstanden 1824/25 und in den ‚Maler Nolten' aufgenommen, ist das wenig anders, obwohl hier der biographische Anlaß, die verstörende Bekanntschaft mit Maria Mayer, offenkundig ist. In zahlreichen kunstvoll-volksliedhaften Gedichten gibt es allerdings auch ein weniger ängstliches und differenziertes, vielmehr kraftvolles und sich selbst direkt aussprechendes lyrisches Ich (‚Das verlassene Mägdlein', 1829; ‚Ein Stündlein wohl vor Tag', 1837; ‚Der Gärtner', 1837). Doch handelt es sich in den meisten Fällen um Rollenlyrik, die es dem Autor erlaubt, durch eine fremde Maske zu sprechen.

Geselligkeitsdichtung. Von der Selbstaussprache rückte Mörike immer stärker ab; statt dessen wandte er sich dem Leser zu. In Erzählgedichten wie im ‚Märchen vom sichern Mann' (1838), in Balladen wie ‚Schön-Rohtraut' (1838), in Idyllen wie ‚Der *alte Turmhahn'* (1840/45), vor allem aber in der Unzahl von Gelegenheitsgedichten auf Freunde, zu Geburtstagen, für Stammbücher, auf Küchenzetteln und in Haushaltsbüchern, stellte er den Geselligkeitscharakter von Kunst wieder her. Dem liegt eine für die Epoche beispielhafte Abkehr von der Autonomie des Kunstwerks und der Sonderstellung des Dichters zugrunde. Nicht die kalte Stirn des einsamen Genies soll der Lorbeer schmücken, sondern: „Laß mich leben und gib fröhliche Blumen zum Strauß" (*, Muse und Dichter'*, 1837). Statt des poetischen Sehers und Propheten alter Auffassung behauptet sich nun ein Dichter, der gesellig unterhalten will, einer, der etwa ein Gedicht auf ein Osterei kritzelt und dem es um Originalität nicht bange ist; der zwar ziemlich einsam lebt, aber für den Alltag schreibt – zum Beispiel die folgende Strophe, die Mörike in verschiedenen Autographenalben einem fremden Text voranstellte:

> Hab' ich aus dem eignen Garten
> Nichts von Früchten aufzuwarten:
> Hinter meines Nachbars Hecken
> Gibt es, die noch besser schmecken.

Die Grenzverwischung zwischen Gelegenheits- und Kunstgedichten schlug einen Bogen zurück zu Goethe und zu älteren Epochen bis zur Antike. Für Mörikes Epoche war die Autonomie des Kunstwerks kein eigener, gar höchster Wert. Dichten darf, ja soll einen Sinn haben, der außerhalb der rein künstlerischen Sphäre liegen kann: im religiösen Bereich, in der Geschichte, in der Politik. Und: der private Anlaß für Dichtung muß nicht verschwiegen werden, um den Wert des Werks zu erhöhen. In den 1840er Jahren, in denen eine politische Parteibildung überhandgenommen hatte, sah Mörike sich zunehmend auf die poetische Geselligkeit zurückverwiesen. Die Orientierung an antiken Vorbildern wie Catull und Horaz bewahrte sein Dichten davor, in den rein familialen Bereich von Geselligkeit zu versinken. Diese war und blieb ein wichtiger Aspekt in der Daseinsgestaltung jeden Bürgers. Die Epoche, die nach 1848 einsetzte, ließ mit der bemühten Wiederherstellung der Kunstautonomie sehr rasch die Geselligkeits- und Gelegenheitsdichtung verkümmern. Sie hatte für die biedermeierliche Mühelosigkeit (und bisweilen Leichtfertigkeit) des poetischen Schaffens keinen Sinn; Ordnung, strenge Form und Aufrichtigkeit der Empfindungen wurden Schlagwörter in den neuen Poetiken.

5.3 Die Lyrik der Droste

Annette von Droste-Hülshoff: Gedichte (1838)   Gedichte (1844)
Das geistliche Jahr (1851)   Letzte Gaben. Nachgelassene Blätter (1860)

Die Zurücknahme eines individualisierten lyrischen Ichs, die zwischen 1815 und 1848 bemerkbar ist, konnte zweierlei zum Ziel haben. Entweder galt es, größere politische und allgemeine philosophische Konzeptionen eingängig zu machen, etwa unter dem Stichwort: Der Dichter als Tribun. Oder es sollte über das genau beschriebene Naturelement und seine Stimmungsaura erneut ein übergeordneter Zusammenhang deutlich werden. Adalbert Stifter, Jeremias Gotthelf und die Droste nannten ihn Gott und Schöpfung, andere, säkularisiert, Heimat.

Dichtungsverständnis. In dem schmalen Raum, der Annette von Droste-Hülshoff von ihrem Stand und ihrer Biographie zugemessen war, beschrieb sie das Kleinste und Belangloseste als Fülle der Schöpfung: die Luft über dem Moorsee (*, Der Wei-*

her'), den Nebel, wie er wächst und sich zusammenzieht (,Der Heidemann'), die Dämmerung, die düstere Träume heraustreibt (*,Der Hünenstein'*) – hier hat die Droste fernab der Zeitgeschichte Leben gespürt und zu Wort gebracht. Immer ist auch von Tod, Sünde und Gnade die Rede. Der Bezug zu einem außerhalb der Kunst gelegenen Bereich äußert sich bei ihr selten didaktisch (wie in der gleichzeitigen Tendenzpoesie) oder missionarisch-erbaulich (wie in der katholischen Auftragsdichtung). Vielmehr machte die gesellschaftliche und psychische Isolation, die Mörike suchte und die ihr auferlegt war, die Droste fähig, ihren von Zweifel und Angst durchsetzten Glauben in erregend konkrete Visionen und Bilder umzusetzen. Auch das Naturbild bleibt bei ihr nicht selbstgenügsam wie etwa in den meisten Werken des Schwäbischen Dichterkreises (Gustav Schwab, Ludwig Uhland, Gustav Pfizer, Karl Mayer u. a.), sondern es ist auf die existentielle Situation des betrachtenden Menschen ausgerichtet. Der Natur ist das Gesetz ihres Schöpfers eingekerbt, dieses gilt es zu entziffern. Auf diese Weise wird Kunst auf etwas außer ihr selbst Liegendes bezogen. Mit diesem Vorgehen stand die Droste mitten in ihrer Epoche; der biedermeierliche Dichter ging zurück auf die rhetorische und reflektierende Beschreibungspoesie der frühen Aufklärung, etwa auf Barthold Hinrich Brockes (z. B. ,Kirsch-Blüthe bei Nacht', 1727) und Albrecht von Haller (,Die Alpen', 1732) – wie auch für andere Kunstarten der Epoche die Zeit vor Goethe bedeutsam geworden ist.

Naturlyrik der Droste. Besonders deutlich zeigt sich die Tradition in den *,Heidebildern'*. Sie sind wie der größte Teil der Drosteschen Lyrik in einem sehr kurzen Zeitraum entstanden, nämlich 1841 während eines Aufenthalts auf der Meersburg, als der viel jüngere Geliebte, Levin Schücking, ihr Ansporn war. *,Die Mergelgrube'*, ein überlanges Gedicht von 123 Zeilen, stark wechselndem Reim und veränderlicher Strophik, erinnert an die spätbarock-frühaufklärerische Beschreibungspoesie. Es hat als biographischen Hintergrund die langen Spaziergänge des an Mineralien interessierten Freifräuleins:

> Stoß deinen Scheit drei Spannen in den Sand,
> Gesteine siehst du aus dem Schnitte ragen,
> Blau, gelb, zinnoberrot, als ob zur Gant
> Natur die Trödelbude aufgeschlagen [...]
> Wie zürnend sturt dich an der schwarze Gneis,
> Spatkugeln kollern nieder, milchig weiß,
> Und um den Glimmer fahren Silberblitze;
> Gesprenkelte Porphyre, groß und klein,
> Die Ockerdruse und der Feuerstein [...]

Die Freude an der genauen Benennung und der Detailrealismus, mit dem jedes Naturding sinnlich augenfällig gemacht wird, ist ein unverwechselbares Merkmal Drostescher Lyrik, von biederer Heimatkunst durch die kühnen Neubildungen und Vergleiche weit entfernt. Auch die Stimmung des betrachtenden Ichs wird mit derartigen Beschreibungsketten entworfen. Andernfalls müßte das wie immer schön und genau bezeichnete Naturalienkabinett zum Selbstzweck erstarren:

> Tief ins Gebröckel, in die Mergelgrube
> War ich gestiegen, denn der Wind zog scharf;
> Dort saß ich seitwärts in der Höhlenstube
> Und horchte träumend auf der Luft Geharf.
> Es waren Klänge, wie wenn Geisterhall
> Melodisch schwinde im zerstörten All [...]

Wie die letzte Verszeile ankündigt, hat das beschreibende Ich eine Vision der toten Erde. Das Ich selbst ist ein Findling „im zerfallnen Weltenbau", existentielle Angst kommt auf: „War ich der erste Mensch oder der letzte?" Aus diesem Zweifel am Sinn

des Lebens befreien der Gesang und ein vom Wind hergewehtes Wollknäuel eines
Schäfers, der in betulicher, zeitaufhebender Arbeit an seinem Socken strickt:

> Zu mir herunter hat er nicht geblickt.
> „Ave Maria" hebt er an zu pfeifen,
> So sacht und schläfrig, wie die Lüfte streifen.
> Er schaut so seelengleich die Herde an,
> Daß man nicht weiß, ob Schaf er oder Mann.
> Ein Räuspern dann, und langsam aus der Kehle
> Schiebt den Gesang er in das Garngesträhle [...]

Eigenwillige Beschreibungspoesie und reflexive Gedankendichtung, Ich-Aussprache
in stimmungshaften Partien und zugleich ein Verzicht aufs Nur-Persönliche – das
sorgt für eine beabsichtigte stilistische Diskontinuität und für Vieltönigkeit in einem
einzigen Gebilde. Darin war die Droste ganz sie selbst und war zugleich eine Repräsentantin
des biedermeierlichen Lyrikschaffens. Mit Naturgedichten wie *,Im Grase'*
und *,Die tote Lerche'* (aus: ,Letzte Gaben') ließ sie ihre Zeitgenossen hinter sich.
Religiöse Dichtung. Auch der Zyklus *,Das geistliche Jahr'* lebt von der Zwecklichkeit
der biedermeierlichen Lyrik. Der Zyklus, in zwei Etappen geschrieben, war für den
privaten Gebrauch der Familie bestimmt. Ein erster Teil von 1820, als ,Geistliches
Jahr in Liedern auf alle Sonn und Festtage', schließt mit einem Gedicht auf den
Ostermontag. Er wirkt zunächst fast nur erbaulich. Sehr oft verschmilzt die Droste
die jedem Festtag zugrunde liegenden Evangelientexte mit ihrer persönlichen Situation;
ihr Dichten ist heilsam für sie selbst. Der zweite, umfänglichere Teil (1839/40)
hat noch weitaus stärker einen außerdichterischen Zweck. Er soll, in einer Zeit des
Wissenschaftsfortschritts und des individuellen Glaubensverlusts, den Glauben bewahren
und festigen. Dem dienen Allegorien und ein bekennerisches Pathos. Doch
läßt sich auch hier, in dieser von ehrwürdiger Tradition regulierten Zweckdichtung,
eine eigengeprägte Bildlichkeit ausmachen, deren Basis Reflexion, nicht Anschauung
ist. Die Droste erlebt sich – und spricht sich aus – als Glauben-Wollende, doch
immer wieder Zweifelnde. Noch im letzten Gedicht des Gesamtzyklus, *,Am letzten
Tag des Jahres'*, heißt es:

> [...]
> Wohl in dem Kreis,
> Den dieses Jahres Lauf umzieht,
> Dein Leben bricht. Ich wußt' es lang,
> Und dennoch hat dies Herz geglüht
> In eitler Leidenschaften Drang.
> Mir brüht der Schweiß
> Der tiefsten Angst
> Auf Stirn und Hand. Wie! dämmert feucht
> Ein Stern dort durch die Wolken nicht?

Inständige Meditation und der Drang zum Reflektieren schwingen sich miteinander
auf zu einem Zweck des Gedichts, der außerästhetisch ist. Neben der ungewöhnlichen
Bildlichkeit („mir brüht der Schweiß"), die Synästhesien herbeizwingt, kennzeichnet
diese Tendenz die gesamte Lyrik der Droste. Die Details werden sensuell
möglichst genau erfaßt, und sie werden zugleich in ihrer Sinnbildlichkeit transparent
gemacht. Eine solche verallgemeinerungsfähige Allegorie kann sich zu epischen Partien
ausweiten, etwa im Text *,Die Krähen'*, einem sehr langen Text des ,Heidebilder'-
Zyklus. Ebensogut, im Sinne einer vorklassischen poetischen Handwerkskunst,
kann sie als variierender Schmuck, als Ornatus, erscheinen. In einem Gedicht um
vergehende Zeit und verlorenes Gefühl, *,Die Taxuswand'*, verschmelzen im Anblick
der Eibenhecke Jugenderinnerungen und ihre Bilder, Selbstreflexion und die Vorstellung
eines 'Jenseits' – sowohl der Hecke als auch des Lebens. Die „Fläche

schwarz und rauh" der Hecke wandelt sich im Strom der Bilder zum „Visier / Vor meines Liebsten Brau' " , aber auch zum „Vorhang am Heiligtume / Mein Paradiesestor, / Dahinter alles Blume, / Und alles Dorn davor". Während die Sprecherin sich anfangs vor der Hecke stehen sah („wie vor grundiertem Tuch"), sehnt sie sich in der letzten Strophe nach einem Ende der Bilder und Erinnerungen:

> Nun aber bin ich matt   Du lockst mich wie ein Hafen,
> Und möcht' an deinem Saum   Wo alle Stürme stumm:
> Vergleiten, wie ein Blatt,   O, schlafen möcht' ich, schlafen,
> Geweht vom nächsten Baum;   Bis meine Zeit herum!

So allegorisiert die Taxuswand auch den Zugang zur Ewigkeit und spricht das religiöse Ziel aus, dem die Lyrik der Droste gilt.

5.4 Heines lyrisches Werk

Heinrich Heine:
Buch der Lieder (1827)   Neue Gedichte (1844)

Heines Rezensenten von rechts wie von links haben sich früh darauf verständigt, ihm poetisches Talent und politische Charakterlosigkeit zu bescheinigen. Abgesichert erschien dieses Bild durch die biographischen Querwege: Konversion des Juden Heine zum Christentum 1825, freiwillige Exilierung nach Paris 1831, Pension durch die französische Regierung ab 1836, politische und künstlerische Kritik an seinen Mitstreitern ab 1840. Die erhöhte Zwiespältigkeit Heines hat als gesellschaftlichen Hintergrund den immer anspruchsvolleren kapitalistischen Kulturmarkt, auf dem sich der freie Autor Heine von Paris aus behaupten mußte, nachdem die Versuche, eine bürgerliche Existenz in Deutschland zu gründen, fehlgeschlagen waren. Heine ist deshalb so epochentypisch, weil er sich, mehr als andere Zeitgenossen, als Dichter und als Zeitgenosse reflektierte, ohne das eine dem andern zu opfern. Seine vier lyrischen Arbeitsphasen, von denen die letzte in die Zeit nach 1848 fällt, tragen die Signaturen der Zerrissenheit im Sinne von gleichzeitiger Bewahrung und Verneinung der Tradition. Sie spiegeln, jede einzelne, zudem den Umgang des Schriftstellers Heine mit dem Kulturmarkt.

Frühe Lyrik. Heines erste Lyrikphase gipfelt im ‚*Buch der Lieder*' (1827), das zusammen mit den ‚Reisebildern' seinen Ruhm begründete. Die deutschen Leser, die es zum Hausbuch des 19. Jahrhunderts machten, haben freilich nur eine Seite der Lyrik angenommen: die kunstfertige, sehr eingängige Fortführung jener romantischen Poesie, in der ein einsames Ich Liebesschmerz und -sehnsucht in Naturbildern besingt. Von solchen Gedichten hat der junge Heine viele und gute verfaßt, wie das erste Lied im ‚*Lyrischen Intermezzo*' (1822/23):

> Im wunderschönen Monat Mai,   Im wunderschönen Monat Mai,
> Als alle Knospen sprangen,   Als alle Vöglein sangen,
> Da ist in meinem Herzen   Da hab' ich ihr gestanden
> Die Liebe aufgegangen.   Mein Sehnen und Verlangen.

Der einfache Bau, zwei Vierzeiler mit vier Hebungen und meist alternierendem Reim, ein naiv-jubelnder, dann naiv-klagender Ton, die Technik der einprägsamen Wiederholung und leichten Variation in den Strophen – all das machte Gedichte wie ‚Du bist wie eine Blume' (aus dem Zyklus ‚*Die Heimkehr*', 1823/24) und ‚Ein Fichtenbaum steht einsam' (aus: ‚*Lyrisches Intermezzo*') geeignet für zahllose Vertonungen.

Daß Heine sich schon früh im gleichen Atemzug von dieser Art Lyrik distanzierte, übersah die beifällige Rezeption. Zahlreich sind Texte, in denen die Pose der Liebesverzweiflung deutlich gespreizt wird, wie das Gedicht V, in ‚Junge Leiden' (1817–21): „Schöne Wiege meiner Leiden / Schönes Grabmal meiner Ruh, / Schöne Stadt, wir müssen scheiden – / Lebe wohl, ruf' ich dir zu. "

Anderswo läßt Heine einen nicht endenden Zug liebesgepeinigter Geister aufmarschieren und äfft die Konvention der poetischen Liebesbeichte nach (‚Traumbild', Nr. VIII, in ‚Junge Leiden'). Sehr bewußt stellte Heine sich in die ihm bekannte Tradition und machte sich ihre Popularität zunutze. An den Meister des Volkslieds, an Wilhelm Müller, den Verfasser so populärer Zyklen wie ‚Die schöne Müllerin' und ‚Die Winterreise', schrieb Heine am 7. 6. 1826:

„Wie rein, wie klar sind Ihre Lieder, und sämtlich sind es Volkslieder. In meinen Gedichten hingegen ist nur die Form einigermaßen volkstümlich, der Inhalt gehört der konventionellen Gesellschaft. "

Damit beleuchtet Heine schlagartig das neue Verhältnis zwischen privatem und öffentlichem Leben; der einsame Poet von ehedem ist nun der Lieferant von Kunstwaren für ein literaturinteressiertes und -gewohntes Bildungsbürgertum, von dem der Absatz der zahllosen Zeitschriften und Almanache sowie der Bestand der Zeitungsfeuilletons abhing. Diese Literaturgesellschaft ließ Heine an der Machart seiner Poesie teilnehmen, indem er ihr sein „Gemütslazarett" (an Karl Immermann am 24. 12. 1822) öffnete; die abrupten Stimmungsbrüche und die maliziöse Ironie schon der frühen Lyrik waren für die Kenner bestimmt: „[…] Nur einmal möcht' ich dich sehen / Und sinken vor dir aufs Knie, / Und sterbend zu dir sprechen / Madame, ich liebe Sie!" (‚Die Heimkehr', Nr. XXV).

Zugleich mit dem Einblick in die poetische Technik der gefühlvollen Liebesklage ließ Heine sein Publikum teilhaben an der nun unüberbrückbaren Distanz zwischen Gefühlsideal und realem Leben. Während die poetische Alltagsromantik diese Kluft zu verwischen versuchte, heben ironische Pointen, Stimmungsbrüche und Übertreibungen sie eigens hervor. Gegen die anachronistische Behauptung, ein einsames Dichter-Ich müsse sich aussprechen, stellte Heine sein vergesellschaftetes lyrisches Ich. In ‚Heimkehr', XXXIV, heißt es lakonisch:

Und als ich Euch meine Schmerzen geklagt,
Da habt Ihr gegähnt und nichts gesagt;
Doch als ich sie zierlich in Verse gebracht,
Da habt Ihr mir große Elogen gemacht.

Solchermaßen destruiert Heine im Lied und an ihm die romantische Einheit von Natur und Ich. Der Zyklus ‚Neuer Frühling', erstmals veröffentlicht im ‚Taschenbuch für Damen. Auf das Jahr 1829', hat diesen Zerstörungsprozeß eigens zum Thema.

Pariser Lyrik. Heines zweite Lyrikphase fällt in seine frühe Zeit in Paris ab 1831, die im wesentlichen mit anderen Arbeiten ausgefüllt war: mit einer umfangreichen feuilletonistischen Produktion für zwei Literaturmärkte, den französischen und den deutschen, wobei die Berichterstattung über die jeweils andere Gesellschaft ein wichtiges Anliegen war. Für das deutsche Publikum schrieb er z. B. ‚*Französische Zustände'* (ab 1832), für das französische die Abhandlung, *Zur Geschichte der Religion und Philosophie in Deutschland'* (1834). Dazwischen veröffentlichte er 1833, unter dem Titel ‚*Verschiedene'*, Gedichte, die den empörten deutschen Lesern als Heines leibhaftige Erlebnisse mit Pariser Prostituierten erschienen; die Gliederung in Kleinzyklen mit Namen wie ‚Seraphine', ‚Angelique' oder ‚Yolanthe und Marie' schien für sich zu sprechen. Viele dieser Leser lebten zwar in Großstädten, aber deren Milieu und Atmosphäre, besonders das kommerziell-sachliche Verhältnis zwischen den Menschen, waren bis dahin nicht poesiewürdig.

Motive einiger dieser Gedichte, in denen die Atmosphäre der Großstadt anklingt, sind flüchtige Begegnungen zwischen Mann und Frau (etwa ‚Angelique‘ III, Verzicht auf Sentimentalität (‚Diana‘ I), Freude am sinnlichen Genuß wie in ‚Angelique‘ VII: „[…] Komm morgen zwischen zwei und drei, / Dann sollen neue Flammen / Bewähren meine Schwärmerei; / Wir essen nachher zusammen.“

Die Rede ist aber auch von Angst vor dem Verlust der Bindung: „Schaff mich nicht ab, wenn auch den Durst / Gelöscht der holde Trunk […]“, in ‚Angelique‘ VIII. Gegen die konventionellen Vorstellungen der bürgerlichen Moral, deren poetisch sanktionierter Ausdruck das Liebessehnen, nicht dessen Erfüllung war, schrieb Heine von der Lustbezogenheit menschlicher Beziehungen. Und gegen die christliche Entsagungslehre setzte er die Vorstellung, daß zu einem vollkommen realisierten Glück unbedingt der sinnliche Genuß gehört, wie das auch die Saint-Simonisten lehrten, die Heine in Paris kennenlernte. Hinter den Pariser Gedichten steht ein ideologisches Konzept, ausdrücklich in ‚Seraphine‘ VII. Der Schritt zu den ‚Zeitgedichten‘ 1844 ist daher nur klein.

Politische Gedichte. Heine empfahl ‚Deutschland. Ein Wintermärchen‘ seinem Verleger Campe mit den Worten: „Es ist politisch-romantisch und wird der prosaisch-bombastischen Tendenzpoesie hoffentlich den Todesstoß geben“ (17.4. 1844). Gemeint ist die politische Lyrik der frühen 1840er Jahre. Sie entwickelte sich von einer Randerscheinung des Buchmarkts zu einer zentralen Form der politischen Kommunikation. Mit sprunghaft steigendem Absatz setzte sie sich in neuartigen Verbreitungsmethoden auf Flugblättern und Separatdrucken gegen die Zensur durch. Inhaltlich blieb diese Lyrik allerdings weitgehend in pathetischen Kampfesaufrufen befangen wie Georg Herweghs ‚Aufruf‘ (1841): „Reißt die Kreuze aus der Erden! / Alle sollen Schwerter werden […].“ Oder man erging sich in Mitleidspoesie wie z. B. Ferdinand Freiligrath in einem Text von 1844 über die Not der Weber, ‚Aus dem schlesischen Gebirge‘, in dem ein hungerndes Weberkind auf die Hilfe Rübezahls hofft. Gegen den „Enthusiasmusdunst“ seiner Mitstreiter schrieb Heine in seinem Gedicht ‚Die Tendenz‘ in der Sammlung ‚Zeitgedichte‘: „[…] Blase, schmettre, donnre täglich, / Bis der letzte Dränger flieht, / Singe nur in dieser Richtung, / Aber halte deine Dichtung / Nur so allgemein als möglich.“ Seine eigene Rolle definierte er in ‚Doktrin‘ als Trommler: „Schlage die Trommel und fürchte dich nicht, / Und küsse die Marketenderin! / Das ist die ganze Wissenschaft, / Das ist der Bücher tiefster Sinn.“

Aufrüttelung ohne Verbiesterung, denn zum Kampf gehört die Sinnlichkeit, und Begeisterung kann nicht vom Kopf her kommen: Dreimal wiederholt Heine das Wort „trommeln“ in der Mittelstrophe; Ausrufe – keine langen Begründungen; Initialzündung – keine allgemeinen Phrasen. Statt ihrer bevorzugt Heine die Form der Satire nach seinem Vorbild Aristophanes, den er in dieser Zeit wiederholt zitiert. Satire erfordert konkrete Benennung, sie erlaubt aber auch freies Erfinden von Vergleichselementen, vor allem Pointen, die Betroffenheit und Hohn zugleich erzielen. Diese gehen gegen den preußischen König (‚Der Kaiser von China‘), gegen den schlafmützigen Bürger (‚Zur Beruhigung‘): „Wir sind Germanen, gemütlich und brav, / Wir schlafen gesunden Pflanzenschlaf, / Und wenn wir erwachen, pflegt uns zu dürsten, / Doch nicht nach dem Blute unserer Fürsten“, und gegen die total verkrusteten Verhältnisse in „Altdeutschland“ (‚Verkehrte Welt‘).

Heine hält auch in seiner politischen Lyrik an dem Kunstanspruch des Dichters fest. Formlosigkeit ist ein entscheidender Einwand gegen seine Kampfgenossen („prosaisch-bombastische Tendenzpoesie“). Kunstfreiheit und Kunstgenuß erscheinen ihm auch in den 1840er Jahren als höchste Zeichen der gesellschaftlichen Freiheit. Daher gesellte sich zu dem intellektuellen Einverständnis mit dem Vorhaben der Re-

volution die Angst vor der Kunstfeindlichkeit der „400000 rohen Fäuste, welche nur
des Losungsworts harren". (Aus Paris am 11. 12. 1841.) Das blieb Heines Zwiespältigkeit.

6 Verstörungen der bürgerlichen Welt

6.1 Grundlagen der 1840er Jahre

In den frühen 1840er Jahren drängte das wirtschaftlich mächtig gewordene Bürgertum energisch auf politische Veränderungen; die Gründung des Zollvereins 1833, der
Ausbau von Eisenbahnnetz, Straßen (1805: 10 Meilen ausgebauter Straße in Preußen, 1831: 1150 Meilen) und Schiffahrt und die in einzelnen deutschen Territorien
kräftig einsetzende Industrialisierung bewiesen die Macht des bürgerlichen Wirt-
schaftsliberalismus. Politische Initiativen wurden gefordert, zumal da Friedrich Wilhelm IV. keine Absichten erkennen ließ, die längst versprochene neue Verfassung zu
gewähren. Die wirtschaftliche und politische Gärung hatte auch eine soziale Komponente. Das handwerkliche Kleinbürgertum war dabei, seine Existenzgrundlage in einem Prozeß zu verlieren, der mit der Einführung der Gewerbefreiheit in Preußen
1810 und der Auflösung des Zunftwesens 1811 in Gang gesetzt worden war und der
nun im hoffnungslosen Konkurrenzkampf gegen Fabriken Teile des Handwerker-
standes ins Frühproletariat absinken ließ. Worin sich die politischen Interessen der
bürgerlichen Demokraten, denen ein großer Teil der politisch aktiven Schriftsteller
zuzuordnen ist, von denen der abgesunkenen Handwerker unterschied, macht das
Motto deutlich, das in *Wilhelm Weitlings* Programmschrift des ‚Bundes der Gerechten' „Die Menschheit, wie sie ist und wie sie sein sollte' (1839), voransteht:

> „Die Namen Republik und Constitution
> So schön sie sind, genügen nicht allein;
> Das arme Volk hat nichts im Magen,
> Nichts auf dem Leib, und muß sich immer plagen;
> Drum muß die nächste Revolution
> Soll sie verbessern, eine sociale sein."

Hungersnöte, eine Kartoffelkrankheit und Mißernten trugen zwischen 1844 und
1847 zu einer tiefen Verelendung breiter Massen nicht nur auf dem Lande bei. Eine
zunehmende Landflucht verstärkte die Not in den Städten. Wegen eines Überangebots an Arbeitskräften blieben die Löhne konstant, während die Lebensunterhalts-
kosten stiegen. 1846 kostete ein siebenpfündiges Roggenbrot den Wochenlohn einer
ganzen Weberfamilie, nämlich 16 Silbergroschen. Besonders nach den Weberauf-
ständen 1844 wurde das massenhafte Elend dem Bürgertum mehr und mehr bewußt,
es blieb aber weiterhin bei karitativer Unterstützung. Die politische Allianz zwischen
einem auf Nationalstaat, Freihandel und Verfassungsgarantien erpichten Teil des
Bürgertums (samt der literarischen Intelligenz) und den materiell Unterversorgten
war daher von Anfang an unstabil. Das bestätigte der Auszug des Bürgertums aus
den Barrikaden nach den ersten Erfolgen im März 1848. Auf den Begriff bringt diesen Gegensatz eine Parole Kölner Arbeiter: „Freßfreiheit statt Preßfreiheit!"

Die Junghegelianer. Mitte der 1840er Jahre schrieb der liberale Schriftsteller Heinrich Beta von einer „tiefen Gährung" unterhalb der Decke von „staatlicher Krähwin-
kelei und städtischem Schildbürgertum" (‚Berlin und Potsdam', 1846). Er meinte
nicht nur die deutliche Unzufriedenheit mit der anhaltenden Umklammerung durch
repressive Gesetze, Spitzelwesen und Zensur, sondern auch eine geistige Verunsiche-

rung in verschiedenen Schichten des Bürgertums. 1843 erschienen vier Schriften, die folgenreich für die Ideologiebildung im Bürgertum des Vormärz und bestimmend für die nächste Generation wurden: Ludwig Feuerbachs ‚Grundsätze der Philosophie der Zukunft‘, Bruno Bauers ‚Das entdeckte Christentum‘, Karl Marx’ ‚Kritik der Hegelschen Rechtsphilosophie‘ und Søren Kierkegaards ‚Entweder – Oder‘. Es sind dies alles Schriften von Schülern G. W. F. Hegels, dessen Denken sie zum Ansatz praktischer Politik machten (die Junghegelianer und insbesondere Marx) oder zu einer neuen Bestimmung existentieller Religiosität verarbeiteten, indem sie wie Kierkegaard jegliche Vermittlung zwischen Denken und Glauben ausschlossen. Dabei handelt es sich in allen vier Schriften um eine scharfe Zergliederung des Systems, das Hegel in seinem großangelegten Versuch erstellt hatte, zwischen historischen und erkenntnistheoretischen Gegensätzen zu vermitteln: zwischen Religion und Philosophie, Kirche und Staat, auch Antike und Christentum, Mythos und Dogma. Die Auseinandersetzung mit Hegel gipfelte für das gebildete Bürgertum in der philosophischen Destruktion des Christentums; dem hatte David Friedrich Strauß in seinem außerordentlich wirkungsmächtigen Buch ‚Das Leben Jesu‘ (1835; 5. Auflage 1840) und die Arbeiten der historischen Bibelkritik, wie sie von Tübinger Theologen unternommen wurde, vorgearbeitet. Sie mündete weiterhin in die scharfe Kritik am preußischen Staat, dessen Verfassung und Erscheinungsbild Hegel 1821 als „dem Geiste gemäß“ begriffen und der seinerseits Hegel als Staatsdenker vereinnahmt hatte. In den 1840er Jahren erfolgte so ein entscheidender Stoß gegen den allumfassenden systematischen Erkenntnisanspruch, also gegen eine scheinbar sichere Basis für Welterklärung und Geschichtsverständnis; aber auch gegen das Christentum, also gegen eine ehrwürdige, bislang selbstverständlich praktizierte Weise der Sinndeutung und Lebensanleitung. Damit waren wesentliche ideologische Grundlagen der bürgerlichen Welt erschüttert.

6.2 Neue Aufgaben für Literatur

Ferdinand Freiligrath: Ein Glaubensbekenntnis (1844)   Ça ira (1846)
Emanuel Geibel: Juniuslieder (1848)
Georg Herwegh: Gedichte eines Lebendigen (1. Teil 1841, 2. Teil 1843)
August Heinrich Hoffmann von Fallersleben: Unpolitische Lieder (1840)
Georg Weerth: Lieder aus Lancashire (1845)

Ernst Dronke: Polizei-Geschichten (1846)
Luise Otto-Peters: Schloß und Fabrik (1846)
Robert Prutz: Das Engelchen (1850)
Ernst Willkomm: Weiße Sklaven oder die Leiden des Volkes (1845)
Eisen, Gold und Geist (1843)

Lyrik. In dieser Zeit der Gärung verlor die Literatur ihre Ersatzfunktion für verhinderte politische Aktivität und wurde selbst zu einem Politikum. Die Lyrik übernahm im ersten Jahrfünft jene Aufgabe, die in den 1830er Jahren die jungdeutsche Publizistik versucht hatte wahrzunehmen, nämlich Mittel im politischen Emanzipationskampf zu sein. Die Popularität von Lyrik überhaupt, die rasche Verbreitung, vor allem auch Nachdrucke auf Flugblättern, und die Sangbarkeit machten die Gedichte von Georg Herwegh, Ferdinand Freiligrath, Hoffmann von Fallersleben, Heinrich Heine und anderen zu Waffen der Agitation. Diese enthusiastisch-programmatische Lyrik kam um 1845/46 zu einem abrupten Ende, verbraucht, da ergebnislos. In Arnold Ruges Worten:

„Die poetische Gemütsbewegung steigerte sich zu einer bedeutsamen Höhe und Kraft, doch ebenso schnell, ja noch viel schneller, als es gestiegen war, fiel das Freiheitsthermometer." (‚Zwei Jahre in Paris‘, 1846)

Die Satire blieb bis 1848 die einzig ernst zu nehmende Form politischer Dichtung.

Erzählprosa. Entsprechend der Radikalisierung des öffentlichen Lebens bildete sich eine Erzählprosa heraus, deren konsequent institutionen- oder gesellschaftskritischer Charakter bis dahin in Deutschland keine Tradition hatte, die im Gegenteil gewohnte literarische Konventionen zu umgehen trachtete. Ernst Willkomm (‚Weiße Sklaven oder die Leiden des Volkes‘, 1845), Ernst Dronke (‚Polizei-Geschichten‘, 1846) und Robert Prutz (‚Das Engelchen‘, 1850) schrieben soziale Romane, die Tatsachenmaterial aus dem Alltag der unterprivilegierten Masse verarbeiteten. Oft freilich überwuchern Elemente des Schauerromans oder des spannenden Zeitungsromans in der Nachfolge von Eugène Sue das soziale Anliegen; das auf Publikumswirksamkeit ausgerichtete Interesse der Verleger forderte seinen Tribut.

Daneben – auch hier wieder zwiespältig wie die ganze Epoche – entwickelte sich eine Erzählprosa, die zwar auch dem geschichtlichen Prozeß, besonders dem der Kapitalisierung, kritisch gegenüberstand, die aber in kunstvoller Beschwörung einer gesunden oder doch heilbaren bäuerlichen Welt den ‘Zeitgeist’ von Wertezerfall und religiöser Verflachung aufzuhalten versuchte. Jeremias Gotthelfs (d. i. Albert Bitzius’) Romane ‚Wie Uli der Knecht glücklich wird‘ (1841), ‚Geld und Geist‘ (1843) und andere sind in ihrer explizit konservativen Belehrung ebenso weit entfernt vom romantischen Kunstroman eines Novalis oder vom realistischen Kunstroman eines Gottfried Keller wie die sozialen Tendenzromane der 1840er Jahre. Der volksaufklärerische Schreibimpuls erlaubte sogar gegen die Konvention die Verwendung des Dialekts in der Kunstprosa. Auch die von Gotthelfs Bauernromanen wiederum sehr unterschiedenen, in betonter Goethe-Nachfolge verfaßten, formstrengen Erzählungen Adalbert Stifters (‚Studien‘ 1–6, 1844–50) leben von einer entschiedenen Wahrnehmung der geschichtlichen Entwicklung; sie erarbeiten eine deutliche Distanz zur gesellschaftlichen Praxis des Bürgertums und stellen humanistische Lebens- und Werteverhältnisse heraus, ohne allerdings an der sozialen Struktur des Habsburgerreichs Anstoß zu nehmen. Sie empfand Stifter als natürlich gewachsen (z. B. ‚Das Haidedorf‘, ‚Der Waldsteig‘, ‚Brigitta‘, ‚Die Mappe meines Urgroßvaters‘).

Das kritische Gespür der meisten Autoren außerhalb der populären Erbauungsschriftstellerei erfaßte neben der schon fast herkömmlichen Kritik am feudalen restaurativen Obrigkeitsstaat immer stärker die Veränderung im Bürgertum selbst. Das Jahrzehnt nach der gescheiterten Revolution setzte im ausdrücklich proklamierten Lob des Bürgers, seiner Arbeit und seines Alltags (s. S. 279ff.) dieser Entwicklung ein vorläufiges Ende und unterband für weitere Jahre den Anschluß der deutschen Erzählkunst an das schon weiter entwickelte europäische Schrifttum.

6.3 Zerfall der kleinbürgerlichen Welt:
Friedrich Hebbel ‚Maria Magdalene‘

Die einschneidendsten Veränderungen geschahen im handwerklichen Kleinbürgertum, das sich in hoffnungsloser Konkurrenz gegen die Fabriken befand. Der selbständige Meisterbetrieb wurde zunehmend auf Zulieferungen beschränkt, der Handwerkergeselle hatte keine Aussicht mehr, als Meister selbständig zu werden. Die Gesellenschaft, oft auf Wanderschaft und ohne Zukunftsperspektive, bildete in den 1840er Jahren ein revolutionäres Potential. Um so hartnäckiger hielt der etablierte Kleinbürger an der Zunfttradition fest, die seit 1811 in Auflösung begriffen war, und pochte auf hergebrachte Werte und Sicherheiten. In diesem Zusammenhang steht Friedrich Hebbels Trauerspiel.

Eingeflossen sind frühere Erfahrungen Hebbels: die patriarchalische Struktur seiner Dithmarscher Maurerfamilie, ihre große Armut, die durch eine forcierte Ehrbarkeit kompensiert werden sollte, die von Anfang an gestörte Vater-Sohn-Beziehung, die freudlose Askese der Lebenseinstellung. Die Erinnerung daran wurde heraufbeschworen während seines Münchner Aufenthalts (1836–38) im Haus des Tischlermeisters Anton (!) Schwarz. Hebbel erlebte dort, daß der straffällig gewordene Sohn Karl die gesamte Familie in Mitleidenschaft zog, während die Tochter „Beppi" sich mit dem Untermieter Hebbel einließ, ohne daß dieser moralische Konsequenzen gezogen hätte.

Klara: Tragik der Frau. Hebbels erster Tagebucheintrag zu ‚Maria Magdalene' lautet: „Durch Dulden Thun: Idee des Weibes." Darauf: *„Klara* dramatisch" (Februar 1839). In der traditionellen Rolle der Frau verengen sich die beschränkten Sphären des zunftgemäß organisierten Kleinbürgertums und der dementsprechend patriarchalisch strukturierten Familie noch einmal.

Klaras vollkommene Passivität wurzelt in der sie umgebenden Welt des Vaters und zugleich in ihr selbst als Frau, wie Hebbel sie definiert. In Momenten der Resignation läßt sie sich zum Tun treiben: Als ihr Jugendgeliebter zum Studium fortzieht, gibt sie, um aus dem Gerede herauszukommen, dem elterlichen Drängen auf Verlobung mit dem ungeliebten Kassierer Leonhard nach. Diesem gibt sie sich hin, als sie ihren Jugendfreund Friedrich, den Sekretär, wiedersieht und Leonhard ein Zeichen der Treue von ihr fordert (I, 4).

Klaras ‘Fall' ist Fortsetzung ihrer lebenslangen Bevormundung, der ständigen Nötigung, zuerst als Tochter und Liebling des Vaters, dann als Frau zu funktionieren. In eben dieser grundsätzlichen töchterlichen Unterwerfung läßt sie sich den Meineid zur Beteuerung ihrer Unschuld vom Vater mit einer Selbstmorddrohung abpressen, am Ende sogar den Stellvertreter-Freitod für den Vater, der sich entehrt glaubt. Das kleinbürgerliche Milieu und Hebbels Idee der Frau („Durch Dulden Thun") gehen in Klara eine fatale (für Hebbels Tragödienkonzeption notwendige) Verbindung ein.

Alte und neue Verhältnisse. Das Kleinbürgermilieu repräsentiert der Tischlermeister. Er ist als Vertreter seiner Zunft restlos außengeleitet. Die Maßstäbe seines Handelns und seiner Forderungen an andere hat er aus den Prinzipien seines Standes empfangen: aus einer beschränkten und lebensfeindlichen Religiosität und einem verengten und aufrechnenden Begriff von Moral und Ehrbarkeit, der im Sinne von Reputation die Geschäfts- und Lebensgrundlage des vorindustriellen Bürgertums gewesen ist. An der Enge der Vaterwelt zerbrechen die Mutter, der Sohn Karl und am deutlichsten Klara. Des Tischlermeisters letzte Worte, auch Schlußworte des Dramas: „Ich verstehe die Welt nicht mehr", beziehen sich auf den Zusammenbruch der häuslichen Welt, in der er als Vater ein eigentumsrechtliches Verhältnis ohne echte Kommunikation zu seinen Kindern aufrechterhielt, und den Zusammenbruch der geschichtlichen Welt, in der er als zunftgemäßer Handwerkermeister aus Angst vor Schande schuldig geworden ist. Die von Anton nicht mehr verstandenen Lebensverhältnisse vertritt im Stück der bösartige Kassierer Leonhard; für ihn sind die zwischenmenschlichen Beziehungen zum Konkurrenzkampf (um eine Kassiererstelle), zur Benutzung anderer (Klaras mit ihrer erhofften Mitgift) und zur Kommerzialisierung aller Werte geronnen. Den Wandel von Antons beschränkter Welt zur modernen Welt überdauern einige Konstanten, die auch Hebbel historisch nicht relativiert. Eine davon ist die männliche Einstellung zur Frau, um die es Hebbel biographisch und in seinem Werk entscheidend gegangen ist. Auch der sozial erhöht dargestellte Sekretär, der Jugendgeliebte Klaras, zieht sich zurück, als er von Klaras ‘Fall' hört. Sein Satz: „Darüber kann kein Mann weg!" (II, 5) opfert Klara der Gemeinheit Leonhards und unterstreicht den beharrenden Egoismus der Männergesellschaft. Im Sinne von Hebbels Theorie des Tragischen werden Täter und Opfer gemeinsam schuldig darin, daß sie die allgemeine und allgemein gültige Idee der Sittlichkeit in die beschränkte Moral ihres Standes und der Konvention ummünzen; gemäß dieser handelnd, verstoßen sie gegen das Allgemeine.

,Maria Magdalene' als Vormärzstück. In die Sozialgeschichte des Vormärz übersetzt, läßt Hebbel seine Figuren am Übergang von einer überlebten Handwerkerwelt und der dieser entsprechenden Familienstruktur zur Industriegesellschaft zerbrechen. Die Negativität des Neuen vertritt der Kassierer, die Hoffnung auf das Positive soll der Sohn repräsentieren. Karl protestiert gegen die genußfeindliche Beschränktheit der Handwerkerwelt und wünscht sich in einem Matrosenlied hinaus aufs freie Meer (III, 8); er verläßt Haus und Vaterherrschaft am Ende. In einem hoffnungslosen Schluß steht Meister Anton, kinderlos und ungebeugt, gänzlich unbelehrbar auf der Bühne. Eine Lösung der angesprochenen und dargestellten Probleme sah Hebbel nicht. Er selbst schwankte zwischen kleinbürgerlicher Herkunft als Maurersohn und bildungsbürgerlicher Bezugsgruppe. Auch unterhielt er keine Verbindung zu den oppositionellen bürgerlichen Kräften, die ihm eine politische Perspektive hätten geben können. Im Verlauf der Aufstände von 1848 fand Hebbel seinen Pessimismus bestätigt, in der darauffolgenden Zeit wandte er sich historischen und mythologischen Stoffen zu. Doch auch ohne eine Lösung der Probleme wurde ,Maria Magdalene' noch als zu aggressiv empfunden. Eine Aufführung lehnte die Berliner Generalintendanz ab, weil das Stück wegen des Motivs von Klaras offenbarer Schwangerschaft dem bürgerlichen Publikum nicht zumutbar sei.

6.4 Kritik am Großbürgertum: Georg Weerth
,Humoristische Skizzen aus dem deutschen Handelsleben'

Adolf Glaßbrenner: Berlin wie es ist – und trinkt (1832–50)
Neue Berliner Guckkastenbilder (1841)
Georg Weerth: Humoristische Skizzen aus dem deutschen Handelsleben
(1845–48)   Holländische Skizzen (1846)

Eine grundsätzliche Kritik an der Gesellschaft, die über den üblichen Angriff auf den restaurativen Obrigkeitsstaat hinaus die Veränderungen in den bürgerlichen Verhältnissen treffen sollte, mußte mit den Gegebenheiten des literarischen Markts rechnen. Der war durch und durch bürgerlich organisiert und duldete, wie ,Maria Magdalene' zeigt, Kritik nur in bestimmten Darstellungsformen. Eine davon war die Satire. Diese konnte sich überdies einer Publikationsform bedienen, die mit dem expandierenden Zeitungswesen aufgekommen war und die von der eingreifenden Auffassung von Literatur, wie sie die Jungdeutschen formuliert hatten, getragen wurde: der Skizze.

Die Skizze. In dieser journalistischen Kleinform löste das Personal des Alltags die gattungsbestimmten traditionellen Typen ab, wie man sie etwa im Drama in verfestigter Form anzutreffen gewohnt war. Der Dichter operierte nun als genauer Beobachter von Straße, Bürgerhaus, Handelskontor und Eckkneipe. Mimik, Gestik, Kleidung, Habitus und Sprechweise wurden studiert und dem Leser zum Wiedererkennen vorgestellt; am beobachteten Personal wurde das Wesen herausgearbeitet, das sich unter der Oberfläche der zufälligen Erscheinung verbirgt. Das kurze Format erforderte den raschen Zugriff und die prägnante Formulierung, der Verfasser mußte einen 'Blick' für seine Zeitgenossen haben, der im zufälligen Detail das Typische ausmacht.

Mit seinen ‚Sketches' machte Charles Dickens in den 1830er Jahren in Deutschland Schule. Parallel zu ihm wurde in Frankreich die Kleinform der Skizze als 'Physiologie' der naturwissenschaftlichen Katalogisierung des Tierlebens entlehnt; man karikierte in kurzen Schilderungen soziale Typen: den Bankier, den Priester, den Rentier, den Gelehrten, die Marktfrau. Balzac nannte im Vorwort zu seiner ‚Comédie Humaine' 1842/43 die so entstehende Galerie, in der sich das Publikum der Zeit selbst beschauen konnte, eine Parallele zu den biologischen Spezies.

Adolf Glaßbrenners Berlin-Buch. Bedeutendster Vertreter dieses neuen publizistischen Genres im Deutschland der 1830er Jahre war Adolf Glaßbrenner (1810-76), Satiriker des Berliner Volkslebens, Journalist und politisch engagierter Herausgeber zahlreicher kleiner Zeitschriften. Glaßbrenner schrieb von 1832 bis 1850 eine Groschenheftserie aus dem Berliner Alltag, *‚Berlin wie es ist – und trinkt'.* Hier läßt der physiologische Blick des beobachtenden und alles kommentierenden „Eckenstehers" – so die Titelfigur der ersten Heftreihe – und des „Guckkästners" – Titelfigur ab 1834 – das kritisch aggressive Potential der 'kleinen Leute' hervortreten und verschleiert es im Witz zugleich für die Zensur. Die einzelnen Episoden – Milieustudien am Stammtisch, im Club, Unter den Linden, im Café – sind dabei in sich geschlossene Kapitel. Adressat ist bei Glaßbrenners Serien, im Gegensatz zu den jungdeutschen Reiseskizzen, nicht nur der Bildungsbürger, sondern auch der zeitunglesende Kleinbürger und Proletarier. Ihm ist der Dialekt angemessener als eine poetisierende Hochsprache, und er ist mit 'niederen' Motiven, alltäglichen Sujets und mit markantem politischem Profil am besten bedient. Glaßbrenner wagte es, sich nicht an der Tradition der 'hohen' Literatur in gattungspoetischer, sprachlicher und stilistischer Hinsicht zu orientieren; er schuf mit Hilfe der neuen Kleinform eine witzige und dabei politisch-aggressive Massenliteratur.

Satire der bürgerlichen Geschäftswelt. Georg Weerth (1822–56), Sohn eines Generalsuperintendenten in Detmold, war der einzige herausragende Literat des frühen Kommunismus. Seine Biographie weist eine für diese Generation von Bürgersöhnen nicht untypische Konversion zum Sozialismus durch einen längeren Englandaufenthalt auf. Wie Weerth fanden auch Friedrich Engels und der Barmer Lyriker Carl Siebel, beides Söhne von Textilfabrikanten, während ihrer Englandbesuche Anfang der 1840er Jahre zu einer klärenden Radikalisierung ihrer früheren sozialromantischen Einstellung.

Die ersten vier Kapitel der ‚Humoristischen Skizzen' erschienen zwischen November 1847 und Februar 1848 in der ‚Kölnischen Zeitung'. Ihr Thema ist die Moral im Handelshaus Preiss, das Weerth anhand einiger Angestellten-Typen vorstellt: des Lehrlings, des Korrespondenten, des Buchhalters und des Kommis. Fünf weitere Kapitel blieben unveröffentlicht; sie stellen in einem Handlungsreisenden und in einem Makler zwei weitere Typen der bürgerlichen Geschäftswelt vor. Kapitel 10–14 erschienen Juni–Juli 1848 in der ‚Neuen Rheinischen Zeitung', an der Weerth neben Marx und Engels als Feuilletonredakteur arbeitete. Absicht dieser Kapitel war, ein Bild vom Verhalten des kapitalbesitzenden Bürgers während der Revolution zu geben: seine angstvolle Anpassung an die neue Zeit und seine wetterwendische politische Ideologie.

In Kaufmann Preiss und seinen Untergebenen zeichnet Weerth bestimmte Typen des Bürgertums und zugleich genau umrissene individualisierte Figuren, die das gesellschaftliche Verhalten ihrer Klasse repräsentieren. Über den Korrespondenten im Hause Preiss heißt es:

„Sein Haar ist blond, seine Augen sind blau, seine Wangen sind frisch, sein Kinn ist spitz. August hat weiße Hände, er ist schlank gewachsen und hübsch gekleidet. Die Mutter Natur und der Schneider haben sich angestrengt, ein angenehmes, gesellschaftliches Wesen aus ihm zu machen. [...] Sechs Wochentage lang muß er dort Briefe schreiben an alle geehrten Geschäftsfreunde gen Osten und gen Westen, und nur am siebenten ruht er."

Die deutliche Anspielung des letzten Satzes an den Schöpfungsbericht der Bibel bezeichnet den gottvaterähnlichen Habitus des Korrespondenten zu Hause im Gegensatz zu seiner subalternen Tätigkeit und devoten Einstellung bei Preiss. Weerth ahmt zugleich die religiöse Überhöhung der Geschäftswelt nach, wie sie alle Reden des Kaufmanns durchzieht.

Wie beiläufig etikettiert Preiss in seiner Einweisung eines neuen Lehrlings die allgemeine Moral seiner Spezies mit dem Satz von Hobbes, daß der Mensch dem Mitmenschen ein Wolf sei; er fällt so hinter die Aufklärung zurück:

„Ich muß Ihnen nämlich bemerken, daß es in der Handelswelt gar nicht auffällt, wenn sich der eine gegen den andern so gut wehrt, wie er kann. Im Handel hört alle Freundschaft auf, im Handel sind alle Menschen die bittersten Feinde."

In der ökonomischen Perspektive ist der Mensch gegenüber seinem Zahlungsmittel sekundär. Diesen Sachverhalt verbrämen Preiss und seine kleinbürgerlichen Helfer mit sprachlichen Entlehnungen aus dem religiösen Bereich. Wo Gewinnstreben zur 'neuen Religion' wird, ist die falsche Bilanz 'eine Todsünde', das Kopierbuch 'ein Evangelium'; in Rhythmus und Syntax borgt Preiss vom 'Vaterunser': „Ruhig geben wir Kredit, wie uns selbst kreditiert wurde." Die historische Verbindung von Staatsreligion und Wirtschaftsordnung, Altar und Thron, wird so in Weerths Skizzen sprachlich festgehalten. In der Mentalität dieser Sprachform sind Ehrlichkeit des Kaufmanns und Übervorteilung des Partners keine Widersprüche, denn die einzige Unmoral ist, Geld zu verlieren.

Der Menschenkundler geht auf Entlarvung aus. Bei Weerth ist das Objekt der neue Typ des kapitalistischen Kaufmanns; im weiteren Sinne ist es das besitzende Bürgertum seiner Gegenwart, das seine Orientierung an Besitz und Profit mit biblischen Sprüchen, moralischen Sentenzen und poetischen Metaphern verschleiert. Preiss' Einführung seines Lehrlings, der von 7 Uhr morgens bis 9 Uhr abends arbeiten soll, besagt unter anderem:

„Sie sehen, ich übertrage Ihnen eine herrliche Arbeit. Das Kopierbuch ist das Evangelium des Comptoirs – und nun schreiben Sie auch recht hübsch, damit ich Freude an Ihnen erlebe. Groß ist der Handel und weltumfassend! Glücklich der, welcher unter den Fittichen geruht, denn ihm wird wohl sein wie einem Maikäfer unter den Linden."

Die näher beobachteten Figuren im Preisschen Bestiarium sind untereinander durch gemeinsame Arbeit verbunden, doch bestimmt sind sie durch die Situation, die der Kapitalist Preiss vorgibt. In ihr hat der altgediente, doch im aufreibenden Geschäftsgang früh gealterte Kommis Sassafrass keinen Ort mehr, er wird kurzerhand entlassen; den ebenfalls verdienten Buchhalter Lenz rettet die einsetzende Revolution vor dem gleichen Schicksal. Als der Buchhalter seinem Prinzipal eines Morgens mit Kokarde und Gewehr gegenübertritt, versucht Preiss, die vermeintliche Gefahr durch eine unerbetene Gehaltserhöhung abzuwenden, und tritt dann entschlossen, wenn auch nur kurzfristig, in das neue Lager über.

Die Satire spricht für sich selbst, auf Kommentare konnte Weerth weitgehend verzichten. Die für den Bürger beunruhigende Entlarvung, die durch Humor, Sprachkunst und Verzicht auf Aggressivität im Zaume gehalten wird, paßt nicht mit einem politischen Vorschlag zur Änderung der realen Misere zusammen; Weerth müßte dazu ganz aus der Schreibperspektive heraustreten. Er kommentiert an wenigen bezeichnenden Stellen. Als der reiche Preiss seinen armen Buchhalter fragt, was er mit überflüssigem Geld machen könnte, antwortet der Kleinbürger Lenz devot, das finanzielle Plus verstöre das Gemüt wohl ebenso wie das Minus; dazu kommentiert Weerth ironisch:

„Lenz hätte in diesem Augenblick die geistreiche Bemerkung machen können, daß der kürzeste Weg zum Ziele eine gewissenhafte Teilung aller Reichtümer zwischen Herr und Diener sei; aber Lenz war ein zu vollkommener Buchhalter, um eine solche moderne Scheußlichkeit nur zu denken."

Das Verhältnis zwischen den wenigen Preiss' und den zahlreichen Lenz' wurde durch die Revolution von 1848 kurzfristig verändert, aber nicht umgewälzt. Das zeigt Weerth in den Kapiteln 10-14, in denen die scheiternde Revolution Hintergrund und Schreibanlaß zugleich abgibt. Am Ende erringt der durch Munitionshandel schnell wieder reich gewordene Preiss sogar die Aufmerksamkeit „allerhöchsten Ortes". Der Kaufmann und Bürger bejubelt mit Zukunftsblick eine neue Allianz: die Verbindung von Geldbürgertum und monarchischem Staat, wie sie in der zweiten Hälfte des 19. Jahrhunderts für Deutschland charakteristisch wurde.

Zweiter Teil: Bürgerlicher Realismus

1 Annäherung an die Epoche

1.1 Populäre Lesestoffe

Die Butzenscheibenromantik. Zu den meistgelesenen Werken der anspruchsvollen Literatur gehörten in den Jahrzehnten nach 1848 historisierende und märchenhafte Erzählungen in rhythmisierter und meist gereimter Form in der Länge eines kleinen Romans: u. a. Otto Roquettes ‚Waldmeisters Brautfahrt‘ (1851; 65. Auflage 1893), Joseph Victor von Scheffels ‚Der Trompeter von Säckingen‘ (1854; 1892 in der 200. Auflage), Friedrich Wilhelm Webers ‚Dreizehnlinden‘ (1878; 15 Jahre später in der 60. Auflage) und Wilhelm Jordans ‚Nibelunge‘ (1867/74), die der Autor in über tausend Vortragsreisen landauf, landab vortrug. Das Versepos hatte Heine in ‚Atta Troll‘ (1843) und ‚Deutschland. Ein Wintermärchen‘ (1844) zu neuen, nämlich satirisch-zeitkritischen Aufgaben geführt. Nun lieferte es die Butzenscheibe, durch die sich ein ängstliches Bürgertum den erschrockenen Blick auf die Straße erlaubte. Es ist für die zweite Jahrhunderthälfte insgesamt bezeichnend, daß die überholte Gattung des Versepos sich bis zum Beginn des Weltkriegs einer beispiellosen Beliebtheit erfreute.

Was wird da vorgetragen? Eine Liebes- und Kampfhandlung in einer von Industrialisierung und sozialer Frage unberührten Welt „am Rhein“ oder im Schwarzwald, ein ungeschichtliches Mittelalter der altdeutschen Burgen hoch über verträumten Städtchen, ehrbare Handwerker, idealistische Jünglinge auf Wanderschaft. Es ist eine Welt ohne davonlaufende Technik, ohne spekulativ-ruinöse Wirtschaftspraktiken, ohne Proletariat, ohne parteipolitische Händel, überschaubar für den einzelnen, mit heilen zwischenmenschlichen Beziehungen, die starke Gefühle erlauben, und mit fester Gottesgläubigkeit. Was der bürgerliche Leser als verloren beklagte und was er in seinem Alltag ins Gegenteil verkehrt sah – Sicherheit, Überschaubarkeit, Festigkeit der Werte und stetige Entwicklung zum Beispiel –, das bot ihm die ‘altdeutsche Welt’ der Versepik. Überdies begünstigte sie wie der Rückgriff auf Volkssagen das Interesse daran, sich einer nationalen Identität wenigstens im Schrifttum zu versichern.

Verdrängung und Tabuisierung. Die Form und die Stillage des Versepos sind nicht charakteristisch für die literarische Arbeit der Epoche. Dennoch zeigt der Traditionsüberhang schlaglichtartig die Unterschiede der gesellschaftlichen und literarischen Verhältnisse in Deutschland gegenüber denen in Frankreich, England und Skandinavien, wo sich der Realismus bei William Makepeace Thackeray, Charles Dickens, Gustave Flaubert und anderen weit typischer und geradliniger präsentierte. Das hohe Leseinteresse an der Butzenscheibenliteratur warnt davor, die Epoche ausschließlich an den Romanen und Erzählungen Gottfried Kellers, Wilhelm Raabes, Theodor Storms, Conrad Ferdinand Meyers und Theodor Fontanes zu erfassen. Besser als dort läßt sich an der vielgelesenen Literatur, wenn auch in extremer Weise, ein Verlangen des bürgerlichen Publikums nach Abdrängung der Erfahrungswelt ablesen. Bei vielen Autoren entspricht dem eine Berührungsscheu vor dem faktischen gesellschaftlichen Alltag. Den zeitgenössischen Autoren hat es an Aufmerksamkeit für die politischen, sozialen und, wenigstens zum Teil, auch ökonomischen Vorgänge nicht gefehlt. Vielen waren sie aus ihrer journalistischen Tätigkeit vertraut, die ‘freien’ Schriftsteller mußten sich wegen ihrer Abhängigkeit vom Kulturmarkt mit diesen Dingen bekannt machen. Dennoch wurde den Lesern diese Realität oft schlankweg vorenthalten. Oder die für sie entscheidenden Phänomene wie Geld, Arbeit, Besitz und Status sind in den Werken auf jener gleichsam vorkritischen Stufe dargestellt, auf der sich das Reden über Realität am Familientisch abspielt. Fontane führt in seinen späten Romanen vor, wie Realität in Konversation umgeformt und entschärft wird.

1.2 Der Bildungsbürger als Autor

Die Berührungsscheu der Autoren gegenüber den 'nackten Tatsachen' der kapitalistischen Gesellschaft hat die Poetik und Programmatik des deutschen Realismus geprägt. Sie wurzelt in der Religiosität des deutschen Bürgerhauses, dem die meisten Autoren entstammten. Die Religions- und Bibelkritik von David Friedrich Strauß und Ludwig Feuerbach aus der Zeit vor 1848 hat, von Ausnahmen abgesehen, nur die allgemeine Konversation beeinflußt. Allein bei Gottfried Keller ist sie maßgeblich ins Werk eingegangen. Ein weiterer Grund für die Tabuhaltung ist das idealistische Erbe, das wie ein Zwang hinter den Forderungen des programmatischen Realismus in den 1850er Jahren stand und das den Dichter auf eine künstlerisch geformte Welt der versöhnten Gegensätze verpflichtete. Die Tendenz zum Privaten hin entsprach einem Lebensgefühl der Enge. Zu diesem gaben die nationale Zersplitterung, das Ausgeschlossensein des einzelnen vom politischen Prozeß und die vorwiegend kleinstädtischen Lebensverhältnisse Anlaß. Autobiographien und Briefwechsel, etwa Theodor Storms mit Gottfried Keller und mit Iwan Turgenjew, legen von diesem Beengungsgefühl Zeugnis ab. Angesichts der Romane von Charles Dickens, der für die deutschen Rezensenten als Maßstab des realistischen Gesellschaftsromans galt, brach der Erzähler und Ästhetiker Otto Ludwig in die Klage aus:

„Wir haben kein London, in welchem das Wunderbare natürlich erscheint, weil es in Wirklichkeit so ist, keinen Verkehr mit Kolonien in allen Weltteilen, kein so großes politisches Leben; wir haben keine Flotten, und wenn wir Deutschen nationales Selbstgefühl geben, so fehlt dazu der Boden, aus dem es organisch hervorwüchse und berechtigt erschiene, wir müßten es denn als Ausnahme darstellen." (‚Dickens und der deutsche Dorfroman', 1862)

Ein provinzielles Milieu und enge akademische Zirkel prägten die Lebensläufe sehr vieler Schriftsteller und beförderten die Tendenz zur Innerlichkeit, die scharf kontrastiert mit der großflächigen und doch intensiven Gesellschaftsdarstellung bei Charles Dickens, Honoré de Balzac, Emile Zola und anderen. Die Gattung Roman war gut geeignet, die industrielle Gesellschaft in ihren materiellen und psychischen Verhältnissen weiträumig darzustellen. Doch bot sich die zeitgenössische Gesellschaft in Frankreich und England anders dar als die des Deutschen Bundes und des Kaiserreichs: dort weitentwickelte Industrie, neue, aber etablierte soziale Hierarchien, Parlamentarismus, Weltläufigkeit durch Handel – hier traditionelle Beengtheit des gesellschaftlichen Lebens, Verlust an politischer Teilhabe, eben erst sich formierende neue Sozialstrukturen und eine sprunghafte Industrialisierung mit einem überfallartigen Gründerboom und gleich nachfolgender Krise.

Der liberale Bildungsbürger. Die Realitätsferne der Autoren ist ein Teil der Geschichte des Liberalismus in Deutschland. Seine politische Schwungkraft hatte das liberale Bürgertum schon in den 1840er Jahren angesichts der Forderungen der verelendeten Massen verloren; noch während der Revolution 1848 verließ es die zögernd eingegangene Allianz mit den Unterprivilegierten und stellte sich wieder neben den nationalkonservativen Teil des Bürgertums. Die Abschottung nach unten und die Begünstigung seiner Wirtschaftsinteressen durch Schutzzölle bezahlte das Bürgertum fortan mit dem Verzicht auf politische Macht. In der neuen Ära interessierte sich die Intelligenz vor allem für den rechtlichen und philosophischen Rahmen des Staats, das Geschäft der praktischen Politik überließ man anderen. Die humanistische Bildung grenzte nach unten ab und war neben dem materiellen Besitz der Ausweis, dem gehobenen Bürgertum anzugehören.

Im Fortgang der Epoche sah man sich immer dringlicher als Hüter der humanen Werte, ohne sie in die politische Praxis einzubringen. Gerade aus der Ferne von dieser resultierten der anfängliche Optimismus und die Selbstgewißheit, nun endlich auf dem richtigen Weg zu sein. Was politische Aktivitäten nicht geleistet hatten: die Basis für nationale Identität zu schaffen, das sollten nun Wissenschaft, Forschung und Kunst erbringen. In den Krisenjahren seit 1873 mündete diese Haltung in einen tiefen Kulturpessimismus. In einer Zeit, in der sich die industrielle Massengesellschaft entwikkelte, in der technisch verwertbares Einzelwissen explosionsartig vermehrt wurde, in der sich das Besitzbürgertum erneut am Adel orientierte, andererseits das Proletariat stark angewachsen war – in dieser Zeit des Kaiserreichs verkam das Beharren auf der selbstverantwortlichen humanen Persönlichkeit zur bloßen Geste des Protestes.

1.3 Weltanschauliche Grundlagen

Die Philosophien, die für die Epoche charakteristisch sind, stehen allesamt in Wechselwirkung mit dem naturwissenschaftlich-technischen Fortschritt. Die Fülle der Entdeckungen und Erfindungen in den Einzelwissenschaften prägte das Bild vom Neuen; entsprechend verfiel die Hochschätzung des Alten: die traditionellen Versuche etwa, das Tatsächliche in metaphysische Zusammenhänge einzubetten, oder die systematische Theoriebildung. Das verwarf man als Spekulation und hielt sich an das einzelne, das den Sinnen unmittelbar faßbar war. In dieser Orientierung konnte sich die Literatur wiederfinden. Der Realismus ist gekennzeichnet durch den Verzicht auf theoretische Systembildung, gesamteuropäisch sind die Begriffe Realismus und Materialismus synonym. Die Auflösung der überlieferten Muster für Sinngebung und Weltdeutung, wie sie durch die Hegelschüler im Vormärz begonnen wurde (s. S. 262 f.), leistete der antimetaphysischen Wende Vorschub. Aus Frankreich (Auguste Comte) und England (John Stuart Mill) waren überdies weitere metaphysikfeindliche Systeme rezipiert worden. In ihnen wurde eine Forschung begründet, die auf Beobachtung, Analyse und Induktion des unmittelbar Gegebenen basierte (Positivismus).

So war der Boden bereitet für eine ausschließliche Beschäftigung mit der Materie als dem einzig Realen. Man ordnete psychische Vorgänge unter materielle Prozesse und erklärte Geist und Seele als Produkte komplizierter Abläufe im Körper wie in den schulbildenden Schriften von Jakob Moleschott (,Kreislauf des Lebens', 1852) und Ludwig Büchner (,Kraft und Stoff', 1854). Begeistert nahm man Charles Darwins Thesen von der Artentwicklung durch natürliche Auslese (1859) auf. Der naturwissenschaftliche Materialismus fand zu einer evolutionistischen Sehweise, die bald auch den Menschen und seine Geschichte mit einbezog (Ernst Haeckel ,Die natürliche Schöpfungsgeschichte', 1868).

Der Erkenntnisoptimismus ging aber nicht in allseitig akzeptable neue Entwürfe der Weltdeutung ein. Auch die Arbeiten von Karl Marx und Friedrich Engels, so produktiv sie die materialistische Grundströmung mit politisch interessierter Geschichtsdeutung und Gesellschaftsanalyse verbanden, blieben in dieser Epoche an eine begrenzte Bezugsgruppe gebunden. Von dieser versuchte sich das kulturell maßgebliche Bürgertum gerade abzugrenzen. Das allseits bezeugte Vakuum wurde als geistige Krise erlebt; in Friedrich Nietzsches ätzender Zivilisationskritik und in Arthur Schopenhauers pessimistischer Philosophie erfuhr man eine Bestätigung dieses Lebensgefühls.

1.4 Der Kulturwarenmarkt

In der zweiten Jahrhunderthälfte erweiterte sich der Literaturmarkt noch einmal beträchtlich. Die 1812 entwickelte Zylinderpresse mit ihrer achtmal vergrößerten Druckkapazität war eine technische Voraussetzung für die Kapitalisierung des Buchmarkts gewesen. Für einen weiteren Schub sorgten 1862 die Erfindung der Komplettgießmaschine und, seit 1870, der Dampfbetrieb für Gießmaschinen. Die Reichsgründung schuf die wirtschaftliche Voraussetzung dafür, mit Hilfe der technischen Erfindungen – Rotationsdruckmaschine 1863, Setzmaschine 1885 – industriemäßig zu produzieren.

Als Zeitschrift wurde das massenhafte Familienblatt entwickelt. Es war ein Produkt der Unterhaltungspublizistik mit einem belehrenden Anspruch, künstlerisch ausgeschmückt, mit vielerlei Themen und wiederkehrenden Rubriken in allgemeinverständlicher Darbietung. Durchschnittsauflagen lagen um 1860 bei 19 000 Exemplaren, während eine regionale Zeitung etwa 3 000 Exemplare und die einflußreiche Literaturzeitschrift ‚Die Grenzboten‘ selten mehr als 1 000 erreichte. Die meistverbreitete ‚Gartenlaube‘ hatte 1875 sogar eine wöchentliche Auflage von 382 000, ihre christliche Konkurrenz ‚Daheim‘ immerhin von 70 000.

Bücherkäufe blieben bis in die Gründerzeit selten, die Preise waren zu hoch. Erst 1867 kamen preiswerte Klassikerangebote auf den Markt; Reclam begann seinen Siegeszug mit einer Ausgabe von ‚Faust I‘ für zwei Silbergroschen. Vor allem waren die Leihbibliotheken für die Erweiterung des Buchmarkts verantwortlich (1865: 617, 1880: 1 056 Leihbibliotheken). Sie kauften Romane jeweils in zahlreichen Exemplaren und machten sie zu Bestsellern. Das literarische Publikum kam vor allem aus den Schichten des Mittelstands: Freiberufliche, Beamte, kleinere Unternehmer und bürgerliche Frauen. Die Schulen hatten eine wichtige Rolle in der Entwicklung und Lenkung der Leserinteressen; Lehrbücher für höhere Lehranstalten, populäre Poetiken und Anthologien sind verantwortlich für die Fortbedeutung der klassischen Maßstäbe und, beispielsweise, der erzählenden Verskultur. Sie verlangsamten die breitere Aufnahme zeitgenössischer realistischer Werke.

Der Autor. In diesem Prozeß konnte der Schriftsteller als einzeln schaffender Künstler seine Unabhängigkeit schwer behaupten. Wenn er nicht einen bürgerlichen Beruf hatte wie Theodor Fontane (Journalist), Gottfried Keller (Kantonschreiber), Theodor Storm (Amtsgerichtsrat), mußte er sich den Marktgesetzen anpassen. Ein Beispiel ist Wilhelm Raabe. Er konnte als einer der wenigen freien Autoren von seinen Werken leben, weil er sich unter einen rigorosen, der Fabrikarbeit vergleichbaren Tageslauf stellte. Ständig unterbrach er sein Arbeiten an Romanen, um kleine, rasch Geld bringende Erzählungen für Familienzeitschriften zu produzieren. Er achtete darauf, immer etwas Druckbares bereitzuhalten, und er lernte, die Verleger gegeneinander auszuspielen. Er war sich seiner Marktabhängigkeit wie seines Marktwerts bewußt. Korrespondenzen wie die Raabes mit dem Redakteur im Westermann-Verlag, Adolf Glaser, sind in dieser Zeit häufig:

„Wenn Du Dich objektiv auf Deinen Standpunkt als Schriftsteller stellst und den Westermann'schen Redacteur bei Seite läßt, wirst Du mir Recht geben, daß ich mit demselben Recht so schnell und sicher meine Arbeitskraft zu verwerten suche wie Herr G. Westermann sein Kapital." (24. 7. 1863)

Die Marktgesetze wirkten sich auch auf den Gehalt der Werke aus. Denn die redaktionelle Zensur versuchte, einer Behördenkontrolle zuvorzukommen, und der Verleger nahm unabgesprochene Eingriffe vor, die sich an einem erwarteten, moralisch engen Publikumsgeschmack orientierten, oder er lehnte ein Werk aus Marktgründen ab. Storms Novelle ‚Im Schloß‘ (1862) wurde von zwei Verlegern zurückgewiesen, weil ein unerlaubtes Liebesverhältnis zwischen einer Adligen und einem bürgerlichen Hauslehrer angedeutet wird; noch 1887 bombardierten adlige Leser der ,Vossischen Zeitung' die Redaktion mit Protesten und Fragen, wann „die gräßliche Hurengeschichte", Fontanes ,Irrungen Wirrungen', beendet werde.

1.5 Epochenname und Periodisierung

Die Naturalisten haben mit Recht geltend gemacht, daß der Realismus vom Idealismus durchtränkt sei. Die konkurrierenden Bezeichnungen der Zeitgenossen für die gleiche Strömung, zum Beispiel Ideal-Realismus (Friedrich Theodor Vischer) und poetischer Realismus (Otto Ludwig), bestätigen, daß man von Anfang an auf die Differenz zwischen mangelhafter Lebenswelt und makelloser Kunstwelt setzte. Allerdings sollten bei dem Vorhaben, „eine Welt der Fiktion auf Augenblicke als eine Welt der Wirklichkeit erscheinen" zu lassen (Theodor Fontane), die alltäglichen Erfahrungen von Zeit, Raum und Naturgesetzen bestimmend einfließen.

Mit der Perspektive auf das gesellschaftlich Alltägliche und mit der Orientierung am Wirklichkeitsbegriff der Naturwissenschaften stand man im Rahmen des gesamteuropäischen Realismus nach 1848. Neuartig gegenüber der vorausliegenden Epoche waren dabei weder die Lebensläufe der Autoren noch das Lesepublikum, noch der Figurenbestand der Werke. Das Neue lag vielmehr im Bürgertum selbst, in seiner Ausrichtung und seinem Selbstverständnis; neu war auch, daß sich die Literatur nun ganz konsequent diesem Bürgertum zuordnete. Die Programmatiker des Realismus in Deutschland legten in diesem Sinn Bekenntnisse ab, Fontane sprach 1853 sogar von einer „Interessenvertretung" der Literatur für das Bürgertum. Die bürgerliche Lebenswelt wurde im positiven und im negativen Sinne der maßgebliche Bezugspunkt.

Der Epocheneinschnitt mit Gründung des Kaiserreichs 1871 brachte eine neue Situation, aber keinen Bruch. Das Bürgertum orientierte sich nun viel stärker wieder am Adel, das Militär gelangte zu einer erneuten Vorzugsstellung im öffentlichen Bewußtsein. Auch begann eine Stilbewegung hin zum Monumentalen und Dekorativen, doch setzte sie fort und gipfelte auf, was in den beiden Jahrzenten vorher angelegt war. In ihrer Erzählliteratur propagierten Gottfried Keller, Wilhelm Raabe und Theodor Storm realistische Kunstauffassung und humanistische Werte nun in Opposition zu diesem 'neuen' Bürgertum. Die vom Publikum bevorzugte Literatur setzte hingegen affirmativ das Gewohnte fort, wie das Beispiel der Versepik zeigt. Das Epochenende fasert in den 1880er Jahren aus. Die naturalistische Bewegung setzte mit Manifesten und Programmen ein. Sie reklamierte den Realismus für sich und polemisierte gegen einzelne Literaturströmungen, die wie der Münchner Dichterkreis in klassizistischer Manier schrieben. In den 1880er Jahren erschienen aber auch die großen Alterswerke von Gottfried Keller, Theodor Fontane, Wilhelm Raabe und Conrad Ferdinand Meyer. Sie sind noch deutlich dem Kunstverständnis des bürgerlichen Realismus verpflichtet, der mit ihnen in die neuen Strömungen hineinragt.

Zu den Abbildungen:
(1) Diese Selbstdarstellung des Unternehmertums verwandelt die industrielle Wirklichkeit in eine epigonale Kunstszene. Nach Art emblematischer Bilder weisen malerisch angeordnete Gegenstände auf Wissenschaft, Technik und Handel hin; die Menschen scheinen zufrieden und sicher damit umzugehen, doch brauchen sie zur Erhöhung ihrer Tätigkeit eine – woher immer auch erborgte – künstlerische Aura. Der umweltverschmutzende Industriequalm wird, wie auf barocken Deckengemälden der Himmel, zum wallenden Gewölk stilisiert. Vor ihm tragen schwebende Putten die Insignien des Ruhmes, die einem Herrscher zukommen, um das Porträt des Firmeninhabers. Der Firmengründer ist zum Denkmal geworden, das an die Büsten antiker

(1) *Schmuckblatt zum Jubiläum der chemischen Fabrik Gebrüder Heyl, 1883. Foto: Staatsbibliothek, Berlin (West).*

Philosophen oder klassischer Dichter erinnert. Es steht auf einem teppichbelegten Podest wie ein Fürstenthron und ist umgeben von allegorischen Ruhmesinsignien und von den Emblemen der Forschung (Retorte), der Gelehrsamkeit (Bücher) und des Fleißes (Bienenkorb). Hinten öffnet sich wie auf Bildern alter Meister die Landschaft, aus der biedere und jubelnde Arbeitsleute heranziehen. **(2)** Der neue Reichtum zeigte sich nach außen im Haus- und Städtebau. Zwischen ältere und schlichtere Wohn- und Geschäftshäuser, oder auch an deren Stelle, errichtete man die neuen Banken, Büro- und Geschäftshäuser. Vor die Zweckräume setzte man Fassaden, zu deren Ausschmückung man sich aller möglichen repräsentativen Stile bediente, wie sie die Kunstgeschichte anbot: Fensterbögen nach romanischem oder Renaissancestil, Pfeiler, Säulen, Pilaster, Karyatiden, Giebel, Türmchen und Galerien. Zuletzt nannte man das Einkaufszentrum im Erdgeschoß 'Kaiserpassage'. **(3)** Eisenbahnen repräsentieren die technische und wirtschaftliche Entwicklung in der zweiten Jahrhunderthälfte. An Brücken- und Bahnhofsbauten ließ sich der öffentliche Geltungsanspruch von Industrie und Handel, Technik und Verkehr demonstrieren. – Zur Erweiterung der alten Eisenbahnbrücke im Hamburger Freihafen riß man ein ganzes Stadtviertel ab; für die großen Spannweiten brauchte man den stabilisierenden eisernen Bogen, mit dem der Konstrukteur ein ästhetisches Spiel betrieb. Der kulturhistorische An-

(2) *Kyllmann und Heyden: Kaiserpassage, Berlin 1869/73. Foto: Akademie der Künste, Berlin (West).*

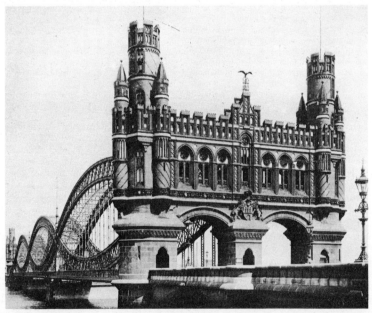

(3) *Elbbrücke Hamburg, begonnen 1882, im Betrieb 1888, vollendet 1896. Foto: Staatliche Landesbildstelle Hamburg.*

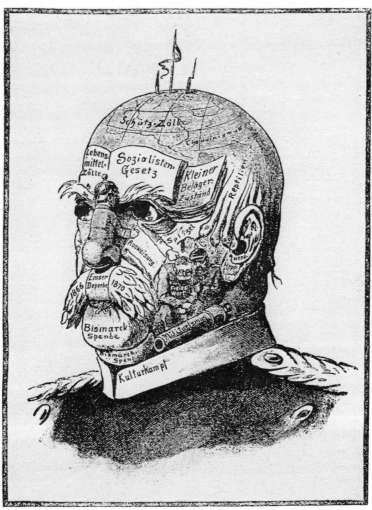

(4) *‚Moderne Schädelstudie'. Karikatur Bismarcks in der satirischen Zeitschrift ‚Der wahre Jakob', nach 1885. Foto: Akademie der Künste, Berlin (West).*

spruch der alten Hansestadt dagegen wurde mit den pompösen, dem Mittelalter nachempfundenen 'Stadttoren' im neugotischen Backsteinstil befriedigt. **(4)** Die industrielle Entwicklung wurde gefördert durch die protektionistische Schutzzollpolitik Bismarcks; auf sie verweist die Landkarte Mitteleuropas auf diesem Porträt des Kanzlers, das aus kritischen Anspielungen politischer Zeitereignisse montiert ist. Die Lebensmittelzölle kamen dabei den Landbesitzern zugute, zu denen Bismarck zählte. Das Sozialistengesetz von 1878 „wider die gemeingefährlichen Bestrebungen der Sozialdemokratie" sollte der Parteiorganisation den Garaus machen, es sah sogar einen kleinen Belagerungszustand vor. Die benachbarten Stichwörter kritisieren die innenpolitische Unfreiheit. Die „Reptilien" bezeichnen die regierungsfreundlichen Zeitungen, die aus einem „Reptilienfonds" mit staatlichen Mitteln unterstützt wurden. Der Schnurrbart trägt die beiden Daten der Kriege gegen Österreich und Frankreich, dazu den Hinweis auf Bismarcks diplomatischen Trick der ‚Emser Depesche'. Das Doppelkinn benennt den peinlichen Vorgang, daß Bismarck zum 70. Geburtstag 1885 eine Spende des Reichstags über 2,4 Mill. Reichsmark annahm. Der Kragen schließlich benennt den Kulturkampf, mit dem Bismarck den Einfluß der katholischen Kirche und der Zentrumspartei einzudämmen suchte.

2 Programmatischer Realismus

2.1 Künstlerisches Programm im Rahmen des Liberalismus

Maßgebliche Zeitschriften. Daß der Realismus in Deutschland ein Programm und eine Theorie besaß, ist spät erkannt worden. Die herausragenden Dichterpersönlichkeiten dieses Zeitraums, Theodor Storm, Wilhelm Raabe, Gottfried Keller, Friedrich Hebbel, Theodor Fontane und Conrad Ferdinand Meyer, beschäftigten sich nicht systematisch mit literaturtheoretischen Fragen; Otto Ludwigs theoretische Schriften blieben zeit seines Lebens unveröffentlicht. Der maßgebliche Ästhetiker, Friedrich Theodor Vischer, den Vorlesungen G. F. W. Hegels sehr verpflichtet, hatte auf den Literaturbetrieb geringen Einfluß. Erst neuerdings hat man eine andere Ebene der literarischen Meinungsbildung beobachtet: die literarische und politische Journalistik. Hier fand man in vielen, miteinander konkurrierenden Zeitschriften (mit jeweils 1000 bis 7000 Abonnenten) nach 1849 den Versuch, neue Werte und literarische Maßstäbe durchzusetzen.

‚Die Grenzboten‘ (Leipzig, Herausgeber seit 1848: Gustav Freytag und Julian Schmidt) beeinflußten am nachhaltigsten den Literaturbetrieb im Sinne eines realistischen Programms; die ‚Blätter für literarische Unterhaltung‘ (Leipzig, Redaktion ab 1852: Hermann Marggraf, ab 1865: Rudolf Gottschall) pflegten unter Marggraf zuerst das vormärzliche Erbe, schwenkten aber dann auf die neue Linie ein, wobei besonders die Anknüpfung an Goethe propagiert wurde; ‚Das Deutsche Museum‘ (Leipzig, Redakteur: Robert Prutz) verleugnete nicht die liberale Herkunft und war besonders auf dem Rezensionsgebiet tätig; die ‚Preußischen Jahrbücher‘ (Leipzig, Redakteur ab 1858: Rudolf Haym) waren von nationalliberaler Ausrichtung und galten als die wichtigste oppositionelle Zeitschrift; die ‚Unterhaltungen am häuslichen Herd‘ (Dresden, Redakteur ab 1852: Karl Gutzkow) polemisierten vor allem gegen die Leipziger ‚Grenzboten‘ und äußerten sich in der Regel für eine politisch engagierte Literatur, blieben aber ohne große Wirkung.

In Rezensionen vor allem englischer Romane (Charles Dickens, William Makepeace Thackeray), in Vorreden zu neuen deutschen Romanen, in literaturtheoretischen Abhandlungen und in polemischen Artikeln wurde zwischen 1849 und 1860 eine neue Auffassung von Gestalt und Funktion der literarischen Kultur propagiert. Der literaturpädagogische Impuls verebbte in den sechziger Jahren, die neue Auffassung hatte sich durchgesetzt.

Das Trauma der Revolution. Die Redakteure und Herausgeber waren in den 1840er Jahren großenteils engagierte Demokraten gewesen. Die Geschichte der gescheiterten Revolution ging daher bemerkbar in die Bestimmung der neuen literarischen Richtung ein. Der Neubeginn zeigt sich in einer Abgrenzung gegen die Biedermeierliteratur, die publizistischen Wagnisse der Jungdeutschen und die Tendenzlyrik des Vormärz. Er zeigt sich weiterhin in der generellen Kritik am Versuch einer radikalen Umwälzung der Gesellschaft. Dem entsprach die allgemeine Sehnsucht im Bürgertum nach 1848, den ökonomisch-politischen Status quo ohne Störung weiterzuentwickeln. Deshalb war die hauptsächliche Zielrichtung des programmatischen Realismus eine Entspannung in politischer, weltanschaulicher und auch stilistischer Hinsicht. Der Zusammenhang zwischen der neuen Poetik und dem Bedürfnis nach Ruhe und Ordnung, das sich parteipolitisch in eine Annäherung zwischen Konservativen und Liberalen umsetzte, tritt demonstrativ in einer Rezension Gustav Freytags zutage. Über das Epos ‚Der Pfaff vom Kahlenberg‘ des österreichischen Vormärzautors Anastasius Grün schrieb er:

„Gegen Gesetz und Brauch unserer Muttersprache treibt er's gerade wie ein rother Republikaner, alle Arten unerhörter Freiheiten verletzen das Ohr, kränken das Auge, betrügen den Sinn für Ordnung [...]." (‚Grenzboten‘ III, 1850)

Die breite Masse des mittelständischen Bürgertums fand sich in der gemäßigt liberalen Staats- und Gesellschaftsauffassung der ‚Grenzboten' und vor allem der ‚Preußischen Jahrbücher' repräsentiert. Bald aber orientierte sich der Liberalismus in seiner Mehrheit an den politischen Zielen Bismarcks, der 1862 preußischer Ministerpräsident und Außenminister geworden war. Nach dessen außenpolitischen Erfolgen schrieb die Redaktion der ‚Preußischen Jahrbücher' 1866, dem bürgerlichen Stand liege die Politik ferne und der Liberalismus solle fortan darauf verzichten, die Rolle der Opposition zu spielen. Mit diesem Verzicht war auch die Geschichte des programmatischen Realismus beendet. Eine gegenüber dem Bürgertum kritischere Auffassung löste ihn ab. Diese äußerte sich aber nicht programmatisch, sondern entwickelte sich in den Erzählwerken von Wilhelm Raabe, Gottfried Keller, Theodor Fontane, Theodor Storm, Friedrich Spielhagen und anderen.

2.2 Zur Poetik: Fontanes Realismus-Aufsatz

Theodor Fontane: Unsere lyrische und epische Poesie seit 1848 (1853)
Otto Ludwig: Shakespeare-Studien (entstanden um 1860) (1874)
Julian Schmidt: Schiller und der Idealismus (‚Grenzboten', 1858)
Die Märzpoeten (‚Grenzboten', 1850)

Für die politische Zwiespältigkeit des bürgerlichen Realismus ist Fontane ein geeigneter Zeuge.

Fontane war Angehöriger der zwischen 1815 und 1825 geborenen Generation. In den fünfziger Jahren an keiner Gruppierung beteiligt, besah er den Literaturbetrieb von außen, seine Urteile sind mit Maßen objektiv. Von seiner Biographie her steht er beispielhaft für viele zwischen Engagement und Abwehr schwankende Vormärzler, die resignierten oder sich für das politische Gegenteil engagierten. Am ersten Höhepunkt der politischen Lyrik in Deutschland, als Georg Herweghs ‚Gedichte eines Lebendigen' ab 1841 erschienen, kurz nach dem Regierungsantritt Friedrich Wilhelms IV. in Preußen, der einige Zeit als scheinbar liberaler Herrscher begrüßt wurde, machte sich der junge Fontane das politische Credo des Liberalismus zu eigen: nationale Einheit und die Republik als Staatsform. Der Apothekerlehrling wider Willen trat in Leipzig dem Herwegh-Klub bei, in dem hochrangige politische Männer verkehrten; er schrieb in Dresden dann politische Lyrik – und wurde doch 1843 ein engagiertes Mitglied der konservativen Dichtervereinigung ‚Tunnel über der Spree'. Er trug dort Balladen vor, nachdem ihm das politische Dichten verleidet worden war. Im Revolutionsjahr 1848 bekämpfte Fontane jedoch in Artikeln für die radikale ‚Zeitungshalle' in Berlin den preußischen Staat mit aller Schärfe und wurde zum Wahlmann für die Erneuerung des Landtages aufgestellt. Schon 1849 zog er sich deprimiert aus dem politischen Geschehen heraus, wurde zum Beobachter und verfaßte wieder Balladen im schottischen Stil. 1851 wurde er Lektor im Literarischen Kabinett des reaktionären Innenministers Manteuffel. Er blieb bis 1859 in diesem Amt.

Dieses politische Schwanken macht Fontane zu einem guten Gewährsmann dafür, daß die programmatische Poetik von Julian Schmidt, Gustav Freytag und Otto Ludwig verallgemeinerbar ist: Es war weder ein verkappter Reaktionär noch ein politischer Konvertit, der 1853 in einem großen Aufsatz *‚Unsere lyrische und epische Poesie seit 1848'* den Realismus im Blick auf die Vormärzzeit als „Frühling" begrüßte.

Wirklichkeit und Verklärung. Fontanes umfänglicher Aufsatz stützt sich, einem allgemeinen Zeitgefühl entsprechend, auf die Kritik der vorangehenden Zeit:

„Was unsere Zeit nach allen Seiten hin charakterisiert, das ist ihr Realismus. Die Ärzte verwerfen alle Schlüsse und Kombinationen, sie wollen Erfahrungen; die Politiker (aller Parteien) richten ihr Auge auf das wirkliche Bedürfnis und verschließen ihre Vortrefflichkeitsschablonen ins Pult; Militärs zucken die Achsel über unsere preußische Wehrverfassung und fordern 'alte Grenadiere' statt 'junger Rekruten'; vor allem aber sind es die materiellen Fragen neben jenen tausend Versuchen zur Lösung der sozialen Rätsel, welche so entschieden in den Vordergrund treten, daß kein Zweifel bleibt: Die Welt ist des Spekulierens müde und verlangt nach jener 'frischen grünen Weide', die so nah lag und doch so fern."

Als positives Kennzeichen des Realismus erscheint zum einen die Berufung auf das gegebene Wirkliche, das im Alltag unmittelbar Erfahrbare. Der Gegenbegriff dazu ist das Spekulieren; Gustav Freytag sprach literaturhistorisch genauer, nämlich gegen die Romantik gewendet, von „Phantasiekram". Aus der empirischen Materialität sollen die Stoffe und Themen kommen. Zum anderen fällt im Fontaneschen Ansatz die emphatische Hinwendung zur sozialen Sphäre auf, die eine ernsthafte Beschäftigung mit der materiellen Lage und den kleinen Leuten ankündigt. Auch das ist Programm des Realismus, mit einer Einschränkung: Die bloße Wiedergabe dieser Art von Wirklichkeit darf nicht das Ziel der poetischen Arbeit sein. Als „naturalistisch" wird es getadelt, wenn die Probleme der Erfahrungswelt ohne ästhetische Korrektur in das Kunstwerk eingehen.

„Vor allen Dingen verstehen wir nicht darunter das nackte Wiedergeben alltäglichen Lebens, am wenigsten seines Elends und seiner Schattenseiten."

Deshalb wendet sich Fontane gegen die Tendenzmaler namentlich der Düsseldorfer Akademie, die, wie Karl Hübner, in den vierziger Jahren aufsehenerregende Bilder des sozialen Elends vorgestellt hatten. Fontane sieht hier Realismus mit Misere verwechselt:

„Diese Richtung verhält sich zum echten Realismus wie das rohe Erz zum Metall: die Läuterung fehlt."

Damit ist ein Schlüsselwort des Programms genannt. Läuterung, Verklärung, Poetisierung – alle diese Begriffe benennen ein bestimmtes Verfahren der Wirklichkeitswiedergabe, das auf Stilisierung der empirischen Tatsachen ausgeht. Sie bezeichnen zugleich eine politische Einstellung zur historischen Realität des Nachmärz. Denn nicht mehr in der Politik, sondern in der Kunst soll nun eine Vermittlung zwischen moralischen und ästhetischen Werten und empirischem Alltag, zwischen Ideal und Lebenspraxis stattfinden. Einen Hinweis darauf kann die Art und Weise geben, in der Konflikte im Werk gelöst werden: Die Lösung soll positiv und zugleich wahrscheinlich sein.

Die Wirklichkeit und das Wahre. In Fontanes Aufsatz verbindet sich die Begründung für das Verklärungsgebot charakteristischerweise wieder mit der Kritik der vorangehenden Epoche:

„Der Realismus will nicht die bloße Sinnenwelt und nichts als diese; er will am allerwenigsten das bloß Handgreifliche, aber er will das *Wahre*. Er schließt nichts aus als die Lüge, das Forcierte, das Nebelhafte, das Abgestorbene – vier Dinge, mit denen wir glauben, eine ganze Literaturepoche bezeichnet zu haben."

Neben der Empirie, dem „Steinbruch" des Künstlers, gibt es eine andere, die wahre Wirklichkeit; sie ist das Ziel der Kunsttätigkeit. Unter dem wahren Wirklichen ist die normative Ordnung der empirischen Elemente zu verstehen, die Gestalt der Welt, wie sie im Plan der Schöpfung angelegt ist, der jedoch von der zufälligen Erscheinung verdeckt wird. Hier zeigt sich die Nähe dieser Auffassung zur deutschen Klassik; die Programmatiker des bürgerlichen Realismus haben auf ihre Beziehung zum Idealismus ausdrücklich hingewiesen. In seinem Aufsatz ‚Schiller und der Idealismus' (1858) schrieb Julian Schmidt:

„Wenn man nun das, was wir als wahren Realismus bezeichnet haben, Idealismus nennen will, so ist auch nichts dagegen einzuwenden, denn die Idee der Dinge ist auch ihre Realität." (,Grenzboten', 1858)

„Idealrealismus" nannte F. Th. Vischer die Anwendung der idealistischen Poetik auf die zeitgenössischen Lebensverhältnisse. In der Annahme einer höheren Wirklichkeit über und hinter der empirischen Erscheinung äußert sich, neben der Anleihe an die idealistische Tradition, ein Glaubensbekenntnis: Jede geschichtliche Zeit hat ihre Ideale – für die Zeit nach 1850 waren es unter anderen Einheit der Nation, Sittlichkeit des Alltags, Bildung –; je angemessener diese Ideale in der Praxis realisiert werden, desto deutlicher entwickelt sich aus der zufälligen empirischen Wirklichkeit die wahre. Kunst soll dazu beitragen, diese Ideale im Alltag zu verankern, deshalb ist Läuterung der Erfahrungselemente die Aufgabe der künstlerischen Darstellung.
Die Basis dieser Anschauung ist das liberale Bürgertum selbst, dessen politische Werte Einheit und Nationalstaatlichkeit waren. Als normative Idee der Wirklichkeit erscheint hinter dem Wirklichkeitsbegriff der realistischen Programmatiker in der Ferne die politische Idee der Reichseinigung. Das begründet, warum spätestens nach 1871 die realistische Programmatik in politische Akklamation übergehen konnte.

Abgrenzung von Biedermeier und Vormärz. Die traumatische Erfahrung der Umbruchszeit 1848 ging allenthalben in die Bestimmungen des Realismus ein, und zwar nicht als punktuelle, einmalige historische Begebenheit, sondern als langer Prozeß, in dessen Zusammenhang Literatur und Kunst Schaden gelitten hatten. Die Abgrenzung gegen die zurückliegenden Traditionen ist daher ein ernstes Anliegen der realistischen Programmatik. In Fontanes Aufsatz heißt es:

„[...] der Weltschmerz ist unter Hohn und Spott zu Grabe getragen; jene Tollheit, die ,dem Feld kein golden Korn wünschte, bevor nicht Freiheit im Lande herrsche', hat ihren Urteilsspruch gefunden, und jene Bildersprache voll hohlen Geklingels, die, anstatt dem Gedanken Fleisch und Blut zu geben, zehn Jahre lang und länger nur der bunte Fetzen war, um die Gedankenblöße zu verbergen, ist erkannt worden als das, was sie war. Diese ganze Richtung, ein Wechselbalg aus bewußter Lüge, eitler Beschränktheit und blümerantem Pathos, ist verkommen ,in ihres Nichts durchbohrendem Gefühle', und der Realismus ist eingezogen wie der Frühling, frisch, lachend und voller Kraft, ein Sieger ohne Kampf."

Die 1820er Jahre („Weltschmerz") fallen ebenso unter das Verdikt wie die nähere Vergangenheit des Vormärz. Das ist möglich, weil Fontane, wie Julian Schmidt, Gustav Freytag und die anderen auch, die Pluralität der Epoche vor 1848 nicht wahrhaben will. Durch Julian Schmidts generalisierende Kritik werden Romantiker und Jungdeutsche als „zwei einander bekämpfende Phasen des nämlichen Prinzips subjektivistischer Überheblichkeit" (,Grenzboten' II, 1851) zusammengezwungen. Die programmatische Widerlegung der Revolution in der Form einer Abfertigung der literarischen Epochen vor 1848 bezeugt, wie stark die nahe Vergangenheit auch in ihrem Scheitern als bedrohlich empfunden wurde.

2.3 Literaturtheorie des programmatischen Realismus

Gustav Freytag: Rezension zu Willibald Alexis' ,Isegrimm' (,Grenzboten', 1854)
Die Technik des Dramas (1863)
Otto Ludwig: Formen der Erzählung (1891) (postum)
Julian Schmidt: Der neueste englische Roman und das Princip des Realismus (,Grenzboten', 1856)

In der Forderung der ‚Grenzboten‘, „nicht die zufälligen Erscheinungen der Wirklichkeit zu fixieren, sondern ihren bleibenden Gehalt", unterschieden sich die Programmatiker des bürgerlichen Realismus nicht von denen der Weimarer Klassik. Nun aber sollte eine derart idealistische Position auf die historische Wirklichkeit konkret einwirken, die Kunst sollte vorwegnehmen, was man für den politischen Alltag erwünschte. Das hatte Konsequenzen für das poetische Verfahren.

Stoff. Poesie soll sich zwar an erfahrbarer Wirklichkeit orientieren und die Dinge des Alltags darstellen. Doch soll der Künstler seine Gegenstände so auswählen, daß an ihnen die andere, die wahre Wirklichkeit ablesbar ist. In seinem Aufsatz ‚Unsere lyrische und epische Poesie seit 1848‘ drückte Fontane das so aus:

> „Wohl ist das Motto des Realismus der Goethesche Zuruf: ‚Greif nur hinein ins volle Menschenleben,/ Wo du es packst, da ist's interessant‘; aber freilich, die Hand, die diesen Griff tut, muß eine künstlerische sein. Das Leben ist doch immer nur der Marmorsteinbruch, der den Stoff zu unendlichen Bildwerken in sich trägt, sie schlummern darin, aber nur dem Auge des Geweihten sichtbar und nur durch seine Hand zu erwecken."

An dem auswählenden Zugriff liegt es, ob die Darstellung notwendig in einen rohen, 'naturalistischen' Realismus abgeleitet oder ob sie das Ideal hinter der Erscheinung aufleuchten lassen kann. Vornehmlich soll der Dichter, meint Julian Schmidt, die Wirklichkeit dort suchen, wo die Tüchtigkeit des Volks zur Geltung kommt: bei seiner Arbeit. Hier seien die besonderen Stellen, an denen Gegenwartsleben noch poetisch geblieben ist.

Darstellung. Die Poesie muß etwas vorwegnehmen, solange die „wahre" Wirklichkeit nicht auch die empirische geworden ist, genauer: solange Individuum und Gesellschaft nicht in Harmonie leben – zum Beispiel in einer geeinigten bürgerlichen Republik der Deutschen. Der Verstand nimmt nur das jeweilige Gegebene wahr, also muß sich der Dichter an das Gefühl wenden, wie Schmidt das in einer Bemerkung zu Mörikes ‚Maler Nolten‘ (1832) ausdrückt:

> „Der Dichter hat sich nicht an den zersetzenden Verstand, sondern an das nachschaffende Gefühl zu wenden, welches Totalität erblickt, wo der Verstand nur einzelne Stellen wahrnimmt." (Literaturgeschichte, Band 3, 1856, S. 138)

Diesem nachschaffenden Gefühl im Leser gibt der Dichter Nahrung, wenn er im Werk gestörte Verhältnisse harmonisch wiederherstellt; er befriedigt das ethische Empfinden, indem er im Werkschluß die Aussicht auf eine sittliche Bewältigung der dargestellten Konflikte bietet. So kann verklärendes Dichten die erhoffte gesellschaftliche Harmonie vorwegnehmen.

Kunstregeln. Drei Kriterien rangierten im programmatischen Realismus obenan und bestimmten seine Literaturkritik wie auch die Schreibpraxis der durchschnittlichen Autoren dieses Zeitraums: Wahrscheinlichkeit, Integration der Elemente, kompositorische Einheit. Die Verwendung dieser Kriterien in Rezensionen und Abhandlungen hat allemal einen politischen Akzent. Zum ersten forderte Gustav Freytag:

> „Der realistische Künstler wird seine Handlung so einrichten müssen, daß sie einem guten, mittleren Querschnitt seiner Hörer nicht gegen die Voraussetzungen verstoße, welche diese aus dem wirklichen Leben vor die Bühne bringen." (‚Die Technik des Dramas‘, 1863)

Das Dargestellte soll vom Leser/Zuschauer nachprüfbar sein; die Forderung nach Wahrscheinlichkeit beinhaltet den Griff ins Alltagsleben, die sittliche Normalität, eine durchschnittliche Vernünftigkeit der Konfliktentwicklung und den mittleren Stil, das heißt die Annäherung an die Alltagssprache und die Vermeidung der Extreme von Komik und Pathos. Die Forderung nach Integration der Elemente hat die Einsicht für sich, daß eine bloße Summierung von Elementen der Wirklichkeit kein Ganzes ergibt; daher müssen bestimmte Techniken verwendet werden, die das Detail mit dem Ganzen verbinden und zwischen Gegensätzen vermitteln können. Das soll der Humor leisten, der anhand der Romane von Charles Dickens (‚Die Pickwickier‘, 1837; ‚Nicolas Nickleby‘, 1839) und William Thackeray (‚Vanity Fair‘, 1848) nachdrücklich empfohlen wird: Der Humor, als Ausdruck einer Haltung, die über den Dingen steht oder sie wenigstens aus der Gelassenheit der Distanz betrachtet, lasse die je partikulare Wirklichkeit in größeren Zusammenhängen erscheinen; die Erfahrung des einzelnen stehe dann nicht mehr im harten Kontrast zur allgemeinen Idee, sondern könne dem Wissen um übergreifende Zusammenhänge zugeordnet werden.

Eine vergleichbare Aufgabe erfüllt die Komposition für das Dargestellte: Sie bestimmt den Ort der einzelnen Motive, Figuren und Konflikte im Gefüge des ganzen Werks und ordnet somit, was sonst eigenwillig und womöglich unproportional herausstehen könnte, in ein abgerundetes Gebilde ein.

Schreibnormen und Ideologie.   Diese und andere Regeln wie die der kausalen Verknüpfung und der stilistischen Reinheit faßte Gustav Freytags Kritik an Willibald Alexis’ Roman ‚Isegrimm‘ zu einer Anleitung des Romanschreibens zusammen:

„Wir fordern vom Roman, daß er eine Begebenheit erzähle, welche, in allen ihren Teilen verständlich, durch den inneren Zusammenhang der Teile als eine geschlossene Einheit erscheint und deshalb eine bestimmte einheitliche Färbung in Stil, Schilderung und in Charakteristik der darin auftretenden Personen möglich macht. Diese innere Einheit, der Zusammenhang der Begebenheit in dem Roman muß sich entwickeln aus den dargestellten Persönlichkeiten und dem logischen Zwang der ihm zugrunde liegenden Verhältnisse. Dadurch entsteht dem Leser das behagliche Gefühl der Sicherheit und Freiheit [...].“ (‚Grenzboten‘, 1854)

Durch die Rezensionen und das praktische Vorbild von Freytags Roman ‚Soll und Haben‘ (1855) prägten derartige Postulate als normative Schreibanleitungen fortan die Produktion der vielgelesenen Literatur. Sie bestimmten auch das Reden über Literatur. Poetik und Programmatik der Realisten konnten so über den Literaturbetrieb im weitesten Sinne zum Mittel der gesellschaftspolitischen Ideenbildung werden. Hinter der Forderung nach dem kompositorischen Zusammenhang und hinter der damit verbundenen Kritik an einem wildwüchsigen oder einem reflektierten Erzählen, wie man beides in den 1830er Jahren findet, steht die Vorstellung von der Harmonie des Individuums mit der Gesellschaft. Die Aussicht auf eine glückliche Lösung der dargestellten Konflikte verweist auf eine allgemeinere Problembewältigung im realen politischen Leben. Kunst und Kunsttheorie führen vor, was nach 1848 vom Bürgertum erhofft und politisch gewünscht wurde.

2.4 Der exemplarische Roman: Gustav Freytag ‚Soll und Haben‘

Gustav Freytag: Soll und Haben (1855)
Louise von François: Stufenjahre eines Glücklichen (1877)

Bürgerlicher Aufstieg: Als Motto für seinen Erfolgsroman wählte sich Gustav Freytag ein programmatisches Postulat seines Mitstreiters Julian Schmidt: „Der Roman soll das deutsche Volk dort suchen, wo es in seiner Tüchtigkeit zu finden ist, nämlich bei seiner Arbeit.“

Der Lebensweg des Anton Wohlfart soll diese Welt der Arbeit exemplarisch vorstellen. Er führt aus einem beengten Kleinstadtleben in das Handelshaus Schröter in Breslau, vom Lehrling zum

Kontoristen, vom gesellschaftlichen Außenseiter zum geschätzten Partner feudaler Kreise, aus Breslau ins revolutionsgeschüttelte Polen, am Ende zur Seßhaftigkeit als Schwager und Mitinhaber der Firma T. O. Schröter.

Die Mitgift Antons sind bürgerliche Tugenden wie Tüchtigkeit, Fleiß, Ordnungsliebe; er erlernt einen gesunden Egoismus, Einpassung in die Hierarchie des Handelshauses und Achtung der ständischen Regeln. Solche Werte des nachmärzlichen Bürgertums vermittelt Freytag nicht in der gegenwärtigen Welt der Industrialisierung und Kapitalbildung, sondern im traditionellen Rahmen der bürgerlichen Handelstätigkeit. Die negativen Seiten des Kapitalismus fallen auf Kontrastfiguren: auf die Juden Veitel Itzig und Hirsch Ehrental, die ein Spekulationsvermögen anhäufen und eine Adelsfamilie mit Betrug in den Ruin treiben. Daß die derart auf gegensätzliche Figuren verteilten Werte und Unwerte Aspekte der einen Epoche sind, enthüllt sich erst dem Leser, der zurückblickt. Von seinem Weg des bürgerlichen Aufstiegs droht Anton abzukommen, wenn er mal den Einflüsterungen der kapitalistischen Spekulanten, mal den Verlockungen des adligen Genußlebens erliegt. Die Träume Veitel Itzigs von rasch erworbenem Besitz und Einfluß im gesellschaftlichen Leben werden als falsch, weil maßlos und die Gemeinschaft gefährdend entlarvt; die bescheidenen Aufstiegs- und Wohlstandsphantasien Antons werden Wirklichkeit, weil sie an der Richtigkeit des Bestehenden keinen Zweifel lassen. Das Beharren auf der bürgerlichen Lebenseinstellung und -führung als einzig richtiger und rechtgläubiger läßt sich leicht mit dem Nationalismus verbinden: Ein nationaler Aufstand im Großherzogtum Posen stört die deutschen Geschäftsleute in ihrem Handel, deshalb wird er als schmutziger Krieg und Polackenwirtschaft diffamiert. Auch hier retten die Handelsleute die Situation und festigen die Einsicht, daß es „keine Race [gibt], welche so wenig das Zeug hat vorwärtszukommen und sich durch ihre Capitalien Menschlichkeit und Bildung zu erwerben, als die slavische".

Beschränkte Welt und realistisches Erzählen. Die zeitgenössische Rezeption des Romans teilte sich in eine enthusiastisch lobende und eine, die vor allem den Realismus der dargestellten Welt der Arbeit anzweifelte. Diese Kontroverse führt ins Zentrum des 'neuen' Romans. Denn entweder unterstellt man Freytag eine Verkennung der zeitgenössischen Wirklichkeit in ihrer Erscheinung als kapitalistische Produktionswelt, oder man nimmt an, daß die theoretischen Grundlagen des Realismus den Autor zur Wahl des unzeitgemäßen Weltausschnitts veranlaßt haben. Die um 1850 geschichtlich vergangene Welt des Handels basierte in der Tat auf der Tüchtigkeit und Vertrauenswürdigkeit des einzelnen; in einer solchen Welt, in der sittliche und ökonomische Werte noch zusammenfielen, sollte man mit der Berufsausbildung auch die Charakterbildung eines Bürgers erfahren. Freytag kann an dieser eben vergangenen Realität die tatsächliche Entwicklung in ihren moralischen Extremen (der kriminelle Jude und der moralisch indifferente Adlige), ihren zeitlichen Dimensionen (schlechte Vergangenheit und gefährliche Zukunft) und ihren ökonomischen Gefahren vorführen: auf der einen Seite der nur um den Profit besorgte Spekulant, der andere ins Verderben stürzt, auf der anderen Seite der Großgrundbesitzer, der sein Land als Mittel zur Repräsentation mißbraucht. Zwischen beiden steht nun der Bürger, der das Geschäft an das allgemeine Sittengesetz binden soll.

Die Voraussetzungen des realistischen Programms erzwingen eine bestimmte Erzählweise. Indem Freytag eine „altertümliche Handelsfirma" zum Paradigma der gegenwärtigen Gesellschaft erhebt, gewinnt er die geforderte Anschaulichkeit für die Arbeits- und Warenwelt, die dem modernen Industriegeschehen abgeht. Die Vielfalt der Waren ist noch dicht beieinander, die Menschen arbeiten und leben zusammen, was eigentlich abstrakt ist, wird nahe gerückt. Detailfreude und Anschaulichkeit müssen nicht herbeigeschrieben werden, der Stoff legt sie nahe. Selbst das Geld kann getreu dem altertümlichen Buchhaltungswesen im Roman als gegenständliche Münze erscheinen. Und da die Handelstätigkeit mit Reisen verbunden ist, werden auch Abenteuer bestanden, feindliche Völker bekämpft und exotische Welten bestaunt. Wollte er faktische Gegenwart, müßte Freytag den abstrakten Tausch von Waren und die indirekten zwischenmenschlichen Verkehrsformen 'realistisch' erzählen. Statt dessen wählte Freytag Elemente der prosaischen Wirklichkeit, die in sich schon den Stempel des Poetischen tragen, die das Gemüt ansprechen und die Phantasie beflügeln. Wie sich der programmatische Realist den poetischen Prozeß vorstellte, erläutert der Held dem Leser. Mitten im dunklen Handelsgewölbe sitzend und gegen die Stumpfheit des täglichen Einerleis ankämpfend, sagt Anton Wohlfart:

> „Ich weiß mir gar nichts, was so interessant ist als das Geschäft. Wir leben mitten unter einem bunten Gewebe von zahllosen Fäden, die sich von einem Menschen zu dem andern, über Land und Meer, aus einem Weltteil in den andern spinnen [...]. Wenn ich einen Sack mit Kaffee auf die Waage setze, so knüpfe ich einen unsichtbaren Faden zwischen der Colonistentochter in Brasilien, welche die Bohnen abgepflückt hat, und dem jungen Bauerburschen, der sie zum Frühstück trinkt [...]."

Freytag erfüllte das literaturpädagogische Programm des bürgerlichen Realismus vorbildlich. Doch erweist sich an seinem Beispiel, daß dessen Intentionen und Erzählpostulate im Roman ein rückschrittliches Bild der Wirklichkeit entstehen lassen. Erzähler wie Adalbert Stifter, Gottfried Keller und Wilhelm Raabe mochten sich dieser Programmatik nicht unterwerfen.

2.5 Das Drama im Gefälle von Theorie und Praxis

Ludwig Anzengruber: Der Meineidbauer (1872)
Der G'wissenswurm (1874)   's Jungfernstift (1878)
Eduard von Bauernfeld: Der kategorische Imperativ (1851)   Excellenz (1865)
Roderich Benedix: Das Gefängnis (1859)   Der Störenfried (1861)
Gustav Freytag: Die Journalisten (1854)   Die Fabier (1859)
Friedrich Halm: Der Fechter von Ravenna (1859)
Iphigenie in Delphi (1864)
Friedrich Hebbel: Herodes und Mariamne (1850)   Agnes Bernauer (1855)
Michel Angelo (1855)   Gyges und sein Ring (1856)   Die Nibelungen (1862)
Paul Heyse: Die Sabinerinnen (1859)   Colberg (1868)
Paul Lindau: Maria Magdalena (1873)   Johannistrieb (1878)

Das Realismusprogramm hat auf die Entwicklung der Lyrik keinen Einfluß zu nehmen versucht. Es begründet vielmehr die Priorität der erzählenden Gattung. Der Roman, der auch im späten 19. Jahrhundert noch als Halbbruder der Poesie bezeichnet wurde, weil ihm der Zwang zur Form fehle (Paul Ernst), wurde im Realismus einem konsequenten Prozeß der Ästhetisierung unterworfen. Die belletristische Sachprosa, die um 1830 eine Blüte erlebt hatte und der Erzählprosa gleichgestellt worden war, wurde unter der Forderung nach Reinheit von Gattung und Stil wieder aus dem System der Gattungen ausgegliedert. Die strenge Formgebung, von der vor allem die Novelle profitierte, richtete sich am Drama aus. Das Drama behielt in dieser Epoche den Rang der höchsten Gattung bei. Fontane ging so weit, in seiner Rezension zu Freytags ,Soll und Haben' dem Autor lobend zu bescheinigen, er habe das Baugesetz für seinen Roman dem Drama entnommen. Otto Ludwig, anerkannter und repräsentativer Erzähler und Poetiker, verbrachte einen guten Teil seiner theoretischen Energie damit, aus dem Drama Shakespeares Normen für den Roman zu gewinnen

(‚Shakespeare-Studien', 1874, postum). Die Dramatiker haben diese Erwartungen nicht erfüllt. Einige der neuen Kunstnormen, insbesondere die Forderung nach Wirklichkeitsnähe und mittlerem Stil, waren der Trägödie nach klassischem Muster, aber auch dem herkömmlichen Lustspiel abträglich. Friedrich Hebbels lebenslange Theoriearbeit ist eine Reaktion auf die Gefährdung der dramatischen Gattung im Realismus, dessen Programm er kategorisch ablehnte. Seine radikal tragische Weltsicht sprengte die epochentypische Tendenz zum Ausgleich und zur Vermittlung. Die Stoffe zu seinen großen Tragödien nach ‚Maria Magdalene' (1844) entstammten daher mit Grund der Geschichte und dem Mythos. Seine anspruchsvollen Stücke wurden zwar gespielt, hatten aber keinen Bühnenerfolg. Seine Tragik mußte den Zeitgenossen anachronistisch erscheinen.

Die innovativen Experimente aus der vorangehenden Epoche, Grabbes ‚Napoleon oder Die hundert Tage' (1831) und Büchners ‚Dantons Tod' (1835), blieben folgenlos. Auf dem Spielplan behaupteten sich die klassischen oder die der Klassik nachgebildeten Stücke sowie die Tagesnovitäten. Eduard von Bauernfeld und Roderich Benedix lieferten Serienerfolge eines populären Theaters; Paul Lindau war seit den 1870er Jahren zuständig für das Konversationsschauspiel. Für die nicht gebildeten Schaulustigen entwickelte sich neben dem Schwank im späteren Verlauf des Jahrhunderts die Operette als anspruchsvolles Unterhaltungstheater (Jacques Offenbach, Johann Strauß). Aus der Generation der Realisten konnten Ludwig Anzengrubers Stücke, die im ländlichen Milieu spielen wie ‚Der Meineidbauer' (1872), und einige historische Dramen von Gustav Freytag, Friedrich Halm und Paul Heyse Erfolge verbuchen. Andererseits erlebte diese Epoche in Wien, Karlsruhe, München, Weimar und vor allem Bayreuth eine glanzvolle Blüte des Theaterbaus, der Spieltruppen und der Regie. Als gesellschaftliches Ereignis war das Theater höchst zeitgemäß.

3 Bildung und Bildungsroman:
Adalbert Stifter, Gottfried Keller, Wilhelm Raabe

3.1 Zur Poetik des Bildungsromans

Die von Julian Schmidt und Gustav Freytag vertretene Romankonzeption trat im Jahrzehnt nach der gescheiterten Revolution neben die traditionsreichen Modelle des Bildungsromans, auch 'Liebesroman' oder 'Individualroman' genannt. Der Gegenstand dieses Romans ist, anders als vor 1848, der Weg eines Helden, der als passiver und unselbständiger junger Mann der leserorientierten Vorliebe für den 'normalen' Durchschnittsmenschen entsprach. Im Lebenslauf eines Indiviuums aus der mittleren bürgerlichen Schicht sollen nun der Bildungsroman in der Art von Goethes ‚Wilhelm Meister' und der von den ‚Grenzboten' favorisierte neue Roman wie Freytags ‚Soll und Haben' verbunden werden. Mit Friedrich Theodor Vischers ausdrücklicher Forderung, „die sittlichen und intellektuellen Fortschritte des Privatlebens" darzustellen, wird der Bildungsprozeß innerhalb der bürgerlichen Sphäre zum wichtigsten Thema. Die Tradition wird dabei entschieden aufgenommen, aber mit wichtigen Veränderungen. Man siedelte die Romanhandlung in der Privatsphäre von Liebe und Familie an, weil dorthin das wahre Leben geflüchtet sei (Vischer), und versuchte trotzdem, das tatsächliche Leben im Sinne Julian Schmidts darzustellen. Das beschränkte den Bildungsgang des bürgerlichen Individuums auf einen Weg aus der Familie durch die Handelskontore und die gesellschaftlichen Institutionen bis hin zur neuen Familiengründung. Der Aufsteigerroman löste den Roman von der Entwicklung einer Persönlichkeit im klassischen Muster ab.

Gattungstradition. Die Eingabe von Details des bürgerlichen Wirtschaftsalltags änderte wenig an der Struktur des Bildungsromans, den man in Goethes ‚Wilhelm Meister' zu lesen meinte. Im Gegensatz zum europäischen Roman von Charles Dickens (‚David Copperfield', 1849) und Gustave Flaubert (‚Erziehung des Herzens', 1857) ist hier das Verhältnis zwischen dargestelltem Subjekt und dargestellter Welt aufs Ende hin konstruiert: Der Held ist auf Entwicklung zu einem Ziel programmiert, die Welt als Mittel seiner Bildung zugeschnitten. Bildungssubjekt und Welt haben nicht den gleichen Status, denn die dargestellte Wirklichkeit kann durchs Individuum nicht verändert werden. Die Passivität des Helden wurde anthropologisch begründet, sein Wesen sah man in der Bildsamkeit. Solange Individuum und Gesellschaft nicht als unversöhnliche Gegensätze gedacht wurden, wie das im 18. Jahrhundert der Fall war, konnte die Bildungsgeschichte des Individuums als beispielhaft für die Menschheit gelten. Christoph Martin Wielands ‚Geschichte des Agathon' (1766/73) ist ein Beispiel; sie wurde als Entwurf einer individuellen und gattungsmäßigen Bildungsgeschichte verfaßt und gelesen. Spätestens nach 1848 setzte sich bei Theoretikern und Romanautoren die Einsicht vom Verlust einer derartigen geschichtsphilosophischen Illusion durch. Man beharrte zwar auf der Traditionsmächtigkeit des Bildungsromans, doch war das nach der Erfahrung der gescheiterten Revolution wenig mehr als eine Anlehnung an große Vorbilder.

Die Anknüpfung konnte aber auch anders geschehen, nämlich kritisch in dem Sinne, daß auf jegliche Harmonisierung verzichtet oder der Bildungsgang des Individuums gegenläufig zu den gesellschaftlichen Ansprüchen angelegt wurde. Genau dies ist der Punkt, an dem sich Stifters ‚Nachsommer' von Freytags ‚Soll und Haben', der späte vom jungen Raabe, Kellers Desillusionsroman ‚Der grüne Heinrich' von Louise von François' Aufsteigerroman ‚Stufenjahre eines Glücklichen' abheben lassen.

3.2 Die Bildungswelt von Stifters ‚Nachsommer'

Adalbert Stifter: Der Nachsommer (1857)

Die Schönheit und Ruhe einer geschichtsfernen Gegenwart ist auffallendes Merkmal von Adalbert Stifters Roman.

‚Der Nachsommer' spielt um 1830, aber außerhalb der Zeitgeschichte. Heinrich Drendorf, der Ich-Erzähler, stammt aus gutbürgerlicher Familie, die es sich leisten kann, den Sohn gegen das kaufmännische Zweckdenken „Wissenschaftler im allgemeinen" werden zu lassen. Nach einer Ausbildung durch Privatlektüre und Hauslehrer wandert Heinrich, mit geologischen und naturkundlichen Studien beschäftigt, im Gebirge. Seine Bemühungen münden erst auf dem Asperhof des Freiherrn von Risach in einen Bildungsweg. Risach lebt mit seiner benachbart wohnenden Jugendgeliebten Mathilde und deren beiden Kindern Gustav und Natalie in einem abgeschlossenen Lebenszusammenhang, der Natur, Kunst und Menschen gleichermaßen und gleichrangig einbezieht. Die Arbeiten in Haus, Garten, Landwirtschaft und Kunsttischlerei werden unter strenger Achtung der Eigengesetzlichkeit der Dinge und ihres Zwecks in der Natur bzw. ihres Orts in der Kunstgeschichte durchgeführt. Heinrichs Bildungsweg mündet in die Heirat mit Natalie. Die Familiengründung, die Risach wegen seiner bewegten Jugendzeit versagt geblieben war, wird seinem Lebensmodell die Dauer geben.

Natur, Kunst und menschlicher Umgang sind die Sphären, in denen Heinrich nacheinander und aufsteigend Erfahrungen auf seinem Bildungsgang macht. Am Beispiel der sorgfältig bewahrten Natur, in der Pflege der Rosen und im Beschneiden der Obstbäume, erlernt er die wahre Ordnung der Dinge. In dieser Ordnung erlebt er die Einheit von Zweckmäßigkeit und Schönheit. Nicht der Mensch darf von sich her die Zwecke bei Eingriffen in die Natur oder in vergangene Kulturgüter setzen, sondern er soll sich vom Gesetz der Dinge leiten lassen. Das erfordert Sachgemäßheit und Treue als höchste Tugenden. Ihnen ist das Leben im Rosenhaus Risachs unterstellt. Die Natur wird als Ausfluß der göttlichen Schöpferkraft ernst genommen; die Kunst ist „ein Zweig der Religion". Die Arbeit an den Naturdingen wie an den Kunstwerken, die in der Tischlerei restauriert werden, ist somit Gottesdienst. Der wiederum ist nur möglich in der Gesellschaftsferne und in bewahrender Abgeschlossenheit.

Stillstand der Zeit. Risach und seine Angestellten Eustach und Roland restaurieren beschädigte Kunstwerke, sie vergegenwärtigen das vergangene Schöne. Risach ist Sammler von Gemälden aus verschiedenen Epochen, die er, die Unterschiede der Zeit tilgend, in einem Museumsraum aufstellt; und er rettet Kunstwerke, Edelsteine wie Kirchen, vor dem physischen Verfall. In beidem stemmt sich Risach in der Erzählgegenwart der 1830er Jahre gegen den Gang der Zeit, wie er als Geschichte erfahrbar ist. Heinrich erlebt im Alltag des Rosenhauses eine stillgestellte Gegenwart. Das bedeutet zum einen die Ersetzung der fortschreitenden, meßbaren Zeit durch eine zyklische, die sich in der Beobachtung der Naturvorgänge und in der Beachtung von wiederkehrenden Ritualen des menschlichen Miteinanders zu erkennen gibt. Daraus besteht der Roman zu weiten Teilen. Zum anderen äußert sich darin Kritik am konkreten Geschichtsablauf. Heinrichs geschäftiger Vater, für den das Sammeln von Kunst das erholsame Hobby eines wohlhabenden Kenners ist, gründet unter dem Einfluß Risachs am Ende eine neue Existenz auf dem Lande in der Nachbarschaft des Rosenhauses. In Gesellschaftsferne und Geschichtsvergessenheit sollen neue Lebensqualitäten entstehen.

Der Stillstand der Zeit teilt sich in Stifters Schreibweise mit: in der Form des verweilenden Erzählens. Deren auffälligste Merkmale sind das Verharren bei Einzelheiten und die Technik der Wiederholung. Was im herkömmlichen Roman die Handlung ist, eine Kette von Geschehnissen, Taten und deren Folgen, ist bei Stifter eine begrenzte Zahl von Verhaltensweisen, eine wiederkehrende Abfolge von Zuständen. Einsichten werden nicht erkämpft, sondern weitergegeben oder vergegenwärtigt. Erinnerung und Rückblick vermitteln Gewohnheiten. Versuche, die scheitern könnten, sind nicht Sache des Romans. Gegen das extensive Lesen, das ungeduldige Überfliegen kleinteiliger und informationsreicher Texte, stellt Stifter sein episches Erzählen, das den Blick auf einzelnes lenkt und dort festhält; an die Stelle von Voranschreiten und Abwechslung setzt er Gleichförmigkeit und Ruhe.

Das pädagogische Programm. Der Bildungsweg, der von den Romanfiguren selbst als Entfaltung von Heinrichs Anlagen gepriesen wird, entpuppt sich vom Ende her als Erlernen einer Lebensweise, die vorab als gut und schön erkannt worden ist. Das pädagogische Programm, das Risach an Mathildes Sohn Gustav und an Heinrich vermittelt, hat nämlich seine Basis in Risachs Lebenserfahrungen: in seiner bewegten Jugendgeschichte mit Mathilde und in seiner Laufbahn als Staatsmann in einem bürgerlichen Gemeinwesen um die Jahrhundertwende. Heinrichs Bildung ist somit im Kern die Summe fremder Erfahrungen; Enttäuschungen und Fehler hat der Lehrer Risach hinter sich, seinen Schülern bleibt ein stetes Lernen als Vergegenwärtigung von Vergangenem, das Risach aufgearbeitet hat. In Heinrichs konfliktfreiem Bildungsweg wiederholt sich strukturell die Arbeit, die Risach in der Restaurierung beschädigter Kunstwerke aus vergangenen Epochen leistet; das Ergebnis von beiden ist ein reines, ästhetisches Gebilde. In dieser Idee einer ästhetischen Bildung für den Menschen der zweiten Jahrhunderthälfte liegen die Probleme des Stifterschen Romans, aber auch sein Reiz.

In zweifacher Weise wird ‚Der Nachsommer' dem angestrebten Entwurf einer Bildungswelt gegen die zeitgenössische Wirklichkeit gerecht: Einmal wird Zug um Zug eine harmonische Gegenwelt entwickelt. Zum anderen, in der Tiefenschicht, ist der Roman ein Protest gegen die Opferung einer humanen und schönen Lebensform zugunsten des zweckorientierten Erwerbslebens. An zwei Punkten wird im Roman aber auch die Widersprüchlichkeit der Gattung Bildungsroman nach 1848 wirksam. Heinrichs Bildungsgang ist emphatisch gegen das Zweckdenken der bürgerlichen Gesellschaft gerichtet und basiert doch auf angehäuftem Besitz, auf Freiheit vom Broterwerb. Und die neue und gute Lebensform, die Stifter mit Risach als Versprechen einer besseren Zukunft vorstellt, ist auf einem gesellschaftsabgewandten Raum und einer sich abgrenzenden Lebensgemeinschaft aufgebaut. Nur in dieser isolierten Form scheint das humanistische Bildungsideal der Klassik in der zweiten Jahrhunderthälfte weiterbestehen zu können – eine Folge auch der politischen Geschichte des liberalen Bürgertums.

3.3 Bildung als Desillusionierung in Kellers Roman ‚Der grüne Heinrich'

Gottfried Keller: Der grüne Heinrich
(erste Fassung 1855/56, zweite Fassung 1879/80)

Phantasiearbeit. Gottfried Kellers Roman ist die mit zahlreichen autobiographischen Elementen besetzte Lebensgeschichte eines jungen Menschen namens Heinrich Lee. Ein gemeinsames Moment verbindet alle erzählten Lebensstationen wie Kindheit und Schule, Aufenthalt bei dem Onkel auf dem Lande, Teilnahme am Wilhelm-Tell-Fest, Malstudien bei Kunstmaler Habersaat, eine längere Zeit in München im Umkreis der Kunstakademie, Studienzeit und Arbeit als Bemaler von Fahnenstangen, Rückkehr in die Schweiz mit längerer Unterbrechung im Hause des Grafen zu W-berg; Phantasie und Realitätsbezug Heinrichs treten nie deutlich auseinander. Als Kompensation für seine schlechten Umwelterfahrungen benutzt Heinrich die Einbildungskraft, was allerdings sein Wirklichkeitsbewußtsein trübt. Darüber hinaus wirkt die Imagination als eine Kraft, mit deren Hilfe er die zufälligen Gegebenheiten der Umwelt zu Faktoren einer humanen Existenz ordnen kann. Ein Beispiel ist die Schulzeit: Die brutale Erziehung und rigide Moral der Erwachsenen und die Konkurrenz unter den Schülern fordern die Phantasietätigkeit Heinrichs heraus. Er lernt, daß er sein Leben durch erfundene Geschichten über sich steigern, ja umdeuten kann und diese Umdeutungen sogar Wirkungen in der Realität zeitigen, sowohl auf die Erwachsenen wie auf seine Kameraden.

Anders als Heinrich Drendorf in Stifters ‚Nachsommer' wächst Heinrich Lee an realen Erfahrungen, indem er die Folgen trägt: Seelenangst wegen seiner Lügen, physische Strafen, Haß der Opfer seiner Geschichten. Fortwährender Anstoß seines Bildungsganges ist nicht ein Meister wie Risach, sondern die problematische Beziehung zwischen seinem Glücksverlangen, der Einbildungskraft und den sozialen Normen. Damit greift Keller weit über seine Zeitgenossen hinaus, die für das Gelingen oder Mißlingen eines Lebenslaufs entweder die Anlagen eines Individuums oder eine diesen entgegenstehende Umwelt verantwortlich machten. Heinrichs Bildung vollzieht sich prozeßhaft in einer Kette von Desillusionierungen, in denen die prekäre Balance zwischen Glücksanspruch, Imagination und gesellschaftlicher Norm aus den Fugen gerät. Der problematische Realitätsbezug erscheint symptomatisch für die soziale Verunsicherung des Bürgertums; die prägende Phase in Heinrichs Reisetätigkeit fällt bezeichnenderweise in das aufgewühlte Jahrzehnt des Vormärz.

Heinrichs Lernprozesse. Heinrich steht mit seinen Ambitionen von Anfang an und während seiner Entwicklung außerhalb der geregelten bürgerlichen Arbeitswelt. Sein Vater, der künstlerisch talentierte, im Handwerk meisterliche und dazu erfolgreiche Baumeister, ist für Keller das Idealbild des Bürgers. Er stirbt früh, sein Vorbild wird Heinrich zum Trauma einer nicht zu erfüllenden Pflicht der Nachfolge. Heinrich lernt, langsam und mit Rückschlägen, daß er seinen Künstlertraum nicht der Wirklichkeit aufzwingen kann, und er lernt weiterhin die Verpflichtung zur Arbeit, die Keller als Verpflichtung zum bürgerlichen Gemeinsinn versteht.

Doch nicht das Ziel des Bildungsweges ist, wie bei Stifter, das Entscheidende, sondern die Art und Weise, wie Heinrich Lee lernt. Seine Erfahrungen sind nicht die steten Schritte eines gelehrigen Schülers. Vielmehr wirken sie in die Zukunft und bestimmen den Fortgang von Heinrichs Bildung im guten wie im bösen Sinne. So bewertet der rückblickende Erzähler in der zweiten Fassung die psychosoziale Störung des Kindes Heinrich als frühe Grundlage seiner kranken Beziehung zu den Frauenfiguren Anna, Judith und, später, Dörthe Schönfund. Denn Heinrichs seelische Bindung an Anna besteht in seiner Einbildung noch über ihren Tod hinaus und belastet sein ferneres Verhältnis zu Frauen; so kann er kein natürliches Verhältnis zur gesunden, spontan sexuellen Judith finden. Frühere Lebensphasen sind in Heinrichs Entwicklung nicht nur unvollkommene Vorstufen der schließlichen Reife, wie im herkömmlichen Bildungsroman, sondern sind echte Erfahrungen, die ihn bleibend binden und in seiner Entwicklung psychisch und moralisch prägen.

Schuldfragen. Kernstellen des Werks sind deshalb schuldhafte Verstörungen wie Heinrichs Stehlen und Prahlen aus Anlaß des Pfingstumzugs und die Folgen seines Schuldnerverhältnisses zum Kameraden Meierlein (I, 13-15), seine Schuld am Untergang des irren Malers Römer, von dem Heinrich geliehenes Geld zur Unzeit und mit Drohungen zurückfordert (III, 5), vor allem die rücksichtslose totale Ausbeutung der wartenden Mutter. Nicht die äußerlichen Beziehungen, die Heinrich eingeht, bestimmen seine Reifung, sondern die aus ihnen resultierenden schmerzhaften Erfahrungen und psychischen Krisen. Zugleich zeigen diese Episoden neben anderen, daß die Romanfiguren echte Mitmenschen sind, an denen er schuldig werden kann. Die Romanfiguren funktionieren hier nicht mehr wie in traditionellen Mustern allein als Erziehungsinstanzen.

Heinrichs Passivität im emotionalen Bereich läßt ihn die Liebe der Grafennichte Dörtchen Schönfund im wahrsten Sinn des Wortes verpassen; Passivität ist hier nicht wie in anderen Exemplaren der Gattung Voraussetzung zu umfassender Bildung. Sie begründet vielmehr von Heinrichs ganzem bisherigem Lebensweg her, warum die harmonische Lösung ausbleibt, die das Einschwenken ins aristokratische Milieu nach den Regeln der Romankonvention erwarten läßt. Heinrichs problematisches Verhältnis zur Realität, lebensgeschichtlich gewachsen, läßt ein gutes Ende nicht erzwingen. Dem entspricht es, wenn in der zweiten Fassung die aus Amerika heimgekehrte Judith sich weigert, über Heinrichs Lebensweg zu Gericht zu sitzen; sie bescheidet sich mit einem freundschaftlichen Umgang. Die Schlüsse der beiden Fassungen, Heinrichs rasches, schuldbeladenes Sterben nach dem Tod der Mutter in der ersten, der Verzicht auf ein eheliches Glück mit Judith in der zweiten, sind nur graduell verschieden.

Erzähler und Held. Die wichtigsten Unterschiede zwischen den beiden weit auseinander gerückten Fassungen liegen in der Erzählhaltung und im Stil. Während die wichtige Jugendgeschichte in der Erstfassung gegen die Mitte des Romans als Ich-Erzählung eingeblendet wird, sonst aber ein reflektierender, oft unverblümt zeitkritischer Er-Erzähler die Geschichte niederschreibt, ist in der zweiten Fassung Heinrich durchgehend zugleich Held und Ich-Erzähler. In der Erstfassung bildet der mit großer Intensität erzählte Jugendabschnitt einen Kontrast zu den späteren Lebensphasen. Die zweite Fassung ist einheitlicher, denn nun durchschreitet Heinrich, mit seinen Worten, „die grünen Pfade" als Erinnernder. Er kann im Erzählverlauf ordnen und gewichten, was er als jugendlich Erlebender nicht in der Lage war zu sehen. Heinrich redet daher auch von Dingen, die er als Betroffener nicht in ihrer Gänze wahrnehmen und akzeptieren konnte: von der Mächtigkeit der menschlichen Gemeinschaft beim Tell-Fest, von der lebenspendenden Kraft Judiths, von der Gültigkeit der Kunst Goethes. In der Zweitfassung erscheint der Erzähler gedämpfter, die Sprache geglättet und mehr in die mittlere Stillage des programmatischen Realismus gerückt. Doch verleiht das Erzählen des in seine Vergangenheit blickenden Heinrich dem Lebenslauf die Proportionen, die dem nur die Extreme wahrnehmenden Heranwachsenden entgingen. Der Roman hat die Ganzheit, die seinem Helden abgeht.

3.4 Bildung – Idee und Wirklichkeit

Die Wahl der Gattung Bildungsroman geht bei Adalbert Stifter, Gottfried Keller und auch bei Wilhelm Raabe in eins mit dem ausdrücklichen Bezug auf die Bildungsidee der Klassik. In Stifters ‚Nachsommer' führt beispielsweise der Freiherr von Risach des Autors Meinung aus, Bildung sei die Entwicklung von individuellen, angeborenen Anlagen jenseits des Zweckdenkens der bürgerlichen-Gesellschaft. Das entspricht einem Tagebucheintrag Raabes: Das Leben ausnutzen heißt nicht, sich dem hinzugeben, was die Leute so nennen, sondern seiner eigenen Natur zu folgen. Beides ist ein Echo auf Wilhelm von Humboldts Aussage, die für die Klassik bezeichnend ist:

> „Jeder mensch existirt doch eigentlich für sich; ausbildung des individuums für das individuum und nach den dem individuum eigenen kräften und fähigkeiten muß also der einzige zweck alles menschenbildens sein." (‚Tagebuch der Reise nach Paris und der Schweiz', vom 26. 9. 1789)

Bildungswirklichkeit. In dieser Bildungsidee beziehen sich Stifter und Raabe kritisch auf die faktische Entwicklung der Bildung im 19. Jahrhundert. Bei Keller ist dies nicht so deutlich. Doch geißeln alle drei in ihren Werken das Zweckdenken im Bürgertum. Sie meinen die Formalisierung der Bildung in den Schulen, die ein pädagogisches Handeln verdrängte, den Mißbrauch der Bildung als Ausweis von sozialem Status und die allmähliche Herabstufung der humanistischen Allgemeinbildung zugunsten naturwissenschaftlicher Spezialbildung, die der technische Fortschritt erzwang. Nietzsches Schopenhauer-Buch 1874 drückt das gleiche Unbehagen in der Form philosophischer Polemik aus.

In der zweiten Jahrhunderthälfte wird der Zusammenhang von Besitz und Bildung, der von Demokraten im Vormärz wie Gustav von Struve als Indiz schlechter sozialer Hierarchien herangezogen wurde, positiv verstanden. Er wurde zum Kern eines materiellen Bildungsdenkens, das mit dem fortschreitenden Verfall einer politischen Opposition den Inhalt liberaler Politik ausmachte. Bildung erschien fortan in zweierlei Gestalt: Als Wert war sie Kennzeichen des Bürgers in einer Welt der Innerlichkeit, als Besitz von Kulturgütern gehörte sie zur Ausstattung des Bürgers in einer Welt der Repräsentation wirtschaftlicher Macht. Andererseits: In der Gründung von Museen, im Aufschwung des Reproduktionswesens, im Restaurierungsgeschäft und in der Kulturgeschichtsschreibung – all dies kulturelle Errungenschaften des bürgerlichen 19. Jahrhunderts – vollzog sich eine allgemein zugängliche Vergegenwärtigung von vergangener Kunst und Kultur. Das konnte demokratisierend wirken und zur Opposition gegen ein versachlichtes Bildungsdenken taugen. Sofern Bildungsbesitz aber in private Eigentumsverhältnisse übergeführt wurde, mußte er zur Abgrenzung nach unten herhalten und die Zugehörigkeit zu einer privilegierten Schicht beweisen. Diese Verzwecklichung der Bildung und Kultur verstärkte sich nach der Reichsgründung erheblich.

3.5 Raabes frühe Romane

> **Wilhelm Raabe:** Die Leute aus dem Walde (1862)   Der Hungerpastor (1864)
> Drei Federn (1865)   Abu Telfan (1867)   Der Schüdderump (1870)

Die wichtigeren Werke des jungen Wilhelm Raabe sind Bildungsromane im herkömmlichen Verständnis. ‚Die Leute aus dem Walde' (1862), die Romane der sog.
Stuttgarter Trilogie, insbesondere ‚Der Hungerpastor' (1864), und auch die Erzählung ‚Drei Federn' (1865) orientieren sich am biographischen Entwicklungsschema;
die Tradition, der Raabe folgte, besteht dabei aus einer Erzählweise, die auf den
Ausgleich von Gegensätzen angelegt ist. Daß diese Orientierung bewußt geschah,
dafür zeugen optimistische Aussagen Raabes, der während seiner Stuttgarter Zeit
1862–70 im privaten, literarischen und politischen Bereich Anlaß zur Zufriedenheit
und Zuversicht sah.
Die Orientierung am Gattungsmuster ‚Wilhelm Meister' ist dabei deutlich. Die Bil-
dungshelden Robert Wolf (‚Die Leute aus dem Walde') und Hans Unwirrsch (‚Der
Hungerpastor') haben gemeinsam, daß sie aus ihrer Abhängigkeit von Leitfiguren
nicht herauskommen; die Anspielung auf die weise lenkende Turmgesellschaft der
Goetheschen Romane ist vor allem in ‚Die Leute aus dem Walde' greifbar. Hier geschieht der Ausgleich von Gegensätzen im Dreigespann der Erzieherfiguren: des
Sternguckers Ulex (Motto: Sieh nach den Sternen), des Polizeischreibers Fiebiger
(Motto: Gib acht auf die Gassen) und der zwischen beiden vermittelnden Freifrau
von Poppen. Sie nehmen den buchstäblich aus dem Walde kommenden Achtzehnjäh-
rigen unter ihre Obhut. Robert Wolf wird und bleibt ein unselbständiges Erziehungs-
objekt. Daran ändert auch sein längerer Amerikaaufenthalt nichts. Denn hier behü-
tet und lenkt ihn der Weltreisende Faber. Er vertritt mit seinem Fortschrittsdenken-
den einen typischen Kritiker des alten Europas, der aber bei aller Anpassung an amerikanische Sitten an die Heimat als Stätte des Geistes gebunden bleibt. Die Maximen
der Erziehung Roberts gehen aus auf Leidensbewältigung als Bewährung im Alltag;
sie leitete Raabe her aus der stoischen Philosophie.

Der Hungerpastor. Vergleichbar einlinig verknüpfen sich, in der Ausdrucksweise
der zeitgenössischen Literaturtheoretiker, prosaisch-bürgerliche Wirklichkeit und
poetisch-ganzheitliches Menschentum im ‚Hungerpastor'. Bildende Kraft ist der
Hunger in seinen Ausprägungen als Drang nach Wissen, Welt und Liebe. Dem entspricht die ursprüngliche Einteilung des vielräumigen Romans in Lehrjahre, Prü-
fungszeit und Wanderjahre. An deren Ende steht die Überzeugung Hans Unwirrschs,
er habe die Wahrheit des Lebens gefunden. Es ist die Wahrheit der einfachen Existenz fernab von der industrialisierten Welt in dem Ort Grunzenow am Meer. Die
Realitätsabgeschiedenheit der 'wahren' Welt, die in Stifters ‚Nachsommer' die alleinige Geltung der ästhetischen Lebensform begründete, erweist im ‚Hungerpastor'
den Zwang der Gattungskontinuität gegen die tatsächlichen Verhältnisse; diese werden im Roman vorgestellt, am Ende aber unterdrückt. Nur im fernen Winkel kommen Ideal und konkretes Leben zu einem harmonischen Ausgleich. Er gelingt ohne
merkbaren Bruch im Erzählgefüge, weil Unwirrsch keine für die bürgerliche Industriegesellschaft repräsentative Figur ist. Auch wird sein Lebensweg wie der Robert
Wolfs vom Wirken und Lenken guter Beschützergestalten begleitet.
Zwischen der Welt der Kindheit in einem armseligen Dorf und der neuen Heimat am
Meer vermittelt die Schusterkugel des Vaters. Sie ist Symbol des Hungers nach Wissen
und zugleich ein Spiegel, der die schlechte Welt verklärt zurückwirft. In der Mitte zwischen beiden Welten, im Mittelpunkt des Romans, liegen Bereiche realen Lebens. Er-

fahrung der konkreten Welt wird dem Helden vielfältig möglich: Er beobachtet die
Ausbeutung der Arbeiter, ergreift Partei im Streik, erkennt die moralische Indiffe-
renz des besitzenden Bürgertums im Hause Götz. Die Kluft zwischen Idealismus und
Erfahrungsrealismus wird zwar im Roman deutlich; am Ende aber schließt Raabe
sie, wenn auch mit pessimistischen Untertönen. Die Mächtigkeit des Ideals vom human erzogenen Individuum überdeckt die Sprünge, die eine widerborstige Realität
in die Bildsamkeit von Hans Unwirrsch (und Robert Wolf) einkerben könnte.

Raabes Entwicklung. Das lineare Verlaufsschema eines vielfigurigen Bildungsromans ersetzte Raabe schon in den beiden letzten Werken der Stuttgarter Trilogie, in
‚Abu Telfan‘ und ‚Der Schüdderump‘, durch begrenzte Figurenkonstellationen in
Form von kleinen Gruppen oder Lebensgemeinschaften. Die biographische Erzählweise mit vielen Stationen hatte offensichtlich an Integrationskraft verloren. Das
deutet einen Wandel in der Weltsicht des Autors an.

Raabe wandte sich schon in den späten 1860er Jahren enttäuscht vom politischen Liberalismus
ab. Seine Skepsis gegenüber der Leserschaft seiner Romane, dem Bildungsbürgertum, nahm
die Form völliger Isolation vom Kulturbetrieb an. Schließlich entging ihm nicht, daß die soziale
und politische Entwertung des Humanismus im neuen Reich sprunghaft zunahm. Raabes wachsende Desillusionierung gegenüber der Gesellschaft begründete mit die Veränderung der Erzählweise.

Die biographische Verlaufsform des Erzählens weicht im Spätwerk einer Form, die
auf der Kontrastierung eines bürgerlich-philiströsen Erzählers mit einem individualistischen Außenseiterhelden beruht. Die Erzählerfiguren – etwa der Privatdozent für
mittelalterliche Geschichte, Langreuter (‚Alte Nester‘, 1880), oder der bildungsstol-
ze Auswanderer Eduard (‚Stopfkuchen‘, 1891) vertreten dabei die zeitgenössische
Gesellschaft in ihrem kritikwürdigen Bildungs- und Werteverständnis. Ihnen werden
die Lebensläufe der Außenseiterhelden konfrontiert, die die Erzähler nicht ohne
Korrekturen der eigenen Vorurteile und anerzogenen Standpunkte aufarbeiten.
Die neuen Romanhelden behaupten die Möglichkeit eines wahren Menschentums in
zunehmender Emphase als Protest. Aus der Sicht der 'normalen' Mitbürger ist Just
Everstein (‚Alte Nester‘) ein Verrückter, „das heißt [ein] ihnen und noch vielen anderen gänzlich ins namenlose Weite entrückter Mensch“. Er steckt nämlich voller Phantasien und eigenem Wissensdrang, wie auch Hans Schaumann (‚Stopfkuchen‘), der
sich nach abgebrochener Schullaufbahn zum Gelehrten in Paläontologie entwickelt.
Doch löst Raabe seine Sonderlinge nicht ganz aus der realen Welt seiner Leser heraus. Die Außenseiterhelden weisen zwar zurück auf verlorenes humanes Mensch-
sein, aber sie drücken auch der Umwelt ihren Stempel auf. Everstein übernimmt ein
heruntergekommenes Schloß und baut es aus, Schaumann nimmt sich einer von der
Umwelt verfolgten Bauernfamilie an und löst einen Mordfall. Beide teilen ihre Un-
bürgerlichkeit dem Erzähler mit; diesem wird der Schreibvorgang wenigstens zeitweise zur Bewußtseinsveränderung. So verläßt Raabe in der Ausbürgerung der Zentralfigur und im Verzicht auf eine wenigstens denkbare Einheit von Ideal und Wirklichkeit den Traditionsrahmen des Bildungsromans. Im letzten dieser Antibildungs-
romane, ‚Die Akten des Vogelsangs‘, läßt Raabe für seinen Helden Velten Andres
nicht einmal mehr die Rolle des geduldeten Sonderlings gelten: Velten verweigert
bürgerliches Leben bis in den Tod.

4 Kunst als Kulturware: Die Novelle

4.1 Zur Gattung Novelle im bürgerlichen Realismus

„Die Unzahl der elenden Novellen ist sogar ein Stolz der heutigen Novellistik, denn sie wäre gar nicht vorhanden, wenn nicht auch so viele gute Novellen geschrieben würden, wenn das Bedürfnis novellistischer Lektüre nicht so groß, wenn die Kunstform der Novelle nicht ein so ganz besonderes Eigentum unserer Zeit wäre."
(Wilhelm Heinrich Riehl: ‚Novelle und Sonate'. Freie Vorträge, zweite Sammlung, 1885)

Wilhelm Heinrich Riehl, Verfasser zahlreicher kulturhistorischer Erzählungen, spricht von der Massenhaftigkeit der Novelle im bürgerlichen Realismus und zugleich von ihrem Kunstcharakter. In eben dieser Polarität war die Novelle die vorherrschende Gattung aus vielerlei Gründen. Gesamteuropäisch verdrängte die Erzählprosa die übrigen, in der Poetik höher eingestuften Gattungen. Insbesondere die Programmatik des deutschen Realismus war im Hinblick auf das erzählerische Medium formuliert; auch war das Leserinteresse extensiv geworden, das heißt ausgerichtet auf vielartige, kleinteilige, inhaltlich rasch wechselnde Lektüre. Vor allem verlangte der Kulturmarkt nach der Novelle.

Schon in den 1830er Jahren war ein Novellenmarkt entstanden, auf dem die Gattung, wie immer man sie auch bezeichnete, zur Massenware herunterkam. Was in der Definition Goethes als „unerhörte Begebenheit" der Erzählkern der Novelle sein sollte, das war im Vormärz die Neuigkeit des Tages. Zugleich rückte das Interesse an der Politik die Novelle in neue Zusammenhänge. Man schrieb nun Novellen auf öffentliche Wirkung hin: Die oppositionellen Jungdeutschen versuchten auf dem Schleichwege der Belletristik eine Beeinflussung des Lesers; Gotthelfs Dorferzählungen wollten über gutes und schlechtes Gemeinschaftsleben belehren, Stifters Novellen exemplifizierten das „sanfte Gesetz", die Droste gab ein „Sittenbild aus dem gebirgichten Westfalen" mit heilsgeschichtlichem Anspruch in ihrer ‚Judenbuche'. Diese Heteronomie endete in der zweiten Jahrhunderthälfte, zurück blieb das Marktinteresse, das mit einem neuen Kunstanspruch verkleidet wurde. Denn für das ausufernde Vorabdruckwesen in Zeitungen und Familienblättern und für den Zwang, in kurzer Zeit auf Nachfrage zu schreiben und immer etwas zur Veröffentlichung bereitzuhalten, bot sich die Novelle an. Ihr schmales Format, ihr engwinkliger Blick auf gesellschaftliche Verhältnisse, ihr Interesse für unalltägliche Ereignisse und für verschlungene psychologische Verhältnisse eigneten sich gut für die Bedürfnisse der sehr zahlreichen Unterhaltungsmedien, die untereinander in scharfer Konkurrenz standen. Die Autoren stellten sich, wenn auch murrend, auf die Publikationssituation ein. Viele von ihnen, darunter Wilhelm Raabe, waren als freie Schriftsteller von der periodischen Presse abhängig. Auch schrieb man kürzere Prosatexte für den gut bezahlten Vorabdruck zuweilen als Erfolgstest für die künstlerisch anspruchsvolle Buchausgabe (Theodor Fontane, Wilhelm Raabe).

Die Novelle als Familienbuch. Die Novelle prägte maßgeblich das literarische Leben der Zeit. Sie war Gebrauchs- und Erbauungsliteratur in dem Sinne, daß sie in ihrer großen Verbreitung die Werturteile, Verhaltensnormen und die Geschmacksbildung ihrer Leser bestimmen und bestätigen konnte. Indem der Autor erzählend exemplarisches Leben in ausgewählten Segmenten der Realität vorführte, Scheitern begründete oder Erfolg plausibel machte, zeigte er dem Leser modellhaft, wonach dieser sich ausrichten konnte. Für diese Art Lebenshilfe waren die kurze Form, die knappe Motivierung, die umweglose Zuspitzung zum Konflikt und die Wahl von begrenzten Weltausschnitten dienlich. Sie ermöglichten das detailgenaue Erzählen einer in sich geschlossenen Handlung, in die der sympathisierende Leser mit einbezogen werden

konnte. Für die Vermittlung von Normen und Werten war besonders auch der Zweig
der kulturhistorischen Novellistik bedeutsam. Das historische Sittenbild erfuhr seit
Ende der 1850er Jahre einen großen Aufschwung durch Wilhelm Heinrich Riehl und
Gustav Freytag.

Die Publikationsorgane weisen die Familie als wichtigsten Rezeptionsträger aus.
Schon Theodor Mundt hatte 1834 die Novelle als „Deutsches Hausthier" bezeichnet
(‚Moderne Lebenswirren', Teil 1). Die Familie trat an die Stelle des größeren Gesell-
schaftskreises, in dem und für den früher das Erzählen stattgefunden hatte. Bei Boccaccio (‚Decamerone', 1348–53), Goethe (‚Unterhaltungen deutscher Ausgewanderten', 1795) und noch bei Mörike (‚Der Schatz', 1836) und Stifter (‚Zuversicht', 1846)
ist es wichtig, daß Erzählen in einem geselligen Zirkel verschiedenartiger Menschen
mit unterschiedlichen Interessen geschieht. Das Erzählte hat eine bestimmte Funktion für den geselligen Kreis, der im Rahmen vorgestellt wird: Es ermöglicht Auf-
munterung in Zeiten der Krise (die Pest bei Boccaccio) oder gibt sittlichen Rückhalt
in Zeiten des Umbruchs (die Französische Revolution bei Goethe). Nach 1848 bestimmte die bürgerliche Stube fast ausschließlich den Horizont für Erzählvorgang
und erzähltes Geschehen: familiale Innerlichkeit, bürgerliche Wertvorstellungen
und Abgrenzung vom politischen Geschäft. Im Sinne des Versöhnungspostulats, wie
es für den programmatischen Realismus bezeichnend ist, formulierte W. H. Riehl:

„Eine Novelle, die uns mit Gott und der Welt entzweit, statt uns im Innersten zu versöhnen, ist
darum schon ästhetisch unecht und nicht minder eine Novelle, die wir hinters Sofakissen ver-
stecken müssen, wenn wir von unserer Frau oder Tochter bei der Lektüre überrascht werden."
(Freie Vorträge, zweite Sammlung, 1885)

In der Stoffwahl herrschte im allgemeinen ein naiver Umgang mit empirisch Vorfind-
lichem ohne analytischen Anspruch vor; die einzelnen, isoliert dargestellten Reali-
tätsausschnitte wurden durch breit ausgearbeitete Symbole und Leitmotive zu sinn-
erfüllten Bereichen emporgeschrieben. Zugunsten des intensiven Blicks auf ein einzelnes Ereignis oder eine interessante Situation verzichtete man auf epische Totalität, auf die beispielsweise noch Heinrich von Kleists Erzählen von extremen Erfahrungen ausgerichtet war.

4.2 Technik der Novelle

Paul Heyse und Hermann Kurz: Deutscher Novellenschatz. Einleitung (1871)
Gustav Freytag: Für junge Novellendichter (1872)
Wilhelm Heinrich Riehl: Novelle und Sonate (1885)

Gegen die lockere Form der Novelle im Zeitraum Biedermeier – Vormärz und gegen
die zeitgenössische Entwicklung der „Novelliererei zur Nivelliererei" (Keller) schrieben Otto Ludwig, Gustav Freytag und Paul Heyse zahlreiche Erörterungen zur Theorie und Technik der Novelle. In Orientierung am poetologisch hochrangigen Drama
stellten sie formalästhetische Forderungen im Sinne einer Schreibanleitung: Eine
realistische Novelle solle einen durchsichtigen Handlungsverlauf und einen strengen
Aufbau haben, der Konflikt sei deutlich zuzuspitzen, der Wendepunkt müsse klar erkennbar sein, vor allem sei auf einen „gesunden Wuchs" zu achten. Diese Forderungen laufen auf eine formale Disziplinierung hinaus. Diese sollte im Gegenzug zur
Massenkonfektion der Tagesschriftstellerei die Novelle gleichberechtigt neben das
Drama treten lassen.

Die Novelle verlange, so Storm, „zu ihrer Vollendung einen im Mittelpunkt stehenden Konflikt"; notwendig sei „die geschlossenste Form und die Ausscheidung alles Unwesentlichen". So eigne sie sich „zur Aufnahme auch des bedeutendsten Inhalts". Storm schließt programmatisch: „[Die] heutige Novelle ist die Schwester des Dramas und die strengste Form der Prosadichtung." (Beilage zu einem Brief an Erich Schmidt vom 6. 7. 1881)

Zugleich waren diese Postulate mit ihrem Rückbezug auf klassische Normen ein Gegenentwurf gegen die Schreibverhältnisse im Biedermeier und Vormärz. Denn die nun geforderte künstlerische Autonomie trat an die Stelle der biedermeierlichen Ausrichtung auf außerästhetische Ziele; Geschlossenheit löste die beispielsweise von Büchner in ‚Lenz' (1835) praktizierte offene Form ab. Das vormärzliche Novellenproduzieren, das aktuelle Gegenstände für unmittelbare Wirkungen suchte, sollte durch ein Novellendichten abgelöst werden.

Der Disziplinierung durch die Novellenpoetik unterwarfen sich jedoch nur die zahlreichen durchschnittlichen Erzähler. Raabe nahm derartige Versuche nicht zur Kenntnis, Storm verließ sich auf seine genaue Beobachtung des Markts und sein Gespür für das bessere Erzählen, Keller lehnte die Regulierung rundweg ab:

„Das Werden der Novelle oder was man so nennt, ist ja doch immer im Fluß; inzwischen wird sich auch die Kritik auf Schärfung des Geistes beschränken müssen, der dabei sichtbar wird. Das Geschwätz der Scholiarchen aber bleibt Schund, sobald sie in die lebendige Produktion eingreifen wollen." (An Storm vom 14./16. 8. 1881)

Bei diesen Erzählern läßt sich auch eine lange und zum Teil schwierige Entwicklung feststellen, in denen sich eine je eigene, unverwechselbare Erzählmethode herausbildete; zwar immer im großen Rahmen des Realismusprogramms, doch differenziert nach der Ausbildung der kompositorischen Verfahren, nach sprachlichen und stilistischen Mitteln, nach der Verwendung von Symbolen und Leitmotiven. Storms lyrische Frühnovellistik (‚Immensee', 1850; ‚Sommergeschichten', 1851) wurde abgelöst durch die tragische Erzählung wie ‚Aquis submersus', 1877, und die gesellschaftskritische Novelle wie ‚Hans und Heinz Kirch', 1883. Raabe verfaßte bis in die 1860er Jahre eine Kette von mehr oder weniger rasch konzipierten Erzählungen, die er bald als Fabrikware abqualifizierte („Halb Mär, halb mehr!", 1859; ‚Verworrenes Leben', 1862); mit ‚Drei Federn' 1865 datierte er später den Beginn seiner selbständigen Werke. Und C. F. Meyer fand erst in den frühen 1880er Jahren zu seinem unverwechselbaren Stil historischer Novellistik (‚Der Heilige', 1880, ‚Gustav Adolfs Page', 1882).

4.3 Novellen im Vergleich: Wilhelm Raabe ‚Zum Wilden Mann' und Theodor Storm ‚Carsten Curator'

> **Wilhelm Raabe:** Zum Wilden Mann (1874)
> Der Dräumling (1871)   Pfisters Mühle (1884)
> **Theodor Storm:** Carsten Curator (1878)   Pole Poppenspäler (1874)
> Der Herr Etatsrat (1881)   Hans und Heinz Kirch (1883)

Handlungsverläufe. Die Handlung beider Novellen läuft auf Zerstörung und Enteignung hinaus.

Storms Titelheld, der Mann mit dem besten Leumund im Ort, Ratgeber vieler Mitbürger, versucht zu verhindern, daß sein Sohn Heinrich den väterlichen Besitz und das Vermögen seiner Frau verspielt und verspekuliert. Am Ende muß Carstens Haus versteigert werden, das Vermögen seines Mündels, der Frau Heinrichs, ist aufgebraucht, Carsten selbst durch einen Schlaganfall gelähmt. Heinrich kommt bei einer einbrechenden Flut ums Leben.
Den Held der Raabeschen Novelle, den Apotheker Kristeller, besucht nach vielen Jahren sein

flüchtiger Freund August, der ihm vor seiner Auswanderung das Geld zum Erwerb der Apotheke gegeben hatte. August, nun als Dom Agostin ein Kapitalist reinsten Wassers, nimmt sein Darlehen in aller Freundlichkeit mit Zins und Zinseszins zurück. Er läßt Kristeller mit seiner Schwester über Nacht verarmt zwischen vier kahlen Wänden zurück, nachdem die Freunde des Apothekers die besten Einrichtungsgegenstände ersteigert haben. Die Schlußworte Kristellers, bezeichnend für seine Lebenssicht, lesen sich wie ein ironischer Kommentar Raabes: Jetzt heiße es, Mut zu fassen und den Kopf nicht hängenzulassen.

Beide Novellen haben es mit Geld, Spekulation, Kapital und Besitz zu tun. Sogar die Vorgeschichte zu Kristellers Unglück bringt den Eigentumsbegriff ins Spiel. Denn das väterliche Erbteil wurde durch den Vormund vergeudet. Das machte Kristeller mittellos, er war auf das freundliche Darlehen angewiesen. Die erzwungene Rückerstattung am Ende ist ein neuerlicher Eigentumsverlust für den Apotheker. Auch Carsten Curator wird durch finanzielle Machenschaften zugrunde gerichtet. Nur ist es hier der eigene Sohn, das einzige Kind aus der Ehe mit einer viel jüngeren, leichtsinnigen Frau, die im Kindbett starb. Heinrich veruntreut schon als Lehrling Geld, um Spielschulden zu bezahlen, er zwingt den Vater, für Spekulationsverluste aufzukommen, und vergreift sich schließlich am Vermögen seiner Frau, das Carsten treuhänderisch verwaltet. Am Ende steht der vollständige Ruin: Heinrich wird zum Trinker, der seine Frau schlägt, und wird schließlich vom Vater verstoßen. Storm macht deutlich, daß zwischen Carstens Verbindung mit der leichtsinnigen Juliane und dem Schicksal Heinrichs eine direkte Verbindung besteht: So wie der Vater in den Sog von Julianes Sexualität geriet und unterging, so geht jetzt das Kind dieser Ehe buchstäblich unter, in der Flut der finanziellen Machenschaften und im Wasser.

Der Gegenspieler Kristellers ist der Zufallsbekannte August, der den gehaßten Beruf seines Vaters, eines Henkers, nicht ausüben will. Er versucht, seiner familiären Vergangenheit zu entfliehen, indem er all sein Erbe an Kristeller übergibt und auswandert. Der zurückkehrende Dom Agostin hat am ehemaligen Freund kein Interesse mehr, er kümmert sich um den Geldwert der Dinge, nicht um diese selbst. Weil er den Apotheker samt seiner Erfindung, den Kristeller-Likör, nicht nach Brasilien mitnehmen kann, nimmt er die Erfindung ohne den Menschen, aber mit dessen Kapitalien – ungeachtet dessen, daß er eben erst mit allen Ehren beherbergt worden ist.

Zeitkritik. Die neue Zeit des Kapitals, des Verlusts an zwischenmenschlichen Beziehungen, geht über Kristeller hinweg mit der Elementargewalt des Wassers, das Carstens Haus überflutet. Die Parallelen stimmen bis in die Einzelheiten der sentimentalen Erinnerung. Der Apotheker verwendet seine beste Zeit in der Kontemplation der guten Vergangenheit. Das Interieur seiner Apotheke bildet einen Innerlichkeitsraum, in dem kleine Bilder mit historischen Ereignissen Gegenstände kultischen Gedenkens sind. Ein Ahnenbild gibt es auch in Carstens Haus; es dient als Erinnerung ans Sterbenmüssen und ist zugleich Ausweis der vergangenen Harmonie, die durch die neue, geldversessene Generation zerstört wird.

Der Hauptteil der Raabeschen Novelle dient der Schilderung der gemütlichen und gemütvollen Vergangenheit. Das charakterisiert die Hauptfigur und dient zugleich erzähltechnisch dazu, die ökonomischen Machenschaften in ihrer unbegreiflichen Dynamik heraustreten zu lassen. Denn die Enteignung Kristellers beansprucht vergleichsweise wenig Raum. Hier geschieht etwas ohne merkbare Anteilnahme des Erzählers, der ganz zurückgetreten ist. Das kritische Gespür Raabes hat die neue Qualität der gesellschaftlichen Verhältnisse in der Gründerzeit genau erfaßt. Auch Storm erkannte diese neue Qualität, doch ist seine erzählende Analyse weniger radikal. Er stellte die Überwältigung des guten liberalen Bürgertums, für das Carsten und seine Schwester stehen, durch Industrialisierung und Kapitalinteressen fest. Aber er preßt diese Einsicht in das traditionelle Modell des Generationenkonflikts und interpretiert sie ideologisch: Heinrich ist nicht nur die Frucht einer leichtsinnigen Verbindung, er hat nicht nur den Dämon seiner schönen Mutter geerbt, über ihm liegt vielmehr wie ein schauerromantischer Fluch die Vererbungsregel. Mit ihr huldigt Storm dem naturwissenschaftlichen Materialismus der Epoche. An bedeutsamer Stelle in der Erzählung heißt es:

„Ein jeder Mensch bringt sein Leben fertig mit sich auf die Welt, und alle in die Jahrhunderte hinauf, die nur einen Tropfen zu seinem Blut geben, haben ihren Teil daran."

Ein auswegloses Naturgesetz soll die schlechten Verhältnisse und die bösen Verstrickungen der Menschen erklären. Das ist eine Beschönigung von der Art, wie sie die Programmatik des Realismus formulierte, der die ganze Realität in ihrer nackten Brutalität nicht im Werk erscheinen lassen wollte. Erst in seinen späteren Novellen, in ‚Der Herr Etatsrat' (1881) und ‚Hans und Heinz Kirch' (1883), bezeichnete Storm ohne Beschönigung die Familie als einen gesellschaftlichen Mikrokosmos und als Ort, an dem allgemeine Konflikte in privater Verkleidung ausgetragen werden. Eben diese Erkenntnis führte Theodor Fontane für seine zahlreichen Romane um Ehe- und Kommunikationskonflikte ins Feld.

Rezeption. Die Aufnahme beider Novellen durch das zeitgenössische Publikum, vor allem durch die schreibenden Zeitgenossen, ist bezeichnend. Raabes Novelle fand überhaupt kein Echo, mit Ausnahme eines Bärendienstes, den ihm sein Freund, der Novellist Wilhelm Jensen, leistete: Der schrieb, ganz im Sinne eines poetischen Realismus, eine derartig schwarze und unmoralische, weil hoffnungslose Erzählung müsse man eigentlich verbieten. Storm hingegen erntete Lob für seine Verkleidung des gesellschaftlichen Sachverhalts. Der bedeutende Germanist und Freund Storms, Erich Schmidt, bezeichnete das Thema verständnisvoll als „das Wanken und Sinken eines an fester bürgerlicher Ehrbarkeit und Pflichttreue reichen Hauses durch den Leichtsinn eines aus der Art geschlagenen Sprosses" (an Storm vom 21. 9. 1877).

Storms Entwicklung. Storms Weg zu ‚Carsten Curator' führte von den idyllischen Frühnovellen mit tragischen Tönen in eine Periode der historisierenden Konfliktdarstellung. In ‚Immensee', mit 30 Auflagen noch zu Storms Lebzeiten die beliebteste Erzählung, durchlebt ein alternder Mann in seiner Erinnerung die Kindheit und die Zeit der Liebe, die wegen seiner Entschlußlosigkeit und der Fügsamkeit des Mädchens gegenüber der Mutter unerfüllt bleibt. Der Darstellungsakzent liegt auf den subtilen Andeutungen einer gehemmten Psyche bei Mann und Frau. Die Komposition eines engen Geflechts von vorausdeutenden Motiven, schon in ‚Immensee' ein wichtiges Element, ist besonderes Kennzeichen von ‚Aquis submersus' (1877), der ersten in einer Kette von Chroniknovellen. Vergleichbar mit der Vererbungsregel im Hause Curator ist es vor allem der Fluch des bösen Geschlechts, der den passiven Maler und das adlige Fräulein nicht zusammenkommen läßt. Die sozialen Barrieren erhalten eine dämonische Aura; das nimmt der von Storm beabsichtigten, vom historischen Kolorit kaum verhüllten Kritik am Adel seiner Zeit, der „verfluchten Junkerbrut", den Stachel. In beiden Genres, der lyrischen Entsagungsnovelle und der historisierenden Schicksalserzählung, war Storm auf der Höhe und mitten im breiten Spektrum der realistischen Novelle.

Bei dem weit stärker auf den Literaturmarkt angewiesenen *Raabe* ist eine vergleichbar geradlinige Entwicklung nicht auszumachen. Bei beiden erscheint das zeitgenössische Bürgerdasein in der Form der Privatheit, in Storms Falle zusätzlich eingeengt – die Anschaulichkeit bereichernd – durch den Spielort, die Husumer Nachbarschaft. Das ist nicht bloß Provinzialismus, wie Keller mißbilligend meinte. Es gibt auch einen Hinweis darauf, mit welcher gesellschaftlichen Realität die Novellenerzähler sich adäquat, das heißt gemäß ihrer gelebten oder erkannten Erfahrung und der ihres Publikums, auseinandersetzen konnten: Noch 1880 lebte weit über die Hälfte der Bevölkerung des Zweiten Reichs in der Provinz und auf dem Lande.

4.4 Historisches Erzählen: Gottfried Keller ‚Züricher Novellen‘

Gottfried Keller: Züricher Novellen (1878)

Weitere historische Novellen:
Conrad Ferdinand Meyer: Gustav Adolfs Page (1882)
Die Versuchung des Pescara (1887)   Angela Borgia (1891)
Wilhelm Raabe: Die schwarze Galeere (1861)
Else von der Tanne (1865)   Des Reiches Krone (1870)
Theodor Storm: Aquis submersus (1877)   Renate (1879)
Zur Chronik von Grieshuus (1884)   Der Schimmelreiter (1888)

Historische Romane:
Felix Dahn: Ein Kampf um Rom (1876–78)
Theodor Fontane: Vor dem Sturm (1878)
Gustav Freytag: Die Ahnen (1873–81)
Conrad Ferdinand Meyer: Jörg Jenatsch. Eine Bündnergeschichte (1876)
Adalbert Stifter: Witiko (1866/67)

Historismus. Nach der gescheiterten Revolution versickerte das vor 1848 starke politische Engagement all derer, die mit Geschichte als wissenschaftlichem Gegenstand zu tun hatten. Die Vergangenheit blieb interessant, ja wurde es in fortschreitendem Maße als Welt der Bildung, des Geistigen. Das rasch alternde Bildungsbürgertum blickte nicht mehr nach vorn, es hielt sich zusammen durch die rückgewandte Perspektive.

Die wissenschaftliche und literarische Beschäftigung mit der Vergangenheit geschah ganz unter dem Aspekt der Individualisierung; es galt das Besondere zu erkennen und in ihm das Allgemeine herauszuarbeiten (Leopold von Ranke). Der Sinn für das Individuelle sollte sich einmal auf die großen Persönlichkeiten, die Lenker der Geschichte richten, zum andern auf ganze Epochen und Völker. Auch hier handelte es sich um besondere Gebilde, die als einmalig, unvergleichbar und damit gleich-bedeutsam angesehen wurden. Diese Art der Geschichtsbetrachtung, im späten 18. Jahrhundert von Johann Gottfried Herder mit den Schlüsselbegriffen Individualität – Entwicklung umrissen, wurde im mittleren 19. Jahrhundert schulbildend. Sie verband sich mit bekannten und einflußreichen Namen wie Leopold von Ranke, Gustav Droysen, Heinrich von Treitschke und Wilhelm Dilthey und erreichte nach der Reichsgründung ihre größte Breite. Soziologische Gesetzmäßigkeiten gerieten im Ansatz des Historismus leicht aus dem Blick, weil man die einzelne Epoche durch „Ideen“ beherrscht und als relativ abgeschlossen ansah. Geistesgeschichte wurde zum wichtigsten Arbeitsgebiet des Historikers. Der Ideenzusammenhang war nur in einem nachschöpferischen Prozeß zu erfassen; daran konnte der Historiker als Dichter teilhaben. Man gab dabei allzuleicht als erkannten Sinn aus, was im Grunde das Ergebnis des darstellerischen Verfahrens – der Komposition, Dramaturgie und Analogiebildung – war. Die Hinwendung zu zurückliegenden Epochen mit dem Ansatz des Historismus verband sich in der Gründerzeit mit dem Anspruch, das neue Reich mit einer guten Vergangenheit zu versehen und die Würde der kleindeutschen Lösung dadurch zu erhöhen.

Vor diesem Hintergrund ist die Springflut der historischen Romane und Erzählungen, der kulturgeschichtlichen Novellen und Skizzen zu sehen. Die Werke fußten dabei auf unterschiedlich sorgfältigen Vorstudien, und ebenso verschieden waren die Schreibinteressen der Autoren und ihre Wirkungsabsichten. Stifter beispielsweise betonte anläßlich seines ‚Witiko‘ (1866/67) die therapeutische Wirkung: „Weil die ge-

genwärtige Weltlage Schwäche ist, flüchte ich zur Stärke, und dichte starke Menschen, und dies stärkt mich selbst." Gustav Freytag hingegen hatte bei der Abfassung seines Romanzyklus ‚Die Ahnen' (1873–81), der vergangene Kulturepochen für die Gegenwart idealisierte, ein volkspädagogisches Interesse. Felix Dahn wiederum ließ sich bei seinem überaus populären Roman ‚Ein Kampf um Rom' (1876–78) von der Ähnlichkeit früherer Machtgruppierungen mit denen der Zeit seiner Recherchen um 1860 leiten, er schrieb das Werk „durch die Fragen der Gegenwart angefeuert".
Forderungen des Literaturmarkts, der die Anpassung der Schriftsteller an die Lesemoden verlangte, eigenes Interesse der Autoren am historischen Sujet und private politische Resignation kamen bei der historischen Novellistik zuweilen mit einer souveränen Handwerklichkeit zusammen, die einige Erzählungen von den Werken populärerer Zeitgenossen abheben. Das ist der Fall bei Storms heimatlichen Chroniknovellen wie ‚Aquis submersus' (1877) und ‚Zur Chronik von Grieshuus' (1884), in Conrad Ferdinand Meyers psychologisch interessierter Präsentation großer Herrscherfiguren wie in ‚Gustav Adolfs Page' (1882) und in Gottfried Kellers Vergegenwärtigung guter Vergangenheit in den ‚Züricher Novellen' (1878).

Kellers ‚Züricher Novellen'. Ursprünglich gedacht als historisch-volkserzieherisches Gegenstück zu den ‚Leuten von Seldwyla' (1856), läßt der Züricher Novellenzyklus erkennen, wie Keller auf die gesellschaftlichen Veränderungen reagierte. Die Erfahrung der „trockenen Revolution" in der Schweiz, wie er die Verfassungsreform 1869 nannte, der Zwang, auf den Literaturmarkt zu achten, seitdem er 1876 aus dem Amt eines Kantonschreibers geschieden war, und der allgemeine Verfall politischer und wirtschaftlicher Vernunft – all das setzte Keller in einen Gegensatz zum gründerzeitlichen Bürgertum, welcher nationalen Spielart auch immer. War es einst sein Plan, „große geschichtliche Erinnerungen, die Summe sittlicher Erfahrungen oder die gemeinsame Lebenshoffnung eines Volkes" in Wort- und Tondichtungen zu verfassen (‚Am Mythenstein', 1861), so zwang ihn die Skepsis gegenüber der politischen Entwicklung zu mehreren Umstellungen der Zyklus-Konzeption. Zuerst erschienen ‚Hadlaub', ‚Der Narr auf Manegg' und ‚Der Landvogt von Greifensee' in der ‚Deutschen Rundschau' (1876/77), zusammengehalten durch die Rahmenerzählung vom Herrn Jacques, mit der die volkspädagogische Absicht verdeutlicht wird. In der Buchausgabe von 1877/78 fügte Keller ‚Das Fähnlein der sieben Aufrechten' (geschrieben schon 1860) und ‚Ursula' (geschrieben 1877) hinzu, jedoch ohne sie in die Rahmenerzählung einzubinden. Diesem schließlichen Verzicht auf das Rahmenkonzept lag unter anderem der Zweifel zugrunde, ob der politische Optimismus vor allem der älteren Novelle noch dem Zeitgeist der Gründerjahre entsprach:

„Das Fähnlein, kaum 18 Jahre alt, ist bereits ein antiquiertes Großvaterstück; die patriotische, politische Zufriedenheit, der siegreiche, altmodische Freisinn sind wie verschwunden, soziales Mißbehagen, Eisenbahnmisere, eine endlose Hatz sind an diese Stelle getreten." (An Storm vom 25. 6. 1878)

Das ursprünglich patriotische Idealbild war damit zum kritischen Gegenbild der späten 1870er Jahre geworden. Das Thema des ersten Teils ist die Erziehung des Herrn Jacques zu einem guten, aufs Gemeinwohl bedachten „originellen" Bürger. Zu Beginn des zweiten Teils im Zyklus ist die Erziehung durch erzählte Vorbilder gescheitert, Herr Jacques ist zu einem echten Philister, Kunstbanausen und borniertem Parvenü geworden – zu dem Zeitgenossen, den Keller als Bürger der 1870er Jahre kritisiert.
Herr Jacques ist mit den Hauptgestalten der Novellen in kontrastiver Manier verbunden. Sie bieten erzählten Anschauungsunterricht, wie sich feste Individualität mit dem Sinn fürs Allgemeine verbindet. Jede dieser Hauptfiguren im Zyklus präsentiert Aspekte nachahmenswerter Lebensführung. Keller will den bürgerlichen Minnesän-

ger Hadlaub, den Landvogt Salomon Landolt, die sieben Züricher Bürger und den Soldaten Hansli Gyr und seine Geliebte Ursula in dem Sinn als Originale verstanden wissen, wie ihn der Pate dem Herrn Jacques erklärt:

„Ein gutes Original ist nur, wer Nachahmung verdient! Nachgeahmt zu werden ist aber nur würdig, wer das, was er unternimmt, recht betreibt und immer an seinem Orte etwas Tüchtiges leistet, und wenn dieses auch nichts Unerhörtes und Erzursprüngliches ist!"

Zu solchen Originalen gibt es auch negative Kontraste wie den „Narr auf Manegg", dessen absichtliche Exzentrizität zum ungeselligen Außenseitertum mißrät. Rechtschaffene Leistungen, die der Allgemeinheit zugute kommen und für die Bindung individuellen Könnens an die Gemeinschaft repräsentativ, daher nachahmenswert sind, verfolgt Keller in seinem Zyklus durch kulturgeschichtlich wichtige Perioden der Züricher Geschichte: die Spätzeit der höfischen Dichtung, die Reformation Zwinglis, das Züricher Rokoko und die politische Blüte zur Mitte des 19. Jahrhunderts. Erhoffte er sich beim Plan zum Zyklus 1860/61, seine erzählten Vorbilder von Mal zu Mal der politischen Gegenwart näherrücken zu können, so belehrten ihn die veränderten Verhältnisse der 1870er Jahre eines anderen: Der tüchtige Bürger als Repräsentant des guten Volksgeistes war nur noch in der fernen Geschichte zu finden (‚Ursula'). Daß es Keller bei seinen Hauptfiguren dennoch nicht auf das Angebot unmittelbar nachzuahmender Leitbilder ankam, zeigt die Erzählung vom Landvogt: Dieser ist eine unverwechselbare, durchaus fehlerhafte Individualität wie, wenn auch abgeschwächter vielleicht, der Schneidermeister Hediger. In jedem Fall ermöglichte der Kontrast zum gründerzeitlichen Durchschnittsbürger dem Leser einen neuen Einblick in seine Gegenwart, wie das zur Absicht jeden historischen Erzählens gehörte.

5 Kunst und Dekor: Lyrik im Realismus

Die Lyrik nimmt in der Programmatik der Realisten einen bescheidenen Platz ein. Die einschlägigen Aufsätze in den ‚Grenzboten' beschäftigten sich nicht maßgeblich mit ihr. Der vielfältige Formenbestand aus der Epoche des Biedermeier und Vormärz schmolz auf wenige Schreibarten zusammen: auf Stimmungsgedicht, Ballade und, vor allem nach 1871, auf politische Beifallslyrik. Weiterführende Veränderungen sind nicht auszumachen, bestenfalls eine Fortbildung des klassisch-romantischen Bestandes. Die wichtigsten Gedichtbände erschienen schon am Beginn der 1850er Jahre: Gottfried Kellers ‚Neuere Gedichte', 1851; Theodor Fontanes ‚Gedichte', 1851; Theodor Storms ‚Gedichte', 1852. Die Gesamtausgabe von Friedrich Hebbels Gedichten kam 1857 heraus; die Entstehungszeit der meisten Texte fällt jedoch in den Vormärz. Friedrich Nietzsche hat Lyrisches gleichsam in Nebentätigkeit geschrieben, wichtige Gedichte sind verstreut in den vier Teilen von ‚Also sprach Zarathustra' (1883–85). Die neuartige Lyrik von Conrad Ferdinand Meyer entstand erst gegen Ende der Epoche.

5.1 Goldschnittpoesie

Emanuel Geibel: Neue Gedichte (1856)   Gedichte und Gedenkblätter (1864)
Heroldsrufe (1871)   Spätherbstblätter (1877)
Hrsg.: Ein Münchner Dichterbuch (1862)

Anthologien:
Friedrich Bodenstedt: Album deutscher Kunst und Dichtung
(1867, 8. Auflage 1892)
Elise Polko: Dichtergrüße. Neuere deutsche Lyrik (1860) (14. Auflage 1892)
Georg Scherer: Deutscher Dichterwald (1853) (13. Auflage 1887)
Theodor Storm: Hausbuch aus deutschen Dichtern seit Claudius.
Eine kritische Anthologie (1870)

Und doch existierte ein außerordentlich großer Markt für Lyrik. Eine heute gar nicht
abschätzbare, sicherlich in die Zehntausende gehende Zahl von Poeten brachte in
Familienzeitschriften, Anthologien und Almanachen ihre Gedichte an ein breites
Publikum. Sie prägten das literarische Leben der Zeit und bestimmten vor allem die
Vorstellung von guter Lyrik. Der Vorwurf der Epigonalität vermochte nichts gegen
die selbstbewußte Gebärde, mit der Emanuel Geibel, Paul Heyse, Friedrich Graf
Schack, Friedrich Bodenstedt und die anderen Angehörigen des Münchner Dichterkreises zwischen 1850, dem Gründungsjahr der Dichtergemeinschaft ,Das Kroko-
dil‘, und 1880 ihre klassizistischen Strophen dichteten. In dem von Geibel herausgegebenen ,Münchner Dichterbuch‘ (1862) vereinigten sich formale Virtuosität und bil-
dungsbewußter Anspielungsreichtum zu einer dekorativen Oberflächenkunst. Die
Familienzeitschriften, die vor allem die Frau als Publikum im Auge hatten, und die
auflagenstarken Anthologien, die im Verlauf der Epoche immer aufwendiger illustriert und kostbar gebunden wurden, machten die Gedichte von Emanuel Geibel,
Emil Rittershaus, Julius Sturm, Karl Gerok und anderen zu Klassikern: Die Epigo-
nenpoesie stand nun in chronologischer Reihung oder thematischer Ordnung neben
Gedichten von Goethe, Eichendorff, Brentano und anderen, die für das Publikum
'hohe Poesie' repräsentierten. Wie deren Gedichte von einer Anthologie in die andere übernommen und durch zahlreiche Auflagen mitgeführt, galten die Verse von Geibel bis Rittershaus als normative Muster deutscher Poesie. Sie gehörten zum Besitz.
Die Bevormundung breitester Publikumskreise durch die Sammler „bester deutscher Poesie" geschah mit einer prinzipiell restaurativen Gedichtauswahl und mit einem Poesieverständnis, das dem der Epoche vorher betont entgegengesetzt war und
das den Leser wieder zu einer gläubigen Lesehaltung verpflichtete. Getreu dem Motto des gefeierten elsässischen Dichters Adolf Stöber: „Willst du lesen ein Gedicht/
Sammle dich wie zum Gebete", galt nun als bevorzugte Rezeptionshaltung die Andacht. Dem entsprach das Selbstverständnis der Epigonendichter: Man sah sich als
Propheten und Priester des Harmonischen. Für dies Selbstverständnis ist das poetologische Glaubensbekenntnis des ,Gartenlauben‘-Dichters Emil Rittershaus von
1864 beispielhaft.

    [...]

Doch wie die ew'gen Sterne strahlen	Auf jeder dunklen Wolke malen
Hervor durch Rauch und Flammenschein,	Soll sich des Friedensbogens Licht! –
Soll auch das Bild von Gram und Qualen	Nicht soll Tribut Gemeinem zahlen
Verkläret durch den Dichter sein.	Wer zu dem Volk als Dichter spricht!
	(,Neue Gedichte‘, 1871, 7. Auflage 1913)

Die musterhafte ‚Poetik' Rudolf Gottschalls (1858) und die populären Anleitungen in der Dichter-Zeitschrift ‚Deutsche Dichterhalle' belehrten junge Poeten wie Leser über die richtige Machart: Eine moralisch läuternde Idee muß in anschauliche Bilder gefaßt und variiert werden, die Anstrengung einer hohen Sprache und Reimglätte werden dabei vorausgesetzt; der Leser soll im Gedicht die Art und Intensität seiner Mitempfindung angezeigt bekommen.

Geselligkeitslyrik. Eine andere Sparte der Poesie zeugt davon, daß Dichtung einen festen Ort im Leben der Bürger hatte: die Geselligkeitslyrik. Besonders die rhetorischen Begabungen konnten sich als Gesellschaftsdichter etablieren; der Poet, so bemerkt der Kaufmann und Dichter Karl Stelter zufrieden in seiner Autobiographie (1888), gehörte in die Öffentlichkeit der Vereine und Gesellschaften, wo Wert gelegt wurde auf „gedichtet und gesprochen". Die Autoren waren in der Regel selbst Mitglieder von Vereinen, in denen sich das bürgerliche Bildungsstreben etablierte. Die noch unaufgearbeitete Flut von Festspielprologen, gereimten Begrüßungen, Rundgesängen und Kollegennachrufen zeugt vom 'Sitz im Leben' der Lyrik und gibt zugleich Gründe für das erstaunliche Beharrungsvermögen der darin konservierten Poetik. Die Lyrik, die im Vormärz die Teilnahme am öffentlichen Leben provozierte und steuerte, ist nun unbefragter Teil der bürgerlichen Geselligkeitskultur. Das läßt die Sogkraft der restaurativen Strömung erahnen, die in den 1850er Jahren eingesetzt hatte und die viele der ehemals an Veränderung interessierten jungen Lyriker zu gestandenen Honoratioren und zu Lobrednern der bestehenden Verhältnisse machte. Zu diesen gehört die Verkörperung der Poesie in der zweiten Jahrhunderthälfte, *Emanuel Geibel* (1815–84), eine wahrhaft öffentliche Figur, der schon zu Lebzeiten ein Denkmal errichtet wurde.

Geibel hatte sich mit auflagenstarken Lyrikbänden im Vormärz an der Verbreitung der nationalen Einigungsidee beteiligt. 1852 ereilte ihn der Ruf Maximilians II. als Vorleser des Königs und Honorarprofessor nach München; die Gründung des Münchner Dichterkreises folgte. 1886 wurde ihm wegen übermäßiger Preußenfreundlichkeit die Staatspension entzogen, eine preußische Rente von 1000 Talern im Gegenzuge gewährt. Nach 1871 eignete sich Geibel das Amt eines „Herolds des Reiches" an, ganz im Sinn des gehobenen Bürgertums. (‚Heroldsrufe', 1871)

Sein Publikum schätzte an ihm die kunstvolle Fügung gängiger Bilder und Klischees in einer formal sicheren Verskunst; die anspruchsvollen Bildungszitate inmitten dekorativer Metaphern wurden als kultivierte Schönheit empfunden. Mehrere Zeitgenossen haben Geibels Verzicht auf eigenes Sprechen schon früh bemerkt. Arno Holz brachte Geibels Repräsentationslyrik auf eine bündige Formel: „der vollendetste Typus des Eklektikers in unserer Literatur" (an M. Trippenbach vom 2. 12. 1894). Geibels Grab, auf das Kaiser und Kanzler Kränze niederlegen ließen, wurde die 100. Auflage seiner ‚Gedichte' beigegeben.

5.2 Folgenloser Höhepunkt: Heines späte Gedichte

Heinrich Heine: Romanzero (1851)
Gedichte 1853 und 1854. ln: Vermischte Schriften (1854)
Ada Christen (d. i. Christiane von Breden): Lieder einer Verlorenen (1868)
Aus der Asche (1870) Schatten (1872) Aus der Tiefe (1878)

Von der Lyrik der älteren Generation kam beim Publikum der Goldschnittpoesie nur der 'romantische' Heine an, das beweisen die Anthologien. Die Bitterkeit seiner spä-

ten Gedichte aus den Jahren nach der gescheiterten Umwälzung fand keine Resonanz im 'neuen' Bürgertum. Die gängige Poetik und die Verse der Geibel, Rittershaus und Gerok verhinderten eine angemessene Rezeption.
In Heines Bitterkeit durchdringen sich private Biographie und antibürgerliches Räsonnement. Die Enttäuschung über das Niederschlagen der Aufstände und die Läh-
mung, die ihn seit Mai 1848 ans Krankenbett fesselte, fielen zusammen mit Veränderungen in Heines Denken. In seinen „religiösen Ansichten und Gedanken trat eine
Februarrevolution ein" (an Heinrich Laube vom 25. 1. 1850).

Zum Lazarus (1)

Laß die heilgen Parabolen,   Woran liegt die Schuld? Ist etwa
Laß die frommen Hypothesen –   Unser Herr nicht ganz allmächtig?
Suche die verdammten Fragen   Oder treibt er selbst den Unfug?
Ohne Umschweif uns zu lösen.   Ach, das wäre niederträchtig.

Warum schleppt sich blutend, elend,   Also fragen wir beständig,
Unter Kreuzlast der Gerechte,   Bis man uns mit einer Handvoll
Während glücklich als ein Sieger   Erde endlich stopft die Mäuler –
Trabt auf hohem Roß der Schlechte?   Aber ist das eine Antwort?
                                   (Gedichte 1853 und 1854. Hamburg 1854)

Heines lebenslange Kritik an verschleiernder Rhetorik, wie er sie in theologischen
Deutungen der schlechten Zustände erkennt (Str. 1), gelangt hier „ohne Umschweif"
auf den geschichtsphilosophischen Kern (Str. 2): die Frage nach dem Sinn des Un-
rechts. Entsprechend der von alters her unbefriedigenden Antwort bekommt sein
Gottesglaube eine blasphemische Gestalt (Str. 3). Heine macht Ernst mit der Vorstellung von einem persönlichen Gott, indem er ihn als Adressaten von Verzweiflung und
Anklage vermenschlicht: Gott ist der große Tierquäler (an Laube vom 12. 10. 1852),
aber wird ernst genommen als letzte Instanz des geschichtlichen Prozesses.
Die 64 Gedichte der Sammlung ‚Romanzero‘ stammen in der Mehrzahl aus den Jahren 1849/50 und repräsentierten einen Gipfel von Heines Lyrik. Sie haben es zu tun
mit allgemeiner und privater Geschichte, schon in den Kapitelüberschriften kenntlich gemacht: Historien, Lamentationen, Hebräische Melodien. Grundmotiv ist die
Unterlegenheit des Guten in dieser Welt: der Wahrheit gegenüber dem schönen
Schein (‚Der Apollogott‘), des politischen Engagements gegenüber der gesellschaftlichen Misere (‚Enfant perdu‘), des armen Dichters gegenüber dem geldbesitzenden
Bürger (‚Lumpentum‘).
Die Formenvielfalt, die Heine den verschiedenen Gegenständen angedeihen ließ, ist
nach ihm nicht wieder erreicht worden. Auch nicht seine geschichtsphilosophisch geführte und zugleich autobiographisch getränkte Abrechnung mit einer ganzen Epoche mittels schöner Verse. Wirkungsmächtig blieb Heine allein mit seinem frühen,
zur Romantik gezählten ‚Buch der Lieder‘ von 1827. Für die Verkennung seiner Spät-
lyrik steht Storms Urteil: „Sehr bezeichnend, daß kein einziges Lied mehr vorkommt" (an Hartmuth Brinkmann vom 28. 3. 1852). Folgenlos bis ins 20. Jahrhundert blieben Heines Anstrengungen, eine Großstadtlyrik zu schreiben, die keine Beschreibungspoesie ist, sondern die in Ton, Stillage und Wortwahl die große Stadt spüren läßt (z. B. ‚Neue Gedichte‘, 1844).
Einzig die späteren Gedichtbände von *Ada Christen* (1844–1901), der aus einer verarmten Kaufmannsfamilie stammenden Wiener Lyrikerin, verarbeiten die Großstadt
als soziales Phänomen und lassen sie nicht bloß punktuell und nicht bloß als Sujet zu
(‚Lieder einer Verlorenen‘, 1868; ‚Aus der Asche. Neue Gedichte‘, 1870; ‚Schatten‘,
1872; ‚Aus der Tiefe‘, 1878): Auch diese stark sozialkritischen Gedichte gehören aber
dem weiteren Umfeld der Erlebnislyrik an, die in der Realismusepoche vorherrschte.

5.3 Lyriktheorie

In den maßgeblichen Zeitschriften zur Programmatik des Realismus und in den Rezensionen über Gedichtbände stehen für eine Theorie der Lyrik nur wenige ergiebige Sätze. Friedrich Theodor Vischer scheint in seiner weithin beachteten ‚Ästhetik', die zwischen 1846 und 1857 entstand, das Wichtigste über die lyrische Gattung gesagt zu haben: Die einfache, das heißt ohne rhetorischen Aufwand verfaßte Aussprache eines subjektiven Erlebens mache den Realismus eines Gedichts aus; die Ergriffenheit müsse sich einem Objektiven zugesellen, um nicht privat zu bleiben, dies Objektive sei vor allem die Natur. So kommt es zu vielgestaltigen Analogien von Seelenlage und Naturbild. Hauptform dieser Lyrik ist das einfache, fast schmucklose Lied. Theodor Storm wurde zu seinem besten, auch heute noch lesbaren Vertreter.

Storm war einer der wenigen Lyriker, der sein eigenes Dichten zu reflektieren versuchte und diese Überlegungen in einer Art Poetik zusammenfaßte. Sie ist repräsentativ für die Lyrik des Realismus oberhalb der Goldschnittware. An Hartmuth Brinkmann schrieb er 1852 vier Merkmale zu einer Theorie der Erlebnislyrik:

„1. Kunst namentlich des lyrischen Dichters besteht darin, im möglichst Individuellen das möglichst Allgemeine auszusprechen [...]
2. Der lyrische Dichter muß namentlich jede Phrase, das bloß Überkommene vermeiden, jeder Ausdruck muß seine Wurzel im Gefühl oder der Phantasie des Dichters haben. Beispiel des Gegenteils: Geibel.
3. Jedes lyrische Gedicht soll Gelegenheitsgedicht im höheren Sinne sein; aber die Kunst des Poeten muß es zum Allgemeingültigen erheben (siehe oben Nr. 1).
4. Die Wirkung des Lyrikers besteht vorzüglich darin, daß er über Vorstellungen und Gefühle, die dunkel und halbbewußt im Leser (Hörer) liegen, ein plötzliches und neues Licht wirft."
(An Hartmuth Brinkmann vom 10. 12. 1852)

Das Problem seiner Epoche, die subjektive Gattung Lyrik den vielfältigen Veränderungen in Gesellschaft und Natur anzupassen und eine neue Ausdrucksform zu finden, die der Situation des Menschen in der sich industrialisierenden Gesellschaft gerecht wird, umging Storm durch den Rückgriff auf die Tradition. Im richtigen Verständnis der Klassik verzichtete er entschlossen auf die Gemütserregungskunst der Epigonendichter, die sehr gut wußten, wie eine Lyrik beschaffen sein mußte, die beim Publikum ankam.

5.4 Theodor Storms Gedichte

Theodor Storm: Gedichte (1852, erweiterte Ausgaben 1856, 1864, 1885)
Robert Eduard Prutz: Herbstrosen (1865)   Das Buch der Liebe (1869)

Schlaflos

Aus Träumen und Ängsten bin ich erwacht
Was singt doch die Lerche so tief in der Nacht!

Der Tag ist gegangen, der Morgen ist fern,
aufs Kissen hernieder scheinen die Stern'.

Und immer hör' ich den Lerchengesang,
O Stimme des Tages, mein Herz ist bang.   (Entstanden 1857)

Der Wechsel von Innenschau und Außengeschehen, von Aussage des lyrischen Ichs über seine Gefühle (Einsamkeit, Angst, Unruhe) und Bericht über Naturvorgänge

(Lerchengesang, Sternenschein), prägt die Gedichtstruktur. Indem beides so eng verbunden wird – jeweils eine Verszeile alternierend –, erweitert sich der seelische Innenraum und wird durch Zitierung des natürlichen Geschehens optisch und akustisch erschlossen. Gestaltungsmerkmal ist die einfache äußere Form: Die Satzgrenze fällt zusammen mit dem Zeilenende, der Satzbau ist nebenordnend, alle drei Strophen weisen stumpfen Paarreim auf, hauptsächlicher Vokal ist ein dumpfes a. In dieser Weise erinnert Storm an die Volksliedtradition, der auch das Lerchenmotiv entstammt. Doch ist gerade das Lerchenmotiv dissonant benutzt: Daß sie auch bei Nacht singt, ist eine bewußte Motivstörung, die für die allgemeine Irritation des Ichs steht. Sie wird nicht beruhigt. Charakteristisch ist für Storm wie für die durch ihn repräsentierte Gattung, daß die lyrische Situation von einer erlebten Stimmung her gezeichnet ist. In der Mehrzahl der Fälle ist diese Stimmung eine der Verstörung, Unruhe oder Trauer (vgl. ‚Über die Heide‘, ‚Meeresstrand‘).

Quälende Gegenwart und bedrohliche Zukunft teilen sich in anderen Gedichten Storms als Wirkungen der Natur selbst mit, das analogische Prinzip wird dabei zur Homologie verdichtet. Bei Storm bleibt sie im Rahmen einer Beseelung der Natur, zum Beispiel in:

> Geflüster der Nacht
>
> Es ist ein Flüstern in der Nacht,
> Es hat mich um den Schlaf gebracht;
> Ich fühl's, es will sich was verkünden
> Und kann den Weg nicht zu mir finden.
>
> Sind's Liebesworte, vertrauet dem Wind,
> Die unterwegs verwehet sind?
> Oder ist's Unheil aus künftigen Tagen,
> Das emsig drängt sich anzusagen?   (1852 entworfen, 1872 verfaßt)

Ein Vergleich mit dem 1869 entstandenen motivähnlichen Gedicht von Robert Prutz, ‚Geisterstimme‘, kann bezeichnende Unterschiede deutlich machen.

> Aus bangem Schlaf fahr' ich empor –   Der frost'ge Nachtwind ist das nicht,
> Was flüstert heimlich mir ins Ohr?   Das ist ein Mund, der zärtlich spricht:
> Das klingt so süß, das klingt so traut,   „Was kann der Liebe widerstehn?
> Wie Liebesgrüß, wie Wonnelaut,   Die Tage nahn, die Tage gehn –
> Wie Stammeln der beglückten Braut: Auf Wiedersehn! auf Wiedersehn!" [...]

Während Storm Intensität durch Knappheit, andeutende Metaphorik und einen offenen Schluß anstrebt, spielt Prutz das Motiv der unbewußten nächtlichen Kommunikation in vielen Variationen durch und versucht, die Anschaulichkeit durch Summierung von Metaphern und syntaktische Wiederholungen zu erhöhen. Der Schreibimpuls bei Storm, Beunruhigung in der Gegenwart und Angst vor der Zukunft, verflacht bei Prutz in einem ungetrübten Optimismus und bleibt im überschaubar privaten Erlebnisbereich.

Die verbale Aufschwemmung machte den Text von Prutz zum Liebling der damaligen Leserschaft. In der einflußreichen Literaturgeschichte Rudolf Gottschalls stehen im fünften Band der vierten Auflage von 1875 fünf Seiten über die Lyrik von Prutz, wenige Zeilen über Storm.

Storms Insistieren darauf, daß Erlebnisse, Erfahrungen und sinnliche Eindrücke, wenn sie Material für Lyrik werden sollen, eine geistig-seelische Verinnerlichung durchlaufen müssen, hat die Dichte seines verhältnismäßig schmalen Werks bewirkt. Indem er auf der Intensität des Gefühls, dem „Naturlaut der Seele", als dem einzigen Maßstab guter Dichtung beharrte, ging er alte Wege der Erlebnislyrik zu Ende, ohne dem kunsthandwerklichen Goldschnitt seiner weit erfolgreicheren Mitautoren zu verfallen.

5.5 Lyrik im späten Realismus: Theodor Fontane und C. F. Meyer

> **Theodor Fontane:** Gedichte, 2. vermehrte Auflage (1875,
> erweiterte Ausgaben 1889, 1892)
> **Conrad Ferdinand Meyer:** Romanzen und Bilder (1871)
> Gedichte (1882, erweiterte Ausgabe 1892)

Die Jahrzehnte zwischen 1870 und 1890 waren eine Zeit der Stagnation für die bis dahin dominierende Erlebnislyrik. Storm und Keller ergänzten ihr lyrisches Werk mit abschließenden Gedichtsammlungen, ohne neue Ausdrucksmöglichkeiten zu gewinnen. Die dekorative Poesie der Anthologien blieb ungeschmälert populär, die Sammlungen wurden prunkvoller und blieben auflagenstark.

Der alte Fontane. Fontane hat nach seiner umfänglichen Balladen-Produktion in den 1880er Jahren Gedichte geschrieben, die nicht ins Raster der Erlebnislyrik passen und die auch von C. F. Meyers neuer Verskunst weit entfernt sind. Es sind Versuche, das sozial Banale, das scheinbar Selbstverständliche und Alltägliche in die 'hohe' Lyrik hineinzunehmen.

> Auf dem Matthäikirchhof
>
> Alltags mit den Offiziellen
> Weiß ich mich immer gut zu stellen,
> Aber feiertags was Fremdes sie haben,
> Besonders wenn sie einen begraben,
> Dann treten sie (darüber ist kaum zu streiten)
> Mit einem Mal in die Feierlichkeiten.
>
> Man ist nicht Null, nicht gerade Luft,
> Aber es gähnt doch eine Kluft,
> Und das ist die Kunst, die Meisterschaft eben,
> Dieser Kluft das rechte Maß zu geben.
> Nicht zu breit und nicht zu schmal,
> Sich flüchtig begegnen, ein-, zwei-, dreimal.
>
> Und verbietet sich solch Vorüberschieben,
> Dann ist der Gesprächsgang vorgeschrieben:
> „Anheimelnder Kirchhof … beinah ein Garten…
> Der Prediger läßt heute lange warten…"
> Oder: „Der Tote, hat er Erben?
> Es ist erstaunlich, wie viele jetzt sterben."   (Dritte Ausgabe der ‚Gedichte', 1889)

Mit solchen Versen steht Fontane späteren Autoren wie Erich Kästner viel näher als seinen Zeitgenossen. Sozialer Alltag nicht in gegenständlicher Abschilderung, sondern im Mechanismus fehllaufenden zwischenmenschlichen Verkehrs – das ist auch das Thema seiner Gesellschaftsromane. Der Friedhofgang, der mit menschlicher Anteilnahme verbunden sein sollte, gerät zum Spießrutenlaufen zwischen den Klippen der gesellschaftlichen Hierarchie; die angebliche Trauergemeinde stellt sich dar in ihrer Klassenbeschränktheit. Die Tonlage ist konversationell, beiläufig und scheinbar ohne wertende Emotion, wie in der dritten Verszeile zuweilen sogar nachlässig gearbeitet: Alltagslyrik. Die Thematik dieser Fontaneschen Lyrik geht mit den sozialen Kommunikationsformen ins Gericht (z. B. im Zyklus ‚Aus der Gesellschaft') oder stilisiert das alltägliche Einerlei ironisch ins Lyrische (z. B. ‚Fritz Kratzfuß', ‚Würd' es mir fehlen, würd' ich's vermissen?'). In keiner zeitgenössischen Anthologie ist diese Art spätrealistischer Poesie gesammelt worden.

C. F. Meyers Lyrik. In den Jahren zwischen 1870 und 1890 gelangte Conrad Ferdinand Meyer nach psychogenen Leidensjahren in den entscheidenden Abschnitt seines lyrischen Schaffens. Für die Zeitgenossen rasch erkennbar, wandte er sich entschlossen ab vom tradierten Formen- und Motivkanon der Erlebnislyrik; auch im Sujet verließ er den bürgerlichen privaten Alltag.

Die tote Liebe

Entgegen wandeln wir
Dem Dorf im Sonnenkuß,
Fast wie das Jüngerpaar
Nach Emmaus,
Dazwischen leise
Redend schritt
Der Meister, dem sie folgten
Und der den Tod erlitt.
So wandelt zwischen uns
Im Abendlicht
Unsre tote Liebe,
Die leise spricht.
Sie weiß für das Geheimnis
Ein heimlich Wort,
Sie kennt der Seelen
Allertiefsten Hort.

Sie deutet und erläutert
Uns jedes Ding,
Sie sagt, so ist's gekommen,
Daß ich am Holze hing.
Ihr habet mich verleugnet
Und schlimm verhöhnt,
Ich saß im Purpur,
Blutig, dorngekrönt,
Ich habe Tod erlitten,
Den Tod bezwang ich bald,
Und geh' in eurer Mitten
Als himmlische Gestalt –
Da ward die Weggesellin
Von uns erkannt,
Da hat uns wie den Jüngern
Das Herz gebrannt.   (Fassung von 1887)

Die lyrische Situation im Text hat keine ausdrückliche Erlebnisbasis, die im Fortgang des Gedichts entfaltet würde. Vielmehr liegt die poetisch kühne Ersetzung eines seelischen Vorgangs – erinnerte Liebe – durch ein religiöses Geschehen vor. Der in Lukas 24, 13–32 überlieferte Teil der Passionsgeschichte übernimmt durchgehend die Aussageebene, die im traditionellen Erlebnisgedicht durch die Gefühle des lyrischen Ichs besetzt wäre. Dabei werden erfahrbare Vorgänge auf einer transzendentalen, der Geschichtlichkeit entzogenen Ebene entfaltet.

Meyer gibt den Vergleich, der am Anfang noch bemerkbar ist („Fast wie das Jüngerpaar") bald auf, die Passionsgeschichte und die Geschichte der Liebe zwischen zwei Menschen werden eins. Das alltägliche Geschehen wird mit dem Leiden Christi versinnbildlicht und die lyrische Situation entschlossen vergeistigt. Mit der Symbolisierung mittels der Passion gewinnt Meyer eine Erweiterung der Aussage: Nicht die Gestaltung eines individuellen privaten Erlebens der verkümmerten Liebe kommt an den Leser, sondern eine ihn existentiell betreffende Botschaft: daß der Verlust intensiv-inniger Beziehungen eine transzendentale Qualität hat.

Innerlichkeit ist bei Meyer, in dieser Spätphase der Erlebnislyrik, nicht mehr so darstellbar, daß sie direkt auf gegenwärtige Wirklichkeit bezogen werden kann; die dazu verfügbaren Formeln und Vergleiche sind abgenutzt, so wie die Inhalte bürgerlicher Innerlichkeit zur privaten Erinnerung heruntergekommen sind. Meyer scheut vor einer „Preisgebung der Seele" zurück (an H. Haessel vom 26. 2. 1883). Er ist daher auf lyrische Situationen angewiesen, die, vom vereinzelten Erlebnis unabhängig, eine allgemeine Qualität mitbringen und die dennoch sinnfällig die Innenwelt des Dichters ausdrücken lassen; beispielsweise die Situation der trauernden Erinnerung, der vergeblichen Hoffnung auf Wiederkehr besonderer Gefühle, des Absterbens von Beziehungen, des Todes überhaupt. Schon in einer solchen Aufzählung werden einige Wirklichkeitsbezüge deutlich, die sinnbildlich in Meyers Lyrik gestaltet werden; etwa die Erfahrung der verrinnenden Zeit, der Lebensohnmächtigkeit, der seelischen und gesellschaftlichen Resignation. Für die Versinnbildlichung solcher Lebenssituationen können die Gedichte ,Stapfen', ,Im Spätboot', ,Eingelegte Ruder', alle aus den 1880er Jahren, stellvertretend stehen. Wie in ,Tote Liebe' ist auch in diesen Gedichten das lyrische Subjekt nicht oder nur dem Pronomen nach anwesend. Es artikuliert sich im Dingsymbol, das leitmotivisch verwendet wird.

Meyer schafft sich, da er Gefühle nicht mehr unverstellt und nicht mehr in traditioneller Weise ausdrücken kann, eine eigene Bildsprache. In ihr tauchen bestimmte Bilder und Motive, auch Anspielungen auf den Mythos und auf die antike Literatur, häufig und mit gleichbleibender Bedeutung auf. Sie besetzen eine bestimmte Sinnstelle, z. B. die Motive Kahn und Boot, Abendstern, Segel, Wolke, Wasser und Wellen. Die Bedeutungen sind vom Leser nicht im einmaligen und erstmaligen Lesevorgang zu ermitteln. Die Esoterik des lyrischen Sprechens zwingt ihn tendenziell in eine Gemeinde des Dichters, die Bild und Gedanken, mögen diese auch zuweilen in allegorisierender Eindeutigkeit verknüpft sein, zu entziffern gelernt hat. Die Vergegenständlichung im Gebilde, mittels deren Meyer individuelle Erfahrung objektiviert, können außer Naturgegenständen auch Kunstdinge erfüllen. Brunnen, Gemälde, Landschaften und historische Gestalten haben in vielen Gedichten Meyers leitmotivische Aufgaben (‚Nicola Pesce‘, ‚Michelangelo und seine Statuen‘, ‚Abendwolke‘). Die Fontana Trevi in Rom wurde in mehreren Versuchen als Kunstwerk dichterisch bearbeitet, bis sie in der letzten Fassung (‚Der römische Brunnen‘, 1882) als Sinnbild von Ruhe und Ausgewogenheit in die Gedichtform einging.

In der Ausarbeitung einer symbolistischen Ausdruckswelt entfernte sich Meyer von seinen deutschen Zeitgenossen und knüpfte die Lyrik im Realismus an die europäische Moderne an, die mit Charles Baudelaire in Frankreich zwei Generationen früher eingesetzt hatte. Meyers Vorgehen blieb allerdings vorerst ohne Folgen. Erst mit Stefan George und Rainer Maria Rilke kam die symbolistische Lyrik in Deutschland voll zur Geltung. Zugleich endete mit C. F. Meyer der Versuch, Lyrik als Gesellschaftskunst zu entfalten, wie es Heine in den ‚Neuen Gedichten‘ (1844) und im ‚Romanzero‘ (1851) versucht hatte. Die wachsende Esoterik der Meyerschen Verskunst spiegelt den zunehmenden Zerfall der Kommunikation zwischen Künstler und breitem Publikum. Von nun an schreibt der Dichter vom Rande her in die Gesellschaft hinein. Storm hat von seiner Schreibpraxis her die Abwendung Meyers von der traditionellen und verhältnismäßig publikumsorientierten Poesie kommentiert. In einem Brief an Gottfried Keller heißt es:

„Ein Lyriker ist er nicht; dazu fehlt ihm der unmittelbare, mit sich fortreißende Ausdruck der Empfindung, oder auch wohl die unmittelbare Empfindung selbst." (22. 12. 1882)

6 Schreiben als Kritik: Der Roman im späten Realismus

6.1 Die Reichsgründung und ihre Folgen

Theodor Fontane: Frau Jenny Treibel oder Wie sich Herz zu Herzen find’t (1892)
Gottfried Keller: Martin Salander (1886)
Friedrich Nietzsche: Unzeitgemäße Betrachtungen (1873–76)
Wilhelm Raabe: Pfisters Mühle (1884)
Friedrich Spielhagen: In Reih und Glied (1867)   Hammer und Amboß (1869)
Allzeit voran (1871)   Sturmflut (1877)   Was will das werden? (1887)
Ein neuer Pharao (1889)

Überschwang und Monumentalisierung. Das Lebensgefühl unmittelbar nach der Kaiserproklamation in Versailles drückte der nationalliberale Historiker Heinrich von Sybel, damals vierundfünfzig Jahre alt, so aus:

„Und wie wird man nachher leben? Was zwanzig Jahre der Inhalt alles Wünschens und Strebens
gewesen, das ist nun in so unendlich herrlicher Weise erfüllt! Woher soll man in meinen Lebens-
jahren noch einen neuen Inhalt für das weitere Leben nehmen?"
(Nach Ernst Troeltsch: Das Neunzehnte Jahrhundert, S. 617)

Mit religiösem Pathos wurde die bisherige Geschichte auf dies Ereignis hin interpretiert. Sybel selbst beschrieb den Weg zum Kaiserreich glorifizierend in sieben Bänden. Da im Sinne Sybels nichts Neues zu erwarten war, entwickelte sich in den einzelnen Dichtarten eine Monumentalisierung des bislang schon Geübten. Die Versepik
beispielsweise erlebte einen nochmaligen Aufschwung, da nun der Bund zwischen
Kirche und Kultur, auf die sie angewiesen war, eine so glänzende Bestätigung bekommen hatte. An den Auflagenziffern von Joseph Victor von Scheffels ‚Der Trompeter
von Säckingen' ist das abzulesen: 1. Auflage 1854, 2./1859, 11./1870, 100./1882. Auf
dem Theaterspielplan setzten sich Stücke mit historisierendem Charakter und gewaltsamen Spannungsreizen fest, denen eine generelle Abstinenz von gesellschaftlichen Konflikten der Gegenwart gemeinsam ist. Ernst von Wildenbruch war einer ihrer Erfolgsautoren. Man versteifte sich auf einen erhabenen Klassizismus, auch in
der Lyrik. Das setzte die künstlerische Verarmung fort, die das Drama seit den 1850er
Jahren geprägt hatte und die im Bereich der Lyrik die Produktion des Münchner
Dichterkreises um Emanuel Geibel als repräsentativ hatte erscheinen lassen.
Wenigstens in der Repräsentation wollte die neue Schicht der bürgerlichen Unternehmer die prosaische Wirklichkeit von Industrieproduktion, Massenarbeit und Pro-
letarisierung mit einer kulturellen Aura versehen. So umgab man sich mit den bildne-
rischen Formen der Vergangenheit, man lebte in Bauten im Stil der Renaissance und
Gotik, geschmückt mit altdeutschen Attrappen, Stuckornamenten und historischen
Schlachtbildern. Gedichtanthologien mit Ledereinband und aufwendig illustrierte
Klassikerausgaben hatten Hochkonjunktur.

Enttäuschung und Kapitalismuskritik: Friedrich Spielhagen. Dem Gefühl des Ab-
schlusses, das in Sybels Worten zum Ausdruck kommt, korrespondierte eine Bewegung des Verdrusses. Wilhelm Raabe und Theodor Storm sind dafür Beispiele.

Raabe war dem nationalliberalen ‚Nationalverein' (gegründet 1859) beigetreten und hatte sich
auch politisch betätigt. Dabei mußte er die Machtlosigkeit der liberaldemokratischen Kräfte erleben. Im gleichen Jahrzehnt erfuhr er die Ablehnung seiner wachsend illusionslosen Zeitromane (‚Abu Telfan', 1867; ‚Der Schüdderump', 1869/70) durch ein Publikum, das eben noch seinen
‚Hungerpastor' zum Hausbuch gemacht hatte. Zur Zeit der Reichsgründung lebte Raabe schon
in der selbstgewählten Isolation, aus der heraus er seine kulturpessimistischen Altersromane
schrieb. – Auch Storm hatte im Gefolge des Kriegs gegen Dänemark 1864 erleben müssen, wie
eine demokratische Selbstbestimmung für Schleswig-Holstein verweigert wurde; sein politisch-
nationales Engagement brach zusammen, die wachsende Abhängigkeit Schleswig-Holsteins
von Preußen machte ihn zum Bismarck-Hasser und zum Gegner des Bürgertums, das sich dem
Adel in die Arme warf.

Raabe und Storm stehen für eine breite Strömung unter den Intellektuellen, die mit
den faktischen Folgen der rasanten Industrialisierung und der Politik Bismarcks innen und außen nichts Gutes heraufkommen sahen; die auch selbst nicht von der Veränderung profitierten, es sei denn in völliger Preisgabe an den Kulturwarenmarkt.
Friedrich Spielhagens Zeitromane von liberaler Prägung repräsentierten die gute und
damals erfolgreiche Oppositionsliteratur.

Friedrich Spielhagen (1829–1911) hat die gesamte Epoche schreibend begleitet, und zwar von
Anfang an in einem demokratischen Verständnis. Im Vorwort zu seinem ersten Erfolgsroman,
‚Problematische Naturen' (1860), einer panoramaartigen Darstellung der unruhigen Vormärzzeit, formulierte er seine politische Basis: „[...] denn nimmer schläft die Tyrannei!" Wie bei diesem Credo ist in allen seinen Romanen ein pompöser Zug auszumachen. Das Sujet der Romane
kommt allemal aus der Tagespolitik: die sozialistische Bewegung um Lassalle in ‚In Reih und

Glied' (1867), der Krieg gegen Frankreich in ‚Allzeit voran' (1871), das gründerzeitliche Spekulantentum in ‚Sturmflut' (1877), eine radikale Kritik an Bismarck in ‚Ein neuer Pharao' (1889). Spielhagens Erzähltechnik orientiert sich am spannenden Zeitungsroman. Seine Romane strotzen von Verwicklungen und sensationellen Motiven, alle führen aber griffige Sentenzen zur politischen Moral. Hinter denen wird der Demokrat bemerkbar, auch wenn die Konturen des Engagements verschwommen bleiben. In ‚Hammer und Amboß' (1869) heißt es emphatisch: „Überall das verdeckte, grundbarbarische Verhältnis zwischen Herr und Sklaven, der dominierenden und der unterdrückten Kaste; überall die bange Wahl, ob wir Hammer sein wollen oder Amboß." – In den 1880er Jahren wurde Spielhagen das negative Beispiel für die Kritik der Naturalisten, um 1900 war er schon fast vergessen.

Im Blick auf das neue Reich entwarfen die literarischen und essayistischen Zeugnisse der Kritik am Kapitalismus (Wilhelm Raabe: ‚Pfisters Mühle', 1884), an Spekulantentum und Werteverlust (Gottfried Keller: ‚Martin Salander', 1886), am Kulturverfall (Friedrich Nietzsche: ‚Unzeitgemäße Betrachtungen', 1873–76), an der Schein-Aristokratisierung des Lebensstils (Theodor Fontane: ‚Frau Jenny Treibel', 1892) eine innerbürgerliche Kritik. An deren Ende stand die Resignation. Der mahnende Rückgriff auf alte Werte der liberal-humanistischen Tradition hatte politisch keinen Rückhalt mehr. Auch ließ sich die Statusunsicherheit der bürgerlichen Mittelschichten allzuleicht mit der Revolutionsfurcht verbinden (Sozialistengesetze, 1878), so daß eine Zusammenarbeit mit der erstarkenden Sozialdemokratie nicht zustande kam.

Arthur Schopenhauers Pessimismus. Die Stimmung des resignativen Rückzugs speiste sich aus der verspäteten Rezeption Arthur Schopenhauers durch das gebildete Bürgertum. Sein Hauptwerk, ‚Die Welt als Wille und Vorstellung' (1. Auflage 1818, 2. Auflage 1844), wurde seit der 3. Auflage 1859 populär und mit den ‚Aphorismen zur Lebensweisheit' (1851) nach und nach zur bürgerlichen Hauslektüre. Mit seinem Einfluß auf Richard Wagner, Wilhelm Raabe und Wilhelm Busch – bei den beiden Schriftstellern ab Mitte der 1860er Jahre – hat Schopenhauer direkt in die literarische Entwicklung eingegriffen. In der vereinfachenden Rezeption seiner Zeitgenossen blieb von seiner idealistischen Weltanschauung der krude Pessimismus übrig.

Der metaphysische Grund der Welt ist in Schopenhauers System der blinde, ziellose Wille, der nie zu befriedigen ist und der an sich selbst zehrt. Im Leben entspricht dem die Erfahrung, daß die Unlust die Lust stets überwiegt und der Mensch sich entweder in unbefriedigten Wünschen verzehrt oder in die Langeweile der Scheinbefriedigung versinkt. Unter dem Zeichen der allgemeinen Vergänglichkeit wird somit jede Lebensgeschichte zur Leidensgeschichte. Der Kunstgenuß kann für wenige Augenblicke den ziellosen Willen stillhalten, auf Dauer kann nur eine lebenslange Willensaskese, der freiwillige Verzicht zu wollen, die Erlösung bringen.

Die Aneignung Schopenhauers ist sozialpsychologisch als eine Reaktion des Bürgertums auf die wachsende Verunsicherung zu deuten; sich häufende, im Grund uneinsichtige wirtschaftliche Systemkrisen (1873, 1876) steigerten die Lebensangst. Auch die vitale Lebensphilosophie, die man gegen das Ende des Jahrhunderts aus Friedrich Nietzsches Schriften ablas, konnte das pessimistische Lebensgefühl nicht nachhaltig verändern.

6.2 Von der Macht der Konvention: Theodor Fontanes Berliner Romane

Theodor Fontane: L'Adultera (1882)   Cécile (1887)
Irrungen Wirrungen (1888)   Stine (1890)
Frau Jenny Treibel (1892)   Effi Briest (1895)
Die Poggenpuhls (1896)   Mathilde Möhring (aus dem Nachlaß)

6.2.1 Besitz gegen Bildung – ‚Frau Jenny Treibel‘

In der scheinbar privaten Sphäre des Familiengeschehens greifen Fontanes Romane allgemeine Probleme auf; die Familie sah Fontane als den Mikrokosmos der Gesellschaft.

Die Handlung des Romans findet in der Landpartie im 10. Kapitel einen Höhepunkt: Hier verlobt sich Leopold, der freundliche und nicht recht lebensmutige zweite Sohn des Fabrikanten und Kommerzienrats Treibel und seiner Frau Jenny, geborene Bürstenbinder, mit Corinna, der aktiven und intelligenten Tochter des Gymnasialprofessors Willibald Schmidt. Diese Verlobung geschieht mit sanftem Nachdruck Corinnas, und Jenny Treibel ist sich sofort über Corinnas Spiel im klaren, als Leopold ihr seine Absichten erklärt; auch darüber, daß diese Heirat mit allen Mitteln verhindert werden muß. Denn Corinna bringt außer „ihrer Bettlade" nichts mit in die Ehe. Und das ist zuwenig, zumal für jemanden wie Jenny, die es als Tochter eines kleinen Kaufmanns seinerzeit genauso gemacht hat und der es mit dem Aufsteigen deshalb so ernst ist. Geld muß zu Geld heiraten. Der dünne Faden, den Corinna spinnt, trägt nicht weit. Gegen den hinhaltenden, doch passiven Widerstand Leopolds ruft Jenny eine andere Frau auf den Plan, die reiche Fabrikantentochter Hildegard Munk, deren ältere Schwester schon einen Treibelsohn geheiratet hat. Und auch Corinna sieht nach einer Unterredung mit Jenny ein, daß sie nur unter Aufopferung ihres Bildungsstolzes an Leopold festhalten könnte. Sie wendet sich ihrem Vetter, dem Archäologen Marcell, zu, dem eben eine sichere Universitätsstelle verheißen worden ist.

Der Untertitel des Romans, „Oder: Wo sich Herz zu Herzen find't", ist ironisch gemeint. Hier findet sich Geld zu Geld und Geist zu Geist. Schon die Kleinbürgerstochter Jenny hatte statt des gebildeten, armen Schmidt den reichen Treibel gewählt und begnügt sich nun mit Erinnerungen an die Zeit ihres gebildeten Umgangs, mit Träumereien von einer poetischen Welt und mit beiläufigen, häufig falschen Zitaten aus dem handlichen deutschen Dichterschatz.

Besitz und Bildung. Die in der Klassik geprägte Idee der Bildung (als Vervollkommnung der dem Individuum eingeborenen Anlagen) hat in der neuen Realität des Besitzes – Spielzeit ist der Sommer 1888 – keinen Ort; sie ist zum Mittel verkommen, zu Besitz oder gesellschaftlichem Ansehen zu gelangen. Ein Besitzender wie Treibel glaubt, auf Klassikerausgaben und echte Stiche nicht verzichten zu können, er bedient sich der Kunst zur sentimentalen Erbauung, zur Dekoration und zur Abgrenzung nach unten. Humanistische Bildung überdauert in einzelnen Menschen, die zu Sonderlingen werden wie Willibald Schmidt; oder sie bleibt Vertretern des Geburtsadels vorbehalten wie dem Dubslav Stechlin in Fontanes letztem Roman ‚Der Stechlin‘ (1899). Besitz und Bildung taugen zur Bezeichnung von zwei sich auseinander entwickelnden Teilen des Bürgertums. Doch beläßt es Fontane nicht beim bloßen Kontrast. Er macht deutlich, wie sehr Bildungsbürger und Besitzbürger aufeinander angewiesen sind, indem er im Erzählmuster der kontrastiven Entsprechung das Diner bei Treibels und das Abendessen bei Schmidts mit den gleichen Mitteln und Akzenten erzählt. Fontane begreift den Prozeß der Industrialisierung und Kapitalbildung in eins mit der langsamen, politisch verzögerten Ablösung des Adels durch den Besitzbürger. Treibels Zukunftshoffnungen, für die er sich der Anstrengung politischer Arbeit unterzieht und derentwegen er altadlige Damen in seinem Hause unterhält, richten sich auf das Adelsdiplom; seine Lebensinteressen und -gewohnheiten orientiert er am Beispiel des ersten Standes.
Für die Treibels ist Bildung Dekor. Zugleich ist sie so selbstverständlich wie gutes Benehmen; das lebt der Adel vor. Der Besitzbürger gebraucht Bildung zur Repräsentation, Treibels Villa im Südosten Berlins ist nach dem Muster der Spätrenaissance gebaut und dementprechend eingerichtet.
Aber auch der Bildungsbürger ist von der Veränderung betroffen. Entweder verkümmert er zum Zerrbild wie einige der Gelehrten, die Willibald Schmidt wöchentlich als Kreis der „Sieben Waisen" in seinem Haus versammelt; oder er orientiert sich am Be-

sitz, wie das Corinna tut, die gut weiß, warum sie den schlichten Treibelsohn einfangen will. Um aus der wirtschaftlichen Enge und dem nach „kleiner Wäsche" riechenden Treppenhaus herauszukommen, setzt sie Mittel des gebildeten Witzes, des schnell verfügbaren Wissens und der Gesprächstaktik ein. Sie funktionalisiert ihre Bildung.

Wie generell Fontane seine Kritik verstanden wissen wollte, erhellt aus einer Passage seiner Autobiographie ‚Von Zwanzig bis Dreißig', die er 1897 veröffentlichte:

> „Denn der Bourgeois, wie ich ihn auffasse, wurzelt nicht eigentlich oder wenigstens nicht ausschließlich im Geldsack, viele Leute, darunter Geheimräte, Professoren und Geistliche, Leute, die gar keinen Geldsack haben oder einen sehr kleinen, haben trotzdem eine Geldsackgesinnung und sehen sich dadurch in der beneidenswerten oder auch nicht beneidenswerten Lage, mit dem schönsten Bourgeois jederzeit wetteifern zu können."

Hier hat sich die Kritik schon weitergeschoben: Die Bourgeoisie, jene neue Schicht, die mit Industrialisierung und Kapitalbildung entstand, ist 1897 sogar zum Maßstab für die geworden, deren historische Ahnentafel sehr weit zurückreicht. 1888 hatte Fontane an seinen Sohn den Zweck der Geschichte von Jenny Treibel so formuliert: „das Hohle, Phrasenhafte, Lügnerische, Hochmütige, Hartherzige des Bourgeoisstandpunkts zu zeigen, der von Schiller spricht und Gerson meint"; Gerson war der Name eines führenden Berliner Bekleidungsgeschäfts.

Erzählverlauf und Gespräche. Im Roman passiert fast nichts. Wie Besitz und Bildung nicht (mehr) zusammenkommen, weil Bildung wie Besitz sich zum Spezifikum je eines Teils der bürgerlichen Klasse entwickelt haben – das wäre schon eine Zusammenfassung des Geschehens. Doch ist das, was im herkömmlichen Roman Handlung ist, in Gesprächsverläufe eingegangen, zum Beispiel im Kapitel „Landpartie". Hier bilden sich nämlich für den Heimweg Gesprächspaare, die hintereinander hergehen oder verschiedene Wege suchen, die über die vorangehenden Paare reden oder diese durch einfaches Hinterhergehen am Sprechen hindern. Und nach den Gesprächen ist eine neue Situation entstanden: die Verlobung, die durch Unterredungen der Betroffenen (Jenny, Leopold) geklärt werden muß und wieder Konversationsstoff für Nichtbetroffene abgibt. Gespräche ersetzen eine lang zu entwickelnde Handlung, sie machen einen personalisierten Erzähler überflüssig und befreien von stofflichem Ballast: Beschreibung und Verknüpfungen entfallen. Besser als andere erzählerische Mittel haben gelesene Gespräche die Qualitäten der Wiedererkennung, die Fontane für realistisches Schreiben postulierte:

> „Das wird der beste Roman sein, dessen Gestalten sich in die Gestalten des wirklichen Lebens einreihen, so daß wir in Erinnerung an eine bestimmte Lebensepoche nicht mehr genau wissen, ob es gelebte oder gelesene Figuren waren." (Aus dem Nachlaß, 1907)

Gespräche geben auch die Möglichkeit, Romanfiguren zu charakterisieren, ohne einen Erzähler zu bemühen, der das fiktionale Element betonen würde; die Personen reden über andere und charakterisieren zugleich sich in der Art, wie sie etwas vorbringen.

Corinna mokiert sich zu Beginn der Landpartie über die reiche Frau Felgentreu, die wegen ihrer Leibesfülle schlecht gehen kann, ihre Verweigerung eines Ortswechsels aber anders begründet: „[...] Ich bin nicht für Steigen, und dann mein' ich auch immer, man muß mit dem zufrieden sein, was man gerade hat." Dem Leser wird das Urteil überlassen, hier habe er es mit uneigentlicher, wahre Beweggründe verschleiernder Rede zu tun. Diese Meinung setzt Corinna voraus, wenn sie, zu dem Sänger Krola gewendet, der als Künstler und häufiger Gast in besitzbürgerlichen Häusern einen guten Einblick hat, kommentiert: „Eine merkwürdig bescheidene Frau." Scheinbar läßt sich Corinna ein auf Frau Felgentreus Begründung, tatsächlich erhebt sie sich ironisch über jemanden, der sich mit Worten nicht gut verstellen kann. Zugleich hat sie den Sänger zu augenzwinkerndem Einverständnis eingeladen. Dessen Korrumpierbarkeit macht Fontane in dem anschließenden Nebensatz deutlich: „[…] der seinerseits mit einfacher Zahlennennung antwortete, leise hinzusetzend: ‚Aber Taler.' "

Der Künstler verachtet den Geldsack, von dem er abhängt. Die Linie des Gesprächs läuft auf diesen die Partner entlarvenden Punkt zu: Der Rang eines Menschen wird durch die Angabe des ökonomischen Werts bezeichnet; dessen Höhe macht ihn für die Umwelt respektabel; der Künstler, abhängig von Markt und Mäzen, kann sich nur heimlich distanzieren; die kluge Gebildete schließlich zeigt in ihrer mitleidlosen Ironie die traditionelle Überheblichkeit der Intellektuellen auch gegenüber der neuen Schicht der Besitzenden.

6.2.2 Gesellschaftsromane. Am Beispiel ‚Effi Briest'

Das Interesse des Erzählers Fontane am Gespräch ist zunächst artistisch: Figuren lassen sich nuanciert schildern, ohne daß eine Erzählerfigur sich vordrängte; Standpunkte lassen sich verdeutlichen; Positionen lassen sich relativieren, indem ein Problem von verschiedenen Seiten gesprächsweise beleuchtet wird. Das alles ist vor dem Hintergrund, daß eine allgemeine Verunsicherung über Werte und Normen herrschte, historisch 'richtig'. Darüber hinaus läßt sich in Gesprächen ein geselliges Miteinander szenisch vorführen, das artistische Interesse hat eine soziale Komponente. Das Gesellschaftliche an den Berliner Romanen Fontanes, das Gattungsspezifische sozusagen, ist diese Versinnlichung des geselligen Miteinanders, der Sprachfähigkeit, der Bildung. Die Kritik des alten Fontane an der Lebenspraxis der wilhelminischen Gesellschaft ist demnach nicht nur Inhalt, noch weniger nur Absicht, sondern geht als Schreibweise in das künstlerische Verfahren ein.

Die Gespräche, die er unter den Figuren in Gang setzt, transportieren viel Zeitgenössisches: Bismarck kommt häufig vor, abwertend und beifällig, je nach Sprecher; 'Realpolitik' wird begründet und kritisiert, auch die Verarmung der Massen wird erwähnt; vor allem die Mentalität der Besitzenden ist Gegenstand von Dialogen. Aber in alldem liegt nur sekundär die sozialgeschichtliche Bedeutsamkeit der Fontaneschen Kunst. Anders als Gustav Freytag in ‚Soll und Haben' verzichtet Fontane auf die Schauplätze tatsächlicher Arbeit, anders als Friedrich Spielhagen zum Beispiel im Bismarck-Roman ‚Ein neuer Pharao' (1889) vermeidet er die Darstellung von tatsächlichen politischen Auseinandersetzungen. Seine Spielplätze, obwohl topographisch getreu in das Berliner Milieu eingelagert, sind meist geschlossene Räume oder gesellschaftliche Veranstaltungen wie Diners und Landausflüge; sie bilden den Hintergrund für Meinungsäußerungen, Wortwechsel und Monologe. In diesen und in der Zeichnung der Figuren als Gesprächspartner ist die Gesellschaftskritik aufzuspüren und nachzuhören. Allerdings bleiben Fontanes Romane deshalb auch beschränkt auf jene gesellschaftlichen Schichten, die sprach- und literaturfähig waren.

‚Effi Briest'. Der eigentliche Raum der Fontaneschen Gesellschaftskritik und der Ort der intensivsten Gespräche ist die Zweierbeziehung, als Ehe oder als Liebesverhältnis. Im Mit- und Gegeneinander von zwei Menschen thematisiert er die Versteinerungen der gewachsenen Lebensrituale beim Adel (‚Unwiederbringlich'), die lebensfeindlichen ständischen Barrieren, die Spontaneität und echtes Gefühl zuschanden machen (‚Irrungen Wirrungen'), die Vermarktung von Jugend und Schönheit (‚L' Adultera', ‚Cécile') und die Entstellung der Frau beim sozialen Aufstieg (‚Mathilde Möhring'). Frauen sind die Hauptfiguren dieser Romane, schon die Titel geben das an: ‚Cécile', ‚Stine', ‚Effi Briest'. Die erst verborgenen, dann in Gesprächen zutage tretenden, im Alltag aber immer wieder vernichteten Hoffnungen und Wünsche und das schließliche Scheitern dieser Frauenleben lassen die zerstörerische Kraft der Männergesellschaft spüren, die das Kaiserreich prägte.

Fontanes bekanntester Roman, ‚Effi Briest' (1895), populär durch Verfilmungen von Gründgens bis Fassbinder, hat einen Gesellschaftsskandal der achtziger Jahre als stoffliche Vorlage. Die Veränderungen Fontanes an dieser Vorlage sind bezeichnend für sein Interesse wie für seine Darstellungsweise. Er verjüngte die Hauptfigur um fast zehn Jahre: Nun wird eine Sechzehnjährige nach einem kurzen Blickkontakt verlobt und nach zwei Monaten verheiratet mit einem 21 Jahre älteren Mann; sie begeht nicht nach zehn Jahren Ehe, sondern nach nur einem Jahr den Ehebruch, der erst nach sieben Jahren entdeckt wird und zur Scheidung führt; nach vier weiteren Jahren stirbt Effi als 29jährige. Somit steht eine sehr junge Frau im Zentrum des Romans; ihr Ausspruch über den so viel älteren Mann – „Ich fürchte mich vor ihm" – wird durch Instettens eifersüchtig kalkulierten Angstapparat im Kessiner Landratshaus bestätigt. Der Kunstgriff der ungewöhnlich kurzen Werbungs- und Verlobungszeit zeigt, wie das Kind Effi als Frau vermarktet wird; dadurch, daß die Liebschaft Effis mit dem Major Crampas so spät erst entdeckt wird, enthüllt sich der Ehrenkult Instettens ohne Kommentar des Autors als eine Verkarstung gesellschaftlicher Vorstellungen: Er wußte, daß seine Ehe keinen Schaden erlitten hatte.

Gespräche, Gesprächsfetzen, erinnerte Worte sind auch in ‚Effi Briest' die eigentlichen Handlungsträger. Doch weit weniger als in den früheren Romanen sind gesellschaftliche Themen die Gegenstände von ausführlichen Dialogen. Noch mehr zieht Fontane das Geschehen in die sprachliche Andeutung zurück oder umstellt es mit Symbolen wie der Schaukel zu Beginn des Romans. Vor allem macht er das zum Gegenstand der Konversation, das heißt der von den Gesprächspartnern verschieden akzentuierten, zuweilen sogar doppeldeutigen oder verschleiernden Rede, was herkömmlich ein kausal verknüpftes und psychologisch motiviertes Geschehen ist, das linear erzählt werden kann. Ein Beispiel ist Instettens zuchtmeisterliche Inszenierung der Angst, die Effis spontanes Verhalten knebelt, durch den 'Spuk' im Kessiner Haus und seine verhüllende 'Erklärung' des Geschehens: Sie ist angelegt, Effi weiter zu ängstigen. Die Gesellschaft des Kaiserreichs beim Reden beobachtend, wie im Dialog zwischen Instetten und Wüllersdorf, zwingt Fontane sie, ihre Ängste und Verdrängungen, ihre Bemäntelung von Hohlheit und ihre einseitige Moral preiszugeben.

6.3 Enttäuschte Zeitgenossenschaft, modernes Erzählen: Wilhelm Raabes Alterswerk

Wilhelm Raabe: Alte Nester (1880)   Stopfkuchen (1891)
Die Akten des Vogelsangs (1896)   Altershausen (1911 als Fragment)

6.3.1 Zerstörung der Idylle – ‚Die Akten des Vogelsangs'
Von Verlagerung der Handlung ins Gespräch war bei Fontane die Rede, von Entstofflichung. Vergleichbares ist für Raabes Altersromane festzustellen.

In den ‚Akten des Vogelsangs' erhält der gutsituierte Oberregierungsrat Dr. Karl Krumhardt die Nachricht vom Tod seines Freundes Velten Andres. Mit ihm und Helene Trotzendorff, die einen amerikanischen Kapitalisten heiratete, hat er die Kindheit in der Gartenvorstadt Vogelsang verlebt. Die ist nun der Industrialisierung und der Grundstückspekulation zum Opfer gefallen, nur das Elternhaus Veltens ist zurückgeblieben. Der Beamte ordnet erschüttert seine Erinnerungen an den Freund und die gemeinsame Vergangenheit.

Die Zusammenstellung von erinnerten Bruchstücken, die Aufarbeitung von Empfindungen und die Reflexion der Gegenwart, die Krumhardts Erinnerungsarbeit begleitet, ergeben zwei Biographien: die Veltens und die des Erzählers. Velten, der hochbegabte, übersensible Wanderer zwischen dem Vogelsang, Amerika und Berlin, der einmal davon redet, er wolle die Welt erobern, ist der traditionelle Held. Gegen ihn, den Welteroberer, setzt Raabe den Protokollanten. Dessen Erinnerungs- und Ordnungstätigkeit interessiert den Autor genauso stark wie, gleichsam durch die abgetönte Brille des arrivierten Bürgers beschaut, die Phantasie und die gegenbürgerlichen Pläne Veltens. So entstehen im gleichen Erzählvorgang nach und nach zwei sich überlagernde Lebensläufe in einer artistischen Vermischung der Zeitebenen. Es sind an keinem Punkt 'objektive' Darlegungen, sondern parteilich gewichtete und daher auch vom Leser immer neu zu beurteilende Erzähleinheiten. Was bei Fontane die Verlagerung ins Gespräch und die szenische Vergegenwärtigung leistet, das schafft bei Raabe die Einbeziehung der Erzählerfigur in den Kreis derer, die sich aufgrund von geschichtlichen und bewußtseinsmäßigen Einflüssen verändern. Denn der Oberregierungsrat läßt seine gut- und spießbürgerlichen Werte und Normen vom Außenseiter Velten weitgehend in Frage stellen.

Zerstörung der Idylle. Den größten Raum im Roman beansprucht die Jugendzeit. Liebevoll notiert Krumhardt Episoden: Beispiele für Veltens Phantasiereichtum und seine Unbekümmertheit gegenüber bürgerlichen Normen; Hinweise auf Krumhardts frühe Seßhaftigkeit, sein Mitläufertum und seine altkluge Distanz; Vorausdeutungen auf Helenes Schwanken zwischen den Freunden, auch zwischen dem Wunsch nach Gemeinschaft und dem isolierenden Interesse für Geld und Luxus. Die Phase der Kindheit ist Zentrierungspunkt der Erinnerung. Ihre gegenständliche Entsprechung, die Gartenidylle Vogelsang, weist auf Grundelemente des bürgerlichen Lebens wie nachbarschaftliches Miteinander, Gesprächigkeit, Gefühlsreichtum. Es ist bezeichnend für das Geschichtsbild Raabes, daß er diese heile Kindheit in die 1840er Jahre versetzt. Dem Bürger des neuen Reichs nach 1871 und der neuen Wirtschaftsmentalität ist diese Zeit des Vormärz paradoxerweise zu einer Zeit des friedlichen Miteinanders geworden: So stark wurden die auseinanderstrebenden Kräfte der Erzählgegenwart, der achtziger Jahre, von Autor und Publikum als bedrohlich gespürt.

Mit der Entfernung der Personen von dieser Kindheitsidylle und mit ihrer lebensgeschichtlichen Trennung voneinander gelangt die fortschreitende Zerstörung der Vorortsiedlung in den Blick. Am Ende ist Veltens Elternhaus zwar noch nicht der Bauspekulation zum Opfer gefallen, aber schon von rauchenden Schloten umstellt. Die Differenz der erlebten Räume – heiler Vorort und Großstadt – geht ein in erzählerische Nähe und Ferne: In Krumhardts Protokoll wirkt die ferne Vergangenheit besonders vertraut, die eben ablaufende Zeit merkwürdig entrückt. Damit ist 'reales' Erleben der Zeitgenossen widergespiegelt: Die Welt der Frühindustrialisierung erscheint in der Rückschau als noch heile, während die nahe Realität der schnellen industriellen Entwicklung und der Kapitalschwemme den Zeitgenossen unverständlich und schemenhaft bleibt.

Konfrontation der Werte. Die Wiederbegegnung mit Velten in der Erinnerungsarbeit konfrontiert den arrivierten Bürger Krumhardt mit seinen Idealen und verdrängten Wünschen. Die dadurch bewirkte Verunsicherung führt eine gezielte Störung der nach 1871 herrschenden Wertewelt stellvertretend vor. Einen deutlichen Gegensatz zu den sekundären bürgerlichen Tugenden Ordnung, Pünktlichkeit, Regelmäßigkeit, wie sie die Beamtenfamilie Krumhardt auszeichnen, bildet die amüsierte Wertekritik der Mutter Veltens; das unschöpferische gründliche Schulwissen des späteren Doktor juris wird im originellen Autodidaktentum Veltens verneint, der kompromißbereiten Karriere steht die unbedingte Behauptung von Individualität gegenüber. Veltens talentierter Wildwuchs ist nach den Maßstäben des herkömmlichen Bildungswesens verwerflich, schon früh gilt er als unnütz und faul, genau wie jener andere Außenseiter, wie Heinrich Schaumann in Raabes Roman 'Stopfkuchen'. Doch ist es Velten, der Ernst macht mit seinen Jugendträumen, der seiner Geliebten abenteuerlich nach Amerika nachreist und der schließlich in Berlin einen Kreis von Menschen um sich schart, die Raabes Vorstellungen von einer humanen Lebenshaltung verwirklichen. Eindeutiger Höhepunkt der Kontrastierung ist die Einstellung zum Eigentum: hier die Besitzversessenheit der Krumhardt-Familie, dort die extreme Gleichgültigkeit Veltens gegenüber Hab, Gut und Erbteil.

So behauptet Velten gegen die Macht des Faktischen die Realität der Vogelsangidylle. Sie soll die humane Alternative gegen die gründerzeitliche Erwachsenenwelt sein. Doch ohne Korrektur seitens des Autors kommt auch Velten nicht davon. Er muß seinen extremen Individualismus mit dem existentiellen Vorwurf des „Verklettertseins" bezahlen; in der neuen Gesellschaft der Gründerzeit hat er nicht einmal als Protestierender Platz. Raabe stellt ihm am Ende einen als Affen verkleideten Schauspieler zur Seite.

Zusammen erst ergeben Held und Biograph ein Ganzes. In seiner Kindheit ein freundlicher Mitmacher, später ein angepaßter Karrierist, wird Krumhardt durch Velten aus der Enge gezerrt und verunsichert. Andererseits behauptet er gegen die Exzentrizität des Helden ein bürgerliches Gegengewicht; indem er die Anstöße Veltens wenigstens bedingt aufnimmt, repräsentiert er auch die Möglichkeit der Veränderung. Somit kann Krumhardt zwischen den Extremen des Außenseiters und des Philisters vermitteln. Er behält das Schlußwort.

6.3.2 Ausblick auf weitere Romane Raabes

Als Grundmuster von Raabes Erzählen in seiner Braunschweiger Zeit ab 1870 schält sich die Konfrontation der zeitgenössischen Gesellschaft, die im Erzähler repräsentiert wird, mit einem Außenseiter heraus, der dieser Gesellschaft entwachsen oder von ihr verstoßen ist; er verkörpert nun als kritisches Vorbild humanistische Werte und unangepaßte Individualität. Nimmt man die wichtigsten Frauenfiguren hinzu, dann bilden ein gutbürgerlicher Erzähler und zwei unbürgerliche Helden eine Figurenkonstellation: etwa der erzählende Privatgelehrte Langreuter und Irene und Just Everstein (,Alte Nester'), der ausgewanderte Bildungsbürger Eduard, der ein Kajütenbuch auf seiner Rückreise verfaßt, sowie Heinrich Schaumann, genannt Stopfkuchen, und Tine Quakatz (,Stopfkuchen'), schließlich Krumhardt mit Velten und Helene. Erzählanlaß ist in allen Fällen die tatsächliche oder erinnerte Wiederbegegnung des Bildungsbürgers mit dem Außenseiter; sie konfrontiert ihn mit seinen abgedrängten Wünschen und uneingestandenen Vorurteilen. Daß ein liberales Lesepublikum sich gleichermaßen verunsichern lasse, war Raabes oft geäußerte Hoffnung und sein Schreibanliegen.

Für Raabes letzte Romane ist im Blick auf die Gesellschaft des Wilhelminismus bezeichnend, daß der individualistische Außenseiter nicht mehr über den bürgerlich angepaßten Erzähler triumphiert, wie das Just Everstein und Heinrich Schaumann noch vermögen: Durch sie werden die humanistischen Ideale noch zukunftsweisenderzieherisch vorgestellt. Mit Velten Andres tritt der scheiternde Held auf, der in einer allseits kommerzialisierten Welt nichts mehr ausrichten kann und im Pathos der totalen Verweigerung die Resignation Raabes ausdrückt. Im letzten Roman Raabes ist diese Entwicklung auf die Spitze getrieben. Auch in ,Altershausen', 1911 als Fragment erschienen, hat Raabe konsequent seine Gesellschaftskritik ins Erzählverfahren eingelagert. Die Erzählerfigur, der hochgeehrte siebzigjährige Arzt und Geheimrat Feyerabend, überschaut, von sich in der dritten Person erzählend, sein Leben und wird beim Besuch seiner Heimatstadt körperlich dieser Vergangenheit konfrontiert. Er trifft sie in der Person seines ehemals bewunderten Freundes Bock, der wegen eines Unfalls auf der Stufe eines Kindes stehengeblieben ist. In der Begegnung mit dem greisen Kind durchdringen sich Vergangenheit und Gegenwart Feyerabends.

So schafft sich der gegenüber der Gesellschaft nun totale Pessimismus Raabes eine neue Konstellation. Nun stehen Erzähler und Held, die sich früher korrigierten, gemeinsam im Abseits der Verweigerung. Dargestellte Realität und erzählter Alptraum sind in ‚Altershausen' nicht durchgängig auseinanderzuhalten.

6.4 Früher und später Realismus

An der Entwicklung *Theodor Fontanes* läßt sich erhellen, warum man sinnvollerweise einen frühen, programmatischen Realismus der 1850er Jahre von einem späteren, mit der Gründerzeit datierten unterscheidet. Im Aufsatz ‚Unsere lyrische und epische Poesie seit 1848' huldigte Fontane noch klassizistischen Epigonen wie Christian Friedrich Scherenberg, einem Mitglied des ‚Tunnels über der Spree' und für einige Zeit wegen seiner prunkvollen Verserzählungen angesehen, weil er solche Autoren gegen die Dichtungspraxis der Epoche vor 1848 ins Feld führen konnte. Und in seinen eigenen frühen Schriften verbindet sich noch der programmatische Realismus im Modell Gustav Freytags mit dem Historismus. Die Balladenproduktion bietet dafür ebenso Beispiele wie die ‚Wanderungen durch die Mark Brandenburg'; dort geraten die Partien vergegenwärtigter Geschichte oft zum Selbstzweck. Auch als sich Fontane spät in seiner Autorenkarriere dem Roman zuwandte, verließ er nicht plötzlich den Umkreis des frühen Realismus. Die Funktion der Dichtung gegenüber der Wirklichkeit bezeichnete er weiterhin mit Verklärung; er lehnte auch als Romancier das Häßliche als der Kunst unsachgemäß ab:

> ‚„Was soll der Roman? Er soll uns, unter Vermeidung alles Übertriebenen und Häßlichen, eine Geschichte erzählen, an die wir glauben [...]. Er soll uns eine Welt der Fiktion auf Augenblicke als eine Welt der Wirklichkeit erscheinen [...] lassen."
> (Rezension zu Gustav Freytag: ‚Die Ahnen', 1875)

Das Thema seiner Romane war von Anbeginn an die Gesellschaft im Wortsinne: wie sie redet, worüber sie redet und wie sie ihre Probleme löst, verschweigt oder mit Konversation überspielt. Von hier bekommt in der Entwicklung des Autors Fontane das Element der Kritik immer stärker das Übergewicht: Es ist dem Gegenstand seines Erzählens vorgegeben. Die Romane der Berliner Gesellschaft sind Kritik in dem Sinne, daß sie die tatsächlichen Lebensformen zum Thema haben, die Art der menschlichen Beziehungen, wie sie sich in Sprache zeigen, und die Art und Weise, wie das Nationale als allein geschichtswürdiges Phänomen beredet wird.

Die Tendenz zu einer Massierung der Kritik an der zeitgenössischen Gesellschaft ist auch bei *Raabe* zu beobachten: in der immer entschiedeneren Betonung des Außenseiters als eines Repräsentanten humaner Werte, in der satirischen Darstellung des bürgerlichen Philisters und des Besitzbürgers, der sich rücksichtslos nach oben reckt, und in der Kritik am wildwachsenden Fortschritt. Diesen identifizierte *Gottfried Keller* in seinem späten, pessimistischen Roman ‚Martin Salander' als Ursache für die Vernichtung der guten, hergebrachten Verkehrsformen zwischen den Menschen, denen er im ‚Fähnlein der sieben Aufrechten' das Lob gesungen hatte. Auch in Kellers Altersroman gibt es keinen Vorschein eines neuen, sinnvollen Lebens.

Die Gründe für diese intensiv kritische Beziehung zur eigenen politischen und sozialen Gegenwart sind selbst politisch. Während in Frankreich mit der Julirevolution von 1830 die bürgerliche Gesellschaft als kapitalistische ins öffentliche, durch Literatur veröffentlichte Bewußtsein rückte, geschah das in Deutschland spät in den 1860er Jahren und nachdrücklich mit der Reichsgründung. Die zahlreichen Zusammenbrüche von Unternehmen nach dem Gründungsboom, die soziale und geistige Entwurzelung der Menschen und die schnelle Veränderung der Landschaft führten die Schriftsteller, die solche Entwicklungen einschätzen konnten, zum Anschluß an die fortgeschritteneren europäischen Literaturen. In denen war das Bürgertum schon lange Gegenstand der darstellenden Kritik; Dickens' ‚Little Dorrit' (1857), Balzacs

‚Les Illusions perdues' (1837/43) und Zolas ‚Le Ventre de Paris' (1874) mögen als Beispiele stehen. Der Verlust metaphysischer und moralischer Sicherheiten lief bei den späteren deutschen Realisten auf den Verzicht hinaus, eindeutige Positionen zu behaupten und glaubwürdige Alternativen vorzustellen.

Die Erfahrung einer zersplitterten und immer schwerer zu durchschauenden Wirklichkeit setzten, je verschieden, Fontane, Raabe und Keller um in eine Absage an jeden Versuch, Wirklichkeit unmittelbar und als Ganzes abzubilden. Zeitgenössische Verhältnisse erscheinen in ihren Werken stets perspektivisch gebrochen, Fakten kommen als schon beredete und gedeutete, nicht als 'objektive' an den Leser. Fontane inszenierte Gespräche und hielt so Realitätserfahrung und -verarbeitung als stets subjektive Anstrengung gegenwärtig. Raabe leistete das nämliche, indem er Erzählen und Reflexion aufs Erzählen zusammenführte. Naives Schildern von Geschehnissen ließen in dieser Weise beide hinter sich. Im Vergleich zur Erzähltechnik Raabes und Fontanes sieht das herkömmliche Schreibmodell des programmatischen Realismus antiquiert aus. Doch hatte es die Masse des lesenden Publikums auch am Ende des Jahrhundert noch hinter sich.

Vom Naturalismus zum Expressionismus – Literatur des Kaiserreichs

Einleitung: Die Epoche – zwischen Reichsgründung und Weltkrieg

Zwei Kaiserreiche

Vor und nach der Jahrhundertwende vollzogen sich auf allen Lebensgebieten in Europa tiefgreifende Veränderungen, die, zumindest unter den Gebildeten, das Bewußtsein hervorriefen, man lebe am Ende einer alten Zeit, im 'Fin de siècle', und am Beginn einer neuen Zeit, der 'Moderne'. Den historischen Rahmen für diese Periode der Übergänge zur Moderne setzte in Mitteleuropa die politische Geschichte, mit der Gründung des Deutschen Reiches 1871 am Anfang und mit dem Ersten Weltkrieg, mit dem 1918 das deutsche Kaiserreich der Hohenzollern und gleichzeitig die österreichisch-ungarische Donaumonarchie endeten.

Nach dem Sieg über Frankreich 1871 und der Einigung des Reiches erlebte Mitteleuropa in wenigen Jahrzehnten die industrielle und geldwirtschaftliche Revolution, die in England und Frankreich schon in der ersten Jahrhunderthälfte begonnen hatte. Die 'Gründerjahre' des mitteleuropäischen Hochkapitalismus seit 1871 wurden 1873 durch eine weltweite Wirtschaftskrise unterbrochen, setzten sich aber spätestens seit den neunziger Jahren fort und prägten den feudalen und großbürgerlichen Lebensstil der Epoche. Ihre Kehrseite waren folgenschwere soziale Krisen, vor allem die Proletarisierung der Industrie- und Landarbeiter, die Verarmung des kleinbürgerlichen Gewerbes und die Vermassung in den Großstädten. Mit ihrer imperialistischen Politik förderten die Regierungen die wirtschaftliche Expansion der Unternehmer und auch den technischen Fortschritt. Zu ihrer Legitimation aber beriefen sie sich auf die nationale oder dynastische Tradition; konservative Gruppen wie Adel, Großgrundbesitzer und Militär hatten großen Einfluß – das waren eher fortschrittshemmende Kräfte. In beiden Kaiserreichen war der politische Liberalismus seit der Jahrhundertmitte geschwächt und mit ihm der politische Einfluß der Parlamente und der örtlichen Selbstverwaltung. Vor allem in Österreich-Ungarn stützte sich die Regierung auf eine ausgedehnte Verwaltungsbürokratie, auf Militär, Polizei und Justiz, um die Selbständigkeitsbestrebungen sozialer und nationaler Gruppen niederzuhalten. Hier waren die konservativen Staats- und Gesellschaftsstrukturen ohnehin längst verfestigt, zumal durch die über mehr als ein halbes Jahrhundert sich erstreckende Regierungszeit des Kaisers Franz Joseph I. (1848–1916).

Während die Habsburger seit 700 Jahren große Reiche regiert hatten und seit 1804 erbliche Kaiser von Österreich waren, bestand das Kaiserreich der Hohenzollern nicht einmal 50 Jahre. Beide Reiche gerieten um 1900 in schwierige internationale Spannungsfelder. Das Deutsche Reich konkurrierte im Westen und in Übersee vor allem mit Frankreich und Großbritannien, seit dem Ende der vorsichtigen Außenpolitik Bismarcks verschlechterten sich die Beziehungen zu Rußland im Osten. Österreichs Interessen kollidierten vor allem mit denen Rußlands und Italiens, Nachbarn, die sich die Nationalitätenprobleme der Donaumonarchie zunutze machten. Die Spannungen zwischen den Großmächten Europas, eine unsichere Bündnispolitik Berlins und Wiens und der überall wachsende und geschürte Nationalismus ergaben den Zündstoff, den der Funke verhältnismäßig unbedeutender Anlässe wie des Attentats in Sarajevo zum Ersten Weltkrieg entzündete. Nach dem Krieg bestand das Mitteleuropa der beiden Kaiserreiche nicht mehr.

Wilhelminismus und Gründerstil

Dem kritischen Zeitgenossen mußten die inneren Widersprüche der nach außen so gefestigt erscheinenden Reiche auffallen. In der Donaumonarchie strebten die Nationalitäten auseinander, zumal der Austria-Traditionalismus die ethnischen und kulturellen Eigenarten der Nicht-Österreicher, z. B. der Tschechen, einschnürte. In Deutschland prägten ideologische Widersprüche das öffentliche Klima des sogenannten 'Wilhelminismus' nach dem Regierungsantritt Wilhelms II. (1888). Dem Repräsentationsstil des Kaisers und des Adels eiferte das Geltungsbedürfnis neureicher Bürger nach; Krone und Kapital sahen sich ja gleichermaßen im Besitze einer neuen und starken, aber nicht durch Tradition gestützten Macht. Einerseits rechtfertigte man die ökonomischen und politischen Ansprüche gern mit dem Eintreten für nationale, moralische, menschheitliche oder christliche Werte in einer Welt des Fortschritts; andererseits hielt man die fortschrittlichen Bemühungen der Sozialdemokraten um eine Emanzipation der Arbeiter oder diejenigen der Naturalisten und anderer moderner Kunstrichtungen für suspekt und gefährlich. Die öffentlich geförderte Kultur des 'Wilhelminismus' gab sich idealistisch; tatsächlich trieb sie einen beträchtlichen materiellen Aufwand; der dem Bedürfnis des neuen Staates und der neuen Führungsschichten nach Selbstdarstellung und Legitimation zu dienen hatte. Der Kaiser selbst forderte von den Künsten nationale Begeisterung, sogenannte 'idealistische' Ethik, Fortsetzung der Traditionen und repräsentative Wirkung in einem.

In diesem Sinne ließ z. B. Wilhelm II. im Rahmen städtebaulicher Ausgestaltung der neuen Reichshauptstadt die ‚Siegesallee' mit marmornen Monumentalskulpturen der Hohenzollern säumen. Auch das Bürgertum liebte die ins Große gesteigerte Nachahmung historischer Stile, sei es in den Fassaden und Inneneinrichtungen großer Villen, sei es in den Straßenfronten der Mietskasernen oder öffentlichen Bauten wie der neuromanischen Kaiser-Wilhelm-Gedächtniskirche (1891–95) oder des Reichstagsgebäudes (1894–99) im Renaissancestil. In den – auch als Folge der Bauspekulation – rasch wachsenden Wohnvierteln der Kleinbürger, Arbeiter und Arbeitslosen dagegen drängten sich die Massen in Mietskasernen, Hinterhöfen, Kleinwohnungen, fensterlosen 'Berliner Zimmern' und Schlafstellen zusammen.
In Wien wetteiferten der kaiserliche Hof und das Großbürgertum beim Ausbau der 'Ringstraßen' mit neuen Hofbauten, Theatern, Museen, Rathaus, Universität und Parlamentsgebäude – in allen Baustilen von der Gotik bis zum Klassizismus. Der ganze ‚Ring'-Bereich um die Altstadt, auch mit seinen Wohn- und Geschäftsvierteln, demonstrierte den Willen der Epoche zur urbanen Repräsentation in Politik, Kultur, Wirtschaft und Privatleben der Reichen. Die dahinter liegenden ehemaligen Vorstadtbezirke reihten wiederum Mietskaserne an Mietskaserne.

Tradition und Trivialität in der bürgerlichen Lesekultur

Die Literatur der Kaiser- und Gründerzeit bietet durchaus kein einheitliches Bild. Anfangs produzierten noch die angesehenen Prosaisten und Lyriker des späten bürgerlichen Realismus, z. B. Theodor Storm (gest. 1888), Gottfried Keller (gest. 1890), Conrad Ferdinand Meyer und Theodor Fontane (gest. 1898) sowie Wilhelm Raabe (gest. 1910). Ihr Vorbild wirkte noch weit in das 20. Jahrhundert auf die deutsche Erzählprosa, in unserem Zeitraum z. B. auf Marie von Ebner-Eschenbach (1830–1916; ‚Schloß- und Dorfgeschichten', 1886, ‚Das Gemeindekind', Roman, 1887).
Der größte Teil des Lesepublikums hing zweifellos der Tradition an und interessierte sich wenig für die Neuerer der Moderne. Obwohl etwa 90% der Bevölkerung in Deutschland inzwischen lesen konnten und Leihbibliotheken, Familienzeitschriften und Heftchenreihen in beträchtlichem Maße unterhaltende, poetische und popularwissenschaftliche Literatur verbreiteten, war das Lesepublikum nach wie vor weitgehend bürgerlich. Klassenbewußte oder nach sozialem Aufstieg strebende Arbeiter lasen zwar auch in zunehmender Zahl, aber – abgesehen von der sozialdemokratischen Arbeiterliteratur – vorwiegend Lesestoffe des bürgerlichen Geschmacks, denn sie wollten an der Bildung der höheren Stände teilhaben. Dieser Geschmack und die-

se Lesebedürfnisse fanden reichlich Nahrung in massenhaft und preiswert vertriebenen Publikationen.

So startete der 1828 in Leipzig gegründete Reclam-Verlag 1867 die bis heute verbreitete Heftchenreihe ‚Reclam's Universal-Bibliothek' mit Goethes ‚Faust', einem Klassiker, dem auch weiterhin anerkannte belletristische Literatur, später auch wissenschaftliche Bücher und Bücher zum praktischen Gebrauch folgten. Große Volksbildungszeitschriften boten Berichte aus aller Welt und aus allen Lebensbereichen, verbunden mit Belehrung, Kultur und Unterhaltung – darunter auch Erzählungen und Gedichte; so z. B. ‚Die Gartenlaube' 1853–1944, die 1875 eine Auflage von 382000 Exemplaren erreichte, ‚Westermanns Monatshefte' seit 1856 bis heute oder, in Österreich, der ‚Heimgarten', seit 1876 herausgegeben von Peter Rosegger.

Das im ganzen 19. Jahrhundert rege Bemühen um eine volkstümliche Literatur folgte noch lange der Tradition, die für ein ländliches Publikum der Vergangenheit entstanden war, nicht für das Zeitalter der Industrie und der Großstädte; volkstümliche Literatur blieb deshalb noch lange ländliche Heimatliteratur.

Das Vorbild der Klassiker dieses Genres – Jeremias Gotthelf und Johann Peter Hebel – tradierte von der ersten in die zweite Hälfte des Jahrhunderts vor allem *Berthold Auerbach* (1812–82) mit seinen vielgelesenen Volkserzählungen, z. B. ‚Schwarzwälder Dorfgeschichten' (1843–54), ‚Barfüßele', Roman (1856), ‚Neue Dorfgeschichten' (1876). Den sozialen Problemen der Gegenwart näher stand *Ludwig Anzengruber* (1839–89), sei es im Bauernroman ‚Der Sternsteinhof' (1885), sei es im dramatischen Volksstück ‚Der Meineidbauer' (1872). Authentische Schilderungen des Landlebens waren die autobiographischen Erzählungen von *Peter Rosegger* (1843–1918) wie ‚Volksleben in der Steiermark' (1875), ‚Erdsegen' (1900) und ‚Als ich noch der Waldbauernbub war' (1902). Heimatliebe und scharfe Naturbeobachtung verband der norddeutsche Journalist und Jäger *Hermann Löns* (1866–1914) in seinen Landschafts- und Tierschilderungen oder Heide-Erzählungen: ‚Mein grünes Buch' (1901), ‚Mümmelmann' (1909), ‚Der Wehrwolf' (1910). Dem Naturalismus nahestehende Autoren wie die Erzähler *Wilhelm von Polenz* und *Clara Viebig* oder die Dramatiker *Max Halbe* und *Hermann Sudermann* (vgl. S. 331f.) verfeinerten die Landvolkgeschichten psychologisch und sozialkritisch.

Andere, kulturpolitisch engagierte Schriftsteller entwickelten aus der Heimatliteratur das Programm der 'Heimatkunst'-Bewegung mit ihrer eigenen Zeitschrift ‚Heimat', die 1904 von Friedrich Lienhard und Adolf Bartels gegründet wurde. Sie bekämpfte die Großstadtkultur, den 'Modernismus' und 'Intellektualismus' (F. Lienhard: ‚Die Vorherrschaft Berlins', 1900; A. Bartels: ‚Heimatkunst', 1904), literarisch den Naturalismus und gleichzeitig den ästhetischen Impressionismus. Mit Bartels und seinen Anhängern wurde die Heimatkunstbewegung zunehmend nationalistisch und bereitete so die 'Blut-und-Boden'-Ideologie der Nationalsozialisten vor.

In der anspruchsvolleren Unterhaltungsliteratur waren Reise- und Abenteuerromane sowie humoristische oder sentimentale Gesellschaftsromane beliebt. Die Tradition des deutschen Auswanderer- und Wildwestromans, für die vor allem *Friedrich Gerstäcker* (1816–72) Beispiele gab (z. B. ‚Die Flußpiraten des Mississippi', 1848), setzte etwa *Karl May* (1842–1912) fort; sein dreibändiger Roman ‚Winnetou' (1893–1910), aber auch seine übrigen Wildwest-, Afrika- und Asienromane und sentimentalen Gesellschaftsromane wurden bis in die Gegenwart zu Bestsellern der Jugendliteratur. Bestseller der Erwachsenen wurden die Romane zweier Frauen: Die Gesellschaftsromane von *Eugenie Marlitt* (1825–87) erschienen zum Teil in der ‚Gartenlaube' (‚Das Haideprinzeßchen', 1872); die trivialen und kitschigen Züge sind noch ausgeprägter in den 'Backfisch'-Romanen der *Nathalie von Eschstruth* (1860–1939), die oft im aristokratischen Milieu spielen (‚Hofluft', 1889).

Unterhaltung und Zeitkritik verbanden sich in den satirischen Kleinformen, die von einigen illustrierten Wochenschriften gepflegt wurden, so im ‚Kladderadatsch' (1848–1944) und im ‚Simplicissimus' (1896–1944). Im Unterschied zu diesen Zeitschriften waren die ‚Fliegenden Blätter' (1844–1928) fast unpolitisch. In ihnen erschienen die bis heute so beliebten Bild- und Versgeschichten von *Wilhelm Busch* (1832–1908). Ihr Humor mit pessimistischer Grundstimmung entsprach einer weitverbreiten Vorliebe des bürgerlichen Publikums und verschleierte Buschs politische Untertöne. Eigentlich wollte er die falsche Selbstzufriedenheit des bürgerlichen Lebens entlarven; seine national-liberale Grundhaltung äußerte sich in antiklerikalen, antisemitischen und nationalen Motiven (‚Max und Moritz‘, 1865; ‚Die fromme Helene‘, 1872; ‚Plisch und Plum‘, 1882; Gedichte: ‚Schein und Sein‘, 1909).

Das gebildete Publikum schätzte Bücher, die Unterhaltung mit Bildungswissen verbanden und die vorherrschende konservative Gesinnung bestärkten, vor allem historische Romane. Die Werke von *Gustav Freytag* (1816–95) fehlten in kaum einem großbürgerlichen Bücherschrank, z. B. der Roman über die Tüchtigkeit des Kaufmannsstandes: ‚Soll und Haben‘ (1855), oder die mehrbändige Romanfolge aus den Epochen der deutschen Geschichte: ‚Die Ahnen‘ (1873–81). Ähnlich erfolgreich war *Felix Dahn* (1834–1912) mit seinem historischen Monumentalroman ‚Ein Kampf um Rom‘ (1876) und der Gesamtausgabe historischer und nationaler ‚Balladen und Lieder‘ (1878). Im Bereich anspruchsvoller Stilkunst waren erfolgreicher als die bürgerlichen Realisten Autoren, die klassisch-romantische Traditionen fortsetzten, so z. B. der Lyriker und Übersetzer *Emanuel Geibel* (1815–84) mit seinen Übertragungen spanischer, portugiesischer, französischer und antiker Lyrik. Der vielseitige, vor allem als Novellist und Novellentheoretiker einflußreiche *Paul Heyse* (1830–1914; ‚Der letzte Zentaur‘, 1870) erhielt sogar 1910 als erster deutscher Autor den Nobelpreis für Literatur. Als prominenter Dichter des ‘Wilhelminismus’ war der Dramatiker, Epiker, Erzähler und Lyriker *Ernst von Wildenbruch* (1845–1909) auch bei Hofe geschätzt; dem unebenbürtigen Enkel eines Hohenzollernprinzen verzieh man sogar, daß er in seinen historischen Dramen die preußisch-deutsche Tradition gar nicht immer unkritisch verherrlichte (‚Die Quitzows‘, 1888). Als Erzähler verschloß er sich nicht sozialen Themen und näherte sich in einem späten Drama sogar den Naturalisten (‚Die Haubenlerche‘, 1891). Zeitkritik in traditionellen Formen war in der bevorzugten Literatur nicht ausgeschlossen. Der angesehenste Romancier und Romantheoretiker der Zeit war *Friedrich Spielhagen* (1829–1911), der auch ‚Westermanns Monatshefte‘ zeitweise herausgab und mit seiner sozialliberalen Haltung den Sozialdemokraten nicht so fern stand. Er befaßte sich kritisch, wenn auch nicht revolutionär, mit der Industrialisierung, den Klassengegensätzen und der schwindelhaften Gründerzeit, z. B. in den Romanen ‚Hammer und Amboß‘ (1869), ‚Sturmflut‘ (1877) und ‚Noblesse oblige‘ (1888). Daß die Naturalisten ausgerechnet Spielhagen zu ihrem Buhmann machten, ist nur zu verstehen, wenn man berücksichtigt, daß jede Literatur, die sich in der Kaiserzeit von der Tradition absetzen wollte, sich auch gegen die anerkannte und bevorzugte Gegenwartsliteratur ihrer Zeit wenden mußte.

Intellektuelle Opposition

Den Kritikern der herrschenden Kultur erschien die anerkannte Literatur als materialistischer Ausdruck der wirtschaftlichen und politischen Macht, die sich mit den Überresten einer nicht mehr zeitgemäßen Tradition und mit einem unglaubhaften Idealismus schmückte. Die Opposition artikulierte sich politisch im ‘freisinnigen’ Liberalismus und im z. T. sozial engagierten Katholizismus, politisch am wirkungsvollsten jedoch auf marxistischer Grundlage in der Sozialdemokratie. Die intellektuelle Opposition fortschrittlich gesinnter Literaten allerdings stützte sich auf sehr unterschiedliche Vorbilder und Weltanschauungen. Die Naturalisten knüpften teils an republikanische, teils an sozialdemokratische Ideen an, zugleich aber an denselben Positivismus, der die Fortschritte der Naturwissenschaften und der Technik zu bestätigen schien. Ihre Gegner setzten jedem Materialismus und Positivismus irrationale Bekenntnisse zum ‘Geist’ entgegen. Sie schöpften aus der pessimistischen Philosophie Arthur Schopenhauers (1788–1860) oder – moderner – aus den philosophischen Schriften von Friedrich Nietzsche (1844–1900). Nietzsche war jedoch eine vieldeutige Quelle; denn seine beißende Kulturkritik am Bildungs-‘Philister’, sein radikaler

Zweifel an tradierten Werten und seine Verherrlichung des sich selbst absolut setzenden Individuums und des „Willens zur Macht" konnten von den verschiedensten Ideologien – außer Christentum und Marxismus – in Anspruch genommen werden, sogar vom neuen Nationalismus oder als Ideologie des kühnen Unternehmers.

Obwohl also von einer einheitlichen Opposition gegen Staat, Gesellschaft und herrschende Kultur nicht die Rede sein kann, prägte sich der Gegensatz zwischen öffentlich anerkannter und moderner Kultur bis zum Weltkrieg mehr und mehr aus. Mangels politischer Wirkungsmöglichkeiten verschrieben moderne Künstler – gleich welcher Kunstrichtung – sich mehr und mehr dem Nonkonformismus: Moderne Kunst ist anders als die der bürgerlichen und öffentlich geförderten Kultur. So befaßten sich die Naturalisten ausdrücklich kritisch mit ihrer Gegenwart. Antinaturalistische Dichter behaupteten ihre Distanz zu Staat und Gesellschaft im Ästhetizismus und Künstlerkult. Nach 1900 artikulierten viele Avantgardisten ihren Nonkonformismus, indem sie eine Revolution der Kunst betrieben. Im Norden prägten die politischen und ideologischen Gegensätze sich stärker aus als im Süden. Vor allem in Berlin, wo der historische Wandel sich am dynamischsten vollzog, verstanden fortschrittliche Künstler und Dichter sich immer wieder als Opposition zur Kultur des 'Wilhelminismus' und des Großbürgertums. In Österreich traten die Gegensätze am schwächsten in Erscheinung, zum Teil, weil hier die Intellektuellen sich der jahrhundertealten Tradition verbunden fühlten, zum Teil, weil das Establishment den Künsten und der Literatur gegenüber toleranter auftrat.

Emanzipation der Künstler

Es gehört zu den Widersprüchen der Epoche, daß die Künstler sich Selbständigkeit und Nonkonformismus leisten konnten, weil sie von der Gesellschaft, vor der sie sich distanzierten, lebten. Dank dem Wohlstand der oberen Schichten blühten Künste und Kunstgewerbe auf. Die Künstler konnten mehr und mehr dem 'freien Markt' vertrauen, vor allem in den großen Städten, und damit die seit dem 18. Jahrhundert vergeblich angestrebte Autonomie, also die Unabhängigkeit von Staat, Fürst, Kirche oder adligem Mäzen, in Anspruch nehmen. In den reproduzierenden Künsten formierten sich Künstlervereinigungen als ihre eigenen Unternehmer, z. B. in Theater-, Orchester- oder Chorvereinen, und sie fanden genug zahlendes Publikum. So konstituierte sich 1882 in Berlin, in Zusammenarbeit mit einem Konzertagenten, das ,Philharmonische Orchester' als eine Art unabhängiger Genossenschaft. Virtuosen und Starkünstler nutzten ihr außergewöhnliches gesellschaftliches Prestige. Die bildenden Künstler entzogen sich der Gängelung rückständiger Akademien, indem sie in den Kunstmetropolen unabhängige Künstlervereinigungen mit eigenen Ausstellungen gründeten, so die Münchener (1892), die Wiener (1897) und die Berliner (1899) ,Sezession'. Die ,sezessionistische' Abspaltung vom etablierten Kulturbetrieb brachte auch die literarischen Gruppenbildungen der Naturalisten und Expressionisten hervor. Sie konstituierten jedoch nur selten feste Organisationen und schlossen sich meist in freier Mitarbeit an Verleger, Zeitschriften, private Theater oder Kleinkunstbühnen an.

Die etablierte und die sezessionistische Kultur konnten weitgehend nebeneinander um die Gunst des Publikums und der Rezensenten werben. Die staatlichen Zensurbestimmungen wurden vielfach großzügig oder gar nicht angewandt. Es gab allerdings Ausnahmen. Aufführungen naturalistischer Stücke wurden wiederholt verboten, im sogenannten 'Realistenprozeß' wurden 1890 einige Autoren wegen Verletzung des Scham- und Sittlichkeitsgefühls verurteilt. In Österreich verbot 1900 die Zensur aus gleichen Gründen Arthur Schnitzlers Theaterstück ,Der Reigen'.

Nonkonformistische Autoren gerieten durch ihren Anspruch auf Unabhängigkeit leicht ins gesellschaftliche Abseits, sei es, weil das breite Publikum ihre Werke nicht annahm, sei es, weil sie sich selbst isolierten.

Arno Holz lebte jahrelang einsam in großer Not. Stefan George ließ sich im exklusiven Kreis seiner Jünger feiern, Rainer Maria Rilke wie in alten Zeiten von adligen Mäzenen unterstützen – die Dichtungen beider waren elitär und sollten es sein. Literarische, künstlerische und weltanschauliche Kommunikation außerhalb der übrigen Gesellschaft pflegte man vielfach in Literaten- und Künstlercafés, die Literaten des 'Jungen Wien' zum Beispiel im berühmten Café Griensteidl. Erst Expressionisten versuchten wieder verstärkt, auf die Öffentlichkeit einzuwirken, indem sie sie schokkierten – aber bis zum Weltkrieg mit geringem Erfolg.

Die seit dem Naturalismus betriebene Emanzipation der Künste von der etablierten Gesellschaft machte den Nonkonformismus zum Kunstkriterium. In ihm verband sich der Autonomieanspruch der Kunst mit dem Bestreben nach Modernität und antibürgerlicher Haltung, sei es im Gestus des elitären Künstlers, sei es in dem des geistigen und künstlerischen Revolutionärs.

Pluralität der Stile und Periodisierung der Moderne

Das Bild der Epoche zeigt ein vielfältiges Nebeneinander und rasches Nacheinander der Stilrichtungen. Während der literarische Markt noch von den Traditionalisten und – weniger – den bürgerlichen Realisten beherrscht wurde, drängten jüngere Generationen nach neuen Ausdrucksformen. Der erste Schritt zur 'Moderne' war – erklärtermaßen – der Auftritt der '*Naturalisten*' in den achtziger Jahren, mit seinem sensationellen Durchbruch in die Öffentlichkeit durch Gerhart Hauptmanns Drama ,Vor Sonnenaufgang', 1889. Alsbald freilich, nämlich etwa seit 1890, distanzierten sich von den Naturalisten andere moderne Autoren, für die verschiedene Namen gebraucht werden, am häufigsten '*Symbolisten*' oder '*Impressionisten*', z. B. Stefan George (,Hymnen', 1890), Frank Wedekind (,Frühlingserwachen', 1891) und Hugo von Hofmannsthal (,Der Tod des Tizian', 1892). Es folgte als zweiter aggressiv modernistischer Vorstoß der der ,*Expressionisten*' seit 1910, etwa mit Franz Werfels ersten Gedichten (,Der Weltfreund', 1911), Reinhard Johannes Sorges Drama ,Der Bettler' (1912) und Gottfried Benns Gedichten ,Morgue' (1912).

Obwohl diese Richtungen jeweils sehr bald von ihren Rivalen für tot erklärt wurden, wirkten sie meist noch längere Zeit, zum Teil über die Zäsur des Weltkrieges hinaus. In der Weimarer Republik, in der zunächst vor allem Symbolisten und Expressionisten weiter das literarische Geschehen beeinflußten, drängten neue, insbesondere politische Konflikte den Vorkriegsstreit der modernen Stilrichtungen bald zurück.

Eine Darstellung der Epoche muß Akzente setzen, auch wenn die Grenzen fließend sind. Diese Darstellung nimmt als gemeinsames Merkmal der Literatur zwischen Reichsgründung und Weltkrieg das einer Literatur, die sich als 'modern' versteht; denn diese Literatur hat tatsächlich die Moderne des 20. Jahrhunderts vorbereitet oder eingeleitet. Der Naturalismus steht dabei zwischen dem 19. und dem 20. Jahrhundert: Ideell und künstlerisch schöpfte er aus Traditionen des 19. Jahrhunderts, aber er ließ sich auf aktuelle politische und soziale Entwicklungen ein und wollte ausdrücklich eine 'Literaturrevolution' auslösen. Auch die fast gleichzeitig einsetzende nichtnaturalistische Literatur des Impressionismus und Symbolismus knüpfte an geistige und stilistische Voraussetzungen des 19. Jahrhunderts an, leitete aber mit ihrem Krisengefühl und Kunstbegriff moderne Entwicklungen ein – man könnte sie 'Moderne ohne Revolution' nennen. Im Expressionismus wurde eine sich revolutionär verstehende Zeit- und Gesellschaftskritik mit einer avantgardistischen Revolutionierung der Kunst vereint – jedenfalls wollten das viele Expressionisten.

Eine Einheit ist die Epoche zweifellos nicht. Eins allerdings zieht sich wie eine Leitlinie durch ihre vielfältigen Ausprägungen hindurch: das Bewußtsein oder das Empfinden einer tiefgreifenden Zeitenwende.

(1) *Käthe Kollwitz (1867–1945): Zyklus ‚Ein Weberaufstand‘, Blatt 6: ‚Ende‘.*
Radierung (1897). Bildarchiv Preußischer Kulturbesitz, Berlin. (c) VG Bild-
Kunst, Bonn.

(1) Den Anstoß zum ‚Weber‘-Zyklus gab die Uraufführung von Hauptmanns Drama ‚Die Weber‘ 1893. Einige Bilder beziehen sich auf bestimmte Dramenszenen, andere allgemein auf ‚Not‘ und ‚Tod‘ der Armen. Dem Naturalismus nahe steht die Darstellung eines Interieurs im Elendsmilieu. Die Stilisierung, das Pathos und die Reduktion der Darstellung auf den Ausdruck des Wesentlichen entsprechen eher dem europäischen Symbolismus und lassen den späteren Expressionismus ahnen. Damit trifft Kollwitz auch das Allgemeinmenschliche, Unveränderliche und Irrationale bei Hauptmann. **(2)** Vogeler gehörte der Künstlerkolonie Worpswede an. Hofmannsthals lyrisches Drama hat ihn hier zu einem graphischen Ornament im Jugendstil angeregt. Es gibt keine Abbildung eines gegenständlichen Themas, sondern ein Muster aus Naturformen, die in geschwungene Linien stilisiert sind. Der märchenhafte Vogel mit Merkmalen eines Pfaus (Symbol für Schönheit) ist mit den verlängerten Federn in die ihm entgegenwachsenden Pflanzenformen verschlungen. Die Formen des vegetativ-animalischen Lebens gehen auf im ästhetischen Spiel, das eine unbestimmte Symbolik andeutet. **(3)** Der flämische Maler und Graphiker Masereel nutzt in seinem expressionistischen Stil den Schwarz-Weiß-Kontrast zu monumentalen und plakativen Wirkungen. Die Buch-Illustration könnte sich auf die Erzählung ‚Die Kriegswitwe‘ beziehen. Die Motive des aufschreienden Menschen, der Stadt und der Massen werden auf einfache Formen reduziert und in einem perspektivisch verschobenen, nach hinten sich verengenden, nach vorn sich öffnenden Raum ineinander und gegeneinander gesetzt. **(4)** Der auferstandene Christus auf dem Holzschnitt von Karl Schmidt-Rottluff gesellt sich zu zwei trauernden Jüngern (Lukas 24, 13 ff.). In der vereinfachenden, eckigen, kontrastreichen Formensprache der Expressionisten ist das Gegenständliche zum Symbol des Geistigen verfremdet: In einer Natur harter, ja lebloser Formen fließen dennoch Strahlen des Lichts und des Geistes; die leidenden Menschen sehen die Gegenwart des durch Leid und Tod gegangenen Erlösers noch nicht. Zeitgenossen mochten dabei auch an das Kriegsleid denken (1918!) **(5)** Im Sinne dadaistischer Anti-Kunst vereinen sich hier Graphik und Textproduktion zu einer Plakatmontage, in der Typographie, Text und ironische Zitate aus der Werbung verfremdet werden – ein ‘Bild’ ist nicht angestrebt. Der Sinnzusammenhang des Plakats mit dem Programm wird vielfach absurd gebrochen. Das ist Formexperiment, Provokation und doch auch eine elitäre Geheimsprache der Künstler.

(2) *Heinrich Vogeler (1872–1942): Titelblatt zu ‚Der Kaiser und die Hexe‘ von Hugo von Hofmannsthal. Insel Verlag, Leipzig 1900. (c) VG Bild-Kunst, Bonn.*

(3) *Frans Masereel (1889–1972): Illustration zu ‚Der Mensch ist gut‘ von Leonhard Frank (1920). (c) VG Bild-Kunst, Bonn.*

(4) *Karl Schmidt-Rottluff (1884–1976): Gang nach Emmaus, Holzschnitt. Blatt 3 aus ‚Neun Holzschnitte‘ 1918. Foto: Kunstmuseum Hannover. (c) VG Bild-Kunst, Bonn.*

(5) *Kurt Schwitters (1887–1948) und El Lissitzky (1890–1941): Ankündigungsblatt für MERZ-Matineen (Hannover 1923). Typographie von El Lissitzky. Foto: Klingspor-Museum, Offenbach. (c) VG Bild-Kunst, Bonn.*

Erster Teil: Naturalismus

1 Eine neue literarische Generation

Zeitschriften und programmatische Schriften:
Freie Bühne für modernes Leben (Wochenschrift, begründet
von Otto Brahm, 1890/91; ab 1894: Neue deutsche Rundschau)
Die Gesellschaft. Realistische Wochenschrift für Literatur, Kunst und
öffentliches Leben. Hrsg. von Michael Georg Conrad (1885–1901)
Leo Berg: Der Naturalismus. Zur Psychologie der modernen Kunst (1892)
Karl Bleibtreu: Revolution der Litteratur (1885/86)
Wilhelm Bölsche: Die naturwissenschaftlichen Grundlagen der Poesie (1887)
Heinrich und **Julius Hart:** Kritische Waffengänge (1882–84)

Lyrik:
Moderne Dichter-Charaktere, Lyrik-Anthologie, hrsg. von Wilhelm Arent
(1885)
Arno Holz: Buch der Zeit. Lieder eines Modernen (1885)
Detlev von Liliencron: Adjutantenritte und andere Gedichte (1883)

Drama:
Max Halbe: Jugend (Drama. 1893)   Der Strom (Drama. 1903)
Gerhart Hauptmann: Vor Sonnenaufgang. Soziales Drama (1889)
(Weitere Dramen s. u. S. 338ff.)
Arno Holz/ Johannes Schlaf: Die Familie Selicke (Drama. 1890)
Johannes Schlaf: Meister Ölze (Drama. 1892)
Hermann Sudermann: Frau Ehre (Schauspiel. 1889)
Johannisfeuer (Schauspiel 1900)   Stein unter Steinen (Schauspiel. 1905)

Erzählung und Roman:
Helene Böhlau: Der Rangierbahnhof (Roman. 1896)
Peter Hille: Die Sozialisten (Roman. 1886)
Max Kretzer: Meister Timpe (Roman. 1888)
John Henry Mackay: Die Anarchisten (Roman. 1891)
Wilhelm von Polenz: Der Büttnerbauer (Roman. 1895)
Gabriele Reuter: Aus guter Familie (Roman. 1895)
Hermann Sudermann: Frau Sorge (Roman. 1887)
Clara Viebig: Kinder der Eifel (Novellen. 1897)
Das Weiberdorf (Roman. 1900)

Kurz vor dem Regierungsantritt Kaiser Wilhelms II., also in den achtziger Jahren, meldete sich – vor allem in Deutschland – eine neue Schriftstellergeneration zu Wort. Ihre Wortführer hielten sich für die Vollstrecker einer „Revolution der Literatur" (Karl Bleibtreu), und spätestens nach dem Skandal der Aufführung von Gerhart Hauptmanns sozialem Drama ‚Vor Sonnenaufgang' argwöhnten Regierung, Behörden und konservative Kreise in ihren Werken tatsächlich eine revolutionäre, nämlich 'sozialdemokratische' Literatur, die mit dem Guten, Wahren und Schönen auch Staat und Gesellschaft in den Dreck zogen. Tatsächlich verbanden die meisten der neuen Autoren in ihrer Haltung bewußter Modernität die Kritik an der anerkannten Literatur, die ihrer Auffassung nach die Wirklichkeit nicht darstellte, wie sie war, sondern verklärte und ästhetisierte, mit der Kritik oder mindestens der schonungslosen Darstellung sozialer und kultureller Verhältnisse.

1.1 Literatur der kritischen Opposition

Zu Beginn des 19. Jahrhunderts war die nationale Einigung Deutschlands das Ziel bürgerlicher Republikaner. Die Reichsgründung von 1871 aber, die dieses Ziel verwirklichte, war das Werk monarchisch-feudaler Obrigkeitsstaaten, in denen Republikanismus und Liberalismus entmachtet waren. Als nun im zweiten Jahrzehnt nach der Reichsgründung kritische Intellektuelle sich national und gesellschaftlich engagierten, schlossen sie damit an die Bestrebungen nach einem aufgeklärten und demokratischen Deutschland vor 1848 an und beanspruchten einen Einfluß, wie ihn damals Heinrich Heine, Ludwig Börne und Karl Gutzkow, Georg Herwegh und Ferdinand Freiligrath ausübten; einige Naturalisten nannten sich gelegentlich „Jüngstdeutsche".

Die neue Haltung äußerte sich zuerst in einer Anzahl literarischer Zeitschriften und Vereine, vor allem in den beiden großstädtischen Zentren Berlin und München. Ein charakteristisches Beispiel dafür war die in München 1885 bis 1901 von Michael Georg Conrad herausgegebene Zeitschrift ‚Die Gesellschaft. Realistische Wochenschrift für Literatur, Kunst und öffentliches Leben'. Sie erklärte sich zur „Antipodin des kulturhemmenden Staates und aller reaktionär verankerten Verlegenheitsgewalten" und befaßte sich mit Themen, die anderswo gern vermieden wurden, wie: Demokratie, Pazifismus, Reform des Grundbesitzes und der Schulen, Frauenemanzipation und moderne Geschlechtsmoral usw. Grundsätzlicher Tenor war – nach dem vielbeachteten Buch von Max Nordau – der Kampf gegen die „konventionellen Lügen der Kulturmenschheit", denen man unbedingten Wahrheitswillen als „obersten Grundsatz der Moral" (Bertha von Suttner) entgegensetzte. Das Prinzip der Wahrheit verband die gesellschaftskritischen Intentionen der Naturalisten mit ihrem literarischen Programm ungeschminkter Wirklichkeitsdarstellung. Ein Teil der neuen Literatur vertrat allerdings sozialistische oder anarchistische Auffassungen, so die Romane von Peter Hille (1854–1904), Max Kretzer (1854–1941) und John Henry Mackay (1864–1933); Clara Viebig (1860–1952) war aktiv in der Frauenbewegung. Aber die Mehrzahl der Dramen und Romane von Hermann Sudermann (1857–1928), Johannes Schlaf (1862–1941), Max Halbe (1865–1944), Wilhelm von Polenz (1861–1903), Gabriele Reuter (1859–1941) oder Helene Böhlau (1859–1940) waren frei von politischer Agitation; sie stellten lediglich problematische Lebensverhältnisse ihrer Zeit mit sozialem und psychologischem Scharfblick dar.

Ein konsequentes politisches Programm entwickelten diese Literaten nicht, nur wenige wie Max Kretzer nahmen überhaupt parteipolitisch Stellung. Ihr Interesse war sozialkritisch, aber eher im Rahmen einer allgemeinen Zeit- und Kulturkritik:

„[...] Unsere ‚Gesellschaft' wird keine Anstrengung scheuen, der herrschenden jammervollen Verflachung und Verwässerung des literarischen, künstlerischen und sozialen Geistes starke, namhafte Leistungen entgegenzusetzen, um die entsittlichende Verlogenheit, die romantische Flunkerei und die entnervende Phantasterei durch das positive Gegenteil wirksam zu bekämpfen. Wir künden Fehde dem Verlegenheits-Idealismus des Philistertums, der Moralitäts-Notlüge der alten Parteien- und Cliquenwirtschaft auf allen Gebieten des modernen Lebens." (Michael Georg Conrad im Einführungsartikel zu Nr. 1 der ‚Gesellschaft', 1885)

Literatur der 'sozialen Frage'. Revolutionär war im wesentlichen das bevorzugte Thema der Naturalisten: die Darstellung sozialer Not. Sie schilderten fast alles, was die Sozialgeschichte an Erscheinungen der Proletarisierung am Ende des Jahrhunderts nennt: verarmende Landbewohner; durch die Industrialisierung brotlos werdende Handwerker und Kleinunternehmer; Industriearbeiter, die wegen des Überangebots an Arbeitskräften im Lohn gedrückt und in der Arbeitsleistung überfordert werden; dazu die Verelendung in den Großstädten, wo die Massen der Verarmten Arbeit und Wohnraum suchen. Max Kretzer stellte im erfolgreichsten seiner Sozialisten- und Proletarierromane, ,Meister Timpe' (1888), dar, wie ein Handwerksmeister von der massenhaft produzierenden Industrie ruiniert wird. Hermann Sudermann verwendete den Gegensatz zwischen wohlhabendem Vorderhaus und dem Hinterhaus der armen Leute in der Großstadt als Grundriß seines Dramas ,Die Ehre' (1889); in ,Stein unter Steinen' (1905) befaßte er sich mit der Resozialisation entlassener Strafgefangener. In den Landvolkromanen von Wilhelm von Polenz und Clara Viebig wie in Max Halbes Drama ,Der Strom' (1903) ist das Landleben keine Idylle, sondern soziales Schicksal. Diese und andere sozialkritische Werke erschienen nun in dem Jahrzwölft und danach, als Bismarcks Sozialistengesetz die erstarkende Sozialdemokratie ihrer Publikations- und Versammlungsfreiheit beraubt hatte (1878–90). Die Autoren wurden verdächtigt, Verbündete der proletarischen Klasse und damit der Sozialdemokratie zu sein.

1.2 Gerhart Hauptmanns soziales Drama ,Vor Sonnenaufgang'

Der exemplarische Fall war der Skandal um Gerhart Hauptmanns soziales Drama ,Vor Sonnenaufgang' (1889). Die Uraufführung fand in einer geschlossenen Matinee des literarischen Vereins ,Die freie Bühne' in Berlin statt. Ihn hatten progressive Literaten und Theaterleute, Kritiker und Journalisten wie Maximilian Harden, Theodor Wolff, die Brüder Julius und Heinrich Hart, die Regisseure Otto Brahm und Paul Schlenther sowie der Verleger Samuel Fischer 1889 gegründet, aus Opposition gegen den üblichen staatlichen und kommerziellen Theaterbetrieb, aber auch aus Vorsicht gegenüber der Zensur. Nach seiner ersten Aufführung – es waren Ibsens ,Gespenster' – stieg die Mitgliederzahl sprunghaft auf 900, und bald wurden weitere Bühnenvereine dieser Art gegründet, die übrigens die Entwicklung der modernen ,Volksbühnen' eingeleitet haben. Von der zweiten Aufführung des Vereins, ,Vor Sonnenaufgang', erwartete man einen Skandal, und er trat ein.

Hintergrund ist das schlesische Kohlerevier, wo die Spekulation blüht, während die Bergbauern verelenden. Im Mittelpunkt steht die moralisch verkommende Schicht der Neureichen: Der Bauer Scholz, der durch den Verkauf seiner Felder an Bergwerksgesellschaften zum Millionär geworden ist, verkommt im Suff; seine ungebildete und triebhafte Frau tyrannisiert das Gesinde und betrügt ihren Mann; die sozialbiologische Dekadenz zeigt ihre Folgen in einer Tochter, die ebenfalls Säuferin geworden ist und tote Kinder gebiert; ihr Mann, ein Ingenieur, hat die sozialreformerische Tätigkeit seiner Jugendzeit für die Geldheirat verraten und jagt weiteren Profiten nach. Loth präfiguriert den in naturalistischen Dramen öfter auftretenden intellektuellen Außenseiter; als Sozialreformer und Gesundheitsfanatiker beobachtet und kritisiert er – hierin ein Sprecher für den Autor – die sozial, moralisch und biologisch verderbte Gesellschaft. Aber er versagt im Konflikt zwischen Prinzip und Realität, als er aus Angst vor Erbschäden Helene, die zweite Tochter, verläßt.

Bei der Premiere vor geschlossener Gesellschaft gab es einen Tumult, anschließend vielfache öffentliche Proteste. Nach der zweiten, nunmehr öffentlichen Aufführung, registrierte jedoch Otto Erich Hartleben, ein mit den Naturalisten sympathisierender Rezensent:

„[...] es fällt von den zwölfhundert Zuschauern vielleicht zwanzig ein, daß es sich [...] um etwas Revolutionäres in der Kunst handelt [...]; die übrigen [...] nehmen das Stück ganz naiv als gelungene Nachbildung des Lebens."

Hauptmann hatte sich zwar mit Marx, Engels und Karl Kautsky befaßt, aber seinen Dramen schrieb er nie einen politischen Auftrag zu.

2 Europäische Literatur, Positivismus und Naturalismus

Fjodor Michailowitsch Dostojewski: Die Brüder Karamasow (Roman. 1879/80)
Henrik Ibsen: Samfundets stötter (Die Stützen der Gesellschaft. Komödie. 1877)   Et dukkehejm (Nora oder ein Puppenheim. Drama. 1879)
Gengangere (Gespenster. Drama. 1881)
Johan August Strindberg: Fadren (Der Vater. Drama. 1887)
Fröken Julie (Fräulein Julie. Drama. 1888)
Lev Nikolajewitsch Tolstoi: Anna Karenina (Roman. 1873–76)
Die Macht der Finsternis (Drama. 1890)
Émile Zola: Les Rougon-Macquart. Histoire naturelle et sociale d'une famille sous le second Empire (Romanzyklus in 20 Bänden. 1871–93)
Le roman expérimental (1880)   Les romanciers naturalistes (1881)
Le naturalisme au théâtre (1881)

Die deutschen Naturalisten haben sich mit ihrer Absicht, „durch die Größe der Naturwahrheit die ästhetische Wirkung zu erhöhen" (Zehn Thesen des Berliner Literatenvereins ‚Durch‘, 1886), weniger auf die deutschen Realisten des 19. Jahrhunderts bezogen als auf ausländische Vorbilder. An dem großen russischen Roman von Tolstoi (1828–1910) und Dostojewski (1821–1881) bewunderten sie die genaue psychologische Analyse gesellschaftlicher Konflikte, die sie auch in den Dramen der Norweger Ibsen (1828–1906) und Strindberg (1849–1912) erkannten; diese wurden übrigens oft bald nach den skandinavischen Premieren in Deutschland aufgeführt. Vor allem Henrik Ibsen, der sich zwischen 1868 und 1891 oft in Deutschland aufhielt, galt mit seinen Entlarvungen privater und öffentlicher ‚Lebenslügen‘ als Vorbild.

2.1 Émile Zola: Naturalismus und Experimentalroman

Die geschlossenste naturalistische Literaturtheorie bot der französische Romancier Emile Zola (1840–1902).

In den zwanzig Bänden seines Romanzyklus ‚Les Rougon-Macquart‘ stellt Zola den biologischen und sozialen Verfall einer Familie an fünf Generationen dar. Jeder Roman rückt außer einem Teil der Familie ein soziales Milieu in den Mittelgrund: das Kaufhaus, den Großmarkt von Paris, den Bergbau usw. Um das Milieu präzise darstellen zu können, untersuchte Zola es zuvor ausgiebig.

Nach Zola ist der ‚naturalistische‘ Schriftsteller derjenige, der wie ein Naturwissenschaftler arbeitet: Er untersucht und beschreibt empirische Wirklichkeit. Auf der Grundlage des gesammelten Materials von Fakten und Daten konstruiert er den Roman als ‚Experiment‘, das heißt als Versuchsanordnung, mit der die Richtigkeit und Gesetzmäßigkeit der Fakten demonstriert werden kann. Die Erfindung des Autors besteht nur darin, individuelle Personen in bestimmten geschichtlichen und sozialen Situationen zu wählen, um an ihnen die Romanhandlung zu entwickeln. Zola hat so produziert: mit Dokumenten, Statistiken, Beobachtungen und einer strengen Planung für seine Arbeit am ganzen Romanzyklus. Allerdings räumt er dem Autor einen Anteil schöpferischer Subjektivität ein: das ‚Temperament‘, mit dem er Fakten und Gesetzmäßigkeit der Realität in die fiktionale Wirklichkeit des Romans umsetzt.

In Deutschland ist vor allem *Wilhelm Bölsche* (1861–1939) für den ‚Zolaismus‘ eingetreten mit seinem Buch ‚Die naturwissenschaftlichen Grundlagen der Poesie‘ (1887). Er fordert darin ausdrücklich „eine Anpassung an die neuen Resultate der

Naturforschung" und verallgemeinert Zolas Romantheorie zu der poetologischen These:

„Jede poetische Schöpfung, die sich bemüht, die Linien des Natürlichen und Möglichen nicht zu überschreiten und die Dinge sich logisch entwickeln zu lassen, ist vom Standpunkte der Wissenschaft betrachtet nichts mehr und nichts minder als ein einfaches, in der Phantasie durchgeführtes Experiment [...]."

Als Gesetzmäßigkeiten im Sinne der Wissenschaften wie der Literatur sah Zola die physisch-psychische und die soziale Kausalität an. Physisch und psychisch ist demnach der Mensch determiniert durch die Vererbung, sozial durch das Milieu. Deshalb bezeichnete Zola seinen Romanzyklus als eine „Histoire naturelle et sociale".

2.2 Einfluß des Positivismus

Dem Naturalismus zugrunde liegt die geistesgeschichtliche Wende, die im 19. Jahrhundert die beherrschende, normensetzende Autorität im Geistesleben den Natur- und Sozialwissenschaften einräumte. Begründet hatten diese Wende eine Reihe von Denkern, die man unter dem Begriff 'Positivismus' den Denkern des 'Idealismus' gegenüberstellte.

Im Anschluß an den Empirismus des 18. Jahrhunderts hatte Auguste Comte (1798–1857) von der Wissenschaft gefordert, sie solle Gesetzmäßigkeiten ausschließlich aufgrund beobachtbarer Tatsachen formulieren und auf metaphysische Voraussetzungen verzichten – schon damals eine Konsequenz aus dem Siegeszug der Naturwissenschaften. Die Engländer John Stuart Mill (1806–73) und Herbert Spencer (1820–1903) lehrten, gestützt auf Comte und die Abstammungslehre Charles Darwins, daß sogar moralische Werte einerseits aus ererbten Erfahrungen resultierten, andererseits dem Zweck dienten, das größte Glück der größten Zahl von Menschen, also den gesellschaftlichen Fortschritt zu sichern. Der Franzose Hippolyte Taine (1828–93) zog aus den positivistischen Voraussetzungen Folgerungen für die Geschichtsschreibung und die Kunst und erklärte 'race', 'milieu' und 'temps', das heißt die Rasse bzw. das biologische Erbgut, die soziale Umwelt und die zeitgeschichtliche Situation für die wesentlichen Bedingungen des Menschen, auch in seiner Kultur.

Der Positivismus ist als die weltanschauliche Grundlage des Naturalismus anzusehen. Wirklichkeit ist für ihn die Erfahrungswirklichkeit des Menschen, und der Mensch ist zu verstehen aus den naturgegebenen und gesellschaftlich bestimmten Bedingungen, vor allem aus seinem physischen und psychischen Erbgut sowie aus dem Milieu, in dem er lebt. Dadurch sind Charakter und Schicksal des einzelnen determiniert; das erfährt der Mensch unter anderem in den Konflikten und Katastrophen, wie sie etwa das naturalistische Drama darstellt. Es liegt nahe, die Determiniertheit des Menschen am deutlichsten da zu sehen, wo er am unfreiesten ist, z. B. im Milieu der armen Leute und Proletarier. Und in diesem Wirklichkeitsbereich verbanden sich drei Interessen der Naturalisten zum Thema der 'sozialen Frage': das gesellschaftliche Engagement, das Bemühen um eine lebensnahe und volksnahe Dichtung und die positivistische Erkenntnishaltung.

3 Arno Holz und die naturalistische Schreibweise

Arno Holz: Die Kunst. Ihr Wesen und ihre Gesetze (1890)
Revolution der Lyrik (1899)   Phantasus (Gedichtzyklus, in verschiedenen Fassungen 1898–1925)
Arno Holz und **Johannes Schlaf:** Papa Hamlet (Erzählungen. 1889)
Die Familie Selicke (Drama. 1890)

3.1 Prosa des konsequenten Naturalismus

Arno Holz (1863–1929) setzte die naturalistische Theorie in den naturalistischen Stil um. 1888 zogen Holz und Schlaf (1862–1941) zusammen, um aus fragmentarischen Romanentwürfen, die beide mitbrachten, gemeinsam Erzählungen im neuen Stil zu schreiben. Der Theorie Zolas entsprach es, wenn sie die individuelle Phantasie zugunsten einer methodischen und kooperativen Konstruktion von Erzähltexten zurückstellten. Die Themen ergaben sich aus Erfahrungen mit dem Leben armer Studenten, Literaten und Künstler und aus ihrem Interesse an der 'sozialen Frage'. 1889 konnte die erste Sammlung veröffentlicht werden: ‚Papa Hamlet', der weitere gemeinsam verfaßte Erzählungen folgten, bis sich die Autoren 1891 zerstritten.

Diese Prosastücke sind die ersten Beispiele des 'konsequenten Naturalismus', das heißt einer die Wirklichkeit sprachlich rekonstruierenden Darstellungsweise. Dargestellt werden Ausschnitte aus dem Alltagsleben im Arme-Leute-Milieu.

Ein alter, stellungsloser Schauspieler lebt mit Kleinkind und kranker Frau ärmlich in einem Zimmer; am Ende erfriert er betrunken im Hafenviertel, während die Frau lungenkrank im Bett liegt (‚Papa Hamlet'). Ein Student, der mit zwei anderen ein Zimmer teilt, stirbt an einer Duellwunde (‚Ein Tod'). Studenten reden über die Liebe; der schüchterne von ihnen kommt über einen zaghaften Annäherungsversuch an die Wirtstochter nicht hinaus (‚Krumme Windgasse 20'). Ein blutarmer Student und zwei andere Untermieter einer Proletarierwitwe unterhalten sich mit ihr, während sie Kartoffelpuffer backt und ihre Pflegetochter beaufsichtigt; dabei werden sie Zeugen, wie in der Mietskaserne ein Betrunkener seine Frau schlägt, bis die Polizei kommt (‚Papierene Passion').

Obwohl jede der Erzählungen eine Art Handlungspointe hat – Tod, erste Liebe, Aufruhr im Haus usw. –, fehlt eine Handlung, die wie in traditionellen Erzählungen zu einem Ziel führt. Der Tod beendet nur einen Zustand, die Liebesbegegnung ist eine flüchtige Episode, die Prügelei geschieht außerhalb der geschilderten Situation. Und das Leben geht danach unverändert weiter: Die Witwe des Schauspielers wird weiter dahinkränkeln, die beiden Freunde des gestorbenen Studenten und seine Mutter werden ohne ihn weiterleben, und am Alltag der Mietshausbewohner ändert sich überhaupt nichts. Um eine Handlung im Sinne der Novelle geht es gar nicht, und dementsprechend bezeichneten die Verfasser ihre Texte auch als 'Skizze' oder 'Studie'. Damit ist sowohl das Unabgeschlossene des Wirklichkeitsausschnitts als auch das beobachtend-registrierende Darstellungsverfahren angedeutet. Mit Zola könnte man sich vorstellen, daß die Autoren Milieu, Situation und Personen verabredeten und dann diesen Lebensausschnitt Satz für Satz ausfüllten.

Lebensbilder im 'Sekundenstil'. Die Ausführung des Lebensbildes im Detail war die eigentliche Arbeit; ein Freund der Naturalisten, Adalbert von Hanstein, hat sie den 'Sekundenstil' genannt:

„Draußen kamen jetzt leichte Schritte die Treppe herauf. Die Wirtin sprach mit jemand.
Sie sahen sich an.

‚Es kommt wer!'
‚Ach ... wahrscheinlich – der Arzt!'
Jens zupfte am untersten Knopf seines Jacketts herum. Sein Atem keuchte leise.
Unverwandt sahen sie zur Tür hin.
Jetzt ...
‚H ... herein ...' [...]" (‚Ein Tod'; Ausschnitt)

Man muß diese Erzählungen einerseits mit dem Stil Storms, Meyers oder Fontanes, andererseits mit dem moderner Kurzgeschichten vergleichen, um zu erkennen, welche Veränderungen in der Erzählprosa die Naturalisten eingeleitet haben. Aus kleinsten Details setzt sich eine Situation zusammen, in der der Mensch nicht eigentlich handelt, sondern in der er aufgeht. Man sieht sie wie in einem Film, und man hört sie wie ein Tondokument wirklicher Alltagsrede, die je nach der Person aus Dialekt, Umgangssprache oder Gebildetensprache und je nach der momentanen Situation aus Ausrufen, unbeholfenen Sätzen, hervorgestoßenen Satzbrocken, höflichen Floskeln, Atempausen, Nebengeräuschen oder Stammeln besteht. Die extrem genaue Wiedergabe des Personenverhaltens vermittelt mehr vom Milieu als die Schilderung der Schauplätze, die gar nicht so breit ausgeführt ist.

Dialog und Perspektivität. In zwei ihrer Erzählungen haben Holz und Schlaf alles, was nicht Personenrede ist, klein drucken lassen; das liest sich wie ein Dialog mit Regieanweisungen. Holz behauptete später, Hauptmann habe seinen Dramenstil von ihm gelernt, und Hauptmann widmete ‚Vor Sonnenaufgang' den Verfassern von ‚Papa Hamlet'. Diese haben die an den Erzählungen entwickelte naturalistische Technik selbst im Kleinbürgerdrama ‚Die Familie Selicke' angewandt. Umgekehrt sieht sich der Leser der Erzählungen wie im Drama oder eigentlich wie im Film wechselnden Blickrichtungen, nahen und mittelbaren Ansichten sowie verschiedenen Personenperspektiven ausgesetzt – nur Fernsicht und Totale kommen selten vor. Diese perspektivischen Darstellungstechniken sind schon bei Gustave Flaubert (1821–80) und Émile Zola, auch bei Lev Tolstoi zu finden. In Deutschland haben erst die Naturalisten sie so intensiv angewandt und an Impressionisten wie Arthur Schnitzler (1862–1931) oder gar Expressionisten wie Alfred Döblin (1878–1957) weitergegeben.

Vielschichtigkeit. Vordergründig ist der naturalistische Stil genaueste Abbildung einer vorgestellten Realität. Aber die Gesamtwirkung enthält noch mehr. Denn die thematisierten Lebenssituationen sind exemplarisch: Tod, Liebe, Armut, Opfer usw., und die Details der Banalität werden im Zusammenhang symbolischer Ausdruck von Leben überhaupt, von Schicksal, Bedrängnis und Sehnsucht. Die assoziative Verflechtung der Motive deutet vielschichtige Sinnebenen an, manchmal geradezu in einer Montagetechnik, wie sie wieder bei James Joyce (1882–1941), Döblin und Späteren auffällt; so in der Titelerzählung *‚Papa Hamlet'* von Holz/Schlaf.

Der alte Schauspieler, Frau, Kind und Nachbarn, das unordentliche Zimmer, die Krankheit, die zerfallende Kleidung usw. – das ist die Milieurealität. Aber der Schauspieler flicht in seine Reden fortwährend – fast zwanghaft – Zitate aus Shakespeares ‚Hamlet' ein: zuerst, weil er den Text zu rekapitulieren scheint, dann als situationsbezogene Anspielung oder aus Gewohnheit; einmal spielt er mit dem Gedanken, wie Hamlet den Wahnsinnigen zu mimen, um der Kündigung des Zimmers zu entgehen; zuletzt scheint er manchmal tatsächlich geistig verwirrt zu sein. Ein Beispiel für die Montage vom Anfang, als die Eltern sich streiten, ob die Frau das Baby selbst stillen soll:

(Sie:)   „So! So! Jawoll doch! Gewiß! Bei unserm Leben! Den ganzen Tag lebt man von Kaffee und Butterbrot! Ich möchte wissen, wie das arme Wurm dabei gedeihen sollte!"

(Er:)   „Ha! Zu leben im Schweiß und Brodem eines eklen Bettes, gebrüht in Fäulnis, buhlend und sich paarend über dem garst'gen Nest! Nicht wahr? Du willst damit sagen, daß ich an unsrer Lage schuld bin, Amalie!"

Die Wirkung ist zugleich ironisch und tragisch. Ironisiert wird das Pathos des Klassikertheaters durch die banale Realität, das Pathos des unfähigen Mimen durch sein zitierendes Schwatzen. Umgekehrt wird in die Banalität der Ton der Dichtung eingeblendet, so daß etwas vom tragischen Pathos auf sie übergeht; denn die Hamlet-Zitate passen oft genug auf die Situation.

Die Schreibweise des 'konsequenten Naturalismus' vermag Wirklichkeit, Milieu und Verhalten mit einer bis dahin ungewohnten Präzision darzustellen. Aber die Naturalisten wollten mehr: Sie wollten das Leben in seiner ganzen Wahrheit erfassen, auch in seiner Irrationalität und Vieldeutigkeit.

3.2 Vom Abbild der Natur zum ästhetischen Kunstwerk

Arno Holz erkannte, daß Zolas Theorie noch keine Poetik war. Fast zehn Jahre mühsamer Arbeit verwandte er darauf, zu bestimmen, was eigentlich die unbekannte Größe 'x' sei, die aus der Naturabbildung ein Kunstwerk macht. Zola hatte geschrieben: „Une œuvre d'art est un coin de la nature vu à travers un tempérament"; aber die Kategorie des 'Temperaments' genügte Holz nicht, weil sie den künstlerischen Schaffensprozeß nicht erfaßt. Deshalb veränderte er Zolas Formel:

„Die Kunst hat die Tendenz, wieder die Natur zu sein. Sie wird sie nach Maßgabe ihrer jeweiligen Reproduktionsbedingungen und deren Handhabung."
(‚Die Kunst, ihr Wesen und ihre Gesetze', 1890).

Damit aber verschob er das Gewicht vom *Was* der Kunst, der methodisch erfaßten Wirklichkeit, zum *Wie*, nämlich den Kunstmitteln und dem Können des Künstlers. Das war ein erster Vorstoß über den dogmatischen Naturalismus hinaus. In den ihn ablösenden Kunstströmungen – Impressionismus, Symbolismus und Expressionismus – wurde die Wirklichkeitsabbildung fortschreitend reduziert und verfremdet, die Ausdrucksmittel und der Schaffensprozeß drängten sich vor.

Von 1898 bis 1925 erarbeitete Holz immer neue Fassungen seines lyrischen Hauptwerks, des Gedichtzyklus ‚Phantasus', in dem er Kindheitserinnerungen und Traumvorstellungen, verbunden durch Naturbilder, in wechselnden Stilen, vorwiegend aber impressionistisch formulierte und mit einem symmetrischen Druckbild der freien ungereimten Rhythmen visuell ästhetisierte – Stilpluralismus um 1900:

Rote Dächer!
Aus den Schornsteinen, hier und da, Rauch;
oben, hoch, in sonniger Luft, ab und zu, Tauben!
Es ist Nachmittag.
Aus Mohdrickers Garten her gackert eine Henne,
die ganze Stadt... riecht nach Kaffee.

Daß mir das alles noch so lebendig geblieben ist!

Ich bin ein kleiner, achtjähriger Junge,
liege, das Kinn in beide Fäuste,
platt auf dem Bauch
und kucke durch die Bodenluke. [...]
Wie still das ist! [...]
Und die ... Farben ... die Farben! [...]
Ein halbes Leben, ein ganzes Menschenalter verrann!

Ich schließe die Augen. Ich sehe sie... noch immer!

4 Gerhart Hauptmann: Das Drama des menschlichen Lebens

> **Gerhart Hauptmann:**
> Bahnwärter Thiel. Novellistische Studie (1888)
> Vor Sonnenaufgang. Soziales Drama (1889)
> Das Friedensfest. Eine Familienkatastrophe (1890)
> Einsame Menschen. Drama (1891)
> Die Weber. Schauspiel aus den vierziger Jahren (1892)
> Der Biberpelz. Eine Diebskomödie (1893)
> Hanneles Himmelfahrt. Traumdichtung (1894/96)
> Fuhrmann Henschel. Schauspiel (1899)
> Der rote Hahn. Tragikomödie (1901)
> Rose Bernd. Schauspiel (1903)
> Und Pippa tanzt! Ein Glashüttenmärchen (1906)
> Die Ratten. Berliner Tragikomödie (1911)

Gerhart Hauptmann ist mit dem Naturalismus berühmt geworden und hat ihn berühmt gemacht. Allerdings war er nie nur Naturalist, sondern hat sich in seinem langen Leben (1862–1946) in verschiedensten Stoffen und Stilen versucht. Seinen Durchbruch als Schriftsteller fand er freilich in den Jahren seit 1885, als er meist in oder bei Berlin lebte und dort Anschluß an progressive Literaten wie die Brüder Hart, Bleibtreu, Bölsche und Holz fand, vor allem aber an die beiden Promoter der ‚Freien Bühne‘, Brahm und Schlenther.

Während die Berliner Naturalisten sich vorwiegend für das großstädtische Proletariat interessierten, galt Hauptmanns Vorliebe den kleinen Leuten auf dem Lande, in der Kleinstadt oder in der Stadtrand-Kolonie. Ein bloßer Heimatdichter wollte er nicht sein; aber Heimat, Volk und Dialekt, das Empfinden und Handeln einfacher Menschen waren der Stoff seiner besten Werke. Dieses Milieu kannte er aus seiner Kindheit in Schlesien, und er kannte die sozialen und familiären Konflikte dieser Menschen, ihre Angst-, Schuld-, Traum- und Phantasieerlebnisse, ihren Alltag und ihre Sagen, ihre pietistisch-mystische Religiosität und fatalistische Schicksalsgläubigkeit. Deshalb gehörte in seinen Frühwerken bei aller naturalistischen Genauigkeit der Darstellung immer schon das Irreale zur Realität dazu.

4.1 ‚Bahnwärter Thiel‘: Zwischen Tradition und Moderne

Das erste, heute noch für gültig gehaltene Werk Hauptmanns ist ‚*Bahnwärter Thiel. Novellistische Studie aus dem märkischen Kiefernforst*‘ (1888). Schon der Untertitel kennzeichnet die Zwischenstellung dieser Erzählung zwischen der Novellentradition des 19. Jahrhunderts und den naturalistischen ‘Studien’ von Holz und Schlaf, die kurz darauf erschienen. Traditionell sind die geschlossene Handlung mit ihrem tragischen Höhepunkt, die konzentrierte Personencharakterisierung und die teils raffende, teils schildernde, teils versteckt kommentierende Erzählweise. Modern im Sinne der Naturalisten sind zunächst Handlung und Milieu.

Ein Mann der Unterschicht; ungebildet und triebhaft, ursprünglich fest verwurzelt im Alltagsleben und in seiner regelmäßigen Arbeit, wird durch den Tod seiner ersten Frau, Minna, und durch die Wiederverheiratung mit der ihn erotisch beherrschenden Lene aus dem Gleichgewicht gebracht. Dem gefühlten Verfall seiner Lebensordnung steht er intellektuell hilflos und fast willenlos gegenüber. Er klammert sich an seine fast religiöse Verehrung der ersten Frau und

an die Liebe zu deren hinterlassenem Kind Tobias, das von Lene zugunsten des von ihr gebore-
nen Kindes benachteiligt wird. Als Tobias, durch Lenes Achtlosigkeit verschuldet, von einem
Zug überfahren wird, bäumt Thiels Gefühl sich bis zur Raserei auf, und er bringt Lene und ihr
Kind brutal ums Leben. Als seelisches Wrack wird er abgeführt.

Thiel ist primär ein psychologischer Fall. Er fühlt und handelt triebhaft, ist aber der
Vitalität seiner Frau unterlegen. Seine Persönlichkeit zerfällt im Konflikt zwischen
geistiger und körperlicher Liebe. Als Ungebildeter, des Denkens Ungewohnter ist er
unfähig, die Zusammenhänge seines Lebens zu begreifen. Er kann sie nur dumpf, erregt oder wahnhaft erleben; der fatalen Realität kann er nur Schwärmerei, Wahn und
Raserei entgegensetzen. Das erinnert an literarische Vorbilder bei Kleist und vor allem Büchner, den Hauptmann wiederentdecken half und der im ‚Woyzeck‘ eine ähnliche psychopathologische Entwicklung vor sozialem Hintergrund dargestellt hat.
Die Erzählweise im ‚Thiel‘ steigert sich an Schlüsselstellen in eine Verschmelzung äußerer Wahrnehmung mit inneren Bildern zu Symbolen des Schicksals. Berühmt geworden ist das äußere Bild des Schnellzuges, der auf schnurgeraden Gleisen aus dem
unendlichen Horizont in die ‘Waldeinsamkeit’ Thiels kommt und rasend wieder im
Unendlichen verschwindet. Dieses Bild verbindet die Handlungsphasen, bis es mit
inneren Bildern der toten Frau und ihres Kindes zu peinigenden Angstträumen
Thiels verschmilzt, die sich im tödlichen Unfall des Tobias bewahrheiten. Es veranschaulicht nicht nur den psychologischen Kausalnexus der Novelle, sondern auch ein
allgemeines irrational-fatalistisches Lebensgefühl, dem eine höhere Sinngebung versagt bleibt.
Der Entwicklung zur Moderne entspricht die Spracharmut Thiels. In der ganzen Novelle werden nur fünfzehn wörtliche Reden Thiels mitgeteilt, meistens nur kurze Äußerungen; oft kann er nur stammeln, murmeln oder sich mit Gesten ausdrücken.
Zum Dialog unfähig, spricht er dafür manchmal mit sich selbst. Seine längste Rede ist
die halb wahnsinnige Zwiesprache mit der verstorbenen Frau kurz vor der Mordtat:

> „ ‚Du, Minna […], du, Minna, hörst du? – gib ihn wieder – ich will…!‘ Er tastete in die Luft, wie
> um jemand festzuhalten. ‚Weibchen – ja – und da will ich sie […] – und da will ich mit dem Beil –
> siehst du? Küchenbeil – mit dem Küchenbeil will ich sie schlagen, und da wird sie verrecken
> […]‘.“

Thiels Reden sind nicht nur naturalistisches Protokoll, sondern darüber hinaus die
zum Verstummen bestimmte Rede-Ruine des Ohnmächtigen. Hier kündigt sich ein
zentrales Thema der Moderne an: die Sprachnot und das Aufhören der Sagbarkeit.

4.2 Bürgerliche und proletarische Problemdramen

In Hauptmanns erstem Bühnenerfolg, ‚Vor Sonnenaufgang‘ (1889, vgl. S. 332),
zeichnen sich zwei Möglichkeiten des sozialen Dramas ab, die er bis zum Weltkrieg
hauptsächlich verwirklicht hat: das psychologische Problemdrama im meist bürgerlichen Milieu und das sozialpsychologische Kleine-Leute-Drama im proletarischen
Milieu. Zur ersten Gruppe gehören Stücke wie ‚Das Friedensfest‘ (1889) und ‚Einsame Menschen‘ (1890), düstere Familientragödien in der Art Ibsens und Strindbergs.
Der Zuschauer wird Zeuge scheinbar alltäglicher Situationen, in denen aber, wie in
den Tragödien seit der Antike, Schuld und Schicksal die Individuen zerstören. Milieu
und Charaktere sind genau dargestellt; im unpoetischen Konversationston der Dialoge entfalten sich unterschwellige Leidenschaften und existentielles Verhängnis.
Mit neuen Stoffen und Stilmitteln setzen diese Stücke eigentlich die Tradition des ernsten bürgerlichen Dramas fort, die mit den englischen bürgerlichen Trauerspielen
(George Lillo, 1693–1739) und der französischen Comédie larmoyante (Denis Dide-
rot, 1713–84) im 18. Jahrhundert begann und seit Lessings ‚Emilia Galotti‘ (1772) im

deutschen Sturm und Drang und bis Hebbels ‚Maria Magdalene' (1844) weitergeführt wurde. Die in dieser Tradition oft den tragischen Konflikt begleitenden oder
verschärfenden Klassengegensätze treten in Hauptmanns bürgerlichen Problemdra-
men eher zurück.

In Hauptmanns Dramen mit proletarischem Milieu dagegen sind die sozialen Verhältnisse, ja oft die Klassengegensätze Grundlage des Geschehens. Die nichtproleta-
rischen oder kleinbürgerlichen Figuren, die auftreten, sind den kleinen Leuten zugeordnet, entweder als deren Herren, Ausbeuter oder Gegner oder aber als – allerdings
meist wirkungslose – Sympathisanten. Die dramatische 'Handlung' geht fast immer
von den kleinen Leuten aus: *Die Weber* machen einen Aufstand; *Rose Bernd* will bürgerlich heiraten und deshalb ihre bisherige Liebschaft beenden; Frau Wolff im ‚*Biberpelz*' stiftet Verwirrung durch Diebstahl und Betrug; Frau John in den ‚*Ratten*' stiehlt
in ihrer sozial bedingten Einsamkeit ein fremdes Kind. Außer im ‚Biberpelz' erweisen sich aber die Handelnden bald als die Unterlegenen. Sie scheitern, weil sie im
Grunde nicht die Verhältnisse ändern können. Die Übermacht der sozialen Situation
läßt eine dramatische Handlung im traditionellen Sinne nur selten aufkommen; das
Leben besteht vielmehr aus breit dargestellten Situationen und Zuständen, in denen
sich die meist am Ende eintretende Katastrophe wie ein zwangsläufiger Prozeß entwickelt. Der Stil entspricht dem 'konsequenten Naturalismus' mit ausführlichen Regieanweisungen und den Personenreden in Alltagssprache und Dialekt (vgl. S.
336ff.). Obwohl Hauptmann seine Charaktere psychologisch individualisiert, haben
sie alle den Grundzug gemeinsam, daß sie den sozialen Verhältnissen, den psychischen und vitalen Trieben und ihrer Unfähigkeit, ihr Leben als etwas Sinnvolles zu
verstehen, ausgeliefert sind:

„Was sein mir? Sie und ich und mir alle zusamm? Mir han uns mußt schinden und schuften
durchs Leben, eener so gut wie der andere dahier."
(Frau Fielitz, verwitwete Wolff, in: ‚Der rote Hahn', 4. Akt)

Der tragische Determinismus dieser Dramen macht einerseits alle Menschen gleich,
andererseits breitet er sich unerschöpflich in der „wucherischen, unentwirrbaren
Vielgestaltigkeit des Lebens" aus, von der Hauptmann einmal spricht. Diese Vielgestaltigkeit des Lebens reproduziert Hauptmann mit der 'Vielstimmigkeit' der zahllosen Figuren in seinen Dramen:

„Es meldeten sich in meinem Innern stets viele Stimmen zu Wort, und ich sah keine andere Möglichkeit, einigermaßen Ordnung zu schaffen, als vielstimmige Sätze: Dramen zu schreiben."
(‚Die Sendung des Dramatikers', Rede, 1905)

4.3 ‚Die Weber': Soziales Drama oder „Elend in klassischer Form"?

In den ‚Webern' gelang Hauptmann eine besondere Synthese aus naturalistischen
Grundsätzen und seinen persönlichen Vorstellungen vom Leben und vom Drama als
„vielstimmigem Satz". Die Zeitgenossen erregte daran vor allem die brisante soziale
Thematik, wie sich schon an der Geschichte der Verbote und Aufführungen zeigte.
Gleich die erste, ganz im Dialekt geschriebene Fassung ‚De Waber' (1892) wurde zu-
erst von der Zensurbehörde zurückgewiesen.

Man kritisierte vor allem „[...] die geradezu zum Klassenhaß aufreizende Schilderung des Charakters der Fabrikanten im Gegensatz zu demjenigen der Weber [...], die Deklamation des We-
berliedes [...], die Plünderung bei Dreißiger [...] und die Schilderung des Aufstandes". Die Zensurbehörde fürchtete, „daß die kraftvollen Schilderungen des Dramas [...] einen Anziehungs-
punkt für den zu Demonstrationen geneigten Teil der Bevölkerung Berlins bieten würden".

Bis 1901 wurden ‚Weber'-Aufführungen in 18 Städten Deutschlands verboten, konnten aber meistens gerichtlich ertrotzt werden. In Berlin wurde die öffentliche Erstaufführung allein im Deutschen Theater bis 1905 fast hundertmal wiederholt.

An sich handelte es sich um ein „Schauspiel aus den vierziger Jahren", also um einen historischen Stoff. Daß es als sozialkritisches Stück so sensationell wirkte, ist nur damit zu erklären, daß sich an den dargestellten Mißständen seit dem schlesischen Weberaufstand von 1844 nichts oder wenig geändert hatte. Hauptmann hat die Vorgänge von 1844 nach guten Quellen sehr genau wiedergegeben. Zusätzlich bereiste er während der Arbeit an dem Stück die Weberdörfer und war erschüttert von dem bodenlosen Elend, das er zu sehen bekam – fast 50 Jahre später! Dabei wehrte er sich immer dagegen, daß man ihm politische Absichten unterstellte. Und 1938 erklärte er, was ihn eigentlich bewegt habe, so:

„Was sich in diesen Weberhütten enthüllte, war – ich möchte sagen: das Elend in seiner klassischen Form." (‚Breslauer Neueste Nachrichten', 25. 9. 1938)

Damit wollte er die soziale Not nicht verharmlosen, sondern er sah in ihr etwas zeitlos Existentielles:

„Aber diese Familiengenossenschaft, welcher der Mangel, der Hunger aus den Augen glotzt, kämpft mit dem Gleichmut, den man wohl heroisch nennen mag, ihren Daseinskampf. [...] So bietet er (sc. der Weber) sich und die Seinen, um den Mittelpunkt seiner Arbeit geschart, den Wechselfällen des Schicksals dar, die eine mehr oder weniger langsame Zerstörung bedeuten, der gegenüber er sozusagen aufrecht standhält, bis alles im Tode erstarrt und nur noch Ruine ist." – „Klassisch" nannte Hauptmann diesen Anblick, weil er „irgendwo Elend und Würde vereint" (s. o.).

Von daher wären die ‚Weber' als Tragödie zu deuten. Ihr ‘Held’ ist der Weber bzw. die Gemeinschaft aller Weber. Konsequent ist der Individualheld der Tragödientradition, der große Einzelne, vermieden und dafür das Kollektiv der Klasse als handelnde und leidende ‘dramatis persona’ behandelt. Die Gegenspieler, die Personen des Fabrikantenmilieus, sind weniger Charaktere als typische Vertreter sozialer Gruppen. Keine Person tritt in allen Akten auf, fast alle treten hervor und verschwinden wieder, von anderen abgelöst. Der 5. Akt spielt in einem anderen Weberdorf mit anderen Personen, und trotzdem empfindet man den Gesamtzusammenhang des Geschehens. Im Unterschied zu den Massendramen der Expressionisten, in denen der einzelne bis zur Unkenntlichkeit entindividualisiert wird, besteht das Kollektiv der ‚Weber' jedoch aus Individuen. Jeder Arme ist anders und hat ein persönliches Schicksal; jeder verhält sich auch in der Revolte anders: Einer begehrt eher auf als die anderen (Becker), einer wiegelt die anderen auf (Jäger), einer verurteilt den Aufruhr (Hilse) usw. Vielleicht ist das die besondere Leistung Hauptmanns: Die Klasse erscheint als Klasse, aber nicht als amorphe Masse, sondern als Schicksalsgemeinschaft einzelner Personen. Die Weber bilden so zugleich den ‘vielstimmigen’ Chor der Tragödie; alle erleben dieselbe Not, aber jeder empfindet und handelt anders, politisch-revolutionär, opportunistisch, fatalistisch oder religiös.

Dieser Kompositionsform entspricht die Gliederung des Stücks in fünf Akte, deren jeder fast ein Einakter, ein Stück im Stück ist, worin das Gesamtthema sich wie ein Teilmodell entfaltet. Alle Akte zusammen stellen den kollektiven Vorgang dar, wie die Armen aus ihrer Lethargie erwachen, bis zur gewaltsamen Konfrontation mit dem sozialen Gegner und der Staatsmacht. Durchgehende Motive wie das revolutionäre Weberlied verbinden die Teile. Der Aufbau traditioneller Tragödien verbindet sich so mit den Darstellungsmitteln des Naturalismus und Vorformen des epischen Theaters.

Man kann die ‚Weber' als Modell, mindestens aber als Rechtfertigung einer sozialen Revolte verstehen. Für diese Deutung bleibt allerdings der Schluß offen, ja zweideutig: Während außerhalb der Szene die waffenlosen Weber gegen die anrückenden Soldaten stürmen, stirbt an seinem Webstuhl der gottergebene Hilse, der die Revolution

verwirft, an einer verirrten Kugel. Die Revolte erscheint im „vielstimmigen Satz"
durchaus nicht eindeutig als zielbewußte Handlung aus revolutionärem Bewußtsein,
sondern eher als Umschlag der Not in entfesselte Leidenschaft. In der Geschichte ist
der Weberaufstand gescheitert. Nie zuvor in der deutschen Literaturgeschichte wurden das Proletariat und ein sozialer Prozeß so lebenswahr dargestellt, andererseits erscheinen beide als Ausdruck eines tragischen Lebensprinzips.

4.4 Naturalistisches Volksstück und Tragikomödie

Nach den ‚Webern' schrieb Hauptmann bis etwa zum Ersten Weltkrieg u. a. noch naturalistische Dramen des bürgerlich-psychologischen und des volkstümlich-sozialen
Typs; danach so gut wie nicht mehr. In den Kleine-Leute-Stücken wandte er sich teilweise wieder mehr dem individuellen tragischen Charakter zu (‚Fuhrmann Hen-
schel', ‚Rose Bernd'), teilweise verband er den Naturalismus des Milieus mit Poesie,
Traum und Märchen (‚Hanneles Himmelfahrt', ‚Und Pipa tanzt!'), womit er sich dem
neuromantischen Irrationalismus um die Jahrhundertwende annäherte. Dabei diente die 'Vielstimmigkeit' des Dramas mehr und mehr dem Ausdruck für die Vieldeutigkeit des Lebens: In den Träumen und Visionen der armen Leute gehen Elend, Lust
und Sehnsucht ineinander über; der Mutterwitz des Volkes kann die Schwäche der
Menschen belächeln, die List sie ausnutzen. So benutzt in der Komödie ‚Der Biberpelz' (1893) die Proletarierin Frau Wolff die Vieldeutigkeit des Lebens und der Sprache, um ihre sozial überlegenen Gegner auszutricksen; der Dichter benutzt sie in der
Ironie, mit der er die Hohlheit des Wilhelminischen Staates in der Gestalt des Amts-
vorstehers Wehrhahn bloßstellt. Komik ist aber nicht das letzte Wort des Naturalisten. Acht Jahre nach dem ‚Biberpelz' läßt Hauptmann in der Tragikomödie ‚Der rote Hahn' (1901) dieselbe Frau Wolff am Kampf um den sozialen Aufstieg zugrunde gehen.

4.5 Wirklichkeit und Kunst in der naturalistischen Symbolik
der Tragikomödie ‚Die Ratten'

‚Die Ratten' (1911) sind eigentlich Hauptmanns naturalistisches Schlußwort auf der
Bühne. Die Tragödie der Maurersfrau John, die aus Liebebedürfnis ein Kind stiehlt,
an einem Totschlag mitschuldig wird und sich das Leben nimmt, als sie sich damit alles zerstört hat, ist hier in ein vielschichtiges Bedeutungsgefüge verflochten. Schon
das Leitmotiv der ‚Ratten' durchzieht vieldeutig das Stück, als reales Ungeziefer,
aber auch als Metapher für das Gesindel der Großstadt, für staatsgefährdende Sozialisten und vor allem für das Unheimliche im Leben überhaupt. Die Berliner Mietskaserne, in der das Stück spielt, ist wie ein Modell der zeitgenössischen Gesellschaft:
Hausherr ist der Staat, Hausverwalter ein korrupter Beamter; es hausen darin ein nationalistischer Gesang- und Schlägerverein, eine zur Dirne heruntergekommene Dame mit einer tüchtigen Tochter und einem vernachlässigten Baby, der ordentliche Arbeiter, der auswärts arbeiten geht, und seine Frau, die sich um ein echtes Familienleben betrogen sieht. Auf dem Dachboden verwahrt der zur Zeit arbeitslose Theaterdi-
rektor Hassenreuter seinen Theaterfundus, umfunktioniert zum Kostümverleih. Ein
junger Theologe und Pfarrerssohn hat sich vom bürgerlichen Milieu seiner Herkunft
losgesagt, schwankt aber, ob er sein Leben den Armen oder der Kunst widmen soll,
und nimmt derzeit Schauspielunterricht bei Hassenreuter. Proletarische Wirklichkeit, verunsichertes Bürgertum und eine funktionslos gewordene Kunst sind unter
ein Dach geraten. Parallel zur Tragödie der Proletarier spielt sich nun eine Komödie

der Bürger und Künstler ab; denn diese geraten in die turbulenten Verwicklungen heimlicher Rendezvous und unerwarteter Begegnungen. Die Verwicklungen beider Seiten, der tragischen und der komischen, greifen ineinander, wodurch die proletarische Tragik einen unheimlich-grotesken Zug erhält, die Komik der Bürger und Künstler aber gleichsam erstarrt. Das Verwirrspiel offenbart die Vieldeutigkeit des Lebens, das tragisch und komisch zugleich sein kann. Zudem kommentiert die Hassenreuter-Komödie ständig die John-Tragödie, umgekehrt aber stellt die proletarische Wirklichkeit die traditionelle, lebensfremd gewordene Kunstidee des Theaterdirektors in Frage. Zwischen Hassenreuter und dem Theologiekandidaten Spitta entwickelt sich ein Disput über die wahre Kunst, für den Frau John das Exempel abgibt. Hassenreuter plädiert für die tradierte idealistische Moral und Ästhetik, die in diesem Milieu als bloße Phrase erscheint, und für eine höhere 'Weltordnung', die es für die Johns nicht mehr gibt. Während für den Theatraliker eine Arbeiterfrau wie die John „zur tragischen Heldin ungeeignet" ist, plädiert Spitta für eine lebenswahre Kunst und erklärt: „Vor der Kunst wie vor dem Gesetz sind alle Menschen gleich." Das wirkliche Schicksal der Frau John widerlegt Hassenreuter und gibt Spitta recht, der am Ende fragen kann: „Finden Sie nicht, daß hier ein wahrhaft tragisches Verhängnis wirksam gewesen ist?"

So hat Hauptmann in seinem letzten naturalistischen Volksstück noch einmal die Motive dieser Gattung vereint: das proletarische Milieu, die Klassengegensätze im Wilhelminischen Staat, die Tragik der kleinen Leute, die vergeblich ihr Leben zu ändern versuchen, und die Ironie der Vieldeutigkeit des Lebens. Offensichtlicher noch als im frühen Naturalismus wird die präzise Wirklichkeitsdarstellung durchsetzt von den Zügen des Komischen, des Grotesken, des Hintergründigen, Unheimlichen und Symbolischen.

5 Naturalismus und moderne Literatur

Seit ihrem Auftreten hat man den Naturalisten vorgehalten, daß sie ihren Anspruch einer 'Literatur-Revolution' nicht eingelöst hätten. 1971 charakterisierte der Dramatiker John Osborne ihre Zwischenstellung:

„Der deutsche Naturalismus ist ein Kompromiß zwischen dem verinnerlichten deutschen Konservativismus und dem nach außen gerichteten europäischen Radikalismus."
(‚The Naturalist Drama in Germany', 1971)

Jedoch haben die Naturalisten die moderne Diskussion der Kunst und die Problematisierung der Tradition mit eingeleitet und neue Möglichkeiten der Literatur eröffnet. Sie haben die verschütteten Traditionen der Jungdeutschen, des Sturm und Drang und des bürgerlichen Trauerspiels aufgedeckt und weitergeführt, nun aber in entschiedener Zuwendung zur modernen Gesellschaft und insbesondere der proletarischen Klasse. So haben z. B. die Expressionisten die Themen Großstadt, Sklaverei der Arbeit, Anonymität der Masse, Milieu der Verkommenheit, Konflikte der Generationen und Geschlechter in sozialen Kontexten zwar anders behandelt als die Naturalisten, aber eigentlich von ihnen übernommen.

Die scharfe Kritik vieler Antinaturalisten am Stil der minutiösen Wirklichkeitsschilderung beruht zum Teil auf einem Mißverständnis naturalistischer Werke, zum Teil auf einer Überschätzung der programmatischen Äußerungen zum 'konsequenten Naturalismus'. Mindestens Holz und Hauptmann haben Entwicklungen der modernen Literatur angebahnt, die gerade auch von ihren Gegnern fortgesetzt wurden. So haben sie begonnen, das Unbewußte zu artikulieren – allerdings ohne Kenntnis Freuds. Sie haben nur scheinbar den monistischen Realitätsbegriff des Positivismus

übernommen, in Wahrheit aber die Realität in Bruchstücke jeweils erlebter Erfahrung zerlegt und damit auch relativiert bis hin zum Zweifel am Verstehen der Wirklichkeit. Die von Holz oder Hauptmann dargestellte Wirklichkeit ist hintergründig
und verweist auf die Vieldeutigkeit des Lebens. Damit spüren Naturalisten auch die
Vieldeutigkeit der Sprache selbst auf, die Spätere als Kunstmittel benutzt haben.
Dies alles wird im Naturalismus freilich noch mimetisch, also mit konkreten Abbildern wirklicher Menschen, Situationen, Umstände und Milieus dargestellt. Zu auflösenden Sprach- und Formexperimenten, zur ästhetisch-artistischen Verfremdung
oder gar zur formalen Abstraktion gelangten die Naturalisten nicht. Andererseits ist
proletarische Literatur in der zweiten Hälfte des 20. Jahrhunderts als 'Literatur der
Arbeitswelt' wieder aufgelebt. Autoren wie Kroetz und Sperr schufen seit 1970 neo-
naturalistische Dramen, in England Harold Pinter schon seit 1960. Und seit Mitte der
siebziger Jahre wenden sich Lyrik und Prosa der 'Neuen Subjektivität' wieder den
'Alltags'-Erfahrungen zu.

Zweiter Teil: Gegenpositionen zum Naturalismus

Aspekte der Epoche

Der Zeitraum von der Reichsgründung bis zum Ersten Weltkrieg brachte eine Vielfalt von literarischen Stilrichtungen hervor, die einander oft bekämpften und dennoch zum Teil auf gemeinsame Grundlagen zurückgehen. Um 1890, gleichzeitig mit den Ideen und Werken der Naturalisten, entstanden auch die ersten Werke antinaturalistischer Autoren. Hermann Bahr, der selbst anfangs zur naturalistischen Bewegung gehört hatte, verkündete bereits 1891 in einem Essay: „Die Herrschaft des Naturalismus ist vorbei" (‚Die Überwindung des Naturalismus'). Fast gleichzeitig mit den Dramen von Gerhart Hauptmann und Arno Holz/Johannes Schlaf erschienen die ersten Veröffentlichungen von *Stefan George, Hugo von Hofmannsthal, Arthur Schnitzler* und *Frank Wedekind*, nur wenig später die von *Rainer Maria Rilke*.

Die meisten Antinaturalisten lebten in der Donaumonarchie und bildeten in kulturgeographischer Hinsicht einen Gegenpol zu Berlin, dem Zentrum sowohl des Wilhelminismus wie des Naturalismus. In München trafen die beiden literarischen Richtungen zusammen. Wie die Naturalisten gehörten die Autoren der Gegenströmungen größtenteils dem mittleren und gehobenen Bürgertum an, und wie diese verurteilten sie den gewöhnlichen bürgerlichen Lebensstil. Mehr aber noch als die Naturalisten stilisierten die Autoren der Gegenströmungen ihre eigene Lebensweise zu einem bewußt zur Schau getragenen Künstlerdasein (Hofmannsthal in Wien, George in München).

Als letzte Kunstrichtung vertritt der Naturalismus einen auf objektive Gesetze gegründeten Wahrheitsbegriff. Dieser wird nun naturwissenschaftlich begründet. Der naturalistische Künstler versteht seine Arbeit als ein Verfahren, das von wissenschaftlichen Grundsätzen bestimmt ist, als Nachahmung der Wirklichkeit: Mimesis. In den Gegenströmungen kommen dagegen ältere Vorstellungen wieder zur Geltung. Vor allem George und Hofmannsthal, später auch Rilke, schöpfen aus ihrer Kenntnis der europäischen Kultur seit der Antike, gewinnen aus den großen Kunstepochen ihre Maßstäbe für das Kunstwerk und verwenden überlieferte Bilder des Lebens und der Weltordnung.

Damit stellen sie sich nicht nur in Gegensatz zu den künstlerischen Zielen des Naturalismus, sondern auch zu den Erscheinungen und Tendenzen der geschichtlichen Wirklichkeit im ganzen: zu der fortschreitenden Technisierung und Industrialisierung, der wirtschaftlichen und politischen Expansion, der wachsenden Verstädterung und Vermassung. Dem Fortschrittsoptimismus des Industriezeitalters setzen sie im ganzen einen entschiedenen Kulturpessimismus entgegen; sie drücken den subjektiven Weltschmerz einer Endzeitstimmung aus ('Fin de siècle'), wie der junge Hofmannsthal, oder analysieren, wie Schnitzler, psychologisch die Dekadenz der späten Wiener Aristokratie und Bourgeoisie. Rilke huldigt zeitweise einer Innerlichkeit, wie sie ihn an der orthodoxen Religiosität Rußlands beeindruckte. George wiederum stellt den egalitären Tendenzen seiner Zeit den Typus des herrscherlichen Menschen gegenüber und schafft sich, nach dem Vorbild des mittelalterlichen Gildenwesens, selbst einen engen Kreis von Schülern. Der spätere Hofmannsthal greift seinerseits in seiner Auffassung von Mensch und Welt auf die christliche Religiosität des Mittelalters und des Barocks zurück.

Zu Traditionsgebundenheit und Kulturpessimismus tritt ein drittes Merkmal, das der Abbildtheorie der Naturalisten vollkommen entgegensteht: der Zweifel an der Fähigkeit, überhaupt Wirklichkeit zu erkennen und sprachlich darzustellen. Dieser Zweifel liegt zum einen in der Kritik an der Einseitigkeit des naturwissenschaftlichen Wahrheitsbegriffs begründet. Für die Antinaturalisten kann Wahrheit nicht durch die experimentelle und objektivierende Untersuchung der Tatsachenwirklichkeit ermittelt, sondern nur durch eine innere Erfahrung erfühlt werden, in der der hinter den Dingen liegende Sinnzusammenhang sichtbar wird. Zum anderen ist den Autoren der Gegenströmungen die traditionelle Funktion der Sprache, über die Einzeldinge und ihren Zusammenhang allgemeingültige, wahre Aussagen zu machen, fragwürdig geworden. Sie stehen vor dem Problem, wie einer individuellen Erfahrung allein durch die künstlerische Sprachformung Wahrheitscharakter verliehen werden kann. In ihrer sprach- und rationalitätskritischen Haltung, die mit einer tiefen Verunsicherung des Selbstbewußtseins verbunden ist, erweisen sich diese Autoren als Wegbereiter der Literatur des 20. Jahrhunderts. Die Gruppe um Hermann Bahr, Hofmannsthal und Schnitzler faßt man deshalb auch unter dem Begriff der 'Wiener Moderne' zusammen.

Aus seiner Intention heraus, den Bewußtseinszustand der Wiener Gesellschaft analytisch zu durchdringen und zu entlarven, entwickelt Schnitzler in seiner Prosa neue sprachliche Verfahren wie den inneren Monolog, um den Leser unmittelbar an dem Bewußtseinsprozeß einer Person teilnehmen zu lassen. Er stellt dem Erfolgs- und Machtmenschen seiner Zeit den Typus des 'gebrochenen Menschen' gegenüber, der sich melancholisch den Reizen der Daseinsempfindungen hingibt, hierin vergleichbar mit Oscar Wilde, dem exponiertesten Vertreter eines dekadenten Subjektivismus ('Das Bildnis des Dorian Gray', 1890/91).

Andere Antinaturalisten wie George und Rilke erheben jedoch, gerade weil die religiöse Überlieferung und ihre Sprache fragwürdig geworden ist, den Anspruch, nun allein durch die poetische Sprache eine höhere, über die Subjektivität des Menschen hinausreichende Wahrheit auszudrücken. Gestützt auf die pessimistische Lebensphilosophie Arthur Schopenhauers ('Die Welt als Wille und Vorstellung', 1819) und den Irrationalismus Nietzsches, angeregt durch die Symbolisten vor allem Frankreichs (Charles Baudelaire, Paul Verlaine, Stéphane Mallarmé, Arthur Rimbaud), entwerfen George, Hofmannsthal und Rilke – besonders in der Lyrik – eine Dichtung, in der irrationale oder imaginäre Erfahrungen durch die Vollkommenheit des künstlerischen Ausdrucks zu Symbolen der Lebenszusammenhänge werden sollen. Im Gegensatz zum Symbolbegriff etwa der Weimarer Klassik kann die Bedeutung dieser Symbole jedoch nicht mehr klar erfaßt, sondern nur intuitiv, emotional und assoziativ erahnt werden.

Die Wirkung und Glaubhaftigkeit des Kunstwerks kann deshalb weder auf der empirischen Evidenz noch auf der Schlüssigkeit der Gedanken beruhen, sondern nur auf der unmittelbaren Wirkung der poetischen Sprachformung selbst. Die Skepsis der Autoren richtet sich deshalb gegen die Sprache des Alltags, der Wissenschaften und der Zwecke. Diese Sprache kann der Dichter allenfalls dazu verwenden, die Leere und Beziehungslosigkeit des gewöhnlichen Lebens darzustellen. Die poetische Wahrheit bedarf einer eigenen, einer poetischen Sprache. Im Dichterwort entsteht überhaupt erst diese Wahrheit. Im Sprachkunstwerk redet der Dichter nicht über Wirkliches, Gedachtes oder Vorgestelltes, sondern er läßt die Mystik des Lebens überhaupt erst zur Erscheinung kommen. Damit beansprucht der Dichter die Rolle des Lebensdeuters, und damit kann er die Entfremdung der Kunst von der gewöhnlichen Wirklichkeit, die Isolation des Künstlers von der Gesellschaft positiv interpretieren. Wie problematisch dieser Anspruch ist, läßt sich daran erkennen, daß die Dichter, die ihn vertreten, ihn und die Rolle des Dichters immer wieder reflektieren, ja daß die Rechtfertigung des Dichterischen immer wieder zum Thema der Dichtung wird.

Anders als George, Hofmannsthal und Rilke, die der Kunst solch eine gleichsam religiöse, die äußere Welt transzendierende Aufgabe zuerkennen, knüpft Wedekind in seinen irrationalen Tendenzen an vitalistische Strömungen der Jahrhundertwende an, indem er ein natürliches, von bürgerlichen Zwängen befreites Leben seelischkörperlicher Einheit verkündet. Auch formal bemüht er sich deshalb nicht um eine gehobene, alltagsferne Dichtersprache, sondern verwendet Kunstformen wie Chanson, Moritat oder sogar Ausdrucksweisen des Zirkus, die in der offiziellen Kunstauffassung als trivial galten.

1 Der Schriftsteller und die Rolle der Kunst.
Die Lyrik Hofmannsthals, Georges und Rilkes

Während die Schriftsteller im Umkreis des Naturalismus überwiegend eine kritische Haltung zum bestehenden System einnehmen, ist für die Antinaturalisten die Abwendung von der Zeitgeschichte kennzeichnend. Sie entziehen sich der Realität des modernen Lebens und schaffen eine Gegenwelt der Kunst. Die unauflösbaren Gegensätze der Wirklichkeit suchen sie nicht zu analysieren, sondern sie entwerfen an ihrer Stelle in der Dichtung mystische Erlebnisse der Einheit alles Seins und der Vereinigung von Ich und Welt. Die so im Kunstwerk beschworene Transzendenz der äußeren Wirklichkeit entsteht aber nur durch das Kunstwerk und in ihm. Der Dichter übernimmt die Aufgabe eines Sehers, ja eines Priesters im Dienste der Kunst.

1.1 Lebensmystik und Sprachmagie bei Hofmannsthal

> **Hugo von Hofmannsthal:** Der Tod des Tizian (1892)
> Der Thor und der Tod (1894)   Das Märchen der 672. Nacht (1895)
> Ausgewählte Gedichte (1903)   Der Dichter und diese Zeit (1906)
> *Spätere Werke:*
> Jedermann (1911)   Die Frau ohne Schatten (1919)
> Das Salzburger große Welttheater (1922)   Der Turm (1925)
> Das Schrifttum als geistiger Raum der Nation (Rede) (1926)
> (Siehe auch unten 3.3.)

Ästhetizismus. Der junge Hofmannsthal teilt mit George und Rilke die Auffassung vom Leben als einem Mysterium, das sich dem Menschen allein in der Hingabe an den Augenblick und nur in der ästhetischen Wahrnehmung erschließt. Dieser Augenblick wird zugleich in seiner Flüchtigkeit schmerzhaft erfahren, bildet er doch, indem er Vergangenheit mit Zukunft verbindet, den jeweils einzig faßbaren gegenwärtigen Moment im allgemeinen Lebensstrom. Diese mystische Erfahrung wird nun vom Dichter durch seine poetische Sprache auch dem Leser vergegenwärtigt.
Die Werke des jungen Loris – so das von Hofmannsthal selbst gewählte Pseudonym – behandeln durchweg die Problematik solchen Ästhetentums, dessen Schuld darin liegt, sich dem gesellschaftlichen Leben zu versagen und sich echter menschlicher Beziehung zu verweigern (so der Edelmann Claudio in dem frühen lyrischen Drama ‚Der Thor und der Tod‘). Diese Kritik am Ästhetizismus als einer sterilen Lebensform wird jedoch in hoher Ästhetisierung, in einer kunstvollen Sprache, in der Schilderung erlesener Stimmungen, in der Wiedergabe feiner Zwischentöne aufgefangen.

Das 'Weltgeheimnis': Die Bildersprache Hofmannsthals. Die Gedichte des jungen Hofmannsthal scheinen zu bezeugen, daß ihr Autor das Paradox der ästhetisierend formulierten Kritik am Ästhetizismus erkennt. Nach einer Schaffenskrise sind deshalb von 1899 an überhaupt keine Gedichte mehr entstanden.

Ein bekanntes Gedicht der Sammlung ‚Ausgewählte Gedichte' von 1903, die ‚*Balla-de des äußeren Lebens'*, vereint die genannten Probleme:

> Und Kinder wachsen auf mit tiefen Augen,
> Die von nichts wissen, wachsen auf und sterben,
> Und alle Menschen gehen ihre Wege.
>
> Und süße Früchte werden aus den herben
> Und fallen nachts wie tote Vögel nieder
> Und liegen wenig Tage und verderben.
>
> Und immer weht der Wind, und immer wieder
> Vernehmen wir und reden viele Worte
> Und spüren Lust und Müdigkeit der Glieder.
>
> Und Straßen laufen durch das Gras, und Orte
> Sind da und dort, voll Fackeln, Bäumen, Teichen,
> Und drohende, und totenhaft verdorrte...
>
> Wozu sind diese aufgebaut? und gleichen
> Einander nie? und sind unzählig viele?
> Was wechselt Lachen, Weinen und Erbleichen?
>
> Was frommt das alles uns und diese Spiele,
> Die wir doch groß und ewig einsam sind
> Und wandernd nimmer suchen irgend Ziele?
>
> Was frommts, dergleichen viel gesehen haben?
> Und dennoch sagt der viel, der „Abend" sagt,
> Ein Wort, daraus Tiefsinn und Trauer rinnt
>
> Wie schwerer Honig aus den hohlen Waben.

Das Gedicht erfaßt in den ersten vier Strophen das 'Äußere' einer Welt, die von dem allgemeinen Kreislauf des Werdens und Vergehens geprägt ist. An diesem Prozeß hat auch der Mensch („wir", Strophe 3) Anteil, wie er es in „Lust und Müdigkeit" spürt. Die einzelnen Strophen enden dabei jeweils in der Darstellung des Todes, so daß sich dem Leser im ganzen der Eindruck des Niedergangs, der Dekadenz als des bestimmenden Lebensgesetzes aufdrängt (s. a. die letzte Zeile der 5. Strophe). Ein weiterreichender allgemeiner Zweck („wozu", Strophe 5), der die Einzelerscheinungen und ihren Werdegang verbände, kann nicht angegeben werden, auch nicht ein besonderer Sinn („was frommt uns", Strophe 6) für den Menschen in seiner ewigen Einsamkeit und ziellosen Wanderschaft. Auch die gewöhnliche Sprache gibt keinen Aufschluß über die Ordnung des Lebens insgesamt, gehört vielmehr in den Vergehensprozeß des Lebens selbst hinein (siehe Strophe 3). Aber die Reflexion des Dichters führt über die reine Darstellung des „äußeren Lebens" und die Feststellung der Vergeblichkeit aller Sinn- und Zweckfragen hinaus: „Und dennoch sagt der viel, der ‚Abend' sagt." Denn die sich diesem Wort assoziierende Bedeutung – „Tiefsinn und Trauer" –, sein Empfindungswert, entspricht der Empfindung, die auch die Dinge und Entwicklungen des 'äußeren Lebens' vermitteln. So erschließt sich auch die Bedeutung des Schlußvergleichs: Das Sprachsystem als ganzes erscheint als leeres Gerüst („hohle Wabe"). Allein der poetische Gebrauch der Worte erschließt ihren inneren Gehalt („schwerer Honig") und kann das innere Sein der Welt empfinden lassen – zwar nicht objektiv beschreiben oder in einen begrifflichen Zusammenhang bringen, aber ästhetisch erfahren lassen.
In der Betonung der Vergänglichkeit allen Lebens liegt die Entsprechung zum Gedankengut der christlichen Tradition. Diese ist aber ihrer religiösen Verbindlichkeit beraubt. Formal zeigt sich diese Beziehung in der Verwendung der Terzinenform, die im Spätmittelalter Dante zur Darstellung seines christlichen Kosmos bevorzugt hat.

Der Traum der Vergangenheit. Schon im Frühwerk Hofmannsthals wird die Überzeugung von der hohen Aufgabe des Dichters von einem leisen Zweifel an der Gültigkeit der Darstellungsformen begleitet. In der Folgezeit versucht Hofmannsthal in zahlreichen Schriften zum Zeitgeschehen und zu kulturellen Fragen, den eher pessimistischen Ästhetizismus durch ein konstruktives Engagement für aktuelle Probleme zu überwinden. In Reden und Aufsätzen (‚Der Dichter und diese Zeit‘, ‚Das Schrifttum als geistiger Raum der Nation‘) behandelt er das Problem einer Erneuerung der Gegenwart aus dem Geist der Vergangenheit. Die entscheidende Rolle übernehme dabei das Erbe der deutschen Kultur, zu der er die österreichische rechnet. Im Kampf gegen die Zersplitterung des modernen Zeitalters könne Österreich Vorbild sein und dem „deutschen Volke das Produktive seiner großen Vergangenheit" entgegenhalten. Dem Dichter falle dabei die Aufgabe zu, die „Welt der Bezüge" herzustellen. Wie einem Magier würden ihm Zukunft und Vergangenheit zu einer „einzigen Gegenwart" (‚Der Dichter und diese Zeit‘).

Vor allem seit dem Ausbruch des Ersten Weltkriegs stellt Hofmannsthal sich immer wieder die Frage, wie das Chaos der Gegenwart mit Hilfe der Tradition zu bewältigen sei. Er selbst fühlt sich durch die Vergangenheit vorgeprägt („Präexistenz") und lebt im Bewußtsein, einer Spätzeit anzugehören. Mit seiner Rückbesinnung auf die Kulturtradition redet Hofmannsthal keineswegs einem epigonalen Dichtertum das Wort. Vielmehr fordert er einen Autor, der wie Jakob Michael Reinhold Lenz, Hölderlin oder Goethe in „produktiver Anarchie" arbeite. Dieser könne die Gegenwart vor der Verantwortungslosigkeit retten:

„Der Prozeß, von dem ich rede, ist nichts anderes als eine konservative Revolution – von einem Umfange, wie die europäische Geschichte ihn nicht kennt. Ihr Ziel ist Form, eine neue deutsche Wirklichkeit, an der die ganze Nation teilnehmen könnte."
(‚Das Schrifttum als geistiger Raum der Nation‘)

Die Formel der „konservativen Revolution" rückt Hofmannsthal in die Nähe von konservativen, ja reaktionären Kräften der Weimarer Republik, etwa von Arthur Moeller van den Bruck, der mit seinem Buch ‚Das dritte Reich‘ (1923) zum Wortführer der antidemokratischen Bewegung geworden war.

Noch das Spätwerk Hofmannsthals ist, nunmehr im Zeichen der dramatischen Gattung, vom Traum der Vergangenheit geprägt: Zum einen sucht er das literarische Erbe durch Anthologien bekanntzumachen; zum anderen bemüht er sich um ein am Barocktheater orientiertes totales Bühnenspiel, in dem das ewig Beharrende der Menschheitsgeschichte dargestellt werden soll (‚Salzburger großes Welttheater‘, ‚Jedermann‘). In den letzten Dichtungen bekunden sich jedoch vielfach Zweifel an den traditionellen Werten (s. ‚Der Schwierige‘, S. 367f.).

1.2 Entwurf einer Gegenwelt: „Kunst für die Kunst" bei George

Stefan George: Algabal (1892)   Die Bücher der Hirten und Preisgedichte der Sagen und Sänge der hängenden Gärten (1895)   Der Teppich des Lebens und die Lieder von Traum und Tod (1900)   Der siebente Ring (1907) Der Stern des Bundes (1914)   Das neue Reich (1928)

Schönheits- und Todeskult. Wie Hofmannsthal begann George kurz nach 1890 Gedichte zu veröffentlichen, die dem Ästhetizismus der Epoche Ausdruck verleihen. Dabei rückt George jeweils ein Sinnbild in den Mittelpunkt des Gedichts. Dieses beschränkt sich auf eine anschauliche Beschreibung und verzichtet auf jegliche gedank-

lich abstrakte Reflexion. Die Frage nach dem Sinn wird also nicht mehr, wie bei Hofmannsthal, als solche gestellt. Die Mystik Georges bezieht sich durchweg auf die vom
Gedicht geschaffene eigene Wirklichkeit; eine Transzendenz außerhalb der Kunst
gibt es nicht.

Am reinsten verwirklicht der frühe George sein Kunstideal im Zyklus ‚Algabal‘
(1892), in dem die Gestalt des dekadenten römischen Kaisers Heliogabal gleichzeitig
einem Schönheits- und Todeskult huldigt:

> Mein garten bedarf nicht luft und nicht wärme.
> Der garten den ich mir selber erbaut
> Und seiner vögel leblose schwärme
> Haben noch nie einen frühling geschaut.
>
> Von kohle die stämme von kohle die äste
> Und düstere felder am düsteren rain
> Der früchte nimmer gebrochene läste
> Glänzen wie lava im pinien-hain.
>
> Ein grauer schein aus verborgener höhle
> Verrät nicht wann morgen wann abend naht
> Und staubige dünste der mandel-öle
> Schweben auf beeten und anger und saat.
>
> Wie zeug ich dich aber im heiligtume
> – So fragt ich wenn ich es sinnend durchmass
> In kühnen gespinsten der sorge vergass –
> Dunkle grosse schwarze blume?

Nicht liebliche Natur erzeugt hier Schönheit, sondern die leblosen, vom Künstler ar-
rangierten Gegenstände, in denen alles Natürliche erstorben ist. So gleicht die
Kunstwelt Heliogabals mehr einem Totenreich als einem Garten. Der artifizielle Bereich, von Algabal selbst erschaffen, wird nun als „heiligtum" verehrt, abgeschirmt
gegen das äußere Leben. Krönung und Ziel dieser Kunst ist die Erzeugung der
„schwarze[n] blume". In dieser Welt gelten ethische Werte nichts; höchstes Ziel ist
die Isolation der Kunst, der Kult der Schönheit und des Todes.

Georges Vorbilder sind die französischen Symbolisten, vor allem Baudelaire. Anders
als diese lehnt George jedoch die Wiedergabe des Alltäglichen, des Häßlichen, ja der
Phänomene des modernen Zeitalters insgesamt ab. Seine Kunstwirklichkeit, aus
kostbaren Gegenständen geschaffen, schließt sich von der Realität hermetisch ab.
Für seine Dichtungen hat George eine eigene Druckschrift entworfen; er verwendet
konsequent die Kleinschreibung und eine individuelle Interpunktion.

Synästhesie. Die kostbaren Bilder verweisen auf eine höhere Wirklichkeit, die jedoch nur in der Kunst selbst entsteht. Diese Kunstreligion läßt sich mit dem 'L'art
pour l'art'-Prinzip der französischen Symbolisten vergleichen. George übernimmt
von ihnen die konsequente Verwirklichung eines 'Synästhetismus': Das Dichtwerk
zeigt Entsprechungen innerhalb der verschiedenen Bereiche der Sinnenwelt und
verknüpft verschiedenartige Empfindungen („gelle striche", „in der weissen sonnen
scharfem glühn"). Dadurch unterscheidet er sich deutlich von der um Eindeutigkeit
des Sinns bemühten traditionellen Lyrik und nähert sich der für die moderne Lyrik
typischen Chiffrensprache (s. u. S. 383f.). Ästhetische Distanz sowie eine Vorliebe
für Motive, die Formstrenge und schwingende Bewegungen vereinen, zeigen auch
Gemeinsamkeiten mit dem Jugendstil der bildenden Kunst. Wie der Jugendstil wendet George sich gegen die traditionelle Kunstauffassung des Bürgertums. Er strebt
ein Prinzip ästhetischer Totalität an, das alle Bereiche, auch die Gestaltung des
Buchs, ja die Lebensform des Künstlers selbst umfaßt.

Sendung des Dichters. Aus dem Totalitätsanspruch seiner Kunst heraus versteht George sich auch als Vorbild und Lehrer. Seit 1891 sucht er deshalb in der Zeitschrift ‚Blätter für die Kunst‘ sittliche Werte zu verbreiten, die freilich einem kleinen Kreis von Schülern vorbehalten bleiben. Zu dem George-Kreis gehören der Philosoph Ludwig Klages und die Dichter Karl Wolfskehl, Paul Gérardy und Max Dauthendey. Seine Ideen wurden von seinen Schülern, besonders von Friedrich Gundolf und Max Kommerell, verbreitet. Die dem Massengeschmack angepaßte Kunst wird abgelehnt und eine Einheit von Kunst und Kunsthandwerk angestrebt wie im mittelalterlichen Gildewesen. Nicht der Gebrauchswert der Kunst, allein die „form“ ist entscheidend, die als „tief erregendes in maass und klang“ aufgefaßt wird (‚Blätter für die Kunst‘, ‚Über Dichtung‘). Das Gedicht wird als ein Bildwerk, „gebilde“, begriffen. Der „meister“, der die Form beherrscht, hat teil an einem „höheren leben“. Ihm fällt eine Führerrolle zu. Für George steht die Dichtung über dem Leben, dessen Ordnung sie erst herstellt: „kein ding sei wo das wort gebricht.“

In dem Bemühen, durch die Kunst erzieherisch zu wirken, treten in den Dichtungen nach 1900 die erlesenen Bilder zurück, und die poetische Gegenwelt wird in einer Konzentration auf schlichte Aussageformen, ja auf knappe Abstraktion entworfen. Die Sammlung ‚Der Stern des Bundes‘ (1914) besteht im allgemeinen aus lehrhaften Leitsätzen. Mit dieser Entwicklung der lyrischen Sprache hängt ein wachsendes Sendungsbewußtsein zusammen:

> Ich liess mich von den schulen krönen
> Sie hielten wert mich ihrer würden…
> Die zeit der einfalt ist nicht mehr.
> Dann kam der anfang echter lehre:
> In kenntnis kennen dass sie feil –
> Ein weiser ist nur wer vom gott aus weiss.
> Durchs heilige feld komm ich geschritten
> Mit dir dem heiligen ziele zu…
> Im einklang fühl ich keim und welke
> Mein leben seh ich als ein glück. (‚Der Stern des Bundes‘)

Im letzten Gedichtband, ‚Das neue Reich‘, zeigen Gefolgschaftsdenken und Prophetentum, in welch gefährliche Nähe zum Gedankengut des Faschismus George sich begeben hat. Er selbst warnte jedoch vor dem Geist des Nationalsozialismus und lehnte ein Angebot der Nationalsozialisten ab, Präsident der ‚Deutschen Akademie für Dichtung‘ zu werden. Die Ideen Georges waren viel zu elitär, um mit den Zielen der nationalsozialistischen Gewaltpolitik in Einklang gebracht zu werden.

1.3 Rilke: Fühlen – Zeigen – Verschlüsseln

Rainer Maria Rilke: Das Buch der Bilder (1902/06)   Das Stundenbuch (1905)
Neue Gedichte (1907/08)
Duineser Elegien (1923)   Sonette an Orpheus (1923)

Das Dinggedicht. Rilke, 1875 als Sohn eines Beamten in unbedeutender Stellung und einer ehrgeizigen Mutter geboren, versuchte zeitlebens, unglückliche Kindheitserlebnisse (Besuch der Militärschule, Streit der Eltern) in der Dichtung zu bewältigen. Sein Schaffen ist deshalb stärker als das Georges mit persönlichen Problemen verbunden.

Auch die Dichtungen Rilkes beziehen sich auf einen transzendenten Bereich, der zum Teil noch christliche Züge trägt, sich aber im ganzen einer traditionellen religiö-

sen Festlegung entzieht. Bestimmend ist in den frühen Gedichten bis zum ‚Stundenbuch' der Ausdruck des Fühlens, des Ergriffenseins von der Ahnung eines „unter aller
Oberfläche" liegenden göttlichen „Lebensgrundes", der zwar in „Gebeten" mit „Du"
angeredet werden kann, aber namenlos bleibt und als „der große Unscheinbare" und
„Unbekannte" erscheint. Seit dem Aufenthalt in der Worpsweder Künstlerkolonie
(1900/01 vor allem bei der Malerin Paula Modersohn-Becker) und durch die Tätigkeit
als Sekretär des Bildhauers Auguste Rodin in Paris gewinnt Rilke jedoch allmählich
ein neues Verhältnis zu den Dingen. Sie sind ihm nicht mehr nur Anlaß zur Verwandlung in subjektive innere 'Bilder', sondern sie erhalten einen Eigenwert und eigene
symbolische Bedeutung. An die Stelle des Fühlens tritt mehr das Schauen und Zeigen.
Noch entschiedener als Georges Gedichte, in denen durch die Beschreibung anschau-
licher Einzelheiten ein Geflecht von Sinnbezügen entsteht wie in einem „Teppich" (so
der Name eines Gedichts), rücken Rilkes Dinggedichte einen einzelnen Gegenstand
in den Mittelpunkt. So wird in dem Sonett ‚Blaue Hortensie' aus dem Zyklus der
‚Neuen Gedichte' eine bescheidene Pflanze in ihrer Existenz als beseeltes Lebewesen
beschrieben:

> So wie das letzte Grün in Farbentiegeln
> sind diese Blätter, trocken, stumpf und rauh,
> hinter den Blütendolden, die ein Blau
> nicht auf sich tragen, nur von ferne spiegeln.
>
> Sie spiegeln es verweint und ungenau,
> als wollten sie es wiederum verlieren,
> und wie in alten blauen Briefpapieren
> ist Gelb in ihnen, Violett und Grau;
>
> Verwaschnes wie an einer Kinderschürze,
> Nichtmehrgetragnes, dem nichts mehr geschieht:
> wie fühlt man eines kleinen Lebens Kürze.
>
> Doch plötzlich scheint das Blau sich zu verneuen
> in einer von den Dolden, und man sieht
> ein rührend Blaues sich vor Grünem freuen.

Die Blume weist in zweierlei Hinsicht über sich hinaus: einerseits verkörpert sie den
allgemeinen Lebensrhythmus, der durch Vergehen (Strophe 1–3) und Werden (Strophe 4) bestimmt ist.
Durch Vergleiche und Metaphern („Kinderschürze", „Briefpapier", „verweint",
„freuen") wird die Pflanze überdies dem menschlichen Leben zugeordnet. Die Vielfalt der Farbnuancen symbolisiert im ganzen die Nähe des Todes. Andererseits ist jedoch die Vergänglichkeit durch ein plötzliches 'Sich-Erneuern' im Blick des Dichters
aufgehoben, eines überzeitlichen Betrachters, der den äußeren Eindruck zum 'Sinn-
Bild' gestaltet. So scheinen die Dinge ihrer zeitlichen Präsenz entrückt und einer überzeitlichen Realität zugeordnet, die im Spätwerk Rilkes immer bedeutsamer wird.

„Weltinnenraum". Vom Zeitpunkt der ‚Neuen Gedichte' an entfernt Rilke sich vom
beschreibenden Symbolismus. Sein Interesse gilt nun dem Schaffensprozeß des Dichtens. Wie George und Hofmannsthal denkt er an eine Gegenwelt, in der kein Wort mit
dem „gleichlautenden Gebrauchs- und Konversationswort" identisch ist. Doch Dichten bedeutet für ihn weniger die meisterhafte Beherrschung der Form als vielmehr
eine visionäre Begabung. Sein 'inneres Gesicht' verändert die äußere zur seelischen
Landschaft. Der Dichter ist also in einem überpersönlichen geistigen Bereich behei-
matet; Rilke vergleicht ihn mit einem Engel. Anders als George bezieht Rilke das
Niedrige, Kranke und Abartige ein (‚Die Irren'), wenn er auch insgesamt die Abneigung Georges gegenüber der gesellschaftlichen Wirklichkeit teilt. Er betont den alle
Einzelschicksale umfassenden Lebenszusammenhang:

Durch alle Wesen reicht der eine Raum:
Weltinnenraum. Die Vögel fliegen still
durch uns hindurch. O, der ich wachsen will,
ich seh hinaus, und in mir wächst der Baum.
(‚Es winkt zu Fühlung fast aus allen Dingen…‘, 1914)

Durch seine künstlerische Tätigkeit verbindet der Dichter die äußerlich getrennten Dinge zu einer Gesamtheit. Diese Gesamtheit kann aber nicht begrifflich abstrakt erfaßt und dargestellt, den Dingen gleichsam von außen zugeschrieben werden, sondern sie ist nur durch die Versenkung des Künstlers in die ästhetische Wahrnehmung der äußeren Wirklichkeit einerseits und in die Empfindung der eigenen inneren Welt andererseits erfahrbar. Der „Weltinnenraum" ist keine höhere Wirklichkeit philosophischer oder traditionell religiöser Prägung, sondern er bezeichnet das vom Dichter in Sprache gebrachte, in allen Dingen wirkende innere Lebensgesetz. Das Gedicht macht die äußere Realität, z. B. konkrete Schauplätze wie die Stadt Toledo oder das Rhône-Tal, auf ihre innere Wirklichkeit hin durchsichtig. Auch die Dimension der Zeit, die Grenze zwischen Leben und Tod, wird aufgehoben. Unterschiede zwischen Arm und Reich verlieren ihre Bedeutung; ja den Armen wird gar in verklärender Weise ein besonderer Bezug zu diesen inneren Lebensgesetzen zugesprochen.

Dieses Bemühen um Durchsichtigkeit wird von 1907 an durch den Einfluß der Bilder und der Ästhetik des Malers Paul Cézanne gefördert. Der Gegenstand büßt seine anschauliche Fülle ein und wird, aus der einmaligen Erfahrung des Dichters, auf seine wesenhafte Bedeutung hin reduziert.

‚Duineser Elegien‘. In dem Spätwerk ‚Duineser Elegien‘ (begonnen 1912, vollendet 1923) findet diese neue Ästhetik ihren Höhepunkt. Die quälende Erfahrung des Zerfalls und der Isolation, wie sie im ‚Malte‘ zum Ausdruck kommt (s. S. 362f.), sucht Rilke im Streben nach einer höheren Ordnung zu bewältigen. Es handelt sich um zehn Elegien, deren zum Teil freie Rhythmen den musikalischen Charakter der lyrischen Sprache unterstreichen. Ähnlich wie bei Hofmannsthal stehen hinter der Kulissenwelt der äußeren Wirklichkeit („Puppenbühne") die ewigen „Ordnungen der Engel", die vom Dichter erschaut werden können. Er vermag deshalb das Flüchtige der äußeren Erscheinung in Dauer zu verwandeln; seine schöpferische Tätigkeit löst die paradoxe Aufgabe, das „Unsägliche" sagbar zu machen. In dieser Bewegung hinter die Grenzen der Erscheinungswelt wird der Dichter seiner Existenz inne („siehe ich lebe") und kann so schmerzliche Erfahrungen überwinden, die mit dieser Grenzüberschreitung verbunden sind, wie das Bewußtsein von Einsamkeit und der Todesnähe.

Wie der späte George wendet Rilke sich von einer Sprache in anschaulichen Bildern ab („Tun ohne Bild. Tun unter Krusten"). Die Tendenz zu höherer Abstraktion und Verschlüsselung der Bedeutung nimmt, im Dienste der Vergeistigung alles Konkreten, zu.

Wie George steht auch Rilke am Ende einer in die Romantik zurückreichenden Traditionslinie der Lyrik; beide unternehmen noch einmal den Versuch, im hohen Stil und in mythischer Rede eine aufs Transzendente gerichtete Lebenserfahrung darzustellen. Eine eher spielerische Variante dieses Themas entsteht innerhalb kurzer Zeit im selben Jahr 1923 in dem Zyklus ‚Sonette an Orpheus‘, in dem der rühmende Gesang der mythischen Figur das „Dasein" der Welt, das heißt ihre sinnstiftende Einheit, schafft.

Während die revolutionären Richtungen nach 1900, etwa der Expressionismus, traditionelle Inhalte und Formen zertrümmern, versucht Rilke, seine Absichten innerhalb der Grenzen einer traditionellen, schönen Sprache zu verwirklichen. Auch seine Motive des sozialen Elends sind im Rahmen seiner ganzheitlichen Kunst- und Lebensauffassung zu verstehen. Seine geschichtsferne Lebensauffassung und seine Ab-

lehnung rationalen Denkens verführten Rilke in seiner letzten Lebenszeit dazu, das
Aufkommen des italienischen Faschismus, der sich der irrationalen Strömungen seiner Zeit zu bedienen wußte, in einigen Briefen zu begrüßen. Trotz der Modernität ihrer sprachlichen Kunst stehen so der späte Hofmannsthal, George und Rilke von ihrem Zeitbewußtsein her beispielhaft für eine betont antimoderne Haltung, das heißt
für eine Auffassung, die sowohl der Industrialisierung als auch den demokratischen
Entwicklungen der Zeit nach 1918 feindlich gesinnt war.
In der existentialistischen Richtung nach dem Zweiten Weltkrieg fand das Spätwerk
Rilkes neue Beachtung, und in letzter Zeit scheint Rilkes Dichtung den Tendenzen
einer neuen 'Innerlichkeit', einer 'neuen Sensibilität' entgegenzukommen.

2 Desillusionierung und Provokation.
Die Dramen Schnitzlers und Wedekinds

2.1 Empiriokritizismus

Ernst Mach: Erkenntnis und Irrtum (1905)
Arthur Schnitzler: Anatol (1893)   Liebelei (1895)   Reigen (1900)
Das weite Land (1911)   Professor Bernhardi (1912)

Wegbereiter einer Kunstrichtung, die von der Literaturwissenschaft in Analogie zur
bildenden Kunst als Impressionismus bezeichnet wird, sind der naturwissenschaftlich
orientierte Philosoph Ernst Mach (1838–1916) und der Dichter Hermann Bahr
(1863–1934), der, zunächst selbst ein Anhänger des Berliner Naturalismus, 1891 in einem Essay den Tod des Naturalismus verkündete.
Im Impressionismus zeigt sich eine konsequente Weiterführung des naturalistischen
Programms, wie am Sekundenstil von Arno Holz deutlich wird (s. S. 335ff.). Ernst
Mach (‚Erkenntnis und Irrtum', 1905) geht von einer Krise der positivistischen Naturwissenschaften aus, die das empirische Faktum absolut setzen. Er zieht die radikale Konsequenz eines 'Empiriokritizismus', dem zufolge jeder Sachverhalt nur als
subjektive, vereinzelte Sinnesempfindung wahrgenommen wird, über dessen Gesetzmäßigkeit keine Aussage möglich ist. Diese Scheu vor einer Verallgemeinerung
kann letzten Endes zu einem Relativismus führen, der nur mehr die Existenz von jeweils wahrgenommenen Erscheinungen anerkennt und auch ideelle Werte der Gesellschaft in Frage stellt.
Beeinflußt von Mach und dem französischen Impressionismus der Malerei, entwirft
nun Hermann Bahr eine dieser Erkenntnistheorie entsprechende Ästhetik: Der
Künstler soll die Natur unbelastet von Vorkenntnissen wiedergeben, so wie sie seine
Sinne in bestimmten Augenblicken wahrnehmen. Wirklichkeit wird so in dreifacher
Weise subjektiv: Die Außenwelt erscheint im jeweils erlebten Augenblick; das
Kunstwerk spiegelt den Augenblick durch Wiedergabe feinster Nuancen; der Künst-
ler lenkt sein Augenmerk auf die Wiedergabe seiner Stimmung. Diese Vermischung
von Außen- und Innenwelt zeigt, wie die Übertragung naturwissenschaftlicher An-
schauungen in das Gegenteil eines extremen Subjektivismus umschlagen kann.
Die Auffächerung der Welt in assoziativ aneinandergereihte Einzelwahrnehmungen
scheint zu einem Identitätsverlust des wahrnehmenden Ichs zu führen. Diesen 'Ich-
wechsel' hat Bahr selbst in bezug zur Dekadenz gesetzt, einer gesamteuropäischen
Bewegung um 1900, die durch den Kult des Stimmungshaften, besonders auch des

Untergangs und des Krankhaften eine gesteigerte Reizbarkeit des Künstlers fordert. Mit dem französischen Symbolismus verbindet die Autoren des Impressionismus die Annahme eines allgemeinen Lebenszusammenhangs, der durch geschichtslose Archetypen des Lebens, durch Symbole, auszudrücken sei. Auch durch diesen Einfluß entfernte sich der Impressionismus, trotz gemeinsamer wissenschaftlicher Grundlagen, von dem positivistischen und auf die gesellschaftliche Wirklichkeit bezogenen Denken der Naturalisten.

2.2 Desillusionierung in Dramen Schnitzlers: ‚Anatol‘. ‚Reigen‘

Als Hauptvertreter des literarischen Impressionismus gilt Arthur Schnitzler (1862–1931), der sich jedoch selbst nicht als Impressionist bezeichnet hat. Seine frühen Skizzen, Einakter, Szenenfolgen machen ihn, neben Hofmannsthal, zum Hauptvertreter des Wiener Ästhetizismus. Sie zeigen aber auch Gemeinsamkeiten mit der traditionellen Wiener Volkskomödie. Grundlegend neue Ausdrucksformen hat Schnitzler erst später in die Erzählkunst eingeführt (s. S. 365f.); doch schon die frühen Dramen verraten durch ihre Stimmungs- und Charakterschilderung ihre Nähe zur Epik.

‚Anatol‘. Diese dramatische Skizze Schnitzlers verknüpft sieben knappe Episoden durch die gemeinsame Hauptfigur. Sie erinnert an einen Prototyp des ‘fin de siècle’, den englischen ‘Dandy’, der narzißtischen Schönheitskult mit amoralisch-provokativer Haltung gegen bürgerliche Konventionen verbindet, aber damit auch das Leiden an der eigenen inneren Leere überspielt (vgl. Oscar Wilde: ‚Das Bildnis des Dorian Gray‘, Roman, 1891). Anatol ist ein für Schnitzlers Menschenbild typischer Held, der widersprüchliche Eigenschaften in sich vereinigt: ein Salonlöwe, elegant und zynisch – doch andererseits von der Sehnsucht nach dem im Wechsel des Erlebens Beständigen gequält und durch das Nichtige aller erotischen Abenteuer zu fortwährenden Enttäuschungen verdammt, ein „Skeptiker mit romantischer Seele“, eine Figur mit diffusen Umrissen, die schon auf den „eigenschaftslosen Menschen“ in der Literatur des 20. Jahrhunderts hinweist. Anatols Unfähigkeit zu menschlichen Bindungen, seine Entfremdung von anderen, die trotz der erotischen Grundstimmung und trotz des zwanglosen Konversationsstils im Umgang mit dem Freund Max offenbar werden, liegen allen vorgeführten Situationen zugrunde: einem Flirt mit einer verheirateten Frau (‚Weihnachtseinkäufe‘), einem ‚Abschiedssouper‘, der Befragung einer Frau mittels hypnotischer Suggestion (‚Die Frage an das Schicksal‘). Der Titel ‚Episode‘, den eine der Szenen trägt, könnte für viele gelten: unverbindliche Erlebnisse, die einen Moment währen und die Leere eines beziehungslosen Daseins hinterlassen. Das Kompositionsprinzip der losen Reihung ist demnach formaler Ausdruck eines stetigen Desillusionierungs- und Demaskierungsprozesses, hinter dem der weltanschauliche Skeptizismus des Autors steht.

‚Reigen‘. Während Hofmannsthal stets nur eine verhaltene Melancholie über den Verlust der traditionellen Werte ausdrückt, zieht Schnitzler in dieser Szenenfolge die Konsequenz einer radikalen Illusionslosigkeit. Die Beziehungen zwischen Mann und Frau sind hier rein sexueller Natur, man gibt sich kaum mehr die Mühe, Liebe zu heucheln. In zehn Dialogen begegnen sich verschiedene Liebespaare. Vor Beginn der jeweils nächsten Szene wird ein Partner ausgetauscht, bis sich der Reigen schließt, der von einer Dirne eingeleitet und beendet wird. In jeder Szene fallen die Personen nach dem Höhepunkt der sexuellen Erfüllung in einen lethargischen Zustand der Gleichgültigkeit zurück. Allen Figuren gemeinsam ist ihr Verlangen nach einer Entgrenzung. Doch gibt Schnitzler zu erkennen, daß sie letzten Endes stets auf sich selbst verwiesen sind, auf ihre Einsamkeit. Darin, daß jede Vereinigung das Gefühl der Enttäuschung und Einsamkeit hinterläßt, zeigt sich der Pessimismus des Autors. Dem Verlust an Persönlichkeit entspricht die Typisierung der Charaktere, die der Kunst der psychologischen und sprachlichen Nuancierung keineswegs zu widersprechen braucht: Nicht Individuen nehmen an dem Reigenspiel teil, sondern namenlose Wesen wie „der Soldat", „das süße Mädel", „der junge Herr". Am Schluß des Stücks wird die Idee des Glücks in einem Bedingungssatz angedeutet: „Es wär doch schön gewesen, wenn ich sie nur auf die Augen geküßt hätt. Das wäre beinahe ein Abenteuer gewesen... Es war mir halt nicht bestimmt." Dies äußert „der Graf", bevor er die Dirne bezahlt: „Da haben S'."

Es liegt nahe, in Schnitzlers Desillusionierungstechnik eine Verbindung zu den Naturalisten zu sehen, die die Motive menschlichen Handelns ebenfalls schonungslos aufdecken. Doch fehlt Schnitzler die Überzeugung von der determinierenden Bedeutung der Standesunterschiede, auch die Perspektive gesellschaftlicher Zusammenhänge. Alle verhalten sich gleich; gesellschaftliche Unterschiede werden durch den allgemeingültigen Mechanismus von äußerer Zuwendung und innerer Entfremdung eingeebnet. Unterschiede des Sprachniveaus verbergen kaum die Gemeinsamkeiten, die zwischen Personen verschiedenen Standes bestehen. Ihr Mangel an Individualität legt alle Personen auf eine Art Rolle fest.

Während die Naturalisten unmittelbar Kritik an der Wirklichkeit üben, kritisiert Schnitzler die Gesellschaft seiner Zeit mittelbar durch psychologische Demaskierung: Er legt die Scheinhaftigkeit und Verlogenheit menschlichen Verhaltens offen. Weil es Schnitzler darum geht, den Zustand der Gesellschaft im Innenleben der Personen zu spiegeln, nicht aber soziale Mißstände direkt anzuprangern, wirkt seine Kritik an der doppelten Moral der Aristokratie und des Bürgertums nicht einseitig. Er zerstört traditionelle, aber fragwürdig gewordene Sicherheiten und rüttelt an überkommenen, aber sinnleeren Normen.

Darin ist wohl eine Ursache für die anstößige Wirkung zu suchen, die der ‚Reigen' beim Publikum auslöste: Auf die Angriffe der nationalistischen und katholischen Gruppen gegen die scheinbar zersetzende Wirkung der Schriften des Juden Schnitzler folgte ein Gerichtsverfahren, das weitere Aufführungen des Stücks untersagte. Erst 1920 wurde es vollständig aufgeführt. Konservative Kreise feindeten die Werke Schnitzlers weiterhin an, und im Dritten Reich fielen sie der Bücherverbrennung zum Opfer.

2.3 Vitalismus in den Dramen Wedekinds:
‚Der Marquis von Keith'. ‚Frühlingserwachen'.
‚Erdgeist'. ‚Die Büchse der Pandora'

Frank Wedekind: Frühlingserwachen (1891)
Erdgeist – Die Büchse der Pandora (1895/1904)
Der Marquis von Keith (1900)   König Nicolo oder So ist das Leben (1902)

„V. KEITH: Ich bin Bastard. Mein Vater war ein geistig sehr hochstehender Mensch, besonders was Mathematik und so exakte Dinge betrifft, und meine Mutter war Zigeunerin.
ANNA: Wenn ich nur wenigstens deine Geschicklichkeit hätte, den Menschen ihre Geheimnisse vom Gesicht abzulesen! Dann wollte ich ihnen mit der Fußspitze die Nase in die Erde drükken.
V. KEITH: Solche Fertigkeiten erwecken mehr Mißtrauen, als sie einem nützen. Deshalb hegt auch die bürgerliche Gesellschaft, seit ich auf dieser Welt bin, ein geheimes Grauen vor mir.

Aber diese bürgerliche Gesellschaft macht, ohne es zu wollen, mein Glück durch ihre Zurückhaltung. Je höher ich gelange, desto vertrauensvoller kommt man mir entgegen. Ich warte auch tatsächlich nur noch auf diejenige Region, in der die Kreuzung von Philosoph und Pferdedieb ihrem vollen Wert entsprechend gewürdigt wird."

Außenseitertum. Diese zynischen Äußerungen des Marquis von Keith sind typisch für die Mentalität der Außenseiter und Abenteurer, die meist im Mittelpunkt der Dramen Wedekinds stehen und oft an den Kabarettisten Wedekind selbst erinnern. Die schockierende Wirkung ergibt sich bei Wedekind nicht indirekt aus einer impressionistischen Desillusionierungskunst, sondern wird vom Autor durch den Einsatz greller Effekte erzielt, als höhnische Kritik des Außenseiters, der sich als Clown und Scharlatan auf dem Jahrmarkt oder in der Manege präsentiert und dort dem Bürger einen Zerrspiegel vorhält.

Anders als die gebrochenen Menschentypen Schnitzlers und Hofmannsthals zeichnen sich die Abenteurernaturen Wedekinds durch kraftvolle Vitalität aus. Wedekind übt in plakativer Aggressivität radikale Gesellschaftskritik. Er proklamiert das Recht des Individuums auf seine freie Entfaltung und zeigt die unheilvolle Wirkung der gesellschaftlichen Zwänge und der offiziellen Moral, die aus der Unterdrückung der Sexualität eine tödliche Waffe entwickeln und alles Natürliche im Keim ersticken. Während die Figuren Schnitzlers sich kaum mehr gegen ihre Umgebung auflehnen und nur halbbewußt und halbherzig das Spiel mit der doppelten Moral weitertreiben, kommt es in den ungleich dynamischer wirkenden Dramen Wedekinds zum offenen Kampf. Wedekinds frühe Dramen stehen zugleich zwischen Naturalismus und Expressionismus. Die gesellschaftlichen Probleme werden in konkreten Milieus und Handlungen gezeigt – wie in den Stücken Ibsens, Strindbergs oder Hauptmanns. Aber diese Probleme, Milieu und Handlung sowie die Dialogsprache erscheinen plakativ, symbolisch oder grotesk zugespitzt – wie z. B. in den Dramen Sternheims oder Kaisers.

Im Generationenkonflikt der frühen ,Kindertragödie' (so der Untertitel) ,Frühlingserwachen' (1891) und im Kampf der Geschlechter des Zyklus ,Erdgeist' (1895) (die spätere fünfaktige Fassung ,Lulu', 1903, wurde von Alban Berg 1929–1935 vertont) äußert sich in allen Gewalttätigkeiten eine ungebrochene, sich in Mensch und Natur behauptende und vom Dichter voll bejahte vitale Kraft. In dem Maße, wie diese im ständigen Konflikt mit gesellschaftlichen Zwängen steht, führt sie die Menschen in Zerstörung und Untergang.

,Frühlingserwachen'. Das Stück behandelt die Probleme Melchiors, eines Jugendlichen, der trotz einer von ihm verfaßten Aufklärungsschrift seinem Schulfreund Moritz in dessen sexuellen Nöten nicht beizustehen vermag; Moritz begeht Selbstmord. Wendla, die von Melchior ein Kind erwartet, wird ebenfalls in den Tod getrieben, einmal durch die Prüderie der wohlmeinenden Mutter, die eine Aufklärung der Tochter ängstlich vermieden hat, dann durch einen mißglückten Abtreibungsversuch, den die Mutter schließlich veranlaßt, um das gesellschaftliche Ansehen der Tochter zu retten. Melchior möchte darüber verzweifeln, wird aber in der Kirchhofsszene am Schluß des Dramas vom Vermummten Herrn – den Wedekind selbst spielte – in die Möglichkeit einer freien Lebensführung eingeweiht, deren Verwirklichung freilich ungewiß bleibt.

Die Erwachsenenwelt erscheint als eine Gruppe von verständnislosen Narren, in denen alles natürliche Empfinden verkümmert ist und die ihre sittlichen Normen, in deren Auftrag sie zu handeln vorgeben, in tödliche Waffen verwandelt haben. Das Lehrerkollegium, das in einer grotesk-satirischen Szene den Ausschluß Melchiors wegen seiner aufklärerischen Schrift beschließt, ist eine Versammlung von Schwachköpfen. Wedekinds Annahme einer irrationalen Lebenskraft verweist auf Nietzsches Philosophie und steht im Zusammenhang mit der geistigen Strömung des 'Vitalismus'.

Dieser setzt eine für den biologischen Bereich spezifische Lebenskraft voraus, die grundsätzlich von physikalischen und chemischen Prozessen geschieden sei (hier gibt es Parallelen zum 'élan vital' des französischen Philosophen der Jahrhundertwende, Henri Bergson).

Diese Lebenskraft erscheint am Ende von ‚Frühlingserwachen' personifiziert in einem „Vermummten Herrn", der das Evangelium des ungebrochenen Lebens verkündet:

„Ich führe dich unter Menschen. Ich gebe dir Gelegenheit, deinen Horizont in der fabelhaftesten Weise zu erweitern. Ich mache dich ausnahmslos mit allem bekannt, was die Welt Interessantes bietet."

‚Erdgeist'. ‚Die Büchse der Pandora'. Die Konzentration des Ausdrucks wird in den späteren Dramen vorangetrieben. Sie verleiht der „Monstertragödie" über Lulu – in der landläufigen Rezeption Sinnbild des zerstörerisch Weiblichen – eine besondere Eindringlichkeit. Lulu ist in Wahrheit als eine Projektion vielfältiger Wünsche ihrer männlichen Gegenspieler anzusehen. Sie selbst versucht, in der bürgerlichen Gesellschaft ihre eigenen Sehnsüchte zu erfüllen. Dies wird jedoch durch verschiedene Ehemänner und Liebhaber vereitelt, die alle aus einem Bereich zwischen Bürgertum und Asozialen- oder Halbwelt stammen. Diese Männer scheinen zwar Lulu absolut hörig zu sein. Da sie jedoch nur ihren Wünschen dienen soll, wird sie selbst zum Objekt degradiert. So entsteht ein seltsames Zusammenspiel wechselseitiger Abhängigkeiten in einer Welt von Egozentrikern, die sich fortwährend selbst betrügen.

Im ersten Teil (‚Erdgeist') finden sich drei Parallelsituationen, in denen Lulu ihren jeweiligen Ehemann, Direktor Dr. Goll, den Maler Schwarz und schließlich Dr. Schön, zugrunde richtet. An letzterem ist sie wirklich interessiert. Dennoch erschießt sie ihn am Ende, weil sie seiner Eifersucht nicht mehr Herr werden kann.

Im zweiten Teil (‚Die Büchse der Pandora') führt ein Schauplatzwechsel (Berlin-Paris-London) den Niedergang der aus dem Zuchthaus befreiten Lulu vor Augen. Die aus skrupellosen Verbrechern bestehende Gesellschaft zeigt immer deutlicher ihr wahres Gesicht: Eine Gruppe von Spekulanten verhandelt gleichermaßen über Börsenkurse wie über den Marktwert Lulus, die an ein Bordell in Kairo verkauft werden soll. Für die Menschen, die ihr zugetan sind, für die Gräfin Geschwitz und für Alwa, den Sohn Dr. Schöns, bringt Lulu nur Verachtung auf. Im letzten Akt wird sie, die nun zur Straßenprostituierten abgesunken ist, von Jack the Ripper erstochen.

Wedekind proklamiert einerseits eine „Moral des Egoismus". Da aber soziale Aspekte völlig außer acht bleiben, herrscht ein entschiedener Immoralismus, der sich mit Zugeständnissen, wie die Figuren Schnitzlers sie der Gesellschaft anbieten, nicht mehr zufriedengibt. Andererseits führt gerade dieser Egoismus die Personen Wedekinds in den Untergang, da die Gesellschaft, wie sie jeweils durch die anderen repräsentiert wird, Vergeltung übt.

In dieser Welt gibt es freilich auch das Humane, das sich in der aufrichtigen Liebe der lesbischen Gräfin Geschwitz verkörpert. Sie wird im Vorwort als die eigentlich „tragische Figur" bezeichnet. Denn jedes aufrichtige Gefühl mutet in dieser Welt von Schein und Betrug wie eine Perversion an. Aber Wedekind vermischt diese Tragik durchweg mit dem Farcenhaften, das sich aus der satirischen Darstellung der Gesellschaft ergibt. In der Dialogführung äußern sich die unterschiedlichen Interessen in einem Chaos hektischer Außerungen, die Selbstgesprächen zu entstammen scheinen und eine echte Kommunikation verhindern.

Ästhetik der Provokation. In jeder Hinsicht sucht Wedekind eine Ästhetik des Unvereinbaren und Widersprüchlichen zu verwirklichen, um den Zuschauer zu einer Einstellungsänderung zu provozieren. Wedekind fordert eine „Kultur ohne Unterdrückung". Zwar bleibt die Antinomie von natürlichem Lebensdrang, Vitalität einerseits und gesellschaftlich notwendiger Moralität andererseits im Kern ungelöst. Aber im Bestreben, die Gegensätze zu überwinden, bereichert Wedekind das Drama mit neuen Formen. Anders als Schnitzler in seiner Beschreibungskunst ist er um eine neue Dramaturgie engagierter Kunst bemüht.

Zu diesem Zweck verwendet Wedekind triviale und kolportagenhafte Elemente und auch Verfremdungseffekte, die Vergleiche mit Brecht zulassen (der junge Brecht hat sich ausdrücklich zu Wedekind bekannt und nach seinem Tod einen Nachruf veröffentlicht): Im Prolog zum ,Erdgeist' wird die Welt im Bild einer Raubtierarena dargestellt, in der ein Tierbändiger das „süße Tier" Lulu verführt. Diese inhumane Situation benutzt Wedekind („Mein Leben setz' ich gegen einen Witz") zur Provokation des Publikums.

Dies rief die Zensurbehörden auf den Plan. Wedekind selbst hat keine öffentliche Aufführung des Stücks erlebt. Die bürgerliche Gesellschaft sah in ihm offenbar einen gefährlichen Widersacher, dessen emanzipatorische Tendenzen auch die späteren Stücke (,Der Marquis von Keith', 1900; ,König Nicolo oder So ist das Leben', 1902) bestimmen. Wedekind galt den Zeitgenossen als Antipode der Naturalisten. Er selbst grenzte seine Ästhetik deutlich von deren Grundsätzen und ihrem Mitleidsbegriff ab. Während die Naturalisten nach einer egalitären Gesellschaftsordnung strebten, verkündete Wedekind ein individualistisches Lebensideal, das den Emanzipationsbegriff des Naturalismus als bürgerlich ablehnt. Wedekinds Werke zeigen anarchistische Züge: Durch seine aggressive Schärfe erschienen sie der Öffentlichkeit noch gefährlicher als die Dramen Schnitzlers, der das Bürgertum nur demaskierte.

2.4 Chansons und Balladen Wedekinds

Noch unmittelbarer als in den Dramen formuliert Wedekind in seinen Vortragsgedichten den Protest gegen gesellschaftliche Zwänge. Seine Lyrik bildet einen schroffen Gegensatz zu sämtlichen Stilrichtungen um 1900. Allerdings bestehen Beziehungen zur Zeitschrift ,Die Jugend' (1896–1940), die in München mit einem lebensreformerischen Ideal die geistigen Grundlagen des 'Jugendstils' legte.

Von 1896 an schrieb Wedekind Satiren für die Zeitschrift ,Simplicissimus', öffentliche Angriffe auf Mißstände der Wilhelminischen Gesellschaft. In dem Münchner Kabarett ,Die elf Scharfrichter' trug er eigene Couplets vor – das bürgerliche Publikum wohnte sozusagen seiner eigenen 'Hinrichtung' bei.

„Maulkorb, Maulkorb über alles!" protestierte Wedekind in einem Gedicht (,Reaktion') gegen die bestehende Ordnung. Der Obrigkeitsstaat reagierte mit einem Verkaufsverbot der Zeitschrift ,Simplicissimus' auf Berliner Bahnhöfen. 1899 wurde Wedekind wegen „Majestätsbeleidigung" zu einem Jahr Festungshaft verurteilt. Auch in der Folgezeit hatte er immer wieder mit der Zensur zu kämpfen.

Erotik und Maskerade. Wedekinds Lyrik zeigt eine Vielfalt von Formen. Vor allem aber verhöhnt er in zynischen Rollengedichten bürgerliche Tabus, indem er die ihnen zugrunde liegende unmenschliche Gesinnung aufzeigt, so etwa die Profitgier in dem Gedicht ,Der Tantenmörder':

Ich hab' meine Tante geschlachtet,
Meine Tante war alt und schwach;
Ich hatte bei ihr übernachtet
Und grub in den Kisten-Kasten nach. [...]

Was nutzt, daß sie sich noch härme –
Nacht war es rings um mich her –
Ich stieß ihr den Dolch in die Därme,
Die Tante schnaufte nicht mehr. [...]

Wedekind fühlte sich zeitlebens im Kampf mit dem Bürgertum unterlegen, auch der ökonomischen Zwänge wegen, denen er als Journalist oder als Werbechef der Firma Maggi ausgesetzt war. Seine Hinwendung zur Welt des Zirkus (er wirkte unter ande-

rem als Zirkussekretär), zum Pariser Artistenmilieu (z. B. zum Kabarett ‚Chat Noir‘)
erfolgte aber in erster Linie deshalb, weil dort das Lebensideal des von Konventionen unverfälschten natürlichen Lebens eher verwirklichbar schien.

3 Sprachkrise – Bewußtseinskrise – Gesellschaftskrise

Um 1900 mehren sich in der Literatur Anzeichen einer Kritik an der traditionellen
Dichtung und an ihrer klassischen Auffassung einer Einheit von Dichter, Gegenstand
und Sprache. Schon im französischen Symbolismus der Jahrhundertmitte hat sich die
Sprache der Dichtung immer mehr von der Gebrauchssprache entfernt. Sie hebt sich
nun auch immer deutlicher von der Sprache der öffentlich geförderten Dichtung ab,
welche die Gebrauchssprache zu dekorativen Zwecken überhöht.
Die antinaturalistischen Dichter sind gleichzeitig Opfer und Protagonisten einer Krise: Da sie die Banalität der Umgangssprache und die Hohlheit der epigonalen Dichtersprache gleichermaßen ablehnen, erleiden sie eine Schaffenskrise, in der sich freilich schon die Aussicht auf eine neue Darstellungskunst eröffnet: Hofmannsthal beschreibt die Ahnung einer neuen Dichtersprache als das Ergebnis einer Bewußtseinskrise. Rilke legt in den ‚Aufzeichnungen des Malte Laurids Brigge‘ Zeugnis von
neuartigen Erfahrungen ab. Musil unternimmt in seinem Frühwerk Versuche, dem
Leser das Bewußtsein eines nur schwer in Worte zu fassenden „schweigenden Lebens" zu vermitteln. Die Beschreibung ihrer neuen, radikal subjektiven Erfahrungen
verurteilte diese Dichter zum Außenseitertum: Ihr Bemühen um die Erkenntnis tieferer Schichten des Seins wurde von der auf Prestige und materielle Sicherheit ausgerichteten Gesellschaft als geistige Krankheit abgetan.
Die Entfremdung von der gesellschaftlichen Realität bewirkte auch eine Selbstentfremdung. Das zeigt sich in einem neuen Darstellungsstil. In den Jahren vor dem Ersten Weltkrieg finden sich Elemente davon etwa gleichzeitig bei Hofmannsthal, Rilke
und Musil. Die Geschlossenheit der Erzählformen wird aufgegeben, das kompositorische Prinzip der Andeutung und Assoziation verdunkelt die Darstellungsabsicht,
die Struktur des Werks nimmt fragmentarische Züge an. Weitergeführt und konsequent verwirklicht wird dieser neue Darstellungsstil von den Dichtern nach 1910: von
Kafka und den Expressionisten.
In der Musik entsteht eine neue Tonsprache, ausgehend von der Zwölftonmusik der
Wiener Schule um Arnold Schönberg. Vom Wiener Kulturkreis aus erhält das Phänomen dieser ‘Moderne’ auch wissenschaftliche Anregungen durch die Veröffentlichungen des Psychiaters Sigmund Freud seit der Jahrhundertwende. Dessen Entdek-
kung des Unbewußten eröffnet den Schriftstellern neue Dimensionen für ihre Menschendarstellung.

3.1 Krise der Erfahrung und der Sprache: Hofmannsthal: ‚Ein Brief‘

Hugo von Hofmannsthal: Ein Brief (‚Chandos-Brief‘) (1902)

Hofmannsthal beschreibt die Erfahrung seiner eigenen Schaffenskrise in dem Prosa-
text ‚Ein Brief‘ (1902), dem fiktiven Brief eines Lord Chandos, gerichtet im Jahr 1603
an den Staatsmann, Philosophen und Naturwissenschaftler Francis Bacon (1561–
1626). Dieser Text stellt eine wichtige Zäsur in der Geschichte der deutschen Literatur dar und erklärt das Versiegen der lyrischen Produktion Hofmannsthals.

Chandos entschuldigt sich in diesem Brief bei Bacon für den Verzicht auf jegliche weitere literarische Betätigung. Er begründet ihn mit einer neuartigen existentiellen Erfahrung, die ihn seinem früheren Zustand entrissen habe, in dem ihm das ganze Dasein (Bewußtsein, Außenwelt und Sprache) als Einheit erschienen war: „Mein Fall ist, in Kürze, dieser: Es ist mir völlig die Fähigkeit abhanden gekommen, über irgend etwas zusammenhängend zu denken oder zu sprechen."

Für diese Krankheit, die seine gewohnte Umwelt in Frage stelle, gebe es Symptome in seiner ganzen Existenz, besonders in dem Unbehagen, abstrakte Begriffe wie 'Geist' und 'Körper' auszusprechen. Neuartige Erlebnisse und merkwürdige Empfindungen, die von sonst unbeachteten Gegenständen wie einer Gießkanne oder einer auf dem Feld verlassenen Egge ausgehen, hätten aber bewirkt, daß das Ich plötzlich in die Dinge eintauche und Unbelebtes zum Leben erwecke: „Es ist mir dann, als bestünde mein Körper aus lauter Chiffren, die mir alles aufschließen." Diese mystischen Erlebnisse seien so unverwechselbar und in solchem Maße individuell, daß sie für andere nur rätselhaft und unverständlich wirken könnten. Eine neue Sprache müsse für sie gefunden werden. Hier zeigt sich Hofmannsthals Einsicht in die Eigenart der Chiffre als des dichterischen Bildes, das die moderne Lyrik beherrschen sollte: Die eindeutige Beziehung zwischen dem Ding und seiner üblichen Benennung ist für den Dichter fragwürdig geworden. Die Außenwelt vermittelt dem Künstler ganz eigene Erfahrungen, die den Rahmen der herkömmlichen Sprache sprengen; in gleichem Maße beginnt auch die Sprache als eigenes, von den Gegenständen losgelöstes Gebilde lebendig zu werden. Sie kann, nach der Intention des Autors, neu geformt und in neue Kombinationen gebracht werden. An die Stelle des klassischen Symbols tritt die Chiffre als vieldeutiges Bild, das nur mehr von der Kenntnis der Erfahrungswelt des Dichters aus zu entschlüsseln ist. Seine Sprache erhält eine Eigenbedeutung, die über die bloße Mitteilungsfunktion weit hinausreicht.

Hier kündigt sich für den deutschen Sprachraum eine Form moderner Lyrik an: die Lyrik einer monologischen und hermetischen Sprache, in der ein Dichter seine individuellen, dunklen und verschlüsselten Bilder entwirft (vgl. unten S. 383f.).

Dies hat für die Stellung des Dichters in der Gesellschaft weitreichende Konsequenzen. Denken und Empfinden des Dichters werden dem Lesepublikum unverständlich, und das trägt zu einer Außenseiterstellung des Schriftstellers bei. Weniger die Thematik der Dichtung ist neuartig als vielmehr die rätselhafte Sprache, die von dem individuellen Bewußtsein Zeugnis ablegt. Während in der älteren Lyrik Gebrauchs- und Dichtersprache im wesentlichen durch die Stilebene, die auf soziale Unterschiede verweist, unterschieden waren, handelt es sich jetzt um kategorisch voneinander geschiedene Formen der Kommunikation. Der Dichter der 'hermetischen' Lyrik schafft innerhalb seines Werks eine neue Realität mit eigenen Gesetzen. Deshalb wächst die Bedeutung der Form gegenüber dem Sinn: Die spezifische Sicht des Dichters von den Dingen macht den neuen Inhalt aus und ist nicht mehr vom Gegenstand zu trennen. Dies gilt auch für die Prosa (vgl. 3.2).

3.2 Krise und Erneuerung des Erzählens

Sigmund Freud: Traumdeutung (1900)
Das Ich und das Es (1923)   Das Unbehagen an der Kultur (1930)
Hugo von Hofmannsthal: Reitergeschichte (1899)   Elektra (1903)
Robert Musil: Die Verwirrungen des Zöglings Törleß (1906)
Der Mann ohne Eigenschaften (1931–52)
Rainer Maria Rilke: Die Aufzeichnungen des Malte Laurids Brigge (1904–10)
Arthur Schnitzler: Lieutenant Gustl (1900)   Fräulein Else (1924)
Traumnovelle (1926)

3.2.1 Der Roman als Tagebuch bei Rilke:
‚Die Aufzeichnungen des Malte Laurids Brigge'

Parallelen zu Hofmannsthals ‚Brief' finden sich in Rilkes Tagebuchroman, der freilich schon eine sprachliche Bewältigung der neuartigen Erfahrungen versucht. Rilke begann 1904, unter dem Eindruck eines ersten Paris-Aufenthalts, in konsequenter Abkehr vom realistischen Roman des 19. Jahrhunderts, diesen Roman, in dem er seine eigenen, mit denen des Lords Chandos vergleichbaren Erlebnisse in den Bekenntnissen eines Ich-Erzählers spiegelt. Das Tagebuch setzt ein mit der Ankunft des Ich-Erzählers, des letzten Sprosses einer dänischen Adelsfamilie, in Paris, wo er eine Künstlerexistenz zu führen hofft. Doch grauenvolle, häßliche Bilder des menschlichen Leidens in Hospitälern und Elendsvierteln der Großstadt rufen in ihm panische Ängste hervor. Diese sucht Malte durch die Erfahrung des hinter der Oberfläche der Dinge verborgenen Sinns zu verstehen („sehen lernen"). Eine neue Sensibilität muß die Grenzen zwischen Innen- und Außenwelt durchbrechen. Dabei droht das Ich seine Identität zu verlieren, wenn es in überfeinerter Sensibilität zuviel fühlt:

„Die Existenz des Entsetzlichen in jedem Bestandteil der Luft. Du atmest es ein mit Durchsichtigem; in dir aber schlägt es sich nieder, wird hart, nimmt spitze, geometrische Formen an zwischen den Organen; denn alles, was sich an Qual und Grauen begeben hat auf den Richtplätzen, in den Folterstuben, den Tollhäusern, den Operationssälen, unter den Brückenbögen im Nachherbst: alles das besteht auf sich und hängt, eifersüchtig auf alles Seiende, an seiner schrecklichen Wirklichkeit. [...] Nur eine geringste Wendung, und schon wieder steht der Blick über Bekanntes und Freundliches hinaus, und der eben noch so tröstliche Kontur wird deutlicher als ein Rand von Grauen."

Der äußere Zeitablauf des Lebens wird unwesentlich. So entdeckt Malte beim Anblick der Mauer eines Hauses, vor dem ein anderes abgerissen wurde, Zeichen eines vergangenen Lebens: Tapeten, Rohre, Farben. Zu dieser 'Innenseite' des Lebens hat allein der Dichter Zugang; denn er erkennt nicht nur äußere Spuren der Vergangenheit, sondern ihm vergegenwärtigen sich die Lebensvorgänge, ja die Gefühle der früheren Bewohner. Seine Fähigkeit, die Dinge neu zu sehen, führt den Ich-Erzähler zur Erfahrung einer zeitlosen Gegenwart aller Lebensvorgänge. Dies betrifft auch die Geschichte seines eigenen Lebens: Die Angsterfahrungen der Großstadt rufen in ihm die Erinnerung an Schreckenserlebnisse seiner Kindheit wach (z. B. eine rätselhafte Hand unter einem Tisch). Er stellt sich deshalb die Aufgabe, die unbewältigte Kindheit in den alten Schlössern Dänemarks neu zu durchleben und daraus die Kraft zum Bestehen auch der Großstadtwirklichkeit zu gewinnen.
Gegen Ende der Aufzeichnungen dienen auch 'Evokationen', erzählte Vorstellungen von Gestalten der allgemeinen Geschichte (Karl der Kühne, Karl VI. u. a.) dazu, Maltes eigene Grenzerfahrung zu reflektieren. Die Einsamen der Geschichte, so scheint es, konnten sich aus dem äußeren Lebensschicksal lösen und sich auf den Weg zur Erfahrung eines dahinter liegenden Göttlichen machen. Allerdings bleibt offen,

ob dieses Göttliche über die Leid- und lsolationserfahrung hinaus positiv bestimmt und dargestellt werden kann. Notwendig erscheint freilich die Haltung der Stille, die Wendung nach innen. In der Erinnerung an die unbedingte Kraft der Liebe in einigen großen Frauengestalten der Geschichte (Sappho) und in Maltes eigener Familie (Abelone) zeigt sich Malte eine Möglichkeit, mit Gott in Beziehung zu treten. Auch das abschließend erzählte Gleichnis vom verlorenen Sohn variiert, in neuer Deutung und mit offenem Schluß, dieses Gegenthema zur Angst und Einsamkeit: Hier erscheint der 'verlorene Sohn' als ein Mensch, der sich der Familie entzieht, die ihm die Verlogenheiten einer vermeintlich gesicherten Existenz auferlegen will („das ungefähre Leben nachlügen"). Erst nach allen Welterfahrungen, in der entsagungsvollen Existenz eines Hirten, deutet sich die Möglichkeit einer neuen Zwiesprache mit Gott an. Dies gibt ihm auch die Kraft, ins Familienleben zurückzukehren:

> „Was wußten sie, wer er war. Er war jetzt furchtbar schwer zu lieben, und er fühlte, daß nur Einer dazu imstande sei. Der aber wollte noch nicht."

Die Aufzeichnungen enden auf dem Scheitelpunkt der Entwicklung des verlorenen Sohnes und auch Maltes: Gewonnen ist die Ferne zum sinnleeren Alltagsleben, ungewiß aber bleibt, ob der Horizont einer neuen Sinnfülle (unter dem Namen Gottes) erreicht wird.

Diese Zwischenstellung zeigt sich auch im Formalen: Auf der einen Seite steht für Malte die Erkenntnis: „Daß man erzählte, wirklich erzählte, das muß vor meiner Zeit gewesen sein." Auf der anderen Seite steht die Hoffnung auf eine neue dichterische Sprache: „Die Zeit der anderen Auslegung wird anbrechen, und es wird kein Wort auf dem anderen bleiben." Malte selbst hat die neue Sprache noch nicht gewonnen. Ausdruck seiner Suche sind die Reflexionen, welche die Erscheinungen durchsichtig machen sollen, so daß sich zum Sehen das Denken des Wesentlichen, der 'Sinn', gesellt. So gelangt Rilke im ganzen zu einer modernen Form, einem aphoristischen Tagebuchstil, der auf einen linearen Handlungsverlauf verzichtet. Diese Epik steht mit ihrer subjektiv reflektierenden und oft lyrischen Sprache dem Prosagedicht näher als dem Roman.

Durch diese neuartigen Erfahrungen unterscheidet sich der Dichter von anderen Menschen: Während der Alltagsmensch in einer entzauberten, von der Technik beherrschten Realität lebt, führt der Dichter eine Ausnahmeexistenz. Rilke selbst zeigte dies, indem er seinem eigenen Leben ein aristokratisches Gepräge verlieh. Zwar fühlte er sich durch seine Erlebnisse in Paris, die sich in Maltes ,Aufzeichnungen' spiegeln, als Leidensgenosse aller Außenseiter der Gesellschaft, auch der Bettler, der Trinker, der Kranken. Aber dieses Mitleid liegt jenseits allen konkreten mitmenschlichen Engagements. Das Bewußtsein der gesellschaftlichen Krise führte Rilke nicht, wie die Naturalisten, in die gesellschaftliche Wirklichkeit hinein, sondern aus ihr heraus, zur Suche nach „Gott", wie sie in der Gestaltung des fiktionalen „Weltinnenraums" der Lyrik zum Ausdruck kommt (s. S. 352f.).

3.2.2 Absage an den Entwicklungsroman bei Musil:
,Die Verwirrungen des Zöglings Törleß'

Auch für den jungen Robert Musil bildeten vermutlich eigene Erlebnisse die Grundlage zur Darstellung einer Entfremdung von der Gesellschaft: Wie Rilke wurde Musil von den Eltern zu einer Militärlaufbahn bestimmt, wie jener brach er seine Ausbildung ab. Musil schildert in seiner Erzählung von 1906 die Leiden eines Kadettenschülers in einer k. u. k. österreichischen Militärerziehungsanstalt, in der Drill und Gehorsam zur bedingungslosen Unterwerfung der Schüler unter Gesetze des gesellschaftlichen Konformismus führen sollen. Doch das von der Obrigkeit Verdrängte erscheint in der geheimen Gegenwelt der „roten Kammer", einem stickigen Dachboden, auf dem zwei Zöglinge den Mitschüler Basini, wie sie vorgeben, wegen einer

Verfehlung, in Wahrheit jedoch aus sadistischen Motiven foltern und ihn schließlich der Lynchjustiz durch die Gemeinschaft überlassen. In die Darstellung der Gemeinschaft der Kadetten gehen Vorahnungen einer faschistischen Gesellschaft ein, in der die Berufung auf das Kollektiv dazu dient, verdrängte Triebe auszuleben. Auch Törleß quält Basini, allerdings nicht aus purem Sadismus, sondern aus Neugier gegenüber den dunklen Seiten der eigenen Existenz. Diese verweisen ihn auf eine tiefere Dimension des Lebens, die ihn ratlos macht und zugleich fasziniert. Das strikte Reglement der Anstalt aber ist für Törleß Sinnbild der leeren Konventionen der Gesellschaft.

Die Handlung um Basini stellt für Törleß nur einen Teilaspekt seiner Suche nach einer anderen, wahreren Wirklichkeit dar. Es geht ihm überhaupt darum, „zum dunklen Boden des Innersten" vorzustoßen. Schon die rein sexuelle Begegnung mit der Dorfhure Bozena scheint dem Alltagsleben eine neue Dimension zu geben. Aber auch die rein geistige Beschäftigung mit den imaginären Zahlen der Mathematik oder das Erlebnis, das Rieseln in einer Mauer zu vernehmen, verweisen Törleß auf ein „zweites, geheimes, unbeachtetes Leben der Dinge". Hinter den Begriffen und Regeln der äußeren Welt steht eine zweite Wirklichkeit, der gegenüber Worte „versagen"; erfahrbar ist sie nur in einem „halben Bewußtsein". So entzieht sich ein Teil der Wirklichkeit den Erkenntnissen Törleß', als ob die „Dinge eine Sprache" für sich hätten:

> „Ich bin in der Aufregung eines Menschen, der einem Gelähmten die Worte von den Verzerrungen des Mundes ablesen soll und es nicht zuwege bringt. So, als ob ich einen Sinn mehr hätte als die anderen, aber einen nicht fertig entwickelten, einen Sinn, der da ist, der sich bemerkbar macht, aber nicht funktioniert. Die Welt ist für mich voll lautloser Stimmen: bin ich daher ein Seher oder ein Halluzinierter?"

Sein Bewußtsein aber hat sich erweitert, er weiß nun, „daß es feine, leicht verlöschbare Grenzen rings um den Menschen gibt, daß fiebernde Träume um die Seele schleichen, die festen Mauern zernagen und unheimliche Gassen aufreißen". Und: „Er konnte nicht viel davon erklären. Aber diese Wortlosigkeit fühlte sich köstlich an."

Wie bei Lord Chandos führt die neue Erfahrung der Entfremdung von den Dingen und der Sprachohnmacht zu einer endgültigen Störung der Kommunikation: In einem Verhör durch das Lehrerkollegium über die Vorfälle in der Schule kann Törleß seine Gedanken nicht mehr verständlich äußern; folgerichtig wird er wegen seines „subjektiven Faktors", d. h. seines gemeinschaftsschädlichen Bemühens um die abseitigen Aspekte der Wirklichkeit, aus der Anstalt verwiesen.

Die Erzählung hält sich an das traditionelle Schema des Entwicklungsromans, den Weg eines jungen Menschen in der Auseinandersetzung mit der Umwelt und mit sich selbst darzustellen. Hier aber steht am Ende, anders als in der Tradition, nicht die Integration des Helden in die Gesellschaft, sondern seine endgültige Trennung von ihr. In dieser Umkehrung zeigt sich sowohl die Kritik Musils an den herkömmlichen Denk- und Verhaltensmustern der österreichischen Gesellschaft als auch seine neue Sicht der menschlichen Subjektivität, die sich jeglicher Anpassung an das äußere Leben entzieht. Musil entwickelt in dieser Erzählung eine neuartige Analyse der menschlichen Psyche, wie sie etwa zur selben Zeit und mit anderen Voraussetzungen auch Freud unternimmt.

3.2.3 Sigmund Freud und die Entdeckung des Unbewußten

1900 erschien Freuds ‚Traumdeutung'. Obwohl Freud als Psychiater in erster Linie therapeutische Zwecke verfolgte, wurde sein neues psychologisches Denken als Angriff auf die herrschende Moral und Ordnung verstanden.

Vor der Jahrhundertwende war auf dem Gebiet der Psychologie und Medizin, aber auch der Ästhetik und Philosophie, die Auffassung vom Menschen als einer einheitlichen Persönlichkeit ins Wanken geraten: Phänomene wie Suggestion, Hypnose, Somnambulismus beschäftigten Künstler wie Wissenschaftler und wurden von der Psychiatrie zur Therapie psychischer Erkrankungen, etwa der Hysterie, eingesetzt. Das Interesse der Künstler richtete sich nunmehr auf den Bereich des Unbewußten, das in Freuds späterem Schichtenmodell des Menschen eine große Rolle spielt: Freud unterscheidet darin ein Es (das große Reservoir der unbewußten Triebe), ein Über-Ich (Gewissen, Gebote, Moral) und ein Ich als Vermittlungsinstanz zwischen beiden. Aus dem Konflikt zwischen Über-Ich und Es entstehen, nach Freud, Neurosen. Um sie zu verstehen und zu heilen, entwickelte er die Methode der Psychoanalyse. Nach Experimenten mit der Hypnose führte er in das analytische Verfahren eine neue Technik des therapeutischen Gesprächs ein und bediente sich der Traumdeutung: Im Traum artikulieren sich die oft unbewußt verlaufenden Konflikte zwischen den verschiedenen Instanzen in verschlüsselter Form, in bildhaften Symbolen, die vom Therapeuten dechiffriert, bewußtgemacht werden.

Das Interesse der Künstler um 1900 an Vorgängen des Unbewußten ist freilich weniger durch eine direkte Beeinflussung durch Freud erklärbar als vielmehr durch eine allgemeine Ausrichtung der Zeitgenossen auf psychopathologische Phänomene. Wie Hofmannsthals ‚Brief‘, Rilkes ‚Malte‘ und Musils ‚Törleß‘ zeigen, hängen die Verstörungen des Individuums nicht nur mit der Wirkung des Unbewußten, sondern auch mit einer Krise der Wirklichkeitserfahrung und der Sprache zusammen, in der die Trennung von Außenwelt und innerem Erleben fragwürdig geworden ist. Zudem wirkte der Einfluß der Dekadenz mit ihrer Vorliebe für das Abartige, Triebhafte (z. B. ‚Salome‘ von Oscar Wilde, 1899; als Oper von Richard Strauss, 1905); jedoch nicht, wie im Naturalismus, als Ausdruck schonungsloser Wirklichkeitsdarstellung, sondern als ästhetischer Nervenkitzel und Steigerung ekstatischer Seelenzustände.

3.2.4 Der innere Monolog bei Schnitzler: ‚Fräulein Else‘

In den achtziger Jahren arbeiteten Schnitzler, Nervenarzt und Kehlkopfspezialist, und Freud zusammen in der psychiatrischen Klinik des Gehirnanatomen Meynert. Trotz dieser Zusammenarbeit blieben die Beziehungen zwischen Freud und Schnitzler nach dessen Hinwendung zur Literatur flüchtig. Dennoch stellte Freud viele Parallelen zwischen seinen Theorien und Schnitzlers Werken fest.

Schnitzlers Erzählung ‚Fräulein Else‘ (1924) wirkte revolutionär durch den neuen Erzählstil, in dem ausschließlich die Wahrnehmungen und Gefühle der Heldin wiedergegeben werden. Sie schockierte durch das Thema, das, wie Freuds ‚Unbehagen an der Kultur‘, neue Zusammenhänge zwischen dem erotischen Verlangen des Individuums und der gesellschaftlichen Moral herstellt. Das Thema entnahm Schnitzler der Schlagzeile einer Zeitung: „Geheimnisvoller Selbstmord einer jungen Dame der Wiener Gesellschaft".

Else, die 19jährige Tochter eines Wiener Advokaten, verbringt in einem Kurort in den Dolomiten einige Ferientage. Dem Leser wird der Bewußtseinsstrom Elses lückenlos mitgeteilt, auch ihr geheimes Verlangen, sich der Gesellschaft nackt zur Schau zu stellen. Das auslösende Moment der sich immer mehr verwirrenden Gedanken Elses bildet ein Bittbrief ihres Vaters, der vor dem Bankrott steht: Else soll von dem Kunsthändler von Dorsday eine hohe Geldsumme erbitten. Dorsday knüpft jedoch an die Erfüllung ihrer Bitte die Bedingung, „eine Viertelstunde in Andacht ihrer Schönheit, die nur von Sternenlicht bekleidet sei", verharren zu dürfen. Nachdem ein weiterer Brief des Vaters eine noch höhere Summe erbittet, irrt Else auf der Suche nach Dorsday, nur mit ihrem Mantel bekleidet, durch das Hotel. Im Konzertsaal angelangt, in dem auch Dorsdays und Elses Bekannte anwesend sind, entblößt sie sich vor der entsetzten Gesellschaft und erleidet einen Nervenzusammenbruch. Auf ihrem Zimmer nimmt sie eine Überdosis Veronal und stirbt, während die Umstehenden hektisch auf sie einreden.

Der Handlungsverlauf ist vom Leser nur mit Mühe zu erschließen. Die Technik des 'inneren Monologs', die sich auf die Wiedergabe der subjektiven Sicht der Hauptfigur beschränkt, stellt den Zusammenhang der äußeren Wirklichkeit in Frage. In dieser extremen Ausprägung der personalen Erzählhaltung erscheint Wirklichkeit grundsätzlich in der subjektiven Brechung durch die Wahrnehmung einer Person. Der Zusammenhalt der einzelnen Eindrücke – sogar Musiknoten werden in den Text eingerückt – ist aufgelöst. Ständige Umbrüche und Schauplatzwechsel offenbaren das Getriebensein der Hauptfigur, deren Identität sich aufzulösen droht. Eine gewisse Kontinuität entsteht jedoch durch eine Technik der Vorausdeutungen (Vorahnungen) und Assoziationen. Bestimmte wiederkehrende Motive (etwa der Spiegel, in dem Else sich betrachtet) verdichten sich gelegentlich zu einer symbolhaften Darstellung.

Sprachlich äußert sich die Wiedergabe des fließenden, sich der rationalen Kontrolle entziehenden Bewußtseins in der parataktischen Reihung oft unvollständiger, nur durch Konjunktionen wie „und" , „aber" verbundener Sätze sowie in der rhythmischen Kurzatmigkeit des Erzählstils. Wortfetzen der Dialogpartner werden im Kursivdruck eingestreut:

„Hörst du mich, Else?" – „Du siehst doch, Mama, daß sie ohnmächtig ist." – „Wir müssen sie auf ihr Zimmer bringen." – „Was ist denn da geschehen? Um Gottes willen!" ... –„Hände, Hände unter mir. Was wollen sie denn? Wie schwer bin ich. Pauls Hände. Fort, fort."

Beim Tod Elses bricht die Erzählung mitten im Wort ab (*„El..."* – „Ich fliege ... ich träume ... ich schlafe ... ich träu.. träu- ich flie..."). Dies veranschaulicht das ästhetische Prinzip Schnitzlers, die Darstellung der Außenwelt vollkommen an die Wahrnehmungen eines individuellen Bewußtseins zu binden.

Der innere Monolog wird so auch formaler Ausdruck der grenzenlosen Einsamkeit der Heldin; er spiegelt ihre Isolation in einer äußerlich konventionellen, innerlich aber korrupten Gesellschaft wider, die einerseits individuelle Lebensbedürfnisse wie die Sexualität tabuisiert und sie andererseits an versteckter Stelle und mit zerstörerischer Wirkung hervortreten läßt. Indem Schamlosigkeit durch Geld käuflich wird, geht die menschliche Würde des einzelnen zugrunde und damit der einzelne selbst, wenn er sich nicht verraten will.

Der nur wenige Stunden registrierende Bewußtseinsstrom zeigt den Weg einer vollständigen Desillusionierung. Denn im Verlauf der Handlung muß Else erkennen, daß die wohlangesehenen Bürger ihres Lebenskreises eine Fassade aufgebaut haben, um dahinter die Wirklichkeit ihrer Korruption zu verbergen.

Elses Skandal zeigt auf, was in der Novelle von Anfang an strukturell angelegt ist, nämlich den Bruch zwischen Individuum und Gesellschaft. Der künstlerische Rang der Novelle beruht unter anderem darauf, daß über psychologische Vorgänge hinaus soziale Zusammenhänge erscheinen, daß also, trotz der subjektiven Perspektive, Gesellschaftskritik möglich wird. Schnitzler hat die Technik des inneren Monologs zum erstenmal in der deutschen Literatur in der Erzählung ,Lieutenant Gustl' (1900) angewandt. Hier kündigen sich neue Erzähltechniken der Weltliteratur an, wie sie in Döblins ,Berlin Alexanderplatz' (1929) oder dem ,Ulysses' (1922) von James Joyce ausgearbeitet sind.

3.3 Krise der menschlichen Beziehungen und der Verständigung. Hofmannsthal: ‚Der Schwierige'

> **Hugo von Hofmannsthal:** Der Rosenkavalier (1911)   Der Schwierige (1921)
> **Fritz Mauthner:** Beiträge zu einer Kritik der Sprache (1901/02)

Die Beziehungslosigkeit der Menschen untereinander, wie sie aus Elses extrem subjektiver Perspektive an der gewöhnlichen Konversation der Menschen deutlich wird, spielt auch in Hofmannsthals Drama ‚Der Schwierige' eine entscheidende Rolle. Dieses Stück kann als ein später Versuch Hofmannsthals bezeichnet werden, das moderne Bewußtsein der Sprachkrise in Verbindung mit einem traditionellen Kulturbewußtsein für die gesellschaftliche Entwicklung des 20. Jahrhunderts fruchtbar zu machen.

In seinem Lustspiel ‚Der Schwierige' (1921) behandelt Hofmannsthal das Thema der Sprachohnmacht, die sich hinter dem zwanglosen Konversationsstil der Wiener Gesellschaft verbirgt. Hans Karl Graf Bühl, „Kari" genannt, wird durch eine Einladung zu einer Soiree aus seiner selbstgewählten Einsamkeit gerissen. Im Verlauf des Abends erkennt er in dem Kreis der oberflächlichen Mitmenschen aus der Wiener Gesellschaft seine innere Wesensverwandtschaft mit Helene von Altenbühl. Er versucht, in der Ehe mit ihr zu einem menschlich erfüllten Leben zu finden.

Hofmannsthal setzt hier die Tradition der volkstümlichen Wiener Komödie (Johann Nestroy) fort. Und wie schon vorher im Libretto zur Strauss-Oper ‚Der Rosenkavalier' dient das Medium der banalen Umgangssprache, der Dialekt der gehobenen Wiener Kreise, zur Darstellung feinster Regungen in den menschlichen Beziehungen.

Die Themen, die Hofmannsthal seit seiner frühen Lyrik beschäftigen, prägen auch dieses Drama: der Untergang der Kultur, der aristokratischen Welt, das Identitätsproblem, das Selbstverständnis des Dichters. Nun aber erscheinen sie in ‘anspruchsloser' gesellschaftlicher Plauderei. Gerade diese Konversation zugleich oberflächlicher und egozentrischer Figuren zeigt, wie wenig von dieser Gesellschaft aus eine produktive, die Zukunft gestaltende Kraft ausgeht. Allein Hans Karl Bühl, in dem Hofmannsthal wohl sich selbst gestaltet hat, begreift in tieferer Weise die Not seiner Zeit, ihre Sinnleere und Oberflächlichkeit. Er verzichtet deshalb auf alle Teilnahme an den Gesprächen der anderen, er ist ein „Mann ohne Absichten" (so der ursprüngliche Titel der Komödie), den seine Distanz zur Gesellschaft zum Verstummen geführt hat. Sein Verhalten wird von den anderen als „Konfusion" verstanden. Allein Helene von A., die ebenfalls die Sprachklischees und Denkmuster ihrer Kreise hinter sich gelassen hat, versteht „Kari" und kann mit ihm eine tiefere menschliche Beziehung eingehen.

Während die übrigen Personen sich der veränderten Zeitlage anpassen, lebt Bühl in einer ‘magisch'-überzeitlichen Sphäre: Er weiß seit dem Kriegserlebnis des ‘Verschüttetwerdens', das ihn an den Rand des Todes und zu einer neuen Sicht seines Lebens geführt hat, daß er und Helene füreinander bestimmt sind. Das Liebesgeständnis Helenes am Ende ermöglicht beiden, ihre Bestimmung zu erfüllen und ein gemeinsames Leben der Wahrhaftigkeit zu führen.

Hier breitet sich als moderner Zug in einer traditionsverhafteten Dichtung eine Sprachskepsis aus, nach der nur mehr das Schweigen Wahrhaftigkeit ermöglicht, während die Umgangssprache längst der Scheinhaftigkeit verfallen ist:

> „Hans Karl: Ich soll aufstehen und eine Rede halten, über Völkerversöhnung und über das Zusammenleben der Nationen – ich, ein Mensch, der durchdrungen ist von einer Sache auf der Welt: daß es unmöglich ist, den Mund aufzumachen, ohne die heillosesten Konfusionen anzurichten! Aber lieber leg' ich doch die erbliche Mitgliedschaft nieder und verkriech' mich zeitlebens in eine Uhuhütte. Ich sollte einen Schwall von Worten in den Mund nehmen, von denen mir jedes einzelne geradezu indezent erscheint! [...] Aber alles, was man ausspricht, ist indezent. Das simple Faktum, daß man etwas ausspricht, ist indezent."

Der ‚Brief‘ des Lords Chandos handelt dieses Problem theoretisch und monologisch ab, ‚Der Schwierige‘ entfaltet es nun, 20 Jahre später, im gesellschaftlichen Raum Österreichs nach dem Ersten Weltkrieg. Hierin zeigt sich die Entwicklung Hofmannsthals von einem Dichter des egozentrischen Subjektivismus zu einem Autor, der sich der geschichtlichen Situation seiner Zeit öffnet.

‚Der Schwierige‘ verrät die tiefe Enttäuschung des Dichters über den Untergang der Habsburgermonarchie. Zwar kritisiert er die oberflächliche, scheinhafte Existenz, in der die Angehörigen der gesellschaftlichen Oberschicht leben – doch wird auch deutlich, daß die Lebensform, die Hofmannsthal sich ersehnt, nur innerhalb dieser österreichischen Aristokratie zu suchen ist. Er hält an dem Gedanken der Unersetzlichkeit der habsburgischen Kulturtradition fest, obwohl er, wie auch die Essays beweisen, durchaus die Gewißheit hat, daß deren Blütezeit vorüber ist.

Hofmannsthals Werk zeigt im ganzen, daß die Wiener Moderne aus einer starken Verhaftung mit der Tradition erwuchs, jedoch vom Bewußtsein ihrer Überlebtheit begleitet wurde. Die Sprachkrise erweist sich als Zeichen der Gesellschaftskrise, die Hoffnung auf eine neue Sprache als Hoffnung auf eine neue Gestaltung des gesellschaftlichen Lebens. Das dichterische Bemühen um die Darstellung einer überzeitlichen ‘magischen’ Existenz des Menschen aber zeigt, wie sich das Bewußtsein der geschichtlichen Krise mit der Wendung ins Außergeschichtliche zu helfen versucht. Damit bleibt Hofmannsthal der kulturellen und religiösen Tradition des Habsburger-österreichs verhaftet. Die Erkenntnis der Überlebtheit dieser Tradition einerseits und die Versuche zu ihrer Verlebendigung andererseits sind im Widerspruch miteinander verbunden.

Dritter Teil: Avantgarde und Expressionismus

1 Protest und Veränderung – die Kunst der europäischen Avantgarde

Im Jahr 1913 hieß es in der Ankündigung einer neuen Buchreihe moderner Autoren: „Der neue Dichter wird unbedingt sein, von vorn anfangen, für ihn gibt es keine Reminiszenz..." (Prospekt des Kurt-Wolff Verlages, Leipzig, zur Reihe ‚Der jüngste Tag'). Mit diesem radikalen Anspruch des Traditionsbruchs und Neuanfangs trat in Deutschland etwa zwischen 1910 und 1925 eine Generation von Künstlern und Schriftstellern auf, die das – wie sie meinten – von den Naturalisten nicht eingelöste Versprechen einer kulturellen Revolution verwirklichen wollten. Nicht alle von ihnen waren erklärte Expressionisten, aber unter diesem Namen wurden sie etwa seit dem Weltkrieg begrüßt und angefeindet. Unter dem Nationalsozialismus aus der Öffentlichkeit Deutschlands verbannt, erfuhren sie nach 1945 eine Wiederentdeckung, mit der ihre starke Wirkung auf die Moderne sich fortsetzte. Diese deutsche Avantgarde war jedoch nicht isoliert aufgetreten, sondern im Zusammenhang mit europäischen Entwicklungen.

1.1 Voraussetzungen der europäischen Avantgarde

Avantgardistisch werden Künstler oder Schriftsteller genannt, die nicht nur modern im Sinne von 'zeitgemäß' sind, sondern ihrer Zeit voraus sind oder sein wollen, indem sie Neues, künftig Wirksames schaffen. Sie stehen damit geradezu im Gegensatz zum herrschenden Zeitgeschmack, der sie entweder nicht beachtet oder über sie empört ist. Die Moderne des 20. Jahrhunderts ist durch immer neue Schübe solcher Avantgarden gekennzeichnet, deren erste und für die weitere Entwicklung besonders wichtige um und nach 1900 zu beobachten ist. Das Zukunftsweisende dieser Avantgarde läßt sich dabei in verschiedenen Ausprägungen feststellen: im gesellschaftlichen Selbstbewußtsein der Künstler, in der Ästhetik ihres Schaffens oder in der gewollten oder tatsächlichen Wirkung auf das Publikum.
Schon am Ende des 19. Jahrhunderts, also in der Zeit der Naturalisten, mischten sich Literaten in vielen europäischen Ländern selbstbewußt in die Auseinandersetzungen zwischen konservativen und fortschrittlichen Kräften der Gesellschaft ein, gerade auch zugunsten des Fortschritts. In Frankreich z. B., von wo wichtige Anregungen auf die spätere Avantgarde in Deutschland ausgingen, erwies sich während der skandalösen 'Dreyfus-Affäre' die Literatur als wichtiger Faktor öffentlicher Auseinandersetzung, als der angesehene Romancier Emile Zola in dem berühmt gewordenen offenen Brief „J'accuse' (1898) Justiz, Regierung und herrschende Kreise kritisierte und sich für den Anspruch der Wahrheit und Moral auch in der Politik einsetzte. Sein Beispiel als engagierter Literat stand im Gegensatz zum Prinzip des 'l'art pour l'art' (Victor Cousin, 1836), dem etwa die Symbolisten anhingen, und wirkte bis in die Gegenwart als Vorbild einer 'litterature engagée' (Jean-Paul Sartre). In der deutschen Avantgarde vor dem Ersten Weltkrieg vertraten gesellschaftskritisches Engagement vor allem die Autoren, die der Zeitschrift ‚Die Aktion' (vgl. S. 372f.) nahestanden. Während engagierte Künstler sich auch traditioneller Kunstformen bedienten, begannen um die Jahrhundertwende die Künste, sich selbst, das heißt ihre Gegenstände, ihre Ausdrucksmittel und ihr Material zu 'revolutionieren'. Das international wirksamste Beispiel gab zunächst – wiederum in Frankreich – die Malerei, als die Gruppe der 'Fauves' (Matisse, Derain, Vlaminck, Dufy, Braque u. a. m.) etwa seit 1905 im Gegensatz zur Tradition, aber auch zu den Impressionisten, ungemischte, in-

tensive, ja aggressive Farben verwendete, die nicht dem natürlichen Eindruck entsprachen, und die 'Kubisten' (seit 1907 Braque und Picasso, später Gris, Léger, Delaunay u. a. m.) natürliche Gegenstände deformierten und in geometrische Formen zerlegten, in 'Collagen' sogar das traditionelle Verhältnis zwischen Bild und Material ganz aufgaben. Schon diese Malerei wurde gelegentlich 'expressionistisch' genannt und beeinflußte die expressionistischen Maler in Deutschland (Kandinsky, Marc und Macke; Kirchner, Heckel, Schmidt-Rottluff u. a. m.). Hier schien eine jahrhundertealte Auffassung von Kunst und vom Schönen radikal geleugnet zu sein, ja das Häßliche, Disharmonische und Deformierte Inhalt und Ausdruck der Kunst zu werden. Kunst bildete nicht ab, idealisierte nicht und gab nicht visuelle Eindrücke wieder, sondern schuf eine ganz neue Art ästhetischer Wahrnehmung. Der avantgardistische Künstler und Dichter *Guillaume Apollinaire* (1880–1918) faßte dies in einem Gedicht so:

[...] Il ya là des feux nouveaux des couleurs jamais vues
Mille phantasmes impondérables
Auxquels il faut donner la réalité.

[...] Es gibt da neue Feuer nie zuvor gesehener Farben/ Tausend unwägbare Phantasmen/ Denen man Wirklichkeit geben muß.
(‚La jolie rosse‘. In: ‚Caligrammes‘, 1918; übersetzt von G. Henninger)

Auch die Literatur der Avantgarde 'revolutionierte' ihre Ästhetik, indem sie ihr Material – Sprache und Vers – umformte und ganz unvertraute Erfahrungen und Vorstellungen auszudrücken versuchte; letzteres rechtfertigte in Deutschland die Bezeichnung 'expressionistisch'.

Vom Künstler gewollt oder nicht gewollt, in der Wirkung auf das Publikum vereinten sich sehr oft ästhetische Innovation und gesellschaftliche Provokation: avantgardistische Kunst schockiert. Der Franzose *Alfred Jarry* (1873–1907) löste im Jahr 1896 mit seiner Farce ‚Ubu Roi‘ in Paris einen Theaterskandal aus und gilt heute als wichtiger Anreger des modernen Theaters. Das Stück stellt mit derben, grotesken und surrealistischen Mitteln dar, wie ein Kleinbürger zum monströsen Tyrannen wird, und verhöhnt die gesamte bürgerliche Kunst, Lebensführung und Moral als Absurdität. Auch die avantgardistischen Künstler des 20. Jahrhunderts traten überwiegend antibürgerlich auf oder wirkten so. Bei politischem Engagement standen sie deshalb eher auf der Seite der Linken als der Rechten, auch wenn sie sich parteipolitisch nicht festlegten; Kommunisten wurden z. B. Louis Aragon, Pablo Picasso und Vladimir Majakowski oder der deutsche Expressionist Johannes R. Becher, eine kleinere Gruppe wandte sich später dem Faschismus zu, z. B. Filippo Tommaso Marinetti, Ezra Pound, Arnolt Bronnen, Hanns Johst und zeitweise Gottfried Benn. In jedem Falle war das Motiv, daß die geistige wie die gesellschaftliche Welt nicht so bleiben sollte, wie sie war.

1.2 Futurismus – ein Programm der Avantgarde

Wirksamster Propagandist der europäischen Avantgarde im 20. Jahrhundert war der Italiener *Filippo Tommaso Marinetti* (1876–1944). In fast allen europäischen Kulturzentren verbreitete er mit seinen Freunden die Schocks der Avantgarde, hauptsächlich mit drei Methoden, die seither das moderne Kulturleben kennzeichnen: mit öffentlichen Deklarationen und Programmen, mit Wanderausstellungen und mit öffentlichen Demonstrationen, die man als Prototypen der späteren 'Happenings' ansehen kann. In seinen ‚Manifesten‘ von 1909, 1912 und danach verkündete Marinetti das Programm des 'Futurismus', einer neuen Kunst als Ausdruck eines neuen Lebensgefühls. Eine von Marinetti organisierte Ausstellung reiste 1912 von Paris nach

London, Brüssel, Den Haag, Amsterdam und München; in Berlin zeigte sie der einflußreiche Förderer moderner Kunst, Herwarth Walden, in seiner Galerie ‚Sturm‘, mit starker Wirkung auf die Expressionisten, und in Dresden sah sie 1913 der Mitbegründer des späteren dadaistischen ‚Cabaret Voltaire‘ (Zürich), Hugo Ball. Ein wahrer Werbefeldzug durch halb Europa, der bis Rußland und in die USA ausstrahlte! Der deutsche Expressionist Kasimir Edschmid hat nach dem Zweiten Weltkrieg geschildert, wie die Futuristen auf ihn und andere wirkten:

„[…] Mittlerweile hatten die Maler des 'futurismo' noch einige weitere 'pronunciamenti' herausgebracht. Gegen den guten Geschmack. Gegen den Begriff Harmonie. Gegen die Akademie. Gegen das Nackte, weil es durch die Akademie ekelhaft und langweilig geworden war. Und für das Närrische. Der Maler Boccioni schrieb, das Wort 'verrückt' müsse ein Ehrentitel werden. […] Als ich die Bilder dann in Paris sah, sprengten sie zuerst mein Weltgefühl in radikaler Weise auseinander. […] Kein Wunder, daß diese Leute, die solche Manifeste unterschrieben, Literaten wie Maler, keineswegs nur das *Kunstklima* ändern wollten, sondern die *Welt*. Ihnen war alles widerlich, was es seither gab, außer Aeroplanen, raschen Maschinen, Krieg und Revolution. […]" (Kasimir Edschmid: ‚Lebendiger Expressionismus …‘, 1964)

Der Futurismus wollte eine antibürgerliche Kulturrevolution sein, ihm fehlte aber eine klare kulturelle oder gesellschaftliche Theorie. An Nietzsche und Bergson erinnert seine Verherrlichung der Dynamik, der 'Schnelligkeit' und der 'Bewegung'; fortschrittlich erscheint die Begeisterung für Technik, reaktionär die für Patriotismus, Militarismus und Krieg sowie die 'Verachtung des Weibes'. Politisch war das ein verhängnisvolles Programm, wie Marinettis spätere Zuwendung zum Faschismus bewies. Der Kunst und Literatur dagegen gaben die Futuristen wirksame Impulse. Ihnen war Kunst – gemessen an der Tradition – eigentlich Anti-Kunst, und dieses Prinzip haben – ohne die futuristische Ideologie – dann die Dadaisten verwirklicht. Das vielleicht wirksamste Beispiel gab Marcel Duchamp (1887–1968) mit seinen 'Ready Mades' (Fertigprodukten): 1913 stellte er ein Rad eines Fahrrads auf ein Podest, signierte es und machte es damit, wie er erklärte, zum Kunstwerk – ein Erfinder der modernen 'Object Art'!

Futuristischer Literaturbegriff. Von der Literatur forderte Marinetti vor allem die Zerstörung der traditionellen Gebrauchs- und Dichtersprache:

„Distruzione della sintassi, Imaginazione senza fili, Parole in libertà (Destruktion der Syntax, Drahtlose Imagination, Befreiung des Wortes). "

Er meinte damit, die Grammatik oder eigentlich die Sprachkonventionen überhaupt seien eine Fesselung der Kreativität; in völlig freier Verwendung der Wörter könne der Dichter unmittelbar (drahtlos) die Gegenstände und Vorstellungen zum poetischen Bild verbinden. Damit haben die Futuristen fast alle Methoden der poetischen Avantgarde bis heute im voraus verkündet: Wortmontagen, Wortneubildungen und Lautgedichte; die Sprache des Stammelns, der Wortspiele und der freien Assoziation; die willkürliche oder dunkle Semantik der 'Chiffren'-Dichtung; Sprachexperiment, Sprachkonstruktion und konkrete Poesie. Im Gefolge des Futurismus schrieben Kubisten und Dadaisten Wörter oder Textbruchstücke in Bilder hinein (z. B. Kurt Schwitters), montierten Bilder aus Textfetzen, z. B. aus Zeitungsschnipseln, oder schrieben Texte als ästhetisch-graphische Gebilde (vgl. Apollinaires ‚Caligrammes‘ und die visuelle Poesie).

Für die Lyrik und Epik der Moderne symptomatisch war Marinettis Forderung, der sich persönlich aussprechende Dichter solle aus dem Gedicht verschwinden: „morte dell 'io letterario" (Tod des literarischen Ichs), und zwar zugunsten eines nicht individualpsychologischen Realitätsbewußtseins – hier kündigen sich moderne Formen des unbeteiligt registrierenden und reflektierenden Schreibens an (vgl. den Roman Nouveau). Da den Futuristen die etablierten Theater verschlossen blieben, wollten sie ein neues 'Theater der Verblüffung' aus dem Varieté entwickeln und gaben damit Anstöße für das groteske Theater sowie für die Verwendung schaubudenartiger, kabarettistischer und verfremdender Theaterformen bis in die Gegenwart.

Die Bilderstürmerei der Futuristen stellte somit alles in Frage, was bisher in Kunst und Literatur galt. Aus ihrer Kunst der 'distruzione' ergaben sich jedoch neue Formen und Ausdrucksmöglichkeiten, die für die Kunst und Literatur des 20. Jahrhunderts sich als wesentlich erwiesen.

2 Die expressionistische Avantgarde in Deutschland

Zeitschriften:
Der Sturm. Hrsg. von Herwarth Walden (Berlin 1910–32)
Die Aktion. Hrsg. von Franz Pfemfert (Berlin 1911–32)
Die weißen Blätter. Hrsg. von René Schickele (Leipzig, z. T. Zürich, 1913–21)

Essays und Bekenntnisse:
Hugo Ball: Die Kunst unserer Tage (Vortrag 1916)
Käthe Brodnitz: Die futuristische Geistesrichtung in Deutschland
(Vortrag 1914)
Theodor Däubler: Expressionismus. In: Die neue Rundschau
(Zeitschrift. 1916)
Kasimir Edschmid: Über den dichterischen Expressionismus.
In: Die neue Rundschau (Zeitschrift. 1918)
Yvan Goll: Der Expressionismus stirbt. In: Zenit (Zeitschrift. 1921)
Paul Hatvani: Versuch über den Expressionismus. In: Die Aktion
(Zeitschrift. 1917)
Kurt Hiller: Die Jüngst-Berliner. In: Literatur und Wissenschaft.
Monatliche Beilage der Heidelberger Zeitung (1911)
Friedrich Markus Huebner: Europas neue Kunst und Dichtung (Berlin 1920)
Heinrich Mann: Geist und Tat. In: Das Ziel (Zeitschrift. 1910)
Ludwig Rubiner: Der Dichter greift in die Politik. In: Die Aktion
(Zeitschrift. 1912)
Rene Schickele: Wie verhält es sich mit dem Expressionismus?
In: Die weißen Blätter (Zeitschrift. 1920)
Stefan Zweig: Das neue Pathos. In: Das literarische Echo (Zeitschrift. 1909)

2.1 Expressionismus – Mode, Stil oder Weltanschauung?

In den Jahren vor dem Weltkrieg kündigte sich die deutsche Avantgarde zuerst einmal in einer großen Zahl neuer Zeitschriften an, und noch in den zwanziger Jahren erklärten viele ihrer Gegner sie für eine bloße Tagesmode. Tatsächlich wurde sehr viel *über* die neue Kunst geredet und geschrieben, ehe sie mit größeren Werken in Erscheinung trat; wahrscheinlich aber muß man darin den notwendigen Prozeß intellektueller Auseinandersetzung sehen, ohne den die moderne Literatur nicht entstehen konnte.

Als der Name 'Expressionismus' 1911 von Kurt Hiller erstmals von der modernen Malerei auf die Literatur übertragen wurde, diente er zur Abgrenzung der Avantgarde gegen den Impressionismus, des weiteren auch gegen Naturalismus, Realismus und Tradition. Eine Übersetzung mit 'Ausdruckskunst' (gegen 'Eindruckskunst' und 'Abbildungskunst') wäre allerdings viel zu eng; denn jede Kunst drückt etwas aus, und den Expressionisten ging es nicht nur um einen neuen Stil, nicht einmal nur um eine neue Kunst:

„Der Impressionismus ist eine Stillehre, der Expressionismus eine Norm des Erlebens, Handelns, umfassend also der Weltanschauung." (Friedrich Markus Huebner)

Deshalb waren den Expressionisten die neuen Kunstformen notwendig zur Äußerung eines neuen Lebensgefühls, das die Avantgarde verband; so sahen es die Veteranen des Expressionismus noch nach dem Zweiten Weltkrieg:

„Es ist schwierig, der heutigen literarischen Jugend [...] deutlich zu machen, daß in jenen Jahren 1910–1922 die jungen Autoren in Prag, Berlin, München, Wien, Leipzig, über alle deutschsprechenden Länder, ja über ganz Europa hin, trotz vieler individueller Unterschiede in Gesinnung, Wollen und Ausdrucksform sich als eine Einheit, eine Gemeinschaft, eine Gemeinsamkeit fühlten - im Kampf gegen faulig absterbende Vergangenheit und zukunfthindernde Tradition, für neue Bewußtseinsinhalte, neue Ideen und Formen. [...]" (Kurt Pinthus: ‚Nach 40 Jahren'. Vorwort zur Neuauflage der Anthologie ‚Menschheitsdämmerung', 1959)

Dieser 'Kampf' der expressionistischen Avantgarde richtete sich auch gegen die herrschenden gesellschaftlich-politischen Mächte:

„[...] sie waren gegen den Krieg, gegen den deutschen Militarismus, gegen die Verflechtung von Generalstab und Schwerindustrie, und für eine europäische Verständigung vom Herzen her [...]." (Karl Otten: ‚Die expressionistische Generation'. Vorwort zu: ‚Ahnung und Aufbruch – Expressionistische Prosa'. 1957)

Zugleich aber empfanden die Expressionisten ihre Auseinandersetzung mit der Zeit als Auseinandersetzung mit einer existentiellen Krise des Geistes und der Erfahrung, der sie auf den Grund kommen wollten. Diesen Vorgang bezeichnete Gottfried Benn im Rückblick als „Wirklichkeitszertrümmerung, als rücksichtsloses An-die-Wurzel-der-Dinge-Gehen" (1955).

2.2 Diaspora der Avantgarde

Im Gegensatz zum Glauben an eine avantgardistische „Gemeinschaft" der Expressionisten (Pinthus) hat es eine einheitliche expressionistische Gruppe nie gegeben. Bedeutende Dichter wie Georg Heym, Georg Trakl oder Gottfried Benn waren eher Einzelgänger. Im kulturellen Leben der Nation waren die Neuerer eine Minderheit, die sich bis zum Weltkrieg fast nur in Zeitschriften und kleinen Veröffentlichungen äußern konnten und sich in örtlichen Gruppen um fortschrittliche Herausgeber und Verleger wie Herwarth Walden, Franz Pfemfert, Ernst Rowohlt und Kurt Wolff scharten. In diesem Rahmen allerdings ergoß sich etwa seit 1910 eine ganze Flut von Essays, Gedichten und literarischen Experimenten auf den Markt der Broschüren, ergänzt durch Matineen, Klubs und Kleinbühnen.

Von den über hundert – allerdings meist kurzlebigen – Neugründungen avantgardistischer Zeitschriften verband Herwarth Waldens ‚Der Sturm' die Förderung der modernen Kunst mit der der modernen Literatur. ‚Die weißen Blätter' konnte ihr Herausgeber René Schickele im Weltkrieg von Zürich aus redigieren und so - trotz der Zensur in Deutschland – die Kontinuität dieses europäischen Forums der neuen deutschen Literatur wahren. Während diese beiden Zeitschriften vor allem ästhetisch-literarisch orientiert waren, vertrat Franz Pfemferts Blatt ‚Die Aktion' den politisch engagierten Expressionismus ('Aktionismus') und trat „für die Idee der Großen Deutschen Linken ein". Bis 1918 druckte Pfemfert – auch in seiner Reihe der ‚Aktions-Bücher' – Hunderte von neuen Autoren, darunter viele Expressionisten, nicht nur 'Linke', aber von den

'Linken' fast alle. Im Weltkrieg wurde ‚Die Aktion' zum Zentrum der Antikriegsdichtung. Mit der Novemberrevolution von 1918 wandte Pfemfert sich von der Poesie ab und verschrieb sich dem Kampf für einen trotzkistischen Kommunismus. Der Name der ‚Aktion' steht für die politisch engagierte Strömung des Expressionismus, die Literatur als gesellschaftliches Handeln verstand.

Da die großen Theater sich lange den Neuerern verschlossen, warben Autoren und Verlage für diese mit Vortragsveranstaltungen, literarischen Klubs und Kabaretts; so in München das ‚Überbrettl' und ‚Die elf Scharfrichter'. Starke Wirkungen hatte das ‚Neopathetische Cabaret' des ‚Neuen Clubs' in Berlin und das ‚Cabaret Voltaire' der Dadaisten in Zürich.

Wie in Frankreich ergab sich an manchen Orten eine fruchtbare Zusammenarbeit zwischen verschiedenen Künsten, so in Berlin (um Herwarth Walden und seinen ‚Sturm') und in München. Der von Wassily Kandinsky und Franz Marc 1912 in München herausgegebene Almanach ‚Der blaue Reiter' verkündete eine „neue Offenbarung des Geistes" nicht nur in der bildenden Kunst, sondern auch in der Musik (Schönberg, Webern, Berg); Maler schrieben Essays oder Theaterstücke im expressionistischen Stil (z. B. Macke, Kandinsky, Kokoschka). Arp, Barlach und Kokoschka waren ohnehin bildende Künstler und Dichter zugleich. Eine Synthese der Künste strebte man auch in der Buchgestaltung an, z. B., als Ernst Ludwig Kirchner Georg Heyms Gedichte ‚Umbra vitae' – Text und Illustrationen – in Holz schnitt.

2.3 Das Selbstverständnis der expressionistischen Generation

Die Expressionisten sind ein Teil der Generation, die zwischen 1875 und 1895 geboren wurde – also in der Ära der Kaiserreiche. Nach der Jahrhundertwende war die gesellschaftliche und kulturelle Situation immer noch der ähnlich, die schon die Naturalisten kritisiert hatten. Woher kam also die neue Bewegung?

2.3.1 Entfremdung vom Zeitgeist

Gerade daß sich so lange nichts geändert hatte und daß auch die einst so avantgardistisch erscheinenden Naturalisten nichts wesentlich Neues zu sagen wußten, mag die Heftigkeit der neuen Bewegung erklären. Es mag aber auch erklären, warum sie sich weniger gegen konkrete Mißstände wandte als gegen die Unbeweglichkeit und Unproduktivität des Denkens und Handelns allgemein. Viele Expressionisten übten auch nicht eigentlich Kritik, sondern äußerten ihr Leiden an der Wirklichkeit und ihre Sehnsucht nach einer anderen – darin vergleichbar der wenig älteren Jugendbewegung des 'Wandervogels'. Die relative Stabilität der Verhältnisse empfanden sie als Sinnleere und Beziehungslosigkeit. Ihre Entfremdung vom Zeitgeist war eine existentielle Krise, die zur Selbstreflexion, ja zur Selbstquälerei zwang; Vater-Sohn-Konflikte, Identitätsprobleme, Vereinsamung und Außenseitertum oder der Konflikt zwischen Enthusiasmus und Anpassung waren bevorzugte Themen dieser Generation, sicherlich auch deshalb, weil sie selbst dem Bürgertum entstammten, in dem sie sich fremd fühlten. Fast die Hälfte der jungen Schriftsteller hatte zu Eltern wohlhabende Kaufleute, Fabrikanten, Bankiers, die übrigen meistens Beamte oder Akademiker. Sie selbst waren Gebildete, oft Studierte, und empfanden die geistige Unbeweglichkeit der Zeit als Krise des Intellektuellen bzw. des Künstlers und Dichters. Ihre Proteste und ihre Rufe nach Veränderung verlangten deshalb, daß Geist und Kunst die Wirklichkeit verändern sollten.

2.3.2 Dichter und Gesellschaft

Der Wiener Romancier und Essay ist *Stefan Zweig* (1881–1942), der mit den avantgardistischen Literaten sympathisierte, stellte 1909 in einem Aufsatz ‚Das neue Pathos' dem Dichter die Aufgabe, das auszusprechen, was alle bewegt, und damit die geistigen und seelischen Kräfte der Menschen zu aktivieren. Man müsse die moderne Welt der Städte und der Massen akzeptieren als eine Möglichkeit zu neuen Gemeinschaften; aber auf die Gewalt der Umwelt müsse die Gewalt des Gefühls antworten. Der Dichter solle dabei der „Entfacher des heiligen Feuers" sein, wenn nicht sogar der „geistige Führer der Zeit". Und er rechtfertigte das Pathos in der Dichtung als Ausdruck der Lebensenergie. Damit sprach Zweig den Dichtern genau die Rolle und den Auftrag zu, die viele Expressionisten dann in Anspruch nahmen.

Andererseits hat man der expressionistischen Generation wiederholt und vor allem im nachhinein ihre wirklichkeitsfremde Einstellung zur Politik vorgeworfen; der Marxist Georg Lukács tadelte z. B. 1934 ihre „abstrakte Antibürgerlichkeit". Seine Kritik trifft auf viele Expressionisten zu. Einer aus dem Aktionskreis, *Ludwig Rubiner* (1881–1920), gab zwar einem berühmt gewordenen Artikel den Titel, *Der Dichter greift in die Politik'* (1912), aber er meinte damit nur eine allgemeine Zivilisationskritik, mit der letzten Endes „der Geist" freigesetzt werden sollte: „Die Zivilisation ist eine sehr partielle Angelegenheit der Welt. Im übrigen gibt es den Geist, den Geist, den Geist." Zweifellos war die Polarität zwischen Zivilisation, Gesellschaft, Wirklichkeit einerseits und Geist andererseits ein zentrales Thema der Expressionisten, die Überwindung des Gegensatzes oft beteuerter Wunsch. Aber die meisten von ihnen nahmen die Haltung ein, die der radikaldemokratische Schriftsteller *Heinrich Mann* (1871–1950) in seinem *Essay 'Geist und Tat'* (1910) so darstellte: Die politische Aufgabe des Schriftstellers sei nicht, Macht auszuüben, sondern der Macht den Geist entgegenzustellen, dem Volk zu zeigen, was Wahrheit und Gerechtigkeit ist, und ihm so das für die politische Mündigkeit erforderliche Selbstvertrauen zu geben. Mit dieser aufklärerischen Bestimmung der politischen Funktion der Intellektuellen in der Gesellschaft war jedoch das Problem nicht gelöst, wie der „Geist" real die Politik beeinflussen oder gar verändern konnte. Seine Ohnmacht erwies sich mit dem Ausbruch des Ersten Weltkrieges, den die Expressionisten nicht nur als politische Katastrophe erlebten, sondern als Zusammenbruch der Humanität überhaupt. Für viele war die Konsequenz aus diesem Erlebnis ein radikaler Pazifismus, für einige nach seinem Ende das aktive Engagement für die Revolution. Im politischen und kulturellen Pluralismus der Weimarer Republik jedoch drifteten die expressionistischen Gruppen nach links und rechts auseinander, ihre Ideen und ihre künstlerischen Neuerungen wurden von anderen übernommen und weiterentwickelt, aber zum Teil auch nicht mehr als neu und zeitgemäß anerkannt. Und schon 1921 stellte der leidenschaftliche Expressionist Yvan Goll bitter fest: „Der Expressionismus stirbt."

2.3.3 Krise und Kreativität

Das Pathos des Geistes war im Grunde idealistisches, aufklärerisches, ja klassisches Erbe; in der modernen Realität erschien es vielen Intellektuellen und Künstlern brüchig. Der Dramatiker, Erzähler und Essayist *Hugo Ball* (1886–1927) faßte dies 1916 in einem Vortrag – anknüpfend an Nietzsche – in drei lapidaren Sätzen zusammen:

„Gott ist tot. Eine Welt brach zusammen. Ich bin Dynamit."

Ball erklärte diese Erfahrung zugleich als Ergebnis der Geschichte und als Herausforderung zu einem Neuanfang:

„Drei Dinge sind es, die die Kunst unserer Tage bis ins Tiefste erschüttern, ihr ein neues Gesicht verleihen und sie vor einen gewaltigen Aufschwung stellen: Die von der kritischen Philosophie vollzogene Entgötterung der Welt; die Auflösung des Atoms in der Wissenschaft; und die Massenschichtung der Bevölkerung im heutigen Europa."

Ball sieht also ein Zusammenwirken geistiger und sozialer Veränderungen, die eine Auflösung des Glaubens, des traditionellen Denkens, der Naturanschauung und der gesellschaftlichen Wirklichkeit bewirken. Darin ist das 'Ich', das Individuum von außen wie von innen bedroht, und dies wirkt sich im Leben und Schaffen der Künstler aus:

„Sie lösen sich ab von der Erscheinungswelt, in der sie nur Unordnung, Zufall, Disharmonie wahrnehmen." Und: „Ihr Leben ist ein Kampf mit dem Irrsinn. Sie sind zerrissen, zerstückt, zerhackt […]."

Hier geht es um eine grundlegende Bewußtseinskrise. Die Wirklichkeit läßt sich nicht mehr als eine geordnete und sinnvolle 'Welt' erfassen, und das Ich kann sich nicht mehr seiner Identität vergewissern. Der 'Geist' selbst ist keine Gewißheit mehr. Die Opposition gegen den Zeitgeist ist auch der Kampf gegen eine Welt ohne Geist. Die Chance eines Neuanfangs sieht Ball darin, daß Dichter und Künstler das Chaos der Bewußtseins- und Erfahrungskrise gestalten und so einen neuen Geist und eine neue Wirklichkeit schaffen: „sie sind Vorläufer, Propheten einer neuen Zeit."

Wie eine solche neue Dichtung beschaffen sein sollte, das hat *Kasimir Edschmid* (1890–1966) programmatisch so zusammengefaßt:

„[…] Es kamen die Künstler der neuen Bewegung. Sie gaben nicht nur die leichte Erregung. Sie gaben nicht mehr die nackte Tatsache. […] Sie waren nicht mehr unterworfen den Ideen, Nöten und persönlichen Tragödien bürgerlichen und kapitalistischen Denkens. Ihnen entfaltete das *Gefühl* sich maßlos. Sie sahen nicht. Sie schauten. Sie photographierten nicht. Sie hatten Gesichte. […]
Die Welt ist da. Es wäre sinnlos, sie zu wiederholen. Sie im letzten Zucken, im eigentlichen Kern aufzusuchen und neu zu schaffen, das ist die größte Aufgabe der Kunst. […] Hier wird der bürgerliche Weltgedanke endlich nicht mehr gedacht. […] Durch alle diese Surrogate (ergänze: des bürgerlichen Denkens) greift die Hand des Künstlers grausam hindurch. Es zeigt sich, daß sie Fassaden waren. Aus Kulisse und Joch überlieferten, verfälschten Gefühls tritt nichts als der Mensch […], der einfache, schlichte Mensch."
(Kasimir Edschmid: ‚Expressionismus in der Dichtung', 1917)

Edschmid grenzt hier nicht nur anfangs den Expressionismus gegen Impressionismus und Naturalismus ab, er betont auch im Sinne der Avantgarde die Radikalität des künstlerischen Schaffens, das keine bürgerlichen Konventionen und keine Weltanschauung voraussetzt, sondern sie als Fassaden entlarvt und durchbricht. Was damit als neue Wirklichkeit und Erfahrung freigesetzt werden soll, entspricht allerdings traditionellen Ideen: Im Schaffensprozeß selbst ist es das ursprüngliche, spontane und schöpferische 'Gefühl' des Künstlers; damit soll zugleich – für die Menschheit überhaupt – der Mensch in seinem ursprünglichen Wesen wiedererstehen. Das ist im Grunde der idealistische Gedanke, daß Kunst Humanität ermöglicht, indem sie das Wesen der 'Welt' und der Existenz freilegt oder neu darstellt.

In den Werken der Expressionisten erkennt man immer wieder die Auseinandersetzung mit diesem Gegensatz zwischen der grundlegenden Erfahrungskrise, die alles in Frage stellt (Ball), und dem Enthusiasmus für den neuen Menschen (Edschmid). Seit dem Weltkrieg verband diese Auseinandersetzung sich verstärkt mit dem Problem der konkreten Verantwortung des Schriftstellers in Gesellschaft und Politik. Die ästhetische Auseinandersetzung mit der literarischen Tradition schuf radikal neue Ausdrucksmöglichkeiten, jedoch noch vorwiegend im Rahmen der alten Gattungsgrenzen, obwohl man gelegentlich die Aufhebung der Gattungen im 'Gesamtkunstwerk' (Ball) forderte. Der Aufbruch der expressionistischen Generation zeigte sich zuerst in der Lyrik, ihre Auseinandersetzung mit der Gesellschaft am entschiedensten im Drama, und zwar vor allem seit dem Weltkrieg. Die Auseinandersetzung mit der Erfahrungskrise spiegelte sich in allen Gattungen, auf besondere und über den Expressionismus hinausreichende Weise in erzählender und gedanklicher Prosa.

3 Expressionistische Lyrik: Ich und Welt

Vorläufer:
Theodor Däubler: Das Nordlicht (Versepos. 1898–1910)
Richard Dehmel: Zwei Menschen (1903)
Alfred Mombert: Der Glühende (1896)   Äon (1907–11)
Friedrich Nietzsche: Dionysos-Dithyramben (1888)
Ernst Stadler: Präludien (1905)   Der Aufbruch (1914)

Bis zum Weltkrieg:
Gottfried Benn: Morgue (1912)   Söhne (1913)   Gesammelte Gedichte (1927)
Georg Heym: Der ewige Tag (1911)   Umbra vitae (postum 1912)
Jakob van Hoddis: Weltende (1911)
Else Lasker-Schüler: Styx (1902)   Meine Wunder (1911)
Hebräische Balladen (1913)   Die gesammelten Gedichte (1917)
Alfred Lichtenstein: (Sonderheft der ‚Aktion‘, 1913)
August Stramm: Rudimentär (1914)   Du (1915)
Georg Trakl: Gedichte (1913)   Sebastian im Traum (postum 1915)
Der Herbst des Einsamen (postum 1920)
Gesang der Abgeschiedenen (postum 1933)
Franz Werfel: Der Weltfreund (1911)   Wir sind (1913)   Einander (1915)
Alfred Wolfenstein: Die gottlosen Jahre (1914)   Die Freundschaft (1917)

Im Weltkrieg:
Johannes R. Becher: An Europa (1916)   Verbrüderung (1916)
Päan gegen die Zeit (1918)
Albert Ehrenstein: Die weiße Zeit (1914)
Der Mensch schreit (1916)   Die rote Zeit (1917)
Yvan Goll: Der Panamakanal (1912/18)   Requiem pour les morts
de l‘Europe (1916, dt. 1917)   Der Torso (1918)
Walter Hasenclever: Der Jüngling (1913)   Tod und Auferstehung (1917)

Reihen und Anthologien:
Lyrische Flugblätter. Hrsg. von A. R. Meyer (1907–13)
Kameraden der Menschheit, Dichtungen zur Weltrevolution.
Hrsg. von Ludwig Rubiner (1919)
Menschheitsdämmerung, Symphonie jüngster Dichtung.
Hrsg. von Kurt Pinthus (1920)

3.1 ‚Menschheitsdämmerung‘: Untergang oder neue Menschheit?

In ein und demselben Jahr – 1911 – erschien Franz Werfels Gedichtsammlung ‚Der Weltfreund‘ und das Gedicht ‚Weltende‘ von Jakob van Hoddis – ein charakteristischer Widerspruch! Der Welt-Enthusiasmus Werfels war in der Lyrik Nietzsches und einiger idealistischer Vorläufer des Expressionismus vorgeprägt, von denen Theodor Däubler und Ernst Stadler sich später ausdrücklich zum Expressionismus bekannten; das Bild eines absurden Weltuntergangs, das van Hoddis zeichnete, war neu in der Lyrik. Der Gegensatz zwischen beiden spiegelt sich auch in der Doppeldeutigkeit des Titels, den Kurt Pinthus 1920 seiner auf den Expressionismus zurückblickenden Lyrik-Anthologie gab: *‚Menschheitsdämmerung‘.*

Die Sammlung enthält 275 Gedichte von 23 Dichtern aus den Jahren 1903 bis 1919. Pinthus gab

ihr eine thematische Gliederung und nannte die Teile: ‚Sturz und Schrei‘, ‚Erweckung des Herzens‘, ‚Aufruf und Empörung‘, ‚Liebe den Menschen‘. In seinem Vorwort erklärt Pinthus diesen Aufbau als den Weg der Generation von „Zweifel und Verzweiflung" angesichts einer ent-
leerten und zerfallenden Welt zum Protest gegen diese und zur „sehnsüchtigen Vorbereitung
und Forderung neuer besserer Menschheit". Dem entspräche als Doppelsinn des Anthologie-
Titels: Wie in der germanischen Vorstellung eines Weltendes als Götterdämmerung droht die
Menschheit unterzugehen, zugleich aber regen sich seelische Kräfte in der Hoffnung auf die
Morgendämmerung einer neuen Menschheit. (Dementsprechend ließ Pinthus schon 1921 eine
zweite Anthologie folgen mit dem Titel ‚Verkündigung. Anthologie junger Lyrik‘.)
Schon bei der Veröffentlichung der dritten Auflage (1922) mußte Pinthus jedoch feststellen, daß
diese Hoffnung wirkungslos geblieben sei. Die Aufbruchsstimmung schien nicht nur aus einer
Untergangsstimmung hervorgegangen zu sein, sondern vielmehr wieder in ihr zu versinken.
Dementsprechend verteidigte Pinthus die expressionistischen Dichter in der Neuauflage der
Anthologie 1959 als „enttäuschte Humanisten".

Während der Aufbau der Anthologie den Durchbruch eines neuen Menschheitsglau-
bens und Lebensvertrauens aus den Krisen der Zeit darstellt, bietet sich dem Rückblick von heute die innere Entwicklung der expressionistischen Generation eher umgekehrt dar: Das Menschheitspathos ist der Krisenerfahrung und Desillusionierung
erlegen.

3.1.1 Idealistische und realistische Menschheitsdichtung

Etwa ein Fünftel der Gedichte lebt vom Pathos der Zuversicht; es sind Hymnen auf
den Menschen, die Menschheit, das Volk, die Brüderlichkeit, Liebe und Freundschaft, die Kraft der Seele und das Glück des Lebens. Unbestrittener Wortführer dieser Verkünder war *Franz Werfel* (1890–1945), der schon im ‚*Weltfreund*‘ (1911) den
Menschen zugerufen hatte: „so gehöre ich dir und allen!" Er besingt in seinen Gedichten den „guten Menschen", den „schönen, strahlenden Menschen", den Menschen als „das Maß der Dinge"; aber seine Hymnen dröhnen „ins Allgemeine" oder
münden in Sentenzen, wie in einem seiner berühmtesten Gedichte, ‚*Lächeln,
Atmen, Schreiten*‘.

> [...] Schwinge dich hin, schwinde ins Schreiten mit!
> Schreiten entführt
> Alles ins Reine, ins Allgemeine.
> Schreiten ist mehr als Lauf und Gang,
> Der sternenden Sphäre Hinauf und Entlang,
> Mehr als des Raumes tanzender Überschwang.
> Im Schreiten der Menschen wird die Bahn der Freiheit geboren. [...]

Ein Beispiel für den Gegensatz zwischen abstraktem Menschheitspathos und gleichsam realistischer Darstellung des Menschen in seinem Handeln und Leiden gab *Yvan
Goll* (1891–1950) mit seinem Gedichtzyklus ‚*Der Panamakanal*‘. Seit 1906 vollendeten die USA das jahrzehntealte und skandalumwitterte Kanalprojekt, das viele als
Verwirklichung einer Utopie des 19. im 20. Jahrhundert ansahen. In der Erstfassung
von 1912 schildert Goll poetisch, wie die paradiesische Natur zerstört wird, wie sie
sich mit Klima und Krankheit an den Arbeitern rächt und wie schließlich im Gigan-
tenkampf Technik und Arbeit siegen.
Hier ist bereits zeitgenössische Lebensrealität gesehen, freilich sehr pathetisch, vor
allem im Schlußgedicht ‚*Die Weihe*‘, in dem die Kanaleröffnung als Versöhnung der
Erde mit der Zivilisation und gleichzeitig als Verbrüderung der Menschen gefeiert
wird:

> [...] Ach, die Augen aller trinken Brüderschaft
> Aus der Weltliebe unendlich tiefer Schale:
> Denn hier liegt verschwistert alle Erdenkraft,
> Hier im Kanale.

Diese Hymne aber widerrief Goll, als er 1918 – im Endjahr des Weltkrieges und zwei

Jahre nach der Eröffnung des Panamakanals – eine neue Fassung veröffentlichte. Formal hat er die metrischen und gereimten Verse aufgegeben zugunsten einer rhythmischen, allerdings im Original in Zeilen gegliederten Prosa. Inhaltlich drängen die Bilder der Arbeiter die der Natur und Technik zurück. Die Idee der Verbrüderung wird am Ende nur noch als vergänglicher Augenblick des Glücks beschworen:

„Über den schwarzen Arbeitertrupps schlugen die Wellen der Freiheit zusammen. Einen Tag lang waren auch sie Menschheit. Aber am nächsten Tag schon drohte neue Not. Die Handelsschiffe mit schwerem Korn und Öl ließen ihre Armut am Ufer stehn. Am nächsten Tag war wieder Elend und Haß. Neue Chefs schrien zu neuer Arbeit an. Neue Sklaven verdammten ihr tiefes Schicksal. Am andern Tag rang die Menschheit mit der alten Erde wieder."

Der zeitlos mythische Kampf zwischen Mensch und Natur wird hier entschiedener – auch in der Diktion – im Zusammenhang mit der konkreten und sozialen Arbeitswelt gesehen.

3.1.2 Gesellschaft: Protest und Aufruf

In der Auseinandersetzung mit dem Zeitgeist benennen die Expressionisten dieselben konkreten Zeiterscheinungen wie schon zwanzig Jahre vor ihnen die Naturalisten: Großstadt und Technik, Proletariat und Kapital, Staat und Militarismus. Der Protest in Gedichten solidarisiert sich mit dem Arbeiter gegen die Unternehmer, jedoch fast nie mit bestimmten politischen Parteien; die Sozialkritik erfaßt die Probleme der Arbeiter weniger politisch als existentiell und irrational. Man beschwört und verkündet eine Revolution, aber fast immer nur als Aufbruchsvision oder Utopie. Stilistisch tendieren die Protestgedichte zu einer Mischung aus traditionellem poetischem Pathos und aktualisierendem Agitationspathos (z. B. in dem Gedicht ‚Arbeiter!' von *Karl Otten* [1889–1963]).

Selbst dem politischen Lyriker des Expressionismus geht es auch in der Politik um ein neues Lebensgefühl und seinen Ausdruck. Ein politisch besonders engagierter Expressionist, *Johannes R. Becher* (1891–1958), experimentierte deshalb mit der Sprache, um ihr neue, energische Wirkungen abzuringen:

> An die Zwanzigjährigen
>
> Zwanzigjährige! [...] Die Falte eueres Mantels hält
> Die Straße auf in Abendrot vergangen.
> Kasernen und das Warenhaus. Und streift zuend den Krieg.
> Wird aus Asylen bald den Windstoß fangen,
>
> Der Residenzen um ins Feuer biegt!
> Der Dichter grüßt euch Zwanzigjährige mit Bombenfäusten,
> Der Panzerbrust, drin Lava gleich die neue Marseillaise wiegt.

Das Sprachexperiment besteht darin, daß gewohnte Sprechweisen verkürzt, gebrochen und neu gefügt werden. So sind Bruchstücke einer konventionellen Agitationsadresse zu erkennen – Anrede, Gruß an das Kollektiv, schlagwortartig gebrauchte Topoi des Milieus, Absage an den Krieg, revolutionäre Zerstörung der „Residenzen". Ebenso finden sich Reste einer traditionellen Metaphorik, z. B. das Vergehen „in Abendrot" sowie Feuersturm und Vulkan als Bilder für Revolution. Aber erst bei genauem Lesen kann man formal die Mantelfalte als Subjekt der Verse 3 bis 5 identifizieren; und das versteht man nur, wenn man sich ein Denkmal vorstellt, in dem allegorisch der Faltenwurf einer Figur Straße, Krieg und revolutionäres Feuer umfängt. Die Wirkung des Gedichts beruht nicht darauf, daß man es versteht, sondern – irrational – auf der Monumentalität der Bilder und der Rhetorik des Redegestus.

Während der Stil des Gedichts Konventionen durchbricht, sind Strophik, Metrum und Endreim traditionell. Das Gedicht ist so ein Beispiel dafür, daß viele Expressionisten trotz der Modernisierung der Dichtersprache bestimmte traditionelle Vorstellungen vom Gedicht als Kunstwerk noch nicht in Frage stellten.

3.1.3 Wirklichkeitsverfremdung und Selbstentfremdung

Die Verkündigungs- und Protestgedichte der Expressionisten hat *Alfred Wolfenstein* (1888–1945) einmal als „Brüderlichkeit, diese Tagesphrase" und als „Scheinrevolution" kritisiert und statt dessen in der Dichtung „wirkliche Stimmen" gefordert, also den echten Ausdruck der Erfahrung. Was er sich darunter wohl vorstellte, zeigt sein Gedicht *‚Städter':*

> Nah wie Löcher eines Siebes stehn
> Fenster beieinander, drängend fassen
> Häuser sich so dicht an, daß die Straßen
> Grau geschwollen wie Gewürgte stehn.
>
> Ineinander dicht hineingehakt
> Sitzen in den Trams die zwei Fassaden
> Leute, wo die Blicke eng ausladen
> Und Begierde ineinander ragt.
>
> Unsre Wände sind so dünn wie Haut,
> Daß ein jeder teilnimmt, wenn ich weine,
> Flüstern dringt hinüber wie Gegröle:
>
> Und wie stumm in abgeschloßner Höhle
> Unberührt und ungeschaut
> Steht doch jeder fern und fühlt: alleine.

Formal wirkt das Gedicht eher konservativ: Die Gattung des Sonetts wird verwendet, der Satzbau ist normal, Vergleich, Personifikation und Bild sind alte poetische Mittel. Auch der Inhalt besteht in gewohnter Weise aus Feststellungen äußerer Wirklichkeitswahrnehmungen und innerer Gefühle. Aber die Teile der Wirklichkeit reihen sich aneinander, ohne einen logischen, zeitlichen oder räumlichen Zusammenhang erkennen zu lassen. Die Bilder und Vergleiche verschieben die gewohnte Metaphorik; Dinge wirken wie Wesen (1. Strophe), die Menschen aber, nur noch kollektiv und unpersönlich wahrgenommen, wirken verdinglicht (2. Strophe). Wie die äußere, so ist die innere Erfahrung widersprüchlich geworden: Die Enge der Behausung wirkt zugleich transparent und undurchdringlich, der Mensch erlebt sich zugleich in seiner Einsamkeit isoliert und in der Vermassung preisgegeben (3. und 4. Strophe). Das ist die 'wirkliche Stimme' einer Erfahrung, in der die äußere Wirklichkeit verfremdet und der Mensch sich selbst entfremdet wird.

3.1.4 Deformation, Groteske und Absurdität des Lebens

Wolfensteins ‚Städter' lassen trotz der Verfremdung im Ausdruck noch Milieu, Situationen und Empfindungen deutlich erkennen. Andere Expressionisten gehen noch weiter, lösen jeden Sinnzusammenhang auf und verzerren die isolierten Wahrnehmungen ins Häßliche, Anormale oder Komische. Der Titel des Gedichts *‚Die Dämmerung'* von *Alfred Lichtenstein* (1889–1914) läßt eigentlich ein Stimmungsbild erwarten, und so kann man die erste Strophe auch noch verstehen, etwa als Gang durch die Stadt am frühen Morgen. Dann aber folgt eine Serie unverbundener Einzelbilder, die immer unsinniger werden:

> Ein dicker Junge spielt mit einem Teich.
> Der Wind hat sich in einem Baum gefangen.
> Der Himmel sieht verbummelt aus und bleich,
> Als wäre ihm die Schminke ausgegangen.
>
> Auf lange Krücken schief herabgebückt
> Und schwatzend kriechen auf dem Feld zwei Lahme.
> Ein blonder Dichter wird vielleicht verrückt.
> Ein Pferdchen stolpert über eine Dame.

> An einem Fenster klebt ein fetter Mann.
> Ein Jüngling will ein weiches Weib besuchen.
> Ein grauer Clown zieht sich die Stiefel an.
> Ein Kinderwagen schreit und Hunde fluchen.

Man kann hier Satz für Satz feststellen, wie vorstellbare Wahrnehmungen durch die Formulierung verfremdet werden, ins Lächerliche, Verächtliche, Triste oder Ekelhafte. Ihre Aufreihung ohne Zusammenhang, das Fehlen eines Ichs oder einer Perspektive und erst recht einer Pointe läßt sie sinnlos erscheinen – „vielleicht verrückt". Einheit gibt den Momentaufnahmen nur die durchgängige Verfremdung.

Wahrnehmung ohne sinngebendes Ich, Wirklichkeiten ohne einen Zusammenhang außer dem der Sinnlosigkeit, die sich der Wahrnehmung deshalb verzerrt, ja grotesk darstellen – ähnliche Vorstellungen finden wir in expressionistischen Bildern, z. B. von Beckmann, Ensor, Grosz, Nolde (Figurenbilder), oder auch in den Abstraktionen von Picasso und Sutherland. Auch das Gedicht ‚Weltende‘ von *Jakob van Hoddis* (1887–1942), mit dem die Anthologie ‚Menschheitsdämmerung‘ beginnt, gehört zu dieser Kunst der Deformation, allerdings mit dem Leitgedanken, daß die einzelnen Deformationen wie Vorzeichen einer Katastrophe wirken, des „Weltendes", dem gegenüber der Mensch nur noch als lächerliche Banalität erscheint.

Daß es sich bei dieser Kunst der Deformation um wirklich Erlebtes handeln kann, legen die frühen Gedichte des Arztes *Gottfried Benn* (1886–1956) in seiner Sammlung ‚Morgue‘ nahe (1912). Die Verdinglichung des Menschen zum Körper, der in der Krankheit denaturiert und in der Anatomie zerlegt wird, treibt die Desillusionierung bis zum Ekel. Versucht man, dieser Realität das Schöne hinzuzufügen, wie der Arzt, der in dem Gedicht ‚Kleine Aster‘ eine Blume in den Brustkorb einer Leiche einnäht, dann ist dies ein krasses Bild für die Absurdität der Kunst in einer kaputten Wirklichkeit. Benn hat selbst erklärt, daß er die Diskrepanz zwischen seinem Beruf als Arzt und als Dichter so empfunden und darunter gelitten hat.

3.1.5 Ich-Begriff und Wirklichkeitsverlust

Die Entfremdung zwischen Ich und Wirklichkeit hat *Gottfried Benn* als Folge der Intellektualität des modernen Menschen gedeutet, dessen „Gehirnlichkeit" ihn der ursprünglichen Lebendigkeit seiner Existenz beraubt hat:

> „[…] Ich bin gehirnlich heimgekehrt/ aus Höhlen, Himmel, Dreck und Vieh. […] Es ringt kein Tod, es stinkt kein Staub/ mich, Ich-Begriff, zur Welt zurück." (‚Synthese‘)

Die Seele aber leidet unter dem Weltverlust, das Lebensgefühl kann sich im „Ich-Begriff" nur negativ aussprechen, als Gefühl des Verlorenen, wonach sich die Seele zurücksehnt: nach der ursprünglichen Einheit des Ichs mit der Natur:

> ‚Gesänge 1‘
>
> O daß wir unsere Ururahnen wären.
> Ein Klümpchen Schleim in einem warmen Moor.
> Leben und Tod, Befruchten und Gebären
> Glitte aus unseren stummen Säften hervor.
>
> Ein Algenblatt oder ein Dünenhügel,
> Vom Wind Geformtes und nach unten schwer.
> Schon ein Libellenkopf, ein Mövenflügel
> wäre zu weit und litte schon zu sehr.

Benns Modernität besteht darin, daß er dem modernen Evolutions- und Fortschrittsoptimismus widerspricht und zugleich sehnsüchtig nach einer als verloren empfundenen Lebendigkeit zurückblickt. Mit ihr ist die Selbstverständlichkeit der menschlichen Gefühle, ja des Glaubens, verloren; poetisch sagbar ist nur noch das Heimweh nach dem Verlorenen (vgl. ‚Gesänge 2‘).

Der Gegensatz zwischen moderner Intellektualität und Sehnsucht nach der verlorenen Einheit mit dem Leben drückt sich in vielen Gedichten Benns mit dem
Nebeneinander zweier Sprachebenen aus. Der Klang der – oft traditionellen – Verse
und die Bilder des Lebens sind dann, anders als in den ‚Morgue'-Gedichten, eigentlich 'schön'; aber die Bilder sind eingebettet, und zwar oft als bloße Stichwörter, in
den Redegestus des Denkens und Reflektierens. Neben Pathos, Aufruf, Aufschrei,
deformierender Beschreibung und dem traumhaften Gefühlsbekenntnis zeichnet
sich hier eine weitere Eigenart des dichterischen Sprechens in der Moderne ab: die
gegenseitige Brechung und Verschränkung des Bildes mit dem Gedanken, des Ästhetischen mit der Reflexion.

3.1.6 Poesie als Eigenwelt des reinen Gefühls

Nur wenige mit dem Expressionismus verbundene Dichter haben sich der ungebrochenen Gefühlsaussprache und nicht verfremdeten Phantasie überlassen. *Else Lasker-Schüler* (1869–1945) tat dies nicht nur in ihren Gedichten, sondern auch im Leben, wenn sie z. B. sich und ihre Freunde – darunter vor allem Gottfried Benn und
Franz Marc – in Sagen- und Märchenfiguren umdeutete und ihr bohemehaftes Leben
wie etwas Phantasiertes zu leben versuchte. So schickte sie Pinthus für die Anthologie ‚Menschheitsdämmerung' folgenden ‚Lebenslauf':

> „Ich bin in Theben (Ägypten) geboren, wenn ich auch in Elberfeld zur Welt kam im Rheinland.
> Ich ging bis 11 Jahre zur Schule, wurde Robinson, lebte fünf Jahre im Morgenlande, und seit-
> dem vegetiere ich."

Um zu „leben" und nicht nur zu „vegetieren", um noch aufrichtig als Ich sprechen
und ein Du anreden zu können, dichtete Else Lasker-Schüler sich eine Phantasiewelt, die freilich von ihrer realen Umwelt weit entrückt war, wie in dem Gedicht ‚*Ein
alter Tibetteppich*':

> Deine Seele, die die meine liebet,
> ist verwirkt mit ihr im Teppichtibet.

> Strahl in Strahl, verliebte Farben,
> Sterne, die sich himmellang umwarben.

> Unsre Füße ruhen auf der Kostbarkeit
> Maschentausendabertausendweit.

> Süßer Lamasohn auf Moschuspflanzenthron,
> Wie lange küßt dein Mund den meinen wohl
> Und Wang die Wange buntgeknüpfte Zeiten schon?

Unmittelbare Wirklichkeit ist hier nur noch das Gefühl, das sich aus dem Gegenüber
des Teppichbildes in der Imagination Sprachbilder heranzieht, wo es sie nur findet:
im Kunstgebilde des Teppichs selbst, in der Natur, in der Vorstellung exotischer und
sagenhafter Kulturen, aber auch in eigenwilligen Wortprägungen. Das Geflecht dieser Bilder beruht nicht auf Gedanken, sondern auf der assoziativen Wiederholung
und Variation des Gewebe-Motivs, mit dem das Gefühl, die Liebe, sich eine imaginäre Welt gestaltet, in der die Liebe zum fernen wunderbaren Land – „Teppichtibet" –,
zum ineinander verschlungenen Sternenhimmel, zum endlosen Schmuck des Bodens
unter den Füßen und zur Entgrenzung der Zeit in „buntgeknüpfte Zeiten" wird.
Die Dichterin, deren erster Gedichtband schon 1902 erschien, nimmt eine Sonderstellung im Umkreis des Expressionismus ein. Sprache und Bilder ihrer Lyrik haben
nicht das Gewaltsame vieler Expressionisten an sich; die äußere Realität wird nicht
als deformierte aufgezeigt, sondern ist gegen eine innere Welt eingetauscht, die den
traumhaften Bildwelten einiger Symbolisten sowie Georg Heyms und Georg Trakls
nicht fernsteht. Mehr als viele Zeitgenossen hat sie auch den ganz unpathetischen
Gefühlsausdruck in schlichten Alltagsworten, zwanglosen freien Rhythmen ohne

Reim und sparsamer Bildlichkeit gefunden: „Seit du nicht da bist,/ ist die Stadt dunkel […]" (‚Ein Lied der Liebe'). Mit den Expressionisten verband sie nicht nur Freundschaft, sondern auch die Sehnsucht nach der Vereinigung des Ichs mit Du, Welt und All, der doch die Erfahrungen der Einsamkeit, Entfremdung und Abgründigkeit schon vorgegeben sind: „[…] Alles ist tot,/ nur du und ich nicht" (‚Dr. Benn').

3.1.7 Der Krieg als Weltende

Unter den ersten 82 Gedichten der Anthologie ‚Menschheitsdämmerung' mit den Themen Weltende, Verfall, Großstadt, Verzweiflung, Tod usw. stehen zwölf Kriegsgedichte, fast alle aus dem ersten Weltkriegsjahr 1914/15, und nur eines davon – ‚Der Aufbruch' von Ernst Stadler – spricht die Hoffnung aus, daß das Kriegserlebnis eine innere Erneuerung bringen werde. In allen anderen erscheint der Krieg als die exemplarische Katastrophe, in der das geahnte „Weltende" als totale Verfremdung und Auflösung der Ich- und Welterfahrung erlebt wurde. Dieses Erlebnis notierte in seinen Briefen auch *August Stramm* (1874–1915), bevor er im Krieg fiel, und stellte dabei u. a. fest:

„[…] Unaufhörlich bullert der Tod in wahnwitzigsten und lächerlichsten Gestalten. Alles Pathos verschwindet. […]"

Damit war für ihn bestätigt, was er schon vorher empfunden hatte, daß nämlich die traditionellen Formen und Sprechweisen der Poesie für seine Erfahrung der Wirklichkeit als Ausdruck überhaupt ungeeignet waren. Infolgedessen löste er Strophe und Vers, Satzbau und Semantik aus ihrer Regelmäßigkeit, der Unterschied zwischen objektiver Wahrnehmung und subjektiver Empfindung, zwischen Gedanke und Bild verschwindet:

‚Sturmangriff'

Aus allen Winkeln gellen Fürchte Wollen
Kreisch
Peitscht
Das Leben
Vor
Sich
Her
Den keuchen Tod
Die Himmel fetzen
Blinde schlächtert wildum das Entsetzen.

Von allen Lyrikern bis zum Weltkrieg geht Stramm mit der Deformation am weitesten, nämlich bis in das Sprachmaterial selbst. Allerdings löst er, im Unterschied zu den Dadaisten und späteren Sprachexperimentierern, den Wortschatz und die Grundmuster der normalen Sprache nicht ganz auf, sondern deformiert sie eben nur. Man versteht, was er ausdrücken will, empfindet vielleicht, welche intensiven Empfindungen er in den einzelnen Ausdrücken zusammenballt, und ist gleichzeitig irritiert durch die sprachlichen Deformationen – damit kann man die vom Dichter erlebte Deformation der Wirklichkeit, der Erfahrung und des Menschen nachvollziehen. Das entspricht formal den Prognosen des Futurismus (vgl. S. 370ff.), inhaltlich gibt es die totale Erfahrungskrise wieder.

3.2 Exkurs: Dunkle Poesie und poetische Chiffre

Bild und Metapher sind alte Kunstmittel der Poesie. Die neuhochdeutsche Lyrik kennt seit der Barockepoche die 'kühne Metapher'; das ist ein ungewöhnliches, manchmal paradoxes Sprachbild, mit dem Natürliches künstlich verfremdet wird, sei es ins Kunst-Schöne, ins Mystisch-Religiöse, sei es auch ins Häßliche der Satire oder als Zeichen der Vergänglichkeit. Aufklärung und Klassik vermieden die oft vernunftwidrige Semantik der 'kühnen Metapher', aber die Romantiker entdeckten sie wieder als Ausdruck des Irrationalen oder der Transzendenz des Lebens und des Todes. 'Dunkles' Sprechen in der Dichtung wurde Ausdruck seelischer Tiefe im Widerspruch zu einer Welt, in der Vernunft unsinnig gebraucht wird. So waren für den Romantiker *Novalis* (1772–1801) „Märchen und Gedichte" die „wahren Weltgeschichten"; vor dem „geheimen Wort" der Poesie sollte „das ganze verkehrte Wesen" einer bis zur Sinnleere rationalisierten Welt weichen. Denn Wahrheit war diesen Romantikern nicht das Wissen der Ratio, sondern das, was die Seele als Sinn erfaßt und was die „wunderbaren Sprachen" (Wackenroder) des Gefühls, des Glaubens und der Künste aussprechen, als erlebte Wahrheit, in der Welt und Ich sich gegenseitig erschließen und vereinigen.

Baudelaire und die französischen Symbolisten haben Traditionen der Romantik an die Moderne weitergegeben; was sie nicht weitergeben konnten, war das Vertrauen der Romantiker in einen Sinn der Welt und in das „heimliche" Einverständnis der Seele mit der Welt. Je mehr die Vernunft die Welt erklärte und gestaltete, um so unverständlicher schien sie dem Gefühl zu werden. Inzwischen ist auch der Glaube an eine universale Poesie, in der sich alle verstehen, verlorengegangen. Wirklichkeit wird als etwas Unverständliches erlebt, das normale Sprechen darüber als sinnleer empfunden (Hofmannsthal). Kommunikation mit anderen erscheint fast unmöglich; das Ich kann nur noch versuchen, sich selbst auszusprechen und so vielleicht eine neue Wirklichkeit in Sprache zu entwerfen. Dazu schafft es sich eine eigene Sprache, die sich 'hermetisch' gegen die Gebrauchssprachen abschließt. Deshalb soll Dichtung „die entscheidenden Dinge in die Sprache des Unverständlichen erheben" (Benn); das „geheime Wort" wird zur „Chiffre", zum Zeichen, das einen Text verschlüsselt (vgl. S. 360f.)

Der Unterschied zwischen modernen poetischen Chiffren und traditionellen Metaphern, Symbolen oder Allegorien besteht darin, daß der Sinn der Chiffren nicht nach einem konventionellen Schlüssel zu verstehen ist; weder die Gewohnheiten der Sprache und Literatur noch die gewohnten Wirklichkeitsvorstellungen reichen dazu aus. An derart chiffrierte moderne Dichtungen darf der Leser nicht gewohnte Bedeutungen herantragen. Vielmehr muß er die inneren Bedeutungsbeziehungen der Texte erst aufspüren, indem er die „Selbstsprache" (Novalis) des Textes lernt und damit erst seine besondere Bedeutung versteht. Das chiffrierte Gedicht erschließt sich nur aus sich selbst, die Chiffrensprache eines Dichters aus seinem Werk, und die Chiffren einer Epoche müßte man aus vielen Dokumenten verstehen lernen – sofern nach modernem Bewußtsein eine Epoche überhaupt noch gemeinsame Chiffren haben kann.

3.3 Georg Heym und Georg Trakl: Chiffren von Leben und Tod

Die beiden bekanntesten Lyriker der expressionistischen Periode, Georg Heym (1887–1912) und Georg Trakl (1887–1914), waren eigentlich Einzelgänger, wurden aber von den Expressionisten als ihresgleichen hoch geschätzt. Sie folgten jedoch weniger als andere expressionistischen Moden, sondern schufen sich, anknüpfend an literarische Traditionen, eine ganz eigene Bild- und Sprachwelt.

Lebenslinien. Auf den ersten Blick erscheinen ihre Persönlichkeiten und Lebensläufe gegensätzlich. Der Schlesier *Heym* war fasziniert von der Metropole Berlin, studierte an mehreren Universitäten Jura, mit Referendariat und Promotion, gewann Anschluß an die Literaten des ‚Neuen Clubs' in Berlin und starb 1912 durch einen Unfall beim Eislaufen. Nach Äußerungen über sich selbst liebte er das Leben und empfand Widerwillen gegen die „banale Zeit", in der er lebte; das Häßliche und Makabre fesselte ihn wegen seiner unbürgerlichen Ausdruckskraft.

Der Salzburger *Trakl* dagegen litt schon als Jugendlicher unter Schuldgefühlen, wurde rausch-giftsüchtig, absolvierte zwar ein Praktikum und Studium der Pharmazie und wurde Apotheker, hielt es aber an keiner Arbeitsstelle aus, wurde mit dem Leben nicht fertig und brach als Sanitäter unter dem Grauen der Schlachten des Ersten Weltkriegs in Galizien zusammen – sein Tod war erwartet, wenn nicht sogar gewollt.

Trotzdem verbindet beide nicht nur ihre Gleichaltrigkeit. Ihr früher Tod trat jeweils ein, als sie erst wenige Gedichte veröffentlicht hatten; trotzdem wurden sie mit postumen Veröffentlichungen bald bekannt. Beide stammten aus wohlhabenden und gebildeten Bürgerfamilien, entfremdeten sich ihnen aber früh. Beide waren physisch kräftige Naturen, die ihre Vitalität verschwendeten: Der eine, Heym, schätzte ein exzentrisches Leben und den Alkohol, der andere, Trakl, verfiel der Droge. Trakl hielt es bei keiner Arbeit aus, Heym wechselte rasch die Wohn- und Studienorte und träumte von weiten Reisen. Beide versuchten, sich in das bürgerliche Leben zu finden, waren aber dazu innerlich unwillig (Heym) oder unfähig (Trakl). Und beide schöpften aus der Inkongruenz ihres inneren mit dem normalen Leben viele Bilder ihrer Dichtungen.

3.3.1 Georg Heym: Landschaften und Figuren des verlorenen Wesens

Georg Heym hat 1911 in einem Tagebucheintrag von sich selbst bekannt, was auf viele junge Dichter seiner Generation zutraf:

„Mein Gott – ich ersticke noch mit meinem brachliegenden Enthousiasmus in dieser banalen Zeit! Denn ich bedarf gewaltiger äußerer Emotionen, um glücklich zu sein. [... ich] krank genug, um mir selber nie genug zu sein, ich wäre mit einem Male gesund, ein Gott, erlöst, wenn ich irgendwo eine Sturmglocke hörte, wenn ich die Menschen herumrennen sähe mit angstzerfetzten Gesichtern, wenn das Volk auferstanden wäre und eine Straße hell wäre von Pieken, Säbeln, begeisterten Gesichtern und aufgerissenen 'Hemden'."

Das Gefühl einer Krankheit, die aus der „banalen Zeit" herrührt, und die Sehnsucht nach einer alle Menschen begeisternden und erschütternden Revolution sind elementare Motive des Expressionismus. Heym ist jedoch kein politischer Revolutionär geworden, obwohl er in einigen Gedichten und der Erzählung ,Der 5. Oktober' der Französischen Revolution eindrucksvolle poetische Bilder gegeben hat. Nicht einmal seine Lyrik ist in jeder Hinsicht 'revolutionär'; in der Gedichtform z. B. ist sie eher traditionell, formstreng und formenarm. Auch die Themen der Gedichte wirken zunächst vertraut: Es sind viele Natur- und Landschafts-, auch Großstadtgedichte, ferner Gedichte über menschliche oder allegorische Figuren. Darin scheint Heym Symbolisten wie George, Hofmannsthal oder Rilke nahezustehen. Das Besondere und Neuartige sind diese Bilder selbst und ihr inneres Gefüge. Ihres Abstandes von den Symbolisten, den „Leuten des Innern", war Heym sich aber bewußt, wie wiederum die o. a. Tagebuchnotiz zeigt:

„Alle diese [...] Leute des Innern können sich in diese Zeit eingewöhnen, [...] ich aber, der Mann der Dinge, ich ein zerrissenes Meer, ich immer Sturm, ich der Spiegel des Außen, ebenso wild und chaotisch wie die Welt [...]"

Vor allem in den Gedichten der einzigen zu Lebzeiten erschienen Sammlung, ,Der ewige Tag' (1911), erscheint Heym als „Mann der Dinge" und „Spiegel des Außen":

> Beteerte Fässer rollten von den Schwellen
> Der dunklen Speicher auf die hohen Kähne.
> Die Schlepper zogen an. Des Rauches Mähne
> Hing rußig nieder auf die öligen Wellen [...] (,Berlin I')

Die Wahrnehmungen werden Satz für Satz beschrieben und drängen sich dem Leser farbig, griffig und räumlich auf. In ihrem parataktischen Nebeneinander lassen die Gegenstände aber keine innere Beziehung erkennen. Oft enden die Gedichte mit einem Ausblick ins Weite, aber die Weite gibt den Dingen keine Transzendenz:

> [...] Wir ließen los und trieben im Kanale
> An Gärten langsam hin. In dem Idylle
> Sahn wir der Riesenschlote Nachtfanale. (,Berlin I')

Das die Idylle verfremdende Zeichen der Industrie und zugleich der Nacht wirkt eher wie eine konkrete Bedrohung, nicht wie ein Ausblick. Die Beziehungslosigkeit der Bilder wird dadurch verstärkt, daß die Menschen, die gezeigt werden, keine Individuen sind, sondern Typen oder gar die „Menge" und „uraltes Volk". Und das Ich des lyrischen Sprechers erscheint in den Gedichten Heyms nur selten, und wenn, dann ganz unbestimmt. Die menschlichen Figuren nun sind sehr oft Verkörperungen einer schwachen, reduzierten oder gar deformierten Existenz: Kinder, Alte, Krüppel, Gefangene, Blinde usw., immer wieder Tote. Sie werden anschaulich gezeichnet, aber nicht gedeutet; ein Lebenssinn oder eine Transzendenz ist ihnen unzugänglich. So wird z. B. in dem Gedicht ‚Der Blinde‘ der Himmel als ungeschaute Farbenwelt und Weite den „toten Augen", ja dem „Paar von weißen Knöpfen" gegenübergestellt, mit dem Schluß:

> [...] Der Himmel taucht in das erloschene Licht
> Und spiegelt in dem bleiernen Opal.

Prototypen des verlorenen Lebensbezuges sind die Toten, und so erscheinen z. B. in zwei Sonetten Louis Capet und Robespierre, der gestürzte König und der siegreiche Henker der Französischen Revolution, erst im Moment ihrer jeweiligen Hinrichtung; als Figurationen der Ohnmacht sind sie einander entsetzlich ähnlich geworden. Tote stellt Heym zwar nicht nur entstellt dar, sondern auch als mitten im Leben Ruhende oder Dahintreibende wie „Der Schläfer im Walde" oder mehrmals Ophelia. Aber gerade dieses Ineinander von Leben und Tod macht beide unverständlich, fremd; die so prall dargestellte Wirklichkeit hat kein inneres Leben.
Alle Lebensbilder sind im Grunde Lebensschatten. Und so kennzeichnet sie das postum veröffentlichte Gedicht ‚Umbra vitae‘, das in der Anthologie ‚Menschheitsdämmerung‘ (vgl. S. 377f.) an zweiter Stelle hinter ‚Weltende‘ von Jakob van Hoddis steht. In diesem Gedicht zeichnet sich ein zweiter Typ Heymscher Gedichte ab: Die Wirklichkeit wird – grotesk oder pathetisch – zur verrätselten Allegorie verwandelt. In den mittleren Strophen des Gedichts werden die „Horden" der „Selbstmörder" geschildert, die nachts die Städte durchstreifen: „Die suchen vor sich hin ihr *verlorenes Wesen.*" Sie gleichen selbst schon den Toten und sind von einer Welt aus Töten und Sterben umgeben. Ein scheinbar auferstehender Toter verschwindet alsbald:„Auf einmal ist er fort, *wo ist sein Leben?*" Hier handelt es sich um deutende Bilder, so chiffriert sie auch sein mögen; ein Weltbild wird sichtbar, wenn auch das einer „chaotischen" und „zerrissenen" Welt der „kranken" Menschen mit „angstzerfetzten Gesichtern" (vgl. die Tagebuchnotiz). Jedes positive Weltbild wird ausdrücklich in Frage gestellt. So beginnt ‚Umbra vitae‘ mit Bildern eines Himmels voller absurder „Himmelszeichen", nach denen groteske „Sternedeuter" und „Beschwörer", vergeblich forschend, ihre Fernrohre richten. Am Ende des Gedichts ist von Träumen die Rede – einer anderen Art, hinter das vordergründige Leben zu schauen. Aber auch die Träume sind wieder nur Lebensschatten, „die an stummen Türen schleifen". Ähnliche negative Chiffren-Allegorien oder, nach dem Titel einer Gedichtfolge gesagt, „schwarze Visionen" finden sich in den großen, noch deutlicher zeitkritisch wirkenden Gedichten ‚Der Gott der Stadt‘, ‚Die Dämonen der Städte‘, ‚Der Krieg‘ u. a. m. Sie alle erinnern an die Vanitas-Bilder der Barockdichter und an die Zwischenwelten von Traum und Tod einiger Romantiker. Expressionistisch ist das deformierte, ja wahnhafte Wirklichkeitsbild entfremdeter und sinnloser Existenz.
Es gibt allerdings noch einen dritten Heym, den des „Enthousiasmus", der Sehnsucht nach Glück und Erlösung. Zu ihm gehören sehr schöne Liebesgedichte, z. B. ‚Deine Wimpern, die langen [...]‘, und das Frühlingsgedicht ‚Alle Landschaften haben/Sich mit Blau gefüllt [...]‘. Sehnsucht und Resignation verschmelzen in den beiden Seefahrer-Elegien ‚Mit den fahrenden Schiffen [...]‘ und ‚Die Seefahrer‘: Auch hier vergegenwärtigen sich die Weltreisenden im Rückblick die Vergeblichkeit der

Suche nach einem „Du" oder den Untergang der Wirklichkeiten – das volle Leben ist unerreichbar oder verloren –, aber weder apokalyptisch noch zynisch, sondern wehmütig und schön.

Nachträglich hat man Heym unterstellt, er habe in seinen „schwarzen Visionen" die Katastrophen des 20.Jahrhunderts prophetisch vorhergesagt. Der realgeschichtliche Bezug seiner Dichtungen besteht aber wohl nur im Widerwillen gegen die wilhelminisch-bürgerliche Situation vor dem Ersten Weltkrieg und im Verlangen nach revolutionärer Veränderung allgemein. Literargeschichtlich läßt Heyms Lyrik nicht eigentlich einen Bruch mit jeder Tradition erkennen, sondern im Anschluß an lyrische Traditionen die Entfaltung einer neuen Bilder- und Chiffrensprache als Ausdruck für sein modernes Lebensgefühl.

3.3.2 Georg Trakl: Untergang und Versöhnung in Traum, Wahn und Mythen

„Alle Gedichte dieses Buches entquellen der Klage um die Menschheit, der Sehnsucht nach der Menschheit", schrieb Pinthus in seinem Vorwort zur ‚Menschheitsdämmerung' (vgl. S. 378). Das trifft ganz besonders auf Trakl zu. Und was Hugo Ball über die expressionistischen Dichter sagte: „Ihr Leben ist ein Kampf mit dem Irrsinn" (vgl. S. 375), ergab sich für Trakl aus seiner inneren Biographie: aus Kindheitserlebnissen, dem Gefühl der Einsamkeit inmitten einer schönen Umwelt, aus einer qualvoll intimen Beziehung zur Schwester und aus der Flucht in die Droge. Während viele seiner Generation die existentielle Entfremdung in einer entarteten Umwelt bemerkten, sah Trakl sie in seiner eigentlich schönen Umwelt als um so krasseren Widerspruch; denn immer wieder in Trakls Gedichten erwächst aus einem schönen, idyllischen Bild plötzlich oder unmerklich das Gefühl des Verfalls, des Schmerzes, des Grauens:

> [...] Bald nisten Sterne in des Müden Brauen;
> In kühle Stuben kehrt ein still Bescheiden
> Und Engel treten leise aus den blauen
> Augen der Liebenden, die sanfter leiden.
> Es rauscht das Rohr; anfällt ein knöchern Grauen,
> Wenn schwarz der Tau tropft von den kahlen Weiden. (‚Der Herbst des Einsamen')

Trakls Lyrik ist ‘dunkler', ‘hermetischer' (vgl. S. 384f.) als die Heyms und vieler Expressionisten, weil sie ohne Rücksicht auf Logik und Kausalität ganz persönliche Bilder und Lieblingswörter Trakls aneinanderreiht oder miteinander verflicht. Trakl hat dies selbst als ein traumhaftes Sprechen gekennzeichnet, z. B., wenn er eine Gedichtfolge ‚Sebastian im Traum' nannte. Und er hat schon in einem frühen Gedicht die inneren Erfahrungen, die er damit ausdrücken wollte, in Beziehung zum Wahnsinn gesetzt:

> [...] Stirne Gottes Farben träumt,
> Spürt des Wahnsinns sanfte Flügel.
> Schatten drehen sich am Hügel
> Von Verwesung schwarz umsäumt. (‚In den Nachmittag geflüstert')

In der traum- oder wahnhaften Entrückung dieser Gedichte, die der suggestive Strom der Verse verstärkt, halten sich Schönes und Häßliches, Leben und Verfall, Grauen und Trost gegenseitig in einer eigenartigen Schwebe. Das erinnert an die Fortsetzung des Ausspruchs von Hugo Ball:

„Ihr Leben ist ein Kampf mit dem Irrsinn [...], falls es ihnen nicht glückt, für einen Moment in ihrem Werk das Gleichgewicht, die Balance, die Notwendigkeit und Harmonie zu finden." (Vgl. S. 375)

Wie Heym läßt Trakl Einflüsse der Symbolisten und Impressionisten erkennen, vor allem in den frühen Gedichten. Mehr und mehr aber entwickelte er eine eigene und schwer verständliche Vorstellungswelt aus ganz persönlichen Chiffren, z. B. aus tatsächlichen und imaginären Kindheitserinnerungen in den freien Rhythmen der Gedichtfolge *Sebastian im Traum*. Persönlich begründet ist sicherlich die immer wieder beschworene Figur der „Schwester", die zugleich rein, tröstlich und unnahbar erscheint. Gerade diese Figur zeigt aber auch, daß Trakl biographische Elemente in rational nicht erklärbare Chiffren verwandelt:

> [...] Wieder nachtet die Stirne in mondenem Gestein;
> Ein strahlender Jüngling
> Erscheint die Schwester in Herbst und schwarzer Verwesung.
> (‚Ruh und Schweigen')

Das Gefüge dieser Bilderchiffren – wenn z. B. die strahlenden Gegenbilder zur schwarzen Verwesung, Jüngling und Schwester, in einer Figur zu verschmelzen scheinen – bildet so etwas wie einen nur diesem Dichter eigenen Mythos. Als Mythos ist dabei eine erzählte, geschilderte oder beschworene Vorstellungswelt zu verstehen, mit einem viele Lebenserscheinungen umfassenden Beziehungsgeflecht, das diese Lebenserscheinungen als existentielle Grunderfahrungen deutet und letztlich auf eine Transzendenz hinweist. So verschieden die großen Mythen der Menschheit auch sind, solche Grunderfahrungen sind ihnen allen gemeinsam. Dementsprechend kann Trakl seine ganz persönlichen Chiffren – z. B. Schwester, Jüngling, Amsel, Verfall – mit denen mythischer Traditionen verflechten. Ähnlich wie Hölderlin und manchmal geradezu in hölderlinscher Diktion wirkt er biblische Zeichen, z. B. den himmlischen Bräutigam, Hirten, Dornstrauch und Engel (vgl. ‚De Profundis'), und antike Zeichen, z. B. Ölbaum, Pan, Hain (vgl. ‚Sebastian im Traum') mit seinen persönlichen Zeichen ineinander. Von Hölderlin direkt übernommen scheint das Motiv „Brot und Wein". Und wie in Hölderlins Lyrik scheint das Grundthema Trakls zu sein, dem Leiden an einer Welt, die Unschuld und Glück einer kindlichen und idyllischen Existenz verloren hat, die Sehnsucht nach Erlösung in den Bildern des Schönen, Reinen oder Heiligen entgegenzuhalten. Modern bzw. expressionistisch sind bei Trakl dabei vor allem die Motive des Verfalls, der Verwesung, des Todes und die irrational chiffrierte Sprechweise.

Haben diese imaginären Mythen noch irgend etwas mit der historischen Erfahrung Trakls zu tun? In seinen späten Gedichten bemerken wir den Zusammenprall seiner persönlichen und poetischen Traumwelt mit der Erfahrung des Weltkriegs – die Traumwelt schien zu erliegen. Wahrscheinlich hat Trakl den Tod gesucht, weil er als Sanitäter die Leiden der Verletzten und Sterbenden nach der Schlacht bei Grodek in Galizien nicht ertragen konnte. „Verfall" und „Untergang", die er bisher als etwas eher Stilles in der Natur und seinen Träumen empfunden hatte, waren hier überwältigende äußere Realität geworden. In Trakls letzten Gedichten nun durchsetzt sich das Seelenbild mit den konkreten Wahrnehmungen des Tötens und Sterbens im Krieg. Und während etwa ein Kriegsgedicht aus dem Jahre 1913 das Kriegsgrauen noch mit den Bildern des Abendmahls und der Jünger Christi auffängt („Menschheit vor Feuerschlünden aufgestellt [...]"), wohnt im Gedicht ‚Grodek' über dem Schlachtfeld „ein zürnender Gott". In einem anderen dieser letzten Gedichte sind selbst einige Lieblingschiffren Trakls wie Silber, Baum, Mond und Tier dem Grauen des Krieges unterworfen:

> Im Osten
>
> Den wilden Orgeln des Wintersturms
> Gleicht des Volkes finstrer Zorn,
> Die purpurne Woge der Schlacht,
> Entlaubter Sterne.

Mit zerbrochenen Brauen, silbernen Armen
Winkt sterbenden Soldaten die Nacht.
Im Schatten der herbstlichen Esche
Seufzen die Geister der Erschlagenen.

Dornige Wildnis umgürtet die Stadt.
Von blutenden Stufen jagt der Mond
Die erschrockenen Frauen.
Wilde Wölfe brachen durchs Tor.

4 DADA – Anti-Kunst und Un-Sinn

Zeitschriften und Sammelpublikationen:
Cabaret Voltaire (Zürich 1916)   Dada (Zürich 1917)
Der Dada (Berlin 1919 f.)
Dada-Almanach. Hrsg. von Richard Huelsenbeck (Berlin 1920)
MERZ. Hrsg. von Kurt Schwitters (1923–32)

Einzelpublikationen:
Hans Arp: (Gedichte seit 1911)   Der Vogel selbdritt (1920)
Die Wolkenpumpe (1920)
Hugo Ball: (Lautgedichte 1916)   Die Flucht aus der Zeit (Tagebuch. 1927)
Raoul Hausmann: fmsbwtözäu (Plakatgedicht. 1918)   Synthetisches Cino
der Malerei (1918)   Hurra! Hurra! Hurra! (12 Satiren. 1920)
Richard Huelsenbeck: Schalaben, Schalomai, Schalamezomai (1916)
Phantastische Gebete (1918)   Dadaistisches Manifest (1918)   En avant Dada.
Eine Geschichte des Dadaismus (1920)   Dada siegt (1920)
Kurt Schwitters: Anna Blume. Dichtungen (1919)   Die Blume Anna (1923)
Tristan Tzara: Vingtcinq poèms; La Première aventure céleste de
Monsieur Antipyrine. In: Collection Dada. Hrsg. von Tristan Tzara (1916)
Sept manifestes dada (1924)

4.1 Der Nonkonformismus des ‚Cabaret Voltaire‘ und seine Wirkungen

Während ringsum der Weltkrieg sich in den Schützengräben festkrallte, konnten in der neutralen Schweiz Avantgardisten die Kunstrevolution im Frieden fortsetzen: die Gruppe der Dadaisten. Im Februar 1916 trafen sich in Zürich einige Künstler und Literaten, darunter deutsche Emigranten, und gründeten das ‚Cabaret Voltaire‘, dem dann 1917 eine Galerie hinzugefügt wurde. Zum Kern der Gruppe gehörten Hans Arp (1887–1966), Hugo Ball (1886–1927), Richard Huelsenbeck (1892–1974) und Tristan Tzara (1896–1963). Gemeinsam war ihnen ihr entschiedener Individualismus und ihr Überdruß an Europa und seinen Traditionen, ja sogar am Expressionismus, und ihr Bestreben, in der Kunst alles anders zu machen als bisher. Aus den anfänglichen Kabarett-Späßen ergab sich bald eine bewußte Anti-Kunst des Un-Sinns: „Die Kunst ist eine Anmaßung" (Tzara). Was der zufällig gefundene Name „DADA" bedeuten sollte, blieb unklar – wahrscheinlich eben nichts; aber er klingt, hat Rhythmus, erinnert an die Sprachen der Kinder, der Primitiven, auch der Geistesgestörten, und ist jeder Deutung offen. Die Dadaisten hatten durchaus Vorbilder – man denke an den Futurismus, die „Brettl"-Kleinkunst der Vorkriegszeit (z. B. Wedekind),

Christian Morgensterns ‚Galgenlieder‘, Alfred Jarrys ‚Ubu Roi‘ (vgl. S. 370f.). Ihre historische Bedeutung bestand darin, daß sie aus dem Un-Sinn ein Prinzip machten und als Gruppe eine öffentliche und weitreichende Wirkung hatten.

Huelsenbeck ging 1917 nach Berlin und wirkte seit 1918 mit *George Grosz*, den Brüdern *Herzfelde, Raoul Hausmann, Walter Mehring* und anderen weiter im dortigen ‚Club Dada‘. Der Nonkonformismus politisierte sich zum Kampf gegen den „Geist von Weimar“, womit gleichzeitig das Festhalten an der klassisch-idealistischen Tradition und die Republik gemeint war – eine folgenschwere Doppeldeutigkeit. Provokationen des Parlaments und der Reichswehr führten 1920 zu einem Prozeß, in dessen Verlauf die Gruppe zu zerfallen begann. *Kurt Schwitters*, der sich ihr vergeblich anzuschließen versucht hatte, kritisierte die Politisierung und schuf seinen eigenen Dadaismus, den er MERZ nannte.
Auch in Köln entstand, vermittelt durch *Hans Arp*, eine Gruppe, der der Maler *Max Ernst* angehörte.
In Paris gründete *Tristan Tzara* 1919 eine neue Dada-Gruppe, u. a. mit *Louis Aragon, André Breton* und *Francis Picabia*, aus deren innerem Zerfall 1923/24 der 'Surrealismus' unter der Führung Bretons hervorging. Kontakte amerikanischer Avantgardisten mit den Parisern ließen seit 1920 sogar einen Dada – New York entstehen, mit *Man Ray, Marcel Duchamp* und *Francis Picabia*.
So schnell die Gruppen entstanden und zerfielen, ihre Ausstrahlung wirkte noch über den Zweiten Weltkrieg hinweg, in den USA etwa auf die Pop-art, im deutschen Sprachraum auf die konkrete Poesie, die 'Wiener Gruppe' *(Hans Carl Artmann, Gerhard Rühm, Konrad Bayer)* oder *Ernst Jandl.*

4.2 Negation des Sinns

Die Dadaisten wandten sich gegen alles Bestehende, sogar gegen den Expressionismus, der ihnen zu 'innerlich' und zu 'metaphysisch' schien. Sie waren davon überzeugt, daß „der Bankrott der Ideen das Menschenbild bis in die innersten Schichten zerblättert hat“ (H. Ball), und leugneten jede Weltanschauung; anders als viele Expressionisten wollten sie weder den Zerfall beklagen noch neue Ideen verkünden. DADA will vielmehr den Normenzerfall als solchen kreativ nutzen und darstellen, was den Spaß am Unsinn und am Schockieren nicht ausschließt. Dazu ist ihnen jedes Kunstmittel recht, wenn es nur neu ist, also gerade auch das, was nicht als Kunst gilt. Grundsätzlich gibt es für sie deshalb keine scharfe Grenze zwischen den Künsten; manche von ihnen, wie Arp und Schwitters, waren in verschiedenen Künsten produktiv. Die Verschmelzung von Textproduktion, Vortrag, Bild, Plakat, Show usw., Mischformen aus Kabarett, Dichterlesung, Ausstellung und Revue sind die eigentlich dadaistischen Produktionsformen. In den Gemeinschaftsproduktionen ist das Prinzip des individuellen Autors und Künstlers oft aufgegeben. Denn: „Dada ist die schöpferische Aktion in sich selbst“ (Dada-Almanach).
Soweit Dadaisten sich politisch engagierten, muß man ihre Tendenz als unbestimmt anarchistisch bezeichnen; anarchistisch ist eigentlich auch ihr Kunstverständnis. Letztlich äußert sich im Dadaismus die Verweigerung von Sinn:

Was ist **dada**?

Eine Kunst? Eine Philosophie? eine Politik?
Eine Feuerversicherung?

Oder: Staatsreligion?

ist **dada** wirkliche **Energie?**

oder ist es **Garnichts,** d. h.

alles?

Dada-Annonce, aus: ‚Der Dada' Nr. 2, Berlin 1919

Sinnlosigkeit ist dabei nicht pessimistisch verstanden; sie wird als Grundbefindlichkeit der Realität akzeptiert und als Freiheit von Konventionen und Präformationen genutzt:

„Das Leben erscheint als ein simultanes Gewirr von Geräuschen, Farben und geistigen Rhythmen, das in die dadaistische Kunst unbeirrt mit allen sensationellen Schreien und Fiebern seiner verwegensten Alltagspsyche und in seiner gesamten brutalen Realität übernommen wird. [...] Der Dadaismus steht zum erstenmal dem Leben nicht mehr ästhetisch gegenüber, indem er alle Schlagworte von Ethik, Kultur und Innerlichkeit, die nur Mäntel für schwache Muskeln sind, in seine Bestandteile zerfetzt. [...] Der Dadaismus führt zu unerhörten neuen Möglichkeiten und Ausdrucksformen aller Künste." (Dadaistisches Manifest, 1919, redigiert von Richard Huelsenbeck, unterschrieben von den meisten Züricher und Berliner Dadaisten.)

4.3 Dadaistische Poesie

4.3.1 Parodie und Groteske
Am Anfang dadaistischer Kabarettveranstaltungen standen vor allem Parodien und Grotesken. So schrieb *Richard Huelsenbeck* (1892–1974) u. a. balladenhafte Texte im Stil mancher Expressionisten, um sie plötzlich mit einer banalen Wendung zu veralbern, z. B. in *,Kaum hatten wir'* (man beachte den unsinnigen Titel!):

„[...] Und wir nahmen uns die Freiheit und wir sprachen zu ihm, während die Jünger herumstanden und das allgemeine Los der Menschheit beklagten. Und eine Frau zog Brötchen aus ihrem Korb und sagte: ‚Aha.' Und wir alle sagten: ‚Aha.' [...]"

Das berühmteste parodistisch-groteske Gedicht der Dadaisten ist das ‚Merzgedicht 1': *‚An Anna Blume'* von *Kurt Schwitters* (1887–1948). Schwitters imitierte und persiflierte den Kulturbetrieb, indem er in loser Folge seine Nonsens-Zeitschrift ‚MERZ' herausgab, ‚MERZ'-Matineen veranstaltete, ‚MERZ'-Plakate druckte (er war auch Graphiker) und seine Gedichte als ‚MERZ'-Gedichte durchnumerierte. ‚An Anna Blume' liest sich zunächst wie ein poetischer Ulk, in dem sehr unterschiedliche Sprechweisen parodiert werden:

„O du, Geliebte meiner siebenundzwanzig Sinne, ich liebe dir! – Du deiner dich dir, ich dir, du mir. – Wir?

Das gehört (beiläufig) nicht hierher.
Wer bist du, ungezähltes Frauenzimmer? Du bist – – bist du? – Die Leute sagen, du wärest, – laß
sie sagen, sie wissen nicht, wie der Kirchturm steht.
Du trägst den Hut auf deinen Füßen und wanderst auf die Hände, auf den Händen wanderst du.
[...]"

Der scheinbare Jux erweist sich jedoch bei genauem Hinhören als ein raffiniertes
Spiel mit der Sprache: mit verschiedenen Stilebenen, mit formalen und inhaltlichen
Klischees, die ins Absurde gezogen werden, mit dem Rhythmus des Satzbaus und der
Redewendungen und mit dem Klang der Wörter. Man muß das Gedicht vortragen,
um zu spüren, wie menschliches Sprechen hier seine Ausdrucksmöglichkeiten, abge-
löst von einer sinnvollen Botschaft, entfaltet und zugleich ironisiert.

4.3.2 Sprachexperimente

Eine grundlegende Entdeckung der Dadaisten war, daß Sprache nicht nur ein Mittel
zum Ausdrücken von etwas Gemeintem ist, sondern – wie die Materialien aller Künste – ein rein verwendbares ästhetisches Potential. Sie pflegten den lauten Vortrag
von Texten, weil nur geschriebene Literatur die sinnlichen Qualitäten der Sprache
verkümmern läßt. Und sie fanden, daß gesprochene Sprache nicht nur Klang und
Rhythmus hat, sondern auch ein motorischer, mimisch-gestischer, ja szenischer Vorgang ist. So machten sie aus Rezitationen mit Masken, Verkleidungen und Bewegungen kleine Auftritte.
Hinzu kam der Einfluß zweier Wiederentdeckungen, die für die gesamte moderne
Kunst größere Bedeutung hatten. Seit dem Buch ‚Das Jahrhundert des Kindes‘
(1900, dt. 1902) der Schwedin Ellen Key (1849–1926) begann man, in kindlichen Äußerungen den Ausdruck einer eigenen Kultur zu sehen. Und mit seinem Werk über
‚Negerplastik‘ (1915) verstärkte Carl Einstein (vgl. S. 415f.) das Interesse für die
Ästhetik exotischer und primitiver Kunst, vor allem Afrikas und der Südsee. Beide
Entdeckungen beeinflußten die expressionistische Malerei und Skulptur. Im Umkreis der Dadaisten trat vor allem *Hans Arp* (s. u.) nachdrücklich für das „Primitive"
in der Kunst ein und verwendete Motive und Sprechweisen kindlicher Poesie. *Tristan
Tzara* (1896–1963), der deutsch und französisch sprach, übersetzte und imitierte Negerlieder. In ihnen kommt es weniger auf eine inhaltliche Aussage an als auf das Singen, Sprechen und Tanzen alltäglicher Vorgänge oder magischer Rituale. Das imitierte Tzara z. B. in seinem ‚*Lied der Sotho-Neger*‘:

> Gesang beim Bauen
>
> a ee ea ea ee ee ea ee eaee, a ee
> ea ee ee, eaee
> Stangen des Hofes wir bauen für den Häuptling
> wir bauen für den Häuptling.

Solche und andere Negerlieder sang man in Kutten gekleidet, mit Trommelbeglei-
tung. Eine eigene Erfindung der Dadaisten, auf die sie besonders stolz waren, war
das ‚*Poème simultan*‘, das von mehreren gemeinsam verfaßt und als eine Art Sprech-
motette vorgetragen wurde. Die Texte der Simultangedichte sind absurd, ihre Aufführung beschrieb und deutete Hugo Ball so:

„Es ist ein kontrapunktisches Rezitativ, in dem drei oder mehrere Stimmen gleichzeitig sprechen, singen, pfeifen oder dergleichen [...]. Die Geräusche (ein minutenlang gezogenes rrr,
oder Polterstöße oder Sirenengeheul und dergleichen) haben eine der Menschenstimme an
Energie überlegene Existenz. – Das ‚Poème simultan‘ handelt vom Wert der Stimme. Das
menschliche Organ vertritt die Seele, die Individualität in ihrer Irrfahrt zwischen dämonischen
Begleitern. Die Geräusche stellen den Hintergrund dar; das Unartikulierte, Fatale, Bestimmende. Das Gedicht will die Verschlungenheit des Menschen in den mechanischen Prozeß ver-

deutlichen. In typischer Verkürzung zeigt es den Widerstreit der vox humana mit einer sie bedrohenden, verstrickenden und zerstörenden Welt, deren Takt und Geräuschablauf unentrinnbar sind. " (Tagebuch)

Balls Kommentar macht deutlich, daß sich die Dadaisten beim Un-Sinn ihrer Texte
durchaus etwas dachten, und zwar ähnliches wie manche Expressionisten; aber sie
brachten es nicht als Reflexion oder interpretierte Symbolik in den Text hinein. Sie
waren auch keineswegs antiintellektuell eingestellt, sondern nannten im Gegenteil
ihre Produkte „abstrakt"; verpönt waren „Sentiment" und „Weltanschauung", aber
nicht der Intellekt. ‚Cabaret Voltaire' nannten sie sich in Zürich, um sich als Erben
der Aufklärung zu kennzeichnen. Künstlerisch aber sollten Intellekt und Kreativität
unmittelbar in den Operationen mit dem Material wirken.
Alle diese Ansätze führten manche weiter bis zum artistischen Spiel mit den kleinsten, auch den nicht sinntragenden Sprachelementen: Laut und Klang, Silbe und
künstliches Wort, Buchstabe, Ziffer und graphisches Zeichen. 'Lautgedicht' und Vorform visueller Poesie ist z. B. Hugo Balls Gedicht ‚Karawane' mit dem Anfang: „joli-
fanto bambla o falli Bambla [...]". Unabhängig von Ball erfand Raoul Hausmann
(1886–1971) in Berlin die 'optophonetische Poesie' und das 'Plakatgedicht':

fmsbwtözäu

pggiv-.?mü

Schwitters arbeitete jahrelang an der Komposition seiner phonetischen ‚Urlautsona-
te', produzierte Collagen aus Abfallgegenständen und Schnipseln gedruckter Texte
und konstruierte Texte sogar aus einzelnen Buchstaben oder Zahlen, die er in graphischen Gebilden anordnete, z. B. ein Opus mit dem Titel ‚Gedicht 25, elementar'.
Mögen die Dadaisten geglaubt haben, mit ihren Sprachexperimenten eine neue
Wirklichkeit zu erzeugen – jedenfalls haben sie mit einer Radikalität wie nie zuvor
Wirklichkeit und Wirkungsmöglichkeiten der Sprache als solcher erprobt.

4.3.3 Hans Arp: Sprachautomat und Phantasie des Zufalls
Hans Arp (1887–1966) dichtete schon vor der Gründung des ‚Cabaret Voltaire' und
noch lange nach dem Ende des formierten Dadaismus seine Sprachspieltexte. Er
zerkleinert die Sprache nicht in ihre kleinsten Teile, sondern hält sich daran, daß
Sprache in der Kommunikation an syntaktische Regeln und Wörter mit Bedeutungen
gebunden ist. Wenn er auf die 'primitiven', das heißt ursprünglichen Wirkungen der
Sprache zurückgehen will, überläßt er sich sozusagen dem spontanen Sprachgefühl.
Dabei bleibt der Satzbau weithin formal intakt; denn er ist die Automatik, mit der
sich Wörter zu Sätzen fügen. Auch die Wörter stammen meistens aus dem deutschen
Wortschatz oder sind aus bekannten Wörtern zusammengesetzt, können allerdings
auch in ihre Silben zerfallen. Stehende Wendungen des Sprachgebrauchs sind auto-

matisierter Wortschatz, z. B. „gang und gäbe", „kommen und gehen". Aber darin, wie Wörter sich im Satz und Text einanderfügen, läßt Arp Zufall bzw. den assoziativen Einfall gelten und schlägt so der normalen Logik ein Schnippchen nach dem anderen; so z. B. in einem der vier Prosa-Abschnitte von *,klum bum bussine':*

> „Die große nymphe aber hat keinen sockel oder doppelten boden
> in einer eventuellen arche wird sie bestimmt mitgeführt werden
> sie heißt klum bum bussine und kommt auf einem blitzend vernickelten Meervelo dahergefahren
> an jedem ihrer schwänze deren sie zahllose ihr eigen nennt hat sie eine poltertrommelrumpeltreppenschleppe befestigt und an der rosigen mündung ihres darmes trillern kolibris
> ich kenne meine pen papa ei endeckel ei ei eimer papa pappendeckeleimer und warne euch in euerem herzen das uhrwerk der spaßfische und trauervögel aufzuziehen"

Trotz allem 'Unsinn' dieses Textes entsteht doch so etwas wie eine Erzählung von der „großen nymphe" und zuletzt sogar eine augenzwinkernde Kommunikation mit dem Leser oder Hörer. Die Erzählerrede hüpft jedoch von Einfall zu Einfall und spielt auch einmal mit Wort, Silbe oder Klang – ganz ähnlich wie kindliche Sprachspielereien. Nicht die Auflösung der Sprache, sondern das irreguläre Spiel mit ihren Regularitäten setzt die Phantasie frei.

Prinzipiell haben Dichter wie Stramm, van Hoddis, Lichtenstein oder Lasker-Schüler ähnliches gemacht, nur nicht so spielerisch. Und wie deren Gedichte sind diejenigen Arps eigentlich nicht bedeutungsfrei, sie spielen nur mit Bedeutung irrational. So entsteht eine Phantasiewelt, in der die „spaßfische" unmittelbar neben den „trauervögeln" schwimmen (oder fliegen?). Spüren wir bei nicht wenigen Expressionisten die Gleichzeitigkeit von Qual und Groteske, so bei Arp oft die Gleichzeitigkeit von Trauer und Freude am Spiel, wie in der Elegie auf den toten Kaspar, die so anfängt:

> „weh unser guter kaspar ist tot
> wer trägt nun die brennende fahne im zopf wer dreht die Kaffeemühle
> wer lockt das idyllische reh
> auf dem meer verwirrte er die schiffe mit dem wörtchen parapluie und die winde nannte er bienenvater
> weh weh weh unser guter kaspar ist tot heiliger bimbam kaspar ist tot [...]"

(,Die Schwalbenhode')

4.4 Epilog zu DADA

Wieweit die Kunstübungen der Dadaisten Auseinandersetzungen mit den Realitäten ihrer Zeit gewesen sind, diese Frage stellte sich ihr Chronist Hugo Ball in einem Tagebucheintrag am 7.6. 1917:

„Seltsame Begebnisse: Während wir in Zürich, Spiegelgasse 1, das Kabarett hatten, wohnte uns gegenüber in derselben Spiegelgasse, Nr. 6, wenn ich nicht irre, Herr Ulianow-Lenin. Er mußte jeden Abend unsere Musiken und Tiraden hören, ich weiß nicht, ob mit Lust und Gewinn. Und während wir in der Bahnhofstraße die Galerie eröffneten, reisten die Russen nach Petersburg, um die Revolution auf die Beine zu stellen. Ist der Dadaismus wohl als Zeichen und Geste das Gegenspiel zum Bolschewismus? Stellt er der Destruktion und vollendeten Berechnung die völlig donquichottische, zweckwidrige und unfaßbare Seite der Welt gegenüber? Es wird interessant sein zu beobachten, was dort und was hier geschieht."

5 Anfänge des modernen Theaters im Umkreis des Expressionismus

5.1 Auflösung des mimetischen Theaters im europäischen Symbolismus

Maurice Maeterlinck:
L'intruse (Der Eindringling). Drama (1890)
Les aveugles (Die Blinden). Drama (1890)
Pelléas et Mélisande (Pelleas und Melisande). Drama (1892)
August Strindberg:
Naturalistische Problemtragödien:
Fadren (Der Vater) (1887)   Fröken Julie (Fräulein Julie) (1888)
Symbolische Stationendramen:
Till Damaskus (Nach Damaskus) (3 Teile. 1898–1904)
Dödsdansen (Todestanz) (2 Teile. 1901)   Ett drömspel (Das Traumspiel) (1902)
Kammerspiel:
Spöksonaten (Gespenstersonate) (1907)

Das naturalistische 'mimetische' Theater bildete mit Bühne, Personen und Geschehen Wirklichkeit ab. Je mehr sich jedoch der Zweifel am sinnvollen Zusammenhang der Wirklichkeit ausbreitete, um so mehr drangen auch auf dem Theater verfremdende Ausdrucksmittel vor.

Ein seinerzeit in ganz Europa wirksames Beispiel gab der französisch schreibende Flame *Maurice Maeterlinck* (1862–1949), Essayist, Lyriker und Dramatiker. In seinen „statischen Dramen" (drames statiques) stellte er Figurationen der „Seele" auf die Bühne, in handlungsarmen, aber meist von düsteren Stimmungen und Einsamkeit gesättigten Situationen, die durch Einbrüche des Schicksals transzendiert werden, z. B. in der Begegnung mit dem „Eindringling" Tod (‚L'intruse‘, 1890). So löste er die dramatische Handlung auf zugunsten einer Entfaltung innerer Zustände. Die Personen abstrahierte er zu allgemeingültigen Typen, z. B. die Blinden, ein Greis, ein Fremder, und die irrationale Transzendierung verdeutlichte er in Symbolen wie Naturerscheinungen, Personifikationen sowie in Lichtwirkungen und Geräuschen. Maeterlinck beeinflußte direkt die impressionistisch-symbolistischen Dichter in Deutschland, indirekt aber auch die Expressionisten.

Er beeinflußte auch den bedeutendsten Anreger des modernen Theaters: den Schweden *Johan August Strindberg* (1849–1912), der jedoch die sozialen und geistigen Entwicklungen der Zeit viel bewußter aufnahm. Nach eindrucksvollen naturalistischen Problemtragödien über das spannungsvolle Verhältnis zwischen Mann und Frau und nach einer inneren Krise, die ihn tief verstörte, orientierte Strindberg sich bei der Darstellung seiner Erfahrungen an den Mustern alter religiöser Dichtung, z. B. der Legende und des Mysterienspiels; so erinnert der Titel ‚Todestanz‘ (1901) an mittelalterliche Totentanz-Stücke. Die eher tiefenpsychologisch zu deutende Handlung des ‚Traumspiels‘ (1902) rahmte der Dichter mit einer indischen Legende ein. Der Titel der Trilogie ‚Nach Damaskus‘ (1898–1904), deren zweiter Teil 1916 in München uraufgeführt wurde, deutet auf die Bekehrung des Apostels Paulus hin. Jedoch gelangt die Mittelpunktsfigur des Stückes, der „Unbekannte", nicht zur Erlösung im Glauben; vielmehr wandert er wie ein suchender Pilger rastlos durch das Leben, in dem er immer wieder scheitert, bis er nur die Erlösung von sich selbst in Resignation und Tod findet. Dieser Lebensweg, der den Menschen in Kreisen immer wieder zu sich selbst und seinem Unglück zurückführt, wird in symbolischen Einzelbildern, in Stationen,

dargestellt, die zwar als Lebenssituationen realistisch vorgeführt, aber durch hintergründige Bedeutungen der Orte, der Personen und der Reden symbolisch transzendiert werden. Die Realitätsbilder entnimmt Strindberg der alltäglichen Beobachtung
und der eigenen Lebenserfahrung, den Symbolismus teilweise der Tradition. So ist
das Asyl, das Altersheim, Krankenhaus oder Obdachlosenasyl, ein altes Gleichnis
für die Hinfälligkeit des Lebens. Die Zentralfigur des Unbekannten entspricht dem
„Jedermann" des mittelalterlichen geistlichen Theaters; viele andere Figuren verkörpern das Gute und das Böse, den Glauben, die Liebe usw. Wie im Mysterienspiel und
Welttheater gibt es keine dramatisch zugespitzte Handlung, sondern nur die Folge
gleichnishafter Lebensstationen. Strindberg hat die alten Formen ebenso wie die realen Bilder mit modernen dramaturgischen Mitteln verfremdet. Reales, Groteskes
und Surreales, einschließlich der Erscheinung von „Schatten", wechseln einander
ab. Mit der Wiederkehr des Gleichen wird das Leben trostlos; es erscheint nicht mehr
als Weg zu Gott, die Welt ist keine hierarchische Daseinsordnung, der Schluß keine
Lösung, und wäre es auch nur die Katastrophe der klassischen Tragödie, in der immerhin sich ein höherer Sinn offenbart.

5.2 Expressionistische Experimente und Weltanschauungsdramen

> *Experimente:*
> **Wassily Kandinsky:** Der gelbe Klang. Bühnenkomposition (1909/12)
> **Oskar Kokoschka:** Mörder Hoffnung der Frauen. Schauspiel (1907–13)
> **August Stramm:** Sancta Susanna. Rudimentär. Die Haidebraut (1912/14)
> Erwachen. Kräfte (1914/15)
> *Weltanschauungsdramen:*
> **Ernst Barlach:** Der tote Tag. Drama (1907/12)   Der arme Vetter. Drama (1918)
> Die echten Sedemunds. Drama (1920)
> Der blaue Boll. Drama (1926)
> **Alfred Brust:** Der ewige Mensch. Drama in Christo (1919)
> **Walter Hasenclever:** Der Sohn. Drama (1913/14)
> Der Retter. Dramatische Dichtung (1915/19)
> Die Menschen. Schauspiel (1918)
> **Hans Henny Jahnn:** Pastor Ephraim Magnus. Drama (1919)
> **Hanns Johst:** Der junge Mensch. Ein ekstatisches Szenarium (1916)
> Der Einsame. Eine Menschwerdung (1917)
> **Georg Kaiser:** Hölle, Weg, Erde. Stück in drei Teilen (1919)
> **Paul Kornfeld:** Die Verführung. Tragödie (1913/16)
> **Reinhard Johannes Sorge:** Der Bettler. Eine dramatische Sendung (1912)
> **Fritz von Unruh:** Ein Geschlecht. Tragödie (1916/17)
> **Friedrich Wolf:** Der Unbedingte. Ein Weg in drei Windungen und einer Überwin-
> dung (1919)

Das expressionistische Theater gewann seine Impulse hauptsächlich aus drei Quellen: dem Symbolismus, den Formexperimenten der künstlerischen Avantgarde und
den Krisenerfahrungen vor und im Weltkrieg. Letztere drängten viele der jungen
Dichter zu dramatischen Bekenntnissen und weltanschaulichen Auseinandersetzungen im Drama, wozu sie sich weitgehend symbolistischer Stilmittel bedienten. Daneben experimentierten sie aber auch mit den künstlerischen Möglichkeiten des Theaters, und davon ging auf Dauer die stärkere Wirkung des expressionistischen Theaters aus.

5.2.1 Experimente der Bühnenkunst

Solche Experimente führten in besonders radikaler Form auch Außenseiter durch. Der expressionistische, später abstrakte Maler *Wassily Kandinsky* (1866–1944) entwarf eine „Bühnenkomposition" aus Figuren, Klängen, Farben und nur wenigen Sprachteilen, *, Der gelbe Klang'* (1909), eine Art abstraktes und synästhetisches Ballett, in dem bereits viele ästhetische Wirkungen einer absoluten szenischen Kunst vorweggenommen sind. Vergleichbare Versuche mit dem Bühnenraum wurden in Berlin an Herwarth Waldens ,Sturm'-Bühne angestellt, unter anderem mit gestisch-abstrakten Texten von August Stramm (vgl. S. 383), und am Bauhaus in Weimar, später Dessau, mit kubistischen Figuren von Oskar Schlemmer. Ganz frühe Erprobungen einer Synthese aus Symbolismus, ekstatischem Expressionismus und archaisch stilisierender Dramaturgie sind die Einakter des Wiener Malers *Oskar Kokoschka* (1886–1980), *, Mörder Hoffnung der Frauen'* (mehrere Fassungen von 1907 bis 1913) und *, Der brennende Dornbusch'* (1911 bis 1917), in denen er das Verhältnis der Geschlechter als eine Grundform des Lebens darstellt.

5.2.2 Expressionistische Verkündigungsdramen

Der Schwerpunkt der expressionistischen Dramenproduktion aber lag zunächst im symbolistisch-weltanschaulichen Bereich. Eine neue „Bühne für Kunst, Politik und Philosophie" versprach 1916 Walter Hasenclever in einem Aufsatz mit dem Titel ,Das Theater von morgen' (Die Schaubühne, Jg. XII, S. 476f., 501). Die Philosophie war ihm das umfassende Geistige, das sich im menschlichen Handeln, in Kunst und Politik, „aktivierte". Dem Theater kam die Aufgabe der Vermittlung zu: „Hier tritt die Bühne als Medium zwischen Philosophie und Leben." Die Leitideen des programmatischen Expressionismus – Geist und Leben, kreative und politische Aktivität – sollten in einem Theater menschlicher Totalität verwirklicht werden. Diese Idee hatte schon vorher im Drama selbst *Reinhard Johannes Sorge* (1892–1916) dargestellt, in seinem Bekenntnis zum missionarischen Auftrag des Dichters: *, Der Bettler. Eine dramatische Sendung'* (1912). Nach dem Muster des Strindbergschen Stationendramas macht hier der junge Mensch als Dichter, Sohn, Freund, Liebender und wiederum opferbereiter Dichter seinen Weg durch exemplarische Stationen des Lebens, damit zugleich einen Weg der „Wandlungen", der „Opfer" und der „Läuterung"; anders als Strindbergs Unbekannter vervollkommnet er sich dabei zum Vorbild und Verkünder der „Ewigkeit". Das Theater wird im Stück selbst gedeutet als „Heilende Stätte zur Heiligung" für alle Schichten des Volkes. Neben epigonalen Zügen zeigt das Stück stellenweise eine erstaunlich moderne Verwendung dramaturgischer Mittel, z. B. ineinander montierter Szenen, einer funktional flexiblen Simultanbühne als Stufenbühne, der Verengung und Erweiterung des Bühnenraums durch Vorhänge, der Farb- und Lichtregie und einer stilisierten Figurenchoreographie. Inhaltlich erscheint es als Prototyp des metaphysischen Verkündigungs- und Menschheitsdramas, als allegorisch-symbolisches Protagonisten- und Figurenstück und als Stationen- und Wandlungsdrama mit dem Ziel der Erlösung des Menschen durch die Kunst.

Die meisten expressionistischen Dramen wurden erst nach dem Weltkrieg aufgeführt. In den ersten Aufbruchsjahren der Weimarer Republik hatten sie eine starke Wirkung; in ihnen sah man den Ausdruck einer neuen Weltanschauung und der Abrechnung mit der alten Welt. Der erste große Theatererfolg in diesem Sinne war *, Der Sohn'* (1913/14, Uraufführung 1918) von *Walter Hasenclever* (1890–1940). Eigentlich kein politisches Stück, erschien seine Handlung vom moralischen Sieg eines Jünglings über seinen bürgerlichen Vater dem Publikum wie ein Gleichnis revolutionärer Befreiung. Dazu trug vor allem eine Szene im 3. Akt bei, in der der Sohn eine Versammlung junger Männer zur Gründung eines revoltierenden Jugendbundes begeistert:

> „[...] Er ruft zum Kampf gegen die Väter – er predigt die Freiheit –!
> [...] Er hat den Bund gegründet der Jungen gegen die Welt!"

Hasenclever selbst betonte in einem Aufsatz zwar den Primat der „philosophischen" Deutung des Stücks, schloß aber die politische damit nicht aus. Tatsächlich stellt das Stück die Leiden eines im bürgerlichen Vaterhaus eingeschlossenen Sohnes und seine schrittweise erfolgende Emanzipation bis hin zur Bereitschaft zum Vatermord dar. Am Ende stirbt das Alte von selbst, und die Jugend ist erlöst. Dramaturgisch ist das Stück eher traditionell angelegt, jedoch sind die relativ realistischen Szenen durchsetzt von expressiven und lyrischen Reden.

Mit dem ‚Sohn' von Hasenclever öffneten sich die Bühnen für eine ganze Welle expressionistisch-weltanschaulicher Dramen bis in die frühen zwanziger Jahre, von Kornfeld, Hasenclever, Johst, von Unruh, Brust, Jahnn und anderen. Generationenkonflikt, Selbstfindung und der Protest idealer Ethik gegen eine unsittliche oder in Konventionen erstarrte Welt sind bevorzugte Themen; neben allgemein idealistischen und religiösen Bekenntnissen gibt es solche zum Pazifismus und zur sozialen oder nationalen Verantwortung. Eigentlich politische Dramen sind zunächst selten; die gesellschaftliche Realität erscheint fast nur als stilisierte oder satirisch dargestellte Gegenwelt zu Geist, Lebenssinn und Menschlichkeit.

5.2.3 Barlachs Dramen von Zweifel und Wandlung

Eine Sonderstellung nahm *Ernst Barlach* (1870–1938) ein. Er schöpfte aus der Religiosität eines zweiflerischen Protestantismus. Seine Titelfiguren spüren meist von Anfang an ihre Entfremdung von den Menschen, von sich selbst und von Gott; schwerfällig und grüblerisch ringen sie dann um ihre Selbstüberwindung zu einem wesentlichen Sein, meist ohne endgültige Erlösung am Ende, jedoch mit einem Fortschritt an Erkenntnis. Barlach stellt sie entweder in eine legendenhafte Zeichenwelt (‚*Der tote Tag*', 1912) oder aber in das ländlich-kleinstädtische Milieu seiner mecklenburgischen Heimat. Die handfeste und alltägliche Wirklichkeit dieses Milieus, der der innere Mensch eigentlich entrinnen will, wird dabei hintergründig, brüchig und durchsichtig für die religiöse Thematik. So ergeht es den Kleinbürgern im Drama ‚*Der arme Vetter*' (1918). Ein Fremder in ihrer versippten Gemeinschaft, Hans Iver, begeht an einem Ostersonntag einen vergeblichen Selbstmordversuch; damit konfrontiert, reagieren viele überhaupt nicht, manche betroffen, aber mit Versuchen der Beschwichtigung, und nur ein Fräulein begreift, worum es geht: darum, ob der Mensch sich wandeln und von seiner sündhaften Existenz befreien kann. Darin besteht der Zusammenhang zwischen dem Fall Iver und dem Sinn der Ostern. Als Iver den Selbstmord schließlich doch noch vollendet, erscheint er, wenigstens für das Fräulein, als Opfertod (Karfreitag), der sie zum Aufbruch in ein anderes Leben veranlaßt. Diese religiöse Deutung wird aber nicht verkündet, sondern nur angedeutet. Die Transzendenz der teilweise recht derb gezeichneten Realität erscheint nur als Doppeldeutigkeit der Vorgänge und Personenreden, die aus den Reflexionen der Menschen über sich und die anderen aufscheint:

„Du monologisierst, solange wir unterwegs sind; mir ist dabei, als sprächest du mit einem Dritten, der aus Luft ist, aber er hält Schritt mit uns" (Bild I).

Anders als die meisten Expressionisten überläßt Barlach sich fast nie dem rhetorischen Pathos oder dem Sprachexperiment. Die andeutend verrätselnde Bildlichkeit seiner Sprache entsteht unmittelbar aus der Normalprosa, ja dem konventionellen oder volkstümlichen Reden, manchmal sogar aus Mutterwitz und Humor. So entsteht der Eindruck, daß wirkliche Menschen sprechen, die allerdings ein innerer Zwang zum Reden bringt – bei einzelnen der Zwang, sich zu wandeln und zu transzendieren, bei vielen der Zwang, sich in ihrem gewohnten Sein zu verteidigen oder herauszureden. Auch in Barlachs späteren Dramen, z. B. ‚*Die echten Sedemunds*' (1920) und ‚*Der blaue Boll*' (1926), geht es um diese Auseinandersetzung zwischen vordergründiger Selbstsicherheit und einer inneren Verunsicherung, die zu einer neuen Selbstvergewisserung drängt. Die Auseinandersetzung vollzieht sich zwischen dem Protagonisten und den anderen, aber auch zwischen dem Protagonisten und sich selbst. Sie durchsetzt die Alltagskommunikation mit einer – immer wieder in Sprachnot geratenden – existentiellen Kommunikation. Die expressionistische Thematik der Wandlung zum wesentlichen Menschen wird hier nicht plakativ verkündet, sondern in den Gesprächen und Selbstgesprächen gewöhnlicher Menschen als Problem ihres Lebens entfaltet.

5.3 Einzelgänger der Gesellschaftskritik: Sternheim und Kraus

Carl Sternheim: Die Hose. Komödie (1911)   Die Kassette. Komödie (1912)
Bürger Schippel. Komödie (1913)   Der Snob. Komödie (1914)
1913. Komödie (1915)   Tabula rasa. Drama (1916)   Das Fossil. Drama (1922)
Karl Kraus: Die letzten Tage der Menschheit. Tragödie (1918–22)

Gesellschaftskritik blieb in den meisten expressionistischen Weltanschauungsdramen allgemein ethisch. Abgesehen von den Expressionisten Kaiser und Toller füllten die Lücke zwischen den gesellschaftskritisch engagierten Dramen des Naturalismus und Wedekinds und dem politischen Theater der Weimarer Republik nur Sternheim und Kraus, Autoren, die keine Wortführer des symbolischen Expressionismus waren.

5.3.1 Doppeldeutigkeit der Bürgersatire: Carl Sternheim

Von den seit etwa 1910 produzierenden Dramatikern ist Carl Sternheim (1878–1942) der einzige bis heute mit seinen Stücken auf dem Theater sehr erfolgreich gebliebene. Einige seiner Stücke faßte er 1918 unter dem Titel ‚Aus dem bürgerlichen Heldenleben‘ zusammen. Auf den ersten Blick scheinen sie den Bürger der Wilhelminischen Ära satirisch zu entlarven, auf den zweiten Blick allerdings scheint Sternheim mit diesem Bürger insgeheim zu sympathisieren.

So erinnert seine Komödie ‚Bürger Schippel‘ (1913) zunächst an Heinrich Manns Roman ‚Der Untertan‘: Die Bürger bewegen sich mit ihren menschlichen Schwächen in den gesellschaftlichen Konventionen und Ideologien, suchen so Erfolg und Selbstbestätigung und kaschieren auch ihre Seitensprünge mit Anpassung.

Einem kleinbürgerlichen Männerquartett ist der Tenor weggestorben, der zugleich mit der Tochter des Chefs, des Goldschmieds Hicketier, verlobt war. Damit gerät der erhoffte Sieg im Gesangwettstreit vor dem Fürsten in Gefahr. Als Nachfolger kommt wegen seiner schönen Stimme nur Schippel in Frage, der aber ein „dreckiger Prolet" und ein uneheliches Kind ist. Trotz schwerer Bedenken nimmt man Schippel auf, nachdem er versprochen hat, sich wie ein anständiger Bürger zu benehmen. Das Quartett siegt, und Schippel darf sogar die Goldschmiedstochter Thekla heiraten, derer sich gerade der Fürst in einem Rendezvous angenommen hat. Zuvor allerdings muß Schippel in einem Duell seinen bürgerlichen Nebenbuhler ausschalten; erst damit hat er bewiesen, daß er „der höheren Segnungen des Bürgertums voll und ganz würdig" ist. Eine doppelbödige Moral verhilft dem Proleten zum Aufstieg ins Bürgertum, den kunstliebenden Bürgern zur Anerkennung durch den Monarchen und Thekla zu einem Mann.

Man erkennt hier die Versatzstücke sowohl einer schwankhaften Komödie als auch einer sozialen und ideologischen Satire; Kernstück der letzteren ist der Männergesang, Pseudokunst des deutschen Spießers.

Sternheim hat aber den Bogen des „bürgerlichen Heldenlebens" noch weiter gespannt. In vier Stücken der Sammlung lösen sich die Generationen einer Familie ab, in denen sich die Stadien des wirtschaftlichen und gesellschaftlichen Aufstiegsstrebens des Bürgertums spiegeln: zuerst vom kleinbürgerlichen Beamten Theobald Maske im Erotik-Schwank ,Die Hose' (1911), der einen pikanten Unfall seiner Frau zu seinem Vorteil nutzt, zu seinem Sohn Christian Maske in der Komödie ,Der Snob' (1914), der mit allerlei Machenschaften die Tochter eines Grafen ergattert und in die Aristokratie aufsteigt. In dem Schauspiel ,1913' (1915) ist der alt gewordene Maske Kapitalist und Großunternehmer, muß sich aber nun der hart auf hart ausgetragenen Geschäftskonkurrenz seiner Tochter Sofie von Beeskow erwehren, was ihm mit einem schlauen Coup gelingt, den er allerdings nicht überlebt. Nach dem Weltkrieg fügte Sternheim der Serie noch ,Das Fossil' (1922) hinzu, in dem Sofies Schwiegervater, General a. D. von Beeskow, als Fossil der monarchischen Ära fremd in der demokratischen Nachkriegsgesellschaft steht.

Die Stücke zeigen so Aufstieg und Verfall der Wilhelminischen Gesellschaft, neben deren Stützen Sternheim auch Sozialdemokraten und Revoluzzer nicht schont. Anders als Wedekind in seinen Dramen oder Heinrich Mann in seinem ,Untertan' geißelt Sternheim aber den sozialen Egoismus nicht nur, sondern er verteidigt ihn auch als Recht des einzelnen, sich gegenüber gesellschaftlichen Zwängen mit der „eigenen Nüance" zu behaupten und „einmaliger, unvergleichlicher Natur zu zu leben". Theobald Maske erklärt deutlich genug:

> „Meine Unscheinbarkeit ist eine Tarnkappe, unter der ich meinen Neigungen, meiner innersten Natur ungehindert frönen kann."

Anpassung ist die „Maske" der Selbstverwirklichung. Und der Machttrieb des Unternehmers Christian Maske in ,1913' erscheint zwar in seiner ganzen Gefährlichkeit, aber auch als Ausdruck individueller Souveränität. Sternheim hat damit die Doppeldeutigkeit seiner Zeit und ihrer Werte freigelegt, zugleich aber nicht aus ihr hinausgefunden – daß er letzteres kaum versucht hat, trennt ihn von den Expressionisten.

Das eigentlich Bedeutende ist Sternheims konsequente Ideologiekritik. Er lehnte es ab, „den Deutschen weiter mit Ideologie zu mästen". Im Gegensatz zu den meisten Zeitgenossen wollte er „keinen kategorischen Imperativ", „keine metaphysische Sehnsucht", sondern verschrieb sich allein dem „Zugriff in Wirklichkeit". Die Rolle des Dichters als „Arzt am Leibe seiner Zeit" beschränkt sich damit auf die Diagnose, obwohl Sternheim das nicht immer wahrhaben wollte.

5.3.2 Panorama des politischen und geistigen Bankrotts: ,Die letzten Tage der Menschheit' von Karl Kraus

Dieses zeitkritische Stück, das auch den Auseinandersetzungen der Expressionisten nahestand, hatte eine starke Wirkung auf die Literatur nach dem Weltkrieg, obwohl es – als Ganzes unspielbar – erst 1964, gekürzt, aufgeführt wurde. Es beruht auf der unermüdlichen und scharfsinnigen Beobachtung des kulturellen, gesellschaftlichen und politischen Lebens vor und während des Weltkriegs durch den Autor als Journalist und Kritiker der öffentlichen Meinung.

Karl Kraus (1874–1936) lebte fast sein ganzes Leben in Wien als Journalist und Kritiker, schrieb Lyrik, Dramen und Essays und war sowohl mit der traditionellen wie auch mit der modernen Literatur vertraut; so kannte er alle Literaten der Wiener Moderne und förderte u. a. die Lasker-Schüler, Trakl, Werfel und Kokoschka. Große Wirkung über Wien hinaus hatte er mit Vortragsreisen, auf denen er Dramen der Weltliteratur vortrug und so dem üblichen Theater, dem er mißtraute, eine Art Ein-Mann-Lesetheater entgegensetzte. Sein umfangreichstes Lebenswerk ist die kleine Zeitschrift ,Die Fackel', die er 1899 gründete, als er mit der etablierten Presse und dem Caféhaus-Literatentum verfallen war, und die er seit 1911 alleine schrieb, bis 1936.

Kraus' Lebensberuf war die Sprachkritik als Gesellschafts- und Ideologiekritik. Sie ist auch die Grundlage seines Monumentalwerks vom Untergang der Menschheit im Weltkrieg.

In 220 Szenen mit mehreren hundert Figuren entfaltet sich hier ein Panoptikum des Ersten Weltkriegs. Es sind aneinandergereihte Momentaufnahmen und Dialoge in den Straßen der Städte – vor allem Wiens –, in Ministerien, Dienststellen, Redaktionen, Lokalen, Wohnungen und Hinterhöfen usw. sowie an verschiedenen Kriegsschauplätzen. Es treten historische Personen und gesellschaftliche Typen aller Schichten auf, aber auch die Kommentar-Figuren des „Nörglers" (Kraus?) und des „Optimisten" und allegorische Figuren. Politische und Kriegsereignisse erscheinen vor allem gespiegelt in den Denk- und Verhaltensweisen der Menschen; die Schuld an der Katastrophe gibt Kraus der Dummheit und dem Egoismus der Menschen, ihren Gewohnheiten und Vorurteilen. Vom „Vorspiel" an, das die Stimmung in Wien unmittelbar vor Kriegsbeginn zeigt, entwickeln sich in fünf Akten die Phasen des Krieges mit zunehmendem Wahnsinn des Tötens oder Elend des Sterbens. Als letzter bittet der „ungeborene Sohn", nicht geboren zu werden! Danach: „Völlige Finsternis. Dann steigt am Horizont die Flammenwand empor. Draußen Todesschreie" – eine Andeutung des Jüngsten Tages, der dann im „Epilog" in weiteren Vers-Allegorien mit Bildern des Krieges vergegenwärtigt wird. In das letzte Schweigen fällt der berüchtigte Satz Kaiser Wilhelms II. aus seiner Kriegserklärung: „Ich habe es nicht gewollt" – aber als „Stimme Gottes"!

Ein großer Teil des Werks ist eine Art dokumentarischen Theaters; etwa ein Drittel ist aus authentischen Zitaten montiert, nach Kraus sind es gerade „die unwahrscheinlichsten Gespräche". Fast naturalistisch wiedergegebene Dialoge, in denen Kraus die Mentalität der Zeitgenossen entlarvt, werden verbunden mit den typisierenden, grotesken und allegorischen Formen des Expressionismus. Die Todesbilder am Schluß der eigentlichen Tragödie sind auf winzige pantomimische Szenen reduziert:

„Ein Ulanenoberleutnant läßt einen Popen an den Steigbügel eines Ulanen binden. Man zieht ihm den Mantel aus.
(Oberleutnant:) Sie werden Ihren Mantel kaum mehr brauchen.
Der Reiter entfernt sich in leichtem Trabe. (Die Erscheinung verschwindet.)"

Bedient sich Kraus hier der Dramaturgie des Films, so in den Allegorien traditioneller poetischer Formen, die er aber, ähnlich wie später u. a. auch Brecht, zynisch verfremdet:

„Zwei Kriegshunde, vor ein Maschinengewehr gespannt:

Wir ziehen unrecht Gut. Und doch, wir ziehn.
Denn wir sind treu bis in die Todesstund.
Wie war es schön, als Gottes Sonne schien!
Der Teufel rief, da folgte ihm der Hund."

Gemeinsam ist allen Formen das Moment der Satire – sogar noch in den trauernden und anklagenden Stellen. Der Wahnsinn des Krieges wird als Auswuchs des inhumanen Ungeistes gedeutet. Und das ist nicht nur als Zeitkritik gemeint, sondern – wie schon der expressionistische Titel anzeigt – als apokalyptisches Menschheitsbild.

5.4 Das politische Drama des Expressionismus

Hanns Johst: Die Stunde der Sterbenden (1914)
Reinhard Goering: Seeschlacht. Tragödie (1917)
Georg Kaiser: Von morgens bis mitternachts. Stück in zwei Teilen (1912/16)
Die Bürger von Calais. Bühnenspiel (1912–23)   Die Koralle. Schauspiel (1917)
Gas. Schauspiel (1918)   Gas Zweiter Teil. Schauspiel (1919)
Ernst Toller: Die Wandlung. Das Ringen eines Menschen (1917)
Masse-Mensch. Ein Stück aus der sozialen Revolution des Zwanzigsten
Jahrhundert (1919)   Die Maschinenstürmer. Ein Drama aus der Zeit der
Ludditenbewegung in England (1921)   Hinkemann. Eine Tragödie (1923)
Hoppla, wir leben! (1927)
Fritz von Unruh: Ein Geschlecht. Tragödie (1916)

Der Weltkrieg und die Novemberrevolution von 1918 politisierten den weltanschaulichen Expressionismus. Der Krieg gab der allgemeinen Idee von Menschlichkeit das extreme und empirische Gegenbild der Unmenschlichkeit, der Idealismus äußerte sich im Pazifismus. Schwieriger war es für die Expressionisten, die soziale Realität zu gestalten.
Zwei für ihre Menschheitsthematik wesentliche Erfahrungen brachten sie auf die Bühne: die Vermassung und die Verlorenheit des einzelnen in der Masse sowie das aktivistische Ideal der Revolution.

5.4.1 Das Anti-Kriegsstück: Reinhard Goering
Die Anfänge des pazifistischen Dramas waren noch dem pathetischen Weltanschauungsexpressionismus verpflichtet, so Hanns Johsts ‚Die Stunde der Sterbenden‘ (1914) und die symbolistische Tragödie ‚Ein Geschlecht‘ (1916) von Fritz von Unruh. Großes Aufsehen erregten noch vor dem Kriegsende 1918 Aufführungen der einaktigen Tragödie ‚Seeschlacht‘ (1917) von *Reinhard Goering* (1887–1936).
Hier wird das Grauen des Krieges in strenger Form thematisiert, z. B. mit konsequenter Einheit des Ortes und der Zeit. Einziger Schauplatz ist ein beklemmender geschlossener Raum, die Akteure sind äußerlich kaum zu unterscheidende Figuren; in der szenischen Vorbemerkung heißt es:

„Die Handelnden sind sieben Matrosen, die im Panzerturm eines Kriegsschiffs in die Schlacht fahren. […] Das Stück beginnt mit einem Schrei.“

Das Sujet ist realistisch und aktuell: die Skagerrakschlacht, ein modernes Kriegsschiff, in dem die Männer eingeschlossen sind. Das Geschehen spielt sich also in einer isolierten Innenwelt ab, in den Reden der Matrosen, die teils wachend, teils im Traum vom Leben und über die Schlacht sprechen. Mit der beginnenden Schlacht dringt die Außenwelt verfinsternd und tödlich ein: Explosionen erschüttern den Raum, Rauch und Gas vergiften ihn, Gasmasken, die hereingeworfen werden, entindividualisieren und entmenschen die uniformierten Männer vollends. Nach und nach sterben die meisten; als das Stück endet, ist die Schlacht noch nicht zu Ende. In den Reden konfrontiert Goering die verschiedenen menschlichen Einstellungen: Gläubigkeit und Zweifel, Gehorsam und Meuterei, Patriotismus und Pazifismus. Der fünfte Matrose hat die Sinnlosigkeit des Krieges erkannt und fordert die Meuterei; aber er kann die anderen nicht ganz überzeugen, und als die Schlacht beginnt, reißt der Kampfesrausch auch den Meuterer mit – er stirbt, und mit ihm unterliegt der Friedenswille:

„Ich habe gut geschossen, wie? / Ich hätt' auch gut gemeutert! Wie?“

In ‚Seeschlacht' wird der Krieg nicht politisch analysiert, aber die Anti-Kriegs-Symbolik und der psychologische Zweifel am Patriotismus sind deutlich genug. Trotzdem macht Goering als Expressionist eine allgemeinmenschliche Aussage: Die in der Realität des modernen Lebens eingeschlossene Menschlichkeit vermag sich nicht zu befreien, weil die Menschen sich nicht wandeln können. Das rhythmisierte expressionistische Pathos ist in der Diktion verknappt, weniger rhetorisch-lyrisch als plakativ:

„Komm mit uns, Bruder!/ Komm, lebe! –/ Komm mit uns, Bruder!/Komm! Siege! –/ Komm einfach mit uns sterben, Junge!"

So werden im Modell des geschlossenen Raumes verschiedene Möglichkeiten des Verhaltens durchprobiert und zugleich mit einer Kritik herausfordernden Überzeichnung dem Zuschauer präsentiert. Das ist schon eine Vorform des späteren Lehr- und Parabeltheaters.

5.4.2 Mensch – Gemeinschaft – Masse: Georg Kaiser

Die Entwicklung der expressionistischen Dramatik insgesamt und in ihrem Verhältnis zur gesellschaftlichen und politischen Realität läßt sich beispielhaft am Lebenswerk von Georg Kaiser (1878–1945) ablesen.

Kaiser schrieb insgesamt ca. 70 Theaterstücke, darunter auch Tragödien und Komödien, und hatte zwischen 1918 und 1933 als *der* expressionistische Dramatiker den größten Einfluß auf die deutschen Bühnen, unter anderem auch auf den jungen Brecht. 1933 verhängten die Nationalsozialisten über seine Stücke ein Aufführungsverbot; Kaiser emigrierte in die Schweiz, wo er kurz nach dem Ende des Zweiten Weltkrieges als ein nahezu Vergessener starb.

In Kaisers expressionistischen Stücken zeichnen sich zwei Entwicklungen ab: die der Parabel aus dem symbolistischen Stationendrama und die der Darstellung der Menschen als Kollektivwesen. Sein frühes Stück ‚*Von morgens bis mitternachts*' (geschrieben 1912, veröffentlicht 1916) stellt in strindbergscher Stationendramaturgie dar, wie ein Bankkassierer sich aus seiner anonymen und sinnleeren Existenz als Angestellter und Kleinbürger zu befreien versucht, indem er eine hohe Geldsumme entwendet, um sich damit das wahre Leben zu erkaufen – sei es als Ausbruch in die große Welt, sei es als Macht über Massen, als Sinnengenuß, als Teilhabe an einer Gesinnungsgemeinschaft oder als kameradschaftliche Liebe. Alle Versuche scheitern, denn alle erstrebten Werte erweisen sich als Trug, und der Kassierer nimmt sich das Leben. Das ist das alte Thema der „Eitelkeit" der Welt; und dementsprechend verwendet Kaiser, mitten im modernen Milieu, mittelalterlich-barocke Vanitas-Allegorien wie das Totengerippe, die geschminkte Hure, die eigentlich ein Invalide ist, das Leben als Rennbahn, Tanz oder Bußstätte usw. Über diese Züge eines symbolistischen Welttheaters hinaus weisen Ansätze der Gesellschafts- und Ideologiekritik. So bedeutet das Leitmotiv Geld gesellschaftskritisch die Grundlage der Macht und der Käuflichkeit; stärker noch erweist sich allerdings in einer Episode die Autorität des Fürsten. Geld und Macht werden dabei in Beziehung gesetzt zur Masse, und zwar in der eindrucksvollen Mauerschau-Szene des Sechstagerennens, in der der reich gewordene Kassierer mit hohen Preisspenden das Showgeschäft des Sports belebt, die Sportler bis zur Erschöpfung anspornt und vor allem die Zuschauermassen bis zur Ekstase aufpeitscht. Dem Geld erliegen sogar die Frommen der Heilsarmee, deren Bekehrungserfolge Kaiser ideologiekritisch als Praktiken der Demagogie entlarvt, und auch die Liebe als Glaube an den guten Menschen. Das kreuzigungsähnliche Ende des Kassierers läßt ihn als Opfer nicht seines Fehltritts, sondern der durch und durch verderbten Welt erscheinen.

Kaiser geht es nicht wie Strindberg und den meisten frühen Expressionisten um Seelisches, das in die Welt projiziert wird, sondern um den objektiven Bestand der Welt, einschließlich ihrer gesellschaftlichen Mechanismen. Diese Wirklichkeit wird aller-

dings eingegliedert in eine überzeitliche Sinngebung des Lebens und der Werte; die
Konsequenzen, die sich ergeben, sind ethisch, nicht politisch oder sozial.
Ein Kritiker hat Kaisers Stücke „Denkspiele" genannt. Ein Beispiel dafür ist sein er-
folgreichstes Stück, ‚Die Bürger von Calais' (geschrieben 1912/13, bis 1923 mehrmals
umgearbeitet; Uraufführung 1917).

Angeregt von Auguste Rodins Skulptur ‚Die Bürger von Calais', dramatisierte Kaiser hier, nach
einer alten Chronik, ein historisches Ereignis, nämlich die Kapitulation der Stadt Calais im
Hundertjährigen Krieg (1339–1453) zwischen England und Frankreich. Als die Niederlage der
belagerten Stadt nicht mehr abzuwenden ist, macht der englische König das Angebot, die Stadt
zu verschonen, wenn sechs angesehene Bürger sich den Engländern als Opfer ausliefern. Im
Streit um die Frage, ob bewaffneter Widerstand bis zum Letzten oder das Opfer, mit dem die
Stadt zu retten wäre, die sittlichere Handlungsweise sei, überzeugt Eustache Saint-Pierre die
Bürger vom Sinn des Opfers. Der englische König, beglückt über die Geburt eines Sohnes und
beeindruckt von der Haltung der Freiwilligen, begnadigt diese und verschont die Stadt. Zuvor
hat Saint-Pierre die schwierige Entscheidung, welcher überzählige Freiwillige nicht zu sterben
braucht, mit seinem Freitod den anderen abgenommen.

Kaiser stellt nicht nur den Sieg des Friedens über den Krieg dar, sondern auch die Ge-
meinschaftsethik der Opferbereitschaft. Saint-Pierre bringt das eigentliche Opfer,
mit dem er die anderen zur Opferbereitschaft zwingt, also die Menschen innerlich
verwandelt. Der historische Fall dient als zeitloses Modell für einen Diskurs über ein
ethisches Thema. Dementsprechend vollzieht sich der Wandlungs- und Läuterungsprozeß der Bürger nicht nur in streng aufgebauten Situationen, sondern in verästel-
ten Dialogen und Reden; seine sozialethische Bedeutung wird dadurch hervorgehoben, daß der Schauplatz – der Marktplatz vor der Kirche – öffentlich ist und das in ekstatischer Choreographie bewegte Volk am Geschehen teilnimmt. Der politisch-ge-
sellschaftliche Gehalt des historischen Stoffes geht dabei allerdings auf in die abstrakte Ethik der Gemeinschaft und deren hochstilisierte ästhetische Gestaltung.
Sozialpolitischer Thematik am nächsten kommt Kaiser in den Stücken ‚Gas' (1918)
und ‚Gas Zweiter Teil' (1919), die mit dem auch inhaltlich vorangehenden Stück ‚Die
Koralle' (1917) dadurch verbunden sind, daß nacheinander drei Generationen einer
Milliardärsfamilie auftreten. Während im ersten Stück die soziale Problematik der
Ausbeutung noch von den individualethischen Konflikten des aus sozialem Elend
aufgestiegenen Konzernherrn zurückgedrängt wird, hat Kaiser in den beiden ‚Gas'-
Stücken kollektive Prozesse entfaltet, sowohl inhaltlich als auch in der Theaterform.

In einer Art Science-fiction-Perspektive ist in beiden Stücken zunächst das Gas die neue Ener-
giequelle, mit der man die Industrieproduktion vervielfachen kann, aber damit erscheint der
technische Fortschritt zugleich in seiner Gefährlichkeit. In ‚Gas I' explodiert das Gas; und die
Fabrik wird zerstört. Die Entscheidung, ob man die Gasproduktion – von der die ganze Industrie im Lande abhängt – aufgeben oder das Werk wieder aufbauen soll, wird dadurch erschwert,
daß es keine technische oder chemische Möglichkeit gibt, das Gas sicher zu machen, obwohl
„die Formel stimmt". Wie die Entscheidung auch fällt, in jedem Falle hat sie verheerende soziale Folgen. Mit der Person des Milliardärssohns – also eines Vertreters der zweiten Unternehmer-
generation – und der seines Ingenieurs – also des Technokraten – führt Kaiser schließlich einen
weiteren Konflikt ein: Der philanthropisch gesinnte Unternehmer will die industrielle Expansion überhaupt aufgeben und die Arbeiter statt dessen zu Siedlern im „Grünen" machen; die
Rückkehr zum einfachen Leben soll die versklavten und physisch wie psychisch ausgebeuteten
Arbeiter wieder Menschen in einem natürlichen und humanen Leben werden lassen. Damit
stößt er aber nicht nur auf den Widerstand des Ingenieurs, sondern auch auf den der Industrie-
magnaten und sogar derjenigen, deren Glück er sucht, der Arbeiter selbst. Sie wollen kein
Schrebergärtnerdasein führen, sondern Geld verdienen, und sie glauben, dies zu müssen. Die
Labilität ihrer Haltung zeigt sich, als sie nun den Ingenieur zum Führer beim Wiederaufbau
der Fabrik wählen, den sie zuvor als für die Explosion Verantwortlichen hatten vertreiben wollen. Der Milliardärssohn sieht sich von allen im Stich gelassen. Zuletzt greift der Staat ein, dem
nur an der Wiederaufnahme der Produktion liegt; seine Repräsentanten entmachten den Milliardärssohn und übernehmen das Werk in ihre Regie.

In der Fortsetzung ‚Gas II' wird dieser Ansatz weitergedacht. Der Staat als Unternehmer benutzt die Energie im politischen Machtkampf, also im Krieg. Die Arbeiter, die der gesteigerten Ausbeutung nicht gewachsen sind, revoltieren. Ein Versuch, den Krieg zu beenden, mißlingt, die Feinde bemächtigen sich der Fabrik – und setzen die Produktion fort. Noch einmal erheben sich die Arbeiter, im Vertrauen auf eine neue Erfindung des „Großingenieurs": das Giftgas. Im Kampf zwischen Arbeitern und Besatzungssoldaten zerstören beide Seiten die Fabrik und sich gegenseitig – die Geschichte endet mit der apokalyptischen und totalen Selbstvernichtung aller.

Die Handlung der beiden Stücke zeigt, mit welchem geradezu beklemmenden Scharfsinn Kaiser Probleme und Mechanismen der modernen Industrie-, Macht- und Massengesellschaft gesehen hat. Konsequent entwickelt das 'Denkspiel' die Leitfrage: Wohin kann, unter dem Aspekt der Humanität, auf technologischen Fortschritt gegründete Macht im Wechselspiel mit der Proletarisierung führen? Für die Anonymität und Kollektivität der Prozesse fand Kaiser, z. T. unter Verwendung expressionistischer Stilmittel, völlig neue Ausdrucksformen. In ‚Gas I' wechseln noch Dialoge zwischen Individuen, Auftritte von Typen und choreographisch arrangierte Massenszenen ab. In ‚Gas II' treten nur noch Typen und Ideenträger – wie der Milliardärarbeiter und der Großingenieur – auf, vor allem aber anonyme Figuren und Massen. Die Funktionäre der technischen und militärischen Macht erscheinen nur noch puppenhaft als „Blaufiguren" und „Gelbfiguren"; die Meldeapparaturen und Schalttafeln, die von ihnen bedient werden, führen die eigentlichen Entscheidungen herbei. Die Schauplätze mit verschiedenen geometrischen Formen verkörpern den industriellen, familiären oder sozialen Bereich. Durch die Beteiligung der Technik wirkt das Geschehen aus den Innenräumen hinaus in die Umwelt oder umgekehrt aus der Umwelt in den Innenraum herein. Sicherlich hat Kaiser hier Entdeckungen des Films genutzt oder vorweggenommen; auffallend ist z. B. die Ähnlichkeit des Films ‚Metropolis' (1926) von Fritz Lang mit Kaisers ‚Gas'-Stücken. Das Streben nach monumentalen Effekten überlagert aber auch deren Realitätsbezug. Wenn ‚Gas II' endet, ist man zwar Zeuge einer großangelegten Show mit religiöser Untermalung, aber kaum der betroffene Zeuge einer realen gesellschaftlichen Katastrophe. Zum anderen sind die geistigen Gegenpositionen, die Kaiser mit den sozialen Prozessen konfrontiert, kaum überzeugend; ganz schwach wirkt der Appell des Milliardärarbeiters in ‚Gas II', die Menschen sollten die äußere Unfreiheit duldend hinnehmen und ein Reich der Innerlichkeit errichten. Aber auch die Idee seines Vorgängers in ‚Gas I', die Sozialgeschichte wieder zu einer Idylle des einfachen Lebens zurückzubiegen, wird kaum diskutiert und erscheint nur als persönliches Wunschbild des Philanthropen. Bertolt Brecht, der von Kaiser sehr beeindruckt war, hat 1928 dessen „Idealismus" kritisiert und dann in seinen sozialpolitischen Lehrstücken verworfen.

5.4.3 Revolution als Idee und Erfahrung: Ernst Toller

Der einzige politisch wirklich aktive Revolutionär unter den expressionistischen Dramatikern war der jüngste von ihnen, Ernst Toller (1893–1939). In seinen Werken durchdringen sich Biographie, dichterisches Bekenntnis und politische Erfahrung; ein eindrucksvolles Dokument dafür ist seine Autobiographie ‚Eine Jugend in Deutschland' (1933). Zugleich lassen Tollers Bühnenwerke erkennen, wie sich das expressionistische Theater in der Weimarer Republik in die politische Auseinandersetzung einließ, damit aber auch als besondere Kunstform auflöste.

Toller wuchs im damals preußischen Westpolen auf, als Kind jüdischer Kleinbürger. Mitgerissen von der nationalen Begeisterung, meldete sich 1914 der Student aus der Schweiz zum Kriegsdienst, aus dem er aber 1916 nach einem schweren Zusammenbruch an der Front zum Studium nach München dispensiert wurde. Begegnungen mit Max Weber, Gustav Landauer und Kurt Eisner führten Toller zur Politik. Als Mitglied der bayerischen USPD schloß er sich 1919 der Münchener Räterepublik an, nahm in ihr eine führende Stellung ein und geriet in schwere Konflikte mit Sozialdemokraten und Kommunisten. Nach dem Sturz der Räterepublik wurde er zu fünf Jahren Festungshaft verurteilt. Nach der Entlassung 1924 war Toller durch die Theaterstükke, die er in der Haft geschrieben hatte und die auch inzwischen aufgeführt worden waren, als Autor bekannt. Neben seiner Arbeit als Schriftsteller, an Theatern, auf Vortrags-, Lese- und Redereisen im In- und Ausland beteiligte er sich nun als Parteiloser an Schriftstellerkongressen und pazifistischen oder sozialistischen Veranstaltungen. Dabei geriet er zunehmend in die Konfrontation mit den Nationalsozialisten, die ihn bald nach der Machtergreifung 1933 aus Deutschland ausbürgerten. Auch in der Emigration rastlos politisch und literarisch tätig, allerdings mit vielen Mißerfolgen, zermürbte sich Toller. 1939 nahm er sich in New York das Leben.

Seinen Erstling schrieb Toller aus der Erschütterung über das Kriegserlebnis 1917: ‚Die Wandlung. Das Ringen eines Menschen‘. In der Form des Stationendramas demonstriert es die „Wandlung“ eines jungen Mannes vom Juden, der seinem Glauben entfremdet ist, zum Kriegsfreiwilligen und todesmutigen Soldaten, der aber die Sinnlosigkeit des Krieges begreift, dann auch den Patriotismus verwirft, auf seinem Lebensweg Leid und Unmenschlichkeit wahrnimmt und schließlich seine Berufung findet: die Menschen zur Menschlichkeit zu bekehren. Das typisch expressionistische Werk mit autobiographischen Zügen stellt – trotz vieler Allegorik – gesellschafts- und ideologiekritische Situationen und Figuren entschieden heraus und führt ein neues technisches Medium ein, das dann im politischen Theater viel verwendet wurde: die Bildprojektion auf eine Leinwand. Trotzdem wurden Tollers Dramen erst nach der Revolution eindeutiger politisch.

In der Festungshaft schrieb Toller jedes Jahr mindestens ein Bühnenstück, daneben u. a. auch Lyrik. Das erste große Drama, ‚Masse Mensch‘ (1919), thematisiert die inzwischen gescheiterte Revolution in Deutschland, zugleich damit zwei Konflikte, die Toller selbst während der Kämpfe um die Räterepublik in Bayern erfahren hat: das Verhältnis zwischen dem bürgerlichen einzelnen und der proletarischen Masse und das Dilemma zwischen Gewalt und Pazifismus im Klassenkampf. Eine bürgerliche Frau schließt sich aus humanitärer Gesinnung der Arbeiterschaft und einem Streik an und gibt dafür ihre Ehe und bürgerliche Existenz auf. Weil sie Gewalt ablehnt, gerät sie aber zusätzlich zum Konflikt mit dem Staat in Konflikt mit den militanten Kräften der revoltierenden Massen, was zuletzt zu ihrem Tod führt. Toller bekennt sich damit zum konsequenten Gewaltverzicht, auch im Klassenkampf, und läßt die militante Revolution als tragischen und verhängnisvollen Irrweg erscheinen. Wie in der ‚Wandlung‘ wechseln Real- und Traumszenen miteinander ab; in ihnen sieht sich das vernünftig denkende und menschlich fühlende Individuum, die Frau, den typisierten Repräsentanten gegensätzlicher gesellschaftlicher Instanzen sowie der Masse gegenübergestellt – und scheitert.

Rezensionen veranlaßten Toller, sich 1921 gegen den Vorwurf des „Leitartikel“-Theaters zu verteidigen. Dabei vertrat er einen Standpunkt, der deutlich die Nahtstelle zwischen politischem Engagement und expressionistischer Weltanschauung erkennen läßt. Er nimmt in Anspruch, daß er „aus der seelischen und geistigen Welt des proletarischen Volkes heraus schafft“, und schließt mit der Grundsatzerklärung:

> „Daß auch proletarische Kunst im Menschlichen münden muß, daß sie im Tiefsten allumfassend sein muß – wie das Leben, wie der Tod, brauche ich nicht zu betonen. Es gibt eine proletarische Kunst nur insofern, als für den Gestaltenden die Mannigfaltigkeiten proletarischen Seelenlebens Wege zur Formung des Ewig-Menschlichen sind.“
> (Brief an einen schöpferischen Mittler. Vorwort zur 2. Auflage von ‚Masse-Mensch‘, 1921)

So expressionistisch dieses Bekenntnis klingt – Toller merkte, daß die Darstellung des Menschlichen nicht auf den expressionistischen Stil angewiesen ist, und begann, sich vom Expressionismus zu lösen. In der Gestaltung eines sozialgeschichtlichen Stoffes aus dem frühen 19. Jahrhundert, dem Drama ‚Die Maschinenstürmer‘ (1921), nähert er sich der Milieurealistik und Thematik der ‚Weber‘ von Gerhart Hauptmann und verwendet neben expressionistischen auch traditionelle Stilmittel.

Das letzte große Drama aus der Festungszeit ist *‚Hinkemann‘* (ursprünglich ‚Der deutsche Hinkemann‘, 1923).

Der Proletarier Hinkemann wird im Krieg impotent geschossen; und nach dem Krieg ist er arbeitslos. Sein Selbstvertrauen ist untergraben, sein einziger Halt ist seine Frau Grete, der er sexuell kein Mann mehr sein kann. Während er die entwürdigende Gelegenheitsarbeit ausführt, auf dem Jahrmarkt Ratten und Mäusen die Kehle zu durchbeißen, sucht Grete Trost bei einem anderen Mann, was Hinkemann schließlich bemerkt. In einem Zustand verzweifelten Aufbegehrens will Hinkemann Grete töten, bringt es aber nicht fertig, als er ihr in die Augen schaut. Beide sehen keinen Ausweg für ein sinnvolles gemeinsames Leben, Grete tötet sich, und Hinkemann folgt ihr.

Inhaltlich hat Toller hier seine Grundsätze aus dem Kommentar zu ‚Masse-Mensch‘ befolgt: Das Allgemeinmenschliche entwickelt sich als auswegloses Schicksal aus dem „proletarischen Seelenleben". Dementsprechend sind allgemeinmenschliche Ideen, milieuorientierte Psychologie und tragischer Fatalismus miteinander verwoben. Die zeit- und sozialkritischen Bestandteile sind zugleich symbolisch-allegorisch gemeint; so die Namen einiger Nebenfiguren und vor allem der des Protagonisten, der gleichzeitig die körperliche, soziale und seelisch-geistige Invalidität des Menschen anzeigt und überdies auf den tragischen Ödipus anspielt. An expressionistische Allegorien erinnern eine Jahrmarktszene und ein „Traumalb" mit dem Streit invalider Leierkastenmänner und Bettler; auch die Schauplätze Arbeiterschenke oder „Westend" haben deutende Funktion. Dialoge und Reden bewegen sich zwischen naturalistisch wiedergegebener Alltagssprache und politischen oder weltanschaulichen Verallgemeinerungen; die sich zu Verkündigungen steigern; das Ineinander der verschiedenen Sprechweisen läßt sich deutlich an einer Stelle kurz vor dem Schluß erkennen:

„HINKEMANN nach einigen Sekunden: Was ... was starrst du mich so an? Wie blicken deine Augen drein?... Ich will kein Mensch heißen, wenn in deinen Augen ein Falsch ist!... Die Augen kenne ich!... Die Augen habe ich gesehen in der Fabrik... die Augen habe ich gesehen in der Kaserne... die Augen habe ich gesehen im Lazarett... die Augen habe ich gesehen im Gefängnis. Dieselben Augen. Die Augen der gehetzten, der geschlagenen, der gepeinigten, der gemarterten Kreatur... Ja, Gretchen, ich dachte, du bist viel reicher als ich, und dabei bist du ebenso arm und ebenso hilflos ... Ja, wenn das so ist, wenn das so ist... dann sind wir Bruder und Schwester. Ich bin du, und du bist ich... Und was soll nun werden?"

Toller steht hier nicht mehr im Gegensatz zum Naturalismus, sondern versucht, ihn mit expressionistischer Symbolik und Rhetorik zu verschmelzen. Politisch ist dieses Drama nur noch in der zeitkritisch-sozialen Grundierung der proletarischen Schicksalstragödie.

Während der Festungshaft schrieb Toller auch Bühnenstücke unmittelbar für die politische Praxis, nämlich Festspiele mit Massenszenen für die Gewerkschaftstage 1922, 1923 und 1924, die auch aufgeführt wurden. Nach der Festungshaft suchte er, gleichzeitig mit seiner regen politischen Tätigkeit, den Anschluß an die Theaterpraxis. Er schrieb Stücke aller Art – Drama, Komödie, Satire usw. –, ja sogar einen Film (‚Menschen hinter Gittern‘, 1931), und beteiligte sich an Inszenierungen. Das Drama als Dichtung wurde dabei mehr und mehr abgelöst durch publikumswirksame Auseinandersetzungen mit dem Gegenwartsgeschehen: Bühnenstücke als aktualisierende Bearbeitung (‚Bourgeois bleibt Bourgeois‘ nach Molière, 1929), als Dramatisierung einer Vorlage mit parodistischer Absicht (‚Wunder in Amerika‘, 1931) oder als aktuelles Tendenzstück (‚Hoppla, wir leben!‘, 1927; ‚No more peace!‘, 1936, USA). Der Dichter als schöpferischer einzelner trat wiederholt zurück hinter dem Team, etwa wenn Toller mit anderen Autoren wie Hasenclever und Kesten zusammenarbeitete oder ein Stück in Zusammenarbeit mit dem Regisseur, nämlich Piscator, entstand (‚Hoppla, wir leben!‘). Damit war das expressionistische Verkündigungsdrama, aber auch das artistische Denkspiel Georg Kaisers vom pragmatischen, aktuellen und Politischen Theater der Weimarer Republik abgelöst.

6 Erzählte Krisen – Krise des Erzählens

In der literarischen Prosa nach 1900 ist scheinbar die 'expressionistische Revolution' ausgeblieben. Als bis in die Gegenwart wirksame große Erzähler der Periode betrachtet man Autoren, die nur entfernt oder gar nicht mit dem Expressionismus in Verbindung standen, wie Heinrich und Thomas Mann, Robert Musil, Hermann Hesse, Hermann Broch, Alfred Döblin oder Franz Kafka; als Begründer des modernen Romans gelten ausländische Autoren wie John Dos Passos, James Joyce oder Marcel Proust. Tatsächlich aber zeichneten sich die radikalen Veränderungen des Bewußtseins und der Literatur auch in der deutschen Prosaliteratur seit etwa 1910 ab: inhaltlich mit der Thematisierung gesellschaftlicher oder psychischer Krisen, formal in der Auflösung der tradierten realistischen Erzählweise; als besonderes Merkmal der Moderne erscheint die Tendenz, das Erzählen selbst zu reflektieren und zu problematisieren, bis zu seiner Verwandlung in eine aphoristisch-essayistische Denk-Prosa.

6.1 Erzählte Krisen

Psychologische und satirische Zeitkritik in Novellen und Romanen:
Hermann Hesse:
Peter Camenzind. Roman (1904)   Unterm Rad. Roman (1906)
Heinrich Mann
(Romane und Novellen seit 1893):
Professor Unrat. Roman (1905)
Stürmischer Morgen. Novellen (1906)
Die kleine Stadt. Roman (1909)   Der Untertan. Roman (1914/18)
Bunte Gesellschaft. Novellen (1917)
Thomas Mann:
Der kleine Herr Friedemann. Erzählungen (1898)
Buddenbrooks. Roman (1901)   Tonio Kröger. Novelle (1903)
Der Tod in Venedig. Novelle (1911)
Carl Sternheim:
Busekow. Novelle (1914)   Chronik von des 20. Jahrhunderts Beginn.
Novellen (1918, erweitert 1926–28)
Jakob Wassermann:
Caspar Hauser oder Die Trägheit des Herzens. Roman (1908)
Das Gänsemännchen. Roman (1911–13/1915)
Arnold Zweig:
Die Novellen um Claudia (1912)   Geschichtenbuch.   Novellen (1916)
Stefan Zweig:
Erstes Erlebnis. Erzählungen (1911)
(Zu Arthur Schnitzler und Robert Musil vgl. S. 362ff.)

Expressionismus und Kurzgeschichte:
Johannes R. Becher: Verfall und Triumph. Band 2: Versuche in Prosa (1914)
Martin Beradt: Der Neurastheniker. Erzählung (1913)
Max Brod: Notwehr. Novellen (1913)
Alfred Döblin: Die Ermordung einer Butterblume. Erzählungen (1913)
Kasimir Edschmid: Die sechs Mündungen. Novellen (1915)
Das rasende Leben. Novellen (1916)   Timur. Novellen (1916)
Leonhard Frank: Die Räuberbande. Roman (1914)
Der Mensch ist gut. Novellen (1918)
Georg Heym: Der Dieb. Novellen (postum 1913)
Alfred Lemm: Mord. Band 2: Versuche (1918)
Fritz von Unruh: Opfergang. Erzählung (1916/19)
Franz Werfel: Nicht der Mörder, der Ermordete ist schuldig. Erzählungen (1920)

6.1.1 Psychologische und satirische Zeitkritik in Novellen und Romanen

Die großen zeitkritischen Erzähler der Periode knüpften noch an die europäischen Roman- und Novellentraditionen an. Krisen der Vorkriegsgesellschaft und ihrer Kultur wurden zunächst vorwiegend in psychologischen Krisen realistisch dargestellt, so z. B. von Arthur Schnitzler (1862–1931), Heinrich Mann (1871–1950), Thomas Mann (1875–1955), Hermann Hesse (1877–1962), Robert Musil (1880–1942), Stefan Zweig (1881–1942) und Arnold Zweig (1887–1968). Psychische und soziale Krisenerscheinungen verbinden sich hier z. B. in den Schicksalen Jugendlicher, der Künstler, problematischer Liebes- und Ehebeziehungen oder einer ganzen Familie. Einen ausgeprägten Sinn für kollektive Bewußtseinshaltungen hatte *Jakob Wassermann* (1873–1934), der in seinen historischen Romanen ideologische Gründe menschlichen Verhaltens, insbesondere der Deutschen gegenüber Juden und anderen Außenseitern, analysierte. In manchen dieser Erzählungen geben die Krisenthematik oder aber Ironie und Symbolik dem Wirklichkeitsbild etwas Hintergründiges, das den Bestand der Wirklichkeit unsicher erscheinen läßt: „Ihm war, als lasse nicht alles sich ganz gewöhnlich an, als beginne eine träumerische Entfremdung, eine Entstellung der Welt ins Sonderbare…" (Thomas Mann: ‚Der Tod in Venedig‘). Auch in der Zuspitzung zur Satire kündigt sich eine Ablösung vom psychologisch-realistischen Erzählen an. So demaskiert *Heinrich Mann* in seinen Romanen ‚Professor Unrat‘ (1906, unter dem Titel ‚Der blaue Engel‘ 1931 verfilmt) und ‚Der Untertan‘ (1914; wegen eines Verbots der Veröffentlichung erst 1918 erschienen) das Bürgertum, den Staat und die Ideologien der Wilhelminischen Ära. Die Satire überzeichnet das Individuelle zum Exemplarischen und verfremdet die Realität in der Komik.

Andere Mittel, um das Exemplarische der Zeit darzustellen, sind typisierte Figuren, extreme Situationen oder ein distanziert-verfremdender Stil. Sie benutzt *Carl Sternheim* (1878–1942) in den seit 1913 geschriebenen Novellen, die er 1918 unter dem Titel ‚*Chronik von des 20. Jahrhunderts Beginn*‘ publizierte (erweitert 1926–28), ein Gegenstück zu den Komödien ‚Aus dem bürgerlichen Heldenleben‘ (vgl. S. 399f.). Damit erhob er den Anspruch, ein Zeitbild zu geben, das allerdings nicht als umfassendes episches Panorama, sondern als Reihe novellistischer Figuren-Biographien ausgeführt ist. Die Figuren entstammen unterschiedlichen sozialen Schichten – adeliges Fräulein, Rentier und Spekulant, Bürger, Aufsteiger, erfolgloser Künstler, Polizist, Hausgehilfin –, und die Zeitgeschichte vom Kaiserreich bis zum Ersten Weltkrieg ist in den sozialen Typen und dem Milieu entweder angedeutet oder ausdrücklich in die Handlung einbezogen. Aber auch Sternheim setzt die Tradition realistischer Zeitkritik nicht fort, sondern verfremdet sie in einem manieristisch pointierten Stil:

„[...] Aller Mahlzeit Beginn und Schluß hieß Gebet. Brot Schwein und Kartoffel lag inmitten. Das und die Familie war protestantisch. Preuße der liebe Gott. Evangelisch war Magd Knecht Vieh und alles in den Herrn gekehrt. Über der Gemüter fader Landschaft lag des Hausherrn Zufriedenheit in Kindern und Gesinde als Licht, als Sturm und Gewitter sein Unwille. Auf seine Person war alles Begreifen gedrillt, der Hosen Sitz, des Bartes Schmiß früh allemal Symbol." (‚Ulrike')

6.1.2 Kurzgeschichte und Kinostil als Ausdruck der neuen Zeit

Einen neuen Ausdruck fanden die Krisenerfahrungen der Vorkriegsgeneration vor allem in zahlreichen kurzen Erzählungen: als Angst und Ich-Schwäche junger Menschen in einer übermächtigen Umgebung (Alfred Lichtenstein: ‚Der Selbstmord des Zöglings Müller', 1919); als Vereinsamung des Individuums in der Großstadt (Alfred Lemm: ‚Weltflucht', postum 1918) oder in der Isolation des Untermieters (Martin Beradt: ‚Der Neurastheniker', 1913); als Situation des verachteten Juden in einem Europa, das ihm wie ein Warenhaus, eine Maschinenhalle, ein Lazarett oder ein Irrensaal vorkommt (Arnold Zweig: ‚Quartettsatz von Schönberg op.7 d-moll', 1915); schließlich als die Entfesselung anonymer Gewalten im Weltkrieg (Fritz von Unruh: ‚Opfergang', 1916/19) oder als Leiden der sozialen Unterschichten (Leonhard Frank: ‚Der Mensch ist gut', 1918). Krisenhafte Grenzsituationen werden aber umgekehrt auch als Momente gesehen, in denen das Individuum sich steigert und entgrenzt, so immer wieder in den Erzählungen von Kasimir Edschmid, z. B. denen eines Sammelbandes mit dem bezeichnenden Titel ‚Das rasende Leben' (1916).

Die Breite des Romans und die Geschlossenheit der Novelle schienen diesen Erfahrungen nicht zu entsprechen. Zwar nannten die Autoren ihre Erzählungen oft noch „Novellen", aber mehr und mehr drang die für das 20. Jahrhundert so charakteristische offene Kurzgeschichte vor. Man sah in ihr auch das literarische Pendant zu einem neuen Medium, für das gerade moderne Autoren sich interessierten, nämlich des Kinofilms, vor dem Weltkrieg fast nur bekannt als hastig ablaufender Kurzfilm. Nach Döblin war der „Kintopp" das „Theater der kleinen Leute" und nach Loerke „diese Fülle Leben, dennoch grotesk". Und Georg Lukács beschrieb 1913 die „Weltanschauung" des Kinos, als ginge es dabei um den Expressionismus:

„Es gibt keine Kausalität [...], oder genauer: ihre Kausalität ist von keiner Inhaltlichkeit gehemmt oder gebunden. ‚Alles ist möglich': das ist die Weltanschauung des ‘Kino', und weil seine Technik in jedem einzelnen Moment die absolute [...] Wirklichkeit dieses Moments ausdrückt, wird das Gelten der ‘Möglichkeit' als einer der ‘Wirklichkeit' entgegengesetzten Kategorie aufgehoben." (‚Gedanken zur Ästhetik des Kinos'. Frankfurter Zeitung Nr. 251 vom 10. 9. 1913)

Absage an positivistische Kausalität, dafür Intensität, ja Verabsolutierung des erlebten Moments und Aufhebung der Grenze zwischen Wirklichem und Möglichem – das ist expressionistisch. Deshalb nannte Kurt Pinthus „die short-story, das gedruckte Kinostück" neben Glosse und Aphorismus als Ausdrucksform einer schnellebigen Zeit (in: März, Jg. VII, 1913). Und Döblin forderte selbst für den Roman einen „Kinostil", in dem die Wirklichkeit „in höchster Gedrängtheit und Präzision", vor allem aber in ihrer „Kinetik" am Leser vorbeizieht: „Rapide Abläufe, Durcheinander in bloßen Stichworten" (‚An die Romanautoren und ihre Kritiker', in: ‚Der Sturm', 1913). Dem entspricht als Gattung ganz besonders die Kurzgeschichte, mit der Erfahrungen in Grenzsituationen und transitorischen Momenten intensiv dargestellt werden können.

6.1.3 Außenseiter: Geballte und zerfallende Wirklichkeit

Exemplarisch für die Erfahrung von Grenzsituationen ist der Menschentyp des Außenseiters in Momenten der Lebens- oder Persönlichkeitskrise. Ludwig Rubiner verstand darunter die sozial oder psychisch Abseitigen, die entweder in der Gesellschaft keinen Platz finden oder sich ihr selbst verweigern:

„Wer sind die Kameraden? Prostituierte, Dichter, Zuhälter, Sammler von verlorenen Gegenständen, Gelegenheitsdiebe, Nichtstuer, Liebespaare mitten in der Umarmung, religiös (Irrsinnige, Säufer, Kettenraucher, Arbeitslose, Pennbrüder, Erpresser, Kritiker, Schlafsüchtige, Gesindel. Und für Momente alle Frauen der Welt. Wir sind der Auswurf, der Abhub der Verachtung. [...] Wir sind der heilige Mob." (‚Der Dichter greift in die Politik'. In: ‚Die Aktion', 1912)

Positiv gesehen, sind nach Rubiner diese Menschen die „Ungeduldigen", die es drängt, „herauszustoßen die Selbstverständlichkeit und Sicherheit des Getragenwerdens von der Umwelt; einen schnellen Augenblick die Intensität ins Menschenleben zu bringen" (s. o.). Negativ gesehen, sind sie nach Döblin „Unzeitliche aus Not: sie sind innerlich gefesselt, ihr Organismus erschöpft sich in Störungen, Reibungen. Sie kommen nicht zu sich, geschweige denn zu anderen." (‚Von der Freiheit eines Dichtermenschen'. In: Die neue Rundschau, 1918)

Ein Musterbeispiel dafür gibt *Johannes R. Becher* (1891–1958) in seiner Kurzgeschichte ‚*Der Dragoner'* (1914). Hier wird eine Prostituierte von dem Dragoner, den sie als Freier mitgenommen hat, erstochen. Das Milieu der kasernierten Soldaten ist wie das der Freudenmädchen unbürgerlich und abseitig. Becher gestaltet aber keine Milieustudie, sondern den „rapiden Ablauf" äußerer, gegenständlicher Eindrücke und innerer, fast halluzinatorischer Vorstellungen des Mädchens, dem im Dragoner entfesselte Gewalt begegnet. Wirklichkeit zerfällt in ein Durcheinander von Innen und Außen, Selbstwahrnehmung und Fremdwahrnehmung, Vergangenheit und Gegenwart. Der sexuelle Akt wird ersetzt durch den Todesstoß mit dem Dragonersäbel, der allerdings eine schon in der Angst Entseelte trifft:

„Sie erstarrte. Ward zur Puppe. Haftete. Zerbrochen. In die Knie geknickt. Schon vorher durchbohrt."

Der inkohärente Stichwortstil spiegelt eine Erfahrung, in der Wirklichkeit sich zugleich im Detail zusammenballt und als Ganzes zerfällt, und ebenso die Atemlosigkeit höchster Erregung, in der Raserei und Entsetzen zusammenfallen.

Prototyp der Außenseiter ist der Psychopath. In ihm sehen wir nicht nur den Zerfall der Persönlichkeit; sondern in seinen defekten Wirklichkeitsvorstellungen spüren wir den Zerfall rationaler Wirklichkeitsbilder überhaupt, in seiner Unfähigkeit zur Kommunikation den Zerfall zwischenmenschlicher Solidarität. So schreibt *Franz Werfel* (1890–1945) die Rede eines Irren an seine imaginären Besucher (‚*Blasphemie eines Irren'*, 1918), läßt ihn aber so verständig sprechen, daß nicht er, sondern seine normale Umwelt irre erscheint. Der Ich-Zerfall des Irren äußert sich in der blasphemischen Idee, von der er besessen ist. Diese kann man als religiösen Wahn verstehen, aber auch als Kritik am Individualismus; der Irre identifiziert sich nämlich mit dem Gott, der seine Zehn Gebote mit dem Wort „Ich" begonnen hat und das als Fehler oder Schuld erkennt: „Ich zu sagen ist immer ein Versprechen, das man nicht halten kann" – die Krise des Individuums als Folge einer Verabsolutierung die Ichs!

Ganz anders behandelt *Georg Heym* (1887–1912) dieselbe Rolle in seiner Erzählung ‚*Der Irre'*; sie steht in einer Reihe mit Porträts anderer Außenseiter-Typen: des Kindes (‚Ein Nachmittag'), des Krüppels (‚Jonathan') und des Diebes (in: ‚Der Dieb, ein Novellenbuch', postum 1913). Hier ist der Irre aus der Anstalt entlassen. Er erlebt den Glücksrausch der Freiheit und den Blutrausch der Rache an denen, die ihn eingesperrt haben, an deren Stelle er aber vier harmlose Personen umbringt. Am Ende wird er selbst gejagt und erschossen. Heym erzählt dies in der Perspektive des Irren, in der objektivierenden dritten Person und als inneren Monolog. Scheinbar setzt die Identität des Irren sich aus Paradoxen zusammen, aus Sentimentalität und Brutalität, Angst und Wut, Scharfsinn und Wahn, Beziehungslosigkeit und Fixiertheit auf bestimmte Personen. Jedoch kann man sich in diese schizophrene Identität hineindenken, ihre Erfahrungen und Regungen als solche empfinden, die jedem Menschen möglich sind: Die „irre" Wirklichkeit ist der normalen unheimlich ähnlich – das macht die Erzählung so beklemmend.

6.2 Krise des realistischen Erzählens

Phantastik, Groteske und Vieldeutigkeit:
Alfred Döblin: Die Ermordung einer Butterblume. Erzählung (1910)
Alfred Lichtenstein: Gedichte und Geschichten (postum 1919)
Gustav Meyrink: Der Golem. Roman (1915)
Mynona (Salomo Friedländer): Rosa, die schöne Schutzmannsfrau.
Grotesken (1913)
Kurt Schwitters: Die Zwiebel. Merzgedicht 8 (1919)

Reflexion und Denunziation des Erzählens:
Hermann Broch: Methodologische Novelle (1918)
Ferdinand Hardekopf: Lesestücke (1916)

Der Zweifel an einer 'normalen' Wirklichkeitserkenntnis stellt realistisches Erzählen von Grund auf in Frage, in dem so getan wird, als gäbe es eine normale Wirklichkeit und als könne man normal darüber sprechen. Erzähler können daraus unterschiedliche Konsequenzen ziehen, wie sich gerade auch in der modernen Literatur zeigt: Sie können auf die Fiktion von Wirklichkeitswiedergabe verzichten und die Phantasie verabsolutieren; sie können mit dem Erzählgestus rein artistisch spielen; sie können aber auch den Zweifel thematisieren und reflektieren – schließlich können sie das Erzählen auch aufgeben. Anders als in der Lyrik scheint für den Erzähler jedoch die Möglichkeit, den Zweifel auf die Sprache zu richten und ihre Formen zu sprengen, begrenzt zu sein, weil dadurch die narrative Kommunikation mit Lesern überhaupt aufzuhören droht.

6.2.1 Phantastik und Groteske

Phantastische Geschichten über Geister und Wunder, über Genie, Wahnsinn und Verbrechen, über Okkultismus, Kabbalistik und Parapsychologie gibt es seit der Romantik in Fülle; teilweise gehört dazu auch die Science-fiction-Literatur. Geschichten, die an die Stelle der gewöhnlichen Wirklichkeit die Möglichkeiten des Ungewöhnlichen setzen, befriedigen irrationale Bedürfnisse der Leser, die in deren Alltagsleben unbefriedigt bleiben. Das nutzen gerade auch Autoren der massenhaft verbreiteten 'Trivialliteratur', und ein solcher Bestsellerautor, der den Expressionisten nahestand, war z. B. *Hanns Heinz Ewers* (1871–1943), der seit 1901 groteske Romane des Grausigen veröffentlichte (u. a. ‚Alraune', Roman, 1911). Starke Wirkung hatte derart phantastische Literatur auf den deutschen expressionistischen Film bis in die zwanziger Jahre, beispielhaft im Falle des in Prag spielenden Okkultismus-Romans ‚Der Golem' (1915) von *Gustav Meyrink* (1868–1932).

Mit einer kolportagehaft verwickelten Traumhandlung und mit Schauereffekten symbolisiert Meyrink im alten Judenviertel Prags mit seinen kabbalistischen Sagen das Labyrinth der Seele; in Ich-Spaltung und Doppelgängermotiv, in wirren Personenbeziehungen sowie der Austauschbarkeit der Zeiten verwischen sich die Grenzen zwischen äußerer und innerer Wirklichkeit. Noch im Jahr der Buchpublikation wurde der ‚Golem' verfilmt. Vorausgegangen war 1913 ein Film ‚Der Student von Prag', die Geschichte einer Identitätsspaltung. Der Erfolg dieser Filme löste eine ganze Reihe weiterer aus, bis hin zum berühmtesten: ‚Das Kabinett des Dr. Caligari' (1920). Hier verleitet der Direktor einer Irrenanstalt durch Hypnose seine Patienten zu einer Serie von Morden, bis er entlarvt wird und sein Wahnsinn offen ausbricht. Die Angst- und Irrenatmosphäre des Films ist mit einer kubistisch-expressionistischen Ausstattung zum surrealen Traumbild stilisiert.

Weniger Breitenwirkung erzielten expressionistische Erzähler, die mit den Elementen realistischen und phantastischen Erzählens ironisch spielten, um sich damit entweder von den Trivialitäten der Kunst oder den Trivialitäten des Lebens zu distanzieren. *Alfred Lichtenstein* (1889–1914) umgibt in einer Erzählung ,*Café Klößchen*' (postum 1919) die tragische Außenseiterexistenz eines Buckligen mit einer Liebesgeschichte, deren Handlung aus stereotypen Romanmotiven – wie Großstadt, bürgerliche Spießigkeit, Boheme, Leidenschaft und Seelenliebe – teils grotesk, teils ironisch zusammengeklittert ist. *Salomo Friedländer* (1871–1946) veröffentlichte 1913 unter dem Pseudonym Mynona eine Sammlung grotesker Erzählungen, deren eine ,*Der Schutzmannshelm als Mausefalle*' heißt. Die Handlung ist absurd: Ein Kolibri wird im Neureichenmilieu das Opfer komischer Verwicklungen. Man kann den Jux allerdings auch als verschlüsselte Kritik der Kunst an der Gesellschaft auffassen: Die neureichen Bürger halten sich Kunst (den Kolibri) als Einrichtungsgegenstand, aber können mit ihr nichts Sinnvolles anfangen; die Organe des Staates (Schutzmann) sind tölpelhaft und werden zur 'Falle' der Kunst. Darüber hinaus kennzeichnet die groteske Erzählweise das Mißverhältnis zwischen Literatur und Wirklichkeit überhaupt: „… nein, die Literatur ist kein Kolibri; sie ist weit, weit eher eine Verbalinjurie, an der ganzen lieben Welt begangen."

Im Umkreis des Dadaismus stieß die phantastisch-groteske Erzählung bis zum alogischen Text vor, so in den Unsinn-Märchen von Hans Arp (vgl. S. 393f.) oder Textmontagen wie ,*Die Zwiebel*' (1919) von *Kurt Schwitters* (1887–1948); hier löst sich das Erzählen im absurden Sprachspiel auf.

6.2.2 Vieldeutigkeit des Erzählten

Die berühmteste expressionistische Groteske ist ,*Die Ermordung einer Butterblume*' (1910) von *Alfred Döblin* (1878–1957).

Ein pedantischer Kaufmann, Michael Fischer, 'köpft' gedankenlos auf einem Spaziergang eine Butterblume, empfindet dies aber nachträglich als Mord, beschwichtigt sein Schuldbewußtsein mit Sühnehandlungen, um sich von seinem Opfer zu distanzieren, und sieht sich schließlich durch einen Zufall von seiner fixen Idee befreit, so daß er sein Spießerleben weiterführen und auch weiter Unkraut 'köpfen' kann.

Grotesk wirkt diese an sich traditionell erzählte Geschichte schon durch ihre komischen Einzelheiten:

„Er lächelte verschämt. Vor die Blumen war er gesprungen und hatte mit dem Spazierstöckchen gemetzelt, ja, mit jenen heftigen, aber wohlgezielten Handbewegungen geschlagen, mit denen er seine Lehrlinge oft zu ohrfeigen gewohnt war, wenn sie nicht gewandt genug die Fliegen im Kontor fingen und nach der Größe sortiert ihm vorzeigten."

Grotesk ist vor allem das durchgehende Mißverhältnis zwischen der pedantischen Spießigkeit Fischers, seinem psychologisch konsequent entfalteten Schuldbewußtsein und dem Mordopfer, einem ordinären Unkraut. Der Widerspruch zwischen absurder Handlung und genauem, realistischem Erzählen läßt die Geschichte zunächst sinnlos erscheinen, bis man merkt, daß sie mehrere Bedeutungsebenen hat und jede von ihnen in sich sinnvoll ist. Autobiographische Elemente aus Döblins Zeit des Medizinstudiums, zu denen auch das zwiespältige Verhältnis des Städters zur Natur gehören, erlauben, sie als verschlüsselte Selbstdarstellung zu lesen. Eine zweite Bedeutungsebene ist die psychopathologische: Fischers Persönlichkeit ist schizoid – sie zerfällt in unbeherrschte Emotionalität und pervertierte Rationalität; sein Handeln wie sein Denken beziehen sich auf eine bloß imaginäre Wirklichkeit. Durch die Verbindung des realistischen Stils mit der Perspektive des Wahns erscheinen sodann Mensch und Wirklichkeit überhaupt verzerrt und desintegriert. Schließlich aber kann man die Geschichte auch als satirische Parabel deuten: auf den Bürger, dessen Lebensinhalt, die Ordnung, durch einen Einbruch der Natur gestört und verwirrt ist, was alle möglichen Mechanismen der Selbstberuhigung auslöst, bis die inhaltleere Ordnung wiederhergestellt wird. In dieser Parabel finden sich erschreckende Enthüllungen spießbürgerlicher, ja faschistoider Rechtfertigungsmuster:

„Ich erinnere mich dieser Blume nicht, ich bin mir absolut nichts bewußt. [...] Man muß diesem Volk bestimmt entgegentreten. [...] Nach Kanossa gehen wir nicht. [...] Es war sein Recht, Blumen zu töten. [...] Es konnte ihm niemand etwas nachsagen. [...] Er konnte morden, so viel er wollte!"

Die Erzählung demonstriert einen für die Moderne sehr wichtigen Weg, über die Konventionen des realistischen, aber auch des phantastischen Erzählens hinauszugelangen: den der vieldeutigen Parabolik, in der sich zugleich die Vieldeutigkeit der Erfahrung ausdrückt. Diesen Weg ist Döblin weitergegangen, in anderer Weise aber auch Franz Kafka (vgl. S. 421ff.).

6.2.3 Reflexion und Denunziation des Erzählens in der Erzählung
Die expressionistischen Grotesken zeigen, daß der Zweifel am realistischen Erzählen die psychologische Einheit der Person, die kohärente Beschreibbarkeit der Realität und die Kausalität der erzählten Handlung in Frage stellt:

„Jede Handlung kann auch anders endigen. [...] Also ist das Kunstwerk eine Sache der Willkür." (Carl Einstein: ‚Über den Roman‘, 1912)

Dementsprechend haben moderne Erzähler – wie auch manche Romantiker – die ‚Willkür‘ des Erzählens entlarvt. *Ferdinand Hardekopf* (1876–1954) schrieb 1912 eine psychologisch-gesellschaftskritische Erzählung ‚*Der Gedankenstrich*‘, in der der Gedankenstrich zwei alternativ angebotene Schlüsse der Handlung trennt: „Aber hier spaltet sich die Erzählung in zwei Gleise." Der eine Schluß ist tragisch, der andere endet als „Idyll, als freundlichere, deutschere Fassung". Der Erzähler kann sich für keine Version entscheiden, beiden mißtraut er; denn die tragische „war vorauszusehen", also ein Klischee der Erzähltradition, die andere, untragische, täuscht eine heile Welt vor, hinter der sich bürgerlicher Egoismus versteckt. Das Spiel mit beiden Schlüssen beruht auf einem doppelten Mißtrauen: gegenüber den Klischees der Literatur wie gegenüber den Klischees bürgerlicher Ideologie in der gesellschaftlichen Realität.

Ganz ähnlich hat *Hermann Broch* (1886–1951) das Spiel mit verschiedenen Versionen einer Handlung als Mittel der Zeit- und Literaturkritik verwendet, es aber noch ausdrücklicher kommentiert, und zwar in der ‚*Methodologischen Novelle*‘ (1918; unter dem Titel ‚Methodisch konstruiert‘ Teil des Romans ‚Die Schuldlosen‘, 1950). Es ist die Liebesgeschichte eines Gymnasiallehrers als Satire auf bürgerliche Konvention und Ideologie und als Parodie auf triviale Romane, vielleicht auf die erzählerische Stilisierung des Lebens überhaupt:

„[...] kniet der Pensionsfähige auf dem grünlich schimmernden Linoleumboden nieder, den mütterlichen Segen zu empfangen."

In die Erzählung sind Kommentare eingestreut, u. a. über Naturalismus und Expressionismus: Das Erzählen selbst wird in der Erzählung kommentiert. Und so merkt der Erzähler nach dem übertrieben tragischen Schluß an:

„Ja, so war das Geheimnis denkbar, so war es konstruierbar, so ist es rekonstruierbar, doch es hätte auch anders sein können."

Nach allerlei Erwägungen, wie die Geschichte hätte enden können, bietet Broch ein Happy-End an. Aber alle denkbaren Schlüsse sind für ihn nur Varianten derselben gesellschaftlichen und ideologischen Voraussetzungen; jede erzählte Handlung ist „nur zufällige Lösung aus der Fülle zur Verfügung stehender Lösungsmöglichkeiten". Statt der Fiktion einer wirklichen Handlung stellt Broch die Erzählung deshalb von Anfang an als „methodisch konstruierte" Versuchsanordnung dar:

„[...] Annehmend, daß Begriffe mittlerer Allgemeinheit eine allseitige Fruchtbarkeit zeitigen, sei der Held im Mittelstand einer mittelgroßen Provinzstadt [...] – Zeit 1913 – lokalisiert, sagen wir in der Person eines Gymnasialsupplenten. Es kann ferner vorausgesetzt werden [...]"

Der axiomatischen Einleitung entsprechen die weiteren Kommentare und verschiedenen Schlüsse: Fiktionales Erzählen dient als Denkmodell. Damit ist die Selbstverständlichkeit auktorialen wie personalen Erzählens in Frage gestellt. Nur indem Broch die Erzählung als spekulative Konstruktion transparent macht, glaubt er etwas Wahres aussagen zu können, in diesem Falle seine Ideologiekritik am Bürgertum und an seiner Literatur.

6.3 Krise der Künstler und Intellektuellen

Gottfried Benn: Gehirne. Novellen (1916) Diesterweg. Novelle (1918) Das moderne Ich. Essays (1919) Die gesammelten Schriften (1922)
Albert Ehrenstein: Tubutsch. Erzählung (1911)
Der Selbstmord eines Katers. Erzählung (1912)
Carl Einstein: Bebuquin oder Die Dilettanten des Wunders. Roman (1912)

Es ist auffällig, welche Unmenge von Essays und Proklamationen Schriftsteller in den ersten Jahrzehnten dieses Jahrhunderts veröffentlicht haben. Die literarische Produktion scheint mehr und mehr der Reflexion und des Kommentars zu bedürfen, und darin scheint sich ein Rechtfertigungsbedürfnis ebenso wie eine Verunsicherung zu äußern. Das Erzählen wird in diesem Zusammenhang ein Prozeß der Auseinandersetzung des Autors mit sich selbst, mit dem Schreiben oder mit der Problematik seiner Intellektuellen-Existenz.

6.3.1 Carl Einstein: „Der Aberglaube an ein unbedingtes Individuum"
Die problematische Existenz des Intellektuellen ist ein immer wieder aufgegriffenes Thema des Kunsthistorikers und Schriftstellers Carl Einstein. In einem Essay ‚Über den Roman' schrieb er 1912:

„Denken ist eine Leidenschaft ersten Ranges, die, von den Philosophen, der Schule, dem Militär, dem Staat, vor allem der Ehe, vergewaltigt, nur mühsam im Religiösen fortbesteht. Wer hätte nicht ein philosophisches System? – Wer aber weiß um die Menschen, die nicht anwandten, die Gedanken erfanden, an ihnen beteten, Tee tranken, rauchten, ja starben."
(In: Die Aktion, 1912)

Das Zitat stellt „Denken" in einen gesellschaftlichen Gegensatz: Als „angewandtes" Denken wird es von den gesellschaftlichen Institutionen „vergewaltigt"; Partei ergreift Einstein für das Denken als „Leidenschaft", also als nicht Verwaltetes und Verwertetes. Dieses Denken ist nicht „System", sondern geglaubt, erlebt und erlitten, und es ist kreativ. Diejenigen, die so denken, arbeiten nicht für die gesellschaftlichen Institutionen, sondern scheinbar zwecklos – es sind die freischaffenden Künstler und Intellektuellen. Etwa zwanzig Jahre später ging Einstein jedoch mit diesen „Literaten" streng ins Gericht und kritisierte ihr Tun als „Fabrikation der Fiktionen" und als Flucht vor „Fakten". Die Ursachen dafür sieht er nach wie vor in der Sonderstellung, die sie in der Gesellschaft einnehmen, von der sie aber abhängen:

„Die Literaten von heute fühlen sich an kein formiertes Milieu gebunden. Hierdurch erhoffen sie die letzte Individualisierung zu retten. Der frühantike oder primitive Mensch fürchtete die Götter, die Modernen ängstigen sich vor der konkreten Welt und fliehen in die Bezirke der Schatten und Zeichen." (‚Die Fabrikation der Fiktionen', postum 1973)

1906 bis 1909 schrieb Einstein einen kleinen „Roman" über den Intellektuellen: ‚Bebuquin oder Die Dilettanten des Wunders‘ (veröffentlicht 1912). Es ist eine Folge grotesker Szenen und absurder Gespräche, die man nicht als Handlung nacherzählen
kann.

Schauplätze werden zwar skizziert – z. B. Bar, Zirkus, Straßen, Landschaften, ein Kloster, ein
Friedhof und immer wieder das Zimmer, in dem Bebuquin haust –, aber eine klare räumliche
Orientierung entsteht ebensowenig wie ein zeitliches Kontinuum. Personen mit seltsamem Aussehen oder Gebaren treten auf, führen Gespräche mit Bebuquin, werden von anderen abgelöst.
Fast alles Wirkliche erscheint künstlich verfremdet: Spiegel und künstliches Licht sind wiederkehrende Motive, Zirkusaufführungen oder Kinofilme werden genauso erzählt wie echte Erlebnisse. Personen werden durch Künstliches charakterisiert, z. B. die erotisch-lebensvolle
Euphemia durch ihren Schmuck, der Denker Nebukadnezar Böhm, der viel von Logik redet
und unfähig ist, Realität zu erfassen, durch sein silbernes Gehirn. am Ende scheint Bebuquin zu
sterben.

In diesem Durcheinander kreisen die Gedanken Bebuquins um ein Problem, das
Einstein später in den Satz gefaßt hat: „Die Genies suchen den Aberglauben an ein
unbedingtes Individuum zu erhalten" (‚Die Fabrikation der Fiktionen‘). Zusammengesetzt, ergeben Bebuquins Aphorismen das Bild des beziehungslosen Menschen,
der sich nicht verwirklichen kann:

„Ich will nicht eine Kopie, keine Beeinflussung. Ich will mich, aus meiner Seele muß etwas Eigenes kommen, und wenn es Löcher in privater Luft sind…" – „Beinahe wurden Sie originell, da
Sie beinahe wahnsinnig wurden. […] Ihre Sucht nach Originalität entspringt Ihrer beschämen-
den Leere; meine auch…" – „Traurig, welch schlechter Romanheld ich bin, da ich nie etwas tun
werde, mich in mir drehe; ich möchte gern über Handeln etwas Geistreiches sagen, wenn ich nur
wüßte, was es ist. Sicher ist mir, daß ich noch nie gehandelt oder erlebt habe." – „Herr, laß mich
einmal sagen, ich schuf aus mir. Sieh mich an, ich bin am Ende, laß mich eine unabhängige Tat,
ein Wunder tun…"

Der unentwegt ästhetisch wahrnehmende und in Gesprächen philosophierende
Mensch ist zum Leben und Handeln, erst recht zur Kreativität unfähig, gelangt aber
auch mit seinem Denken nirgendwohin, denn „das Denken bewegt sich in Tautolo-
gien". Am Schluß wird die Erzählung unvermittelt realistisch und nüchtern; es ist –
vergleichbar dem Schluß des ‚Werther‘ – der „Bericht der drei letzten Nächte", nach
deren letzter vitale und geistige Existenz aufhören:

„Gegen Morgen wachte er auf, war unfähig zu reden und konnte nicht mehr allein essen. Nur
einmal schaute er kühl drein und sagte: Aus."

6.3.2 Albert Ehrenstein: „Die eigene Leere übertönen"

Eine ganz ähnliche Thematik behandelt in anderer Form Ehrenstein in seiner Erzählung ‚Tubutsch‘ (1911). Anfang und Ende bestehen darin, daß eine Person sich förmlich vorstellt: „Mein Name ist Tubutsch, Karl Tubutsch." Dazwischen plaudert der
Ich-Erzähler von seinem Leben, von lauter kleinen Begebenheiten und meist armseligen Leuten. Alles, was er erzählt, umschreibt aber nur „die Leere, die Öde" um ihn
herum und „die Leere in mir". In der „ewigen Wiederkehr" des Banalen kann auch
Tubutsch nichts werden, und er erschrickt vor der eigenen Unwandelbarkeit:

„Und als ich im Schein des zusammensinkenden Wachsstengels aus der Visitenkarte, die auf der
Tür meines Kabinetts mit separiertem Eingang prangt, las, daß ich der Herr Karl Tubutsch war,
da sagte ich leise, niedergeschmettert, nichts als: ‚Scho wieder!‘ "

Das Zitat zeigt Ehrensteins Kunst, die Sinnlosigkeit im präzise beschriebenen Gewöhnlichen erscheinen zu lassen – darin steht er Kafka nahe. Kafka ähnlich sind auch
viele Motive: Tubutsch will dauernd etwas unternehmen, tut aber dann doch nichts;
er befaßt sich mit dem Plan einer absurden Dissertation, mit „Welträtseln", mit Stati-

stik – alles führt zu nichts. Oder er will einen Gastwirt besuchen, trifft ihn nicht an und ärgert sich darüber, daß dieser seinerseits einen Gastwirt besucht. Er hat viele Bekannte, aber keinen echten Gesprächspartner und redet deshalb mit seinem Schuhausizieher; dabei denkt er sich phantastische Lebensrollen aus – „Wandlungen", um nur nicht mehr er selbst zu sein. Da es ihm in Wirklichkeit nicht gelingt, ein anderer zu werden, sehnt er sich nach dem Tod, fürchtet aber zugleich, daß „mich auch noch der Tod mit einer Enttäuschung abspeist".

Das alles läßt sich nicht nur auf den Menschen überhaupt verallgemeinern, sondern auch speziell auf Schriftsteller und Intellektuelle beziehen. Tubutsch ist nirgendwo gesellschaftlich gebunden, und er existiert als Figur nur im Reden und Reflektieren; außerdem sagt er von sich: „Früher habe ich geschrieben", und erklärt, warum er nicht mehr schreibt. Unmittelbar vor seinem letzten Monolog über Leben und Tod redet er darüber, wie wenig das Dichten Realität schaffen oder ein Leben erfüllen kann:

„Und wenn man ein Dichter wäre, man ist noch immer nicht mehr als ein geborener Tierstimmenimitator [...] – alle Stimmen läßt du aus dir erschallen, o Tierstimmenimitator, um die eigene Leere zu übertönen, deinen Mangel an eigener Stimme [...]"

6.3.3 Gottfried Benn: „Es geschieht alles nur in meinem Gehirn"

In Gottfried Benns Prosa schließlich lassen sich Erzählen und Denken überhaupt nicht mehr unterscheiden. Sein Essaywerk ist umfangreicher als sein Erzählwerk, und seit den späten dreißiger Jahren schrieb er keine Erzählungen mehr. Auffallend ist die Zahl autobiographischer Essays, und das verbindet die Essayistik wiederum mit seinen Erzählungen: Erzählen ist für Benn Selbstreflexion und Auseinandersetzung mit den intellektuellen und emotionalen Erfahrungen seiner Zeit. So verschmelzen Dichtung, Reflexion und Autobiographie in einer neuartigen Denk-Prosa; erzählenswert ist allemal nur der ‚Lebensweg eines Intellektualisten' (1934) oder sein ‚Doppelleben' (1950/55) als Arzt und Dichter. In diesem Doppelleben erkennen wir Einsteins zwei Arten des Denkens wieder: das angewandte Denken im Beruf und in den Institutionen, das leidenschaftliche Denken des unabhängigen Intellektuellen in seiner Einsamkeit. Benns Erfahrung in beiden Bereichen war schon früh, daß ihm als „modernem Ich" sowohl die Wirklichkeit als auch die Einheit des Ichs, vor allem aber die Synthese aus beiden zu zerfallen schienen (vgl. S. 381f.). Das ist auch das Thema der frühen Erzählungen.

1916 veröffentlichte Benn einige seiner seit 1915 geschriebenen Prosastücke unter dem Titel ‚Gehirne', denen 1918 und in den zwanziger Jahren noch einige ähnliche folgten. Die handlungsarmen Personenskizzen sind montiert aus Erlebnissen Benns, aus Erinnerungen, Eindrücken, ferner Zitaten aus Notizbüchern, Gesprächen, gelesenen Büchern oder Benns eigenen Werken – ganz ähnlich wie seine autobiographischen Essays. Aus diesen Erfahrungssplittern ‚entstand' die fiktive Rolle eines Arztes, meistens mit dem Namen Rönne, der aber nur ein Deckname ist, mit Hilfe dessen Benn sich selbst in der dritten Person darstellen konnte. Der Übergang zur Ichform (‚Weinhaus Wolf', 1937) markiert dann Benns endgültige Wendung vom scheinbar fiktionalen zum offen autobiographischen Schreiben.

Die Auflösung traditionellen Erzählens läßt sich deutlich an der Titelerzählung von 1916 beobachten: ‚Gehirne', in der noch ein Rest an äußerer Handlung besteht.

Der Arzt Rönne vertritt für einige Zeit den Chefarzt einer Privatklinik. Er arbeitet nur lässig, aber sein Blick ruht oft auf den hinfälligen Körpern der Patienten. Auffällig ist seine Gewohnheit, gedankenverloren mit beiden Händen eine Geste zu machen, als halte er etwas darin. Mehr und mehr zieht er sich allein in sein Zimmer zurück. Als der Chefarzt zurückkommt, empfängt ihn Rönne mit einer wirren Rede über seine Hände, die immer Gehirne gehalten und auseinandergenommen hätten, und bittet um seine Freiheit.

Die Erzählung beginnt konkret mit der Anreise Rönnes; die Fakten gehen aber bald in den inneren Monolog des Arztes über:„Es geht also durch Weinland, *besprach er sich ...*" (Hervorhebung nicht original). Und so lösen sich alle faktischen Ansätze der Erzählung alsbald in Reflexion und innere Bilder auf. Die Handlungsbruchstücke werden nur mit ganz vagen Formulierungen verknüpft: „Oft ..., allmählich ..., wenn er lag..., auch in der Folgezeit..., eines Abends..." usw. Das zeitliche Nacheinander verwandelt sich so in ein fast simultanes Nebeneinander von wiederholten oder wiederholbaren Erfahrungsfragmenten. Darin verebbt jeder Anlauf konkreten Erzählens. Äußere Wahrnehmungen werden zu Spiegelungen des Ichs, so vor allem die unheilbaren Patienten:„Er sei keinem Ding mehr gegenüber [...], äußerte er einmal." Das Leitmotiv der Chirurgenhände, die ein Gehirn auseinandernehmen – ein Tick als einziges markantes Persönlichkeitsmerkmal! –, ist eine ebensolche Projektion des Ichs:

„Sehen Sie, in diesen meinen Händen hielt ich sie, hundert oder auch tausend Stück [...]. Nun halte ich immer mein eigenes in meinen Händen und muß immer danach forschen, was mit mir möglich sei."

Rönne faßt keine Wirklichkeit mehr, weil er auf sich selbst zurückgeworfen ist und auch sich selbst nicht fassen kann. Benn hat das selber so kommentiert:

„Das Problem, das Rönne diese Qualen bereitet, heißt also: Wie entsteht und was bedeutet eigentlich das Ich? [...] Wir erblicken hier also einen Mann, der eine kontinuierliche Psychologie nicht mehr in sich trägt." (,Lebensweg eines Intellektualisten', 1934)

Mit seinem Realitätszweifel und seinem Ich-Verlust gehört Rönne/Benn zur Generation der Expressionisten, aber auch zu den Liquidatoren des realistischen Erzählens. Denn Ich und Realität bestehen für ihn nicht in Handlungen, nicht im 'Geschehen': „Manchmal eine Stunde, da bist du; der Rest ist das Geschehen" (,Die Reise'). Und der Zweifel am Geschehen ist notwendigerweise ein Zweifel am Erzählen: „Was sollte man denn zu einem Geschehen sagen? Geschähe es nicht so, geschähe etwas anderes" (,Gehirne'). 'Erzählen' kann man eigentlich nur von sich selbst, den inneren Erfahrungen, und die sind ein Leiden am Denken, das man dennoch nicht lassen kann, wenn man sein Ich sucht. Nur im Rausch der Selbstvergessenheit – „Zerstäubungen der Stirn – Entschweifungen der Schläfe" (,Gehirne') – gibt es unzweifelhaftes Sein: „Manchmal eine Stunde, da bist du." Die überwiegenden Erfahrungen aber sind leeres Geschehen und unwirkliches Bewußtsein:

„Bis mich die Seuche der Erkenntnis schlug: es geht nirgends etwas vor; es geschieht alles nur in meinem Gehirn." (Aus Benns Prosaskizze ,Heinrich Mann. Ein Untergang', 1913)

6.4 Vorgriffe des modernen Bewußtseins im Rückgriff auf die Tradition

Alfred Döblin: Die drei Sprünge des Wang-Lun (Roman. 1915)
Wadzeks Kampf mit der Dampfturbine (Roman. 1918)
Robert Walser: Fritz Kochers Aufsätze (Erzählungen. 1904)
Geschwister Tanner (Roman. 1906)   Der Gehülfe (Roman. 1907)
Jakob von Gunten (Roman. 1908)   Geschichten (Erzählungen. 1914)
Kleine Dichtungen (1914)   Kleine Prosa (1917)
Der Spaziergang (Novellen. 1917)   Poetenleben, Bericht (1918)

Das Erzählen im traditionellen Stil hatte trotz allen Krisen nach 1900 nicht aufgehört. Selbst in den Traditionsbrüchen der Avantgarde gingen teilweise modernes Bewußtsein und tradierte Formen neue Verbindungen ein; erst recht so bei Autoren, die gar nicht mit der Tradition brechen wollten, wie z. B. die Brüder Mann, Robert Musil und Arthur Schnitzler – Autoren, die noch lange über den Ersten Weltkrieg hinaus publizierten und die moderne Prosa beeinflußten. Unter ihnen nahm Alfred Döblin (vgl. Seite 413f.) eine wichtige vermittelnde Position zwischen Avantgarde und Erzähltraditionen ein. Andere blieben zu ihrer Zeit Einzelgänger und erzielten nur eine indirekte oder sich erst langsam entfaltende Wirkung wie Robert Walser und vor allem Franz Kafka.

6.4.1 Alfred Döblin: Vieldeutigkeit und Tatsachenphantasie

Anders als viele Zeitgenossen sah der frühe Alfred Döblin (1878–1957) die Widersprüche der Zeit nicht nur als Symptome des Verfalls, sondern auch als Potential der Kreativität. Das Erzählen war ihm nicht fragwürdig geworden, auch nicht zur bloßen Selbstbespiegelung, Krisenanalyse oder Antikunst, sondern bedeutete ihm schöpferische Auseinandersetzung mit der Wirklichkeit. In der „Tatsachenphantasie" des Erzählens sah er eine besondere „Art Denken", in der Wirklichkeitsbezug, Bewußtheit und Kreativität sich vereinen (‚An die Romanautoren und ihre Kritiker‘, 1913). Diese Tatsachenphantasie entspricht auch der Vielfalt und Vieldeutigkeit der Welt. Dem Futuristen Marinetti hielt Döblin energisch die Frage entgegen: „Sie meinen doch nicht etwa, es gäbe nur eine Wirklichkeit ....?" (‚Futuristische Wortkunst. Offener Brief an F. T. Marinetti‘, 1913.) Döblin verwarf jedes Wirklichkeitsbild psychologischer und kausaler Eindeutigkeit in geschlossenen Romanhandlungen mit „klarer Problemstellung". Dagegen setzt er wieder auf die dynamische Tatsachenphantasie – „Im Roman heißt es schichten, häufen, wälzen, schieben" – und auf einen umfassenden, letztlich irrationalen Lebensbezug; denn ein Roman solle in jedem seiner Teile zeigen, „wie jeder Augenblick unseres Lebens eine vollkommene Realität ist" (‚Bemerkungen zum Roman‘, 1917). Damit, glaubt Döblin, entspreche der Roman den großen Epen seit frühester Zeit – der Gegensatz zwischen Tradition und Moderne erscheint aufgehoben.

Auch in Döblins Œuvre zeigen sich Auflösung und Weiterwirken der Tradition zugleich. Aufgelöst sind die inhaltlichen und formalen Konventionen, denen jedoch keine ein für allemal gültige neue Norm entgegengesetzt wird. So griff Döblin mit fast jedem Roman nach neuen Themen, Stoffen und Gestaltungsmitteln, und er bekannte am Ende: „Jedes Buch endet (für mich) mit einem Fragezeichen" (‚Epilog‘, 1948). Die Stoffe und Ideen konnten dabei auch ganz alt sein, sogar alter Formen bediente er sich, freilich mit modernen Ausdrucksmitteln durchsetzt oder umgeformt; dies zeigt gerade auch sein berühmtester und seinerzeit als revolutionär empfundener Roman ‚Berlin Alexanderplatz‘ (1929). Die Tradition wird also weder verteidigt noch verworfen; sie ist vielmehr, ebenso wie zeitgenössische Wirklichkeit, Phantasie und Experiment, ein Medium neben anderen, in dem das Ich sich „aufrollt", das heißt sich der Selbstbefragung öffnet und in der Tatsachenphantasie immer wieder neu entwirft. Das erste und seinerzeit sehr wirksame Beispiel für die so verstandene Epik war der Roman ‚Die drei Sprünge des Wang-Lun‘ (1915).

Der Roman spielt im China des 18. Jahrhunderts, in einer zugleich historisch verbürgten und doch in der Phantasie aus der Ferne herangeholten Welt. Der (erfundene) Fischersohn Wang-Lun wird aus Empörung gegen soziales Unrecht zum Dieb, Räuber und Mörder, bekehrt sich aber – im ersten „Sprung" seines Lebens – zur taoistischen Lehre des „Wu-Wei", des Nichthandelns. Den Widerspruch zwischen dem Prinzip der Gewaltlosigkeit und dem Mitleid mit den Leidenden überwindet Wang-Lun durch die Gründung und Führung der historisch belegten Sekte der „Wahrhaft Schwachen", die zunächst friedlich durchs Land zieht, aber durch den massenhaften Zulauf von Armen, Krüppeln und anderen Außenseitern zur gewaltigen Demonstration gegen die Herrschenden, die Reichen, den Staat und die Staatsreligion wird. Innere Auseinandersetzungen in der Sekte, von der sich ein anarchistischer Rebellenhaufen abspaltet, und brutale Militäraktionen der Regierung vernichten die Bewegung schließlich. Wang-Luns Leben ist in diese Vorgänge verstrickt und ein Leben der Wandlungen („Sprünge"): vom ohnmächtig Aufbegehrenden zum mächtigen Führer der Ohnmächtigen, dann notgedrungen zum Anführer gewaltsamen Widerstands und zuletzt wieder zum Gewaltlosen.

Historischer Vorgang, fiktiver Lebenslauf und weltanschauliche Legende sind hier ineinander verflochten und zugleich von ganz aktuellen Problemen durchsetzt. Das Individuum mit seinen persönlichen Konflikten ist zugleich verstrickt in die kollektiven Vorgänge der Volksbewegung und der Gegenaktionen des Staates, aus denen andere Individuen zeitweise als Leitfiguren hervortreten. Nie zuvor wurde in einem deutschen Roman das Handeln und Fühlen der Massen so eindrucksvoll dargestellt. Die Fragen des einzelnen nach dem Sinn des Lebens verknüpfen sich mit sozialen und politischen Problemen, diese wiederum mit religiöser Sehnsucht und Aberglauben, mit Leidenschaft und Triebhaftigkeit der Menschen. Massen, Held und Leser finden keine endgültigen Lösungen, weder der konkreten Probleme noch der Lebensrätsel. Zwar scheint am Ende die Botschaft der Ohnmacht zu siegen, aber das Gleichnis der „drei Sprünge" besagt nur, daß der Mensch stets von einer Seite des Baches auf die andere springen muß – einen endgültigen Standort gibt es nicht.

Auch formal ist der Roman „vieldeutig". Eine Fülle von Haupt-, Teil- und Nebenhandlungen, anekdotisch oder breit erzählt, wird entfaltet, „geschichtet" und „gewälzt". Epischer und raffender Bericht, hektische oder ausschweifende Schilderungen, ernster, schwankhafter und lyrisch-mystischer Ton, auktoriale und personale Erzählperspektiven, Gespräch und innerer Monolog breiten den Lebenskosmos aus. Dank seiner Vorstudien verfügt der Autor über sinologische Details in Fülle, er ergänzt sie aber mit seiner Imagination und macht aus dem tatsächlichen China ein sagen- oder legendenhaftes Land Immer und Überall.

6.4.2 Robert Walser: Das Ungeheure im Kleinen

Im Unterschied zu Döblin war Robert Walser (1878–1956) dem Stilgefühl der Jahrhundertwende und des Impressionismus verbunden; sein nicht selten preziöser Stil erinnert sogar an noch ältere Vorbilder wie Goethe, Kleist und die Romantiker. Nach einigen Erzählungen und drei Romanen schrieb Walser fast nur noch kleine Prosastücke, Feuilletons und erzählende, schildernde oder essayistische Skizzen, wie sie von Impressionisten gepflegt wurden (z. B. von Peter Altenberg, 1859–1919), die Kafka sehr beeindruckten und zu einigen seiner Prosastücke anregten.

In den Romanen stellt Walser die Alltagswelt aus der Perspektive junger Männer dar, die eine untergeordnete Position einnehmen – als Angestellter, „Gehülfe" oder Schüler –, die das Treiben der Etablierten mit Ironie betrachten und – wie Eichendorffs Taugenichts – ihr bescheidenes Glück mit wenig Anstrengung suchen. Wie Walser selbst sind sie zwar keine Boheme-Charaktere, bewegen sich aber „an der Peripherie der bürgerlichen Existenzen" und brechen ab und zu ins ungebundene Leben aus. Es sind Diener-Naturen wie Figaro oder die Helden barocker Schelmenromane, vor deren naiv-geistvoller Lebenskunst die enge bürgerliche Welt teils komische, teils verstörte Züge annimmt und als geordnete Unordnung erscheint. Mit skeptischem Humor werden so Herrschaftsansprüche und Normen relativiert, ja in Frage gestellt. Im Tagebuch-Roman *Jakob von Gunten'* (1908) geht das ironische Wirklichkeitsbild in ein fast utopisches Modell über.

Der unheroische Held ist Internatsschüler im Institut Benjamenta, einer Dienerschule, in der die Schüler nichts lernen außer den Institutsvorschriften. Hier und im Umgang mit den Schülern wird Jakob zunächst sich selbst zum „Rätsel", die Schule erscheint ihm als „Schwindel", in den er sich gleichwohl einlebt. Sein Tagebuch spiegelt fortlaufend, was Jakob hier eigentlich lernt: das Leben der Menschen miteinander zu begreifen, gerade auch in seinen komischen und ernsten Widersprüchen. Im Institut sollen die „Zöglinge" zu „Dienern" erzogen werden, wie sie der Musterschüler Kraus verkörpert, „der brauchbare Mensch". Die Dialektik der Lebenserfahrung zeigt sich nun darin, daß Jakob Kraus liebt, obwohl er das Gegenteil zu ihm verkörpert, den „Schelm". Nach und nach finden alle Schüler Stellen, die Schule verkümmert, die Schwester des Vorstehers und eigentliche Pädagogin stirbt – das Institut löst sich auf. Der entmachtete, verarmte und vereinsamte Vorsteher bricht aber nicht zusammen, sondern fühlt sich befreit von der Gefangenschaft im Institut. Er, der Ältere, fordert den jungen Jakob, der allein mit ihm übriggeblieben ist, auf, als sein „Kamerad" mit ihm ins wahre und freie Leben aufzubrechen. Nachdem Jakob im Traum dieses Leben als Phantasiewelt des Abenteuers gesehen hat, sagt er zu. Die befreiende Selbstprojektion ins Utopische ist freilich von selbstzweiflerischer Melancholie unterlegt: „Und wenn ich zerschelle und verderbe, was bricht und verdirbt dann? Eine Null. Ich einzelner Mensch bin nur eine Null."

Das Besondere dieses Buches besteht darin, daß es in verschlüsselter Form Probleme der Zeit behandelt – vor allem die Paradoxien der Erfahrung, die Entfremdung im Institutionellen, Selbstentwurf und Selbstproblematisierung –, aber im Unterschied zur überwiegenden Literatur der Zeit mit einem Humor, der bald spielerisch, bald ernsthaft wirkt. Die sehr frei verwendete Tagebuchform nutzt Walser dazu, um sich in unterschiedlichen Spielarten der Prosa zu äußern: erzählend und essayistisch, subjektiv erlebt oder distanzierend stilisiert, naiv und ironisch. Die satirische Kritik an erstarrten Ordnungen wird dabei aufgefangen durch die Zuversicht, daß selbst in ihnen noch Verständigung und Liebe möglich sind; die Hoffnung auf Selbstbefreiung andererseits kann sich von ironischer Skepsis nicht ganz lösen. Der Mensch erfährt sich als Möglichkeit, aber nicht als Gewißheit.

Walsers kleine Prosastücke lassen erkennen, wie aus der Preisgabe wohlgebauter epischer Gattungen an die unscheinbare Kleinform eine neue Intensität des Stils und der Aussage hervorgehen kann. In der Prosa-Miniatur wird das Einzelbild zum konzentrierten Lebensausschnitt, in dem ebenso die Schönheit des ganzen Lebens (vgl. ‚Der Tänzer', ‚Ovation' u. a. m.) aufscheinen kann wie seine innere Unordnung (vgl. ‚Eine Ohrfeige und sonstiges') oder seine Gefährdung (vgl. ‚Das Götzenbild'). In diesen Miniaturen reflektiert der Dichter sich auch selbst, sogar in anderen Dichterfiguren. Dichtung vermittelt dabei die Wahrnehmung des Abgründigen im Schönen:

„Wie ist dir, fragt die Schwester. Kleist zuckt mit dem Mund und will ihr ein wenig zulächeln. Es geht, aber mühsam. Es ist ihm, als habe er vom Mund einen Steinblock wegräumen müssen, um lächeln zu können." (‚Kleist in Thun'. Vgl. auch ‚Brentano' I und II, ‚Der Dichter' u. a. m.)

6.5 Kafkas Werk – eine Chiffre des Jahrhunderts?

Tagebücher (geschrieben seit 1909)

Entwürfe vor den ersten Veröffentlichungen:
Beschreibung eines Kampfes (1904/05)
Hochzeitsvorbereitungen auf dem Lande (1907)
Der Verschollene/Amerika (1911/12–1914)

Veröffentlichungen zu Lebzeiten Kafkas:
Der Heizer (erstes Kapitel des ‚Verschollenen'; 1913)   Das Urteil (1913)
Die Verwandlung (1915)   Ein Landarzt (1919)   In der Strafkolonie (1919)
Ein Hungerkünstler (von Kafka zum Druck eingereicht 1922; veröffentlicht postum 1924)

Postume Veröffentlichungen (durch Max Brod):
Der Prozeß (1925; geschrieben 1911/12–1914)
Das Schloß (1926; geschrieben 1922)   Amerika (1927; geschrieben 1914/15)
Weitere Schriften aus dem Nachlaß (1931–37)
Erste Gesamtausgaben: 5 Bände, New York, 1946; 11 Bände, Frankfurt, 1950 ff.

6.5.1 Kafkas Wirkung bis in die Gegenwart

Etwa gleichzeitig mit dem expressionistischen Jahrzehnt, vor und nach dem Ersten Weltkrieg, schrieb ein jüdischer Versicherungsbeamter in Prag Prosa, die keiner bestimmten Stilrichtung folgte, zu seinen Lebzeiten nur in Bruchstücken und wenigen Kennern bekannt wurde und von ihm selbst nur zum kleinen Teil als gelungen eingeschätzt wurde. 60 Jahre nach seinem Tode ist der Autor Franz Kafka (1883–1924) zu einem modernen Klassiker geworden, durch den die Krise des Erzählens sich als Anfang einer neuen Literatur zu erweisen scheint. Ausgaben seiner Werke erreichen Bestsellerzahlen („Der Prozeß' 1983 allein in der deutschen Taschenbuchausgabe über 800000!) und sind in viele Sprachen übersetzt. Gegenwartsautoren bekennen sich zu der Wirkung, die Kafka auf sie gehabt hat.

Die komplizierte Wirkungsgeschichte Kafkas hängt sicherlich mit ihren Voraussetzungen in der äußeren Geschichte zusammen, aber auch mit der Tatsache, daß kaum ein anderer moderner Autor so unterschiedlich verstanden und interpretiert wurde wie er: biographisch, politisch, sozialgeschichtlich, psychologisch und psychoanalytisch, religiös oder existentialphilosophisch. Offenbar entzieht sein Werk sich eindeutiger Interpretation. Durch diese Erfahrung wurde es zum Musterbeispiel modernen Literaturverständnisses überhaupt, daß nämlich der Sinn eines Literaturwerks nicht nur und nicht eindeutig vom Text festgelegt wird, sondern sich erst aus der Wechselwirkung zwischen Text und Leser jeweils ergibt. Mit dieser Vieldeutigkeit stünde Kafkas Werk im Zusammenhang mit der Krise des Erzählens, mit dem Expressionismus und der modernen Chiffren-Dichtung. Sein Prosastil dagegen knüpft eher an Traditionen an, nicht an die Experimente der Avantgarde. Diesen Eindruck bestätigt, was man über Kafkas eigene Lektüre weiß: Neben Autobiographien, Biographien und Briefen kannte und schätzte er besonders Goethe und Kleist, Dickens, Flaubert, den Erzähler Strindberg, Hamsun und Dostojewski, von deutschen Zeitgenossen Hofmannsthal, Robert Walser und Wassermann. Die seit dem Zweiten Weltkrieg anhaltende Wirkung Kafkas zeigt andererseits, daß moderne Leser bis heute in Kafkas Texten eigene Erfahrungen und Vorstellungen wiederzuerkennen glauben – seien es die Unsicherheiten des sich reflektierenden Ichs, seien es die Zweifel an Erkenntnis und Glauben, die Irritation durch eine erforschte, aber nicht verstandene Welt, die Ängste gesellschaftlicher oder politischer Unfreiheit oder gar die Katastrophenschocks.

6.5.2 Dialektik von Leben und Schreiben (Tagebücher)

Zu politischen und gesellschaftlichen Fragen der Zeit hat Kafka direkt sich nur gelegentlich geäußert. Viel mehr beschäftigten ihn seine persönlichen Probleme, Wahrnehmungen in der engeren Umgebung und auf Reisen, Literatur und Kunst, das Judentum und ethisch-weltanschauliche Probleme. Der Zusammenhang zwischen Persönlichem, Weltanschaulichem und Zeitgeschichtlichem, den Kafkas Leser empfinden, liegt in seiner Biographie begründet, die Kafka selbst in Tagebüchern und Briefen ausführlich reflektiert hat.

Kafka wuchs im Prager Getto als Sohn eines jüdischen Kaufmanns auf, besuchte ein deutsches Gymnasium und studierte – nach der bald aufgegebenen Germanistik – Rechtswissenschaft, mit Staatsexamen und Promotion als Abschluß. Dann arbeitete er als Sachbearbeiter und im Außendienst für Versicherungsgesellschaften, mit dem Spezialgebiet Arbeitsschutz und Arbeiterunfälle. Der Beruf vermittelte ihm Erfahrungen mit der proletarischen Arbeitswirklichkeit, mit Bürokratie und Unternehmertum; hier sowie in den Geschäften seines Vaters, eines sozialen Aufsteigers, und in der gesellschaftlich problematischen Stellung der Juden lernte Kafka soziale Probleme der Zeit unmittelbar kennen. Beruf und Geschäfte waren ihm aber verhaßt, weil sie ihn vom Schreiben abhielten. Mit der Familie verband ihn ein spannungsreiches Verhältnis, und sein ganzes Leben war von der äußeren und inneren Auseinandersetzung mit dem gefürchteten Vater belastet. Ebenso problematisch waren mehrere Frauenbeziehungen, vor allem die wiederholt beschlossene und wieder gelöste Verlobung mit Felice Bauer; Kafka fand nie eine unbefangene Einstellung zu Frauen. Gesundheitlich war Kafka labil (teilweise wohl aus psychischen Gründen), und 1917 wurde eine Tuberkulose diagnostiziert. Er mußte seine berufliche und literarische Tätigkeit oft unterbrechen, Heilstätten aufsuchen und die letzten Jahre als Todkranker leben. 1924 starb er an Kehlkopftuberkulose.

Kafka empfand sein Leben als Ringen um sich selbst in seiner Umwelt, ja als Auseinandersetzung mit den ständigen Mißerfolgen dieses Ringens. Dem Lebensgefühl einer sich immer mehr schließenden Ausweglosigkeit stemmte er sich entgegen, indem er auf jede Weise, aber schon mit dem Zweifel, ob es gelingen könnte, sich seiner selbst zu vergewissern suchte: „Ich werde versuchen, allmählich das Zweifellose in mir zusammenzustellen, später das Glaubwürdige, dann das Mögliche usw." (Tagebuch, 11. 11. 1911). An diesem Satz fällt die scheinbare Entschiedenheit des Beschlusses auf, die aber schon mit dem „allmählich" und der Antiklimax der Aufzählung abgeschwächt erscheint – ein Muster, das die Handlung vieler Erzählungen Kafkas kennzeichnet.

Schreiben war für Kafka *die* Gegenkraft zum Leben; im Schreiben ging es ihm um die innere Selbstbehauptung gegenüber einem als übermächtig empfundenen Leben:

„Das Tagebuch von heute an festhalten! Regelmäßig schreiben! Sich nicht aufgeben! Wenn auch keine Erlösung kommt, so will ich doch jeden Augenblick ihrer würdig sein" (25. 2. 1912).

Das Schreiben aber mußte dem bedrängenden Leben erst abgerungen werden:

„Ich will schreiben, mit meinem ständigen Zittern auf der Stirn. Ich sitze in meinem Zimmer im Hauptquartier des Lärms einer ganzen Wohnung." Kafka schildert, wie das Familienleben, vor allem der Vater und die Schwestern, ihn stören, und endet mit einer grotesken Vorstellung: „Schon früher dachte ich daran, [...] ob ich nicht die Türe bis zu einer kleinen Spalte öffnen, schlangengleich ins Nebenzimmer kriechen und so auf dem Boden meine Schwestern und ihr Fräulein um Ruhe bitten sollte" (5. 11. 1911).

Nimmt man zu diesem Familienbild noch hinzu, daß für Kafka sein Beruf der andere große Widersacher des Schreibens war, so sind die Ähnlichkeiten mit einigen seiner Erzählungen ganz deutlich – sogar die „Verwandlung" in ein Tier ist als Motiv mit dem Wort „schlangengleich" schon angedeutet. Die Frauenbeziehungen Kafkas scheiterten ebenfalls nicht nur an seiner widersprüchlichen Einstellung zu Sexualität, Junggesellentum und Ehe, sondern auch daran, daß er fürchtete, der Anspruch einer Frau auf sein Leben könne das Schreiben gefährden. Im Schreiben als der anderen Existenz hatte Kafka jedoch mit den gleichen Schwierigkeiten wie im Leben zu kämpfen. Kurze Texte gelangen ihm manchmal auf Anhieb, manche überarbeitete er oft; aber das große Werk, der Roman, wurde trotz pedantischer Arbeit nie fertig. Kafka selbst nannte das die „Schwierigkeit der Beendigung" (29. 12. 1911), aber auch „das Unglück des fortwährenden Anfangs" (16. 10. 1921). Von außen wie von innen bedrängt, versuchte er im Schreiben, sich der äußeren und inneren Erfahrung zu bemächtigen, stellte aber dabei sich selbst und den Schreibprozeß zugleich in Frage; der ihn ständig begleitende Zweifel wurde so auch zum Bestandteil des Geschriebenen: „Meine Zweifel stehen um jedes Wort im Kreis herum, ich sehe sie früher als das Wort" (15. 12. 1910).

In den Jahren 1911 bis 1914 schrieb Kafka sich vorwiegend im Tagebuch aus; später ersetzte er dieses Schreiben für sich selbst mehr und mehr durch Briefe, vor allem an die ihm nahestehenden Frauen, vor denen er seine inneren Konflikte ausbreitete. Erzählungen und literarische Entwürfe gingen ebenfalls oft aus dem Tagebuch hervor oder sind in dasselbe Heft geschrieben. Im Tagebuch beschrieb oder reflektierte Kafka aber nicht nur seine „Zustände", sondern auch Gegenständliches; Faktenwirklichkeit und Innenleben stehen – wie in den Erzählungen – unmittelbar nebeneinander. Es begegnen viele Motive, die man in den Erzählungen oder Romanen wiederfindet, z. B. Familienszenen, Träume, die Gassen und Plätze Prags, Szenen im Büro, im Theater oder auf dem Lande; und oft wird schon die Tagebuchskizze zum symbolischen Bild. Kafkas Erzählen ging also aus einem existentiellen Krisengefühl hervor, vollzog sich selbst in fortwährenden Krisen und stellt auch immer wieder Erfahrungskrisen dar.

6.5.3 „Alltäglicher Vorfall" und „Gleichnis":
Kafkas Parabeln und kleine Erzählungen

Den frühen Prosastücken Kafkas merkt man ihre Nähe zum Tagebucheintrag an (vgl. ‚Betrachtung', 1913), etlichen Erzählungen wie z. B. ‚Das Urteil' (1913) ihre verschlüsselt autobiographische Bedeutung, selbst wenn so etwas Absurdes erzählt wird wie die „Verwandlung" (1915) eines Menschen in ein lnsekt. Manche Geschichten lesen sich wie traditionelle Novellen, allerdings über hintergründige Begebenheiten (z. B. ‚In der Strafkolonie', 1919). Fast immer aber entsteht der Eindruck einer nicht ganz aufzulösenden Spannung zwischen Verständlichkeit und Unverständlichkeit; zwischen konkreten Fakten, Personen und Abläufen einerseits, einer Abstraktion, die das Konkrete für irgend etwas Gedachtes transparent macht, andererseits; schließlich aber auch zwischen Präzision und logischer Strenge und Brüchen der Wahrscheinlichkeit, Kausalität und Logik. Wie andere Zeitgenossen scheint Kafka dem im vordergründigen Sinne realistischen Erzählen eine neue Art des parabolischen Erzählens entgegenzusetzen, in der aber, im Gegensatz zur alten Parabel, der abstrakte Sinn des Erzählten nicht evident ist. Ein Musterbeispiel für diese Erzählweise ist ein kurzer Text aus dem Nachlaß, der unter dem Titel ‚Eine alltägliche Verwirrung' (1917) veröffentlicht wurde.

Erzählt wird etwas Reales und zunächst Alltägliches: wie eine präzise Verabredung zwischen zwei Geschäftsleuten getroffen wird, der eine den anderen dann aber fortwährend verfehlt. Die einleitende Wendung – „Ein alltäglicher Vorfall: sein Ertragen eine alltägliche Verwirrung" – kündigt einen Gedanken und eine Aussage an; das entspricht alten belehrenden Erzählformen wie Kasus (Beispielgeschichte) und Parabel (Gleichniserzählung), die man versteht, wenn man den erzählten Vorgang auf den Gedanken bezieht, Kafka nennt nun die Personen A und B, einen Ort H; das verstärkt die Abstraktion und erweckt den Eindruck eines konstruierten Kalküls. Was nun A widerfährt, ist das Verwirrende: Er kann sich auf Fakten, Daten und das Verhalten des B nicht verlassen, bis er ihn fast trifft, aber durch einen Unfall endgültig verfehlt.

Die scheinbare Genauigkeit der Erzählung trügt; wichtige Unstimmigkeiten werden nicht erklärt oder aufgelöst. Dementsprechend unterschiedlich kann man die Geschichte deuten: als Modell scheiternder Kommunikationsversuche oder falscher Einschätzungen von Informationen und Erfahrungen; als Einbruch des Irrationalen in die Rationalität; als Beispiel für Fehlleistungen oder auch für die finstere Komik des Pechvogels. Ebenso verwirrend ist die Erzählperspektive. Im Stil eher auktorial, ist die Geschichte doch in der Perspektive A.s eingerichtet – die aber wird ständig widerlegt. Noch verwirrender wird die Sachlage, wenn man erfährt, daß der Titel gar nicht von Kafka stammt, sondern von Brod, der die Einleitung im Manuskript falsch gelesen hat; der Anfang heißt richtig: „Ein alltäglicher Vorfall: sein Ertragen ein alltäglicher Heroismus". Mit diesem Stichwort kann man sich an Kafkas Tagebuch erinnern und die Geschichte als groteske Parabel seines Lebensgefühls deuten.

So scheinen Vieldeutigkeit und Widersprüchlichkeit das Verhältnis zwischen Autor, Text und Leser insgesamt zu bestimmen. Kafkas Erzählmethode besteht sehr oft im dialektischen Wechsel zwischen Entwürfen einer vorgestellten Wirklichkeit und Problematisierungen dieser Entwürfe. Deshalb sieht auch der Leser sich durch den Text ständig aufgefordert, einen Sinn zu ermitteln; beim weiteren Lesen aber werden die sinngebenden Akte fortwährend in Frage gestellt. Damit ließe sich auch Kafkas besondere Stellung zwischen Tradition und Moderne erklären. Oft hat er alte Erzählformen nachgeahmt oder umgeschrieben, vor allem Parabeln und Legenden, und unter diesen besonders solche biblisch-jüdischer Tradition. Diese Geschichten veranschaulichen fundamentale Wahrheiten über das Leben und überliefern sie zur Belehrung der Nachkommen. Zur jüdischen Tradition gehörte dabei ebenso die jahrhundertealte Folge von Auslegungen und der Streit um die gültige Deutung. Kafka scheint nun die Dialektik der Suche nach Wahrheit bzw. der Vermittlung von Wahrheit in seinem Denken und Erzählen nachzuvollziehen: Erzählung, Auslegung und Zweifel rufen sich gegenseitig hervor (vgl. ‚Von den Gleichnissen‘, 1922/23).

Kafkas Leser sollte nicht versuchen, einen feststehenden ‚Sinn‘ hinter den Erzählungen zu finden, sondern die erzählte Geschichte als Vorgang des Erzählens, der Sinnsuche und der Problematisierung mitvollziehen. Daß er dabei sein Lebensgefühl wiederfinden kann, hat sicherlich mehrere Gründe. Erstens entspricht diese Erzählweise und Verstehenserfahrung den krisenhaften Wirklichkeitserfahrungen der Zeit. Zweitens geben die Erzählungen dem Leser Spielraum für die Projektion eigener Erfahrungen. Schließlich zeichnen sich darin Grundmuster der konkreten Erfahrung ab. In den typischen Situationen des Alltags- und Familienlebens, der Berufstätigkeit, der Beziehungen zur sozialen Umwelt oder ihren Institutionen (wie Firma, Justiz, Regierung usw.) findet der Leser seine Rollenerfahrungen als Individuum und als Sozialwesen wieder, vor allem die, daß das Individuum sich in seiner Umwelt verunsichert oder gefährdet fühlt, daß es in einen Rechtfertigungszwang gerät oder daß die soziale Verständigung nicht gelingt. Darin vor allem hat Kafka offenbar wesentliche soziale Strukturen und Probleme der Gegenwart und die gesellschaftliche Erfahrung der Entfremdung erfaßt. Besonders eindrucksvoll sind in dieser Hinsicht die Bilder labyrinthischer Institutionen und vergeblicher Anstrengungen eines einzelnen (vgl. ‚Eine kaiserliche Botschaft‘, in: ‚Beim Bau der chinesischen Mauer‘, 1917).

6.5.4 Die Abhängigkeit vom Unzugänglichen: Kafkas Romane

In seinen Romanprojekten hat Kafka versucht, „die ungeheure Welt, die ich in meinem Kopfe habe", in all ihren Verästelungen darzustellen. Die Vollendung ist ihm in keinem Falle gelungen, nur drei Fragmente lassen den Grundriß eines Ganzen erkennen. Alle drei haben ein ähnliches Handlungsmuster: Ein einzelner versucht, sich in einer sozialen Wirklichkeit oder Institution zu orientieren, ja in sie einzudringen, und scheitert dabei, teils wegen deren Unzugänglichkeit, teils wegen verwirrender Verwicklungen, teils wegen seiner eigenen Fehler oder Versäumnisse.

Im frühesten dieser Romanentwürfe, ‚Amerika‘ (seit 1911/12), erscheint das Grundmuster noch nicht so ausweglos wie später, sondern – wie bei Robert Walser – verbunden mit Humor und Zuversicht. Karl Roßmann muß wegen einer Liebesaffäre auswandern und gerät nacheinander in verschiedene Dienstverhältnisse der Geschäftswelt im kapitalistischen Amerika (als Angestellter, Liftboy, Diener). Ob Kafka sich schließlich für einen tragischen Schluß (Roßmanns Tod) oder eine befreiende Lösung (Roßmann als Künstler im ‚Naturtheater von Oklahoma‘?) entschieden hätte, ist nicht auszumachen.

Ein undurchschaubares „System von Abhängigkeiten" (s. u.) stellt das letzte Romanfragment dar, ‚Das Schloß‘ (1922). Der Held, K., kommt in ein Dorf, das unter der Herrschaft eines Schlosses steht, und soll dort angeblich Dienst als Landvermesser aufnehmen. Trotz allen möglichen Versuchen gelangt er nicht ins Schloß und erhält auch keine Gewißheit über seinen Auftrag. Es vergehen einige Tage mit Liebschaften, Begegnungen mit „Sekretären" und Dorfbewohnern; dabei treten Gerüchte und Komplikationen zutage, die alle irgendwie mit dem undurchsichtigen Herrschaftssystem Schloß – Dorf zusammenhängen. Brod nahm an, daß K. am 7. Tage entkräftet sterben sollte, gerade als die Nachricht kommt, daß er als Landvermesser bestätigt sei und im Dorf bleiben dürfe. Im Unterschied zu ‚Amerika‘ gelangt der Romanheld hier überhaupt nur in den Vorraum und Wartestand des Dienstverhältnisses; die eigentliche Zentrale des Systems bleibt hermetisch abgeschlossen, und in allem, was geschieht, erlebt K. die abwechselnd ermutigende und entmutigende Wirkung von unzuverlässigen Informationen.

Diesem Handlungsmuster ähnelt dasjenige im Fragment ‚Der Prozeß‘ (1911/12 bis 1914), jedoch handelt es sich hier um Dienstverhältnisse nur nebenbei. Entscheidender Vorgang ist, daß der Romanheld – wiederum K. – von einem Gericht, dessen Identität er nie ganz herausfindet, wegen einer Schuld, die er nicht kennt, zum Angeklagten in einem Prozeß gemacht wird, der im geheimen abzulaufen scheint. K. bemüht sich um Aufklärung, um Fürsprecher, um Beeinflussung der Vorgänge, zwischendurch glaubt er auch, dem Prozeß zu entrinnen – alles umsonst. In der vorliegenden Fassung endet das Buch mit K.s Hinrichtung, aber unter Umständen, die sie einer illegalen Liquidation gleichen lassen.

Der Deutung der Romane ist wiederum ein weiter Spielraum gegeben. Die institutionellen, sozialen und kommunikativen Muster des Erzählten legen es nahe, sie als verschlüsselte Auseinandersetzungen mit gesellschaftlichen Erfahrungen zu interpretieren. Vor allem ‚Der Prozeß‘ und ‚Das Schloß‘ spiegeln Erfahrungen der Abhängigkeit und Entfremdung des einzelnen in der verwalteten Massengesellschaft oder in totalitären Systemen. Kafka soll sich einmal in diesem sozialkritischen. Sinne so geäußert haben:

> „Der Kapitalismus ist ein System von Abhängigkeiten, die von innen nach außen, von außen nach innen, von oben nach unten und von unten nach oben gehen. Alles ist abhängig, alles ist gefesselt. Kapitalismus ist ein Zustand der Welt und der Seele."
> (Gustav Janouch: Gespräche mit Kafka. Erinnerungen und Aufzeichnungen. 1951)

Falls dieses Zitat authentisch ist, so läßt es eine ganz universale Auffassung vom sozialen „System der Abhängigkeiten" erkennen, die nicht nur auf den Kapitalismus zutrifft, sondern überhaupt auf einen „Zustand der Welt und der Seele". So erinnern die Romane andererseits an Kafkas Auseinandersetzungen mit der „geistigen Oberherrschaft" seines Vaters (vgl. ‚Brief an den Vater‘, 1919), ebenso aber an sein Ringen mit den Begriffen des „Gesetzes" oder „Gebotes" im Judentum oder mit den Fragen der Wahrheit und des Lebenssinns überhaupt. Biographisch gesehen, stehen ‚Der Prozeß‘ und ‚Das Schloß‘ sogar in Beziehung zu Kafkas problematischen Freundschaften mit Frauen. Betrachtet man die Erzählstruktur der Fragmente, so stößt man wieder auf das Verwirrspiel von Schlüssigkeit und Inkohärenz der Handlung, von Genauigkeit und Unbestimmtheit im Detail, von changierenden Erzählperspektiven, von Enthüllung und Verrätselung – wie in den Erzählungen. Alles, was berichtet wird, auch die Entscheidungen des Romanhelden, ist eine Frage des Verstehens oder Erkennens. Im ‚Schloß‘ und ganz besonders im ‚Prozeß‘ hängt davon das Schicksal K.s ab, und deshalb ringt er darum, die Ordnung, die Norm und die Autorität, denen er unterworfen ist, zu erkennen, damit er sich rechtfertigen oder seine Anerkennung erlangen kann. Gerade die Instanz, die Ordnung, Norm und Autorität vertritt und über Sein oder Nichtsein des Helden entscheidet, entzieht sich ihm aber.
Kafka hat den Zusammenhang zwischen Norm, Verstehen und Schicksal an einer Stelle im ‚Prozeß‘ besonders deutlich gemacht (9. Kapitel). In einem Gespräch über seinen Prozeß wirft dort ein Geistlicher K. vor, daß er sich über den Prozeß, das Gericht und selbst das Gesetz grundlegend „täuscht". Die Komplikationen, die aus einer solchen Täuschung erwachsen können, veranschaulicht der Geistliche mit der Parabel ‚Vor dem Gesetz‘. Der anschließende Disput über den Sinn der Parabel hebt dialektisch eine Auslegung durch die andere auf; er führt zu keiner Klärung, sondern zu dem Ergebnis: „Richtiges Auffassen einer Sache und Mißverstehen der gleichen Sache schließen einander nicht völlig aus." Als K. es aufgibt, die Parabel, die Auslegungen und die Absicht des Geistlichen zu verstehen, erfährt er, daß dieser, in dem er einen Fürsprecher zu finden hoffte, einer seiner Richter sei. Damit mündet die Erkenntnisfrage wieder in die Handlung, die über Sein und Nichtsein entscheidet. Die Verschachtelung der Erzählebenen – Handlung, Disput, Parabel, Disput, Handlung – bewirkt, daß erzählter Vorgang und Erzählvorgang einander durchdringen und so auch den Verstehensvorgang beim Leser in ihre Verschachtelung hereinziehen. Für K. allerdings hängen sein Nichtwissen und Nichtverstehen mit der Frage seiner Schuld oder Rechtfertigung und dadurch mit seiner Existenz überhaupt zusammen. Goethe ließ im Roman einen Weisen sagen: „Wer sich zum Gesetz macht, [...] das

Tun am Denken, das Denken am Tun zu prüfen, der kann nicht irren, und irrt er, so wird er sich bald auf den rechten Weg zurückfinden" (,Wilhelm Meisters Wanderjahre', Montan im 9. Kapitel). Kafkas Roman dagegen besagt: Wir irren immer und kennen das Gesetz nicht, deshalb verfehlen wir den rechten Weg.

Es wäre jedoch falsch, in Kafka einen zynischen Nihilisten zu sehen oder in seinem Erzählen nur ein relativistisches Spiel mit der Dialektik. Es gibt zu viele Zeugnisse dafür, daß er unter seinen Erfahrungen gelitten hat und daß er sich – auch beim Schreiben – nach Lösungen und „Erlösung" sehnte. So schrieb er während der Arbeit am Entwurf eines anderen Romans:

„Zeitweilige Befriedigung kann ich von Arbeiten wie ,Landarzt' noch haben, vorausgesetzt, daß mir etwas Derartiges noch gelingt (sehr unwahrscheinlich). Glück aber nur, falls ich die Welt ins Reine, Wahre, Unveränderliche heben kann." (Tagebuch, 25. 9. 1917)

Im Rückblick scheinen viele Züge der Krise des Erzählens bei Kafka zu münden: die kritische Auseinandersetzung mit einer Welt der Entfremdung; die Deformation der gewohnten Wirklichkeitserfahrung und tradierten Muster, sie darzustellen; die Spannung zwischen „Tatsachenphantasie" und Abstraktion; die Selbstreflexion des Intellekts und die Reflexion des Erzählens im Erzählen; die Neigung zum Exemplarischen und Parabolischen, verfremdet durch Vieldeutigkeit... usw. Anders als viele Avantgardisten schöpfte Kafka aus einem Spannungsverhältnis zur Tradition: Tradierte Literatur, von den ältesten Legenden bis zur Klassik und den Prosaisten des 19. Jahrhunderts, faszinierte ihn; gleichzeitig aber war ihm die Tradition selbst ein Gleichnis für etwas, was ihm versagt blieb: Gewißheit. Darin, wie Kafka tradierte Exempel mit persönlichem und zugleich zeittypischem Krisenbewußtseins durchsetzte, erkannten die Zeitgenossen und Nachkommen ihr Wesen und ihre Erfahrung wieder, einschließlich der Dialektik und Vieldeutigkeit dieser Erfahrung. So gesehen, wäre Kafkas Werk eine Chiffre des Jahrhunderts.

Von der Weimarer Republik bis 1945

Die Frage der Epocheneinheit

Ausgehend von der Weimarer Zeit, wird im vorliegenden Band eine unerhört bewegte und kulturell erregende Phase in der Geschichte der deutschen Literatur dargestellt, und zwar unter dem Blickwinkel der Epocheneinheit, der geschichtlichen Zusammenhänge wie der Gegensätze: Weimarer Republik, Drittes Reich, Exil.
Jede zeitliche Epochenabgrenzung ist problematisch. Das gilt auch für die Zäsur von 1918, die den Beginn der Weimarer Republik markiert. Denn es gibt genügend Traditionsverbindungen zur vorigen Epoche. Und auch viele der alten politischen und gesellschaftlichen Strukturen des Kaiserreichs überleben in der Zeit der Weimarer Republik und bewirken die epochentypischen Widersprüche. Und dennoch hat es einen Sinn, die hier dargestellte Phase in der Geschichte der deutschen Literatur mit der Weimarer Republik beginnen zu lassen. Denn in der Zeit zwischen 1918 und 1933 bricht doch Neues an, das im Horizont der politisch-gesellschaftlichen Umwälzungen nicht nur zu einem tiefgreifenden Funktionswandel der Literatur führt, sondern einen allgemeinen Modernisierungsprozeß einleitet, der das gesamte kulturelle Leben durchdringt und umgestaltet.
Abermals stellt sich die Frage der Epochenabgrenzung im Blick auf das Ende der Weimarer Republik. Wie wirkt sich die Zerstörung der Republik im Jahre 1933 auf den Literaturprozeß aus? Die entscheidenden Vorgänge sind die Ausbürgerung der republikanischen Schriftsteller und die Zerschlagung der Literatur der Republik. Ihr Schicksal entscheidet sich im Exil. Daher kann, über den radikalen Bruch von 1933 hinweg, von einer Einheit der Epoche gesprochen werden: Literatur der Weimarer Republik und Literatur des Exils. Dabei ist allerdings zu bedenken, daß sich die Bedingungen für die schriftstellerische Existenz und das literarische Schaffen im Exil grundlegend wandeln.
Ins Bild der Epoche gehört aber ebenso die Literatur, die gleichzeitig im Dritten Reich geschrieben wird. Auch sie hat ihre Wurzeln in der Weimarer Republik.

Erster Teil: Weimarer Republik

1 Einführung in die Epoche

1.1 Aufstieg in die Ohnmacht: Die belagerte Republik

Demokratische Verfassung – antirepublikanisches Denken. Nicht einmal anderthalb Jahrzehnte dauerte der erste Versuch, aus Deutschland eine wirkliche Republik zu machen. Aus der Konkursmasse des imperialistischen 'Zweiten Reichs' 1918 entstanden, weggefegt vom Größenwahn des 'Dritten Reiches', markieren negative Symbolfiguren die zeitlichen Grenzen Weimar-Deutschlands: Wilhelm II. und Hitler. In historischer Betrachtung erscheinen die Weimarer Jahre deswegen als ein eher morbides Stadium zwischen dem von Nietzsche beklagten „verpreußten Deutschland" und der Barbarei unter dem Hakenkreuz. Eine solche Phase sollte von ihrem Resultat her beurteilt werden.
Der Republik auf Zeit waren ihre Widersprüche von Anfang an eingeschrieben. Novemberverrat, Dolchstoßlegende, gescheiterte Revolution, Schwäche des demokratischen Neubeginns, Autoritätsdefizit, nicht bewältigte Neuordnung, Links- und

Rechtsextremismus – das sind die Befunde, bei denen eine Analyse der verfehlten republikanischen Wirklichkeit ansetzen muß. Die vielbeschworene 'Stabilisierung' zwischen Inflation und Weltwirtschaftskrise verdeckte lediglich die Schwierigkeiten. Zu keinem Zeitpunkt hatten die demokratischen Kräfte die politische Macht uneingeschränkt in Händen. Es gab nämlich keinen demokratischen Konsens einer Mehrheit, weil entscheidende Kräfte der Industrie, der Justiz und des Militärs antirepublikanisch geblieben waren. Die Formeln vom 'Aufstieg in die Ohnmacht' und von der belagerten Republik beschreiben die widerspruchsvolle und unglückliche Lage der deutschen Demokraten. Was Wunder, wenn dann unter dem Druck wachsender ökonomischer Belastungen die rechten Gegner des 'Systems' leichtes Spiel hatten, die demokratischen Entscheidungsprozesse zu unterminieren und so die rationale demokratische Staatsidee durch ein irrationales Programm militanter Mythenbildung im Zeichen nationaler Selbstüberheblichkeit zu ersetzen.

Ansätze republikanischer Praxis. Trotz alledem ist die These von der 'Republik ohne Republikaner' nicht berechtigt. Die Weimarer Jahre waren auch Jahre hoffnungsvoller Ansätze in Gestalt unbeirrbarer Bemühungen um demokratische Praxis. Das Beispiel Gustav Stresemanns zeigt, wie aus einem deutlich chauvinistisch orientierten Nationalliberalen ein überzeugter Europäer und Weltbürger werden konnte, der in den sechs Jahren seiner Tätigkeit als Außenminister konsequent für den Weg politischer Vernunft eintrat. Ganz ähnlich ist die 'Politisierung' Thomas Manns in jenen Jahren aufzufassen. Sein Bekenntnis zur Weimarer Republik gipfelte in der „Einsicht, für die ich [Thomas Mann] Teilnehmer werben möchte, daß Demokratie etwas Deutscheres sein kann als imperiale Gala-Oper" (‚Zuspruch‘, in: Frankfurter Zeitung, 14. 2. 1919). Er erkannte im heraufkommenden Nationalsozialismus „das Wunschbild einer primitiven, blutreinen, herzens- und verstandesschlichten, hakkenzusammenschlagenden, blauäugig gehorsamen und strammen Biederkeit", eine „vollkommene nationale Simplizität" (‚Deutsche Ansprache‘, 1930). Er sah noch nicht, daß er eine riesenhaft anwachsende Mehrheit gegen sich hatte.

Tiefer bezeichnend für das prägende politische Klima damals ist gewiß die Tatsache, daß nach dem Tod Friedrich Eberts, des ersten sozialdemokratischen Reichspräsidenten, ein Generalfeldmarschall des Ersten Weltkriegs das höchste Amt im Staate übernahm: Paul von Hindenburg. Höchst zutreffend diagnostizierte Theodor Lessing dieses Phänomen, indem er sagte, mit Hindenburg übernehme nur „ein repräsentatives Symbol, ein Fragezeichen, ein Zero" das erste Amt im Staate; zwar könne man sagen: „Besser ein Zero als ein Nero", leider zeige aber „die Geschichte, daß hinter einem Zero immer ein künftiger Nero verborgen steht". Die Zukunft hat ihm recht gegeben. Dabei konnten die Nationalsozialisten ihren diktatorischen Machtapparat auf Strukturen aufbauen, die bis in die Geschichte des 19. Jahrhunderts zurückreichen. Denn ohne Zweifel hat sich der Nationalsozialismus gesellschaftliche Entwicklungen zunutze gemacht, die aus der auf die gescheiterte 48er Revolution folgenden Restauration herzuleiten sind. Da ist einerseits die gezielte Entmündigung und Selbstentmündigung des Bürgertums zu nennen, andererseits die systematisch betriebene Isolierung der Arbeiterbewegung (repressiv durch die Sozialistengesetze, taktisch durch den Bismarckschen Staatssozialismus). Zu spät besann sich die Nation ihrer republikanischen Möglichkeiten.

Deswegen mutet es einigermaßen grotesk an, wenn in den historischen Darstellungen der DDR immer wieder die Behauptung aufgestellt wird, in den zwanziger Jahren sei insofern ein radikaler gesellschaftlicher Wechsel vor sich gegangen, als die Herausbildung eines proletarischen Bewußtseins damals gesamtgesellschaftlich prägend gewesen sei. Demgegenüber muß gesagt werden: Zu keinem Zeitpunkt ist es der KPD gelungen, auch nur die Mehrheit der Industriearbeiter hinter sich zu bringen, geschweige denn die Gewerkschaften oder gar größere Teile der übrigen Bevölkerungsgruppen. Offensichtlich reagierten die Massen anders auf die Wirtschaftskrise und die verheerende Arbeitslosigkeit, als das nach den kommunistischen Erwartungen hätte geschehen müssen.

Gesellschaftlicher Umbruch. Trotzdem gibt es tatsächlich einen tiefreichenden gesellschaftlichen Umbruch in der Weimarer Zeit. Fast unbemerkt spielte er sich hinter der Fassade scheindemokratischen Alltags, hinter konservativer Verweigerung, bürgerlichem Materialismus und nationalistischer Träumerei ab. Infolge der ökonomischen Entwicklungen, vor allem im Zuge der Konzentration zu Konzernen, kam es zu einer fundamentalen Umbildung der Sozialstruktur. Durch das Entstehen ganz neuer Schichten der mittleren und unteren Angestellten wurde das herkömmliche Gefüge der Klassengesellschaft (Adel, Bürgertum, Proletariat) von Grund auf verändert. Die rasch anwachsende Gruppierung dieser zu kurz gekommenen, sich deklassiert fühlenden 'Zwischenschichtler' (wie der etwas hilflose soziologische Begriff lautet) stellte bald einen wesentlichen Faktor dar – diejenigen Kleinbürger nämlich, die zum ausschlaggebenden Potential der Wähler Hitlers wurden. Siegfried Kracauer hat als einer der ersten Wissenschaftler die folgenschwere quantitative und qualitative Bedeutung dieses Produkts der industriellen Massen- und Konsumgesellschaft erkannt. Mit dem Typus des autoritätshörigen Angestellten entdeckte er das zentrale Thema für die Gesellschaftstheorie der zwanziger Jahre.

Das Scheitern einer wahrhaft demokratischen Verfassungswirklichkeit sowie die Herausbildung des Kleinbürgertums zwischen 'neuem Proletariat' und 'neuem Mittelstand' prägten die deutsche Geschichte zwischen November 1918 und Januar 1933. Interessanterweise wurden gerade die damit zusammenhängenden Probleme von den Künstlern, insbesondere den Schriftstellern, mit Vorrang aufgegriffen.

1.2 'Goldene zwanziger Jahre'? Kultur der Widersprüche

1.2.1 Tumult der Stile

In kulturpolitischer Hinsicht erscheint die Zeit der Weimarer Republik ebenfalls ambivalent und kaleidoskopisch. Die Vielfalt der politischen Gruppierungen findet ihren Niederschlag in ebenso vielfältigen politischen Orientierungen der Künstler. Gab es schon immer die 'Gleichzeitigkeit des Ungleichzeitigen', so kann hier geradezu von einer Polarisierung in den Künsten gesprochen werden. Offensichtlich begünstigten die politischen Divergenzen auch entsprechende Differenzierungen im ästhetischen Bereich. Das Spektrum des Literaturgeschehens macht das deutlich. Es reicht von der völkischen Literatur bis zum Bund Proletarisch-Revolutionärer Schriftsteller (BPRS), vom Konservatismus bis zur Avantgarde, von metaphysischen, mythischen oder idyllischen Tendenzen bis zur literarischen Aufklärung und zur politischen Agitation. Nie zuvor hatten sich revolutionäre, restaurative und regressive Positionen in der literarischen Produktion so extrem überlagert. Nimmt man die Vertreter der Trivialliteratur dazu, wird das Bild noch diffuser, zumal da von den republikanischen Parteien wie von kommunistischer Seite der Versuch unternommen wurde, gehobene und niedere Literatur zu einem Ausgleich zu bringen, um so auch über das Buch an möglichst breite Schichten der Bevölkerung heranzukommen. Unter den divergierenden Ansprüchen von Politisierung (im Zeichen der Demokratisierung oder – gegen Ende der zwanziger Jahre immer stärker – im Zeichen 'völkischer Besinnung'), Technisierung und Kommerzialisierung verändern sich die literarischen Kategorien. Die Literatur gewinnt ein direkteres Verhältnis zur Öffentlichkeit. Nie zuvor gab es so viele Manifeste und politische Erklärungen der Schriftsteller. Gegensätze und Widersprüche drängen sich dem Betrachter auf.

Sehr zu Recht führte Alfred Döblin die im System der künstlerischen Ausdruckskräfte auftretenden Verwerfungen auf das „Durcheinanderschieben zweier Epochen" zurück. Konvention und Experiment ergaben – im Spannungsfeld von Expressionismus und Neuer Sachlichkeit – jenen für die Weimarer Kultur wiederholt geltend gemachten „Tumult aller Stile". Das hängt zusammen mit der in Gang gekommenen Demokratisierung der Öffentlichkeit, denn sie hatte ihrerseits die Demokratisierung des literarischen Lebens im Gefolge. Entscheidend ist jedenfalls, daß in der Weimarer Zeit, allen rückwärtsgewandten Tendenzen zum Trotz, sich Neues durchsetzt. Es bewirkte im Horizont der politisch-gesellschaftlichen Umwälzungen nicht nur einen tiefgreifenden Funktionswandel der Literatur. Es leitete vielmehr auch einen allgemeinen Modernisierungsprozeß ein, der das gesamte kulturelle Leben durchdrang und umgestaltete: die Weimarer Jahre als Phase der Durchsetzung der Moderne, und zwar Moderne verstanden als Ensemble all der Tendenzen, die die Entwicklung unseres Jahrhunderts prägen.

1.2.2 Künstlerische Neuerungen

Sogleich erhebt sich die Frage nach dem Stellenwert ästhetischer Neuerungen in einer derartigen Situation. Immerhin taucht, wenn von der Weimarer Ära die Rede ist, das Schlagwort von den 'goldenen zwanziger Jahren' auf. Richtig an dieser Bezeichnung ist, daß in der Weimarer Zeit auf allen Gebieten der Kunst nachhaltige Veränderungen eintraten. Deswegen ergibt sich für den Betrachter das Bild einer ungewöhnlichen, kreativen Vielschichtigkeit.

Die Aufzählung der wichtigsten Uraufführungen eines einzigen Jahres belegt das: 1922 kamen nacheinander auf die Bühne neue Stücke von Ernst Barlach (‚Der Findling'), Hans Henny Jahnn (‚Die Krönung Richards III.'), Gerhart Hauptmann (‚Das Opfer'), Arnolt Bronnen (‚Vatermord'), Ernst Toller (‚Die Maschinenstürmer'), Hugo von Hofmannsthal (‚Das Salzburger große Welttheater'), Bertolt Brecht (‚Trommeln in der Nacht'). Traditionsdenken steht neben gesellschaftskritischer Analyse, rein ichbestimmte Seelenwirklichkeit neben einer alle Trennwände durchstoßenden Gemeinschaftssehnsucht, Formkonvention neben dem Versuch ihrer Veränderung.

Ein Blick auf die literarischen Entwicklungen in der Bundesrepublik Deutschland zeigt die anhaltende Wirkung der damaligen Strömungen. Nur wenige Werke sind da zu finden, welche nicht ihr Vorbild im Literaturprozeß der zwanziger Jahre haben. Für viele Genres unserer Gegenwartsliteratur – Naturgedicht und Hörspiel, Reportage und Parabelstück, Dokumentarliteratur und Dialektdichtung, Volksstück und Agitprop, Texte der Selbsterfahrung und konkrete Lyrik – finden sich dort Muster.

Es wäre allerdings unangemessen, diesen von Gegensätzen bestimmten Abschnitt der deutschen Geschichte kurzerhand im Zeichen des geistigen Neubeginns zu sehen. Der eigentliche Durchbruch der Moderne in der Kunst ist schon um 1910 erfolgt. Die Jahre unmittelbar vor dem Ersten Weltkrieg können nämlich als ein Drehpunkt im Kanon der ästhetischen Programme angesehen werden. Allerdings gelang die Durchsetzung der neuen Kunst beim Publikum erst im experimentellen Freiraum der Weimarer Republik. Sie hat neuen Leserschichten den Zugang zur Literatur eröffnet. Dank dem rezeptionsfördernden Klima ging die Saat der Bennschen ‚Morgue'-Gedichte, der Erzählungen Kafkas, der theatralischen Entlarvungen des ‚Bürgerlichen Heldenlebens' durch Carl Sternheim und auch von Heinrich Manns Konzept einer Einheit von ‚Geist und Tat' allmählich auf – wenigstens im Bewußtsein der literarisch interessierten Öffentlichkeit. Darum kann die Durchsetzung der modernen Kunst in Deutschland als Erfolg der Weimarer Jahre verbucht werden.

1.2.3 Funktionale Ästhetik und Verwendung der Montage

Die herausragende originale Leistung der Weimarer Literatur liegt in der Ausarbeitung einer funktionalen Ästhetik, in der Überwindung und Zurückweisung der 'reinen Kunst'. Brecht hat die bündigste Bestimmung des Wandels vorgenommen, indem er das „Produktionsmittel Literatur" vom „Gebrauchswert" her bestimmte.

Eng verknüpft mit der funktionalen Ästhetik ist die Verwendung der Montage als zentrales künstlerisches Ausdrucksmittel. Erlaubt dieses Verfahren doch dem Autor ein Aufbrechen der längst nicht mehr geglaubten Geschlossenheit des Weltbilds und somit ein geradezu anatomisches Sezieren des vorgegebenen Lebenszusammenhangs durch Verbindung fragmenthafter, aber repräsentativer Wirklichkeitsausschnitte. Im Kunstwerk spiegelt sich der gebrochene Wirklichkeitszusammenhang wider. Mittels der Montagetechnik entsteht jeweils eine offene Konstellation von Einzelteilen, die zwar durchaus noch den Eindruck eines Ganzen andeutet, zugleich aber bewußtmacht, daß die 'Anschlußstellen' nicht mehr organisch zusammengehören. Somit werden die Brüche und Risse erkennbar. Sie bezeichnen das Ende der herkömmlichen Darstellungstotalität. Die künstlerische Montage war die angemessene ästhetische Reaktion auf die fortschreitende Relativierung der traditionellen Sinn- und Wertordnung und des davon hergeleiteten Weltbilds.

1.2.4 Entstehen einer Massenkultur

Der Befund der Massengesellschaft veranlaßte die 'Macher' aus der Bewußtseinsindustrie zum systematischen Ausbau einer schablonisierten Massenkultur in Gestalt von Groschenheften, Serienromanen und allen weiteren Formen der Trivialliteratur. Im Verein mit neu organisierten Distributionsinstanzen (Leseringen, Buchklubs, Leihbuchhandel, Kioskverkauf usw.) entstand hierbei der Belletristik eine gezielte Konkurrenz der zeitvertreibenden Freizeit- und Unterhaltungslektüre. Sie bestimmte den literarischen Markt schon bald nachdrücklicher als alle künstlerischen Impulse. Abgesehen von den parteilichen Versuchen in dieser Richtung (wie der ‚Roten Eine-Mark-Reihe' u. ä.) wurde mit der Trivialliteratur die Illusion einer ideologiefreien 'Kunst' genährt.

Als volkstümlich kann die neue Kunst gewiß nicht bezeichnet werden. Was wirklich von vielen gelesen wurde, das waren nach wie vor die Romane der Hedwig Courths-Mahler und Karl Mays sowie die Bücher von Walter Flex (‚Der Wanderer zwischen beiden Welten'), Gorch Fock (‚Seefahrt ist not') und Hermann Löns. Nationales Pathos und Innerlichkeit bestimmten mithin das Leserinteresse. Deswegen wurden auch unter den zeitgenössischen Büchern am ehesten die völkischen zu Verkaufserfolgen (z. B. Hans Carossa, Hans Grimm, Clara Viebig). Von den schreibenden Republikanern sind lediglich drei Erfolgsromane zu registrieren: Erich Kästner: ‚Emil und die Detektive', Thomas Mann: ‚Buddenbrooks' (1900 erschienen!), und Erich Maria Remarque: ‚Im Westen nichts Neues'.

Stark geprägt wurde die Weimarer Literatur durch Einflüsse von außen: Rundfunk, Schallplatte, Film. Die Autoren konnten diese Ausdrucksbereiche zwar dadurch zum Teil für ihre Zwecke erschließen, daß sie sich auf neue Gattungen wie Hörspiel, Song, Filmskript einließen. Doch blieb es, aufs Ganze gesehen, bei wenigen produktiven Versuchen, die neuen Möglichkeiten, an ein breiteres Publikum heranzukommen, zu nutzen. Einen Musterfall hierfür stellt Brecht dar (z. B. Rundfunkfassungen des ‚Flugs der Lindberghs' und der ‚Heiligen Johanna der Schlachthöfe', eine Rundfunkbearbeitung von Shakespeares ‚Hamlet', das Drehbuch ‚Die Beule' für die Verfilmung der ‚Dreigroschenoper', Schallplatteneinspielungen der Songs aus der gleichen 'Oper' sowie die Mitarbeit am Film ‚Kuhle Wampe'). Auch Johannes R. Becher, Gottfried Benn, Alfred Döblin und Albert Ehrenstein arbeiteten für den Rundfunk. Doch insgesamt verengte sich in der Regel der Öffentlichkeitsraum für die Schriftsteller aufgrund der Medienkonkurrenz.

1.2.5 Der Film. Wandel der literarischen Öffentlichkeit

Der Film ist ein neues und typisches Ausdrucksmittel in der Kultur der Weimarer Republik. Unter allen technischen Medien, die rasch eine große Bedeutung gewannen (Fotografie, Schallplatte, Radio, Hörspiel), ging von ihm eine der stärksten Wirkungen aus. Er bewirkte zugleich, im Zeichen der allgemeinen gesellschaftlichen und geistigen Umwälzungen, einen Wandel des kulturellen Lebens, der literarischen Öffentlichkeit und der Ästhetik.

Ästhetik der Großstadt und Massenkultur. Kino und Film sind ein Phänomen der Großstadt, die in der Weimarer Republik, nicht zuletzt in der Spannung zur Provinz und zu den kleineren Städten, noch stärker als bisher ein wesentlicher Faktor des sozialen und kulturellen Lebens wird. Man spricht von einer Ästhetik der Großstadt, die im Film, in seiner Gestaltungsweise, in seinen spezifischen Techniken sowie in seinen Rezeptionsbedingungen ihren Ausdruck findet.

In den Großstädten, zumal in Berlin, schießen die Filmpaläste aus dem Boden. Es entsteht ein Massenpublikum, das vor allem aus den Angehörigen des neuen, wirtschaftlich gefährdeten Mittelstands, der Masse der Angestellten, besteht. Für sie ist der Film nicht nur Mittel der Unterhaltung, sondern oftmals auch ein Illusionsangebot, Lebensersatz für die in der sozialen Wirklichkeit verwehrten Möglichkeiten. So wird der Film zu einem wesentlichen Phänomen der für die Weimarer Zeit typischen Zerstreuungskultur. Das gilt ebenso für die ihm eigenen Rezeptionsbedingungen. Nicht nur, weil er vor einem Massenpublikum gezeigt wird. Er verändert mit seinen Gestaltungsmitteln (Geschwindigkeit des Ablaufs, rascher Wechsel, Schnitt- und Montagetechnik) die Wahrnehmungsgewohnheiten: Es entsteht eine zerstreute Wahrnehmungsweise.

Filmische Schreibweisen und Darstellungsmittel. Am Wandel der klassischen Ästhetik in der damaligen Zeit sind der Film und seine neuen Ausdrucksmittel beteiligt. Dabei kommt es unter den Schriftstellern allerdings auch zu heftigen Auseinandersetzungen, die den literaturpraktischen Diskurs in der Weimarer Republik kennzeichnen: Werden die Aneignung filmischer Techniken und die Kollektivproduktion, wie sie für den Film charakteristisch sind, einerseits abzuwehren versucht, weil sie den Verlust der Autonomie der Literatur und des schöpferisch produzierten Einzelkunstwerks bedeuten, so gibt es doch andererseits viele Schriftsteller, die den Funktionswandel und die neuen literarischen Ausdrucksmittel begrüßen.

Die Montagetechnik und ihre Funktion sind ein typisches Merkmal der Literatur der Weimarer Republik, von den Möglichkeiten des Films nicht zu trennen. Ähnliches gilt für die Tendenz zur dokumentarischen Darstellung: Auch sie verdankt gewiß viele Anregungen dem naturalistisch-dokumentarischen Filmstil der zwanziger Jahre, wie überhaupt die Annäherung der Literatur an die Publizistik und die damit entstehenden Schreibweisen sich auch an der Öffentlichkeit und dem Gebrauchswert des Films orientieren. Nicht zuletzt wird der Film selbst in die Literatur einbezogen: so etwa in Piscators politischem Theater.

1.3 Gleichzeitigkeit dreier Literaturen

Im weitgefächerten und widerspruchsvollen Spektrum der Literatur lassen sich auf der Grundlage der weltanschaulichen Positionen einige Grundtypen ausmachen. Da ist zum einen die *völkische Literatur.* Zu ihr gehört die Kriegsliteratur. Die Verherrlichung des Krieges als Erfüllung einer imperialistischen Idee (Hans Grimm), Verachtung der Demokratie und ihrer Schwierigkeiten sowie der Literaten und ihrer 'Asphaltliteratur', das sind – neben Blut-und-Boden-Sehnsüchten – die bevorzugten Inhalte der Schriftsteller aus dem völkischen Lager. Über diese Sujets kommen sich Nationalkonservative und Nationalrevolutionäre rasch näher. Im selben Jahr – 1928 –, in dem sich der kommunistische Bund Proletarisch-Revolutionärer Schriftsteller (BPRS) konstituierte, gründete Alfred Rosenberg in München den sog. ‚Kampfbund für deutsche Kultur‘. Seine Zielbestimmung lautet: „Umfassender Zusammenschluß aller Kräfte des schöpferischen Deutschtums, um in letzter Stunde zu retten und zu neuem Leben zu erwecken, was heute zutiefst gefährdet: deutsches Seelentum und sein Ausdruck im schaffenden Leben."

Mit solchen Parolen traten die Totengräber der deutschen Kultur in Erscheinung. Kaum mehr als vier Jahre später hatten sie den Kampf um die Massen für sich entschieden. Was während des Dritten Reiches in Deutschland geschrieben und als ‘echtes deutsches Schrifttum’ vertreten wurde, hat hier schon seine Wurzeln. Damit war entschieden mehr Zustimmung zu gewinnen als mit nüchternen Appellen an die Vernunft. Barbarei, Regression, Provinzialismus und Ungeist gingen so eine traurige Verbindung ein, deren fatale Wirkung nicht wenig beigetragen hat zur Zerstörung der Weimarer Republik und ihrer Kultur.

Eine breite Mitte bildet die *bürgerliche Literatur*. Zu ihr gehören konservative Orientierungen (Gertrud von Le Fort, Agnes Miegel) ebenso wie linksbürgerliche Positionen (Heinrich Mann, Alfred Döblin). Vor allem aber sind diesem Bereich die meisten derjenigen Schriftsteller zuzuordnen, deren Werk inzwischen kanonische Geltung erlangt hat: Thomas Mann, Franz Kafka, Hermann Hesse, Odön von Horváth, Robert Musil, Hermann Broch.

Links von der Mitte sind die Schriftsteller angesiedelt, welche ihr Schreiben einem *sozialrevolutionären Engagement* unterordnen: Ernst Toller, Bertolt Brecht, Anna Seghers, auch Friedrich Wolf, Johannes R. Becher und Willi Bredel. Ihr politischer Anspruch radikalisiert die funktional verstandene Literatur gemäß der Parole Friedrich Wolfs: „Kunst ist Waffe!" Die meisten der genannten Schriftsteller, vor allem diejenigen unter ihnen, die dem BPRS angehörten, verstanden die literarische Arbeit nach dem Muster des sowjetischen Proletkults als Agitationsliteratur, als Beitrag zum Klassenkampf. Gottfried Benn höhnte im Blick auf derartige Schreibleistungen mit der berühmt gewordenen Formulierung, der Gegensatz zur Kunst liege in der Formel: „Gut gemeint." Fast der einzige, der hier nicht mitmachte, war bezeichnenderweise Brecht. Ganz wie Heinrich Heine im Vormärz war er nämlich darum bemüht, gesellschaftliche und künstlerische Anforderungen miteinander in Einklang zu bringen. Hier liegt der Grund, warum er – trotz weitgehender ideologischer Übereinstimmung – sich von der Partei und ihren kulturpolitischen Ablegern fernhielt und auf seiner Sonderstellung bestand. Diese Distanzhaltung hat ihn nicht daran gehindert, zum wahrscheinlich bedeutendsten sozialistischen Autor zu werden, von dem – zusammen mit dem ‘bürgerlichen’ Franz Kafka – die stärksten Wirkungen ausgingen.

Im Zuge der ideologischen Polarisierung bildete sich aus der gespaltenen Arbeiterbewegung heraus eine revolutionäre Gegenöffentlichkeit übernationaler Orientierung. Konsequenterweise propagierten ihre künstlerischen Parteigänger eine politisch-revolutionäre Literatur der Arbeiterklasse. Man geht nicht fehl, wenn man in diesem Vorgang den Anfang sieht für die Existenz zweier grundverschiedener Strukturen des literarischen Lebens hierzulande. Seitdem die KPD 1928 den ihr angehörenden Schriftstellern einen institutionellen Rahmen in Gestalt des Bundes Proletarisch-Revolutionärer Schriftsteller (BPRS) zuwies, ist die Einheit der Literatur in deutscher Sprache faktisch verlorengegangen. Von diesem Datum an gibt es eine Literatur des Bürgertums und eine Literatur des Proletariats. Es dauerte nur geraume Zeit, bis man bemerkte, daß damit die heute durch die Existenz zweier deutscher Staaten evident gewordene Zweiteilung sich damals anbahnte. Die Weimarer Literatur liefert demnach die Vorform der aktuellen zweigeteilten deutschen Literatur.

Ohne den Rückblick auf die Tradition der zwanziger Jahre lassen sich weder Genese noch Entwicklung der Literatur in der DDR angemessen verstehen.

Selbstverständlich ist das skizzierte Modell der drei Literaturen und einer zweigeteilten Rezeptionssituation nur eine Hilfskonstruktion im Sinne einer Orientierungsgrundlage. In der Realität bestimmen nicht diese klaren Linien, sondern Verwerfungen und Überlagerungen das Bild. Die nationalsozialistischen Schreiber Erwin Guido Kolbenheyer oder Will Vesper sind bürgerliche Erscheinungen. Der ungarische Adelssproß Ödön von Horváth hat die kleinbürgerlichen Kompensationsbedürfnisse in seinen Stücken dargestellt, die dann im Nationalsozialismus sich so hemmungslos austoben konnten. Der Prager Bürgersohn Franz Kafka beschreibt die Situation der Entfremdung des modernen Menschen in präzisen Parabeln, nicht etwa die unter solchen Perspektiven angetretenen proletarisch-revolutionären Schriftsteller. Äußere schematische Zuordnungen taugen also wenig als Kriterien literarischer Wertung.

1.4 Spektrum der Themen

Dem breit gefächerten Spektrum der literarischen Positionen und Tendenzen korrespondiert ein ebenso breit ausholender Themenkatalog. Lediglich einige Schwerpunkte realitätsbezogener Grundmotive können hier aufgeführt werden. Läßt man dabei die Texte der völkischen Rechten außer acht, weil sie nur Negativbeispiele beibringen können, sind drei große Komplexe auszumachen:

(1) Zeitdiagnose in der Art der Gesellschaftsromane der Brüder Heinrich und Thomas Mann (,Der Untertan', ,Der Zauberberg'), Hermann Hesses (,Der Steppenwolf'), Robert Musils (,Der Mann ohne Eigenschaften'), Hermann Brochs (,Die Schlafwandler') oder Joseph Roths (,Radetzkymarsch'), der Dramen Ernst Tollers (vor allem ,Hoppla, wir leben!'), ebenso der Volksstücke Ödön von Horváths oder Marieluise Fleißers oder auch so unterschiedlicher lyrischer Ansätze wie derjenigen von Gottfried Benn oder Erich Kästner.

(2) Literatur der Veränderung von außen: politische Literatur, „Literatur des Eingreifens" (Brecht). Hierher gehören Betriebsromane und Reportagen (z. B. die Romane ,Brennende Ruhr' von Karl Grünberg, ,Maschinenfabrik N & K' von Willi Bredel, ,Walzwerk' von Hans Marchwitza, ,Ein Prolet erzählt' von Ludwig Turek, ,Denn sie wissen, was sie tun' von Ernst Ottwalt sowie ,Der rasende Reporter' von Egon Erwin Kisch), die Lehrstücke Brechts und das Agitproptheater (Gustav von Wangenheim und Friedrich Wolf), Satiren gegen die reaktionäre Justiz, gegen Militarismus und Chauvinismus (Erich Kästner, Kurt Tucholsky, Bertolt Brecht), Antikriegsromane (Erich Maria Remarque: ,Im Westen nichts Neues', Edlef Köppen: ,Heeresbericht', Ludwig Renn: ,Krieg'), Attacken gegen gesellschaftliche Mißstände und Fehlentwicklungen wie etwa die Rolle der Frau, Kampf gegen § 218, Kritik am Strafvollzug oder an der Fürsorgeerziehung u. a. m. (Friedrich Wolf: ,Cyankali', Ernst Toller: ,Hoppla, wir leben!', Peter Martin Lampel: ,Revolte im Erziehungshaus', Ödön von Horváth: ,Der Fall E. oder Die Lehrerin von Regensburg' etc.).

(3) Literatur der Veränderung von innen, das heißt: Literatur der Bewußtseinserforschung. Keineswegs werden hier nur Fragen der Identitätskrise in den Blick genommen, sondern genauso Kommunikationsbarrieren als Folge der Verdinglichung in den zwischenmenschlichen Beziehungen oder Partnerschaftskonflikte und Probleme der Arbeitssituation. Gottfried Benns Rede über ,Das moderne Ich' (1920) hat in diesem Bereich ebenso ihren Platz wie dann besonders Brechts frühe Stücke (,Baal', ,Im Dickicht der Städte', ,Trommeln in der Nacht', ,Mann ist Mann') und die große Anzahl von Großstadtromanen (Alfred Döblin: ,Berlin Alexanderplatz', Hans Fallada: ,Kleiner Mann – was nun?', Paul Gurk: ,Berlin', Irmgard Keun: ,Das kunstsei-

dene Mädchen', Erich Kästner: ‚Fabian', Siegfried Kracauer: ‚Stadtbilder'). Durchweg handelt es sich um gezielte Erkundungen des 'falschen Bewußtseins'.
So verschieden die Ansätze auch sein mögen, als roter Faden geht durch sie hindurch
die kritische Auseinandersetzung mit dem Bestehenden. Man kann daher konstatieren: Das Überzeitliche, das Verschwommen-Mythische, das Regressive, die Idylle
oder das Magisch-Metaphysische sind ebenso dahingewelkt wie die Eintagsfliegen li-
terarisierter Parteiprogramme und die stereotypen Berichte aus Arbeitswelt und
Klassenkampf. Aktuell geblieben ist allein das Zeitbezogene, sofern die Autoren es
verstanden haben, ihm durch die eingeschriebene Utopie Haltbarkeit zu geben.

(1) *Berlin, die Sinfonie einer Großstadt. Montagefilm von Walther Ruttmann,
1927. Foto: Bildarchiv Preußischer Kulturbesitz, Berlin.*

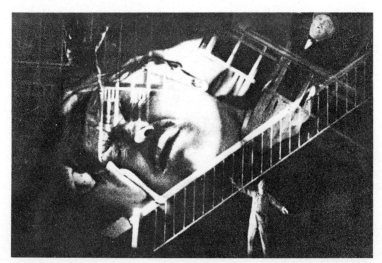

(2) *Geheimnisse einer Seele. Film von C. W. Papst mit Werner Krauss, 1926.
Traumsequenz. Foto: Ullstein Bilderdienst, Berlin.*

(3) *Metropolis. Ufa-Film von Fritz Lang, 1926. Vorn: Brigitte Helm. Foto: Film-archiv Gerhard Lamprecht, Berlin. Stiftung Deutsche Kinemathek, Berlin.*

Die Filme ‚Berlin, die Sinfonie einer Großstadt‘, ‚Geheimnisse einer Seele‘, ‚Metropolis‘ und ‚Yorck‘ vermitteln stellvertretend einen Eindruck von einigen wesentlichen filmischen Tendenzen und Neuerungen in den zwanziger Jahren. Ihre Regisseure, Ruttmann, vor allem aber Fritz Lang und G. W. Papst, gehören zu den einflußreichsten Filmemachern der Weimarer Republik.

(1) ‚Berlin, die Sinfonie einer Großstadt‘ ist ein filmgeschichtlich bedeutsames Beispiel für den Querschnitt- und Montagefilm der damaligen Zeit. Er gestaltet das ‘zerstreute’ und hektische, pulsierende, tempogeladene und sprunghafte Leben der Großstadt: Dazu verwendet Ruttmann die Montage von gegensätzlichen Wirklichkeitsausschnitten, die in ihrer kaleidoskopischen Gleichzeitigkeit und rasanten Abfolge einen authentischen Querschnitt durch das Leben Berlins zu geben versuchen. Damit gelingt dem Film zugleich ein Bild der Zeit: die zwanziger Jahre als Phase im Tumult der Widersprüche.

(2) Der Film ‚Geheimnisse einer Seele‘ ist zeittypisch in einer anderen Hinsicht: Er gestaltet, im Zeichen des psychologischen Realismus, die innere Wirklichkeit eines individuellen Schicksals. In der Traumsequenz, die charakteristisch ist für das Zeitalter Freuds, tauchen aus den Abgründen der Seele die Gestalten des Unterbewußten auf. Auch dies wird mit den Mitteln der Montage dargestellt.

(3) ‚Metropolis‘ ist ein herausragender Film der Weimarer Republik: Er gehört zu den künstlerisch fortgeschrittensten und einflußreichsten Filmen seiner Zeit. Vor allem sind die Massenszenen bemerkenswert, die noch mit den Mitteln der im expressionistischen Film entwickelten Stilisierungskunst gestaltet sind: Hier wird das Kollektiv der Arbeiter filmisch eindrucksvoll veranschaulicht.

(4) Demgegenüber zeigt ‚Yorck‘ eine ganz andere Tendenz: Er ist ein Beispiel für den gegen Ende der Republik immer stärker hervortretenden nationalen und vaterländischen Film, der in den vielen ‚Fridericus-Rex‘-Filmen seine massenwirksame Ausprägung erfahren hat. Der ‘Führer’, der große Einzelne, steht im Mittelpunkt. Nicht von ungefähr wurden gerade diese Filme Vorbilder für ein vorherrschendes Genre des Nazifilms.

(5) Die von Brecht selbst inszenierte Uraufführung des Songspiels ‚Mahagonny‘ zeigt die Bühne des epischen Theaters, das seine Durchsetzung in der zweiten Hälfte der zwanziger Jahre vor allem auch dem Stückeschreiber Bertolt Brecht verdankt. Ihm kommt es unter anderem darauf an, die gewohnheitsmäßige einfühlende und kulinarische Haltung des Publikums zu stören. Um dies zu erreichen, wird auf der Bühne nicht Wirklichkeit vorgetäuscht, sondern die Wirklichkeitsillusion für den Zuschauer gebrochen. Das Bühnenbild der ‚Mahagonny‘-Uraufführung zeigt, mit welchen Mitteln Brecht die theatralische Illusion aufhebt.

(4) *Yorck. Ufa-Film von Gustav Ucicky mit Werner Krauss als General Yorck von Wartenburg, 1931. Foto: Stiftung Deutscher Kinimathek, Berlin.*

(5) *Bertolt Brecht/ Kurt Weill: Songspiel Mahagonny, Uraufführung Baden-Baden, 17. 7. 1927. Regie: Bertolt Brecht. Rechts auf der Bühne Brecht, der das Schild hält: „Für Weill", daneben Kurt Weill. Schauspieler: Lotte Lenya, Irena Ender, Erik Wine u. a. Foto: Theatermuseum des Instituts für Theaterwissenschaft der Universität Köln.*

(6) *Friedrich Wolf: Wie stehn die Fronten? Spieltrupp Südwest, Stuttgart 1932. Foto: Akademie der Künste der Deutschen Demokratischen Republik. Friedrich-Wolf-Archiv, Lehnnitz.*

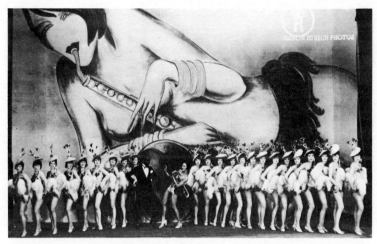

(7) *Wann und wo? Haller-Revue im Admiralspalast, Berlin 1927. Foto: Theatermuseum des Instituts für Theaterwissenschaft der Universität Köln.*

(6) Die Szene aus Friedrich Wolfs Stück ‚Wie stehn die Fronten?' zeigt einen neuen Typus des politischen Theaters in der Weimarer Republik: das sozialistische Agitpropstück, das häufig von Laienspieler-Kollektiven in Betrieben und Gewerkschaftshäusern aufgeführt wurde.

(7) Eine typische Form des Unterhaltungstheaters in den zwanziger Jahren ist die in London, Paris und den Vereinigten Staaten aus dem Showgeschäft entwickelte Revue. In lockerer Reihung folgen viele theatralische Darstellungsformen aufeinander: Szenen, Sketche, vor allem aber auch musikalische und tänzerische Nummern.

2 Das Drama der zwanziger Jahre:
Zeitstück, Volksstück, Parabel und Lehrstück

Aufführungen
Ernst Barlach: Der blaue Boll (1926)
Bertolt Brecht: Trommeln in der Nacht (1922)   Baal (1923)
Im Dickicht der Städte (1923)   Mann ist Mann (1926)
Die Dreigroschenoper (mit Musik von Kurt Weill. 1928)
Der Ozeanflug (mit Musik von Paul Hindemith und Kurt Weill. 1929)
Aufstieg und Fall der Stadt Mahagonny (1930)
Der Jasager und Der Neinsager (1930)   Die Maßnahme (1930)
Die heilige Johanna der Schlachthöfe (1931. Uraufführung 1959 in Hamburg)
Die Mutter (mit Musik von Hanns Eisler. 1932)
Marieluise Fleißer: Fegefeuer in Ingolstadt (1926)   Pioniere in Ingolstadt (1929)
Ödön von Horváth: Sladek, der schwarze Reichswehrmann (1929)
Italienische Nacht (1931)   Geschichten aus dem Wiener Wald (1931)
Kasimir und Karoline (1932)
Glaube Liebe Hoffnung (1932. Uraufführung 1936 in Wien)
Hanns Johst: Schlageter (1933)
Georg Kaiser: Nebeneinander (1923)
Peter Martin Lampel: Die Revolte im Erziehungshaus (1928)
Walter Mehring: Der Kaufmann von Berlin (1929)
Ernst Toller: Hinkemann (1923)   Hoppla, wir leben! (1927)
Friedrich Wolf: Cyankali (1929)   Die Matrosen von Cattaro (1930)
Carl Zuckmayer: Der fröhliche Weinberg (1925)
Der Hauptmann von Köpenick (1930)

2.1 Durchsetzung des Zeitstücks. 'Epische' Form des Dramas

Die idealistischen Weltanschauungs- und Verkündigungsdramen der Expressionisten
zielen in hohem Maße auf die pathetische Stilisierung des Ausdrucks. Visionäre Gestaltung bestimmt ihre symbolisch-abstrakten Figurenzeichnungen. Lose aneinandergereihte Szenenfolgen ('Stationendrama') zeigen den Protagonisten auf der Suche nach ethischer Selbstbestimmung ('Wandlung') im Konflikt mit seiner Umwelt.
Deswegen sind die meisten expressionistischen 'Helden' Leidende, Märtyrer, die mit
ihrer Sehnsucht nach der Menschenbrüderschaft an der gesellschaftlichen und politischen Realität zerbrechen.
Demgegenüber setzen sich die Dramatiker der zwanziger Jahre konkret mit den All-
tagsverhältnissen auseinander. Krieg, Revolution, Inflation, neureiche Schieber, Er-
ziehungsprobleme, Gleichberechtigung der Frau, § 218, Technisierung, zunehmende
Polarisierung der Gesellschaft zwischen rechts und links, Anwachsen des Kleinbürgertums – diese und viele andere Zeitprobleme werden jetzt im Drama thematisiert.
Dieser zeitrepräsentativen Ausrichtung wegen hat sich für den neuen Grundtypus
des Dramas die Bezeichnung 'Zeitstück' durchgesetzt. Es lebt von seinen konkret in-
formierenden und entlarvenden Absichten. Voraussetzung ist dabei immer das Konzept einer sich demokratisierenden Gesellschaft. Deshalb begründet Erwin Piscator
(1893–1966), der Schöpfer des 'politischen Theaters', seine Zielsetzungen mit dem
Hinweis, er wolle das „Szenische ins Historische" steigern, um so die politische Bewußtseinsbildung unmittelbar zu befördern.

Mit dem Wunsch, den Zuschauer zum politischen Handeln aufzufordern, verbindet sich als formale Entsprechung die kommunikative Struktur des Dramas. Das Zeitstück drängt auf massive Aktivierung des Publikums. In breitem Umfang setzt sich deshalb eine'offene' Dramaturgie durch, die darauf aus ist, Autor, Bühne und Zuschauer durch das Drama in einen produktiven Zusammenhang zueinander zu bringen. Häufig wird darum der dargestellte dramatische Prozeß durch kommentierende Elemente ergänzt ('Publikumsdramaturgie').

Die entschiedenste theoretische Positionsbestimmung in dieser Hinsicht hat Bertolt Brecht (1898–1956) geleistet. Es sei nicht mehr angängig, die Zuschauer den Illusionen szenischer Wirklichkeitsnachahmung zu überlassen. Statt dessen sollen sie in die Lage versetzt werden, kritische Distanz gegenüber dem Bühnengeschehen einzunehmen, um so zu tieferem Verständnis der gesellschaftlichen Kausalitäten vorzudringen und dementsprechend ihr Bewußtsein zu ändern. Die bestimmenden Merkmale der neuen Theaterkonzeption hat Brecht auf den Begriff des 'epischen Theaters' und der 'Verfremdung' gebracht. Gemeint ist damit zum einen der Abbau der dramatischen Illusion, der Einfühlung und der suggestiven Berauschung zugunsten wacher, kritischer Anteilnahme, zum andern der sog. 'Verfremdungseffekt' ('V-Effekt'), der in seinem Kern darin besteht, dem Betrachter vertraute Dinge in einem neuen Licht erscheinen zu lassen und so die Widersprüche der Realität sichtbar zu machen. Brecht hat seine Theorie des 'epischen Dramas' ('nichtaristotelische Dramatik') 1930 in den ‚Anmerkungen zur Oper 'Aufstieg und Fall der Stadt Mahagonny' ' tabellarisch zusammengefaßt:

Dramatische Form des Theaters	*Epische Form des Theaters*
handelnd	erzählend
verwickelt den Zuschauer in eine Bühnenaktion	macht den Zuschauer zum Betrachter, aber
verbraucht seine Aktivität	weckt seine Aktivität
ermöglicht ihm Gefühle	erzwingt von ihm Entscheidungen
Erlebnis	Weltbild
Der Zuschauer wird in etwas hinein versetzt	er wird gegenübergesetzt
Suggestion	Argument
Die Empfindungen werden konserviert	werden bis zu Erkenntnissen getrieben
Der Zuschauer steht mittendrin,	Der Zuschauer steht gegenüber,
miterlebt	studiert
Der Mensch als bekannt vorausgesetzt	Der Mensch ist Gegenstand der Untersuchung
Der unveränderliche Mensch	Der veränderliche und verändernde Mensch
Spannung auf den Ausgang	Spannung auf den Gang
Eine Szene für die andere	Jede Szene für sich
Wachstum	Montage
Geschehen linear	in Kurven
evolutionäre Zwangsläufigkeit	Sprünge
Der Mensch als Fixum	Der Mensch als Prozeß
Das Denken bestimmt das Sein	Das gesellschaftliche Sein bestimmt das Denken
Gefühl	Ratio

Die dramaturgischen Mittel zur Auslegung der Fabel und ihrer produktiven Vermittlung sind vielfältiger Natur. Sie beeinflussen die gesamte Bauform des Dramas. Prologe, Zwischensprüche, Epiloge, Songs und Chöre, Szenentitel, Projektionen, Selbsteinführung der Figuren, Hinwendung zum Publikum, alles alte Elemente des Lehr- und Zeigetheaters, werden dem didaktischen Funktionssystem des 'epischen Dramas' nutzbar gemacht. 'Verfremdung' erweist sich somit als die Grundstruktur des Brechtschen Gestaltungsverfahrens.

Episierung und Didaxe, kommentierendes und lehrhaftes Theater, bestimmen die neue Bühnenpraxis der zwanziger Jahre. Letztes Ziel ist eine Einfluß- und Entscheidungsdramaturgie. In ihrer extremen Ausprägung nimmt sie die unmittelbar politische Form des Lehr- und Agitationstheaters an (Erwin Piscator, Bertolt Brecht, Peter Martin Lampel, Friedrich Wolf, Gustav von Wangenheim). Unter solchen Entwicklungen geriet der Überhang der Tradition – besonders deutlich zu fassen im Werk Hofmannsthals, aber ebenso in den damals entstehenden Dramen Gerhart Hauptmanns – zum Anachronismus. Die zwanziger Jahre sind die Stunde des Dramas als Zustandsbild. Mit dem 'Zeitstück' kommen Drama, Theater und Gesellschaft in einen so engen Kontakt wie nie zuvor in Deutschland.

2.2 Politisches Zeittheater: Erwin Piscator und Ernst Toller

Erwin Piscators politisches Theater. Im strikten Gegensatz zu den artistischen Inszenierungen Max Reinhardts mit ihrer eindeutig illusionistischen Tendenz bemühte sich Erwin Piscator um die Überwindung des bürgerlichen Theaterbetriebs. Was er anstrebte, war eine politisch wirksame Kunst, die hinsichtlich der Regiekonzeption auf den Ausgleich zwischen Theateraufführung und politischer Versammlung zielte. So entstand der von ihm geprägte (und in einem 1929 erschienenen Buch propagierte) Begriff des 'politischen Theaters'. Im Zuge der von Piscator praktizierten 'soziologischen Dramaturgie' resultierte daraus eine Revolutionierung des gesamten theatralischen Verfahrens. Der Dramentext wird dabei lediglich als Spielvorlage verstanden. Für den Regisseur gilt es, sie durch Dokumentation und Aktualisierung szenisch auszuwerten und zugleich pädagogisch-politisch zu verarbeiten (‚Begegnung mit der Zeit‘). Automatisch führt das zu einer ausgeprägten Form des Regie-Theaters und zur Einbeziehung aller modernen technischen Ausdrucksmittel in die Theaterarbeit ('Segment-Globus-Bühne', simultane Aktionsflächen, Prospekte, Filmprojektionen, Chansoneinlagen, Musik- und Geräuschkulisse).

Piscator leistete mit seinem radikalen politischen Theater die Integration der damals neuen Medien und schuf eine neue, höchst folgenreiche Theaterform. So zeitigte die vergebliche politische Revolutionierung durch das Theater wenigstens eine Revolution des Theaters. Wenn seither die Bühne als Ort der Bewußtseinsbildung, als politisch-moralische Anstalt begriffen wird, ist das nicht zuletzt Piscator zu verdanken. Seine Prinzipien haben auf die Dramatiker jener Jahre vielfältig eingewirkt.

Bestandsaufnahme der Republik: Das Zeitstück Ernst Tollers. Beispielhaft für die starke Wirkung des 'politischen Theaters' ist das Werk Ernst Tollers (1893–1939) nach dessen Entlassung aus dem Gefängnis (wegen seiner Beteiligung an der Münchner Räterepublik saß er bis 1924 in Haft). Die praktischen Erfahrungen lösten bei ihm eine spürbare Abkehr von den idealistischen Ausgangspositionen als Expressionist aus. An die Stelle pathetischer Proteste und abstrakt bleibender Verkündigung setzte der Autor jetzt den Versuch, politische, ökonomische und soziale Prozesse in Form einer offenen, revueartigen Bestandsaufnahme zu gestalten. Grundidee seines daraus erwachsenen Dramas ‚Hoppla, wir leben!' (1927) ist die Gegenüberstellung der revolutionären Erwartungen nach dem Ende des Ersten Weltkriegs mit den tatsächlichen Zuständen des Jahres 1927. Ein filmisches Intermezzo überbrückt die dazwischenliegenden acht Jahre. Im Mittelpunkt des Stückes steht die Geschichte des anarchistischen Revolutionärs Karl Thomas, der als Aufrührer zum Tode verurteilt, dann – 'begnadigt' – ins Irrenhaus gesperrt, schließlich freigelassen wird, aber an der gründlich veränderten Realität scheitert und Selbstmord begeht. Die dramatische Konstruktion gibt Toller Gelegenheit, das politische Spektrum der Weimarer Republik mit Industriellen, Bankiers, Militärs, Sozialdemokraten, Kommunisten und Nationalsozialisten vorzuführen.

Dieses Zeitstück erhielt seine endgültige Form durch die Zusammenarbeit Tollers mit Piscator, der damit sein eigenes Theater am Nollendorfplatz in Berlin eröffnete. Piscator war es auch, der den resignativen Schluß Tollers veränderte und mit folgender Filmschrift enden ließ:

Verdammte Welt. Es bleibt einem nur übrig, sich aufzuhängen oder sie zu ändern.
Das Wort „Brüder" läuft über die ganze Leinwand, handgeschrieben, [...] dreht sich zu einem Globus und bricht in der Mitte entzwei.

Das deckt sich mit Tollers Vision vom Jahresende 1931: „Geschieht heute nichts, stehen wir vor einer Periode des europäischen Faschismus, einer Periode des vorläufigen Untergangs sozialer, politischer und geistiger Freiheit, deren Ablösung nur im Gefolge grauenvoller, blutiger Wirren und Kriege zu erwarten ist." Neben der Genauigkeit in der Schilderung der Weimarer Gesellschaft und neben der Tiefendimension dieser szenischen Diskussion des Problems revolutionärer Veränderung und Gewalt ist es vor allem diese visionäre Kraft, die dem Drama Tollers seine Aktualität und Frische bewahrt hat.

2.3 Parabel und Lehrstück. Die Verbindung von Ästhetik und Politik im Drama Bertolt Brechts

Zwischen Erwin Piscator und Ernst Toller gab es bei der gemeinsamen Arbeit immer wieder heftige Auseinandersetzungen. Bei aller ideologischen Übereinstimmung bestand nämlich der Schriftsteller auf seiner gestalterischen Autonomie und geriet dadurch in Konflikt mit der agitatorischen Direktheit des Regisseurs. Bertolt Brecht hingegen ließ keinerlei Zweifel darüber aufkommen, daß er an der literarisch-ästhetischen Qualität des Theaters nichts zu ändern gedachte. Sein Ziel war die produktive Verbindung von Kunst und Politik auf der Grundlage von Theorie und Praxis des 'epischen Theaters'. In ihrem Zusammenwirken leisten Spiel- und Kommentarebene seiner Stücke die beabsichtigte Vermittlung einer politischen Aussage, ohne dabei die künstlerischen Ansprüche zu vernachlässigen. Brecht macht keine Konzessionen an die politische Aktualität; für ihn gilt die Doppelformel: Politik als Kunst, Kunst als Politik.

Dahin führte freilich ein längerer Weg. Der Auftakt seiner frühen Stücke (in der Reihenfolge des Entstehens: ‚Baal‘, 1917/18; ‚Trommeln in der Nacht‘, 1919; ‚Die Kleinbürgerhochzeit‘, 1919; ‚Im Dickicht der Städte‘, 1923) erweist sich im nachhinein als eine Versuchsreihe zur experimentellen Ermittlung des besten dramaturgischen Verfahrens, um eine antibürgerliche Grundhaltung als Inhalt und lehrhafte Form miteinander zu verbinden. Deshalb bevorzugte der Autor von Anfang an parabolische Dramenkonstruktionen für seine kritische Demontage der bürgerlichen Welt, weil ihm am 'gestischen' (d. h. gesellschaftlich exemplarischen) Ausdruck gelegen ist.

Aber erst mit der Rezeption des Marxismus und der konsequenten Übernahme des dialektischen Materialismus wurde Brecht zum sozialistischen Schriftsteller. In den vorausgegangenen Stücken thematisierte er noch ein wild-anarchisches Lebensgefühl (‚Baal‘), krassen Egoismus als bürgerlichen Grundgestus (‚Trommeln in der Nacht‘), rücksichtslosen Konkurrenzkampf (‚Im Dickicht der Städte‘) sowie die selbstzerstörerische Kraft der bürgerlichen Sinn- und Wertordnung (‚Die Kleinbürgerhochzeit‘). Die diagnostizierten Mißstände wurden also weder erklärt, noch wurde ihnen eine produktive Alternative entgegengesetzt. Immerhin zeigt das Heimkehrerstück ‚Trommeln in der Nacht‘ bereits mit der Hauptfigur Andreas Kragler einen Typus, der die revolutionäre Veränderung bedenkenlos seinen persönlichen materiellen Interessen opfert. Damit ist Kragler als Durchschnittsprodukt einer verhunzten Umwelt ausgewiesen. Dieses ‘Revolutionsstück’ (ursprünglich lautete der Titel: ‚Spartakus‘) verwendet auch schon Grundelemente des Verfremdungstheaters. Im Zuschauerraum wurden Spruchbänder mit der Aufschrift „Glotzt nicht so romantisch“ aufgehängt.

Parabel von der Manipulierbarkeit des Menschen. Den völligen Zusammenbruch des bürgerlichen Persönlichkeitsbegriffs demonstriert Brecht in der dramatischen Parabel mit dem bezeichnenden Titel: ‚Mann ist Mann‘ (1925/26). Vorgeführt wird die „Verwandlung des Packers Galy Gay in den Militärbaracken von Kilkoa“ in einen Soldaten, der sich mühelos zur „menschlichen Kampfmaschine“ umfunktionieren läßt und damit in den verbrecherischen gesellschaftlichen Strukturen aufgeht:

> Und schon fühle ich in mir
> Den Wunsch, meine Zähne zu graben
> In den Hals des Feinds
> Urtrieb, den Familien
> Abzuschlachten den Ernährer
> Auszuführen den Auftrag
> Der Eroberer.

Grotesk und zynisch zugleich wird der moderne Identitätsverlust in einer Art gesellschaftlicher Versuchsanordnung gezeigt. Im „Zwischenspruch“ (später „Prolog“) gibt sich der Autor als Initiator des soziologischen Experiments zu erkennen:

> Herr Bertolt Brecht behauptet: Mann ist Mann.
> Und das ist etwas, was jeder behaupten kann.
> Aber Herr Bertolt Brecht beweist auch dann,
> Daß man mit einem Menschen beliebig viel machen kann.

Das Brechtsche Zeigetheater nimmt so seinen Anfang.

Einführung des epischen Theaters. Den Durchbruch zur vollen Entfaltung episierender Praxis bringt dann die Zusammenarbeit mit Kurt Weill in den beiden ‘Opern’ (‚Die Dreigroschenoper‘, 1928; ‚Aufstieg und Fall der Stadt Mahagonny‘, 1927/30). Hier findet Brecht endgültig seine Richtung, Literatur des gesellschaftlich-politischen Kampfes zu schreiben. Seine Bearbeitung der ‚Beggar's Opera‘ von John Gay (1728) entwickelt er aus der zentralen These: „Gangster sind eigentlich Bürger. Bürger sind eigentlich Gangster.“ Es ist das Thema der „Haifisch“Gesellschaft und ihrer brutalen Methoden. Die explosive Kraft dieses Stückes schlägt insbesondere im ‚Lied der Seeräuber-Jenny‘, im dreifach gestuften ‚Dreigroschenfinale‘ sowie im ‚Schlußchoral‘ durch. Die Quintessenz der Brechtschen Wirkungsabsicht ist der zynischen Bemerkung Mackie Messers zu entnehmen:

Wir kleinen bürgerlichen Handwerker, die wir mit dem biederen Brecheisen an den Nickelkassen der kleinen Ladenbesitzer arbeiten, werden von den Großunternehmern verschlungen, hinter denen die Banken stehen. Was ist ein Dietrich gegen eine Aktie? Was ist ein Einbruch in eine Bank gegen die Gründung einer Bank? Was ist die Ermordung eines Mannes gegen die Anstellung eines Mannes?

Zwar wurde das Stück zu einem durchschlagenden Erfolg für Brecht; doch beruhte die ungeheure Resonanz auf einem fundamentalen Mißverständnis: Das bürgerliche Publikum konsumierte die antibürgerliche Attacke kulinarisch, so die enthaltene satirische Lehre gründlich ignorierend.

Zu einem großen Skandal geriet die zweite Oper. In dem stark amerikanisierten Gleichnis von den falschen Illusionen der (kapitalistischen) Stadt Mahagonny wollten sich die tief verunsicherten Bürger des Jahres 1930 nicht wiedererkennen.

Noch weniger Glück hatte Brecht mit dem Stück ‚Die heilige Johanna der Schlachthöfe‘ (1931/32). Es kam in der Weimarer Zeit überhaupt nicht auf die Bühne. Offenbar wollte niemand die Botschaft Johanna Darks hören: „Es hilft nur Gewalt, wo Gewalt herrscht, und / Es helfen nur Menschen, wo Menschen sind. [...] Sorgt doch, daß ihr die Welt verlassend / Nicht nur gut wart, sondern verlaßt / Eine gute Welt!" Brechts marxistische Antithese zur Humanitätsidee des Idealismus stieß am Ende der Weimarer Republik jedenfalls auf taube Ohren.

Die Lehrstücke. Dem marxistischen Stückeschreiber wurde auf diese Weise klar, daß die Institution des bürgerlichen Theaters nicht mehr als Rahmen für seine dramatischen Gesellschaftsexperimente dienen konnte. Er zog darum die Folgerung, seine Produktion dorthin zu verlagern, wo er eine aktivierbare Rezeptionssituation voraussetzen konnte: in Schulen, Betrieben und Parteiversammlungen. So kam Brecht zu seiner Lehrstückkonzeption. Sie beruht auf der Annahme: „Das Lehrstück lehrt dadurch, daß es gespielt, nicht dadurch, daß es gesehen wird. Prinzipiell ist für das Lehrstück kein Zuschauer nötig, jedoch kann es natürlich verwertet werden" (‚Zur Theorie des Lehrstücks‘). Damit ist das Theater als kultureller Sonderbereich aufgehoben. Ganz unmittelbar dient die Textvorlage der Einübung gesellschaftlicher Haltungen. Insofern bilden die Lehrstücke (‚Der Ozeanflug‘, 1929; ‚Das Badener Lehrstück vom Einverständnis‘, 1929; ‚Der Jasager‘ und ‚Der Neinsager‘, 1929/30; ‚Die Maßnahme‘, 1930; ‚Fatzer‘-Fragment, 1930; ‚Die Ausnahme und die Regel‘, 1930/ 31) eine zugespitzte Fortführung des epischen Theaters, wobei der Akzent direkt auf die agitierend-operationellen Strategien gelegt wird. Durchgesetzt hat sich vor allem die Dramatisierung von Maxim Gorkis Roman ‚Die Mutter‘ (1931/32).

In einer Reihe von Einzelszenen erfolgt dort, jeweils ergänzt durch gleichgerichtete Lieder und Chöre (Musik von Hanns Eisler), ein szenischer Bericht von der Wandlung einer unterdrückten, unemanzipierten Arbeiterfrau namens Pelagea Wlassowa zur bewußt handelnden Revolutionärin. Brecht verstand dieses Lehrstück als eine dramatische Gestentafel. Er wollte verallgemeinerungswürdiges Verhalten auf der Grundlage sozialistischen Denkens beispielhaft aufzeigen, um so ein konkretes Zielbild von der Revolutionierung des Menschen exemplarisch vorzuführen.

2.4 Volksstücke als Vehikel gesellschaftlicher Kritik: Marieluise Fleißer und Ödön von Horváth

Volksstück – kritisches Volksstück. Volksstücke sind im Lokalen verwurzelt. Menschen aus dem Volk, Dialekt sprechend, bilden das Personal. Die Dramenhandlung wird in der Realität ihrer kleinen Welt, im Alltag, angesiedelt. Das führt häufig dazu, billiges Einverständnis mit dem Publikum zu suchen. Idyllische Heimatklischees und gängige Unterhaltungsroutine bestimmen dann das theatralische Geschäft. Auf diesem Wege verkommt das Volksstück zur Klamotte (noch heute in den Aufführungen des ‚Komödienstadels‘, des ‚Ohnsorgtheaters‘ oder der ‚Millowitsch-Bühne‘).

Im Zusammenhang mit den sozialen Veränderungen der zwanziger Jahre, vor allem mit der rapiden Zunahme der Angestellten und Kleinbürger, sahen sich manche der

Dramatiker herausgefordert, Menschen aus dem Volk und Fälle des Alltags zum Gegenstand ihrer Stücke zu machen. So entstand das 'kritische Volksstück'. Man kann es als eine Spielart des Zeitstücks auffassen. Die Autoren verarbeiteten dabei Grundelemente der Volksstücktradition, bekämpften jedoch gleichzeitig entschieden deren Verzerrung zur Unterhaltungsware. Nostalgisch-regressive Erwartungen werden deshalb bewußt enttäuscht (so von *Horváth* mit Dramentiteln wie ,Geschichten aus dem Wiener Wald' oder ,Glaube Liebe Hoffnung'). Während etwa ein 'volkstümlicher' Dramatiker wie *Carl Zuckmayer* (1896–1977) absichtsvoll den auf harmonische Erwartungen fixierten Zuschauern entgegenkommt und in seinem ,Fröhlichen Weinberg' (1925) ländlich-deftige Lebensfülle eines in sich ruhenden Lebenskreises vorführt, versuchen die kritischen Verfechter des Volksstücks mit provozierenden Schlaglichtern auf gesellschaftliche Mißverhältnisse ihrer Gegenwart entlarvend zu zeigen. Deswegen situieren sie ihre Dramen mit Vorliebe im Bereich des städtischen Kleinbürgertums. Horváth begründet das so: „Will man also das alte Volksstück heute fortsetzen, so wird man natürlich heutige Menschen aus dem Volke – und zwar aus den maßgebenden, für unsere Zeit bezeichnenden Schichten des Volkes – auf die Bühne bringen" (,Interview').

Erziehung und Leben in der Provinz. Eine tiefreichende Bestimmung durch den lokalen Erfahrungsrahmen prägt fast das gesamte Werk der *Marieluise Fleißer* (1901–1974). Der Ort ihrer Herkunft, Ingolstadt, taucht im Titel beider Dramen auf, die sie in den zwanziger Jahren schrieb: ,Fegefeuer in Ingolstadt' (1926) und ,Pioniere in Ingolstadt' (1928/29). Der Schriftstellerin war gewiß nicht an einer Lokalchronik gelegen. Es ging ihr darum, Reflexe eigenen Erlebens literarisch zu verarbeiten und so die beengende Lebensform und das dumpfe Elend der provinziellen Kleinstadtgesellschaft darzustellen. Deshalb sagte sie von sich: „Fürs Theater schreiben heißt für mich Gesellschaftskritik" (,Interview-Antworten; Materialien', S. 348).

,*Fegefeuer in Ingolstadt*' vermittelt ein sehr diesseitiges Bild des Fegefeuers; es handelt sich nämlich um ein Schauspiel unbewältigter Lebensangst. Die Klosterschülerin Olga erwartet ein Kind von einem, der nichts von Heirat wissen will, sondern sich bereits anderswo umtut. Sie sucht vergeblich nach einer Gelegenheit zur Abtreibung. Doch ist da andererseits auch Roelle, ein gleichaltriger junger Mann, häßlich, mit Kropf, wasserscheu und stinkend, deswegen schlecht gelitten von den Mitschülern. Aus verletztem Selbstgefühl stilisiert er sich, natürlich erfolglos, zu einer Art Märtyrer und wird danach nur noch grausamer ausgeschlossen. Die beiden jungen Menschen sind plötzlich miteinander verkettet. Der von allen Zurückgestoßene nützt sein Wissen von Olgas Abtreibungsversuch, um sie sich gefügig zu machen; er bietet sich indes auch als Vater für das uneheliche Kind an. Unter derartigen Voraussetzungen können die beiden nicht zusammenkommen. Sie behandeln einander nämlich fortgesetzt so, wie sie selbst zuvor behandelt wurden. Jeder Ansatz einer menschlichen Regung entartet somit zur Quälerei des anderen und ist zugleich immer Selbstquälerei. Das sadomasochistische Treiben ist identisch mit dem Mechanismus der allgemeinen Sozialbeziehungen. Zutreffend hat ihn die Autorin als „Höllenkreis" bezeichnet. Aus der Antiliebesgeschichte zwischen Olga und Roelle ersteht so unversehens ein trauriges Sinnbild der Kleinstadtdumpfheit mit ihren pubertären Nöten, der kirchenfrommen Sexualverklemmtheit, den religiösen Wahnvorstellungen, den Schuldgefühlen, den selbstbestätigenden Aggressionen. Die bange Frage Roelles: „Auf was für einer Erde bin ich?" wird von Olga brutal ernüchternd beantwortet: „Auf der deinigen; wo dein Nächster nichts darf wie verrecken." Wenig später steigert sie die Einsicht in dieses üble Zwangssystem für sich selbst zu der pathetisch herausgeschleuderten Klage: „Ach, daß wir in eine Welt der Gemeinheit fallen mit jedem Tag." Ohne den Umweg über die Reflexion leistet die Fleißer die kritische Durchleuchtung der sozialen Zustände.

Zwänge und Repression bestimmen auch die Vorgänge des Stückes ‚Pioniere in Ingolstadt'. Was sich hier zwischen Soldaten, Dienstmädchen und einheimischen Bürgern abspielt, läuft auf zwei Triebkräfte hinaus: Hunger nach dem Leben und Reaktionen von Männern unter Zwang. Ein knapper Dialogfetzen zwischen Korl, dem Pionier, und Berta, dem Dienstmädchen, faßt beides exakt zusammen. Er lautet: „[Berta:] Wir haben was ausgelassen, was wichtig ist. Die Liebe haben wir ausgelassen. – [Korl:] Eine Liebe muß keine dabei sein. – [Berta:] [...] Aber ich kann so nicht leben." Man sieht, die psychischen Deformationen werden aus den sozialen Bedingungen hergeleitet. Kleinstadthölle, männliche Kompensationen, enttäuschte weibliche Sehnsüchte und die Szenerien einer gründlich verstellten zwischenmenschlichen Kommunikation laufen zusammen zu einem entlarvenden Bild einer pervertierten, unfreien Gesellschaft.

Marieluise Fleißer hat ihre Dramen als episodisch-ausschnitthafte Bilderbögen angelegt. Von der einzelnen Szene her baut sich, dramaturgisch klar und leicht überschaubar, ein aus exemplarischen Ausschnitten zusammengesetztes Fresko heilloser Zustände auf. Mag die Handlung auch jedesmal in einer Kreisbewegung auslaufen; dem Zuschauer oder Leser eröffnet der innere Entwicklungsgang der Stücke eine allmählich sich herausbildende kritische Einsicht, denn die punktuellen Erfahrungseindrücke summieren sich zu einer spiralartig gesteigerten Übersicht, welche es ihm erlaubt, die gesellschaftlichen Bedingungen wie mit Röntgenaugen zu durchschauen. Die Methode dieser kritischen Genreszenen hat auf das 'neue' Volksstück der sechziger und siebziger Jahre in der Bundesrepublik Deutschland weitergewirkt (Martin Sperr, Franz Xaver Kroetz).

Demaskierung der Kleinbürger. Trotz ihrer in vielerlei Hinsicht vergleichbaren Thematik sind die Volksstücke *Ödön von Horváths* (1901–1938) wesentlich anders angelegt. Gegenüber dem spontanen Fleißerschen Zugriff mit seiner intuitiven Aneignung des Konkreten erscheinen Ansatz und Verfahren bei Horváth entschieden bewußter. Dort die aus direktem Angang erwachsende Fallstudie, hier eine ausgedehnte Feldanalyse, bei welcher die politischen, ökonomischen und historischen Hintergründe schärfer hervortreten. Horváth arbeitet mit distanzierterem Blick. Sein gezieltes Interesse gilt der Darstellung des Kleinbürgers. In der ‚Gebrauchsanweisung' (1932) begründete er das einläßlich wie folgt:

„Nun besteht aber Deutschland, wie alle übrigen europäischen Staaten zu neunzig Prozent aus vollendeten oder verhinderten Kleinbürgern, auf alle Fälle aus Kleinbürgern. Will ich also das Volk schildern, darf ich natürlich nicht nur die zehn Prozent schildern, sondern als treuer Chronist meiner Zeit die große Masse. Das ganze Deutschland muß es sein!
Es hat sich nun durch das Kleinbürgertum eine Zersetzung der eigentlichen Dialekte gebildet, nämlich durch den Bildungsjargon. Um einen heutigen Menschen realistisch schildern zu können, muß ich also den Bildungsjargon sprechen lassen. Der Bildungsjargon (und seine Ursachen) fordern aber natürlich zur Kritik heraus – und so entsteht der Dialog des neuen Volksstückes, und damit der Mensch, und damit erst die dramatische Handlung – eine Synthese aus Ernst und Ironie."

Die „Synthese aus Ernst und Ironie" konzentriert sich demnach primär auf den „Bildungsjargon". Gemeint ist eine entpersönlichte, geliehene Sprache. Bei ihrer Entstehung wirken der Zerfall der Persönlichkeit und das Bedürfnis zusammen, sich mit immer neuen Illusionen über die fatale eigene Existenz hinwegzulügen. In den Stücken wird so die sich in der Sprache durch Phrasen, Sprüche, Kitschklischees und abgegriffene Floskeln demaskierende Kleinbürgermentalität dingfest gemacht. Gleichgültig, ob Horváth die Blindheit und Schwäche der republikanischen Biedermänner angesichts der nationalsozialistischen Bedrohung anklagt (‚Italienische Nacht', 1930 entstanden), ob er die Krise der mittelständischen Familie mit ihren verlogenen Gefühlen, den autoritären Männern und den ausgebeuteten Frauen kritisch vorführt (,Geschichten aus dem Wiener Wald', 1931) oder die billigen Freuden eines Münchner Oktoberfestabends mit der Arbeitslosigkeit eines Chauffeurs und den Enttäuschungen seiner vom 'großen Glück' träumenden Braut konfrontiert (,Kasimir und Karoline', 1932) oder ob er schließlich eine junge Frau zeigt, die verzweifelt, aber vergeblich um einen Gewerbeschein bemüht ist, dabei jedoch stets von ihrer Vergangenheit eingeholt wird und daran zerbricht (,Glaube Liebe Hoffnung', 1932), – immer verweist er auf verstellte zwischenmenschliche Verhältnisse, aus denen Gewalt und Tod resultieren. Vor allem die Frauen werden zu Opfern der dargestellten Zustände.

Seiner aufklärerischen Zielsetzungen wegen kann Horváth durchaus mit Brecht verglichen werden. Freilich vertritt der Volksstückautor kein konkretes politisches Programm. Die Intention indes steht fest: Horváths Dramaturgie zielt direkt auf den Zuschauer. Auf ihn hin sind die Dialoge und Monologe der Stücke geöffnet. Mittels ihrer Form – den Sprechakten folgt unmittelbar eine als Bühnenanweisung im Text vermerkte „Stille" – bezieht sie das Publikum direkt ein. Um es paradox zu formulieren: Gerade die „Stille" in den Stücken Horváths spricht den Adressaten an. Das hat viel zu tun mit kritischer Distanz zum Bühnengeschehen, wenig hingegen mit Identifikation.

Wie das gemeint ist und praktisch zur Wirkung kommt, soll ein beliebig gewähltes Beispiel veranschaulichen. In ,Kasimir und Karoline' ergibt sich in der Szene, wo der Zeppelin die Oktoberfestwiese überfliegt, das folgende Stimmungsbild in Worten:

Rauch: Bravo Zeppelin! Bravo Eckener! Bravo!
Ein Ausrufer: Heil!
Speer: Majestätisch. Hipp hipp hurrah!
Pause.
Ein Liliputaner: Wenn man bedenkt, wie weit es wir Menschen schon gebracht haben – Er winkt mit seinem Taschentuch.
Pause.

Eine bündigere gesellschaftliche Analyse im Hinblick auf die Fortdauer von Strukturen der Kaiserzeit in der Weimarer Republik sowie auf die Existenz eines nationalen Kompensationsbedürfnisses ist kaum denkbar. Hinzu kommt überdies noch die bittere Ironie der Metapher vom Liliputaner: Der Zukurzgekommene grüßt den Fortschritt der Menschheit – nebenbei just in der Form, die sich in der Folgezeit sehr rasch als ein Fehlschlag entpuppte. Fragt man, was da vorgeht, wenn der Autor Horváth solche Szenen vorführt, kann die Antwort nur lauten: Er zeigt das Detail, in dem, wie man sagt, der Teufel steckt. Es sind die düsteren Bilder einer Gesellschaft im Vorfeld der nationalsozialistischen Diktatur.

3 Funktionswandel der Lyrik

Gottfried Benn: Das moderne Ich (Essays. 1920)
Schutt (1924)   Betäubung; Spaltung. Neue Gedichte (1925)
Gesammelte Gedichte (enthält fast sämtliche seit 1912 veröffentlichte
Gedichte. 1927)
Bertolt Brechts Taschenpostille (1926. Nachdruck 1927: Bertolt Brechts
Hauspostille. Mit Anleitungen, Gesangsnoten und einem Anhange)
Aus einem Lesebuch für Städtebewohner (1930)
Drei Soldaten (mit Zeichnungen von George Grosz. 1932)
Lieder, Gedichte Chöre (erste Veröffentlichung im Exil: Editions du Carrefour,
Paris 1934)
Erich Kästner: Herz auf Taille (1928)   Lärm im Spiegel (1929)
Ein Mann gibt Auskunft (1930)   Gesang zwischen den Stühlen (1932)
Walter Mehring: Das politische Cabaret (1920)   Ketzerbrevier (1921)
Die Gedichte, Lieder und Chansons (1929)   Arche Noah SOS (1931)
Kurt Pinthus (Hrsg.): Menschheitsdämmerung. Symphonie jüngster
Dichtung (1920)
Joachim Ringelnatz: Kuttel Daddeldu (1921)
Ernst Toller: Das Schwalbenbuch (1924)
Kurt Tucholsky: Fromme Gesänge (1919)   Träumereien an preußischen Kami-
nen (1920)   Mit 5 PS (1928)   Deutschland, Deutschland über alles (1929)
(Jetzt: Gesammelte Werke)

3.1 Lyrik nach dem Expressionismus

Die gesellschaftlichen Orientierungen der zwanziger Jahre gingen in eine völlig andere Richtung als die idealistischen Vorstellungen des Expressionismus. Einer vorwiegend durch materielle Interessen bestimmten Realität war mit der emphatisch beschworenen Eigenwelt des reinen Gefühls nicht mehr beizukommen. Schon gegen
Ende des Ersten Weltkrieges war deshalb ein starker Rückgang der pathetischen
Ausdruckslyrik zu beobachten; in der Nachkriegszeit setzte dann rasch deren gänzli-
che Auflösung ein. Die ekstatisch-hymnische Verkündigung einer „Menschheitsdämmerung" hielt den überdeutlich erkennbaren Deformationen des Lebens nicht
stand.
Auf die geballten Wortentladungen der Expressionisten folgen zwei einander diametral entgegenstehende Tendenzen in der Lyrik: einerseits die einer bemühten Traditi-
ons- und Formvergewisserung, andererseits die der Herausbildung eines neuen,
zeitbewußten Gedichttypus. Für beide Richtungen läßt sich eine breite Gestaltungs-
skala aufweisen. Sie reicht im einen Fall von den Fortwirkungen der transzendieren-
den Formkunst Hugo von Hofmannsthals (gestorben 1929), Stefan Georges (gestorben 1933) und Rainer Maria Rilkes (gestorben 1926) bis zur schlicht konservativ-re-
aktionären Idyllik (Rudolf Binding, Rudolf Borchardt, Hans Carossa, Agnes Miegel,
Rudolf Alexander Schröder, Hermann Stehr, Josef Weinheber u. a.). Das zweite
Spektrum ist eher noch weiter gefaßt zu sehen. Den gemeinsamen Nenner finden wir
hier in einer prinzipiellen Realitätskritik. Davon sind dann sehr unterschiedliche
Ausprägungen herzuleiten. Neben zynisch-nihilistischer Skepsis steht da die optimistische Erwartung einer Weltrevolution, neben hohem Formbewußtsein die platte
Agitationspropaganda in Versen. Während sich jedoch die konservativen und die re-

volutionären Gesinnungspoeten in der Wiederholung herkömmlicher Formmuster erschöpften, gelang es Lyrikern wie Gottfried Benn und Bertolt Brecht, neue Lösungen zu finden, weil sie sich der gesellschaftlichen Lage stellten. Dabei kam es zu einer aufschlußreichen Funktionsveränderung des Gedichts. Sie ging einher mit neuer Thematik, neuer Sprache und neuer Form. Zwei Pole kristallisierten sich dabei heraus: eine extrem monologische und eine ebenso extrem kommunikative Lyrik.

3.2 Die Ich-Monologe Gottfried Benns

Ansprüchen der Öffentlichkeit wollte Gottfried Benn (1886–1956) nicht folgen. Sein Dichten verstand er als die schöpferische Komponente seines von Friedrich Nietzsche hergeleiteten Nihilismus. Im Künstler sah er den durch Formung zu seinem Wesen gelangenden Menschen. Daraus erwuchs eine monologisch-reflektierende Art des Gedichts mit dem lyrischen Ich als ausschließlichem Zentrum. Fortschrittsskepsis und Zivilisationshaß bestimmten sein tragisch grundiertes Bild vom Menschen. Deswegen der zynische Aufschrei, die bittere Trauer, die resignative Wut seines Reagierens (z. B. ‚Annonce‘, ‚Der Sänger‘, ‚Osterinsel‘, ‚Banane‘). Aus dem eigenen Untergangsbewußtsein heraus begründete er die sinnstiftende Funktion der Kunst („formfordernde Gewalt des Nichts"). Es ist der Weg schmerzlicher Selbsterfahrung zwischen Leben und Kunst, zwischen Geschichte und Mythos, zwischen Wirklichkeit und Traum, zwischen exzessiver Vitalität und strenger Geistigkeit, ein Weg der Widersprüche. ‚Doppelleben‘ nannte er später diesen gespaltenen Existenzvollzug.

Die extreme Ich-Zentrierung führt dazu, daß lediglich Realitätssplitter, ein fragmentarisch montiertes Wirklichkeitsgerüst, Eingang in das Gedicht finden. Benn bezeichnete seine Schreibweise als „halluzinatorisch-konstruktiven Stil" und meinte damit die für seine Gedichte in den zwanziger Jahren charakteristische Mischung rauschhaft aneinandergereihter Bild- und Wortketten seiner Phantasiewelt mit der analytischen Distanzhaltung seiner intellektuellen Erfahrung.

Benns Radikalität zielt auf die Grundsituation des der Gewalt historischen Geschehens unterworfenen Menschen. Für geistige Produktion bleibt unter solchen Voraussetzungen nur die bewußte Gegenläufigkeit. Alltag und Geschichte werden damit zwangsläufig zum Gegenstand scharfer (und häufig auch satirischer) Kritik. Beispielhaft hierfür ist das 1927 entstandene Gedicht ‚Qui sait‘ (‚Wer weiß?‘):

Qui sait

Aber der Mensch wird trauern –
solange Gott, falls es das gibt,
immer neue Schauern
von Gehirnen schiebt
von den Hellesponten
zum Hobokenquai,
immer neue Fronten –
wozu, qui sait?

Spurii: die Gesäten
war einst der Männer Los,
Frauen streiften und mähten
den Samen in ihren Schoß;
dann eine Insel voll Tauben
und Werften: Schiffe fürs Meer,
und so begann der Glauben
an Handel und Verkehr.

Aber der Mensch wird trauern –
Masse, muskelstark,
Cowboy und Zentauern,
Nurmi als Jeanne d'Arc –:
Stadionsakrale
mit Khasanaspray,
Züchtungspastorale,
wozu, qui sait?

Aber der Mensch wird trauern –
kosmopoler Chic
neue Tempelmauern
Kraftwerk Pazifik:
die Meere ausgeweidet,
Kalorien-Avalun:
Meer, das wärmt, Meer, das kleidet –
neue Mythe des Neptun.

Bis nach tausend Jahren	mit Orang-Utanhauern
einbricht in das Wrack	oder Kaiser Henry Clay –
Geißlerscharen,	wer wird das überdauern,
zementiertes Pack	welch Pack – qui sait?

Was zunächst nach 'Bildungsdichtung' aussieht, ist in Wahrheit eine faszinierende Montage ironisch-skeptischer und schmerzlich-elegischer Reflexionen angesichts der verzweiflungsvoll erfahrenen Lebens- und Geschichtsproblematik. Die schroff herausgestellte Leitformel: „Aber der Mensch wird trauern –", und die antwortlos bleibende Sinnfrage („qui sait") umreißen den inhaltlichen Kern des Gedichts. In der ersten Strophe wird – verstärkt durch den blasphemischen Verweis auf den Schöpfer-Gott – der gesamte historische Prozeß in seiner Sinnhaftigkeit relativiert („von den Hellesponten/ zum Hobokenquai"). Dementsprechend beschreibt die zweite Strophe, wie in der historischen Retrospektive eigentlich nur die rein materiellen Wachstumsbefunde im biologischen und im ökonomischen Bereich zur Durchsetzung kommen. In den drei sich anschließenden Strophen wird dann, vor dem Hintergrund von Leitformel und ad absurdum geführter Sinnfrage, der Geschichtszusammenhang rücksichtslos entmythologisiert und insofern seiner angemaßten Bedeutung beraubt. Besonders die „neuen Mythen" – nominal angehäuft erscheinen kennzeichnende Fehlentwicklungen unserer modernen technisierten Welt – unterzieht Benn unnachsichtiger Kritik. Seine Bilanz der menschlichen Geschichte läßt keine Hoffnung. Geistig-schöpferische Gegenentwürfe bleiben reduziert auf punktuelle Aktionen – beispielsweise im Gedicht.

Nicht durchweg freilich ist Benn so bitter. In der Grenzsituation des Sterbens läßt er ab von aggressiv-zynischer Kommentierung und sublimiert den Tod durch den Hinweis auf zentrale und infolgedessen haltbare Momente der Lebenserfahrung. So etwa in den 1929 niedergeschriebenen Versen, die später Paul Hindemith vertonte:

Du mußt dir alles geben,	gib dich in seinen Bann,
Götter geben dir nicht,	höre die letzten Laute
gib dir das leise Verschweben	schweigend an.
unter Rosen und Licht,	(Aus: ,Du mußt dir alles geben'.)
was je an Himmeln blaute,	

Nichts mehr vom Hohn auf die Banalität der 'großen, weiten Welt'. Hier spricht einer, der an einer unbegriffenen Wirklichkeit leidet und dabei verzweifelt versucht, der menschlichen Existenz eine Spur von Sinn zu geben. Um diesen Anspruch durchzusetzen, verteidigt Benn die Autonomie der Kunst.

3.3 Die 'Gebrauchslyrik' Bertolt Brechts

Als Preisrichter in einem 1927 veranstalteten Lyrikwettbewerb der ,Literarischen Welt' gab Bertolt Brecht (1898–1956) eine seither viel zitierte Stellungnahme ab. Sein ,Kurzer Bericht über 400 (vierhundert) junge Lyriker' gipfelt in dem lapidaren Satz: „Und gerade Lyrik muß zweifellos etwas sein, was man ohne weiteres auf den Gebrauchswert untersuchen können muß." Ausführlich begründet er seine Einstellung und betont dabei insbesondere:

„Nun weiß ich, daß ein ganzer Haufen sehr gerühmter Lyrik keine Rücksicht darauf nimmt, ob man ihn brauchen kann. Die letzte Epoche des Im- und Expressionismus [...] stellte Gedichte her, deren Inhalt aus hübschen Bildern und aromatischen Wörtern bestand. Es gibt darunter gewisse Glückstreffer, Dinge, die man weder singen noch jemand zur Stärkung überreichen kann und die doch etwas sind. Aber von einigen solcher Ausnahmen abgesehen, werden solche 'rein' lyrischen Produkte überschätzt. Sie entfernen sich einfach zu weit von der ursprünglichen Geste der Mitteilung eines Gedankens oder einer auch für Fremde vorteilhaften Empfindung. Alle großen Gedichte haben den Wert von Dokumenten."

So war es nur konsequent, daß Brechts im selben Jahr veröffentlichte Gedichtsammlung, ‚Die Hauspostille‘, im Vorspann ausdrücklich „für den Gebrauch der Leser bestimmt" wird. Die „Gebrauchs"-Konzeption bedeutet ein neues ästhetisches Programm. Statt das „Publikum in beglücktes Schauen zu versetzen", hebt Brecht auf den „Nützlichkeitsstandpunkt" des Gedichts ab und fordert somit eine kommunikative, aktivierende Lyrik: Zeitgedichte mit öffentlichem Gebrauchswert.

Brecht vollzieht den Schritt zur Funktionalisierung und Politisierung der Kunst. Im Unterschied zur Agitationspropaganda hält er jedoch an den Prinzipien der Ästhetik fest. Nicht etwa seine politische Einstellung, sondern einzig und allein der von ihm vertretene Kunstanspruch hinderte ihn daran, dem ‚Bund Proletarisch-Revolutionärer Schriftsteller‘ (‚BPRS‘) beizutreten. Die von Brecht entwickelte lyrische Zeigehaltung gibt den Gedichten einen direkt oder indirekt herbeigeführten didaktischen Effekt. Darum dominieren lyrische Formen wie Ballade, Bänkelsang, Chor, Moritat und hauptsächlich der ‘Song’.

In seinen Anfängen stand Brecht der Position Benns keineswegs fern. Seine Antibürgerlichkeit machte ihn nämlich zunächst zum radikal desillusionierten Zyniker und Nihilisten, der über keine Alternative verfügt. Das früh entstandene Gedicht ‚Der Nachgeborene‘ ist typisch für diese Ausgangsposition. Die beiden kurzen Strophen lauten so:

> Ich gestehe es: ich
> Habe keine Hoffnung.
> Die Blinden reden von einem Ausweg. Ich
> Sehe.
>
> Wenn die Irrtümer verbraucht sind
> Sitzt als letzter Gesellschafter
> Uns das Nichts gegenüber.

Mithin war es dem Autor anfangs darum zu tun, konkrete Erlebnisse ins Allgemeine auszuweiten. Das änderte sich indes ziemlich rasch und gründlich. Die Widersprüchlichkeit der herrschenden Verhältnisse wurde zu Brechts Zentralthema. Ein Beispiel dafür ist das 1919 in einer ersten Fassung geschriebene und Anfang der dreißiger Jahre überarbeitete Gedicht ‚O Falladah, die du hangest!‘ Ein totes Pferd spricht über sein betrübliches Ende (Ausgangspunkt hierfür: der Kopf des sprechenden Pferdes der Königstochter und -braut Falada im Märchen ‚Die Gänsemagd‘); nicht um geschehenes Unrecht wiedergutzumachen – wie im Märchen der Brüder Grimm –, sondern um über den desolaten Zustand der Gesellschaft zu berichten, genauer: über die menschliche Kälte unter dem Druck der Not:

> *O Falladah, die du hangest!*
> Ich zog meine Fuhre trotz meiner Schwäche
> Ich kam bis zur Frankfurter Allee.
> Dort denke ich noch: O je!
> Diese Schwäche! Wenn ich mich gehenlasse
> Kann’s mir passieren, daß ich zusammenbreche.
> Zehn Minuten später lagen nur noch meine Knochen auf der Straße.
>
> Kaum war ich da nämlich zusammengebrochen
> (Der Kutscher lief zum Telefon)
> Da stürzten sich aus den Häusern schon
> Hungrige Menschen, um ein Pfund Fleisch zu erben
> Rissen mit Messern mir das Fleisch von den Knochen
> Und ich lebte überhaupt noch und war gar nicht fertig mit dem Sterben.

Aber die kannte ich doch von früher, die Leute!
Die brachten mir Säcke gegen die Fliegen doch
Schenkten mir altes Brot und ermahnten noch
Meinen Kutscher, sanft mit mir umzugehen.
Einst mir so freundlich und mir so feindlich heute!
Plötzlich waren sie wie ausgewechselt! Ach, was war mit ihnen geschehen?

Da fragte ich mich: Was für eine Kälte
Muß über die Leute gekommen sein!
Wer schlägt da so auf sie ein
Daß sie jetzt so durch und durch erkaltet?
So helfet ihnen doch! Und tut es in Bälde!
Sonst passiert euch etwas, was ihr nicht für möglich haltet!

Die verstellten zwischenmenschlichen Beziehungen sind auch Thema des seit 1926 entstehenden ‚Lesebuchs für Städtebewohner‘. Dort heißt es in einer Strophe:

Meine nächsten Anverwandten
Schauen mir fremd ins Gesicht
Die Frau, mit der ich sieben Jahre schlief
Grüßt mich höflich im Hausflur und
Geht lächelnd
Vorbei.

Brecht berichtet demnach von der Entfremdung zwischen den Städtebewohnern, von der modernen Massengesellschaft, in welcher der einzelne untergeht, weil unkenntliche, anonyme, gesichtslose Rollenexistenzen die Szenerie bestimmen. Verständlicherweise war Brecht daran gelegen, sich nicht auf negatives Bilanzieren zu beschränken, sondern auch positive Perspektiven zu vermitteln. Seine Beschäftigung mit dem dialektischen Materialismus von Karl Marx (1818–1883) brachte ihn dazu, „eingreifendes Denken" zum Hauptziel seiner literarischen Arbeit zu machen. Für die Lyrik bedeutet das die Entscheidung für die spröde, ‘unkulinarische’ Form des Denk- und Lehrgedichts. Ein Beispiel dieser argumentativen Spruchlyrik ist der zu Beginn der dreißiger Jahre entstandene Text ‚Lob der Dialektik‘ (er gehört in den Produktionszusammenhang des nach Gorkis Roman ‚Die Mutter‘ entstandenen gleichnamigen Lehrstücks):

Das Unrecht geht heute einher mit sicherem Schritt.
Die Unterdrücker richten sich ein auf zehntausend Jahre.
Die Gewalt versichert: So, wie es ist, bleibt es.
Keine Stimme ertönt außer der Stimme der Herrschenden
Und auf den Märkten sagt die Ausbeutung laut: Jetzt beginne ich erst.
Aber von den Unterdrückten sagen viele jetzt:
Was wir wollen, geht niemals.

Wer noch lebt, sage nicht: niemals!
Das Sichere ist nicht sicher.
So, wie es ist, bleibt es nicht.
Wenn die Herrschenden gesprochen haben
Werden die Beherrschten sprechen.
Wer wagt zu sagen: niemals?
An wem liegt es, wenn die Unterdrückung bleibt? An uns.
An wem liegt es, wenn sie zerbrochen wird? Ebenfalls an uns.
Wer niedergeschlagen wird, der erhebe sich!
Wer verloren ist, kämpfe!
Wer seine Lage erkannt hat, wie soll der aufzuhalten sein?
Denn die Besiegten von heute sind die Sieger von morgen
Und aus Niemals wird: Heute noch!

Auf die Beschreibung der sozialen Ungerechtigkeit und Ausbeutung (V. 1–7) folgt eine Reihung rhetorischer Fragen und Imperative als eine Art antithetischer Unterweisung über das Thema notwendiger Veränderung (V. 8–20). Die beiden Schlußverse sind dabei so angelegt, daß sie den zu leistenden Schritt einer dialektischen Aufhebung des Bestehenden einleiten. Das Gedicht führt gleichsam bis zur Schwelle der Veränderung. Der Rest ist Aufgabe der gesellschaftlichen Praxis. Unverkennbar zielt die dialektische Bewegung des Textes auf politische Aktivierung. Brechts Gebrauchslyrik mündet in politischer Agitation. Das historische Objekt („die Beherrschten") soll zum historischen Subjekt werden. Damit stellt Brecht das überkommene Geschichtsbild in Frage.

Nichts anderes war gemeint mit der Forderung des „Nützlichkeitsstandpunkts" für die Lyrik. Die Kategorie der „Brauchbarkeit" bemißt sich in seiner Sicht nach dem Kriterium allgemeiner menschlicher Produktivität. Dennoch hat Brecht später – 1938 – diese völlig versachlichte, kampfbetonte Position durch den Hinweis relativiert: „Man muß die Zeit bedenken, in der ich schrieb." Freilich ging er dabei von Erwartungen aus, von deren Erfüllung auch wir heute noch weit entfernt sind: vom 'Reich der Freiheit', wie es Karl Marx vorschwebte. Tatsächlich hat die „Gebrauchslyrik" Brechts dem Zeitgedicht neue Dimensionen erschlossen. Die „finsteren Zeiten", in denen er leben mußte, forderten jedenfalls diese politische Lyrik geradezu heraus. Ihre hauptsächlichen Themen waren der Klassenkampf (‚Drei Paragraphen der Weimarer Verfassung') und die Auseinandersetzung mit dem heraufkommenden Nationalsozialismus (‚Das Lied vom SA-Mann', ‚Deutschland 1933', ‚Hitler-Choräle', ‚Die Ballade vom Baum und den Ästen').

3.4 Von der Buchlyrik zur Lyrik des Kabaretts

Der allgemeine Umschmelzungs- und Modernisierungsprozeß der Literatur verändert, wie gesagt, die Formen und Inhalte der Lyrik. Sie bricht mit dem Autonomieanspruch und dem individualistischen Charakter des Kunstwerks. Wenn Brecht im Jahre 1927 als Preisrichter in einem LyrikWettbewerb (s. Seite 452f.) die „Geste der Mitteilung eines Gedankens" und den „Wert von Dokumenten" zum Maßstab von Lyrik erklärt und hernach einem Radsportgedicht von Hannes Küpper (‚He! He! The Iron Man') den Preis zuspricht, so ist die Tendenz des Wandels angezeigt.

Mit dem zunehmenden Öffentlichkeitscharakter der Lyrik werden Gedichte auch stärker als zuvor der allgemeinen literarischen und gesellschaftlichen Praxis nutzbar gemacht. Nicht wenige der Gedichte Brechts sind auf Singbarkeit angelegt. Komponisten wie Kurt Weill (1900–1950) und Hanns Eisler (1898–1962) wählten seine Verse mit Vorliebe für ihre Vertonungen. Songs wurden zu festen Bestandteilen der epischen Dramen und Lehrstücke Brechts wie dann seines Films (‚Kuhle Wampe', 1931). Ebenso war ihm an festen Verbindungen der Lyrik zu den Schwesterkünsten gelegen (kommentierende Gedichte zu Bildern und Fotos, Gedichte als Hausinschriften). Überraschenderweise ließ sogar Gottfried Benn seinen 1924 veröffentlichten Gedichtzyklus ‚Schutt' in der Form eines Flugblatts drucken.

Die Veränderung der Lyrik gewinnt ihre Impulse nicht zuletzt aus der fruchtbaren Beziehung zwischen Lyrik und Kabarett. Denn die Annäherung ans Kabarett und an alle ihm verwandten Formen (Chanson, Song, Couplet, Moritat, Formen der Revue) eröffnet der Lyrik neue Möglichkeiten, die dem epochentypischen Umbruch und dem Funktionswandel der Literatur entsprechen. Allerdings wird hier nicht radikal Neues ins Werk gesetzt. Es hat vielmehr vorher schon gelegentlich ein enges Verhältnis zwischen Lyrik und Kabarett gegeben, unter anderen bei Frank Wedekind. Jetzt wird diese Tradition jedoch ausgebaut.

Zu den wichtigen Veränderungen und Neuerungen, die im Verhältnis zwischen Lyrik und Kabarett liegen, gehören die Öffentlichkeit des Gedichts und der unmittelbare

Kontakt mit dem Publikum. Sie prägen auch die Struktur der Kabarettgedichte, die in vielen Fällen für bedeutende Diseusen wie Trude Hesterberg, Rosa Valetti, Gussy Holl und Kate Kühl geschrieben wurden. Die mannigfachen Formen der 'Mitteilung' und des Vortrags brechen das Monologische des Gedichts auf. So wird die Lyrik auch in ihren Schreibweisen ungemein vielfältig und nuancenreich. Sie vermag – von Jazzrhythmen bis zum parodistischen Zitat – alle möglichen Elemente in sich aufzunehmen.

Es ist keine Frage, daß sich von daher gleichfalls die Inhalte wandeln. Der Gegensatz zwischen 'poésie pure' und 'poésie engagée' ist in der Szenerie der Kabarettlyrik überhaupt kein Problem. Das Gedicht des Kabaretts hat eine öffentliche politische und gesellschaftliche Funktion. Sie kommt in seinem kritischen Gestus und in der Haltung des Protests zum Ausdruck.

Sie können allerdings auf unterschiedliche Weise wirksam werden: vom antibürgerlichen Impetus bis zur gezielten und offenen politischen Agitation.

Berlin ist die Hauptstadt der damaligen Kabarettkunst. Unter anderen Berliner Kleinkunstbühnen ragt das Kabarett ‚Schall und Rauch‘ heraus, wo Walter Mehring 1919 die Eröffnungs-Conférence hält: Er fordert eine neue Lyrik, eben Vortragslyrik, die sich „aller politischen Dialektik" fähig zeigt: „des Rot- und Kauderwelsch – des Küchenlateins; des Diplomatenargots; des Zuhälter- und Nuttenjargons, dessen die Literatur sich – fallweise – bedienen muß, um nicht an lyrischer Blutarmut auszusterben". Von den Schriftstellern, die damals fürs Kabarett schrieben oder von den Ausdrucksmöglichkeiten des Kabaretts Gebrauch machten, sind vor allem zu nennen: Walter Mehring, Joachim Ringelnatz, Erich Kästner, Kurt Tucholsky, Klabund. Auch Brechts ‚Hauspostille‘ enthält Gedichte, die den gestischen Reichtum der Kabarettlyrik nutzen.

Ein hervorragendes Beispiel für die gestische Weite und Vielfalt der Kabarettlyrik wie die „virtuose Beherrschung einer neuen Form" (Tucholsky) sind die im ‚Politischen Cabaret‘ (1920) und im ‚Ketzerbrevier‘ (1921) gesammelten Lieder und Chansons von *Walter Mehring*. ‚Das Ketzerbrevier‘ zeigt, wie Mehring mit formaler Raffinesse und Sicherheit über die literarische Parodie und die verschiedensten Ausdrucksmittel verfügt: von der Litanei aus der Barockzeit, von Vagantenliedern, Legenden und Balladen bis hin zu Dada-Formen und dem neuen „internationalen Sprachkunstwerk, dem Sprachen-Ragtime" (Mehring). So enthält die Sammlung auch die von Mehring entwickelten Tempo-Gedichte, die von dem Schauspieler Paul Graetz in rasanter rhythmischer Gestaltung vorgetragen und aufgeführt werden. Mit der ihm gewidmeten ‚Jazz-Band‘ steppt er in Sprechsynkopen über die Bühne. Überhaupt ist bemerkenswert, daß Mehring viele seiner Chansons so abgefaßt hat, daß die Eigenarten bestimmter Sänger und Schauspieler zur Wirkung kommen können. Schärfe und Treffsicherheit der Zeitkritik werden vor allem in den ‚Politischen Satiren‘ aus Mehrings ‚Politischem Cabaret‘ deutlich. Den größten Publikumserfolg erringt Mehring mit den ‚Berliner Chansons und Sittengedichten‘, ebenfalls im ‚Politischen Cabaret‘ gesammelt, die von Blandine Ebinger, Ann Hausinger und Gussy Holl gesungen werden. Die Musik stammt von Friedrich Hollaender, der viele Chansons der zwanziger Jahre vertont hat.

‚Berlin – Simultan‘, eins der Berliner Chansons und Sittengedichte, zeigt beispielhaft Mehrings virtuose Beherrschung der neuen Form:

1.
Im Autodress ein selfmade-gent –
Passage frei! Der Präsident!
Die Heilsarmee
Stürmt das Café!
Ein Geistprolet verreckt im Dreck!
Ein Girl winkt mit dem Schottenband!

Ein Kerl feilscht am Kokottenstand –
Her mit dem Scheck!
Schiebung mit Speck!
Komm, süsse Puppe!
Is' alles Schnuppe:
ob Keilerei –
Jeknutsch!

Rrrutsch mir
      den Puckel lang!
      Puckel lang!
Oh! Berolina!
Kutsch auf dem Schuckelstrang

2.
Das Volk steht auf! Die Fahnen raus!
– bis früh um fünfe, kleine Maus!
Im UFA-Film:
„Hoch, Kaiser Wil'm!"
Die Reaktion flaggt schon am DOM
Mit Hakenkreuz und Blaukreuzgas –
Monokel contra Hakennas' –
Auf zum Pogrom
Beim Hippodrom!
   Is' alles Scheibe!

Elektrische, hektische
„Grosse Berliner"!
Bei „Mutter Jrün"
   is' jeder mang! darf jeder Mang!
   kann jeder mang!

Bleibt mir vom Leibe
Mit Wahlgeschrei
und Putsch!
Eins! zwei! drei!
Rrrutsch mir den Puckel lang Puckel lang!
Oh, Berolina!
Immer die „Linden" lang!
   Protzige, klotzige
   Nachkriegsverdiener!
Die „Roten" und die „Jrün'n"
Berlin zieht blank! Berlin zieht blank!
      Berlin zieht blank! [...]

Ein anderes typisches Zeugnis ist die autobiographisch geprägte Rollenlyrik von *Joachim Ringelnatz:* die Seemannslieder von ‚Kuttel Daddeldu' (1921). Kuttel ist ein anarchischer, vagabundierender Außenseiter und Säufer, der die verkommenen gesellschaftlichen Zustände und bürgerlichen Situationen mit trunken scharfem Blick von unten sieht und der Lächerlichkeit preisgibt. Seine Lieder erinnern an die Vagantenlyrik des François Villon, der ohnehin von vielen der damaligen Kabarettlyriker als Ahnherr zitiert wird.

4 Die großen Romane der zwanziger Jahre

> *International bedeutsame Wegbereiter des modernen Romans:*
> **Gustave Flaubert:** Madame Bovary (1856)   L'Education Sentimentale (1869)
> La Tentation de Saint-Antoine (1874)
> Bouvard et Pécuchet (mit Anhang: Dictionnaire des Idées reçues. 1874ff.)
> **James Joyce:** Ulysses (1922)
> **Franz Kafka:** Der Verschollene/ Amerika (1911–14; veröffentlicht 1927)
> Der Prozeß (1911–14; veröffentlicht 1925)
> Das Schloß (1922; veröffentlicht 1926)
> **Marcel Proust:** A la Recherche du Temps perdu (1913ff.)
> **Rainer Maria Rilke:** Die Aufzeichnungen des Malte Laurids Brigge (1904–10)

4.1 Durchsetzung des modernen Romans

Die Überzeugungskraft des bürgerlich-realistischen Romans kam dadurch zustande, daß der Autor seinen Fiktionen den Anschein von Tatsachen gab. Unschwer konnte die fiktive Romanwelt als Nachahmung der Wirklichkeit verstanden werden. Kennzeichen der Kreativität des Schriftstellers war dabei jene „rätselvolle Modelung", in welcher Theodor Fontane die Quintessenz des von ihm geforderten „verklärten Realismus" sah. Die propagierte Verklärung sollte das Bild der Wirklichkeit ergänzen und vervollständigen, gleichsam um eine vertiefende Dimension bereichern, die Fontane als das „Erklärende und Versöhnende" bezeichnete. Diese Konzeption wurde unter dem Druck der vielfältigen Veränderungen im sozialen, politischen und ökonomischen Bereich seit dem Ende des 19. Jahrhunderts unhaltbar.

Die seitdem eintretenden Wandlungen hatten nicht nur eine fundamentale Weltanschauungskrise, sondern prinzipiell neue Erfahrungen im Gefolge. Aus dem zunehmenden Rückgang des Individuellen in der arbeitsteiligen Massen- und Konsumgesellschaft sowie aus dem offenkundigen Wertezerfall einer fortgesetzt sich differenzierenden technisierten Welt entsteht für den modernen Menschen ein entfremdetes Bewußtsein, das ihn in seiner Substanz angreifbar macht. Will er der komplizierten Realitätszusammenhänge Herr werden, kann er sich nicht mehr an bloß nachahmende, 'mimetische' Muster halten. Er braucht neue Arten des Wahrnehmens. Das gewandelte Erkenntnissystem bedingt den Abbau der Erzählkonvention. An die Stelle der Nachahmung ('Mimesis') tritt die Reflexion. Für das Erzählprogramm hat das tiefgreifende Folgen, wie die folgende Gegenüberstellung zeigt:

Strukturelemente des herkömmlichen und des modernen Romans

(Ab-)Bild der Wirklichkeit	Strukturen der Wirklichkeit
stringent entwickelte Handlung	Reduktion, teilweise Aufhebung der Handlung
klar umrissene Charaktere, biographische Abläufe	Zerfall des Personalen, Rollenproblematik
äußeres Geschehen und Verständigung durch Dialog	innerer Monolog, Verständigungsprobleme
Raum-Zeit-Einheit, Kontinuität	Wirklichkeitsmodelle, Bewußtseinsinhalte, Simultaneität
exemplarischer Ausschnitt der Realität	Verdinglichung, Entfremdung: Selbständigkeit
wird als Ganzes verstanden: Totalität	der Ausschnitte, mehrperspektivisches Erzählen
psychologisches Erzählen	Montage und Verfremdung
auf Identifikation angelegt	auf Reflexion angelegt
Wirklichkeitsillusion	Wirklichkeitsanalyse

Die rechte Spalte macht deutlich, wie andere Denk- und Erfahrungformen andere Bewußtseinsformen und damit zugleich andere Kommunikationsformen (also auch Kunstformen) nach sich ziehen. Selbstverständlich müssen die tabellarischen Bestimmungen als tendenzielle und insofern verallgemeinerte Angaben verstanden werden. Sie beschreiben ein generelles Entwicklungsbild, dessen Elemente naturgemäß für die im folgenden behandelten Romane nicht in vollem Umfang zutreffen.

Die neue Form der Gestaltung hat sich – nach ersten Ausprägungen bei Rilke (,Die Aufzeichnungen des Malte Laurids Brigge', 1904ff.) und Kafka – auf breiter Grundlage im Verlauf der zwanziger Jahre, vor allem seit 1924, durchgesetzt. Überraschend ist, daß dabei der 'große' Roman – trotz der radikalen Veränderung der Erzählstrukturen – zu neuer Blüte kommt. Wenn damals immer wieder von einer 'Krise des Romans' gesprochen wird, entspricht das in keiner Weise der Realität.

4.2 Individuelle Entwicklung als Epochen- und Generationsbilanz

Die repräsentativen Romane der zwanziger Jahre sind nicht nur Beispiele für das neue Erzählverfahren, sondern auch zugleich Werke einer differenzierten Epochen- und Generationsbilanz. Die von den Schriftstellern vorgenommenen Wirklichkeitsanalysen bleiben selbstverständlich an die Romanfiguren gebunden. Nur stellen die Romane die dort beschriebenen 'Individualprozesse' nunmehr in den zugehörigen Bedingungsrahmen.

Bereits in den späten Romanen Theodor Fontanes (‚Effi Briest‘, ‚Der Stechlin‘) ist zu beobachten, wie dort der Erzählvorgang sich in Elemente aufsplittert, die deutlich in die Richtung eines mehrperspektivischen Erzählens gehen. Weitere Stationen sind Arthur Schnitzlers Einführung des inneren Monologs (‚Lieutenant Gustl‘, 1900), Heinrich Manns Verwendung der Satire als Grundlage einer Kommentarebene im Erzähltext (‚Der Untertan‘, 1914/18), Thomas Manns distanzierende Ironie (‚Buddenbrooks‘, 1901), nicht zuletzt Rilkes Auflösung der epischen Fiktion einer geschlossenen Wirklichkeit in den ‚Aufzeichnungen des Malte Laurids Brigge‘ (1904–10). Vor allem aber wird das Werk Franz Kafkas mit seiner konsequent einsinnigen Perspektive („Darstellung meines traumhaften inneren Lebens") zur herausragenden 'Chiffre des Jahrhunderts'. Ohne direkte Bezüge zur Zeitsituation herzustellen, verstehen die Romanautoren ihre Arbeit als Abrechnung mit ihrer Zeit. Die beschriebenen Privatexistenzen spiegeln die konkreten historischen Abläufe und werden dadurch zur Epochen- und Generationsbilanz.

4.2.1 „Zeitroman in doppeltem Sinn": Thomas Mann ‚Der Zauberberg‘

Thomas Mann: Von deutscher Republik (Rede. 1922)
Der Zauberberg (Roman. 1924)
Die geistigen Tendenzen des heutigen Deutschlands (Vortrag. 1926)

Weitere Werke: Bekenntnisse des Hochstaplers Felix Krull. Buch der Kindheit (Roman; 1. Fassung 1922)   Beginn der Arbeit an den Joseph-Romanen (1926. 1933 bis 1943 erschienen)   Unordnung und frühes Leid (Erzählung. 1926) Mario und der Zauberer (Erzählung. 1930)
Die geistige Situation des Schriftstellers in unserer Zeit (Rede. 1930)
Deutsche Ansprache (Rede. 1930)

Ursprünglich gedacht als ein satyrspielhaftes Gegenstück zu der tragischen Novelle ‚Der Tod in Venedig‘ (1911), war das 'Zauberberg'-Thema von der „einspinnenden Kraft" der „Krankenwelt" zunächst nur als ironische Abrechnung mit einem dem wirklichen Leben entgegenstehenden „Lebens-Ersatz" angelegt. In mehr als zehnjähriger Arbeit entwickelte Thomas Mann aus diesem die vorausgegangene Bürger-Künstler-Problematik hinter sich lassenden Motiv einen zweibändigen „Zeitroman in doppeltem Sinn: einmal historisch, indem er das innere Bild einer Epoche, der europäischen Vorkriegszeit, zu entwerfen versucht, dann aber, weil die reine Zeit selbst sein Gegenstand ist" (Thomas Mann).

Variation des Bildungsromans. Die Fabel des Romans läßt deutlich erkennen, daß ihm eine novellistische „unerhörte Begebenheit" zugrunde liegt. „Ein einfacher junger Mensch reiste im Hochsommer von Hamburg, seiner Vaterstadt, nach Davos-Platz im Graubündischen. Er fuhr auf Besuch für drei Wochen." So beginnt der Roman. Erzählt wird die Geschichte des sieben Jahre währenden Aufenthalts von Hans Castorp – so der Name des jungen Mannes – im Lungensanatorium Berghof zu Davos. Die immer wieder verzögerte Abreise – Hans Castorps Lunge zeigt einen Befund – wird letztlich durch den Ausbruch des Ersten Weltkriegs erzwungen, der eine neue Epoche heraufführt. Und es ist die Fülle der während den sieben Jahren gemachten Erfahrungen, Verstörungen und Verführungen, die das Leben Hans Castorps in der Gegenwelt des Berghofs tiefgreifend verändert. Entscheidend sind die Begegnungen und Auseinandersetzungen mit den anderen Menschen im Sanatorium; so etwa die Weltanschauungsgespräche mit Settembrini, einem italienischen Literaten, der die Ideen der bürgerlichen Aufklärung vertritt, und Naphta, dem ideologischen Gegner Settembrinis. Beide versuchen, Hans Castorp für ihre Ideen zu gewinnen. Hier zeigt sich deutlich eine Grundkonstellation des Bildungsromans. Zu den Personen, die unter anderen für Hans Castorp wichtig werden, gehören die Russin Chauchat, die Castorp leidenschaftlich zu lieben beginnt, und deren Begleiter, der reiche Kaufmann Mynheer Peeperkorn. Die am Ende erzwungene Abreise Castorps ist der Aufbruch ins Ungewisse, der Aufbruch in den möglichen Untergang. Dies bleibt offen.

Im Sanatorium des „Zauberbergs" macht der junge Hans Castorp einen Erziehungsvorgang durch und erfährt so „eine Steigerung, die ihn zu moralischen, geistigen und sinnlichen Abenteuern fähig macht". Im Zentrum des Romans stehen eben diese „Abenteuer", also geistige und praktische Lebenserfahrungen. Es ist ein Lernprozeß besonderer Art, der hier vorgeführt wird. Wir haben es zu tun mit einem Bildungsroman, der seinen Erfahrungsraum fern von der tätigen Welt des „Flachlands" im abgeschlossenen Experimentierfeld des „Berghofs" hat. Die Sanatoriumsgesellschaft konfrontiert den jungen Mann mit sehr unterschiedlichen Lebens- und Denkformen. Da ist Signore Settembrini, der eifrige 'Aufklärer' und redselige Verfechter des abendländischen Humanismus. Er gehört zu jenen Idealisten, welche die Donquichotterie ihrer hehren Ideen nicht bemerken. Ihm gegenüber steht als Antipode Professor Naphta: ein düsterer Mann. Die ihm eigene Mischung von Katholizität und Kommunismus führt ihn in das irrationale Extrem autoritären Denkens zwischen Askese und Terror. Aus der dogmatischen Einseitigkeit seiner beiden Erzieher kann Hans Castorp lediglich auf die Beschränktheit ihrer Lehre schließen. Außerhalb dieses „dialektischen Wettstreits um eine arme Seele" steht Mynheer Peeperkorn. An ihm zeigt sich ein produktiver Vorbehalt gegen die zu Ende gedachten Vereinseitigungen Settembrinis und Naphtas. Der Verfechter eines gezielten Lebensgenusses vertritt für Castorp das „Mysterium einer Persönlichkeit", einer – freilich unartikuliert bleibenden – Humanität. Ergänzend zu diesem anregenden Eindruck steht die Begegnung mit Madame Chauchat, einer Erscheinung der natürlichen Mitte und somit instinktiv der Alternativen enthoben. Freilich ist ihre sinnlich-stimulierende Kraft negativ an den Verfall gebunden. Ihr Versagen vor dem Gefühl wirkt menschlich destruktiv.

Mit all diesen Möglichkeiten und Widersprüchen wird der junge Mann gründlich vertraut. Er geht durch sie hindurch und findet dabei zu sich selbst, nämlich zu einer die Krankheits- und Todeserfahrung einbeziehenden und über sie hinausgelangenden Mitte des tätigen Lebens, als dessen Sinn und Zweck er den „Lebensdienst" erkennt. Man merkt, wie der Autor Thomas Mann sich hier kritisch mit der Auflösungsphilosophie Oswald Spenglers (,Der Untergang des Abendlandes', 1918–22) auseinandersetzt. Der Durchbruch zur Bewältigung des Todes – als Angelpunkt des Humanen – gelingt im Kapitel „Schnee" (im 6. Kapitel), einer Art 'Engführung' des Werkes. Nach seinem „Durchgang zum Wissen, zur Gesundheit und zum Leben" kehrt Hans Castorp aus der hermetischen Retortenwelt des Sanatoriums ins „Flachland" des Lebensalltags zurück.

Vielfache Symbole durchziehen die Romankonstruktion. Dadurch tritt der subjektive Anlaß zurück. Thomas Mann legt großen Wert auf die daraus resultierende „Entindividualisierung" seines Stoffes. Insbesondere der Schluß ist symbolisch zu verstehen. Die erfahrene „Steigerung" hat den jungen Castorp zwar gewandelt, dennoch aber nicht in den Stand gesetzt, dem einsetzenden „Donnerschlag" des Ersten Weltkriegs zu begegnen. Die Untergangsskizze des letzten Kapitels läßt lediglich noch Raum für ein fragendes Hoffen auf den „Traum von Liebe", den die Realität fürs erste erdrückt hat. So gesehen, ist ,Der Zauberberg' ein großangelegtes Denkspiel von der menschlichen „Steigerung" unter der Glasglocke. Gezeigt wird eine kranke, zum Untergang verurteilte Gesellschaft. Erklärt wird der Untergang indes nicht, eine über ihn hinausweisende Perspektive wird nicht gezeigt. Darum ist das Buch kein Erziehungsroman im politisch-programmatischen Sinn, aber „ein Dokument der europäischen Seelenverfassung und geistigen Problematik im ersten Drittel des zwanzigsten Jahrhunderts" (Thomas Mann).

4.2.2 Erlösung von der Wirklichkeit: Hermann Hesse ‚Der Steppenwolf'

> **Hermann Hesse:** Sinclairs Notizbuch (Erzählungen. 1923)
> Kurgast (Erzählungen. 1925)   Der Steppenwolf (1927)
> Betrachtungen (Essays gegen den Krieg); Krisis. Ein Stück Tagebuch (1928)
>
> *Weitere Werke:* Demian (Roman. 1919)   Klingsors letzter Sommer
> (Erzählung. 1920)   Siddhartha (Erzählung. 1922)
> Trost der Nacht (Gedichte. 1929)   Narziß und Goldmund (Erzählung. 1930)
> Die Morgenlandfahrt (Erzählung. 1932)

In mancherlei Hinsicht steht das „Figurenspiel" Hesses über Leiden und Träumen des „Steppenwolfs" Harry Haller dem ‚Zauberberg' nahe. Dort die hermetische Gedankenkomposition, hier „ein Einzelgänger aus der Familie der Schizophrenen", der – hin und her gerissen zwischen Geist und Natur – in „Spiel und Symbol" die „Lebenskunst" zu erreichen bemüht ist, die ihn in eine „zweite, höhere, unvergängliche Welt erhebt". Bei Hesse demnach die Geschichte einer „Heilung", bei Thomas Mann die einer „Lebenssteigerung".

Harry Haller, der Steppenwolf, sucht verzweifelt nach einer Lösung seiner Lebenskrise: Er möchte aus der bürgerlichen Welt, der er sich gleichwohl zugehörig fühlt, ausbrechen in ein neues unbürgerliches Leben. So schildert der Roman die Versuche und Stationen einer Grenzüberschreitung. Der Selbstmord wird von Harry Haller verworfen. Er sucht Erlösung und Rettung in entfesselter Sinnlichkeit (Rausch und Erotik). Sein Weg endet im „Magischen Theater", wo in einer phantasmagorischen Schau eine Rettung aus der Krise sich anzuzeigen scheint.

Der konkreten Zeitbindung zum Trotz betonte Hermann Hesse stets: „Der Inhalt und das Ziel des ‚Steppenwolf' sind nicht Zeitkritik und persönliche Nervositäten, sondern Mozart und die Unsterblichen." Thema ist die „Erlösung von der Wirklichkeit". Daraus resultiert eine Zeitkritik, die sich letzten Endes aus der Zeit hinausbegibt – in die Gefilde der „Unsterblichen" mit ihrer Synthese von Geist und Sinnlichkeit.

Es handelt sich um einen autobiographisch geprägten Roman, um den Ausdruck einer schweren Lebens- und Schaffenskrise Hesses. Allerdings versteht der Autor Harry Hallers Seelenkrankheit zugleich als „Krankheit der Zeit". Ursache in beiden Fällen ist ein radikal gestörtes Verhältnis zur Wirklichkeit. Insoweit ist das ‚Steppenwolf'-Gleichnis (besonders scharf herausgearbeitet im ‚Traktat vom Steppenwolf') eine im Ansatz positive Reaktion auf von Grund auf ungute Verhältnisse; allerdings wird daraus dann die Flucht in eine „überzeitliche Glaubenswelt". Dieser das Buch prägende Dualismus führt dazu, daß das Grundproblem des Hesseschen Werkes – der Versuch schöpferischer Selbstbehauptung in einer entpersönlichten Gesellschaft – in der Realität ungelöst bleibt. Nicht zuletzt liegt das an den eigentümlich unsinnlich bleibenden Inkarnationen „holder Verführung" und „herm-aphrodisischen Lebens" (Hermine, Pablo, Maria), mehr noch an der unscharf bleibenden Trennlinie zwischen Gegenwartserfahrung (Jazzwelt, „Magisches Theater") und Zukunftserwartung (Welt der Unsterblichen: heiterer Abstand). Dadurch wird die real begründete pathologische Krise umgebogen „ins Kosmische".

Mit der Episode des „Magischen Theaters" stellt uns Hesse eine kaleidoskopartige Entlarvung der gesellschaftlichen Krisenlage vor. Hier erscheinen der durch Drogen freigesetzten Phantasie des „Steppenwolfs" grelle Bilder der durch Trieb- und Gewaltmechanismen verzerrten Menschenwelt („Hochjagd auf Automobile", enttabuisierte Sexualität, menschliche Bestialität, Identitätsverlust). Zwar bleibt die Beschreibung der subjektiven wie der gesellschaftlichen Neurosen bemerkenswert, doch wird über die Phantasmagorien hinaus ein Weg zu ihrer Überwindung nicht deutlich.

4.2.3 Wissen und Fühlen des neuen Menschen: Alfred Döblin ‚Berlin Alexanderplatz'

> **Alfred Döblin:** Manas (Versepos. 1927)   Das Ich über der Natur (Essay. 1927)
> Der Bau des epischen Werks (Essay. 1928; 1929 veröffentlicht)
> Berlin Alexanderplatz. Die Geschichte vom Franz Biberkopf (1929)
> Wissen und Verändern (Essay. 1931)
>
> *Weitere Werke:* Wallenstein (Roman. 1920)   Der deutsche Maskenball (politische Satiren. 1921)   Berge, Meere und Giganten (Roman. 1924)
> Die Ehe (Drama. 1931)

Der Roman beginnt mit der Entlassung Franz Biberkopfs aus dem Gefängnis in Berlin-Tegel. Danach werden die Versuche Biberkopfs geschildert, im Berlin der zwanziger Jahre ein neues, 'anständiges' Leben anzufangen. Dabei kommt nicht nur der Weg des Protagonisten in den Blick, es entsteht vielmehr auch ein Bild des Lebens in der Großstadt Berlin, vor allem des Lebens im Untergrund und an den Rändern der bürgerlichen Gesellschaft in der damaligen Zeit. Franz Biberkopfs Versuche scheitern: Er gerät in die Fänge der Unterwelt, die ihn auf brutale Weise wieder zum Kriminellen macht. Erst in seiner 'Neugeburt' deutet sich die Möglichkeit eines produktiven Lebens an.

„Tatsachenphantasie" und „Objektivismus des Erzählens" – das waren die Zielsetzungen, nach denen Alfred Döblin seine literarische Arbeit ausrichtete. Vor allem legte er Wert darauf, „im Epischen die Zwangsmaske des Berichts fallen zu lassen". Das bedeutet das Nebeneinander von Darstellungen wechselnder Erlebnis- und Bewußtseinssituationen mit reflektierendem Erzählen. Döblin hatte im Sinn, eine „entfesselte Realität" vorzuführen, weil ihm an der Darstellung des Kollektivwesens Mensch in der Großstadt gelegen war. Sicherlich bestätigte ihn die 1928 erschienene deutsche Übersetzung von James Joyce (‚Ulysses') darin, seinen komplexen Simultanstil und seine Assoziationstechnik konsequent anzuwenden (innerer Monolog, erlebte Rede, perspektivisch wechselnde Erzählung, direkte Rede, einmontierte Realitätspartikel, Kommentar des Erzählers). Entsprechend dem kompositorischen Montageprinzip ist auch die sprachliche Gestaltung in divergierende Sprachebenen geschichtet. Nüchterne Schilderung wechselt mit ironischen Erzählpartien wie mit pathetisch überhöhten Stellen. Hinzu kommt ein weit gefächertes Zitatmaterial, teils authentisch belassen, teils ironisch verfremdet (Berlinisch, Zeitungsjargon, Werbesprache, Jargon der Politiker, medizinische Fachsprache, Wettermeldungen, Börsenberichte, statistische Auflistungen wechseln ab mit Knittelversen, Sprichwörtern, Volkslied- oder Klassikerparodien und Bibelzitaten). In der Sicht Döblins entsteht aus den wechselseitig sich erhellenden Erzählelementen das, was er die „Resonanz" nennt. Gemeint ist die „ständige Durchdringung der Person mit Welt". So dient die Hauptfigur des Franz Biberkopf dem Autor ausdrücklich als eine Art „Sonde" zur

Ermittlung der gesellschaftlichen Wirklichkeit und ihrer „Resonanzen". Die neue Art epischer Wirklichkeitserfassung reduziert den unüberschaubaren Gesamtkomplex auf einen zu bewältigenden Wirklichkeitsausschnitt. Allerdings setzt die Bewältigung eine aktive Beteiligung des Lesers voraus („Der Leser macht... den Produktionsprozeß mit dem Autor mit").

Der Roman handelt über die 'Geburt' eines neuen Menschen. Dabei entscheidet Döblin sich für eine ebenso handgreifliche wie populäre Figur: den aus dem Gefängnis entlassenen ehemaligen Transportarbeiter Franz Biberkopf, der versucht, anständig zu werden. Was zunächst nach einer Kriminalgeschichte aussieht, ist in Wahrheit eine großangelegte Bemühung um menschliches Wachsein und um solidarische Gemeinschaft.

Die Fabel ist in komprimierter Form den Kapitelüberschriften der neun Bücher des Romans abzulesen. Gezeigt wird die 'Gewaltkur' eines Menschen, der allmähliche Abbau des egoistischen, sinnlos dahinlebenden alten und der Aufbau eines neuen Ichs. Elemente des Bildungsromans schlagen durch. Beschrieben wird die Krise Biberkopfs und der sich anschließende Lernprozeß. Wie der egoistische Zuhälter und Kleinbürger sich schließlich wandelt und wohin ihn seine Wandlung bringt, zeigt die Gestaltung des Schlusses. Zwei Daseinsstufen werden einander konfrontiert. Einerseits gibt es die herkömmliche Sachlage im Zeichen nackter Gewalt und deformierter Menschen (Bild des Totentanzes), andererseits kommt ein Gegenbild zum Vorschein: Wachsein, Wissen um den Mitmenschen, Entlarvung des 'Schicksals', kurz, ein neues Bewußtsein, das Möglichkeiten eröffnet für die qualitative Veränderung der zwischenmenschlichen Beziehungen.

Das Schlußgleichnis zeigt einen gewandelten Franz *Karl* Biberkopf. Er ist ein Wissender und ein Fühlender geworden, der die Lehren des Todes zu Ansätzen eines neuen, produktiven Lebens ummünzt. Nicht unproblematisch ist die Schlußsequenz des Romans infolge der offenen Darstellung der riesigen Marschzüge, bei der unklar bleibt, ob es sich um eine positive oder eine negative Vision handelt. Dementsprechend vieldeutig kann der Schluß interpretiert werden. Entweder wird der Wirklichkeitscharakter grundsätzlich angezweifelt oder im Gegenteil radikal vereinseitigend unterstrichen. Dem steht entgegen, daß Döblin die Äußerungen des neuen Bewußtseins Biberkopfs (mit dem Ziel des neuen Kollektivs) und die Äußerungen der Gewalt (Gegenstimme: „Die Ochsen bilden statt dessen eine Zunft") ineinander verfugt. Demzufolge liegt die Deutung nahe, in den Marschierenden am Schluß nicht die Gewalt, sondern die Freiheit repräsentiert zu sehen. Jedenfalls entspräche das ganz der damaligen Vorstellung Döblins, die er wie folgt formulierte: „Das Kollektivwesen Mensch stellt als Ganzes erst die überlegene Art Mensch dar." Nur so wird auch einsichtig, warum der Autor den Plan verfolgte, dem „passiv-receptiven Element" (Biberkopf) ein „aktives Element" in einem zweiten Band folgen zu lassen. Daraus ist nichts geworden; doch liefert der Plan den Beweis, daß Alfred Döblin darum bemüht war, die Utopie stärker an die Realität heranzurücken.

4.3 Österreichische Varianten

Von Hugo von Hofmannsthal stammt das Wort: „Österreich liegt Deutschland so nahe und wird dadurch übersehen." Daran ist auch für den literaturgeschichtlichen Zusammenhang insofern viel Wahres, als gewöhnlich die dortige Kunstproduktion undifferenziert der deutschen Kultur zugeschlagen wird. Indes stehen dem nicht allein eine katholisch-barock geprägte Tradition, sondern hauptsächlich die besonderen Gegebenheiten eines historisch gewachsenen Vielvölkerstaats entgegen. Sie machten aus der Hauptstadt Wien einen Schmelztiegel vielfältiger Einflüsse gerade auf kulturellem Gebiet. Daran hat die Situation der ersten österreichischen Republik wenig geändert. Namen wie Arthur Schnitzler, Hugo von Hofmannsthal, Karl Kraus, Rainer Maria Rilke und Franz Werfel stehen ebenso dafür wie diejenigen Hermann Brochs, Robert Musils, Joseph Roths oder Elias Canettis. Auch das Werk Franz Kafkas geht aus den Traditionen der Donaumonarchie hervor.

Fragt man nach den Gründen dieser 'Sonderentwicklung', ist in erster Linie darauf zu verweisen, daß die 'kleindeutsche Lösung' der Reichsgründung von 1871 die deutschsprachigen Teile Österreich-Ungarns zu verstärkter kultureller Selbstbehauptung zwang, zumal da der Druck zunehmender Gegensätze der Nationalitäten innerhalb der Donaumonarchie diesen Effekt noch verstärkte. Was für die übernationale Tradition des Habsburgerreichs jedoch von zerstörerischer Wirkung sein sollte, erwies sich für die Literatur eher als günstig. Die politische Auflösung und Zersplitterung, überhaupt die Zersetzung der eigenen Grundlagen, schärften den Sinn der Autoren für die heraufkommenden Krisen. In Österreich wurden, deutlicher und früher als anderswo, die Krankheitsbefunde der modernen Gesellschaft ausgemacht. Im österreichischen Roman hat sich diese Tendenz deutlich ausgeprägt.

4.3.1 Wirklichkeit als Erfindung und Aufgabe: Robert Musil ‚Der Mann ohne Eigenschaften‘

Robert Musil: Der Mann ohne Eigenschaften (Erstes Buch) (Roman. 1930)
Der Mann ohne Eigenschaften (Zweites Buch)
(1933. Ergänzte Ausgaben des riesigen Fragments: 1943, 1952, 1978)

Weitere Werke: Die Schwärmer (Drama. 1921)   Geist und Erfahrung (Essay. 1921)   Vinzenz und die Freundin bedeutender Männer (Drama. 1923) Drei Frauen (Novellen. 1924)   Ansätze zu neuer Ästhetik (Essay. 1925) Die Amsel (Erzählung. 1928)   Die Schwärmer (Drama. 1929)

Seit 1921 arbeitete Robert Musil an seinem Lebenswerk, dem Riesenfragment von rund 1500 Seiten mit dem Titel: ‚Der Mann ohne Eigenschaften‘. Der Roman entstand aus der schmerzlichen Einsicht heraus, daß die moderne Krise des Individuums fehlender Synthese von Gefühl und Wissen wie von gesellschaftlichen und subjektiven Belangen entspringt. Der darum eigentlich nur noch ironisch zu stellenden Frage nach der Persönlichkeit will Musil neue ethische Fundierung geben. Deswegen überlagern sich bei ihm Skepsis und Konstruktivismus fortwährend. Am Modellfall der zu Ende gehenden Donaumonarchie überführt er erlebte Realität in reflektierend erzählte Realität. Musil versagt sich historische Beschreibungen, weil es ihm um die qualitative Veränderung des Historischen zu tun ist. Daraus resultieren gleichermaßen die „schmerzliche Ironie" wie dann auch der „Utopismus" seines Erzählprogramms. Beide stehen in paradoxer Spannung zueinander. („Es ist keine Satire, sondern eine positive Konstruktion. Es ist kein Bekenntnis, sondern eine Satire.")

Den geschichtlichen Hintergrund des Romans, der keinen geschlossenen Handlungszug aufweist, bilden Wien und die österreichisch-ungarische Monarchie, Kakanien, vor ihrem Zusammenbruch im Jahre 1918. In einer „vaterländischen Aktion", die zugleich als „Parallelaktion" zu den gleichzeitigen Vorgängen in Deutschland gedacht ist, sollen die Feiern zum siebzigjährigen Regierungsjubiläum Kaiser Franz Josephs I. vorbereitet werden. Vor diesem Hintergrund begegnet Ulrich, der „Mann ohne Eigenschaften" und die zentrale Gestalt des Romans, vielen Personen, die als Spiegelungen seiner eigenen Möglichkeiten wirken oder ihm das „unbestechliche Bild eines Zerrspiegels" vorhalten. Von den Begegnungen, die die eigentliche Handlung des Romans ausmachen, sind zwei von besonderer Bedeutung: die Auseinandersetzung mit dem deutschen Finanzmagnaten und „Großschriftsteller" Arnheim, einer Gegenfigur Ulrichs, in die Musil Züge des deutschen Politikers und Schriftstellers Rathenau aufgenommen hat; und dann vor allem Ulrichs Begegnung mit seiner Schwester Agathe. In der Liebe der Geschwister erfährt Ulrich die Möglichkeit des „anderen Zustands" und der Selbstgewißheit. Er erlebt die „schattenhafte Verdoppelung seiner selbst in der entgegengesetzten Natur".

Die durch den Romantitel als zentral ausgewiesene Eigenschaftskritik wendet sich vorrangig gegen die verdinglichte Rollenexistenz, den Inbegriff der 'Eigenschaft', ebenso gegen die austauschbaren „Kuchenformen der Ereignisse". Eigenschaftslosigkeit bedeutet die positive Voraussetzung eines „Entwurfs zur Utopie des motivierten Lebens". Musil handelt davon im Kapitel „Utopie der induktiven Gesinnung". Er führt für diese neue Befähigung den Begriff des „Möglichkeitssinns" ein.

Natürlich bleibt das Erzählverfahren davon nicht unberührt. An die Stelle des „primitiv Epischen" und des zusammenhängenden Berichts tritt das „Präsenzfeld" einer die zeitliche Anordnung auflösenden diskursiven Reflexion („es ist eigentlich immer alles auf ein Mal da"). Essayistische Erzählmanier, expressive Bildlichkeit bilden im Verein mit exakten Analysen die Elemente des für den „Mann ohne Eigenschaften" so bezeichnenden Reflexionsstils. Wir haben es zu tun mit einem extrem auktorialen Erzählen, mittels dessen Musil seinen Gegenstand als einen „aus der Vergangenheit entwickelten Gegenwartsroman" gestaltet. Die Offenheit dieses Verfahrens bezieht den jeweiligen Leser aktiv in die erzählte Reflexion ein.

Konkreter Gegenstand des Romans ist die „Auseinandersetzung des Möglichkeitsmenschen (Ulrich) mit der Wirklichkeit". Zwei Bereiche stehen im Blickpunkt: zum einen die satirisch gezeichnete „Parallelaktion" (Ausrichtung der 'kakanischen'Feierlichkeiten parallel zum Regierungsjubiläum Wilhelms II.), die es dem Autor erlaubt, ein breites gesellschaftliches Spektrum aller ideologischen Schattierungen der Donaumonarchie vorzuführen; zum andern die utopisch grundierte Geschwisterliebe zwischen Ulrich und Agathe, deren Kern in dem Versuch besteht, die ungeschiedene Einheit des motivierten Lebens, den „andern Zustand" („aZ"), in die Praxis hereinzuholen. Beide Versuche scheitern. Im Zuge seiner (passiven) Beteiligung an der „Parallelaktion" erkennt Ulrich am Fehlen einer positiv verbindenden Idee für die Ausgestaltung des 'Friedensfestes' und an den dafür verantwortlichen Bewußtseinsdefiziten den ausweglosen Zustand „Kakaniens" (für Musil „ein besonders deutlicher Fall der modernen Welt"): „Alle Linien münden in den Krieg." Folgerichtig zieht Ulrich sich zurück auf seine individuellen Denkerschütterungen und eine zunehmende Gefühlserkenntnis („Ratio und Mystik"). „Taghelle Mystik" lautet darum das Schlüsselwort für die Episode mit Agathe. Das Experiment der Geschwisterliebe führt zwar „an den Rand des Möglichen", doch erbringt die privatesoterische Lösung ein nur künstliches Paradies. Die „Utopie der Zwillinge" bewirkt in der Realität Identitätslosigkeit. Aus der Erfahrung des doppelten Scheiterns findet der Tatmensch Ulrich schließlich „zurück zur Wirklichkeit". Skizzenhaft zusammengefaßt ist das Intendierte im 128. Kapitel mit dem Titel: „Die Utopie der induktiven Gesinnung oder des gegebenen sozialen Zustands". Die „Utopie der induktiven Gesinnung für die vielen" bedeutet die Preisgabe von Ulrichs „Geniemoral". Entschieden steckt dahinter das Konzept von der „Wirklichkeit [...] als Aufgabe und Erfindung" – Utopie als neu konzipierte Moral („Moral der Moral"), die nicht beim einzelnen stehenbleibt, sondern den anderen mitdenkt.

4.3.2 Wertezerfall und utopische Erkenntnis: Hermann Broch ‚Die Schlafwandler'

> **Hermann Broch:** 1888. Pasenow oder die Romantik (1. Teil der Romantrilogie:
> Die Schlafwandler. 1931)
> 1903. Esch oder die Anarchie (2. Teil der ‚Schlafwandler'. 1932)
> Die Entsühnung (Drama. 1932)
> James Joyce und die Gegenwart (Vortrag. 1932)
> Das Weltbild des Romans (Vortrag. 1933)   Postum erscheint 1964 der 3. Teil
> der ‚Schlafwandler'. 1918: Huguenau oder die Sachlichkeit (mit dem
> philosophischen Exkurs über den ‚Zerfall der Werte')

‚Die Schlafwandler' sind eine Romantrilogie, die in drei historischen Querschnitten (1888, 1903, 1918), jeweils im Abstand einer halben Generation, den geschichtlichen Prozeß von der „Romantik" (erster Teil) über die „Anarchie" (zweiter Teil) bis zur „Sachlichkeit" (dritter Teil) zu gliedern und darzustellen sucht. Der geschichtliche Prozeß ist für Broch ein Verfallsprozeß. Im Mittelpunkt der drei Teile stehen jeweils 'zeittypische' Protagonisten: der adlige Offizier Pasenow, der Buchhalter Esch, der Geschäftsmann Huguenau.

Obwohl die Romantrilogie Brochs von der Wilhelminischen Ära handelt, blieb das Werk in Deutschland bei seinem Erscheinen so gut wie unbeachtet. Der Autor gehört zu denjenigen, die wie Nietzsche Positivismus, Materialismus und pompöse Opernhaftigkeit des ausgehenden 19. Jahrhunderts verabscheuten. So kam er zu seiner Philosophie der Verantwortung; angewandt auf die Kunst, führte sie ihn zu einer ethischen Ästhetik. In seiner Denkposition verbinden sich Erkenntnistheorie und utopische Metaphysik. Er definiert danach „Dichten" als „eine Ungeduld der Erkenntnis" und schreibt ihr eine mittelbar wirkende Kraft zur Durchsetzung des Humanen zu. Die Signatur der modernen Welt sieht er in der „Werteanarchie" und im fortschreitenden „Wertezerfall".

Bereits der Titel des Romanzyklus macht klar, daß die auftretenden Personen Figurationen des „Wertezerfalls" sind: „Schlafwandler" (die gegensätzliche Haltung beschreibt Broch als „wachend und wartend"). Drei Stufen der Desintegration werden beschrieben; der Autor versteht sie als die „Endstadien der alten europäischen Wertehaltungen". Wie Musil verfolgt auch Broch ausdrücklich eine Doppelstrategie, indem er die Welt zeigt, „wie sie gewünscht" (Utopie), und wie sie gefürchtet wird" (Skepsis). Aus der konkreten Zeitkritik leitet er die Ansätze einer positiven Gegenbewegung im Sinne seiner Erkenntniserwartung her.

Broch entwickelte hierzu ein sich im Verlauf der Trilogie immer stärker ausprägendes offenes Erzählsystem. Handlungs-, Reflexions- und Kommentarebene ergeben eine komplexe, nicht immer leicht zu durchschauende Gesamtkonstruktion. Diese narrative Strategie bedeutet ein Nebeneinander verschiedener Parallelgeschichten und eines erkenntnistheoretischen Exkurses zum „Zerfall der Werte" im dritten Teil. Der Autor bezeichnete seinen Zyklus als einen „polyhistorischen Roman".

Der historische Durchgang durch drei Jahrzehnte deutscher Geschichte hebt an mit dem jungen Adeligen Joachim von Pasenow, für den die Offiziersuniform ein Bild des Halts abgibt, den er verzweifelt überall sucht und sich künstlich schafft als eine nur noch äußerliche, von ihm verabsolutierte (Schein-)Ordnung. Romantik ist mithin gleichzusetzen mit abgelebten Traditionsformen.

Die Mittelpunktfigur des zweiten Teiles bringt einen auffallenden Milieuwechsel mit sich. Wir stoßen auf den kleinbürgerlichen Buchhalter August Esch, der die Lebensvorgänge wie Wirtschaftsabläufe sieht. Er spiegelt den krassen Realitätsverlust eines anarchischen Weltzustands. Seine hektischen Versuche, sich mit sexuellen und religiösen Kompensationen Erlösung zu verschaffen, enden in wachsender Verunsicherung.

Den deprimierenden Tiefpunkt demonstriert Broch am Beispiel des geschäftstüchtigen, skrupellosen Opportunisten Huguenau. Ihm gehört die Zukunft eines völligen Werteverlusts („Geschäft ist Geschäft"). Die dadurch herbeigeführte 'Wertfreiheit' bedeutet Inhumanität. Das solchermaßen 'freigesetzte Individuum' betrügt und mordet ungehemmt: „Der soziale Querschnitt, der in den drei Bänden gezogen ist, offenbart fast in allen Charakteren sich als Nazi-Nährboden" (Hermann Broch). Trotzdem bleibt nicht bloß das Bild des Zerfalls und der Enthumanisierung. Der negative Befund enthält auch die Möglichkeit dialektischer Negation des Negativen. Insofern deutet sich hier die Möglichkeit einer positiven Wendung an.

Man muß lediglich hinter den Romanfiguren den kritischen (und demnach zur Selbstkritik bereiten) Leser sehen. Auf dem Wege dieser neuen 'Subjektivierung' erfüllt der moderne Roman, über den Beitrag Brochs hinaus, seinen doppelten Anspruch, die realhistorische Situation kritisch zu vermitteln und utopischer Erkenntnis vorzuarbeiten.

4.3.3 Ein Requiem auf Österreich: Joseph Roth ,Radetzkymarsch'

Joseph Roth: Radetzkymarsch (Roman. 1932)
Weitere Werke: Das Spinnennetz (Roman. 1923)   Hotel Savoy (Roman. 1924)
Die Rebellion (Roman. 1924)   Der blinde Spiegel (Roman. 1925)
April (Erzählungen. 1925)   Juden auf Wanderschaft (Essays. 1927)
Hiob. Roman eines einfachen Mannes (Roman. 1930)
Schluß mit der 'Neuen Sachlichkeit' (Essay. 1930)

Obwohl Joseph Roth (1894–1939) als Journalist und Schriftsteller arbeitete, kam er ziemlich rasch davon ab, die anfänglichen Versuche fortzusetzen, in seinen Romanen beobachtete, aktuelle Zeitgeschichte darzustellen. Beigetragen zu dieser Entwicklung hat freilich auch eine Reise in die Sowjetunion, die Roth 1926 für die ,Frankfurter Zeitung' unternahm. Unter dem Eindruck seiner dortigen, ihn deprimierenden Erfahrungen änderte sich seine politische Einstellung diametral. Aus dem engagierten, optimistischen Sozialisten wurde ein Mann tiefer Resignation mit eher konservativ-monarchistischen und religiösen Neigungen. Das brachte ihn wohl auf die Idee, eine Chronik vom Ende der Donaumonarchie zu schreiben. Es war der weit ausgreifende Versuch einer Rückkehr zu den eigenen verlorengegangenen Ursprüngen. Roth verarbeitete viele Erfahrungen seiner galizischen Heimat im österreichisch-ungarisch-russischen Grenzgebiet.

Leidenschaftliche innere Anteilnahme und ironische Distanz nach außen hin charakterisieren die Erzählkonstruktion des 1932 erschienenen Hauptwerks. Der Titel ,Radetzkymarsch' nimmt Bezug auf das konstitutive Leitmotiv des Romans: Jeden Sonntagmorgen ertönt auf dem Platz vor dem Haus des Bezirkshauptmanns Franz von Trotta zu Ehren des Kaisers Franz Joseph der Radetzkymarsch. Das Romangeschehen lebt von der tiefen inneren Verbindung des Familienschicksals derer von Trotta mit Leben und Sterben des kaiserlichen Doppelmonarchen.

Die fingierte 'Parallelaktion' setzt ein mit der zufälligen Rettung des jungen Kaisers Franz Joseph durch den Leutnant Joseph Trotta in der Schlacht von Solferino 1859. Der junge Offizier wirft sich spontan über den Kaiser und rettet ihm so das Leben. Zum Dank geadelt und befördert, wird Joseph Trotta zum „Helden von Solferino" stilisiert. Seine natürliche menschliche Geste wird ideologisch ausgewertet. Als der so ausgezeichnete Offizier in den Schulbüchern seines Sohnes mit der eigenen Ge-

schichte konfrontiert wird, beschwert er sich beim Kaiser über eine solche Verzerrung der Wahrheit, muß aber erfahren, daß die ihn umgebende Realität manipuliert
ist. Das System braucht Heldengeschichten. Franz Joseph von Trotta kommt zu der
schmerzlichen Erkenntnis:

> „Vertrieben war er aus dem Paradies der einfachen Gläubigkeit an Kaiser und Tugend, Wahrheit
> und Recht, und, gefesselt in Dulden und Schweigen, mochte er wohl erkennen, daß die Schlau-
> heit den Bestand der Welt sicherte [...] und den Glanz der Majestäten."

Um nicht weiter „gefesselt in Dulden und Schweigen" zu sein, entschließt sich Trotta
zum bewußten Verzicht auf seine Karriere. Er zieht sich auf seine Güter zurück, um
in der ländlichen Umgebung aus der von ihm durchschauten Lügenwelt herauszufin-
den. Er setzt damit ein wichtiges humanes Zeichen. Trotzdem geraten sein Sohn und
sein Enkel in den fortschreitenden Verfallsprozeß hinein.
Der Sohn füllt als Bezirkshauptmann und pflichtbewußter Beamter seine Rolle als
Mitläufer des historischen Geschehens aus. Er ist auf diese Rolle angewiesen, weil er
ohne den äußeren Halt, den sie ihm gibt, verloren wäre. Deswegen geht er völlig in
der herrschenden Norm auf. Mit pedantischer Selbstentsagung spielt er seinen Part.
So verbraucht sich sein Leben in der Reproduktion des Herrscherlebens (nicht zufällig ähnelt er immer mehr dem Erscheinungsbild des Kaisers!). Tun und Treiben des
Bezirkshauptmanns erlauben es dem Autor Roth, die geistige Verfassung eines provinziellen Garnisons- und Verwaltungsstädtchens in reich facettierten Schlaglichtern
vorzuführen und dem Leser dabei die nur noch hohle Fassade der alten Ordnungswelt ins Bewußtsein zu heben.
Der Enkel des unfreiwilligen „Helden von Solferino", Carl Joseph, erfährt als Leutnant noch deutlichere Desillusionierungen als sein Großvater. Seine Blicke reichen
tiefer. Aufschlußreich hierfür ist seine Reaktion auf die überall hängenden Kaiserbil-
der. Sie werden ihm zum Symbol einer ganz auf Repräsentation und Reproduktion
ausgerichteten Gesellschafts- und Lebenssituation:

> „Sein Bild hing an der Wand des Kasinos (...). Und es war immer noch der gleiche Kaiser! Da-
> heim, im Arbeitszimmer des Bezirkshauptmanns, hing dieses Bild ebenfalls! Es hing in der gro-
> ßen Aula der Kadettenschule. Es hing in der Kanzlei des Obersten in der Kaserne. Und hun-
> derttausendmal verstreut im ganzen weiten Reich war der Kaiser Franz Joseph, allgegenwärtig
> unter seinen Untertanen, wie ein Gott in der Welt. [...] Die Jahre wagten sich nicht an ihn heran.
> Immer blauer und immer härter wurde sein Auge. Seine Gnade selbst, die über der Familie Trot-
> ta ruhte, war eine Last aus schneidendem Eis. Und Carl Joseph fror unter dem blauen Blick sei-
> nes Kaisers."

Die Vorausdeutung dieses Bildes ist offensichtlich. Ganz ähnliche Funktion kommt
der Figur des polnischen Grafen Chojnicki zu. Dieser Freund des Leutnants durchschaut den Mechanismus des Niedergangs vollkommen. Er beschreibt ihn im Blick
auf die Monarchie wie folgt:

> „[...] sie zerfällt bei lebendigem Leibe. Sie zerfällt, sie ist schon zerfallen! Ein Greis, dem Tode
> geweiht, von jedem Schnupfen gefährdet, hält den alten Thron, einfach durch das Wunder, daß
> er noch auf ihm sitzen kann. Wie lange noch, wie lange noch? Die Zeit will uns nicht mehr!"

Aus derartigen Einsichten leitet Carl Joseph eine rein passive Lebenseinstellung ab.
Nach außen hin gibt die Uniform seinem Leben noch einen gewissen Halt (man
denkt an Joachim von Pasenow im ersten Band von Brochs ‚Schlafwandlern').
Schuldgefühle (Verstrickung in den Duelltod seines Freundes sowie in das Sterben
einer Geliebten) und Todesahnungen treiben ihn in den Alkoholismus. Unter dem
Eindruck der Ermordung des Thronfolgerpaars nimmt er seinen Abschied als Offizier, wird allerdings bei Kriegsausbruch sogleich wieder eingezogen. Er fällt kurz darauf, bezeichnenderweise in dem Augenblick, wo er im Begriff ist, für seine Soldaten
Wasser zu holen. Sein Tod ist Symbol für ein absurdes Sterben bei einer Aktion einfa-

cher Humanität. Kein Heldentod wird geschildert, sondern das sinnlose Krepieren eines Opfers moderner Kriegführung in Gestalt anonymen Massenschlachtens.

Sein Vater, der Bezirkshauptmann Franz von Trotta, ist solchen Anstürmen nicht mehr gewachsen. Wenige Wochen nach dem Tod des Kaisers Franz Joseph stirbt auch er. Bezeichnend für sein Ende ist eine Szene, wo er, die Todesnachricht seines Sohnes in der Hand, vor dem Bild des „Helden von Solferino" steht:

„Das Angesicht seines Vaters konnte er nicht deutlich sehen. Das Gemälde zerfiel in hundert kleine ölige Lichtflecken und Tupfen, der Mund war ein blaßroter Strich und die Augen zwei schwarze Kohlensplitter. Der Bezirkshauptmann [...] unterdrückte einen Seufzer, wich, rückwärts schreitend, bis zur Wand gegenüber, stieß sich heftig und schmerzlich an der Kante des Tisches und begann, das Bild aus der Ferne zu studieren. Er löschte die Deckenlampe aus. Und im tiefen Dämmer glaubte er, das Angesicht seines Vaters lebendig schimmern zu sehen. Bald näherte es sich ihm, bald entfernte es sich, schien hinter der Wand zu entweichen und wie aus einer unermeßlichen Weite durch ein offenes Fenster ins Zimmer zu schauen. Herr von Trotta verspürte eine große Müdigkeit."

Zerfall eines Lebens und einer Welt. Wir haben in dieser Szene den extremen Gegenpunkt zur Entfaltung äußerster Macht und Pracht bei der glanzvollen Fronleichnamsprozession. Die Fallhöhe zwischen künstlich aufrechterhaltenem Glanz und tatsächlicher Auflösung wird so dem Leser plastisch vor Augen geführt. Konsequenterweise endet die Geschichte der Trottas mit der der Habsburger. Im Gedächtnis bleiben – neben den Bildern des Untergangs und Verfalls – einige wenige Gesten einer anspruchslosen, unaufwendigen, aber überzeugenden Menschlichkeit. Das nimmt, letzten Endes, dieser Romanchronik den Charakter des Rückblicks in eine nicht wiederzufindende Zeit. Dieses Requiem auf Österreich ist auch eine rückwärtsgerichtete Utopie.

5 Romane der Zwischenkriegszeit

5.1 Kriegsroman und Antikriegsroman als Epochenparadigma

> **Werner Beumelburg:** Sperrfeuer um Deutschland (1929)
> Gruppe Bosemüller (1930)
> **Ernst Glaeser:** Jahrgang 1902 (1928)
> **Ernest Hemingway:** A Farewell to Arms (1929)
> **Ernst Jünger:** In Stahlgewittern (1920)
> **Edlef Köppen:** Heeresbericht (1930)
> **Theodor Plievier:** Des Kaiser Kulis (1929)
> **Erich Maria Remarque:** Im Westen nichts Neues (1929)
> **Ludwig Renn:** Krieg (1928)
> **Arnold Zweig:** Der Streit um den Sergeanten Grischa (1927)

Kriegserlebnis und Zeitgefühl. Nur wenige literarische Gattungsformen spiegeln die Zeitstimmung der Weimarer Republik in allen ihren Widersprüchen so eindringlich und heftig engagiert wider wie die Kriegsromane und Antikriegsromane. In ihnen gewinnen die Strömungen und Unterströmungen der Epoche, ihre Mentalitäten und psychischen Dispositionen literarische Gestalt.

Das hat seinen Grund in der tiefgreifenden und anhaltenden Wirkung des „Kriegserlebnisses", das zu einem entscheidenden Motiv nicht nur der Gesinnung und Weltanschauung, sondern ebenso des Selbstverständnisses und der Identitätssuche in der

Weimarer Republik wird. Die Haltung, die man dem Ersten Weltkrieg gegenüber einnimmt, prägt auch das Denken und Fühlen. Und hier tritt die Widerspruchsstruktur der Epoche deutlich zutage. Irrationale Verherrlichung des Krieges, die den „Kampf als inneres Erlebnis" (Ernst Jünger) preist, und scharfe Verurteilung, geboren aus der Erfahrung der Unmenschlichkeit des Kriegsgeschehens: Das sind die äußersten Gegensätze in den Haltungen.

Das Entscheidende liegt nun darin, daß die im „inneren Erlebnis" gründende Haltung immer stärker, je mehr sich die krisenhafte Entwicklung der Republik zuspitzt, auch politisch wirksam wird: Ihr wohnt eine ideologische Sprengkraft inne, da sie politisch aufgeladen und zum heroischen Nationalismus gesteigert werden kann. Ihm vermag die pazifistische Haltung, der man das Mal des Verrats aufdrückt, immer weniger standzuhalten.

In diesem Spannungsfeld entstehen auch die meisten der Kriegs- und Antikriegsromane.

Krisenerfahrung und Entstehungszeit der Romane. Auffallend viele Romane, die den Ersten Weltkrieg behandeln, erscheinen nahezu gleichzeitig, hauptsächlich in den Jahren 1927 bis 1930, zu einer Zeit, als die Wende von der Phase der relativen Stabilisierung der Weimarer Republik in ihre Krise und Endzeit sich immer deutlicher abzuzeichnen und auch allgemein fühlbar zu werden beginnt. Neben der Wirtschaftskrise sind es einige einschneidende politische Ereignisse, die das Ende der Republik ankündigen: so das erste Auftreten Hitlers im Berliner Sportpalast nach der Beendigung seines Redeverbots (28. September 1929); nach der letzten Weimarer Koalition die Bildung der Krisenregierung des Reichskanzlers Brüning, die das Vordringen der Nationalsozialisten begünstigt (30. März 1930); Anstieg der NSDAP auf 6,4 Millionen Stimmen bei den Reichstagswahlen (14. September 1930).

Vor diesem Hintergrund ergeben die Kriegs- und Antikriegsromane eine epochenerhellende Konstellation, in der auf prägnante Weise ein zeitgeschichtlicher Befund der Weimarer Republik sichtbar wird.

Das gilt vor allem für die herausragenden pazifistischen Romane von Arnold Zweig: ‚Der Streit um den Sergeanten Grischa' (1927), Erich Maria Remarque: ‚Im Westen nichts Neues' (1929), Ludwig Renn: ‚Krieg' (1928), Edlef Köppen: ‚Heeresbericht' (1930).

Aus der Flut der ungefähr gleichzeitig veröffentlichten nationalistischen und völkischen Romane, die das Kriegserlebnis verklären, seien die Weltkriegsromane von Werner Beumelburg genannt: ‚Sperrfeuer um Deutschland' (1929), ‚Gruppe Bosemüller' (1930). Der wichtigste und wohl auch wirksamste Weltkriegsroman, der den „Kampf als inneres Erlebnis" darstellt und für viele spätere Romane zum Vorbild wird, ist allerdings schon im Jahre 1920 erschienen: ‚In Stahlgewittern' von Ernst Jünger. Nicht wenige der um 1929/30 veröffentlichten nationalistischen Kriegsromane werden als Antwort auf den erfolgreichsten Antikriegsroman der damaligen Zeit geschrieben: ‚Im Westen nichts Neues' von Erich Maria Remarque. Dieser Roman wird zugleich zu einem der größten Bucherfolge in der Weimarer Republik.

Romane der Zwischenkriegszeit. Die meisten der Antikriegsromane machen auf indirekte Weise die Zeit nach dem Ersten Weltkrieg, also die Epoche der Weimarer Republik, als Zwischenkriegszeit kenntlich, indem sie stets auch vor einem möglichen neuen Krieg warnen.

Das bedeutet: Sie sind nicht nur Romane des Ersten Weltkriegs und insofern Werke, die allein die jüngste Vergangenheit und die in die Gegenwart wirkende Vorgeschichte der Weimarer Republik darzustellen versuchen, indem sie die Erfahrungen einer vom Krieg unmittelbar betroffenen Generation literarisch verarbeiten. Sie deuten vielmehr auch über die Gegenwart hinaus. Indem sie die Vergangenheit, die Schrekken und inneren Verwüstungen des gerade vergangenen Kriegs gestalten, entwerfen sie, zumindest als Ahnung, die bald Wirklichkeit werdende Gefahr eines neuen Kriegs. Die Geschichte hat ihnen recht gegeben.

Die Epoche der Widersprüche: Gleichzeitigkeit von pazifistischen und nationalistischen Kriegsromanen. Neben den pazifistischen Romanen, geboren aus einer humanistischen Grundeinstellung, gibt es damals eine Fülle anderer Romane, die den Krieg und das Kriegserlebnis verherrlichen und nicht selten auf die nationalsozialistische Kriegspropaganda vorausdeuten. In nicht wenigen dieser Werke zeigt sich, nach dem Vorbild Ernst Jüngers, eine Ästhetisierung des Kriegs, eine Art L'art pour l'art des Kampfes. Auch diese Romane spiegeln einen Zeitgeist. Sie bringen psychische Dispositionen ebenso wie offen bekundete Gesinnungen, die seinerzeit immer mächtiger werden, zum Ausdruck. In diesem Neben- und Gegeneinander der Kriegsromane, in ihren schroffen Gegensätzen wird ein Grundzug der Epoche sichtbar: die unversöhnlich widerstreitenden politischen, gesellschaftlichen und geistigen Kräfte der Weimarer Republik, die in die schärfsten feindseligen Antinomien auseinanderstreben.

Erzählperspektive und Erfahrung. Mit Ausnahme des ‚Grischa' Romans von Arnold Zweig, der eine Art Enzyklopädie des Ersten Weltkriegs darstellt, handelt es sich bei den anderen Kriegsbüchern meist um autobiographisch geprägte Romane, deren Autoren den Krieg selbst erfahren haben. Sie streben die Verbindung von subjektiver und objektiver Authentizität, von individueller Perspektive (Ich-Perspektive) und allgemeiner Aussage an.

Erzähltechnisch findet dieses Anliegen seine Gestalt nicht in überlegener Sicht, in der Perspektive eines traditionell auktorialen Erzählers (wie im ‚Streit um den Sergeanten Grischa'), sondern eher in einer Episodenstruktur und in Momentaufnahmen. Nicht selten gibt es Übergänge zur dokumentarischen Darstellung.

5.2 Weltkriegsroman, Zeitroman, Gesellschaftsroman: Arnold Zweig ‚Der Streit um den Sergeanten Grischa'

Arnold Zweig: ‚Der große Krieg der weißen Männer' (Romanzyklus):
Die Zeit ist reif (1913 bis 1915; 1957 erschienen)
Junge Frau von 1914 (1915 bis 1916; 1931 erschienen)
Erziehung vor Verdun (1916 bis 1917; 1935 erschienen)
Der Streit um den Sergeanten Grischa (1917; 1927 erschienen)
Einsetzung eines Königs (1918; 1937 erschienen)

Zweigs ‚Grischa'-Roman ist das zuerst entstandene Mittelstück eines Romanzyklus, der in enzyklopädischer Sicht die Zeit von 1913 bis 1918 darstellen sollte.

Dem russischen Sergeanten Grigorij Iljitsch Paprotkin, genannt Grischa, gelingt die Flucht aus deutscher Gefangenschaft. Er erreicht eine russische Partisanengruppe. Als er erkennt, daß ihm die weitere Flucht in das von den Russen gehaltene Gebiet nicht möglich sein werde, stellt er sich, mit falschen Papieren ausgestattet, den Deutschen als Überläufer. Man hält ihn jedoch für einen russischen Spion, dem die Todesstrafe droht. Jetzt kämpft Grischa um sein Leben. Er gibt seine wahre Identität preis, die auch von deutschen Offizieren und Soldaten, die ihn kennen, bestätigt wird. Trotzdem wird er von dem eigenmächtig handelnden Gericht des Generalmajors Schieffenzahn zum Tode verurteilt.

Nun beginnt der sich immer mehr ausweitende Streit um den Sergeanten Grischa. In General von Lychow, der sich für Recht und Menschlichkeit einsetzt, findet Grischa einen mächtigen Fürsprecher. Doch letztlich geht es gar nicht mehr um einen Menschen, sondern um Politik und Macht, in deren Räderwerk Grischa zermalmt wird.

Das epische kompositorische Gefüge des Romans. In überlegener, realistischer Erzählmanier – es gibt den allwissenden Erzähler, der sich selber keineswegs in Frage stellt, vielmehr mit dem weit ausholenden epischen Gestus des realistischen Romans über die Wirklichkeit, über Menschen und Geschehen verfügt – schichtet Zweig um die Grischa-Episode herum in Kapitelblöcken eine ungeheure Stoff- und Handlungsfülle auf. So entsteht im Fortschreiten des Geschehens Zug um Zug, ausgehend von der Grischa-Episode und stets darauf bezogen, ein immer deutlicher sich ausprägendes Porträt der Zeit des Ersten Weltkriegs, ihrer politischen und gesellschaftlichen Verhältnisse, ihrer typischen Vertreter sowie der sie bewegenden Kräfte.

In diesem vielschichtigen Romangefüge findet auch das übermächtige, von den Betroffenen kaum durchschaute Räderwerk seine Gestalt, das den armen Grischa erfaßt und am Ende vernichtet. In der, wie Arnold Zweig versichert, nicht erfundenen Fabel kommt nicht nur die Unmenschlichkeit des Kriegs und der Kriegsmaschinerie, des militärischen Machtapparats zum Ausdruck. Vielmehr spiegelt sich im Streit um Grischa eindringlich der zeitgeschichtlich bedeutsame Kampf zwischen dem offenbar überholten Rechtsdenken des alten, seiner moralischen Existenz noch gewissen preußischen Staates, das der alte General von Lychow verkörpert, und dem wilhelminischen, imperialistischen Deutschland, das in der kalt berechnenden, unmenschlichen Person des Generalmajors Schieffenzahn individuelle Gestalt annimmt.

5.3 Der Roman der verlorenen Generation:
Erich Maria Remarque ‚Im Westen nichts Neues‘

Der Roman – mit acht Millionen Weltauflage einer der größten Bucherfolge der ersten Jahrhunderthälfte – stellt den Versuch dar, aus der Sicht der Betroffenen, einer Gruppe junger Soldaten, die vor kurzem noch Schüler waren, „über eine Generation zu berichten, die vom Kriege zerstört wurde" (Vorspruch zum Roman).

Dargestellt werden vor allem die Erlebnisse und Erfahrungen in den Schrecken des Kriegs. Das eigentliche Geschehen des Romans ist der zerstörerische Desillusionierungsprozeß, den die jungen Soldaten, verführt durch die Kriegsbegeisterung und die ideologischen Manöver der älteren Generation, auf erschütternde Weise durchmachen und der einhergeht mit ihrer äußeren Vernichtung. Entlarvt wird daher auch die Lüge der Erwachsenen.

Der Enttäuschungs- und Entlarvungsprozeß öffnet den Jungen mithin zugleich die Augen für die bisher hinter den ideologischen Phrasen und Täuschungen verborgene Wirklichkeit, für die 'Tatsachen'.

Und das Ende des Kriegs ist für die radikal verlorene Generation nicht zugleich der Beginn des Friedens, der Aufgang neuer Hoffnung. Am Ende, auch des Romangeschehens, steht vielmehr der Verlust aller Ziele und der Zukunft. Was allein noch bleibt, ist das im Krieg entstandene „Zusammengehörigkeitsgefühl", das Erlebnis der „Kameradschaft". Dieses im Krieg 'gewachsene', eher irrationale Gefühl wird allerdings in vielen nationalistischen und in den späteren nationalsozialistischen Kriegsromanen entsprechend ausgebeutet: Es bildet den Kern der völkischen Gemeinschaftsideologie.

In Paul Bäumers – des Ich-Erzählers – radikaler Erfahrung der Ratlosigkeit und Hoffnungslosigkeit am Ende des Kriegs, das für ihn gewissermaßen den Anfang des

Nachkriegs, der Zwischenkriegszeit bedeutet, wird der autobiographische Grund des Romans sichtbar. Er ist aus der Betroffenheit heraus geschrieben.

So tritt an die Stelle des weit ausholenden und aufbauenden, kunstvollen epischen Gestus bei Zweig, der auch Distanz schafft, jedenfalls nicht ohne weiteres Unmittelbarkeit und Identifikation bewirkt, hier ein eher kurzatmiger und eilends vorangetriebener Gang des Geschehens: vermittels einer Erzählweise, die häufig Momentaufnahmen und kurze Szenen, unterbrochen von den Gedanken und Empfindungen des Ich-Erzählers, reiht und darin an die Technik des Films gemahnt (Schnitte, Rückblenden in die Vergangenheit der Personen).

Ein weiteres Moment ist die individuelle Perspektive und die mit ihr verbundene Authentizität der Wirklichkeitserfahrung und -darstellung.

In der eingeschränkten Perspektive liegt allerdings auch eine bezeichnende Schwäche des Buchs, die sich übrigens in manchen anderen Kriegsromanen ebenso findet. (Sorglosigkeit des Stils und gewisse sentimentale Kolportagezüge sind kritisch zu vermerken.) Zwar vermögen die Schreckensbilder und die Schicksale der eindringlich gezeichneten Einzelgestalten zu erschüttern. Doch Erschütterung und Stimmung allein sind womöglich der Erkenntnis eher abträglich. Und darauf, auf Erkenntnis und Wissen, kommt es doch vor allem an, wenn ein Kriegsroman die gehörige Wirkung haben soll. Es bleibt jedenfalls die Frage, ob der Roman zum Kern vorzustoßen vermag: zur Aufdeckung der Hintergründe, der Entstehungsursachen und der wirklichen Folgen des Kriegs. Wird der Krieg indes wie bei Remarque als Geschichtsverhängnis zum mythischen Schicksal gesteigert, so bleibt er unabwendbar.

5.4 Wechsel der Perspektive: Ludwig Renn ‚Krieg‘ und Edlef Köppen ‚Heeresbericht‘

Ähnlich autobiographisch geprägt wie Remarques Roman, aus der unmittelbaren Erfahrung des Ersten Weltkriegs geschrieben, sind zwei andere wichtige pazifistische Romane: ‚Krieg‘ von Ludwig Renn und ‚Heeresbericht‘ von Edlef Köppen.

Der Autor des Romans ‚Krieg‘, Arnold Vieth von Golßenau, hat den Ersten Weltkrieg und die von ihm erzählten Vorgänge als Offizier erlebt. Er kehrt die Perspektive literarisch um und berichtet aus der Sicht von unten, aus der Sicht eines Gefreiten, den er Ludwig Renn nennt und dessen Namen er selbst nach dem Erscheinen des Romans annimmt. Damit bringt er zugleich seine eigene politische Konversion zum Ausdruck.

Edlef Köppens Roman ‚Heeresbericht‘ zeigt den Krieg in einer wechselnden doppelten und gegensätzlichen Perspektive, gewissermaßen von oben und von unten. Da gibt es den offiziellen Heeresbericht, der aus Dokumenten des Kaisers, der Regierung, der Obersten Heeresleitung besteht, die den Krieg bejahen und zum Durchhalten aufrufen.

Dem offiziellen Heeresbericht wird die eigentliche Romanhandlung entgegengestellt, in der aus der Sicht des unmittelbar betroffenen Frontsoldaten die entsetzliche Wirklichkeit des Krieges geschildert wird.

Damit gewinnt der Roman Authentizität. Zugleich erweitert die Montagetechnik – im Unterschied zur eingeschränkten Perspektive in Remarques Roman – das Blickfeld des Lesers. Dieses Erzählverfahren erinnert an Piscators politisches Theater.

6 Der Zeitroman der Neuen Sachlichkeit:
Romane vom Ende der Republik

Hans Fallada: Bauern, Bonzen und Bomben (1931)
Kleiner Mann – was nun? (1932)
Lion Feuchtwanger: Erfolg (1930)
Marieluise Fleißer: Mehlreisende Frieda Geier (1931)
Ödön von Horváth: Der ewige Spießer (1930)
Erich Kästner: Fabian (1931)
Hermann Kesten: Der Scharlatan (1932)
Irmgard Keun: Gilgi, eine von uns (1931)   Das kunstseidene Mädchen (1932)

6.1 Der Zeitroman als Epochenparadigma

Romane vom Ende der Republik. Auch wenn der Zeitroman, der die deutsche Wirklichkeit zu zeigen versucht, eine typische Gattungsform der Literaturentwicklung in den zwanziger Jahren darstellt, so ergibt sich doch in der letzten Periode der Weimarer Republik, zumal in den Jahren 1930 bis 1932, eine herausragende Epochenkonstellation des Zeitromans. Es sind Romane vom Ende der Republik in doppeltem Sinne: Sie entstehen nicht nur im Vorfeld der Katastrophe, in den letzten Jahren der Weimarer Republik, sie handeln meistens auch von deren Krise und Ende. Sie stellen eine gleichzeitige zeitgenössische Antwort auf die Herausforderungen ihrer Epoche dar. Daher bleiben sie im wesentlichen an die gesellschaftlichen und politischen Zustände ihrer Entstehungszeit gebunden. In den Gesellschaftsschilderungen der Romane tauchen Züge und Ansichten der Epoche auf, die zugleich für die Geschichtsschreibung von Belang sind.

Tatsachensinn und der Anspruch des Authentischen. Wie problematisch der Begriff der 'Neuen Sachlichkeit' als Epochenbegriff auch immer sein mag (er ist zum historischen Verständnis einzelner Werke oder bestimmter Entwicklungstendenzen in der Tat nur sehr bedingt tauglich), so ist doch davon auszugehen, daß Tatsachensinn, Sachlichkeit und der Anspruch des Authentischen wesentliche Momente der neuen künstlerischen Haltung sind. In ihr kommt die Gegenbewegung gegen den Expressionismus zum Ausdruck.
Der Name 'Die Neue Sachlichkeit' wurde 1925 gewählt für eine Ausstellung von Bildern „greifbarer Wirklichkeit" in Mannheim.
Die neue Haltung prägt nicht nur in vielem die Art der Gestaltung in allen Kunstgattungen. Sie entspricht auch dem Selbstverständnis der Epoche und ihrem Lebensgefühl: „Es liegt in der Luft eine Sachlichkeit" – so das Titelchanson der Schiffer-Spoliansky-Revue 1928.
Die Zeitromane stellen sich auf den 'Boden der Tatsachen' und streben eine 'sachliche', ungeschminkte und illusionslose, eine – bisweilen ins Dokumentarische gehende – authentische Darstellung des wirklichen Geschehens der Zeit an. Nähe und zugleich Distanz kennzeichnen dabei häufig die schriftstellerische Haltung und die Darstellungsweise. So entwerfen die zeitgeschichtlichen Romane das innere Bild der Epoche, das in den unscheinbaren Spuren des Daseins oftmals deutlicher hervortritt als in den großen Gebärden der Zeit. Das Authentische wird für sie im Verhalten der Menschen greifbar. So führen sie eher die Innenseite der Geschichte vor, indem sie die psychischen Dispositionen und Einstellungen, die Standorte und Haltungen der Menschen, ihre Denk- und Empfindungsweisen, ihre Redeweisen, die alltäglichen

Nöte und Ängste, Hoffnungen und Träume aufspüren. Und so erzählen sie, viele Facetten zusammenfügend, gewissermaßen auch die Bewußtseins- oder Unbewußtseinsgeschichte ihrer Zeit.

Einzelschicksale und Momentaufnahmen statt Epochenpanorama. Keine weiträumigen und geschlossenen Gesamtansichten des Zeitalters werden entworfen wie in den großen Epochenromanen. Die Autoren versuchen rasch und gleichsam schlagfertig auf die bedrängenden Herausforderungen ihrer Zeit zu reagieren. Daher ist es auch nicht möglich, eine Epochenbilanz zu ziehen oder mit der Zeitgeschichte, von einem überlegenen und überschauenden Standpunkt aus, ins Gericht zu gehen. Darin gründet übrigens auch ein Vorwurf, der gegen nicht wenige der in der letzten Periode der Weimarer Republik entstandenen Zeitromane erhoben worden ist: daß sie zwar am Verhalten der Menschen die Selbstzerstörung der Republik und das Aufkommen des Nationalsozialismus zeigten, nicht aber auf die politischen und ökonomischen Hintergründe eingingen.

Demgegenüber wird die Epoche in Ausschnitten und mehr vom Leben her betrachtet, aus der Erfahrung und der Sicht der Betroffenen, denen das Geschehen unmittelbar widerfährt: Einzelschicksale stehen daher in den meisten Zeitromanen im Mittelpunkt. In ihren individuellen Erlebnissen und deren authentischer Darstellung, die indes für bestimmte gesellschaftliche Gruppen und Haltungen aufschlußreich sind, versuchen die Autoren Grundzüge der Epoche sichtbar zu machen.

Mit alldem hängt auch ein Merkmal der Erzählweise zusammen: Sie ist in vielen Zeitromanen eher 'filmisch'. Das Geschehen wird nicht in weiträumigen epischen Zusammenhängen entfaltet, sondern mehr in einzelnen kürzeren 'Einstellungen' und Szenen, in Momentaufnahmen eingefangen. Nicht selten dient dazu die Montagetechnik.

Außenseiter und die kleinen Existenzen: Die Protagonisten der Zeitromane im Spannungsfeld zwischen Großstadt und Provinz. Die Endzeitstimmung und das durchdringende Bewußtsein der Krise wie zugleich das Gefühl der Lähmung bestimmen häufig die Haltung der sensiblen und kritischen Intellektuellen (wie etwa Fabians und Labudes in Kästners Roman ‚Fabian‘), der ohnmächtigen Neinsager in der Zeit der Selbstzerstörung der Republik. Sie sind denn auch, nicht selten als Spiegelbild des Autors, die Protagonisten mancher Zeitromane.

In anderen Zeitromanen wird die gesellschaftliche Endzeit am miserablen Leben der gebeutelten kleinen Existenzen gezeigt. Denn die Zerstörung der Weimarer Republik tritt dort wohl deutlich hervor, wo die politischen und wirtschaftlichen Erschütterungen am stärksten sich auswirken und zu verheerenden Verkrümmungen des Bewußtseins führen: im neuen Mittelstand, bei den vielen kleinen Angestellten und den Arbeitslosen, die mehr und mehr an den Rand der Gesellschaft geraten und jeglichen materiellen und ideologischen Halt verlieren (wie in den Romanen Irmgard Keuns oder in Falladas Roman ‚Kleiner Mann – was nun?‘). Das Schicksal der Protagonisten und das Romangeschehen – und darin kommt ein weiterer Grundzug der Weimarer Republik in den Zeitromanen ans Licht – ereignen sich häufig in der Polarität zwischen der Großstadt Berlin und der Provinz. Im Gegeneinander treten gerade bestimmte Seiten der Großstadt in scharfer Beleuchtung hervor: Berlin als die letzte 'Zitadelle der Aufklärung', als Ort des entfesselten geistigen Lebens, zugleich als Dschungel, als Glanz und Zerstreuung der Großstadt, als „Rausch der Leere" (Toller) mit den Maskeraden des Untergangs.

Stationen des Verfalls und Fluchtbewegungen oder: Zerstreutes und geborgtes Dasein. Viele der Zeitromane sind Stationenromane (wie zum Beispiel ‚Das kunstseidene Mädchen‘ von Irmgard Keun, Falladas Roman ‚Kleiner Mann – was nun?‘ oder Kästners ‚Fabian‘). Sie schildern das Dasein und den Lebensweg ihrer Protagonisten jedoch nicht als Läuterungsprozeß wie das expressionistische Stationendrama, sondern als Abstieg, als Prozeß des Verfalls, der enttäuschten Hoffnungen, des Verlusts aller Illusionen: Stationen, die ins gesellschaftliche Abseits und in den Untergang führen, Wege, die im Kreislauf des eigenen verblendeten Bewußtseins oder aber in der radikalen Verweigerung enden.

Einzelne Wegstrecken sind deshalb nur noch flüchtige Durchgangsstationen in einem Gesellschaftsgefüge, das aus dem Gleichgewicht geraten ist und den Menschen keinen Halt mehr zu bieten vermag. Die ‘provisorischen Existenzen’ (in den Romanen Irmgard Keuns und in Erich Kästners ‚Fabian‘) befinden sich sozusagen dauernd auf „Stellungssuche“, wie Rühmkorf in seiner Rede auf Kästner (1979) gesagt hat.

Angesichts der aus den Fugen geratenen Gesellschaft sowie der geborstenen, zumindest brüchig gewordenen Lebensgrundlagen der Menschen kommt es zu Fluchtversuchen, zu Täuschungs- und Selbsttäuschungsmanövern: Sie führen unter anderem in das Blendwerk des Glanzes und des Vergnügens, in den Kult der Zerstreuung, wo die Wunschträume der gebeutelten Existenzen den Schein der Wahrheit gewinnen. Maskeraden und Glamour, Trugbilder und Vorspiegelungen ersetzen die Wirklichkeit.

Es kommt zur Flucht in ein geborgtes Leben, das den erträumten Glanz wenigstens vorübergehend zu bewahrheiten und zu erfüllen scheint. Der Lebenszusammenhang zerreißt. Das Dasein bleibt provisorisch und wird zerstreut, wie übrigens auch die Wahrnehmungsweise zerstreut ist. Flucht- und Ersatzmöglichkeiten bieten der Film und die Vergnügungspaläste, der Sport und die Sexualität, die Warenhäuser, das Geschäft und das Verbrechen, aber auch das scheinbar unangefochtene private Glück in der Laube.

Die Stationentechnik führt dazu, daß in den wechselnden Episoden und Szenen des Romangeschehens viele Personen auftauchen, die als typische Vertreter der Zerstreuungskultur und der politischen Verhältnisse der Weimarer Republik den Weg der Protagonisten kreuzen. Dadurch werden die Romane gelegentlich zu einem ungemein anschaulichen Typenporträt ihrer Zeit.

6.2 Vom zerstreuten Leben und vom Aufstieg in die Ohnmacht: Irmgard Keun ‚Das kunstseidene Mädchen‘

In den Jahren 1931 und 1932 erscheinen die beiden ersten Romane von Irmgard Keun (1910–1982): ‚Gilgi, eine von uns‘ und ‚Das kunstseidene Mädchen‘, zwei Erfolgsbücher, mit denen die junge Autorin auf Anhieb zu einer populären Schriftstellerin wird.

Beide Romane sind zeitgeschichtliche Erfahrungschroniken wie auch alle späteren Bücher von Irmgard Keun. Die engagierte Autorin, die ihre Lebensgeschichte im Horizont der Zeitgeschichte zu erkennen und erzählerisch ins Werk zu setzen vermag, wird in ihrem Roman zur kritischen Chronistin ihrer Zeit. Auffallend ist ihre Beobachtungsschärfe. Neugierig und mit wachen Sinnen blickt sie, meist von den Rändern der Gesellschaft her, auf die alltäglichen Gesten und Verhaltensweisen der Menschen, in denen die Unterströmungen der Zeit zum Vorschein kommen. Beträchtlich ist daher die historische Zeugenschaft ihrer Romane.

‚Das kunstseidene Mädchen‘ ist die in Tagebuchform geschriebene Geschichte der Ich-Erzählerin Doris, einer kleinen Angestellten, die in Berlin ein neues Leben zu gewinnen hofft, „ein Glanz“ werden will und am Ende nur den Aufstieg in die Ohnmacht erlebt. Gespiegelt in ihren Erfahrungen, entsteht ein Bild der moribunden Weimarer Republik, geprägt von „Untergangsstimmung“ und der hellsichtigen Vorahnung des Endes: „Dazu war auch schon zuviel Untergangsstimmung dabei. Du sahst, es geht dem Ende zu, und wenn Du auf die Straße kamst, dann prügelten sich doch schon die Nazis mit den Kommunisten herum." So schildert Irmgard Keun den Hintergrund ihres Romans.

Der Roman besteht aus drei Teilen: „Ende des Sommers und die mittlere Stadt" – „später Herbst und die große Stadt" – „Sehr viel Winter und ein Wartesaal". Sie stellen die entscheidenden Stationen des erzählten Lebensabschnitts der Doris dar, der sich vom Ende des Sommers 1931 bis zum Frühjahr 1932 erstreckt.

Die Stationen vergegenwärtigen in ihrem Nacheinander die abschüssige Lebensbahn der Ich-Erzählerin: Sie führt aus dem „Drecksnest", der spießigen Enge einer „mittleren Stadt" im Rheinland, aus deren kleinbürgerlichem und miserablem Angestelltenleben Doris auszubrechen versucht, in den Glanz und die Zerstreuung Berlins, in die Illusionen und Phantasmagorien der „großen Stadt" und am Ende in den Wartesaal des Bahnhofs Zoo, wo die Lebensbahn vorerst abbricht im Ausweglosen, im Verlust der Zugehörigkeit. Im Widerspruch zwischen Großstadt und Provinz vollzieht sich das Schicksal der Ich-Erzählerin, ihr Abstieg in die Elendsquartiere und an den Rand der Gesellschaft, wo der Traum vom „Glanz" endgültig zerplatzt und die Flucht in ein zerstreutes und geborgtes Leben im gesellschaftlichen Niemandsland endet.

Der lebens- und zeitgeschichtliche Gehalt des Romans ist allerdings mit der Flucht der Doris allein noch nicht erledigt. Vielmehr blitzt im abschüssigen Leben der Ich-Erzählerin, in ihren Erfahrungen, in ihrer Selbstdarstellung auch ein Moment der Einsicht und der Gegenwehr auf. Denn Doris gehört, trotz allem, zu den am wenigsten verkrümmten Personen im Roman. Sie flieht zwar in die kitschigen und sentimentalen Illusionen, in den Schein und in die Täuschungen der Zerstreuung. Aber gleichzeitig behauptet sich in ihrer Sehnsucht, in ihrem Traum noch am ehesten ein Rest des Aufbegehrens und der Utopie von einem besseren Leben. In der Enttäuschung und Zerstörung ihrer Hoffnungen gelangt Doris mit ihrem naiven, aber treffsicheren Blick immer wieder zu realistischen Einschätzungen der Lebensverhältnisse. Und hier deutet sich eine Verwandtschaft mit Horváths Karoline an (‚Kasimir und Karoline‘, s. Seite 448f.).

In der geschichtlichen Zeugenschaft liegen die Stärke und die Begrenzung der Bücher von Irmgard Keun: Sie sind an einen bestimmten geschichtlichen Ort und einen bestimmten gesellschaftlichen Zustand gebunden.

Erzählt wird meist einsinnig, unumwunden und unnachgiebig aus der Sicht der Protagonistinnen, fast immer junger Mädchen, die mit Witz, in sinnlicher Wahrnehmungs- und Äußerungslust, in sprunghafter und bedenkenloser Manier einfach draufloszureden und draufloszuschreiben scheinen. Dieses Erzählverfahren verbürgt subjektive Authentizität und Intensität. Gleichzeitig bindet es die Romane an den eingeschränkten Blickwinkel der jungen Mädchen, an deren Bewußtseinszustand und Mentalität und, vor allem, an deren Sprachgebaren und Jargon. Darin ist ein formaler Wesenszug der Romane begründet, der auf besondere Weise für ‚Das kunstseidene Mädchen‘ gilt: die kaleidoskopische und zerstreute Schreibweise, die in vielem der Technik des Films entspricht.

6.3 Der Roman der Angestelltenmisere: Hans Fallada ‚Kleiner Mann – was nun?‘

1932, im selben Jahr wie ‚Das kunstseidene Mädchen‘, ist Falladas Roman erschienen (nach einem Vorabdruck in der ‚Vossischen Zeitung‘) und auf Anhieb eines der erfolgreichsten Bücher seiner Zeit geworden. In ihm haben sich unzählige Leser des ‘neuen Mittelstands’ der Weimarer Republik wiedererkannt: Es ist die Geschichte des „kleinen Mannes" Johannes Pinneberg, der als Angestellter, erst Buchhalter, hernach Verkäufer, aus der „kleinen Stadt" Ducherow in die Großstadt Berlin kommt und hier in den Wirren und Erschütterungen der Wirtschaftskrise arbeitslos wird und „herunterkommt". Es ist die Geschichte von der Misere des Angestellten Pinneberg. Und es ist gleichzeitig, verschränkt mit der Geschichte Pinnebergs, seines Abstiegs, seiner Deklassierung und Proletarisierung, die Geschichte der Liebe zwischen ihm und „Lämmchen", die sein Herunterkommen allem Anschein nach, zumindest in der Sicht des Autors, aufzufangen vermag.

Damit verknüpft sich eine der entscheidenden Fragen an den Roman: Handelt es sich am Ende um eine objektiv mögliche Lösung und Aussicht oder um ein Wunsch- und Trugbild, um eine im Privaten allein aufgehende Lösung, welche die geschichtliche Wirklichkeit der Krise zu guter Letzt verdrängt? Gibt es am Ende nur noch die erträumte Flucht ins private Glück in der Laube, das Ausweichen in die Idylle?

Von der Problematik des Schlusses abgesehen, ist Falladas Roman zeitgeschichtlich ungemein erhellend: Die scharfsichtig beobachteten und aufgezeichneten Stationen und Episoden der abschüssigen Bahn in die Arbeitslosigkeit sind zugleich Wegmarken der Zeit. In der Geschichte vom Herunterkommen des Angestellten Pinneberg spiegeln sich Niedergang und Verfall des Kleinbürgertums in der Weimarer Republik. In Pinneberg begegnet der Typus des Angestellten, wie überhaupt typische Züge der gesellschaftlichen Entwicklung in der damaligen Zeit ebenso erkennbar werden wie typische Denk- und Verhaltensweisen.

Zwei gegenläufige Handlungszüge. Die Geschichte des sozialen Niedergangs in die Arbeitslosigkeit und in die Zerstörung der kleinbürgerlichen Existenz, in der sich das kollektive Schicksal der Masse der Angestellten in der damaligen Zeit spiegelt, und die Geschichte des individuellen Glücks durchkreuzen einander. Sie stellen, als die öffentliche und die private Sphäre des Geschehens, die beiden gegenläufigen Handlungszüge des Romans dar.

Gegenüber der in allen Wirren gleichsam trotzig behaupteten Beständigkeit seiner Liebe und seines Glücks mit „Lämmchen" ist Pinnebergs Stand als Angestellter von vornherein bedroht. Der Prozeß der Deklassierung verläuft unaufhaltsam, bis er am Ende in die völlige Zerstörung der kleinbürgerlichen Existenz und des bis dahin gegen alle Realität aufrechterhaltenen bürgerlichen Selbstverständnisses führt. Gerade der in seinem objektiven Grund unbegriffene Vorgang, die Erschütterung seines vordem unangefochtenen bürgerlichen Selbstbewußtseins, wirkt tiefer als alle äußere Not und nimmt für Pinneberg katastrophale Züge an.

Dargestellte Ungleichzeitigkeit: Angestelltenmisere und bürgerliche Privatidylle. In den beiden gegenläufigen Motiv- und Handlungszügen des Romans kommt ein historischer Grundwiderspruch zum Ausdruck: Es ist der Widerspruch zwischen dem Traum von einem bürgerlichen Leben und der ökonomischen Wirklichkeit, zwischen Pinnebergs Denk- und Empfindungsweise, seiner Selbsteinschätzung und Gesinnung, kurzum, seiner kleinbürgerlichen Ideologie und seiner tatsächlichen, objektiven wirtschaftlichen und sozialen Lage. In den Erinnerungs- und Wunschbildern aus dem Bürgertum, in Wahrheit Trugbildern, halten sich die Überreste eines wider die Zeit stehenden, jedenfalls von den realen Lebensbedingungen abgelösten Bewußtseins. Die Realität des Angestellten kommt der des Proletariers nahe. Im Verhältnis zu seiner sozialen Lage sind Denken und Fühlen Pinnebergs, seine Wertvorstellungen und Bedürfnisse rückständig. Sie entstammen noch einer in der Krise der Weimarer Republik unterdessen eingestürzten Welt. Gleichwohl halten Pinneberg und Lämmchen daran fest. Die versunkene Bürgerlichkeit wird, die Angst betäubend, in die trügerischen Hoffnungsbilder von einem heilen Familienleben zu retten versucht.

Und der Traum, der die Wirklichkeit immer rücksichtsloser verdrängt, scheint am Ende des Romans in Erfüllung zu gehen: allerdings als Flucht in die Idylle, ausgerechnet zu einem Zeitpunkt, da Pinnebergs Existenz als Angestellter endgültig zerstört ist. Man ist versucht, von einer bedenkenlosen Utopie zu sprechen.

Hier liegt die Problematik des Romans. Sie verknüpft sich mit der Frage nach dem politischen Verständnis Falladas. Ist er nicht nur scharfsichtiger Zeuge, sondern vermag er zugleich die gesellschaftliche Totalität zu erkennen und die geschilderten Vorgänge historisch zu durchdringen? Oder hat er im Grunde ein unpolitisches Buch geschrieben, weil er bei seiner Zeit- und Gesellschaftsbetrachtung in der eingeschränkten Sicht der Betroffenen verharrt? Denn der entscheidende Antrieb des Schriftstellers Fallada ist das Mitgefühl mit den erniedrigten kleinen Leuten. Und ihm verdankt sich die Nähe zu deren Denk- und Empfindungsweise und die authentische Darstellung der Welt der Angestellten, die er aber gleichzeitig, als Chronist der Zeit kühl komponierend und handwerklich genau arbeitend, von außen und aus der Distanz zu sehen vermag. Darin ist Falladas Realismus begründet.

Zweiter Teil: Literatur unter dem Nationalsozialismus

1 Gegen die Republik

1.1 Der ideologische Horizont

„Gleichlaufend mit der Erziehung des Körpers hat der Kampf gegen die Vergiftung der Seele einzusetzen. [...] Wenn wir die Jugend nicht aus dem Morast ihrer heutigen Umgebung herausheben, wird sie in demselben untersinken. [...] Dieses Reinemachen unserer Kultur hat sich auf fast alle Gebiete zu erstrecken. Theater, Kunst, Literatur, Kino, Presse, Plakat und Auslagen sind von den Erscheinungen einer verfaulenden Welt zu säubern und in den Dienst einer sittlichen Staats- und Kulturidee zu stellen. [...] In allen diesen Dingen muß das Ziel und der Weg bestimmt werden von der Sorge für die Erhaltung der Gesundheit unseres Volkes an Leib und Seele. Das Recht der persönlichen Freiheit tritt zurück gegenüber der Pflicht der Erhaltung der Rasse."

Im 10. Kapitel von ‚Mein Kampf' hat Adolf Hitler schon 1924/25 die Grundlagen nationalsozialistischer Kulturpolitik dargestellt. Ausgehend von der Überzeugung, daß sich in dieser „Welt des Kampfes" nur der skrupellose Stärkere durchsetze, sieht er in dem „brutalen" Vorgehen gegen die Weimarer Demokratie das zentrale Ziel seiner Politik. Internationales Judentum und Marxismus erscheinen als die Hauptfeinde, gleichsam die Krankheitserreger, die aus dem Körper des deutschen Volkes ausgemerzt werden müssen.

Hitler verbindet in seiner „Weltanschauung" zwei ursprünglich entgegengesetzte Vorstellungsbereiche: Einerseits argumentiert er ethisch und fordert die körperliche und seelische Erneuerung des einzelnen Menschen wie auch die Unterordnung des Staates unter eine sittliche Idee, andererseits argumentiert er rassistisch und verlangt die Unterwerfung des einzelnen wie auch des Staates unter die Pflicht zur Erhaltung der Rasse. Überdeckt wird dieser Widerspruch durch den Mythos von der grundsätzlichen Überlegenheit der germanischen Rasse und ihrem welthistorischen Herrschaftsanspruch, auf den die Erziehung des einzelnen und die staatliche Ordnung ausgerichtet sein müssen. Damit stellt Hitler sein Programm in den schärfsten Gegensatz zu dem philosophischen und politischen Denken, das, auf die Kraft der Vernunft setzend, seit der Aufklärung die unveräußerlichen Rechte, die „Würde" des einzelnen Menschen zur Grundlage der sozialen Ordnung macht und das auch das Fundament der Weimarer Republik bildet.

Deutsche Mythologie. In dieser radikalen Gegnerschaft gegen die parlamentarische Demokratie stehen Hitler und die NSDAP in einer Front mit anderen nationalistischen Organisationen und Autoren. Von Arthur Moeller van den Bruck, dem Wortführer der „Konservativen Revolution", übernimmt die NSDAP den geschichtsphilosophisch dynamischen Begriff des „Dritten Reiches". Moeller tritt in seinem gleichnamigen Buch (1923) für einen deutschen Ständestaat ein. Gegen den auf Kompromisse angewiesenen Parlamentarismus setzt er die „Wertungsgemeinschaft" des Volkes, aus der heraus, über die Tageskämpfe der Parteien hinweg und im Bewußtsein der Kontinuität der deutschen Geschichte, die neue Politik des „Dritten Reiches" zu gestalten sei.

In diesem Begriff knüpft Moeller nicht nur an die beiden Deutschen Reiche der Vergangenheit an, die bis 1806 und 1918 bestanden, sondern er schlägt auch die Brücke zu der weltgeschichtlichen Utopie des Mittelalters (Joachims von Fiore aus dem 12. Jahrhundert), die im dritten Reich des „Heiligen Geistes" – nach dem des „Vaters", das mit der Schöpfung beginnt, und dem des „Sohnes", das die Gegenwart bestimmt – die endzeitliche Erfüllung der Menschheitsgeschichte erblickt.

Während sich Moeller persönlich von der NSDAP fernhält, entwickelt sich Erwin G. Kolbenheyer zu einem Autor der NS-Bewegung. In seiner „Bauhüttenphilosophie", die seit den zwanziger Jahren die ideelle Grundlage der literarischen Werke (‚Heroische Leidenschaften', Drama über Giordano Bruno, 1927; ‚Paracelsus', Romantrilogie, 1914–24) bildet, steigert er den Nationalismus, der bei Moeller eher schwärmerisch bleibt, zum Rassismus mit weltgeschichtlichem Auftrag: Bei ihm, wie auch in Rosenbergs ‚Mythus des 20. Jahrhunderts' (1930), erscheint die germanische Rasse als eine junge Rasse, die sich in dieser geschichtlichen „Schwellenzeit" endlich gegen die vergreiste lateinisch–französische, westliche Kultur, einschließlich ihrer christlichen („römischen") Tradition, durchzusetzen habe, um höhere Lebensformen zu verwirklichen und damit der weißen Rasse insgesamt den Fortbestand zu sichern. Diesem Denken erscheint die parlamentarische Demokratie als schwächliche undeutsche Staatsform und „Fremdherrschaft", die den geschichtlich notwendigen Durchbruch des deutschen Wesens behindert.

Glorifizierung des Krieges. Das Leben in der Welt generell als Kampf zu verstehen heißt, den Krieg als menschliche Ursituation, in der sich die gesündere Rasse behauptet, zu begreifen. Die Niederlage des Weltkrieges 1918 wird von den Nationalsozialisten im Sinne der „Dolchstoßlegende" interpretiert: Das Heer, im Felde unbesiegt geblieben, sei von der treulosen Heimat verraten worden. Die Ansätze einer linken Revolution, die Herausbildung der bürgerlich-liberalen Weimarer Demokratie erscheinen als Schmach des Vaterlandes. Und die Toten des Weltkrieges mahnen durch ihren „Opfertod", diese Schmach durch die Beseitigung der „Novemberrepublik" zu überwinden. Nicht zuletzt die immer neuen Verhandlungen um die Reparationsleistungen lassen diesen schmachvollen Schatten des verlorenen Krieges weit in die Zeit der Republik hineinragen. Je stärker schließlich die Gegenwart selbst als orientierungslos und in sich zerrissen empfunden wird, desto strahlender erglänzen in der Erinnerung der ehemaligen Frontsoldaten die Tugenden des Krieges: die Kameradschaft, Tapferkeit und Opferbereitschaft für das große Ganze.
Tatsächlich gewinnt in der Endphase der Republik eine Literatur an Bedeutung, die den Krieg als Heldenzeit, in der alle Deutschen „einer Idee, einem Willen, einem Schicksal" (Beumelburg) unterworfen waren, verherrlicht. Zahlreiche Autoren dieser Literatur, wie der Dramatiker Eberhard W. Möller (‚Douaumont', 1929) und die Romanautoren Werner Beumelburg, Franz Schauwecker und Hans Zöberlein, schließen sich der NSDAP an.
Eine Sonderrolle spielt Ernst Jünger. Einerseits wohl der bedeutendste Vertreter des glorifizierten Kriegserlebnisses, steht er andererseits den völkischen Mythen fern. Sein „heroischer Realismus" sieht im Krieg als solchem, in dem sich die „echte Wildheit" des Menschen Bahn bricht, den Durchbruch zum eigentlichen Leben: „Der Krieg ist unser Vater, er hat uns gezeugt im glühenden Schoße der Kampfgräben als ein neues Geschlecht" (‚Selbstanzeige', veröffentlicht am 21.9. 1929 in der Zeitschrift ‚Tagebuch').
In dem Tagebuch aus dem Weltkrieg (‚In Stahlgewittern', 1920) wird diese elitäre und zugleich destruktive Haltung als persönliche Erfahrung dargestellt und später – in ‚Der Kampf als inneres Erlebnis' (1922) – zum „seelischen Erleben des Frontsoldaten" überhaupt gesteigert. In den Jahren der Republik tritt sie als radikale anarchische Opposition zur bürgerlichen Ordnung insgesamt auf:

„Zerstörung ist das Mittel, das dem Nationalismus dem augenblicklichen Zustande gegenüber allein angemessen erscheint. [...] Wir werden nirgends stehen, wo nicht die Stichflamme uns Bahn geschlagen, wo nicht der Flammenwerfer die große Säuberung durch das Nichts vollzogen hat" (‚Selbstanzeige', 1929).

Der Mythos vom bäuerlichen Leben. Kampf gegen die Republik heißt auch Kampf gegen die Großstadt, gegen das Berlin der zwanziger Jahre und das westlich-moderne Leben, und heißt auch Opposition gegen die fortschreitende Technisierung und Industrialisierung. Gegen die Entfremdungserfahrungen des modernen Lebens stellen die Autoren der Heimatliteratur, wie Richard Billinger, Hans Friedrich Blunck und Friedrich Griese, ein Leben, das bäuerlich, handfest und gefühlsstark den unmittelbaren Kontakt zur Natur noch nicht verloren hat. Diese Literatur erscheint schon in ihrer Grundlage als fragwürdig, da sie die Grundsituation des Menschen, eben nicht mehr im Zusammenhang der Natur geborgen zu sein, außer acht läßt. Deshalb überzieht sie auch das bäuerliche Leben mit einem falschen Glanz. Ihre politische Brisanz aber erhält diese Literatur, wenn sie einen Ausweg aus den Problemen der modernen, städtischen und industriellen Gegenwart anzubieten verheißt. Dies unternimmt Hans Grimms ungemein erfolgreicher Roman ‚Volk ohne Raum‘ (1926). Der Held des Buches, Cornelius Friebott, vereinigt den nationalen Typus des Bauern, des Soldaten und des geistigen Erneuerers in einer Person. In seinen vier Teilen als Entwicklungsroman angelegt, übernimmt die Fabel des Helden die Funktion einer politischen Parabel.

Als Bauernsohn ohne Hof wird Friebott zunächst Industriearbeiter: Er arbeitet im Bergwerk und wird Sozialist. Dann aber gelangt er in Südafrika, nach einer Bewährungszeit als Soldat gegen aufständische Eingeborene, zu einer neuen, vorbildlichen Existenz: als Farmer in deutscher Kolonie. Nach der Rückkehr wird die aus dem eigenen Leben gezogene Erkenntnis zur Berufung: Die Industrialisierung erscheint als Verhängnis, da sie der freien deutschen Bauernnatur zuwiderläuft und allein im mangelnden Lebensraum des Volkes ihre Ursache hat. Diesen gilt es also zu schaffen und damit Autarkie zu sichern gegen den verderblichen Internationalismus der Juden und Sozialisten. Der Bekenntnischarakter des Buches wird noch dadurch unterstrichen, daß Friebott am Ende durch den Steinwurf eines Sozialisten gleichsam den Opfertod erleidet.

Hier tritt die politische Konsequenz der Ideologie, „die Schicksalsbedingtheit des einzelnen vom Volkstume her zu begreifen" (Grimm), deutlich zutage: Dieser Roman nährt die verhängnisvolle Illusion, daß die Probleme der modernen Gesellschaft in einer Regression des geschichtlichen Bewußtseins und einer Aggression nach außen – Hitlers Kolonialkrieg nach Osten – gelöst werden können.

1.2 Zusammenhänge der Bewußtseinsgeschichte

Daß der Nationalsozialismus sich aus der allgemeinen national-konservativen Unterströmung der Weimarer Republik ab 1930 zu einer bestimmenden politischen Kraft entwickelt, ist zunächst eine Folge der Wirtschaftskrise, der die Republik nicht Herr zu werden vermag. Daß er aber so viele, vor allem bürgerliche Wähler in seinen Bann schlägt, liegt in seiner besonderen Verbindung von rückwärtsgewandtem Nationalismus und vorgespiegelter 'geistig'-revolutionärer Zukunftsgewißheit. Beide Faktoren aber weisen in die Geschichte des Bürgertums zurück.

Spaltung von Geist und Tat. Zum einen liegen die Wurzeln im 19. Jahrhundert, in den vergeblichen Bestrebungen des Bürgertums, die Fesseln des feudalen Staates zu sprengen, bis hin zur gescheiterten Revolution von 1848. Als Träger des wirtschaftlichen und technischen Fortschritts wächst seine Bedeutung zwar enorm, politisch aber bleibt es entmündigt, ja es arrangiert sich in der Folgezeit mit dem obrigkeitsstaatlichen Wilhelminischen Kaiserreich. Das bürgerliche Selbstverständnis orientiert sich zwar an den aus Aufklärung und Klassik überkommenen Werten idealer Humanität, aber diese Werte sind ihrer politisch-freiheitlichen Dimension beraubt; sie dienen vielmehr der Kultivierung einer reinen Innerlichkeit, die die wahre Menschlichkeit als von der geschichtlichen Wirklichkeit getrenntes Ideal empfindet.

Geist und Tat treten auseinander. Dieser Weg in die Innerlichkeit wird schließlich als vorbildhaft dargestellt: Die westlichen Demokratien werden als dekadente „Zivilisationen" der auf ihre wahrhaft menschliche Bildung stolzen deutschen „Kultur" entgegengesetzt (s. Th. Manns ‚Betrachtungen eines Unpolitischen', 1915–1918). Schon der Erste Weltkrieg wird von den deutschen Soldaten mit nationalem Sendungsbewußtsein geführt. Die Niederlage bietet die Chance zur Neuorientierung, aber die Weimarer Republik, die die Grundsätze aufgeklärter liberaler Demokratie zum Leitfaden deutscher Politik machen will, scheitert.

Expressionistische Dynamik. Die Epoche des Expressionismus gewinnt ihre zeitgeschichtliche Brisanz wesentlich aus ihrer Kritik an dem gespaltenen Bewußtsein der Kaiserzeit, an der gemüthaften Innerlichkeit selbstzufriedener Bürger. Die jungen Expressionisten, selbst Söhne aus oft wohlhabendem bürgerlichem Haus, behalten aber die überkommene Entgegensetzung von Geist und Tat bei. Denn allein die Revolution des Geistes soll den neuen Menschen erschaffen, der dann auch die Welt radikal verwandeln wird. Das Pathos der Verkündigung universaler Humanität zerbricht jedoch im Weltkrieg und in den ersten Krisenjahren der Republik. Der Expressionismus wird in den zwanziger Jahren von der 'Neuen Sachlichkeit' abgelöst. Aber der innere Impuls zu einer umfassenden Neugestaltung des Lebens geht nicht verloren.

Das Beispiel Hanns Johsts, des ursprünglich expressionistischen Dramatikers (‚Der junge Mensch', 1916), zeigt exemplarisch, wie die Dynamik einer radikalen Wandlungsbereitschaft dem „Erneuerungswillen" der NS-Bewegung zugute kommt (s. seine Schrift ‚Ich glaube', 1928): Johst steigert die nationalistische Programmatik zum „Glauben an Deutschland" und erhebt die „Zugehörigkeit zur Heimat" zu einer „metaphysischen" Tatsache. Er erblickt deshalb die Rettung des Volkes aus „Not, Verzweiflung, Elend" vor allem in der „Wiedergeburt einer Glaubensgemeinschaft". In radikaler Gegnerschaft zum herkömmlichen 'Guckkasten'-Illusionstheater, das den Zuschauer seinen privaten Emotionen überläßt und aus der gesellschaftlichen Wirklichkeit herauslöst, fordert Johst deshalb, daß das Theater in eine „Kultgemeinschaft" übergeführt wird, in der Akteure und Publikum gemeinsam „vor das Mysterium einer übersinnlichen Weltanschauung" geführt werden. Der Zuschauer soll als ganzer Mensch „überwältigt" werden, er soll sich auch nach dem Ende der Vorstellung „erlebnismäßig überschattet" fühlen von der „Begegnung mit etwas Metaphysischem, was zu ihm persönlich drängt […] und ihn selbst nicht ruhen läßt, bis er für das Gesicht, für die Begegnung eine Lösung, seine Erlösung, errungen, gefunden hat" – d. h., sich der NS-Bewegung angeschlossen hat.

Johsts Drama ‚Schlageter', das Adolf Hitler gewidmet ist und zu seinem Geburtstag am 20. April 1933 uraufgeführt wurde, veranschaulicht die Ziele der neuen Dramatik. Es soll an seinem Helden, dem Freikorpssoldaten und Saboteur Leo Schlageter, der 1923 während der Ruhrbesetzung von französischen Truppen hingerichtet wurde, zeigen, wie ein einzelner Mensch sich aus allen bürgerlich-privaten und staatlich-rechtlichen Bindungen löst, um im Gehorsam gegenüber dem „inneren Befehl" und in seiner „wahnsinnigen Liebe" zu Deutschland gegen die „Novemberrepublik" und den äußeren Feind vorzugehen, auch mit Gewalt, auch wenn „ein paar Deutsche dran glauben müssen". Den „Glauben an Deutschland" bezeugt der Held durch seinen „Opfertod", die Späteren zur Nachfolge aufrufend. Bevor Schlageter erschossen wird, ruft er aus: „Ein letztes Wort! Ein Wunsch! Befehl !!/ Deutschland !!!/ Erwache! Entflamme !!/ Entbrenne ! Brenn ungeheuer !!" Und das Stück endet mit der Regiebemerkung:

Vor der Salve des Hinrichtungskommandos „werden die Scheinwerfer langsam eingezogen. so daß die Feuergarbe der Salve wie greller Blitz durch Schlageters Herz in das Dunkel des Zuschauerraums fetzt. (S. steht mit dem Rücken zum Publikum.) Alles Licht erlöscht jäh. Vorhang stürzt herab. Die Motoren donnern, die Clairons (der Franzosen) gellen Triumph. Einen Augenblick lang, dann jähe und unbedingte Stille... Totenstille. Licht im Zuschauerraum."

Die politische Zielsetzung hat die dynamische Regie des expressionistischen 'Verkündigungsdramas' vollkommen in sich aufgenommen.

1.3 Ästhetik der Aggression

In der 'fetzenden' Dynamik des ‚Schlageter'-Schlusses zeigt sich, über den nationalen Appell hinaus, eine aggressive Härte, die man als den eigentlich 'faschistischen' Stil des Nationalsozialismus bezeichnen kann: die sinnliche Zurschaustellung von Brutalität, emotionaler Kälte, Verachtung des gewöhnlichen Lebens, auch der individuellen Bedürfnisse des Menschen nach Harmonie und Geborgenheit. Dies führen vor allem die sorgfältig inszenierten paramilitärischen Aufmärsche vor Augen: Ihre gleichsam mechanistische Perfektion soll nicht nur die Massenbewegung selbst zur Anschauung bringen, nicht nur den unaufhaltsamen Sieg des nationalen Aufbruchs zeigen, sondern sie besitzt als solche eine neue ästhetische Qualität. Sie zeigt den Menschen starr, ohne eigene Regung, nur noch als Teil eines totalen Apparats, der aus sich heraus den Eindruck unbezwinglicher Energie vermittelt. Wenn Hitler die Jugend „gewalttätig, herrisch, unerschrocken, grausam" wünscht, dann spricht daraus nicht mehr der traditionelle völkische Mythos, allenfalls die Vorstellung des 'nordischen' Typus des Menschen, wie er auf den NS-'Ordensburgen' gezüchtet werden sollte. Vor allem aber zeigt sich darin der NS-Rassismus als die ideologische Verbrämung der nackten Gewalt. In ihr artikuliert sich nicht nur der Haß gegen die „Novemberrepublik", sondern auch gegen jegliche auf überlieferten Normen beruhende staatliche Ordnung, die den Menschen durch Anpassung „domestiziert".

1909 verkündet der Italiener Filippo Tommaso Marinetti in seinem Manifest des 'Futurismus' eine Haltung der bewußten Jugendlichkeit – gegen die „Museumskultur" der Erwachsenen –, der „Liebe zur Gefahr", „Energie und Tollkühnheit", auch der ekstatischen Hinwendung zur modernen grenzerweiternden Technik und zu ihren „bebenden Aeroplanen". In den zwanziger Jahren wird aus dieser Haltung heraus Marinetti zu einem der Wegbereiter des italienischen Faschismus. In Deutschland beeindruckt dieser absolut amoralische, ästhetische Zug des Nationalsozialismus auch Gottfried Benn für kurze Zeit. Seine in der Tradition Nietzsches stehende und lebensphilosophisch begründete Feindschaft gegen den „liberalen Intellektuellen" als Dekadenzerscheinung des Menschen führt ihn dazu, in der brutalisierten Ästhetik der NS-Bewegung die Anzeichen eines neuen Schrittes menschlicher Evolution zu sehen: des Geschlechts eines „heroischen Nihilismus", das in der Schaffung des „totalen Staates" die Politik aus den Grenzen der Moral befreien und in die strengen Formen der reinen Machtausübung überführen werde.

Auch die KPD ('Roter Frontkämpferbund'), auch die SPD und die Gewerkschaften ('Reichsbanner Schwarz-Rot-Gold') bildeten Kampfverbände und stellten sich als Massenbewegung zur Schau. Aber vor allem die junge Generation aus bürgerlichen Schichten, die, aufgewachsen im Krieg und in einer innerlich zerrissenen Republik, sich selbst als entwurzelt erfuhr, fühlte sich von der „geistig-revolutionären" Aggressivität der völkisch-nationalen Tradition am stärksten fasziniert. Fast die Hälfte der Mitglieder der NSDAP zwischen 1930 und 1931 war 20 bis 30 Jahre alt, und die Gesamtvereinigung der Deutschen Studentenschaft wurde ab 1931 vom NS-Studentenbund beherrscht.

1.4 Voraussetzungen der inneren Emigration

Die radikale Politisierung des gesellschaftlichen Lebens in der Endphase der Weimarer Republik läßt vor allem in den gebildeten Kreisen der politischen Mitte eine Gegenströmung entstehen, die das Gewicht der politischen Auseinandersetzungen zu relativieren sucht und statt dessen die Situation des einzelnen Menschen in den Mittelpunkt stellt. Ihren Kern bildet die Existenzphilosophie Martin Heideggers (,Sein und Zeit', 1927) und Karl Jaspers'. Vor allem Jaspers' Schrift ,Die geistige Situation der Zeit' (1931), die innerhalb eines Jahres fünf Auflagen erlebt, übt einen großen Einfluß aus. Indem diese Schrift die gesellschaftlichen Konflikte auf die wechselseitige Relativität der Standpunkte reduziert und den Menschen allein auf die „absolute Geschichtlichkeit des eigenen Grundes" verweist, bestärkt sie den Widerstand des einzelnen gegenüber den Überwältigungsstrategien der radikalen politischen Gruppierungen. Zugleich wird aber eine Haltung unterstützt, die politisches Handeln überhaupt als oberflächlich geringschätzt, sich also auch nicht für die Republik engagiert und diese deshalb dem Nationalsozialismus, den man verachtet, ausliefert.

So beginnen um 1930 auch diejenigen bürgerlichen Intellektuellen, die sich aus humanem Bewußtsein nicht dem Nationalsozialismus anschließen, sich von der Weimarer Demokratie abzukehren. Der republikanische Theaterkritiker Herbert Jhering erkennt deshalb die „wahre Reaktion" der Gegenwart nicht darin, „daß auf eine scharfe Linksliteratur eine scharfe Rechtsliteratur folgt", sondern darin, „daß die [demokratisch denkenden] Schriftsteller selbst weich werden, daß sie die Grenzen verwischen, daß geistige Koalitionen eingegangen werden".

Das öffentliche Eintreten Thomas Manns für Demokratie und Sozialismus in der Endphase der Republik zeigt die Ausnahme: die Profilierung eines von Haus aus „unpolitischen" Autors im Interesse der Republik. Zeittypischer ist die existentialistische Wendung bei einigen jungen Autoren, die um 1930 zum erstenmal veröffentlichen, wie Marie Luise Kaschnitz oder die Lyriker der Dresdner Zeitschrift ,Die Kolonne': Günter Eich, Peter Huchel, Horst Lange. Diese legen schon in der ersten Nummer der Zeitschrift ein Bekenntnis gegen den der Gegenwart zugewandten Stil der 'Neuen Sachlichkeit' ab und fordern statt dessen ein meditatives Eingehen auf die Zeichen der Natur. Hier bahnt sich ein erneuter Funktionswandel der Literatur an: Schon vor der 'Machtergreifung' der Nationalsozialisten artikulieren diese Autoren eine Haltung, wie sie nach 1933 für die 'innere Emigration' wichtig wird. Ja, ihre Namen weisen im weiteren Rahmen darauf hin, daß diese existentialistische Haltung, unterstützt durch gesamteuropäische Entwicklungen, sich bis in die Literatur der Bundesrepublik Deutschland, vor allem der Adenauerzeit, verfolgen läßt, auch hier als Zeichen der Distanz, ja der Verweigerung.

2 Unter der Herrschaft des Nationalsozialismus: Zwischen Ideologie und Wirklichkeit

Daß die NSDAP in der Juliwahl 1932 die stärkste Fraktion im Reichstag und Hitler am 30. 1. 1933 auf legale Weise Reichskanzler wurde, gab der 'Machtergreifung' durch die Nationalsozialisten den Anschein der Rechtsstaatlichkeit. In dieser „unblutigsten Revolution der Weltgeschichte" erlebte die NS-Formel von der „inneren Erneuerung" der „deutschen Volksgemeinschaft" scheinbar ihre Bestätigung.

Die breite emotionale Identifikation mit der NS-„Bewegung" und ihrem „Führer" verdeckte jedoch einen doppelten Widerspruch zwischen „Erneuerungs"-Rede einerseits und der geschichtlichen Wirklichkeit andererseits.

2.1 Die „Volksgemeinschaft" als Mythos und Wirklichkeit

Zum einen zeigten sich schon bald die unmenschlichen Folgen, die die nationalsozialistische Realisierung des nationalen Mythos von der „Volksgemeinschaft" in der politischen Praxis bedeutete. Die Sehnsuchtsformeln von der „Gesundung" des Volkes, die für die bürgerlichen Hörer Metaphern waren, entpuppten sich nun als die pragmatischen Formulierungen des Rassismus. Die Wannsee-Konferenz zur „Endlösung" der Judenfrage (1942) warf bereits im 'Boykott'-Tag gegen jüdische Geschäftsleute am 1. 4. 1933 ihren Schatten voraus.

Auch die Beseitigung des demokratischen Verfassungsstaates, des verhaßten „Systems" der „Novemberrepublik", wurde sofort und rücksichtslos in Angriff genommen. Der Wahlkampf zur Wahl am 5. März wurde vom Reichstagsbrand und von der Verhaftungswelle gegen politische Gegner, von Terroraktionen der SA und SS überschattet, die ersten Konzentrationslager wurden eingerichtet. Eine erste große Zahl jüdischer und politischer Emigranten verließ Deutschland. Wortführer aus den gebildeten bürgerlichen Kreisen wie der Komponist Richard Strauss, der Dirigent Wilhelm Furtwängler, der Schriftsteller Gerhart Hauptmann verharmlosten jedoch in öffentlichen Äußerungen die Maßnahmen der Nationalsozialisten mit dem Hinweis auf die „nationale Erhebung". Metaphorische Rede überdeckte die geschichtliche Wirklichkeit: „Deutschland – dieses Deutschland – ist geboren worden aus der wütenden Sehnsucht, aus der inneren Besessenheit, aus den blutigen Wehen, Deutschland zu wollen: um jeden Preis, um den Preis jedes Untergangs" (Rudolf G. Binding). So wurde das „Ermächtigungsgesetz", das den Bürgern jeden Schutz gegen den Zugriff der Staatsorgane raubte, mit den Stimmen der bürgerlichen Parteien angenommen. Der Staatsrechtler Carl Schmitt erhob dieses Gesetz zum „Verfassungsgesetz des neuen Deutschland", zum äußeren Vollzug des „Volkswillens", wie er sich in der „Revolution" seit dem 30. Januar artikuliert habe.

Euphorie, Gleichgültigkeit und Solidarität. Neben der Selbsttäuschung, daß sich der nationale Erneuerungstraum endlich erfüllt habe, war es der sich abzeichnende Wirtschaftsaufschwung, der zunächst die Bereitschaft förderte, sich mit dem neuen Regime zu arrangieren. Wenn auch die Konjunktur in erster Linie der Rüstung diente, wenn auch, nach der Zerschlagung der Gewerkschaften, die freie Wahl des Arbeitsplatzes und die Tarifautonomie verloren waren, wenn auch die Staatsverschuldung enorm wuchs und die Löhne in den ersten Jahren der NS-Herrschaft unter dem Niveau des Jahres 1928 blieben, der Schock der Krisenjahre 1929–1932 und die Angst vor der sozialen Deklassierung saßen so tief, daß das Gefühl der wiedergewonnenen materiellen Sicherheit die Erkenntnis der wirklichen Lage einschränkte, nämlich statt der „Erneuerung" die Gewaltherrschaft gewonnen zu haben. Überdies verstand es das Regime, die Botschaft der Kriegsvorbereitung, der Angst und der Gewalt mit der Gegenbotschaft bürgerlichen Friedens und Wohlstands zu verbinden. 1937 zum Beispiel wurden gleichzeitig die Produktion des Volksempfängers, des Volkswagens und der Volksgasmaske angekündigt. Der über Jahre hinaus betriebene Wechsel von Anziehung und Zurückstoßung trieb die Menschen, nach dem Ende der „Erneuerungs"-Euphorie, in einen angstvollen Gegensatz zum Regime, der jedoch meist nicht in aktiven Widerstand mündete, sondern in Selbstgenügsamkeit, in den Rückzug ins Private und in die Gleichgültigkeit.

Bei Ausbruch des Weltkrieges zeigte sich in der Bevölkerung zunächst eine solche Niedergeschlagenheit, daß Hitler in seiner Danziger Rede vom 19. 9. 1939 gezwungen war, von einer Begeisterung zu reden, die „im Innern" lodere. Allerdings stellte sich mit den Erfolgen, dann mit der Not des Krieges eine wachsende Solidarität mit dem Regime ein. „Wir müssen an den Sieg glauben, sonst ist alles sinnlos", schrieb Hans Fallada 1943; und die Autorin Marieluise Fleißer notierte: „In Notzeiten kann man nicht aus der Reihe tanzen." Aus dieser zwanghaften Bindung an Hitler und sein Regime konnte sich die deutsche Bevölkerung nicht mehr aus eigener Kraft befreien. Aus ihr heraus ist die gegen Ende des Krieges und nach 1945 weit verbreitete Neigung zu verstehen, die Wirklichkeit des Nationalsozialismus aufs neue mit metaphorischer Rede zu verhüllen und abzuwehren – mit Bildern aus dem Wortfeld der Dämonie.

Entwicklung der Industriegesellschaft. Der zweite Widerspruch zwischen „Erneuerungs"-Rede und „Erneuerungs"-Wirklichkeit bestand in der Struktur und Politik des NS-Regimes selbst. Hitler selbst nannte das „Judentum" und den „Bolschewismus" die beiden Hauptfeinde in seinem „Kampf" um die „Erneuerung" des Volkes. Beide sah er durch das Stigma des „Internationalismus" gekennzeichnet, die Juden als Vertreter der Geldwirtschaft, den „Bolschewismus" als Bewegung des „Klassenkampfes". In beiden erblickte er die politischen Haupttriebkräfte der Weimarer Republik. So konkretisierte Hitler seinen Angriff gegen die moderne westliche Zivilisation in einer rassistischen und gegen den Osten gerichteten Politik. Die reale ökonomische Struktur Deutschlands, die wirtschaftliche und technische Entwicklung zum kapitalistischen Industriestaat ließ er dagegen trotz aller Reglementierungen durch Rüstungs- und Kriegswirtschaft unangetastet.
Dies bedeutete, daß die Heimat- und Bauernideologie, die von den NS-Führern als volkstümlicher Kern des Rassismus auch nach der 'Machtergreifung' vertreten wurde, in den Gegensatz zu der politisch-wirtschaftlichen Wirklichkeit des NS-Staates geriet. Nach außen hin verbesserte Hitler zwar durch das „Reichserbhofgesetz" 1933 die Situation des Bauernstandes, aber es wurden keine finanziellen Mittel bereitgestellt: Von 1933 bis 1939 gaben 250000 Bauern ihre Höfe auf. Zwar entwickelte sich das Verhältnis zwischen dem nach wirtschaftlicher Autarkie strebenden NS-Regime und der Großindustrie mit ihren internationalen Interessen in wachsendem Maße schwierig (Rücktritt des Präsidenten der Reichsbank, Schacht, 1939), aber die „Rationalität" (im Sinne Max Webers) des modernen kapitalistischen Systems wurde im Grunde nicht gebrochen, sondern gerade in den Dienst der antirationalen und antimodernen Ideologie gestellt.

2.2 Die Ästhetisierung der Politik

Der doppelte Widerspruch zwischen „Erneuerungs"-Rede einerseits und „Erneuerungs"-Wirklichkeit andererseits konnte vom NS-Regime nur dadurch verschleiert und politisch entschärft werden, daß die Wirklichkeit selbst mit einem Netz von Ritualen überzogen wurde: vom „Tag der Machtergreifung" (30. 1.) über den „Heldengedenktag" im März und die jährlichen Reichsparteitage im September bis zum 9. 11. zur Erinnerung an den Münchener Putsch von 1923 zog sich durch das Jahr ein Zyklus, der durch in den Himmel strahlende Flakscheinwerfer, Fackeln, Fahnen und Massenchöre die „Volksgemeinschaft" eindrucksvoll vortäuschte. Die Strategie der Überwältigung, von Johst für die „Kultgemeinschaft" des Theaters gefordert, wurde zur Technik direkter politischer Praxis. Die Realität der Gewaltherrschaft mit ihren Widersprüchen wurde als ganze zum glänzenden widerspruchsfreien Schauspiel erhoben. Hierin bestand die zentrale Aufgabe von Goebbels' „Ministerium für Volksaufklärung und Propaganda". Und die Literaturpolitik stellte nur einen Teilbereich in dieser Gesamtstrategie dar.
Trotz der antimodernistischen Ideologie bediente sich dabei das NS-Regime der modernsten technischen Mittel. Der Rundfunk – von 1933 bis 1935 wuchs die Zahl der „Volksempfänger" von 4,3 auf 6,7 Millionen – und vor allem der Film nahmen einen wichtigen Platz ein. Das Kino stellte für Goebbels „eines der modernsten Massenbeeinflussungsmittel" dar.

NSDAP-Reichsparteitag in Nürnberg, 30. 8. bis 3. 9. 1933. Aufmarsch der SA und SS im Luitpoldhain: Hitler und Röhm während der Ehrung der „Gefallenen der Bewegung", 3. 9. 1933. Foto: Ullstein Bilderdienst, Berlin.

Die Feststellung, die Walter Benjamin 1936 im Exil im Nachwort zu der Schrift ‚Das Kunstwerk im Zeitalter seiner technischen Reproduzierbarkeit' traf, beschreibt genau den historischen Sachverhalt: Der Faschismus „ästhetisiert die Politik", indem er die Mittel der Kunst zur Ritualisierung seiner Macht einsetzt. Damit nimmt er der Kunst, gerade wo sie sich technischer Mittel zur Verbreitung bedient, die Möglichkeit, emanzipierend, im Interesse des menschlichen Fortschritts, auf das Bewußtsein einzuwirken.

3 Formen der Literatur: Zwischen Anpassung und Flucht

Die umfassende Ästhetisierung des gesellschaftlichen Lebens erschwerte den Menschen die Wahrnehmung und Verarbeitung der geschichtlichen Wirklichkeit. Die Literatur des Zeitraums reagierte auf diesen Wirklichkeitsverlust auf zweifache Weise. Zum einen fanden sich Autoren, die sich in den Dienst des Regimes stellten und ihre literarische Produktion den umfassenden manipulativen Strategien der Politik unterordneten, vor allem im Bereich der Lyrik und des Dramas. Andere Autoren versuchten, trotz des Lebens unter dem Nationalsozialismus eine innere Freiheit zu bewahren, gleichsam in der 'inneren Emigration' zu überleben. Ihre Werke sollten die innere Widerstandskraft stärken. In dieser Gruppe muß eine religiöse Literatur meist älterer Autoren von einer eher existentialistisch geprägten Literatur der Jüngeren unterschieden werden. Es dominieren die Prosa und die Lyrik als Formen, die eine private Lektüre und den Aufbau einer inneren Welt gestatten.

Sei es nun, daß der Druck der Gewaltherrschaft von der Literatur unterstützt oder abgewehrt werden soll – die Unmöglichkeit, diesem Druck auszuweichen, bewirkt, daß in beiden literarischen Richtungen die Problematik der persönlichen Haltung in den Mittelpunkt der Darstellung rückt, nicht die des sozialen, zwischenmenschlichen Verhaltens. Die Ausblendung der konkreten geschichtlichen Wirklichkeit, die für das Bewußtsein der Zeit bezeichnend ist, gilt auch für die Literatur.

3.1 Die Literaturpolitik des NS-Staates

Die ersten Maßnahmen des NS-Regimes zielten darauf ab, die Eigenständigkeit der kulturellen Institutionen aufzulösen. Das kulturelle Leben sollte dem Zugriff des Staates nicht mehr entzogen sein.

Die Gleichschaltung des kulturellen Lebens. Im Februar 1933 wurden als erste der Schriftsteller Heinrich Mann und die Malerin und Bildhauerin Käthe Kollwitz aus der Preußischen Akademie der Künste ausgeschlossen, da sie ein Flugblatt, das zur Volksfront aufforderte, unterzeichnet hatten. An die anderen Mitglieder wurde schriftlich die Frage gestellt, ob sie bereit seien, „unter Anerkennung der veränderten geschichtlichen Lage" mitzuarbeiten, mit dem Hinweis, daß „eine Bejahung dieser Frage die öffentliche Betätigung gegen die Regierung" ausschließe. Alfred Döblin, Ricarda Huch, Georg Kaiser, Thomas Mann, Franz Werfel und neun andere Autoren verließen die Akademie. An ihre Stelle traten schon bisher der NSDAP nahestehende Autoren (Werner Beumelburg, Friedrich Griese, Hans Grimm, Hanns Johst, Erwin Guido Kolbenheyer). Die Brüder Mann und Döblin gingen noch 1933 ins Exil, nicht anders als Carl Zuckmayer und bekannt linke Autoren wie Bertolt Brecht oder Anna Seghers. Andere, wie Carl von Ossietzky, kamen ins KZ. Ossietzky, dem 1935 der Friedensnobelpreis verliehen wurde, starb an den Folgen der langjährigen Haft 1938.
Seit April 1933 erschienen schwarze Listen von Autoren und Büchern in der Presse. Am Abend des 10. Mai führte die „Deutsche Studentenschaft" die „Aktion wider den undeutschen Geist" durch. An allen Universitäten wurden Bücherverbrennungen veranstaltet. Im Oktober wurde die „Reichsschrifttumskammer" gegründet, der alle Autoren, Verleger und Buchhändler angehören mußten. Sie hatte die Kontrolle über die gesamte Buchproduktion und ihren Vertrieb inne. Wer, selbst als Bibliothekar, politisch als unzuverlässig galt oder keinen „Ariernachweis" erbringen konnte, wurde ausgeschlossen und verlor seine Existenzgrundlage.
Die Akademie wurde bedeutungslos, und hieran läßt sich exemplarisch das Verfahren der Gleichschaltung erkennen: Die bisherigen Institutionen blieben, von politischen Gegnern „gesäubert", erhalten und gaben damit Raum für die Unentschiedenen oder aus Pflichtgefühl zum Ausharren Bereiten – aber ihnen wurden alle wesentlichen Funktionen genommen. Daneben wurde eine Parteiorganisation geschaffen, die die eigentliche Kontrolle ausübte.

Phasen der Restriktion. Im ganzen läßt sich der Zeitraum der NS-Herrschaft in drei Abschnitte gliedern: zunächst in die Phase des inneren Aufbaus des totalen Staates wie auch seiner Festigung nach außen. Die Olympiade 1936 markiert den Endpunkt dieses Abschnitts. Die zweite Phase galt zum einen der außenpolitischen Expansion und Kriegsvorbereitung (kurzfristig aufgehalten durch die Konferenz von München 1938), zum anderen verhärtete sich die Gewaltherrschaft nach innen („Reichskristallnacht", November 1938). Der Krieg schließlich als dritter Abschnitt führte Deutschland in den äußeren und inneren Untergang.
Da der NS-Staat alle kulturellen Erscheinungsformen streng seinen politischen Zielen unterordnete, ist diese Dreigliederung auch in der Literaturgeschichte nachweisbar. Nach den ersten Gleichschaltungsmaßnahmen 1933 herrschte, unter den von der „Reichsschrifttumskammer" gegebenen Umständen, noch ein relativer kultureller

und publizistischer Pluralismus. Im Zuge seiner Doppelbotschaften (s. Seite 486f.) gewährte das Regime der Bevölkerung und den Autoren einen politikfreien Raum, in dem sich eine aufs Private, auf Natur und Religion ausgerichtete Literatur entfalten konnte. Doch mit den zwei programmatischen Kulturreden Hitlers in München und Nürnberg 1937, in denen dieser seinen „unabänderlichen Entschluß" bekanntgab, „genauso wie auf dem Gebiet der politischen Verwirrung nunmehr auch [...] mit den Phrasen im deutschen Kulturleben aufzuräumen", reduzierten sich die literarischen Möglichkeiten erheblich. Für die Malerei setzte die Ausstellung „Entartete Kunst" 1937 das unübersehbare Zeichen einer entscheidenden politischen Verhärtung. Mit dem Kriegsbeginn verengte sich die Bandbreite weiter: Zum Beispiel wurden in dem 1939 eingerichteten Zeitschriftendienst des Propagandaministeriums eindeutige Sprachregelungen für die politischen und militärischen Ereignisse vorgeschrieben; und in den „Lektoren-Briefen" an die Verlagsleitungen wurde 1941 zur Überwachung bisher unbehelligter jüngerer Autoren aufgerufen, die sich auch jetzt noch eine unpolitische Schreibweise bewahrt hatten. In Günter Eich, Ernst Kreuder, Peter Huchel, Wolfgang Koeppen u. a. wurde eine „literarische Clique" gesehen, die „bereits mit geistigen Herrschaftsansprüchen" auftrete und innerhalb der Leserschaft „mehr und mehr Zulauf" erhalte.

3.2 Nationalsozialistische Literatur

> *Lyrik:*
> **Herbert Böhme** (Hrsg.): Rufe in das Reich. Die heldische Dichtung von Langemarck bis zur Gegenwart (1934, 2. Auflage 1941)
> **Will Vesper** (Hrsg.): Die Ernte der Gegenwart. 2 Bände (1940)
> **Josef Weinheber:** Adel und Untergang (1934) Späte Krone (1936)
> Zwischen Göttern und Dämonen (1938)   Kammermusik (1939)
>
> *Drama:*
> **Hanns Johst:** Schlageter (1933)
> **Erwin Guido Kolbenheyer:** Gregor und Heinrich (1934)
> **Curt Langenbeck:** Der Hochverräter (1938)
> **Hans Rehberg:** Die Preußen-Dramen (1934–37)
>
> *Thingspiel:*
> **Richard Euringer:** Deutsche Passion (1933)
> **Eberhard Wolfgang Möller:** Das Frankenburger Würfelspiel (1936)

Die neue nationalsozialistische Literatur sollte dem „Kampf" gegen die Literatur und den Geist der Weimarer Republik dienen. Die neuen Machthaber erhofften, daß sich nun aus den „Trümmern" der alten Zeit „siegreich [...] der Phoenix eines neuen Geistes" erheben werde. Goebbels prägte dafür das Schlagwort der „stählernen Romantik": „Die deutsche Kunst des nächsten Jahrzehnts wird heroisch, sie wird stählern romantisch, sie wird sentimentalitätslos sachlich, sie wird national mit großem Pathos, und sie wird gemeinsam verpflichtend und bindend sein, oder sie wird nicht sein." Hier ist nur die Wirkung der Kunst eindeutig bestimmt: die „Gemeinschaftsbindung". Formal sind die Forderungen nach Nüchternheit und Pathos gegensätzlich, der Oberbegriff der „stählernen Romantik" ist in sich widersprüchlich. In ihm hat sich der historische Grundwiderspruch des Nationalsozialismus, die Verbindung der deutschen Innerlichkeit mit dem Gewaltstaat, konkretisiert. Er prägt auch den an erster Stelle genannten Begriff des „Heroischen". Denn in ihm fließen äußere Gewaltaktion und „deutsche" Tugend – Treue, Hingabe und Opferbereitschaft für das Absolute – zusammen.

3.2.1 Gemeinschaftslyrik und heroischer Ton

In der nationalsozialistischen Lyrik verengt sich die Vielfalt der lyrischen Sprache im Kern auf eine einzige Redeweise: Es werden die immer gleichen Bilder und Begriffe aus dem Bereich des 'Heroischen' verwendet, um den Leser zu emotionalisieren und aus der Wirklichkeit herauszuführen. Von der lyrischen Sprache überwältigt, soll er sowohl die äußere Realität vergessen als auch die Regungen seiner inneren seelischen Welt verdrängen.

Dies gilt nicht nur für die Kampf-, Gemeinschafts- und Preislieder der Autoren Heinrich Anacker, Hans Baumann, Gerhard Schumann u. a., die seit 1930 als „junge Mannschaft" für den Nationalsozialismus aktiv waren, sondern auch für ihren scheinbaren Gegenpol, die hohe Lyrik des Österreichers Josef Weinheber, der mit seinem Band ‚Adel und Untergang' (1934) ein erfolgreicher Autor in Deutschland wurde und sich auch selbst zum Nationalsozialismus bekannte, so in seiner Rede beim „Großdeutschen Dichtertreffen" in Weimar 1938.

Heinrich Anacker preist im Gedicht ‚*Vorbeimarsch*' (1936) die Selbstaufgabe an das große Ganze der Volksgemeinschaft, wie es durch die Heilsgestalt des Führers verkörpert wird:

> In Zwölferreihen wuchtet es heran,
> Das braune Heer der hunderttausend Mann;
> Voraus die Fahnen, einst vom Feind verhöhnt,
> Und heut' vom Eichenlaub des Siegs gekrönt.
>
> Zum Paukenschlag mit eherner Gewalt
> Der harte Tritt auf hartem Pflaster knallt;
> Die Arme aber, steil emporgestreckt,
> Sind Speeren gleich zum Führer hingereckt.
>
> Der steht und grüßt... Sieht jedem ins Gesicht –
> Sein Blick ist ein Appell an Treu' und Pflicht,
> Ist Lohn und Dank für jede Opfertat,
> Die je geschah für unsern jungen Staat.
>
> So flutet Well' um Welle stundenlang
> Vorbei, umwittert von der Märsche Klang,
> O herrlich Bild, das stolzen Mut gebiert:
> Deutschland ist aufgewacht! Deutschland marschiert!

Gefeiert wird ein „herrlich Bild"; die Ästhetisierung des Politischen – die Schau des „Vorbeimarsches" – wird durch die lyrische Sprache gleichsam einer zweiten Ästhetisierung unterzogen. Der Ausdruck mutvoller, sieggewohnter Geschlossenheit, den die ersten Strophen vermitteln, wird am Ende durch den Sprecher des Gedichts als Kundgabe seiner subjektiven Reaktion als Betrachter direkt bestätigt: Dies ist ein Bild, „das Mut gebiert". Der doppelte Ausruf des letzten Verses faßt das Bild zur politischen Kernformel zusammen. Sie verbindet Leser und Sprecher des Gedichts in demselben Gemeinschaftsgefühl. Die Frage, wozu diese gesteigerte, ja aggressive Aktivität der „Zwölferreihen" wie des ganzen „marschierenden" Deutschland dienen soll, kann hier nicht mehr aufkommen. Das ganze Gedicht stellt allein eine Haltung dar, die Bereitschaft zu unbedingter Gefolgschaft, die jedwedem vom Führer verfolgten Ziel dienstbar ist.

Josef Weinhebers Gedicht ‚*Auf seinem Schild sterben*' (1934) ist durchaus kein direktes NS-Parteigedicht wie Anackers ‚Vorbeimarsch':

Ihr stillen Kämpfer edleren Vaterlands!
Bekränzt ihr euch? Die heilige Irrfahrt ward
noch nicht beendet. Unser Teil heißt
nimmer: Zu leben und heimzukehren.

Ein armes Dasein rettet sich ewig in
des feilen Tages feileres Erbe: Groß
ist nur das Opfer unser. Selbst die
Erde verweht und die Götter sterben.

Doch Dauer hat der Tod. Die Vergeblichkeit.
hat Dauer. Dauer hat, die uns hüllt, die Nacht.
Zu fragen ziemt uns nicht. Uns ziemt zu
fallen; jedwedem auf seinem Schilde.

Das Gedicht drückt vor allem das Bewußtsein der Vergeblichkeit aus. Es ist deutlich
von dem Grundgefühl der „Einsamkeit, Urangst, Frömmigkeit" geprägt, das Weinheber 1943 selbst als die „Substanz" seiner Lyrik bezeichnet hat. Die Gruppenbin-
dung, die dieses Gedicht ausspricht, ist nicht die des „heranwuchtenden" Kollektivs,
sondern die der in ihrer angstvollen Innerlichkeit getroffenen einzelnen, die überdies
gebildet genug sein müssen, den inhaltlichen (Odyssee-Motiv) und formalen (alkäi-
sche Strophe) Bezug zur Antike zu erkennen und die gewählte („feil") und gegen die
Grammatik verstoßende („Opfer unser") Sprache zu schätzen.
Weinheber war überzeugt, allein durch die Wiedergewinnung der hohen deutschen
Dichtung den „Ausverkauf des deutschen Sprachgutes" aufhalten und den oberflächlichen Materialismus des Lebens („des feilen Tages feileres Erbe") überwinden
zu können. Das „edlere Vaterland", für das er und die „stillen Kämpfer" eintreten, ist
das des deutschen Geistes. Und der Dichter ist dazu aufgerufen, die „Wechselwirkung zwischen hoher Dichtung und Volk" wiederherzustellen und dadurch die Erneuerung des Volkes aus dem Geist einzuleiten. 1934 in Österreich erscheint diese
Erneuerung noch vergeblich.
Trotz aller Geistigkeit trägt auch dieses Gedicht Elemente, die es als tendenziell
nationalsozialistisch erweisen: Es zeigt dieselbe Verherrlichung einer reinen menschlichen Haltung, die fraglose Bereitschaft, für ein überreales Größeres das Leben zu
opfern, um so dem existentiellen Bewußtsein der Krise durch einen Akt unbedingter
Willensentscheidung und Hingabe zu entkommen. Weinheber zeigt exemplarisch,
wie sich die Bewußtseinstradition der deutschen Innerlichkeit in ihrer geschichtsblin-
den Hoffnung auf den deutschen Geist vom Nationalsozialismus vereinnahmen ließ.
Und auch die weitere Beziehung Weinhebers zum NS-Regime ist bezeichnend: Im
selben Jahr, in dem er öffentliche Dankesworte an den Nationalsozialismus findet,
formuliert er in einem Brief, daß ihn das „Phrasengetrommel, das den *Menschen* die
echte, untergründige, deutsche Humanität verschüttet", anwidere. Weinheber zeigt
das zwischen öffentlichem und privatem Leben gespaltene Bewußtsein, wie es für einen großen Teil der deutschen Bevölkerung typisch wird. Die Erkenntnis der Wirklichkeit, daß das NS-Regime die Rede vom deutschen Geist nur benützte, um seine
Gewaltherrschaft zu verschleiern, konnte sich nur privat äußern. Zum dritten ist
Weinhebers Position auch deshalb exemplarisch, weil sie ihre Kritik am Nationalsozialismus aus dem gleichen Weltbild der Innerlichkeit heraus formuliert, die ursprünglich die Zustimmung ermöglicht hatte: Die Humanität der Deutschen erscheint nach wie vor als „untergründig", und auch das kritische Wort „Phrasengetrommel" zeigt, daß Weinhebers Distanzierung auf der Ebene des Geistes und der
Sprache verharrt. Die Reflexion auf die eigene Nähe zu diesem „Phrasengetrommel", die allein die Verkettung mit dem Nationalsozialismus hätte lösen können,
konnte dieses Bewußtsein nicht leisten. Die Sammlung ‚Kammermusik' (1939) zeigt
dagegen den Ausweg, den auch Weinheber für sich findet: die Flucht in eine politisch
unverbindliche Lyrik der 'inneren Emigration'.

3.2.2 Vom 'Thingspiel' zur 'Tragödie'

Besonders intensiv bemühte sich die Kulturpolitik des 'Dritten Reiches' um die Form des nationalsozialistischen Dramas. Die erste, 'revolutionäre' Zeit der NS-Herrschaft steht im Zeichen des „Thingspiels". Es stellt den Versuch dar, die Ansätze eines neuen „kultischen Theaters", wie sie bei Johst zu finden waren (s. Seite 483f.), zu einer grundlegend neuen Form weiterzuentwickeln. Das erst nach 1933 so bezeichnete „Thingspiel" sollte grundsätzlich im Freien, in einer dem antiken Theater nachgebildeten halbrunden Arena gespielt werden, als eine Art Gesamtkunstwerk, indem es die Form des Oratoriums, der Pantomime, des Aufzugs und des Tanzes verbinden und den Zuschauer mit allen Sinnen ansprechen und gefühlhaft überwältigen sollte. Dabei konnte sich der Nationalsozialismus auch hier bereits vorhandener kultureller Formen bedienen. Diese hatten schon bisher ein Gegengewicht gegen den fortschreitenden „Kulturzerfall", die westliche Überfremdung und die säkularisierte, glaubenslose Zivilisation bilden wollen. Zum einen kann die „Harzer Freilichtbühne" als exemplarisch gelten, die schon seit Beginn des Jahrhunderts, in entschiedener Absetzung vom städtischen Bildungstheater, eine neue Form volkstümlichen und gemeinschaftsbildenden Theaterspiels zu entwickeln versuchte: mit Sagen und Figuren deutscher Landschaften, mit Schwänken (Hans Sachs) und gottesdienstähnlichen „Weihehandlungen" bei Sonnwendfeiern u. a. Zum anderen wurden die Bemühungen der katholischen Laienspielbewegung, das mittelalterliche Mysterienspiel (,Ludus de Antichristo') mit seinen allegorischen Darstellungen der Heilsgeschichte neu zu beleben, für die Entwicklung des „Thingspiels" wichtig, verstand sich doch das 'Dritte Reich' selbst als ein heilsgeschichtliches Ereignis. Das erste „Thingspiel" z. B., Richard Euringers ,Deutsche Passion' (1933), erhält seine dramatische Bewegung aus dem Kampf zwischen dem „Bösen Geist", einer allegorischen Mischung aus Landesverräter und Kapitalist, als Verkörperung der Weimarer Republik, einerseits und dem einfachen „namenlosen Soldaten" des Ersten Weltkriegs andererseits, der das Volk zu neuer Einheit aufruft und seinen Widersacher schließlich zum Verschwinden zwingt. Diese Umsetzung der Geschichte der NS-Bewegung selbst zum „nationalsozialistischen Gottesdienst" gab, zumal da das Stück zunächst über den Rundfunk ausgestrahlt wurde, ein weithin wirkendes Beispiel für die weiteren Versuche: Als die „Deutsche Arbeitsfront" (als Ersatzorganisation der Gewerkschaften) noch 1933 ein „Thingspiel"-Preisausschreiben veranstaltete, gab es über 10 000 Einsendungen. Dies zeigt, daß der Plan des NS-Regimes, 400 Arenen, sog. „Thingplätze", zu errichten, einem Bedürfnis der Bevölkerung entsprach, die glaubte, den Anbruch einer neuen Zeit zu erleben.

Eberhard Wolfgang Möller: ,Das Frankenburger Würfelspiel' (1936). E. W. Möllers „Thingspiel", das 1936 anläßlich der Olympiade in der neu erbauten Thing-Arena in Berlin (heute: „Waldbühne") vor 20000 Zuschauern uraufgeführt wurde, bildete jedoch bereits den Abschluß der „Thingspiel"-Bewegung. Bezeichnenderweise fehlt diesem Stück auch der zeitgeschichtliche Bezug und die Dynamik der Anfangszeit. Vielmehr gestaltete Möller einen Stoff aus dem Bauernkrieg und ordnete ihn, gemäß den Vorstellungen vom altgermanischen „Thing" als Volks- und Gerichtsversammlung, in die Form einer großen „metaphysischen Gerichtsverhandlung" gegen diejenigen, „die sich historisch am Schicksal und Leben ihres Volkes versündigten". Über den Kaiser, seine Ratgeber, die katholische Kirche, den adligen Heerführer, der die gefangenen Bauern gegeneinander um ihr Leben würfeln und die Verlierer hängen läßt, wird von den Richtern am Ende des Stücks der Stab gebrochen. Außerdem biegt das Spiel den historischen Verlauf des Geschehens am Ende allegorisch um, indem es einen – wiederum namenlosen – Ritter in schwarzer Rüstung erscheinen läßt, der die Hinrichtung der Bauern verhindert und die Mächtigen selbst um ihr Leben würfeln – und es verlieren – läßt. Durch diese Gestalt als Allegorie der wahren Volksgerechtigkeit wird das historische Geschehen neu, aus der Sicht der Schwachen und Opfer, interpretiert. Auch dieses Stück trägt noch im historischen Gewand den revolutionären Kern, der den ersten „Thingspielen" und auch der NS-Bewegung selbst eigen war. Entscheidend aber ist, daß wiederum die gerechte Lösung einer allegorischen Gestalt übertragen wird, deren konkrete Bedeutung geschichtlich nicht festgemacht ist. Das Ende des Spiels bilden überdies religiöse Verse eines Chores „aus der Höhe" – „O Gott, wie bist du wunderbar" –, die die mittelalterliche Tradition anklingen lassen, hier aber, da „Gott" als Lenker der Heilsgeschichte bedeutungslos geworden ist, nur den Charakter eines Zitats und die alleinige Funktion haben, den Zuschauern eine abschließende Steigerung ihrer emotionalen Ergriffenheit zu vermitteln.

In Möllers ‚Frankenburger Würfelspiel' ist die dynamische Bewegung der ersten „Thingspiele" zur statuarischen Feier des Bestehenden erstarrt. Aus nicht genau zu rekonstruierenden Gründen entzog jedoch die NS-Führung 1937 der „Thingspiel"-Bewegung die offizielle Förderung. Bedeutsam aber erscheint die Tatsache, daß diese Entscheidung in die Zeit fällt, in der sich das NS-Regime als totale Staatsmacht nach innen und außen verfestigte. Die Perspektive von unten, aus der Sicht der Opfer, die auch noch in Möllers Stück durchscheint, lag quer zu den Interessen und Zielen des Regimes.

Tragödie als „gedichtetes Verhängnis". Im Zuge der gesamtpolitischen Neuorientierung eröffnete der 'Reichsdramaturg' Schlösser 1937 eine Diskussion über das 'Tragische'. Ihren Abschluß markiert 1940 die Formel Curt Langenbecks, die Tragödie sei ein „gedichtetes Verhängnis" – wie es dem totalen Staat im Stadium der Expansion und des Krieges von Nutzen war. Auch der Bezug zur antiken griechischen Tragödie, wie er über die Weimarer Klassik hinaus hergestellt wurde, läßt die zentrale, auf Entwirklichung und Überwältigung ausgerichtete Zielsetzung der NS-Dramaturgie erkennen: Wenn die griechische Tragödie im überlieferten, als wahr anerkannten Mythos die gegenwärtige Welt- und Geschichtserfahrung einem übergreifenden Sinnsystem zuführt, so verfährt die NS-Tragödie umgekehrt, indem sie ein geschichtlich konkretes Geschehen selbst zum unausweichlichen tragischen Schicksal erhöht und dadurch seiner geschichtlichen Wahrheit beraubt. In Langenbecks Stück ‚Der Hochverräter' (1938) etwa, das den historischen Fall eines zu Unrecht hingerichteten Führers New Yorker Bürger aus der Anfangszeit der englischen Kolonie zum Gegenstand hat, wird die geschichtliche Entwicklung ganz bewußt ihrer Komplexität beraubt. Der Held Leisler gewinnt allein dadurch heroische Größe, daß er schließlich den Tod, der nach irdischen Maßstäben ungerecht ist, dennoch als Buße für die religiöse Schuld, vor Gott nicht demütig genug gewesen zu sein, akzeptiert. Damit kann er sich aus dem „Notgeflecht der Taten" befreien. Die Auseinandersetzung wird von der politischen Ebene des Kampfes um Recht und Gerechtigkeit verlagert auf eine rein innerliche Ebene. Politischer Kampf wird vom einzelnen als „Verhängnis" angenommen, als Gelegenheit, sich zur Höhe des tragischen Entschlusses durchzuringen. Wie stets in der NS-Literatur rückt eine rein menschliche Haltung in den Mittelpunkt der Darstellung; und auch hier ist es die Opferbereitschaft, die gefordert wird. Nun aber erscheint die gleiche Tugend der Selbstaufgabe im Gewand der christlichen Demut – so wie der kommende Krieg mit wachsender Dauer nicht mehr die politische Hochstimmung der Menschen beanspruchte, sondern ihre Fähigkeit, das Ende aller politischen Erfüllungsträume zu ertragen.

Stets aber erfüllte die Literatur nur die Handlangerdienste in der übergeordneten Strategie der „Ästhetisierung der Politik". Den erschreckenden Höhepunkt dieser Außenseite des Nationalsozialismus bildet die „Helden"- und Totenfeier, die das Regime der 6. Armee in Stalingrad, noch in den letzten Tagen der Kämpfe, ausrichtete. Hitlers Machtbesessenheit, die ein rechtzeitiges Zurücknehmen der Stellungen ver-

boten hatte, und der fatale Gehorsam der Generalität wurden verschleiert von Görings Rede vom „größten Heroenkampf" der deutschen Geschichte.

„Wir kennen ein gewaltiges Heldenlied von einem Kampf ohnegleichen, es heißt 'Der Kampf
der Nibelungen'. Auch sie standen in einer Halle voll Feuer und Brand, löschten den Durst mit
dem eigenen Blut, aber sie kämpften bis zum letzten. Ein solcher Kampf tobt heute dort, und
noch in tausend Jahren wird jeder Deutsche mit heiligem Schauer von diesem Kampfe in Ehrfurcht sprechen und sich erinnern, daß dort trotz allem Deutschlands Sieg entschieden worden
ist."

3.3 Die Literatur der inneren Emigration

Prosa (zwischen 1933 und 1945 veröffentlicht):
Stefan Andres: El Greco malt den Großinquisitor (1936)
Wir sind Utopia (1942)
Werner Bergengruen: Der Großtyrann und das Gericht (1935)
Günter Eich: Katharina (1936)
Ernst Jünger: Das abenteuerliche Herz. Figuren und Capriccios
(2. Fassung 1938)   Auf den Marmorklippen (1939)   Gärten und Straßen (1942)
Marie Luise Kaschnitz: Elissa (1937)
Jochen Klepper: Der Vater. Roman eines Königs (1937)
Wolfgang Koeppen: Die Mauer schwankt (1935)
Friedo Lampe: Am Rande der Nacht (1934)
Horst Lange: Schwarze Weide (1937)   Ulanenpatrouille (1940)
Das nie betretene Haus (1943)
Hermann Lenz: Das stille Haus (1938)
Friedrich P. Reck-Malleczewen: Bockelson. Geschichte eines
Massenwahns (1937)
Reinhold Schneider: Las Casas vor Karl V. Szenen aus der
Konquistadorenzeit (1938)
Ernst Wiechert: Hirtennovelle (1935)   Das einfache Leben (1939)

Lyrik (zwischen 1933 und 1945 veröffentlicht):
Gottfried Benn: Ausgewählte Gedichte. 1911–1936 (1936)
Horst Lange: Gesang hinter den Zäunen (1939)
Elisabeth Langgässer: Die Tierkreisgedichte (1935)
Wilhelm Lehmann: Antwort des Schweigens (1935)   Der grüne Gott (1942)
Oskar Loerke: Der Wald der Welt (1936)
Rudolf Alexander Schröder: Die Ballade vom Wandersmann (1937)
Ina Seidel: Gesammelte Gedichte (1937)
Josef Weinheber: Kammermusik (1939)

Drama:
Gerhart Hauptmann: Die Atriden-Tetralogie (1941–46)

Neben den Autoren, die, verfolgt und angefeindet, ins Exil gingen oder Karriere ma-
chend dem neuen Regime dienten, bilden die Autoren der inneren Emigration eine
dritte Gruppe. Für sie gilt, daß sie einerseits der modernen, westlichen Zivilisation
der Weimarer Republik ablehnend gegenüberstanden, daß sie aber andererseits auch
dem Nationalsozialismus gegenüber Distanz zu wahren versuchten.
Die Älteren unter ihnen waren zum großen Teil der christlichen Tradition verpflich-

tet und pflegten auch in der Form die überlieferte, auf Geschlossenheit und Sinn-
ganzheit gerichtete Schreibweise des 19. Jahrhunderts. In der Weimarer Republik
eher am Rande des literarischen Lebens angesiedelt, rückten diese Autoren wie Werner Bergengruen (geb. 1892), Hans Carossa (geb. 1878), Gertrud von Le Fort (geb.
1876), Wilhelm Lehmann (geb. 1882), Oskar Loerke (geb. 1884), Rudolf Alexander
Schröder (geb. 1878), Ina Seidel (geb. 1885), Frank Thieß (geb. 1890) oder Ernst
Wiechert (geb. 1887) während des 'Dritten Reiches' ins Zentrum des Leseinteresses
beim breiten Publikum. In ihrer Literatur spiegelt sich die gleichzeitige Nähe und
Ferne der bürgerlichen Tradition zum Nationalsozialismus: Nähe insofern, als die
überlieferte Haltung der Innerlichkeit, die für die Weimarer Republik verhängnisvoll
gewesen war, in dieser Literatur weiter gepflegt wurde; Ferne insofern, als diese Haltung jetzt dazu dienen sollte, dem Leben unter dem Nationalsozialismus seinen exi-
stenzbedrohenden Charakter zu nehmen: Literatur als Flucht und geistiger Widerstand.

Auch jüngere Autoren wie Stefan Andres (geb. 1906), Jochen Klepper (geb. 1903)
und Reinhold Schneider (geb. 1903) versuchten, aus einer christlichen Haltung heraus eine literarische Gegenwelt zur Wirklichkeit zu gestalten. Die Mehrheit dieser
Generation jedoch, wie Johannes Bobrowski (geb. 1917), Günter Eich (geb. 1907),
Peter Huchel (geb. 1903), Horst Lange (geb. 1904), Hermann Lenz (geb. 1913),
Hans Erich Nossack (geb. 1901) oder Eugen Gottlob Winkler (1912–1936), suchte das
innere Gegenzentrum gegen die äußere Realität nicht mehr in der Tradition. Lange
etwa klagte 1939, die meisten Bücher der Gegenwart wirkten wie „Reminiszenzen an
die Zeit vor 1890". Statt dessen standen diese Autoren der Existenzphilosophie nahe
(s. Seite 500). Ihnen ging es darum, das Individuum selbst, gerade im Bewußtsein der
Gebrochenheit aller Tradition, vor der Zerstörung zu bewahren. Künstlerisch streben sie deshalb danach, die Verbindung zur modernen Literatur seit der Jahrhundertwende aufrechtzuerhalten. Dies zeigt beispielhaft die Debatte um den Expressionismus, in der, gleichsam spiegelbildlich zur Debatte des Exils (s. Seite 511ff.), die
jüngeren Autoren im Gefolge Benns (‚Bekenntnis zum Expressionismus', 1933) versuchten, die subjektivistische und abstrakte Lyrik als „Ansätze dichterischer Ausdruckskunst in einem hohen deutschen Sinn" (R. Ibel, in: Die Literatur 38 [1935/36],
S. 405) auch für die Gegenwart zu retten. Auch die Verbindung zur Literatur des Westens wurde, soweit sie die Existenzproblematik des einzelnen in den Mittelpunkt
stellte, so lange wie möglich aufrechterhalten, wie Übersetzungen der Werke Faulkners, Wilders oder Wolfes aus den dreißiger Jahren zeigen. Antoine de Saint-Exupé-
rys ‚Wind, Sand und Sterne', 1939 in deutscher Sprache erschienen, erreichte noch
1943 das 120. Tausend.

Daß die Literaturpolitik des Regimes überhaupt erst nach 1937 offiziell gegen die
Ansätze einer modernen jungen Literatur vorzugehen begann (s. Seite 489f.) und
sich erst im Laufe des Krieges durchsetzte, liegt in mehreren Faktoren begründet: zunächst in der inhaltlichen Widersprüchlichkeit des NS-Konzepts der „stählernen Romantik" (s. Seite 490f.), dann auch in Rivalitäten innerhalb der NS-Führung, in erster Linie zwischen Rosenberg und Goebbels. Vor allem aber schlägt sich darin positiv die Tatsache nieder, daß der Nationalsozialismus die privatwirtschaftliche Struktur des deutschen Verlagswesens, trotz der Reglementierung der Papierzuteilung,
nicht antastete. Dies ermöglichte mutigen Verlegern wie Peter Suhrkamp als Herausgeber der ‚Neuen Rundschau' und Leiter des Frankfurter S. Fischer Verlags, immer
wieder auch nicht parteikonforme Texte zu veröffentlichen. Ohne die wirksame Kontrolle über die Wirtschaftsabläufe zu besitzen, gründete der NS-Staat seine totale
Herrschaft letztlich allein auf die Vereinnahmung oder persönliche Bedrohung der
einzelnen Menschen. Peter Suhrkamp z. B. wurde wegen seiner Kontakte zu uner-
wünschten, auch emigrierten deutschen Autoren, wie Hermann Hesse, 1944 von der
Gestapo verhaftet und ins KZ gebracht.

Widersprüche der literarischen Kommunikation. Wie sehr die Literatur der inneren Emigration durch die gleichzeitige Nähe und Ferne zum Nationalsozialismus geprägt ist, gerät dann ins Blickfeld, wenn man die Literatur im Spannungsfeld zwischen Textstruktur, Autorensituation und Rezeption betrachtet.

Werner Bergengruens Roman ‚Der Großtyrann und das Gericht‘ (1935) zum Beispiel wurde von der NS-Presse als „Führerroman der Renaissancezeit" gepriesen – der Autor selbst aber wegen „politischer Unzuverlässigkeit" aus der „Reichsschrifttumskammer" ausgeschlossen.

Oder Jochen Klepper: Dieser schrieb schon 1933 von einer niederdrückenden „Emigranten-Stimmung"; er wurde, weil mit einer Jüdin verheiratet, 1935 vom Ullstein-Verlag entlassen und schließlich, angesichts der drohenden Deportation seiner Frau und Stieftochter, Ende 1942 zum Selbstmord getrieben; andererseits verfaßte er mit dem Roman über den preußischen „Soldatenkönig" Friedrich Wilhelm I., ‚Der Vater‘ (1937), ein Buch, das auch von höchsten NS-Stellen positiv aufgenommen und zur offiziellen Lektüre der Wehrmacht erhoben wurde. Dieser Roman entwirft auf der einen Seite, in seiner strengen Bindung des absolutistischen Königs an Gott, ein Gegenbild zur NS-Gewaltherrschaft und kann so als ein Zeugnis des inneren Widerstandes gelesen werden; auf der anderen Seite aber kann er, weil er die Herrschaft allein übermenschlich legitimiert und nur an eine Person bindet, als Rechtfertigung des NS-Führerstaates verstanden werden. Die ganze widersprüchliche Verstrickung des Bürgertums preußisch-deutscher Tradition in den Nationalsozialismus wird in Kleppers Schicksal greifbar, wie auch die Distanz zur geistig-politischen Welt des Exils: Dort entwirft Heinrich Mann in seinem Romanwerk ‚Henri IV‘ (1935/38) gleichsam die Gegengestalt eines Herrschers, der aus dem Geist eines diesseitigen, streitbaren Humanismus zu handeln versucht (s. Seite 534f.).

3.3.1 Mythos und Existenz: Prosa der inneren Emigration

Die Insel Utopia als literarisches Motiv. Das Bewußtsein, aus dem bisherigen Lebenszusammenhang ausgeschlossen zu sein und deshalb nach innen emigrieren zu müssen, zeigt sich literarisch beispielhaft in der Aufnahme des utopischen Inselmotivs. Es dient dazu, sowohl die Erfahrung der Isolation auszudrücken als auch eine Gegenordnung zur bestehenden Wirklichkeit darzustellen.

Ernst Wiechert: ‚Das einfache Leben‘ (1939). E. Wiechert gehört zu den wenigen Autoren, die ihre menschlichen und künstlerischen Überzeugungen auch noch nach 1933 öffentlich verkündeten. In zwei Vorträgen in München 1933 und 1935 setzte er der „lauten Welt" der nationalen „Revolution" das „Unerschütterliche und Ewige aller Völker" entgegen: „die Natur beispielsweise oder Gott oder die Liebe der Mutter zu ihren Kindern". Aus diesem Vertrauen auf eine höhere Ordnung heraus schrieb Wiechert 1938 einen Brief an die Parteiführung, in dem er gegen die KZ-Haft des Pfarrers Niemöller, eines führenden Vertreters der Bekennenden Kirche, protestierte. Dies brachte ihm selbst eine mehrmonatige Haft im KZ Buchenwald ein. Sittliche Integrität der Person und ein Individualismus, der nicht politisch, sondern ausschließlich moralisch denkt – was sollte ein Protestbrief an die Parteileitung bewirken? –, kennzeichnen Wiecherts Verhalten.

Der Roman ‚Das einfache Leben‘, 1939 nach der Haft erschienen, hat in seine Struktur die Widersprüchlichkeit der Autorensituation aufgenommen. Auf der einen Seite sucht der Roman aufzuzeigen, wie in einer chaotischen Welt dennoch die persönliche Integrität bewahrt werden kann. Die Hauptfigur Thomas von Orla trennt sich nach der Katastrophe des Ersten Weltkriegs und in der Erkenntnis der zerstörerischen Zivilisation der Großstadt Berlin von der Familie, wandert unter dem Losungswort „Arbeit" nach Osten, tritt als Fischer in den Dienst eines alten Generals und fängt, auf einer Insel mitten in den masurischen Seen lebend, ein neues Leben an. Hier sucht er nach dem verlorenen Sinn: „Der alte Gott ist tot." Was bleibt, ist die notwendige Einordnung unter das „blinde Gesetz" der Natur, dem der Mensch allein die Liebe und die Kraft zur Entsagung – „nichts haben wollen" – entgegenstellen kann. Auf der anderen Seite zeigt die Motivik des Romans, wie sehr er einer unpolitischen und passiven Innerlichkeit verhaftet ist. Denn indem Elemente der Robinsonade wie auch des Entwicklungsromans zugleich aufgenommen und umgekehrt werden, stellt sich der Roman zugleich in die Tradition des aufklärerischen Denkens und gegen sie: Daniel Defoes Inselutopie ‚Robinson‘ als ein zentrales Werk der europäischen Aufklärung setzt auf einen selbstbewußten, auf Gott vertrauenden Pragmatismus und den Aufbau einer zukunftsgewissen Gemeinschaft. Wiecherts Orla dagegen hat den Sinnhorizont verloren, auf den er sein Handeln ausrichten könnte. Und an die Stelle der Entfaltung der individuellen Anlagen, wie im bürgerlichen Entwicklungsroman, tritt die Beschneidung aller seelischen Triebkräfte, der Rückzug nach innen.

Die NS-Besprechung lehnte den Roman wegen seiner Tendenz zur passiven Ichbespiegelung ab, hob aber zugleich die „dichterische Höhe" hervor, die Wiechert in der „Schilderung der Menschen und der ostpreußischen Landschaft" erreicht habe. Denn aus der Dichte der Symbolik (der Globus auf Orlas Schreibtisch, die Insel, der Fischerberuf) und aus der stark reflektierenden Schreibweise konnte der Leser gerade jenes Erlebnis einer künstlerischen Totalität gewinnen, das ihm die Kraft gab, das blinde Gesetz des nationalsozialistischen Alltags zu bestehen. In der Ablehnung aufklärerischer Rationalität und Handlungsbereitschaft liegt der gemeinsame Grundzug des Nationalsozialismus und Wiecherts innerer Emigration.

Ernst Jünger: ‚Auf den Marmorklippen‘ (1939). In der Weimarer Republik war Jünger als Wortführer der nationalistischen Opposition hervorgetreten (s. Seite 481). Nach der 'Machtergreifung' zog jedoch auch er sich, obwohl umworben, zurück; zunächst als Autor, dann, im Krieg, als Offizier. Gleichwohl gehörten seine früheren Werke eines rücksichtslos amoralischen Lebens zum zentralen Bestand der vom NS-Regime geförderten Lektüre.

Jüngers Versuch, selbst unter dem Nationalsozialismus eine elitäre Lebensform zu behaupten, spiegelt sich beispielhaft in dem Roman ‚Auf den Marmorklippen‘. Wie in Wiecherts Roman mit den Gegenbereichen Großstadt und Natur treten sich auch hier zwei Welten gegenüber: einerseits die friedliche Kulturlandschaft der Marina, andererseits das Steppenland der Campagna und dahinter das Sumpf- und Waldgebiet, wo der „Orden" der Mauretanier mit seinem Führer, dem Oberförster, die Gewalt ausübt, mit Schinderstätten und Todeskammern. Der Ich-Erzähler gehört jedoch keinem der Bereiche an, sondern wohnt mit seinem Bruder in der „Rautenklause" auf den Marmorklippen, die als Inselwelt seines asketischen Gelehrtendaseins zwischen den beiden Gegenwelten gelagert sind. Ziel der botanischen und philosophischen Studien ist es, das statische Grundgerüst der natürlichen Welt, über alles Geschichtliche hinaus, zu erarbeiten. In dieser Arbeit gewinnen die Brüder eine Ahnung von „Heiterkeit", vor der sich die „Truggestalten" der Gegenwart verflüchtigen.

Allerdings bestehen sowohl zur Marina als auch zu den Mauretaniern Verbindungen: einerseits durch den Kontakt mit einem Mönch als dem Vertreter der geistigen Tradition der Mariner Kultur, andererseits durch die Beziehungen zu führenden Männern des „Ordens", die noch aus der Zeit herrühren, als die Brüder selbst zu den Mauretaniern zählten. Von diesen hatten sie sich gelöst, als sie den „bösen", nur die Macht als Ziel kennenden Charakter dieser Gemeinschaft erkannt hatten.

Als nun die Mauretanier die Marina bedrohen, entscheiden sich die Brüder zunächst, „allein durch reine Geistesmacht", durch noch intensivere Studien, zu widerstehen. Erst auf einen Wink des Mönchs hin führen sie einen Kriegszug in das Waldgebirge – allerdings vergeblich. Die Marina geht in Flammen auf, und so vernichten auch die Brüder die „Rautenklause" mit all ihrer wissenschaftlichen Arbeit und gehen zu Freunden nach Alta Plana ins Exil.

Jüngers Roman stellt zunächst nicht einen Rückzug aus der geschichtlichen Wirklichkeit dar wie Wiecherts ‚Einfaches Leben'. Vielmehr versucht Jünger, die Wahrheit des NS-Staates, auch die eigene Rolle in ihm, allegorisch zu fassen: In der Mauretania deutet er die Gruppenstruktur der Nationalsozialisten mit den kalten Technikern der Macht einerseits und den triebhaft-dunklen Gewaltnaturen andererseits. Zugleich bekennt er die „Faszination", die von der Mauretania auf ihn selbst ausging, wie auch den „Irrtum", sich in einer Zeit des allgemeinen Kulturzerfalls diesem „Orden" angeschlossen zu haben. Die Zerstörung der Rautenklause mit Bibliothek und Herbarium am Ende wirkt wie eine Kritik an den Versuchen der „inneren Emigranten", aus dem Wunsch nach Beständigkeit durch geistige Arbeit, wie Wiecherts Orla, ein Gegengewicht gegen die geschichtliche Wirklichkeit zu schaffen. Letzte Sicherheit liegt für den Ich-Erzähler „im Nichts". Allein der bildliche Zusammenhang zwischen der im Feuer einstürzenden Rosette der Klosterkirche, als Symbol der Vergänglichkeit menschengeschaffener Formen, und dem unscheinbaren Kraut am Wegrand, dessen Blatt die gleiche Form wie die Rosette besitzt, weist auf die Gesamtordnung des Kosmos hin, die Geist und Natur umfaßt.

Diese Symbolik macht verständlich, warum sich Jünger verstärkt zur beobachtenden Prosaskizze (‚Das abenteuerliche Herz', 2. Fassung 1938, ‚Gärten und Straßen', 1942) hinwendet. Mit der kurzen Prosaform als Ausdruck einer sich vor dem „Nichts" behauptenden Haltung wird Jünger überdies zum stilistischen Vorbild der jüngeren, existenzphilosophisch orientierten Autoren (s. Seite 496).

Für Jünger selbst aber bleibt diese Haltung eingebettet in eine Weltbetrachtung, die um eine unberührte Heiterkeit angesichts des Untergangs menschlicher Kultur bemüht ist. Die Feuersbrunst in der Marina bestätigt dem Ich-Erzähler nur die allgemeine Wahrheit, daß die Menschenordnung wie der Kosmos „von Zeit zu Zeit, um sich von neuem zu gebären, ins Feuer tauchen muß". Der Roman erscheint so nur vordergründig als kritische Auseinandersetzung Jüngers mit der Gegenwart. Im Kern stellt er den Versuch dar, geschichtliche Prozesse in ein mythisches Denken einzuordnen, dem die Erfahrung einer Gewaltherrschaft nur ein beliebiges Beispiel ist. Der Ich-Erzähler, der schließlich ohne Schwierigkeiten die Marina verlassen kann, um bei Freunden im Hochland sichere Aufnahme zu finden, kann sich die philosophische Rede vom „Nichts" leisten. Welch ein Gegensatz zu Anna Seghers' Roman ‚Transit' (s. Seite 531ff.), in dem die physische und seelische Gefährdung der wirklichen Emigranten, ihre umfassend bedrohte Existenz, verarbeitet und dargestellt wird! ‚Auf den Marmorklippen' zeigt, trotz der Absage an die Macht, dieselbe elitäre und ästhetische Weltsicht, die Jüngers früheren Werken eigen ist. In dem Maße, wie Wiecherts Inselutopie ratlos in die Vergangenheit zurückweist, führt Jüngers Weg von den Marmorklippen nach Alta Plana in eine kalte Welt jenseits menschlicher Geschichte.

Stefan Andres: ‚Wir sind Utopia' (1942). Andres kann wie Wiechert zur Gruppe der christlichen Autoren gezählt werden, aber er gehört, 1906 geboren, einer jüngeren Generation an. Er thematisiert nicht mehr den Verlust der überlieferten religiös-metaphysischen Ordnungsvorstellungen, sondern er geht von diesem Befund aus und stellt die Situation des Menschen selbst ins Zentrum, der in der modernen säkularisierten Welt aus christlichem Geist handeln will.

Die im Spanien des Bürgerkriegs abrollende Handlung zeigt die Entscheidungssituation eines ehemaligen Mönchs, der als Kriegsgefangener zufällig in seine alte Klosterzelle zurückkehrt, dort die Gelegenheit zur Flucht und zur Befreiung von 200 Mitgefangenen erhält, sie aber bewußt ausläßt, um sich gemeinsam mit den anderen töten zu lassen und dadurch den Zwang des Krieges, die Existenz als „Automat", zu überwinden. Am Wendepunkt der Handlung, als der Mönch Paco dem gegnerischen Offizier Pedro die Beichte abnimmt und dieser das Messer in Pacos Tasche entdeckt, erfolgt statt Kampf und Mord der Bruderkuß der Gegner.

Dabei erinnert sich Paco zu Beginn, als er einen Fleck an der Decke seiner Zelle wiederentdeckt, an den früheren Inseltraum einer auf Toleranz gegründeten Friedensgesellschaft. Dieser Traum und der Entschluß, für seine Realisierung zu kämpfen, hatten ihn damals bewogen, das Kloster zu verlassen. Zugleich fällt ihm der alte Padre Damiano ein, der Pacos Utopia angesichts der Unvollkommenheit des Menschen als „Schwindelunternehmen" bezeichnet und dagegen erklärt hatte: „Wir sind Gottes Utopia."

Pacos letztes „utopisches" Handeln im Sinne Damianos erweist die Novelle als Absage an die aufklärerische Überzeugung vom möglichen humanen Fortschritt der menschlichen Gesellschaft. Andres stellt seinen Helden in die Alternative zwischen der sozialen Verantwortung für den Mitmenschen und dem individuellen Opfer unter dem Liebesgebot Gottes.

Der Wendepunkt als Gattungsmerkmal der Novelle ist in die innere Entscheidung des Menschen verlegt, nicht anders als die Vorstellung der Utopie: Sie wird aus dem Entwurf einer möglichen besseren Welt zur phantastischen Illusion degradiert. Christliche Tradition und eine moderne existentielle Sicht des Menschen sind zu einem vernunft- und geschichtsfeindlichen Handlungskonzept verbunden. Dies konnte in den letzten Kriegsjahren den Willen zur Selbstbehauptung stärken, den Entschluß, sich selber und den Geboten eines christlichen Lebens treu zu bleiben, über alles Kriegs- und Untergangsgeschehen hinaus. Andererseits aber steht Pacos Selbstopfer dem des Leisler in Langenbecks ‚Hochverräter' (s. Seite 494) nicht allzu fern: Beide wollen sich mit ihrer Tat aus dem „Automaten"-Dasein bzw. dem „Notgeflecht" der geschichtlichen Wirklichkeit befreien, sich selbst von aller Schuld reinigen – und überlassen die Wirklichkeit denjenigen, die sich um das religiöse Gebot der Demut und Liebe keine Skrupel machen. Auch dieser Novelle ist die Ambivalenz der Literatur der inneren Emigration, Widerstand und Anpassung in sich zu tragen, immanent. So erscheint es nicht unverständlich, daß die Novelle trotz des Fehlens aller nationalsozialistischen „Gemeinschaftsbindung" die NS-Zensur passieren und 1942/43 in der Frankfurter Zeitung erscheinen konnte.

Fahrt und Tunnel als literarisches Motiv. Im Unterschied zu Jünger und Andres bringen einige jüngere Autoren in ihrer Prosa die existentielle Haltung als solche, ohne Einordnung in religiöse oder mythische Denkmuster, zum Ausdruck. Das Bewußtsein der Orientierungslosigkeit schlägt sich literarisch in der Bevorzugung kleiner Prosaformen mit offener Struktur nieder, seien es kurze Erzählungen, Essays, Reisebilder oder das Tagebuch. Darin wird zum einen die subjektive Empfindlichkeit gegenüber den Vorgängen des privaten Alltags dargestellt, zum anderen gewinnen gerade diese kleinen Vorgänge etwas Zeichenhaftes, wie in *Hermann Lenz' Erzählung ‚Das stille Haus'* (1938). Dort vermitteln alle Details, wie „Impressionen Chopins" auf dem Klavier und das Zittern „grauer Silberblättchen" in einer Vase, der Wind in den Fliederbüschen und der „hellgrün" schimmernde „Abendhimmel", das Gefühl einer unbestimmten und traurigen Sehnsucht, einer Freude, „die weh tat", oder eines Taumels „von bitterer und süßer Wehmut". Der Rückzug ins Private, mitten in einer Zeit umfassender Politisierung, verhilft nicht zu innerer Sicherheit.

Das Bewußtsein einer ziellosen Vergänglichkeit des Lebens wird bei mehreren Autoren im literarischen Motiv der Fahrt durch das Dunkel greifbar. In *Horst Langes* Erzählung *‚Das nie betretene Haus'* (1943) zum Beispiel wird äußerlich die Eisenbahnfahrt eines Soldaten zu seinem Einsatzort geschildert. Seine Geliebte begleitet ihn. Innerlich wird die Erzählung – in der verhaltenen Zärtlichkeit der Berührungen und in dem Gespräch über das Haus ihrer Zukunft – vom Wissen um die bevorstehende

Trennung geprägt. Als die Frau am Ende einschläft, drückt sich in den Gedanken des Mannes die Vergeblichkeit des Lebenslaufes aus:

„An das Haus, von dem sie gesprochen hatten, erinnerte er sich jetzt nicht mehr. Er zählte die Monologe zusammen. Der Wind ist ein Monolog. Das Schweigen ein anderer. Die Stille der Nacht ist ein Monolog, er setzt sich weiter fort, ins Endlose, wenn der Zug. mit dem wir fahren, hinterm Horizont ist. […] ,Es fragt sich nur‘, sagte er so laut, daß er erschrak, ,ob wir dort, wo-hin wir gehören, jemals ankommen werden?‘ “

In *Felix Hartlaubs* Kriegstagebuch aus dem Führerhauptquartier dagegen zeigt sich trotz allem Untergangsbewußtsein eine satirische, die privaten Aufzeichnungen zur bitteren Zeitkritik steigernde Dynamik. Das Bild der Lebensreise verschärft sich zur Fahrt *,Im Sonderzug des Führers‘*, der, vollkommen abgedunkelt, den Kontakt zur Wirklichkeit verliert, sich immer mehr verspätet und einem unbekannten Ziel entge-genrast:

„Und was ist denn das für ein endloser Tunnel und was schwingen sie für grüne Lampen, wieviel Loks haben wir denn eigentlich davor, eine würde bestimmt genügt haben. Und eine komische Akustik hat dieser Tunnel, da spielt doch einer das Deutschlandlied auf einer Wurlitzer Orgel, wenigstens so ähnlich […].“

Mit diesem Bild steht Hartlaubs Text beispielhaft für die Kontinuität einer existentiel-len modernen Schreibweise auch während des ‘Dritten Reiches’, er schlägt die Brücke von Kafkas Tunnelgleichnis zu Dürrenmatts Erzählung ,Der Tunnel‘ (1952). Aller-dings wurde dieser Text nicht mehr während der Herrschaft des Nationalsozialismus veröffentlicht. Er erfüllte vor allem für den Autor selbst den Zweck, „das ganze uner-meßliche Leid […] zum Bewußtsein, zur Sprache und zur Gestaltung zu bringen“.

Wie Hartlaub versucht auch *Hans Erich Nossack*, in seiner Prosa private Existenz und geschichtliche Erfahrung miteinander zu verbinden und die gleichsam narzißtische Selbstbezogenheit der inneren Emigration zu überwinden. In seinem „Bericht“ *,Der Untergang‘* beschreibt er nüchtern die Zerstörung Hamburgs durch Luftangriffe 1943. Die unverstellte Darstellung der Wirklichkeit ließ auch eine Veröffentlichung seines Textes vor 1945 nicht zu.

Da durch die Bomben auch sein eigenes Haus mit fast allen Manuskripten zerstört wurde, ist für ihn das verbreitete Bewußtsein der Orientierungslosigkeit zu einer konkreten Lebenserfahrung geworden. Die Formel vom Abgrund, der „ganz nah ne-ben uns, ja vielleicht unter uns“ ist, ist angesichts der Ruinen nicht nur eine Metapher des inneren Zustandes, sondern Merkmal der Lebenssituation insgesamt. So ge-winnt der Bericht gerade durch seine nüchterne Darstellung der äußeren und inne-ren Realität Zeichencharakter:

„Dann kam einer zu uns in den Keller und sprach: Ihr müßt jetzt herauskommen, das ganze Haus brennt und wird gleich einstürzen. Die meisten wollten nicht, sie meinten, sie wären dort sicher. Aber sie sind alle umgekommen. Einige von uns hörten auf ihn. Doch es gehörte viel da-zu. Wir mußten durch ein Loch hinaus, und vor dem Loch schlugen die Flammen hin und her. Es ist gar nicht so schlimm, sagte er, ich bin doch auch zu euch hereingekommen. Da wickelte ich mir eine nasse Decke um den Kopf und kroch hinaus. Dann waren wir hindurch. Einige sind dann auf der Straße noch umgefallen. Wir konnten uns nicht um sie kümmern.“

An die Stelle des Tunnelabgrunds tritt das „Loch“, dessen lebensgefährliche Durch-querung allein das Leben bringen kann. Das Gefühl der Ausweglosigkeit wird als tödliches Bedürfnis nach Sicherheit entlarvt. Aus konkreter Erfahrung heraus gestal-tet Nossack das Bild der existenzphilosophischen Grenzsituation: Die innere Läh-mung und die Angst vor dem Tod müssen überwunden werden, wenn im Untergang aller gewohnten Sicherheiten der Weg ins Freie gefunden werden soll. Das Bewußt-sein der Isolation allerdings besteht weiter. Die zitierten letzten Sätze des „Berichts“ enthalten keine Perspektive einer neuen, sinnvollen Lebensführung. Die Freiheit existiert – zunächst – im Nichts.

Damit steht Nossacks Text, den Sartre bereits 1947 in die Zeitschrift ‚Les Temps Modernes‘ übernahm, exemplarisch für die existentialistische Schreibweise der Nachkriegszeit und ihres Versuchs eines neuen „magischen Realismus".

3.3.2 Magie und Abstraktion: Lyrik der inneren Emigration
Fördern die Prosawerke durch ihre epische Welt zumindest tendenziell die Reflexion des Lesers im Hinblick auf sein Welt- und Geschichtsverständnis insgesamt, so führt ihn die Lyrik der inneren Emigration noch stärker in den Bereich der reinen, das Ichbewußtsein auflösenden Emotionalität. Dies gilt weniger für Rudolf Alexander Schröders ‚Ballade vom Wandersmann‘ (1935), in der sich das Ich des Autors selbst fremd geworden ist – „Rührt mich nicht an; – ich bin's nicht mehr" –, mehr schon für Friedrich Georg Jüngers Sammlung ‚Griechische Götter‘, in der zur Flucht in antike Mythen, die „Urphänomene der Schöpfung", eingeladen wird, vor allem aber für die Naturlyrik (Wilhelm Lehmann: ‚Antwort des Schweigens‘, 1935. ‚Der grüne Gott‘, 1942; Oskar Loerke: ‚Der Wald der Welt‘, 1936; Ina Seidel: ‚Gesammelte Gedichte‘, 1937).

Naturmagische Lyrik. Diese Lyrik führt die Tradition des Naturgedichts weiter. Im Unterschied zu den Gedichten des klassisch-romantischen Naturgefühls aber ist das Ich des Sprechers hier nicht mehr in einer Weltganzheit geborgen, die das individuelle und natürliche Dasein umgreift, sondern es wird von den einzelnen Dingen der Natur selbst aus der eigenen Wirklichkeit herausgerissen und auf magische Weise in die Welt der Natur übergeführt. Auch aller Schmerz als Folge geschichtlicher Erfahrung wird durch den Zauber der Natur geheilt.

> *Trost der Blätter*
>
> Finde ich dich, bin ich erst allein,
> Willst du immer mein Erretter sein?
>
> Zauberer in Grün gekleidet,
> Vogelhirt, der seine Ammen weidet,
>
> Mit dem Blättermund, der kühl an meinen drängt,
> Still der Nachricht, die das Herz versengt (…]

Und auch der Leser wird auf diesen Weg der Rettung verwiesen:

> Fern mir selber treibe ich so fort,
> Uns behält der gleiche Erdenort.
>
> Die ihr röchelt, die ihr schreit,
> Grüner Zauberer steht euch bereit.
>
> Laßt das tränenschwere Auge übergehn:
> Leichte Blätter, werden wir uns wiedersehn.
> (Wilhelm Lehmann:‚Der grüne Gott‘, 1942.)

Die Gesuchtheit der Sprache steht im Gegensatz zu den abgegriffenen Bildern der NS-Literatur. Insofern kann Lehmann zu Recht behaupten, seine Dichtung sei „eine Widerstandsbewegung gegen den uns bedrängenden Schrotthaufen von Schein- und Unsprache". Aber im ganzen sucht Lehmanns Lyrik fast gewaltsam das Heil in einem Raum außerhalb der menschlichen Wirklichkeit. Sie steigert die Fluchttendenzen der religiösen Prosa ins Extrem und birgt die Gefahr einer Verstümmelung des Humanen in sich, die Brechts Frage aus dem Exil als zu Recht gestellt erweist:

> „Was sind das für Zeiten, wo
> ein Gespräch über Bäume fast ein Verbrechen ist
> Weil es ein Schweigen über so viele Untaten einschließt!"
> (‚An die Nachgeborenen‘, 1938.)

Statische Gedichte. Benn hatte 1933 die Machtergreifung der Nationalsozialisten als Anbruch eines neuen Zeitalters begrüßt (s. Seite 484). Konfrontiert mit der Wirklichkeit der Gewaltherrschaft, erkannte er allerdings bald seinen Irrtum und versuchte, etwa in seinem ‚Bekenntnis zum Expressionismus‘ (1933), die moderne Tradition deutscher Literatur, die er ja selbst verkörperte, gegen die Angriffe der Nationalsozialisten zu retten, allerdings vergeblich. Er wurde jüdischer Abstammung bezichtigt, seine Lyrik als „Ferkelei" bezeichnet. 1938 erhielt er im Zuge der verschärften Kulturpolitik des NS-Staates (s. Seite 489f). Publikationsverbot. Seine eigene Existenz sah er seit seinem Eintritt in die Wehrmacht 1935 unter dem Zeichen des „Doppellebens", der äußeren Anpassung und inneren Selbstbewahrung. So wurde er zu einem exemplarischen Vertreter der inneren Emigration.

Benns letzte Gedichte sind 1936 in der Zeitschrift ‚Das Gedicht‘ veröffentlicht, die unter ihrem Herausgeber Heinrich Ellermann bis 1944 nichtnationalsozialistische Lyrik publizierte.

> *Astern*
>
> Astern – schwälende Tage,
> alte Beschwörung, Bann,
> die Götter halten die Waage
> eine zögernde Stunde an.
>
> Noch einmal die goldenen Herden
> der Himmel, das Licht, der Flor,
> was brütet das alte Werden
> unter den sterbenden Flügeln vor?
>
> Noch einmal das Ersehnte,
> den Rausch, der Rosen Du –
> der Sommer stand und lehnte
> und sah den Schwalben zu,
>
> noch einmal ein Vermuten,
> wo längst Gewißheit wacht:
> die Schwalben streifen die Fluten
> und trinken Fahrt und Nacht.

Wie die naturmagische Lyrik wendet sich das Gedicht den kleinen Dingen der Natur zu, gleichsam als Haltepunkten des Bewußtseins. Auch der einfache Rhythmus und Reim des Gedichts zeugt von dem Versuch, Konturen und Festigkeit zu gewinnen. In Ausdruck und Stimmung aber steht diese Lyrik gerade im Gegensatz zu allen literarischen Rettungsversuchen, wie sie die naturmagische Lyrik und die religiöse Prosa unternehmen. Vielmehr stellt es im Bild der Waage und in der Anapher des „Noch einmal" das Bewußtsein der Vergänglichkeit zur Schau, die Spannung zwischen der „rausch"haften Erfahrung des erfüllten Augenblicks und der klaren Gewißheit des nahenden Todes. So löst sich auch die Sprache von der Darstellung der Begegnung mit der Natur, sie versucht nicht, deren magische Wirkung zu übertragen, sondern sie zaubert gleichsam selbst: durch den Ausdruckswert abstrakter Worte – z. B. durch die Gefühlssteigerung, die durch die Klangkombination „schwälende" (statt schwelende) „Tage" erreicht wird, oder durch die Alliterationen „alte Beschwörung, Bann" und „Rausch, der Rosen Du" – oder durch eine allegorische Bildlichkeit, die sich jeder genauen Festlegung entzieht: „was brütet das alte Werden/ unter den sterbenden Flügeln vor?"

Benns Lyrik steht in ihrem Ausdruck der Verlorenheit menschlichen Daseins der existentialistisch geprägten Prosa nahe. Und wie diese weist sie auf die Literatur der Nachkriegszeit und der fünfziger Jahre voraus. Die Sammlung ‚Statische Gedichte‘, die als Zusammenstellung der Gedichte aus der inneren Emigration 1948 erscheint, verhilft dem Autor in den frühen Jahren der Bundesrepublik Deutschland zu großem, spätem Ruhm.

4 Literarische Formen des politischen Widerstands

Neben der Literatur der inneren Emigration gab es auch eine politische Untergrund-
literatur. Diese maß sich in erster Linie an ihrem Wert für den aktiven Widerstand,
seien es Dreizeiler auf Klebezetteln, Flugblätter oder Zeitungen, Predigtabschriften
oder sozialistische Kampflieder. Träger dieser Literatur waren vor allem Kommunisten und Sozialisten einerseits und Christen andererseits, etwa die Mitglieder der Bekennenden Kirche oder des Kreises um Bischof Galen.
Zwar galt es auch hier, den Widerstand zu tarnen, aber die Tarnung war weniger ein
den Texten immanentes Merkmal als eine äußerliche Hülle. Die ‚Internationale‘ war
in ein Buch verpackt mit dem Titel ‚An der schönen blauen Donau‘, Thomas Manns
Briefwechsel mit der Universität Bonn (1937) lief unter dem Einband ‚Briefe deutscher Klassiker‘. Diese Literatur zielte auf die unmittelbare Enthüllung der geschichtlichen Wahrheit, und dies unterschied sie von der inneren Emigration.
Freilich muß auch hier die Frage nach der politischen Wirkung offenbleiben. Am er-
schütterndsten zeigt dies das Schicksal der „Weißen Rose", der Münchener Studen-
tengruppe um die Geschwister Scholl, die zwar in ihren Flugblättern schonungslos
die NS-Gewaltherrschaft anprangerte und zum Umsturz aufrief, der aber die politische Organisation für einen effektiven Widerstand fehlte.
Politische Widerstandsgruppen waren der „Kreisauer Kreis", die „Rote Kapelle"
und die Gruppe um den Generaloberst Beck und den ehemaligen Oberbürgermei-
ster von Leipzig, Goerdeler. Diese führte am 20.7.1944 das Attentat auf Hitler durch
als letzte gescheiterte Aktion einer Reihe von Attentatsversuchen.

Widerstand und Ergebung. Dieser Gruppe gehörte auch der evangelische Theologe
Dietrich Bonhoeffer an. Seine Aufzeichnungen aus der Haft, 1951 unter dem Titel
‚Widerstand und Ergebung‘ herausgegeben, können formal in eine Reihe mit den Tagebüchern der ‘inneren Emigranten’ gestellt werden, z. B. mit Jochen Kleppers ‚Unter dem Schatten deiner Flügel‘ oder Friedrich P. Reck-Malleczewens ‚Tagebuch eines Verzweifelten‘. Inhaltlich aber sind sie keine Zeugnisse innerer Selbstbehauptung in einer Situation der Unsicherheit und latenten Gefahr, sondern sie reflektieren die Möglichkeit und die Aufgabe des Menschen, gegen Unrecht und Gefahr aktiv
vorzugehen. Sie zeigen, wie aus dem christlichen Glauben die „Freiheit" zur „eigen-
sten verantwortlichen Tat" erwachsen kann.
Den Ausgangspunkt der theologischen Überlegungen bildet die Erkenntnis von der
„mündig gewordenen Welt". Die Aufklärung und die mit ihr verbundene Auflösung
überlieferter religiöser Denkmuster wird von Bonhoeffer nicht mit der Flucht in die
Innerlichkeit beantwortet, sondern als Erbe des Christentums selbst ausdrücklich
anerkannt. Deshalb gilt es, die überlieferte „religiöse" Interpretation der Bibel mit
ihrer „metaphysischen" Tendenz zur jenseitigen Erlösung, den „individualistischen"
Appell an das „private Gewissen" zu überwinden. Bonhoeffer geht es um die „weltliche" Interpretation der biblischen Aussagen.
Die Erkenntnis, daß das Handeln des Menschen in der Welt notwendig mit Schuld
verknüpft ist, führt Bonhoeffer nicht, wie Andres’ Paco, zur individuellen Tat der
Liebe gegen alle Zwänge der Welt, sondern zur politischen Tat des Widerstands in der
Welt, worin die Hoffnung auf Gottes Vergebung eingeschlossen ist. Bonhoeffer hielt,
wenn es darauf ankam, stramm den Arm zum Hitlergruß empor, nicht nur halb wie
Bergengruen, sein „Doppelleben" unterschied nicht zwischen äußerer Anpassung
und innerer Verweigerung wie das Benns, sondern zwischen öffentlicher Tarnung
und politischem Handeln, das der inneren Überzeugung entsprach. So wie seine
Theologie einen Ausweg zeigt aus dem antiaufklärerischen und geschichtsfeindlichen Denken der Innerlichkeit, so auch sein Handeln die Qualität der Menschlichkeit und Mündigkeit, die auf die Zeit nach dem Nationalsozialismus vorausweist.

Dritter Teil: Literatur im Exil

1 Einleitung

1.1 Exil – Antifaschismus – antifaschistische Literatur

Die „Gleichschaltung" des politischen und kulturellen Lebens war ein vorrangiges Ziel der Nationalsozialisten gleich im ersten Jahr ihrer Herrschaft. Mit welcher Brutalität und Entschlossenheit sie gegen ihre Gegner vorgingen, zeigte sich unmittelbar nach dem Reichstagsbrand am 27. Februar 1933; er war für das Regime Anlaß und Vorwand für eine erste Verfolgungs- und Verhaftungswelle, für viele Hitlergegner das Signal zur Flucht. Gefährdet waren vor allem Angehörige der Linksparteien, aber auch zahlreiche nicht parteigebundene, als „links" und regimefeindlich eingestufte, zumal jüdische Intellektuelle, Publizisten und Schriftsteller. Viele verließen schon Ende Februar oder Anfang März 1933 Deutschland. Die Gleichschaltungspolitik der Nationalsozialisten war erfolgreich: Im Verlauf des Jahres 1933 wurde jede öffentlich sich artikulierende Opposition mundtot gemacht, sie war fortan völlig chancenlos und stellte für das Regime keinerlei Gefährdung mehr dar. Sie war nur noch vom Ausland aus möglich.

In der Tat hatte die Repression im Inneren eine für das Regime höchst unerwünschte Wirkung: Außerhalb Deutschlands, im „Exil", bildete und organisierte sich eine kritische, „antifaschistische" Gegenöffentlichkeit, die eine umfangreiche gegen die Nationalsozialisten gerichtete Aktivität entfaltete.

Die Fluchtbewegung, die wir mit Exilierung bezeichnen, ist zu unterscheiden von der „Emigration" (Auswanderung), die vor allem die in Deutschland lebenden Juden betraf. Die jüdische Massenemigration setzte erst um 1938 ein und steigerte sich mit der Verschärfung des antijüdischen Terrors. Die sich retten konnten, verließen Deutschland mit der Absicht, im Ausland für immer eine neue Heimat zu finden.

Die Exilierten dagegen waren nicht aus rassischen Gründen Verfolgte, sondern aus politischen Gründen Verfemte, vor allem aus dem politischen, literarischen, publizistischen und künstlerischen Bereich. Indem sie ins Exil gingen, dokumentierten und besiegelten sie die Unvereinbarkeit ihres Weiterlebens und -arbeitens mit der nationalsozialistischen Herrschaftspraxis. Sie betrachteten ihr Exil als ein Provisorium, das mit der Befreiung Deutschlands vom Nationalsozialismus ein Ende nehmen würde.

Es war eine politisch motivierte Entscheidung, Deutschland zu verlassen, ein Akt eindeutiger Parteinahme, die, über alle Unterschiede hinweg, dem weiteren politischen Verhalten der Exilierten zugrunde lag. „Antifaschismus" verstanden sie nicht nur als innere Haltung; dieser Begriff schließt vielmehr das Moment des Aktiv-Kämpferischen mit ein. So sprechen wir von „antifaschistischem" Exil, insofern die Exilierten gegen den Nationalsozialismus öffentlich Stellung bezogen und ihn bekämpften – mit welchen Mitteln auch immer, also auch mit den Mitteln der Literatur.

Der Begriff „antifaschistische Literatur des Exils" definiert die Exilliteratur von ihrer politischen Funktion her; er entspricht dem Selbstverständnis der exilierten Schriftsteller; er ist aber nicht so zu verstehen, als habe unter ihnen völlige Einigkeit in den Fragen der politischen Theorie und der literarischen Praxis bestanden. Diese Einigung wurde angestrebt, jedoch nie erreicht. Der Begriff deutet aber eine bezeichnende Tendenz in der Literaturentwicklung während des Exils an: die Politisierung der Literatur. Die Schriftsteller, auch die bürgerlichen, fanden im Exil zu einer immer klareren politischen Position und Funktionsbestimmung der Literatur. Dies schloß ein: Einsicht in die gesellschaftlichen und ökonomischen Bedingungen des

Nationalsozialismus, Entwicklung literarischer Strategien zu seiner Bekämpfung, Konzeption einer nachfaschistischen, demokratischen Neuordnung in Deutschland.

1.2 Selbstverständnis der Schriftsteller im Exil

Das literarische Exil bildete keine einheitliche Gruppe, weder im politisch-ideologischen noch im literarisch-programmatischen Sinn. Neben marxistischen Autoren wie Bertolt Brecht, Anna Seghers und Johannes R. Becher verließen auch linksliberale Schriftsteller wie Lion Feuchtwanger, Heinrich Mann und Arnold Zweig und bürgerliche Republikaner wie Thomas Mann, sein Sohn Klaus Mann und Alfred Döblin Deutschland. Trotz aller Gegensätze zwischen marxistisch-proletarischer und bürgerlicher Literatur, die sich in der Weimarer Republik herausgebildet hatten und auch im Exil zunächst fortbestanden, gab es doch Gemeinsamkeiten, typische Denk- und Verhaltensweisen, schon bevor gegen Mitte der dreißiger Jahre die systematischen Bemühungen um die Aktionseinheit der Antifaschisten im Zeichen der Volksfront einsetzten.

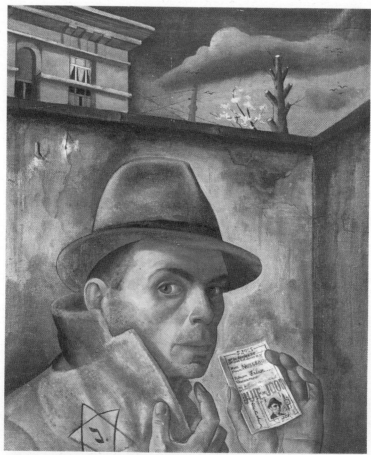

Felix Nussbaum (1904–1944): Selbstbildnis mit Judenpaß, 1943. Foto: Kulturgeschichtliches Museum, Osnabrück.

Die Hoffnung auf ein baldiges Ende des Exils, die viele hegten, war in der Überzeugung begründet, das 'Dritte Reich' werde nur von kurzer Dauer sein und aufgrund der Unfähigkeit seiner Führer bald „abwirtschaften". Vor allem in kommunistischen Exilkreisen baute man darauf, der Nationalsozialismus werde bald seine Massenbasis verlieren, dann nämlich, wenn angesichts des Terrors der Widerstand sich organisieren und ein Volksaufstand das Regime beseitigen würde.

Zweifellos wurden das oppositionelle Potential im Reich und die Chancen des illegalen Widerstandes in den Anfangsjahren des Exils bei weitem überschätzt. Doch gerade in der Existenz des „anderen", des „besseren" Deutschland sahen die Exilierten die Legitimation ihres Exils, denn sie verstanden sich als die Vertreter dieses antifaschistisch-demokratischen Deutschland, das die Diktatur mit Gewalt zum Schweigen gebracht hatte, als „die Stimme ihres stumm gewordenen Volkes", wie Heinrich Mann formulierte.

In seiner Autobiographie ‚Der Wendepunkt' beschreibt Klaus Mann rückblickend Sinn und Auftrag des Exils:

> „Einerseits ging es darum, die Welt vor dem Dritten Reich zu warnen und über den wahren Charakter des Regimes aufzuklären, gleichzeitig aber mit dem 'anderen', 'besseren' Deutschland, dem illegalen, heimlich opponierenden also, in Kontakt zu bleiben und die Widerstandsbewegung in der Heimat mit literarischem Material zu versehen; andererseits galt es, die große Tradition des deutschen Geistes und der deutschen Sprache, eine Tradition, für die es im Lande ihrer Herkunft keinen Platz mehr gab, in der Fremde lebendig zu erhalten und durch den eigenen schöpferischen Beitrag weiterzuentwickeln."

1.3 Exilländer, Verlage, Zeitschriften

Ein solches Selbstverständnis der Exilierten und ihre Einschätzung der politischen Lage beeinflußten die Wahl des Exillandes. Es wurden Länder bevorzugt, die an Deutschland angrenzten und deren demokratisch-liberales Klima gegen das nationalsozialistische Deutschland gerichtete politische und publizistische Aktivitäten zuließ. Frankreich, die Niederlande, die Tschechoslowakei, Österreich, die Schweiz und Dänemark wurden bevorzugte Exilländer. Kommunistische Schriftsteller fanden auch in der Sowjetunion Asyl. Das faschistische Italien unter Mussolini wurde gemieden. Die Entscheidung für das Exil bedeutete in der Regel den Verlust der gewohnten Publikationsmöglichkeiten und den Verlust des innerdeutschen Marktes. (Thomas Mann, der sich um eine Mittlerrolle zwischen Exil und innerdeutschem Publikum bemühte, bildete eine Ausnahme; seine Werke konnten bis 1936 im Berliner Bermann-Fischer Verlag erscheinen.) Wenn sich auch Exilzentren herausbildeten – Paris, das südfranzösische Sanary-sur-Mer, Amsterdam, Prag und Moskau waren die wichtigsten –, so bedeutete das Exil doch Zersplitterung, räumliche Trennung, vielfach Isolation, Vereinsamung und die Erschwerung der Kommunikation der Schriftsteller untereinander. Literarisches Leben und Öffentlichkeitsbezug der Literatur waren zerstört. Schon 1933 aber wurde im Ausland ein funktionierendes Publikations- und Kommunikationssystem geschaffen. Der Neuaufbau eines Verlagswesens für deutschsprachige Publikationen schuf die organisatorisch-materielle Voraussetzung für die Konstituierung der Exilliteratur.

Große Bedeutung gewannen die holländischen Verlagshäuser Querido und Allert de Lange in Amsterdam, die sich deutsche Abteilungen angegliedert hatten, der Malik-Verlag, den Wieland Herzfelde im Prager Exil gegründet hatte, sowie die schon vor 1933 existierende Verlagsgenossenschaft ausländischer Arbeiter in Moskau, die eine große Anzahl im Exil entstandener Bücher herausgab. Der Berliner Bermann-Fischer Verlag wurde ins Exil verlagert: 1936 nach Wien, 1938 nach Stockholm; er veröffentlichte wie der sowjetische Verlag auch während des Krieges deutschsprachige

Bücher. Ab 1939 erschienen in Stockholm die gesammelten Werke von Thomas Mann, ab 1941 die von Franz Werfel.

Neu gegründete Zeitschriften wurden zu den entscheidenden Trägern eines über die Grenzen der Exilländer hinweg entstehenden literarischen Lebens, zu Diskussionsforen und Organen der Verständigung der Exilierten untereinander.

Ab Herbst 1933 gab Klaus Mann in Amsterdam ‚Die Sammlung‘ heraus. Der Titel dieser Zeitschrift steht symptomatisch für eine den Exilzeitschriften gemeinsame Orientierung: Es galt, der humanistisch-antifaschistischen Grundüberzeugung der Exilierten über literarische und politische Divergenzen hinweg eine einheitliche Stimme zu verleihen.

Das Herausgebergremium der im Herbst 1933 in Prag gegründeten Zeitschrift ‚Neue Deutsche Blätter‘ (Anna Seghers, Oskar Maria Graf, Wieland Herzfelde, Jan Petersen) bezog zwar eindeutig eine marxistische Position: „Viele sehen im Faschismus einen Anachronismus, ein Intermezzo, eine Rückkehr zu mittelalterlicher Barbarei. […] Wir dagegen sehen im Faschismus keine zufällige Form, sondern das organische Produkt des todkranken Kapitalismus"; die Herausgeber öffneten ihr Blatt aber auch anderen Meinungen: „Wir werden alle – auch wenn ihre sonstigen Überzeugungen nicht die unseren sind – zu Wort kommen lassen, wenn sie nur gewillt sind, mit uns zu kämpfen."

Der Wille, bürgerlich-humanistische und sozialistische Schriftsteller zur antifaschistischen Einheitsfront zusammenzuschließen, führte 1936 zur Gründung der in Moskau erscheinenden Zeitschrift ‚Das Wort‘, die man als „Kind der Volksfront" bezeichnete; Bertolt Brecht, in Dänemark lebender parteiloser Marxist, Lion Feuchtwanger, der im südfranzösischen Exil lebende linksbürgerliche Autor, und Willi Bredel, in Moskau lebendes KPD-Mitglied, waren die Gründungsherausgeber der Zeitschrift, in der 1937/38 die wichtigste literaturpolitische Debatte des Exils geführt wurde, die sogenannte Expressionismusdebatte (s. Seite 511ff.).

Die Existenzmöglichkeit der Exilierten und des die Exilliteratur tragenden Publikationsapparates wurde durch die Expansions- und Aggressionspolitik des ‘Dritten Reiches’ in den Jahren 1938–1940 schrittweise zerstört; eine erneute Fluchtbewegung aus den Ländern, die ihr zum Opfer fielen, setzte ein. 1938 wurde Österreich, 1939 der restliche (tschechische) Teil der Tschechoslowakei annektiert. 1940 erfolgte der Einmarsch in Luxemburg, die Niederlande, Belgien, Frankreich und Dänemark. Neben England, der Schweiz und Schweden verblieb in Europa nur das unbesetzte Frankreich als mögliches Asylland, in dem viele Exilierte Zuflucht suchten. Nach dem Waffenstillstandsabkommen zwischen dem Deutschen Reich und der Vichy-Regierung im Jahre 1940 drohte ihnen die Auslieferung an die Deutschen; sie waren zu neuerlicher Flucht gezwungen. Das Exil verlagerte sich nach Übersee.

Zum wichtigsten Exilland wurden die Vereinigten Staaten. Zahlreiche Mitglieder der Kommunistischen Partei, denen die USA die Einreise nicht gestatteten, fanden in Mexiko Asyl.

Neue Zeitschriften erschienen im überseeischen Exil: ‚Freies Deutschland‘ in Mexiko, ‚Deutsche Blätter‘ in Santiago de Chile; der schon 1934 in New York gegründete ‚Aufbau‘ wurde zur bedeutendsten deutschsprachigen Zeitschrift dieser Periode. Auch neue Verlage wurden gegründet: in New York der Aurora-Verlag, ein Gemeinschaftsunternehmen von elf exilierten Autoren (u. a. Ernst Bloch, Bertolt Brecht, Alfred Döblin, Lion Feuchtwanger, Wieland Herzfelde), in Mexiko der Verlag ‚El Libro Libre‘, der u. a. Bücher von Anna Seghers, Lion Feuchtwanger und Heinrich Mann herausbrachte.

Für nicht wenige Exilierte bedeutete die Einreise in die USA das Ende des Exils im eigentlichen Sinn: Sie wurden – was eine spätere Rückkehr nach Europa nicht ausschloß – zu Immigranten (Einwanderern) wie etwa Thomas Mann und sein Sohn Klaus, die die amerikanische Staatsbürgerschaft annahmen. Der publizistische

Kampf gegen die Nationalsozialisten und ihre verbrecherische Politik wurde zwar fortgesetzt, mit besonderer Intensität etwa von Thomas Mann ('Deutsche Hörer! Fünfundfünfzig Radiosendungen nach Deutschland', 1945), zum organisierten Versuch einer einheitlichen Frontstellung wie in den Jahren des europäischen Exils kam es in dieser Phase jedoch nicht mehr.

1.4 Der „Zwang zur Politik"

Das Exil bedeutete für die Betroffenen einen Zustand der Krise, ausgelöst und erzwungen durch eine politische Katastrophe. Es entzog einem traditionellen Rollenverständnis des Schriftstellers den Boden. Literatur im Exil konnte nicht als autonomer Kunstprozeß verstanden werden. Die Möglichkeit 'freien' geistigen Schaffens war zunichte gemacht. Dafür sorgte schon der Verlust einer literarisch interessierten, bürgerlich-liberalen Öffentlichkeit als Träger eines solchen Kunstverständnisses.

Im „Zwang zur Politik" (Thomas Mann), den das Exil mit sich brachte, sahen viele Emigranten die Chance, die Literatur wieder zu einer öffentlichen Institution mit klarem politischem Auftrag zu machen, nachdem sie zunächst durch die Exilierung aller öffentlichen Wirkungsmöglichkeiten beraubt zu sein schien. Freilich: Mag der Schriftsteller im Exil sich auch als „citoyen" und Aufklärer verstehen, damit beauftragt, gegen den Machtanspruch des Regimes die Funktion einer kritischen Öffentlichkeit auszuüben – er steht, abgeschnitten von seinem deutschen Publikum und ohne wesentlichen Einfluß auf die öffentliche Meinung der Exilländer, immer in der Gefahr, ein politisch wirkungsloser Repräsentant des Nur-Geistigen und -Moralischen zu sein.

Die Einsicht in die Ohnmacht des auf sich gestellten Geistes kann zu konträren Verhaltensformen exilierter Schriftsteller führen: auf der einen Seite, wie etwa bei Stefan Zweig, der im Exil Selbstmord beging, zum Rückzug in die Passivität eines resignativen abstrakten Humanismus, der das Verhältnis von „Geist" und „Tat" als unaufhebbaren Gegensatz sieht; auf der anderen Seite kann diese Einsicht wie bei Heinrich Mann zu einem „kämpferischen Humanismus" führen, in dem die Antinomie von Geist und Tat aufgehoben ist und der zur antifaschistischen Praxis wird. Dies setzt die Überwindung der individualistischen Vereinzelung und der Vereinsamung voraus, die den Exilierten bedroht, und die Bereitschaft, sich politisch zu organisieren.

1.5 „Das große Bündnis":
Einigungsbemühungen im Zeichen der Volksfront

Zahlreiche bürgerliche Schriftsteller im Exil sahen in der Zusammenarbeit mit der Kommunistischen Partei die Möglichkeit, ihren Willen zum aktiven Engagement zu verwirklichen; als in allen Exilländern aktive Organisation, an deren bedingungslosem Antifaschismus kein Zweifel bestand, erschien sie als Garant eines wirkungsvollen Kampfes gegen den Nationalsozialismus, zumal sie durch den Rückhalt, den sie in der Sowjetunion hatte, machtpolitisch abgesichert war. Die praktische und ideologische Annäherung an den Kommunismus vollzog in exemplarischer Weise Heinrich Mann.

Unter den Bedingungen des antifaschistischen Kampfes bedeutete für Heinrich Mann die Synthese von Geist und Tat konkret das Bündnis der progressiven bürgerlichen Intellektuellen mit der Arbeiterklasse; nur sie habe die revolutionäre Potenz, die Freiheit im Kampf gegen den Nationalsozialismus zu verwirklichen; nur im Bündnis mit ihr könne sich der „Geist" als Träger der humanistisch-demokratischen Ideen geschichtlich verwirklichen. „Die Literatur, ob sie es will oder nicht, ist im Begriffe, ganz und gar sozialistisch zu werden. [...] Sie geht unweigerlich zu den Arbeitern, weil bei ihnen die Menschlichkeit geachtet, die Kultur verteidigt wird" (‚Nur das Proletariat verteidigt Kultur und Menschlichkeit‘, 1935).

Auf der anderen Seite wandte sich die Kommunistische Partei in programmatischer Weise dem bürgerlichen Kulturerbe zu und akzeptierte die „bürgerlich-humanistischen" Schriftsteller als Bündnispartner im Kampf gegen den Nationalsozialismus. Symptomatisch für diese neue Haltung ist die Rede Johannes R. Bechers auf dem ‚I. Allunionskongreß der Sowjetschriftsteller‘ (1934), der er den programmatischen Titel ‚Das große Bündnis‘ gab.

Der Auftrag, das „Beste aus dem kulturellen Erbe der Jahrhunderte" zu bewahren und weiterzuentwickeln, sei an die Arbeiterklasse als die geschichtliche Avantgarde übergegangen; in ihren Händen würden die progressiven Ideen des aufsteigenden Bürgertums zur Waffe gegen die spätkapitalistische Bourgeoisie selbst, die im Faschismus ihre eigenen geschichtlichen und kulturellen Grundlagen zerstöre. In der Annäherung bürgerlicher Schriftsteller wie Heinrich Mann und Lion Feuchtwanger an den Kommunismus sah Becher eine ermutigende Bestätigung seiner These vom Wandel des bürgerlichen zum sozialistischen, kämpferischen Humanismus.

Die 1934 einsetzende Annäherung zwischen bürgerlicher und sozialistisch-marxistischer Literatur beruhte somit auf einer grundsätzlichen Übereinstimmung über die Voraussetzungen und die Ziele des antifaschistischen Kampfes. Kommunistische wie linksbürgerliche Exilierte waren überzeugt von der Notwendigkeit des organisierten antifaschistischen Kampfes auf möglichst breiter Basis; die Voraussetzung dazu wollte man in der Volksfront aller Hitlergegner schaffen, deren unabdingbare Grundlage man in der Aktionseinheit der beiden Arbeiterparteien KPD und SPD sah. In den demokratisch-progressiven Traditionen der Vergangenheit fand man auf beiden Seiten die den gegenwärtigen Kampf leitende Orientierung; so traf man sich auf der Basis eines militanten, im kulturellen Erbe verwurzelten Humanismus. Man stimmte schließlich darin überein, den antifaschistischen Kampf in der Zukunftsperspektive einer nachfaschistisch-demokratischen Gesellschaftsform zu führen; in ihr sollten sich eben jene humanistisch-demokratischen Ideale, die man dem Faschismus entgegenstellte, verwirklichen.
Die politisch-organisatorische Voraussetzung für die Aktionseinheit aller Antifaschisten wurde 1935 auf dem VII. Kongreß der Kommunistischen Internationale in Moskau geschaffen. Die Volksfront – das Bündnis der Kommunistischen mit der Sozialdemokratischen Partei unter Einschluß des fortschrittlichen Bürgertums – wurde zum offiziellen Programm erklärt. Diese bündnispolitische Taktik entzog der proletarisch-revolutionären Klassenkampfliteratur die Grundlage. Auf der Brüsseler Parteikonferenz der KPD im Jahre 1935 wurde eine dem bürgerlichen Erbe verpflichtete „Volksfrontliteratur" gefordert, in der die Einseitigkeit des Klassenstandpunktes überwunden und der Gegensatz von proletarischer und bürgerlich-progressiver Literatur aufgehoben wäre.
Frankreich, das von 1934 bis 1936 von einem Volksfrontbündnis aus Sozialisten und Kommunisten regiert wurde, war das Zentrum der Bemühungen um eine nicht nur auf das deutsche Exil beschränkte, sondern übernationale antifaschistische Front. Die internationale Solidarität im Kampf gegen den Faschismus artikulierte sich auf Kongressen wie dem ‚Internationalen Schriftstellerkongreß zur Verteidigung der Kultur‘, der 1935 in Paris veranstaltet wurde. 1936 wurde in Paris der ‚Vorbereitende Ausschuß für die Schaffung der deutschen Volksfront‘ gegründet, dessen Vorsitzender Heinrich Mann wurde. Der Ausschuß konnte sich allerdings nicht auf ein gemeinsames Programm einigen. Die angestrebte Aktionseinheit der Antifaschisten scheiterte vor allem an den Divergenzen zwischen Sozialdemokratischer und Kommunistischer Partei. Die stalinistischen 'Säuberungen' in der Sowjetunion, die mit den

1936 beginnenden Moskauer Prozessen eingeleitet wurden, und vollends der deutsch-sowjetische Nichtangriffspakt vom Jahre 1939 entzogen der Einheitsfrontpolitik den Boden.

Zwar ist die Volksfront als politische Organisationsform des antifaschistischen Exils gescheitert, die Volksfrontidee blieb aber die grundlegende Perspektive der Literaturentwicklung im Exil und der entscheidende Bezugspunkt der Auseinandersetzungen, die um den ideologischen und ästhetischen Standort der antifaschistischen Literatur geführt wurden.

1.6 Standortbestimmung der Literatur im Exil: die Expressionismusdebatte

Die sogenannte Expressionismusdebatte wurde 1937/38 in der in Moskau erscheinenden Exilzeitschrift ‚Das Wort‘ ausgetragen. Sie wurde fortgesetzt in einem Briefwechsel zwischen Anna Seghers und Georg Lukács (1938/39) und der Polemik Bertolt Brechts gegen Lukács (1938). Die Mehrzahl der an der Debatte teilnehmenden Schriftsteller, Kritiker und Literaturtheoretiker waren marxistisch orientiert wie Bernhard Ziegler (d. i. Alfred Kurella), Franz Leschnitzer und Georg Lukács; nicht wenige wie Herwarth Walden und Ernst Bloch waren der expressionistischen Bewegung verbunden gewesen. Die Debatte steht in engem Zusammenhang mit der Ausarbeitung der Doktrin des „sozialistischen Realismus“ in der Sowjetunion während der dreißiger Jahre. Sie stellt in einigen Debattenbeiträgen – besonders in denen von Ziegler und Lukács – eine exildeutsche Weiterführung der sowjetischen Antiformalismuskampagne und Realismusdiskussion dar.

Im Zentrum der Debatte stand das Problem des Erbes und seiner schöpferischen Weiterentwicklung in einer antifaschistischen realistischen Literatur. Stellte der Expressionismus als eine in die vorfaschistische Periode hineinreichende spätbürgerliche Avantgardebewegung, an der viele jetzige Antifaschisten teilgehabt hatten, ein in die Zukunft weisendes Erbe dar, oder war er im Gegenteil ein ideologischer Wegbereiter des Nationalsozialismus? Hatten also expressionistische Tendenzen und die spätbürgerliche Moderne überhaupt einen Platz innerhalb der literarischen Volksfrontbewegung? Mußte nicht vielmehr an vormoderne Traditionen angeknüpft werden? War Antifaschismus in der Literatur an die Verwendung bestimmter literarischer Formen gebunden? Um diese Fragen ging es in der Debatte, die einen Höhepunkt in der Entwicklung einer marxistischen Literaturtheorie markiert. Am Beginn der Auseinandersetzung steht Klaus Manns Aufsatz ‚Gottfried Benn. Geschichte einer Verirrung‘. Klaus Mann stellt Benns Parteinahme für den Nationalsozialismus als logische Konsequenz seines antizivilisatorischen, fortschrittsfeindlichen Irrationalismus dar, der sich schon in Benns früher expressionistischer Phase gezeigt habe. Klaus Mann vermeidet es aber, aus dem Einzelfall Benn eine Affinität von Expressionismus und Nationalsozialismus abzuleiten.

Daß der „Geist“, aus dem der Expressionismus entstand, „ganz befolgt“, „in den Faschismus führt“, diese These vertritt Bernhard Ziegler in seinem Aufsatz ‚Nun ist dies Erbe zu Ende…‘ Ziegler sieht im Expressionismus das letzte Stadium der „Auflösung des klassischen Erbes“, der „Selbstzersetzung des bürgerlichen Denkens“, das mit der Aufklärung seinen Anfang genommen habe. Als Zerfallsprodukt bürgerlichen Denkens in der imperialistischen Periode sei er eine Vorstufe des Nationalsozialismus, in dem die Liquidierung des progressiven bürgerlichen Erbes kulminiere.

Zieglers Thesen wurden von Georg Lukács aufgegriffen und weitergeführt. Lukács, der bedeutendste marxistische Theoretiker einer dem bürgerlichen Erbe verpflichteten Volksfrontästhetik in den dreißiger Jahren, knüpft in seinem Debattenbeitrag, dem Aufsatz ‚Es geht um den Realismus', an seine 1934 veröffentlichte Abhandlung ‚Größe und Verfall des Expressionismus' an. Über die Expressionismusproblematik hinaus geht es ihm um Theoriebildung und Gestaltungsprobleme einer realistischen Literatur im Zeichen der antifaschistischen Volksfront.

Lukács sieht in der Kunst eine besondere Form der Widerspiegelung der gesellschaftlichen Wirklichkeit. Wirklichkeit faßt er als den umgreifenden Zusammenhang zwischen den im unmittelbaren Erleben gegebenen Oberflächenerscheinungen und den ihnen zugrunde liegenden treibenden Kräften des Geschichtsprozesses. Der Rang eines Kunstwerks bemißt sich danach, inwieweit diese „Totalität" von Erscheinung und Wesen in all ihren Vermittlungen konkret zur Anschauung gelangt. Eine Kunst, die bei der Registrierung der Oberflächenerscheinungen stehenbleibt, verwirft Lukács als „subjektivistisch", „formalistisch" und „dekadent". Das Stehenbleiben auf dem Niveau der Unmittelbarkeit führt in der spätbürgerlichen Krisenperiode, in der die Oberfläche der gesellschaftlichen Wirklichkeit chaotisch zerrissen erscheint, zur Auflösung „klassischer" Kunstformen, zu Formexperimenten wie der Montage und dem inneren Monolog, die nur subjektive Reflexe spätbürgerlichen Bewußtseins sind, die Bewegungsgesetze der gesellschaftlichen Entwicklung aber nicht erfassen können. So bleiben die sogenannten Avantgardebewegungen vom Naturalismus über den Expressionismus bis zum Surrealismus der spätbürgerlichen imperialistischen Ideologie verhaftet, wenn sie sich auch als kritisch oder revolutionär verstehen. Ihr Protest bleibt ziellos und abstrakt. Der Expressionismus und die bürgerliche Moderne überhaupt stellen nach Lukács für die Zwecke des antifaschistischen Kampfes kein brauchbares Erbe dar.

Dagegen fordert Lukács die Anknüpfung an die künstlerische Methode des „großen Realismus" des 19. Jahrhunderts (Keller, Balzac, Tolstoi). Als aktuelle Beispiele solcher allein fortschrittlichen Traditionsaneignung gelten ihm Thomas und Heinrich Mann, Romain Rolland, Maxim Gorki. Lukács begreift „Realismus" als die lebendig-konkrete Gestaltung der gesellschaftlichen Wirklichkeit als der prozessierenden Einheit von Wesen und Erscheinung. Die realistische Methode besteht im erkennend-abstrahierenden „Aufdecken" der gesellschaftlichen Triebkräfte und ihrem „Zudecken" in der künstlerischen Gestaltung der konkreten Vielfalt des Lebens. So entsteht im Werk eine „neue, gestaltet vermittelte Unmittelbarkeit, eine gestaltete Oberfläche des Lebens", in der die ihm zugrunde liegenden Bewegungsursachen anschaulich und erlebbar werden. Die Gestaltung eines solchen in sich kohärenten Wirklichkeitszusammenhangs ist nach Lukács nur in der geschlossenen Form des organischen Kunstwerks möglich. An diese Form ist die Erkenntnisleistung und damit auch die politische Funktion der Literatur gebunden: Nur das gestaltete, nicht das unmittelbar erlebte Leben vermittelt die Erfahrung der Geschichte als eines über die jeweilige Gegenwart hinausweisenden Prozesses. Nur das realistische und somit in Wahrheit „avantgardistische" Kunstwerk kann in der Gestaltung noch verborgener Tendenzen Zukunft antizipieren.

In der Überwindung „formalistischer" und „dekadenter" Tendenzen und der Durchsetzung der realistischen Methode im Rückgriff auf den bürgerlichen Realismus sieht Lukács die Voraussetzung für die Konstituierung der antifaschistischen Literatur.

Lukács' Versuch, die antifaschistische Literatur auf eine Schreibweise, auf eine historische Ausprägung des Realismus festzulegen und die gesamte künstlerische Moderne als bürgerliche Verfallskunst zu diskreditieren, fand Widerspruch.

Ernst Bloch (‚Diskussionen um den Expressionismus') sah darin eine „Schwarz-Weiß-Zeichnung", ein „mechanisches", undialektisches Verfahren, das den Erfordernissen des Volksfrontbündnisses zuwiderlaufe. Auch in der Kunst des „untergehenden Bürgertums" sah Bloch über die bürgerliche Endzeit hinausweisende, für eine sozialistische Literatur brauchbare Elemente.

Bertolt Brecht entwickelte in mehreren 1938 entstandenen Aufsätzen, in denen er sich mit Lukács' Theorie kritisch auseinandersetzte, seine eigene Realismuskonzeption. Nur der Aufsatz ‚Weite und Vielfalt der realistischen Schreibweise' erschien zu Brechts Lebzeiten (1955); die anderen (u. a. ‚Die Expressionismusdebatte', ‚Über den formalistischen Charakter der Realismustheorie', ‚Volkstümlichkeit und Realismus') wurden erst 1966/67 veröffentlicht. Es ist nicht mit Sicherheit erwiesen, ob sie von Brecht selbst, der im Realismusstreit eine Gefahr für die Einheit des Volksfrontbündnisses sah, zurückgehalten wurden oder ob die Redaktion des ‚Wort' – dessen

Mitherausgeber Brecht aber war – in Befolgung der von Ziegler und Lukács vertretenen parteioffiziellen Linie ihre Veröffentlichung verhinderte.

Brecht polemisiert gegen Lukács' Methode, der selbst „formalistisch" verfahre, wenn er, um den Formalismus zu bekämpfen, auf eine bestimmte historische Kunstform zurückgreife. Formen und Methoden der realistischen Literatur seien nicht aus schon vorhandenen Werken abzuleiten, sondern aus der sich wandelnden Realität selbst und den neuen Aufgaben, die sie stelle. Sie ergeben sich nach Brecht aus dem Standort des Schriftstellers an der Seite der kämpfenden Arbeiterklasse. Dabei seien auch als formalistisch geltende Formen bürgerlicher Kunst auf ihre Brauchbarkeit hin zu überprüfen und gegebenenfalls, den neuen Zwecken entsprechend, umzufunktionieren.

„Realistisch heißt: den gesellschaftlichen Kausalkomplex aufdeckend / die herrschenden Gesichtspunkte als die Gesichtspunkte der Herrschenden entlarvend / vom Standpunkt der Klasse aus schreibend, welche für die dringendsten Schwierigkeiten, in der die menschliche Gesellschaft steckt, die breitesten Lösungen bereit hält / das Moment der Entwicklung betonend/ konkret und das Abstrahieren ermöglichend" (‚Volkstümlichkeit und Realismus').

2 Brecht im Exil

2.1 Die Exilsituation und ihre Auswirkung auf Brechts literarische Produktion

Am 28. Februar 1933, am Morgen nach dem Reichstagsbrand, verließ Brecht Deutschland. Damit begann seine Exilzeit, die bis 1949 dauerte.

Nach Zwischenstationen in Prag, Wien und Zürich bezog Brecht ein Haus in Skovbostrand bei Svendborg. Als die Tschechoslowakei vollständig annektiert wurde, verlegte er 1939 seinen Wohnsitz von Dänemark nach Lidingö, einer schwedischen Insel. 1940 wich er vor den anrückenden deutschen Truppen nach Finnland, schließlich war er gezwungen, mit seiner Frau Helene Weigel und seinen zwei Kindern nach Amerika überzusiedeln. Die Familie Brecht lebte von 1941 bis 1947 in Santa Monica, einem Stadtteil von Hollywood, wie viele emigrierte Künstler, die hofften, in der Filmindustrie unterzukommen.

Kurz nach einem Verhör vor dem ‚Comittee of Unamerican Activities' 1947 kehrte Brecht nach Europa zurück. 1947–49 inszenierte er am Züricher Schauspielhaus und plante neue Projekte. Versehen mit einem österreichischen Paß, fand er in Ost-Berlin im Theater am Schiffbauerdamm sein endgültiges Betätigungsfeld. In den acht Jahren der Berliner Zeit beschäftigte er sich hauptsächlich damit, seine im Exil konzipierten ‚Versuche' in die Praxis umzusetzen. Diese Betätigung entspricht der Selbsteinschätzung des Autors. Er hat sich um die Veröffentlichung seiner epischen Werke nie sonderlich bemüht: Zu Lebzeiten erschien nur der ‚Dreigroschenroman' 1933/34 während der Exilzeit. Brecht trug hier der Tatsache Rechnung, daß Romane im Exil die meisten Publikationschancen hatten. 1948 folgte die Prosaanthologie ‚Kalendergeschichten'. Beide Werke fanden beim Publikum eine große Resonanz.

Seine Auswanderung galt Brecht als Waffe im Kampf gegen den Nationalsozialismus. Diesem Kampf dienten seine literarischen und außerliterarischen Anstrengungen. Die Zeit des Exils ist die Zeit der höchsten literarischen Schaffenskraft. Dramen, Gedichte, Prosawerke, Aufsätze, Vorträge und sein Tagebuch, das ‚Arbeitsjournal', sind Zeugnis dafür.

Brechts Begründung für das Entstehen des Nationalsozialismus. Für den durch seine Beschäftigung mit dem Marxismus politökonomisch geschulten Autor bestand kein Zweifel, daß der Nationalsozialismus keine 'Naturkatastrophe' war, sondern gesellschaftliche Gründe hatte: „Wer den Privatbesitz an Produktionsmitteln nicht preisgeben will, der wird den Faschismus nicht loswerden, sondern ihn brauchen" (‚Faschismus und Kapitalismus'). Brecht betonte, daß der Nationalsozialismus im Interesse der alten Eigentumsverhältnisse herrsche. (Somit sei er im Sinne eines objektiven Geschichtsprozesses überholt.) Er versprach, so Brecht, eine Stillstellung der Klassenauseinandersetzung und beruhigte vor allem das Kleinbürgertum, das seinen Besitz an Produktionsmitteln bedroht sah. Daraus erklären sich zwei Erscheinungsformen des Faschismus, die mit zunehmender Herrschaftsdauer dem Exilierten immer bewußter wurden: der Nationalsozialismus als Massenbewegung und die Eigengesetzlichkeit, die die Barbarei annahm. Durch die barbarische Anwendung der kapitalistischen Produktionsweise kommt der von Brecht immer wieder unterstrichene Zusammenhang von Nationalsozialismus und Krieg zustande. Für denjenigen, der Literatur produziert und den Faschismus bekämpft, ist Literatur immer gesellschaftliche Praxis. „Den Faschismus bekämpfen und den Kapitalismus beibehalten wollen ist unmöglich" (‚Plattform für die linken Intellektuellen'). Die antifaschistische Intelligenz, so forderte Brecht, müsse sich mit der ausgebeuteten Klasse, dem Proletariat, verbinden, um eine Änderung der Eigentumsverhältnisse zu erreichen. Nur so könne der Faschismus beseitigt werden. Diese „Wahrheit" sollte Brechts Exilwerk verbreiten und somit einen Geschichtsprozeß beschleunigen helfen. Da Brecht für den Nationalsozialismus gesellschaftliche, nicht nationale Gründe verantwortlich machte, stand für ihn selbst außer Zweifel, daß er so bald wie möglich nach Deutschland zurückkehren werde.

Das Exil dämpfte Brechts didaktischen Optimismus, der sich vor allem in seinen Lehrstücken und seinem Agitproptheater zeigte, da Brecht von seinem Publikum getrennt war und der Nationalsozialismus den Beweis dafür zu liefern schien, daß die in den Lehrstücken formulierte „Lehre vom Einverständnis" nicht stimmte. Brecht setzte sich in der ersten Phase des Exils in seinen literarischen Werken inhaltlich mit dem Nationalsozialismus auseinander, noch immer in der Hoffnung, daß er nur eine Episode bleibe. Mit zunehmender Dauer des Exils beschäftigte sich Brecht angesichts der in utopische Ferne gerückten „Großen Ordnung" (so nennt er den Aufbau des Sozialismus) mit den Gesetzmäßigkeiten von Veränderungen, mit der Dialektik der konkreten historischen Situation. In den 1940–44 geschriebenen ‚Flüchtlingsgesprächen', einem Prosadialog, unterstreicht Ziffel gegenüber seinem Gesprächspartner Kalle:

„Die beste Schule für die Dialektik ist die Emigration. Die schärfsten Dialektiker sind die Flüchtlinge. Sie sind Flüchtlinge infolge von Veränderungen, und sie studieren nichts als Veränderungen. Aus den kleinsten Anzeichen schließen sie auf die größten Vorkommnisse, d. h., wenn sie Verstand haben. Wenn ihre Gegner siegen, rechnen sie aus, wieviel der Sieg gekostet hat, und für die Widersprüche haben sie ein feines Auge. Die Dialektik, sie lebe hoch!"

Von dieser Dialektik, der Zweckmäßigkeit aller Gegensätze, sind die Werke der späten Exilzeit geprägt.

Brechts Konzept einer neuen Literatur. Gemeinsamer Ausgangspunkt für die Konzeption einer neuen Literatur und einer von Brecht ansatzweise entwickelten Rundfunk- und Filmtheorie ist das durch die Exilsituation verstärkte Anliegen Brechts, die Welt als veränderungsbedürftig und veränderbar darzustellen. Für ihn gibt es keinen anderen Stoff als gesellschaftliche Prozesse. Die moderne Wirklichkeit sei nicht mehr in der herkömmlichen Darstellungsweise zu erfassen. Um die den gesellschaftlichen Gegebenheiten zugrunde liegenden Prozesse sichtbar zu machen, müsse die Wirklichkeit ausschnittweise mit modernen wissenschaftlichen Methoden durchleuchtet, ein wissenschaftliches Modell erstellt werden.

Gegenüber den sozialen Gegebenheiten hat Brecht eine *gestische* Grundhaltung: Eine „Geste" drückt sich in einer sprachlichen Formulierung, einer Bewegung oder einer Handlung aus.

Die Verschlüsselung aktueller Prozesse entspricht nicht nur Brechts dialektischem Prinzip, sondern hat im Exil auch eine taktische Funktion. In seinem 1934 in Deutschland unter einem unverdächtigen Titel verbreiteten Aufsatz ‚Fünf Schwierigkeiten beim Schreiben der Wahrheit' gibt er Ratschläge, wie sich ein Schriftsteller in einer (faschistischen) Diktatur behaupten kann. Ein Schreibender müsse *„den Mut haben, die Wahrheit zu schreiben*, obwohl sie allenthalben unterdrückt wird [...], die *Kunst*, sie handhabbar zu machen als eine Waffe; das *Urteil*, jene auszuwählen, in deren Händen sie wirksam wird; die *List*, sie unter diesen zu verbreiten". Der aktuelle Geschichtsprozeß kann vom Schriftsteller auf „listige" Weise verschlüsselt werden, ohne daß für den aufmerksamen Leser das Grundanliegen des Autors verschwindet. Für eine „listige" und modellhafte Verschlüsselung eignet sich vor allem ein parabolisches Arrangement der Wirklichkeit. Für Brecht ist die Parabel „um vieles schlauer als andere Formen", sie gestattet, „das Komplizierte zu entwirren [...], weil sie in der Abstraktion konkret ist, indem sie das Wesentliche augenfällig macht" (Gespräch mit dem Literaturwissenschaftler Ernst Schumacher, 1955). Die traditionelle Parabel ist eine lehrhafte Erzählung, die eine allgemeine, vor allem sittliche Wahrheit durch eine als Beispielgeschichte zu deutende erdichtete Begebenheit veranschaulicht. Für Brecht vollzieht sich jedoch im Beispiel eine qualitative Veränderung der Wirklichkeit: Aus einer unverstandenen Summe von Erscheinungen werden die Bedingungen des Handelns. Im Kontrast des Wirklichkeitsmodells mit der eigenen Wirklichkeit erkennt der Leser bzw. Zuschauer, daß Wirklichkeit nichts Statisches, Endgültiges ist, sondern daß sie sich nach dialektischen Gesetzen weiterentwickelt. Seine eigene Wirklichkeit wird ihm dabei Objekt seines Beobachtens und Handelns, sie wird ihm fremd gemacht, „verfremdet". Die Parabolik ist also eine wesentliche Möglichkeit der Verfremdungstechnik Brechts. Als Beispiel für parabolisches Erzählen eignet sich ein Text aus der Kurzepik.

Die Spielregeln verletzen

Der Mathematiker Ta malte seinen Schülern eine sehr unregelmäßige Figur auf und stellte ihnen die Aufgabe, ihren Flächeninhalt zu berechnen. Sie teilten die Figur in Dreiecke, Vierecke, Kreise und andere Figuren, deren Flächen man berechnen kann, aber keiner konnte den Inhalt der unregelmäßigen Figur wirklich genau angeben. Da nahm Meister Ta eine Schere, schnitt die Figur aus, legte sie auf eine Waagschale, wog sie und legte auf die andere Waagschale ein leicht berechenbares Rechteck, von dem er so lange Stücke abschnitt, bis die Waagschalen gleich standen. Me-ti nannte ihn einen Dialektiker, weil er anders als seine Schüler, welche nur Figuren mit Figuren verglichen, die zu berechnende Figur als ein Stück Papier mit einem Gewicht behandelt (und so die Aufgabe als eine wirkliche Aufgabe, unbekümmert um Regeln, gelöst) hatte.

‚Die Spielregel verletzen' steht in ‚Me-ti', einer im Exil entstandenen fragmentarischen Sammlung von kurzen, meist parabolischen Texten mit dem Untertitel ‚Buch der Wendungen'. Die chinesische Einkleidung weist auf die chinesische Quelle (den sozialrevolutionären Denker Mo Di, 470–400 v. Chr.) hin. Wichtiger ist die distanzierende, verfremdende Wirkung auf den Leser. In der Beispielgeschichte wird eine Situation mitgeteilt, eine Handlungsweise geschildert und gewertet. Brecht erzählt „gestisch rein": Die Situation ist einfach und konkret, die Handlungsweise des Mathematikers überraschend, aber einleuchtend. Me-ti, als weiser Lehrer eine Weiterentwicklung der Keunergestalt, stellt klar, daß die Beispielgeschichte ein Modell für die gesellschaftliche Praxis abgibt. Bei der Anwendung auf die Praxis stellt sich heraus, daß der Eindruck der Einfachheit nur scheinbar ist. Es ergeben sich Folgerungen in erkenntnistheoretischer, ethischer und ästhetischer Hinsicht.

Die Bewahrung des dialektischen Moments. Der Mathematiker Ta demonstriert ein lebendiges Theorie-Praxis-Verhältnis in einem „dialektischen Moment". Im Sinne seines Lehrers Karl Korsch nimmt Brecht dadurch Stellung gegen die Verflachung des dialektischen Materialismus zu einer formalen Weltanschauungslehre, die dem „eingreifenden Denken", womit Ta das Problem löst, keine Möglichkeit einräumt. In der Exilzeit gewinnt diese grundsätzliche Einsicht eine besondere Aktualität. Die Exilsituation ist eine Schule für dieses Denken, denn verbindliche Voraussagen über den genauen Verlauf der historischen Weiterentwicklung sind nicht möglich, ebenso nicht über die (vielleicht überraschenden) Reaktionen derjenigen, die den National-sozialismus, die „Große Unordnung", bekämpfen.

Die Produktivität ist Maßstab. Genauso, wie über das Wesen des Seins keine determi-nistischen Aussagen gemacht werden, gibt es in Brechts Parabel keine allgemeine Vorschrift für richtiges Verhalten – der Mathematikprofessor 'versündigt' sich gegen-über mathematischen Methoden –, sondern das Ergebnis seiner Handlung wird als produktiv für die Lösung des Problems eingestuft. Auch für das Verhalten gibt es kei-ne „Spielregeln" (Brecht spricht auch von „Herrensätzen"), sondern das produktive Verhalten in der jeweiligen Situation zählt. Daß die Ethik somit historisiert wird, daß Brecht Handlungsgesten und Verhaltensweisen vorführt, statt ethische Normen zu definieren, ist wiederum in seiner Exilsituation vollends verständlich. Hier muß man die „Kunst des Manövrierens" (so eine geplante Zwischenüberschrift der ‚Meti'-Sammlung) beherrschen, um „listig" sich und seine Produktivität für eine spätere Zeit zu retten.

„Unbekümmert um Regeln". Dem Vermeiden von Regeln auf der Handlungsebene entspricht eine Offenheit der Darstellungsweise. ‚Me-ti' spricht mit seiner Aufforde-rung, Aufgaben „unbekümmert um Regeln" zu lösen, auch die Frage der „richtigen" Abbildung von Wirklichkeit in der Kunst an und damit eine Kontroverse der 'Realis-musdebatte' (s. Seite 512f.). Brecht plädiert auch auf ästhetischem Gebiet für eine Offenheit allen Formen gegenüber, die bei der jeweiligen Materie jeweils am produk-tivsten sind. Keine abstrakten Kunstregeln (wie Georg Lukács sie formulierte), son-dern die gesellschaftliche Wirkung entscheidet über die Qualität eines Kunstwerks. Brecht selbst wählt z. B. eine besondere Form für eine Parabelgeschichte wie diese. Um sie praktikabel zu machen, reduziert er sie auf Einfaches und Wesentliches. Das Sprechen ist gestisch-konkret (und nicht begrifflich), also ist auch die Sprache ein „Werkzeug des Handelns" (‚Über die gestische Sprache in der Literatur').
Auch wenn Brecht sich nicht als Epiker verstanden hat, so hat er doch bei der Erar-beitung seiner Literaturkonzeption und in seiner epischen Praxis sozusagen neben-her Innovationen auf dem Gebiet der Erzähltechnik geleistet. Er verändert das Ge-wicht zwischen Erzähler und Erzähltem, d. h., er lehnt ein Mittelpunktindividuum ab und erzählt aus der Distanz heraus (zum Fragment ‚Die Geschäfte des Herrn Ju-lius Caesar' s. Seite 535 f.), oft unter Verwendung filmtechnischer Mittel (im ‚Drei-groschenroman', 1934).

2.2 Brechts Exillyrik

Die Lyrik des skandinavischen Exils (1933–39):
Kinderlieder (1934)   Sonette (1933/34)   Kinderlieder (1937)
Lieder des Soldaten der Revolution (1938)
Chinesische Gedichte (1938)   Svendborger Gedichte (1939)
Steffinsche Sammlung (1940)

Die Lyrik des amerikanischen Exils (1941–47):
Hollywood-Elegien (1942)   Gedichte im Exil (1944–45/46)
Deutsche Satiren II (1945)   Lehrgedicht von der Natur des
Menschen (Fragment 1945)   Das Manifest (1945)

Obwohl Brecht sich selbst primär als Stückeschreiber verstanden hat und das Publikum diese Einschätzung teilte, ist die Bedeutung seines umfänglichen, facettenreichen lyrischen Werkes – vor allem aus der Exilzeit – zunehmend entdeckt worden. Die Veränderungen der persönlichen und der politischen Lage bewirkten jeweils neue Themen und Formen. Danach lassen sich die Gedichte der Exilzeit in zwei Gruppen einteilen, in die Lyrik des skandinavischen und die des amerikanischen Exils.

2.2.1 Die Lyrik des skandinavischen Exils

Als ersten Zyklus gab Brecht zu Beginn des Exils die Sammlung ‚Lieder, Gedichte, Chöre‘ heraus. Die Texte waren aber schon vor der Exilzeit geschrieben als Agitproplyrik gegen Hitler, als der Autor noch glaubte, direkt in den politischen Tageskampf eingreifen zu können. Im nächsten Gedichtzyklus, den vom dänischen Exil geprägten ‚Svendborger Gedichten‘ (1939), sind die direkten Angriffe auf den „Anstreicher Hitler" seltener:
Die zweite Strophe des Gedichts ‚Wenn der Anstreicher durch die Lautsprecher über den Frieden redet‘ lautet:

> Der Anstreicher redet vom Frieden.
> Aufrichtend die schmerzenden Rücken
> Die großen Hände auf Kanonenrohren
> Hören die Gießer ihm zu.

Hitler übertüncht sozusagen die Kriegsvorbereitungen, denen die Gießer ihre Arbeitsplätze verdanken, mit schönen Worten über den Frieden. Die Gießer wissen, was sie herstellen, und werden sich ihr Teil denken.
Typisch für die Exilzeit sind andere Gedichte, in denen Brecht die Ratschläge verwirklicht, die er Schriftstellern in einer faschistischen Diktatur in seinem Aufsatz ‚Fünf Schwierigkeiten beim Schreiben der Wahrheit‘ (s. Seite 515) gegeben hatte.
So das als Kinderlied getarnte Gedicht ‚*Der Schneider von Ulm. Ulm 1592*‘.

> Bischof, ich kann fliegen
> Sagte der Schneider zum Bischof.
> Paß auf, wie ich's mach!
> Und er stieg mit so'nen Dingen
> Die aussahn wie Schwingen
> Auf das große, große Kirchendach.

> Der Bischof ging weiter
> Das sind lauter so Lügen
> Der Mensch ist kein Vogel
> Es wird nie ein Mensch fliegen
> Sagte der Bischof zum Schneider

Der Schneider ist verschieden
Sagten die Leute zum Bischof.
Es war ein Hatz.
Seine Flügel sind zerspellet
Und er liegt zerschellet
Auf dem harten, harten Kirchenplatz.

Die Glocken sollen läuten
Es waren nichts als Lügen
Der Mensch ist kein Vogel
Es wird nie ein Mensch fliegen
Sagte der Bischof den Leuten.

Der dialektische Fortschritt der Geschichte stellt sich folgendermaßen dar: These des Schneiders: „Bischof, ich kann fliegen." Antithese des Bischofs: „Es wird nie ein Mensch fliegen." Aufhebung der Antithese in einer neuen dialektischen Situation (erst jetzt, in unserer Zeit nachzuprüfen): Der Mensch kann doch fliegen, allerdings auf andere Weise, als der Schneider wollte. Im „Nie" hatte der Bischof der Geschichte die Zukunft abgeschnitten, was im Sinn seiner Ideologie liegt, für den Dialektiker aber ungeschichtlich ist. Das gibt Trost in der gegenwärtigen Situation (im Jahr 1934): Der Nationalsozialismus ist nicht die letztgültige Aussage über die Geschichte trotz offensichtlicher Vorherrschaft.

Die Lyrik erfüllt auch und gerade in dieser Form die Forderungen, die Brecht 1927 aufgestellt hatte: Ein Gedicht müsse dokumentarischen Charakter haben und trotzdem unterhalten; es diene der Arbeiterklasse durch die Demonstration gesellschaftlicher Vorgänge. Dokumentarisch ist der unglückliche Flugversuch des Ulmer Schneiders Berblinger 1811. Brecht verlegt diesen – übrigens nicht tödlich – verlaufenen Flugversuch in das Jahr 1592, wahrscheinlich um ihn hundert Jahre nach der Entdeckung Amerikas in die Reihe großer Entdeckungen einzureihen.

Durch die Einbettung des Gedichts in verschiedene Zyklen erweitern sich seine Bedeutungsdimensionen. Es steht als ‚Kinderlied' in den ‚Svendborger Gedichten' (der letzten von Brecht selbst herausgegebenen Gedichtsammlung). Die ‚Kinderlieder' sind gedacht als Erziehungshilfe für proletarische Mütter. Die äußere Form ist daher eingängig und einfach – aber nicht simpel. Hinter der Einfachheit verbirgt sich Brechts dialektisches Geschichtsverständnis. Es ist ein Gedicht, das, wie die anderen der Svendborger Sammlung, von der Überwindung des Nationalsozialismus handelt. In den 1949 zusammengestellten ‚Kalendergeschichten', einem „Geschichtsbuch" für Proletarier, steht es zwischen den Erzählungen über zwei Naturwissenschaftler (Francis Bacon und Giordano Bruno): Der Schneider machte trotz seines Scheiterns eine epochale wissenschaftliche Entdeckung.

Die ‚Svendborger Gedichte' umfassen sechs Abschnitte („Lektionen"). Aus Lektion I, der ‚Deutschen Kriegsfibel', stammen die zitierten Verse vom „Anstreicher", Lektion II enthält u. a. die Kinderlieder; neben dem ‚Schneider von Ulm' ist vor allem ‚Der Pflaumenbaum' bekannt geworden. Mit dem fruchtlosen Bäumchen eines Hinterhofs wird die Gesellschaftsschicht angesprochen, die ein Schattendasein führt. Die ‚Fragen eines lesenden Arbeiters', in denen Brecht eine Geschichtsbetrachtung von unten anstellt, sind den ‚Chroniken' der Lektion III zugeordnet, ebenso die ‚Legende von der Entstehung des Buches Taoteking', das in chinesischem Gewand die Exilsituation thematisiert. Sie ist ambivalent: Der Weise wird vertrieben, doch durch die Zwangssituation zur Offenbarung seiner Weisheit gezwungen.

Die „inzwischenzeit". Mit zunehmender Dauer empfand der Exilant seinen Aufenthalt in Skandinavien als Leere zwischen zwei Epochen.

„im augenblick kann ich nur diese kleinen epigramme schreiben, achtzeiler und jetzt nur noch vierzeiler... wenn ich morgens die radionachrichten höre, beginnt der unnatürliche tag nicht mit einem mißklang, sondern mit gar keinem klang. das ist die inzwischenzeit" (‚Arbeitsjournal', 19. 8. 1940).

Brecht fühlt sich nun vollends von allen kulturellen und politischen Beziehungen abgeschnitten. Nur das „Entsetzen über die Reden des Anstreichers" ist für ihn ein lyrisches Thema, andere wie Liebe oder Natur sind nicht möglich (‚Schlechte Zeit für Lyrik'). Diese Isolation läßt ihn epigrammatische Gedichte schreiben, in denen sich oft ein lyrisches Ich ausspricht. Dieses lyrische Ich monologisiert nicht in herkömmlicher Weise subjektiv verinnerlicht, sondern steht repräsentativ für die Isoliertheit und die Hilflosigkeit der Gegner des Nationalsozialismus.

2.2.2 Die Lyrik des amerikanischen Exils
Brechts persönliche Lage verbesserte sich im amerikanischen Exil durch das Ende der Isolation. Er fühlte sich zwar stark überwacht, fand aber doch wieder den Zugang zu Nachrichten und Menschen. Die Themen seiner in dieser Zeit besonders häufig zyklisch geordneten Lyrik ändern sich.

Das Gedicht ‚*Nachdenkend über die Hölle*‘ von 1942 erweist Brechts souveräne Beherrschung verschiedener Möglichkeiten lyrischer Äußerung.

> Nachdenkend, wie ich höre, über die Hölle
> Fand mein Bruder Shelley, sie sei ein Ort
> Gleichend ungefähr der Stadt London. Ich
> Der ich nicht in London lebe, sondern in Los Angeles
> Finde, nachdenkend über die Hölle, sie muß
> Noch mehr Los Angeles gleichen.
>
> Auch in der Hölle
> Gibt es, zweifle nicht, diese üppigen Gärten
> Mit den Blumen, so groß wie Bäume, freilich verwelkend
> Ohne Aufschub, wenn nicht gewässert mit sehr teurem Wasser. Und Obstmärkte
> Mit ganzen Haufen von Früchten, die allerdings
> Weder riechen noch schmecken. Und endlose Züge von Autos
> Leichter als ihr eigener Schatten, schneller als
> Törichte Gedanken, schimmernde Fahrzeuge, in denen
> Rosige Leute, von nirgendher kommend, nirgendhin fahren.
> Und Häuser, für Glückliche gebaut, daher leerstehend
> Auch wenn bewohnt.
>
> Auch die Häuser in der Hölle sind nicht alle häßlich.
> Aber die Sorge, auf die Straße geworfen zu werden
> Verzehrt die Bewohner der Villen nicht weniger als
> Die Bewohner der Baracken.

Der Scheck bestimmt den Wert. Die paradoxe Behauptung, daß die Häuser in Los Angeles „leerstehend" seien, obwohl sie bewohnt sind, erläutert eine Notiz im ‚Arbeitsjournal‘ (20. 9. 1942): „diese häuser werden nicht eigentum durch bewohnen, nur durch schecks." In dieser Stadt zählt der Marktwert. Häuser, eigentlich erbaut, um den Menschen eine „Behausung", Geborgenheit, eine Heimat zu geben, sind davon nicht ausgenommen. In Los Angeles ist im Grunde niemand zu Hause. Auch die schöne Fassade von Villen kann darüber nicht hinwegtäuschen. Die Menschen, die sie bewohnen, werden ausgetauscht je nach Marktlage. Daß der ökonomische Wert das ganze Leben bestimmt, thematisiert Brecht im amerikanischen Exil immer wieder (vgl. ‚Hollywood‘: Jeden Morgen, mein Brot zu verdienen / Gehe ich auf den Markt, wo Lügen gekauft werden./ Hoffnungsvoll/ Reihe ich mich ein zwischen die Verkäufer).

Das funktionierende künstliche Leben. Das Paradies ist gemacht und kann jederzeit beseitigt werden. (Die paradiesische Pracht der Gärten im fast regenlosen Los Angeles hängt von künstlicher Bewässerung ab; dieses Motiv taucht verschiedentlich auf, z. B. in ‚Vom Sprengen des Gartens‘.) In ihm gibt es keine charakteristischen Eigenschaften, angefangen von der Masse steriler Früchte bis zu den Menschen, die in einem Atemzug mit „schimmernden" Autos genannt werden. Ihr „rosiges", scheinbar

glückliches Erscheinungsbild kann nicht darüber hinwegtäuschen, daß das ganze Getriebe sinnlos, daß das schöne Äußere Fassade ist, daß sich hinter dem Paradies eine Hölle verbirgt.
Brecht muß deprimiert feststellen, daß dieses unnatürliche Leben als Selbstzweck durchaus funktioniert.

Gestus statt Reim. ‚Nachdenkend über die Hölle' ist ohne bestimmten Reim oder Rhythmus geschrieben, aber genau komponiert gemäß den Überlegungen, die der Autor 1938 angestellt und 1953 veröffentlicht hat (‚Über reimlose Lyrik mit unregelmäßigen Rhythmen'). Auf die Frage, was Gedichte ohne Reim und bestimmten Rhythmus zu Gedichten mache, antwortete er: „[...] weil sie zwar keinen regelmäßigen, aber doch einen (wechselnden, synkopierten, gestischen) Rhythmus haben."
In einem (dialektischen) Dreischritt wird die Unnatur dieser Stadt nachgewiesen. Der „Gestus" ändert sich in jeder Strophe. Zwischen zwei kurzen, sachlichen, rhetorisch karg ausgestatteten Rahmenstrophen hebt sich eine ausladende Mittelstrophe mit üppigem Vokabular hervor („leichter als ihr eigener Schatten", „schneller als törichte Gedanken", „schimmernde Fahrzeuge, in denen rosige Leute fahren"). Diese Fassade von „hübschen Bildern und aromatischen Wörtern" (‚Kurzer Bericht über 400 [vierhundert] junge Lyriker', 1927) wird vom Autor sofort zerstört durch die Richtigstellungen („freilich verwelkend" usw.). Im Gedicht selbst findet somit eine „Sprachwaschung" statt, die Brecht angesichts der „verlotterten bürgerlichen Sprache" für die Lyrik forderte (‚Arbeitsjournal', 22. 8. 1940). Er demaskiert hinter dem schönen Schein der Wortkulissen die Nichtigkeit dieser Welt von Los Angeles.

„Die Technifizierung der literarischen Produktion". Neben den konventionellen Formkriterien müssen bei einer Interpretation dieses späten Exilgedichtes auch Darstellungsweisen des Films einbezogen werden. Der Film, von Brecht als einem der wenigen Schriftsteller (als reproduzierbares Kunstwerk) begrüßt, hat auf seine literarische Produktion eine nachhaltige Wirkung gehabt. Brecht nahm an, ein Publikum, das Filme gesehen hat, rezipiere Literatur anders, und die literarische Produktion müsse sich demgemäß verändern. Nicht nur im epischen Werk (z. B. im ‚Dreigroschenroman'), sondern auch in der Lyrik werden Auswirkungen des neuen Mediums deutlich. ‚Nachdenkend über die Hölle' ist sozusagen mit filmischer Optik geschrieben, d. h., beliebte Filmkulissen (Stadt, Häuserfassaden, Straßen, Autos), wechselnde Einstellungen (Totale, Detail), der distanzierte Blick von außen machen scheinbare Selbstverständlichkeiten auffallend, verfremden, demaskieren sie als künstlich.

Freundlichkeit. Zum vielfältigen Spektrum Brechtscher Exillyrik gehört neben dem aggressiven, kompromißlosen Stil in der Art von ‚Nachdenkend über die Hölle' zunehmend der meditative, „freundliche". Das Böse-Sein strengt an (‚Die Maske des Bösen'). Freundlich stimmt auch die Gewißheit des Dialektikers, der aus einer künftigen Zeitschau auf die jetzige „finstere" Zeit zurückblicken kann. So im Gedicht ‚*An die Nachgeborenen*', dem Schlußstein der ‚Svendborger Gedichte':

> Die Kräfte waren gering. Das Ziel
> Lag in großer Ferne.
> Es war deutlich sichtbar, wenn auch für mich
> Kaum zu erreichen.
> So verging meine Zeit
> Die auf Erden mir gegeben war.

2.3 Brechts Exilstücke

Stücke:
Die Rundköpfe und die Spitzköpfe (1932 erste Fassung,
1934 zweite Fassung, UA 1935)
Furcht und Elend des Dritten Reiches (UA 1938)
Die Gewehre der Frau Carrar (UA 1937)
Leben des Galilei (1938/39 erste Fassung, UA 1943;
1945 zweite Fassung, UA 1947; 1953 dritte Fassung, UA 1955)
Mutter Courage und ihre Kinder (1939, UA 1941)
Der gute Mensch von Sezuan (1926–41, UA 1943)
Herr Puntila und sein Knecht Matti (1940, UA 1948)
Der aufhaltsame Aufstieg des Arturo Ui (1941, UA 1958)
Der kaukasische Kreidekreis (1944, UA 1948)

Theatertheorie:
Anmerkungen zur Oper ‚Aufstieg und Fall der Stadt Mahagonny' (1930)
Über experimentelles Theater (1939)
Der Messingkauf (1939/40; 1937–51)
Kleines Organon für das Theater (1948)
Die Dialektik auf dem Theater (1951–56)

UA = Uraufführung

Ein Dramatiker (oder ein „Stückeschreiber", wie Brecht sich nannte) braucht eine Bühne. Das trifft in verstärktem Maße auf Brecht zu, da er seine Texte als nur vorläufig betrachtete, als „Versuche", die sich in der Praxis der Aufführungen veränderten. Auf Vorrat schreiben konnte er nur eine gewisse Zeit.

„Sie haben mir nicht nur mein Haus, meinen Fischteich und meinen Wagen abgenommen, sie haben mir meine Bühne und mein Publikum auch geraubt. Von meinem Standort kann ich nicht zugeben, daß Shakespeare grundsätzlich eine größere Begabung gewesen sei. Aber auf Vorrat hätte er auch nicht schreiben können. Er hat übrigens seine Figuren vor sich gehabt. Die Leute, die er dargestellt hat, liefen herum." (Gespräch mit Walter Benjamin, 1938.)

Brecht vermißt sein Publikum und sein „Anschauungsmaterial", er war auf Erzählungen, die Zeitungen und den Rundfunk angewiesen, wenn es um aktuelle Ereignisse und Verhaltensweisen ging.
In der ersten Phase des Exils versuchte Brecht, die wenigen Möglichkeiten von Aufführungen zur direkten Einflußnahme auf das tagespolitische Geschehen zu nützen. In ‚Die Rundköpfe und die Spitzköpfe' wagte er es noch, politische Wirksamkeit mit einer progressiven (antiillusionistischen, unpsychologischen) Form zu verbinden. Nachdem er damit gescheitert war, wählte er in der Szenenfolge ‚Furcht und Elend des Dritten Reiches' und im Einakter ‚Die Gewehre der Frau Carrar' eine eher traditionelle Form zugunsten der politischen Wirkung. Mit Ausnahme des ‚Arturo Ui' gibt Brecht 1939 den direkten Kampf gegen den Nationalsozialismus auf der Bühne auf.
Die Hauptgestalten der nun folgenden Stücke sind weniger als Kämpfernaturen angelegt, sondern Galilei, Shen Te in ‚Der gute Mensch von Sezuan', Courage, auch Matti in ‚Herr Puntila und sein Knecht Matti', Azdak in ‚Der kaukasische Kreidekreis' wollen vor allem überleben – wie Brecht in seiner Situation. Sie sind zwar direkt oder indirekt an dem geschichtlichen Fortschritt beteiligt, geben sich aber gar nicht optimistisch angesichts der schwierigen Gegenwart. Dennoch bleibt die Utopie einer besseren Welt, das Vertrauen des Autors auf eine Weiterentwicklung.

2.3.1 Vom Lehrtheater zum dialektischen Theater

Die Entwicklung der Verfremdungstechnik. In einem fruchtbaren Wechselverhältnis von Theorie und Praxis entwickelte Brecht seine Dramentheorie weiter. Vor der Exilzeit hat sie sich in der Theorie und Praxis des Lehrtheaters niedergeschlagen. Brecht versucht, die Trennung von Spieler und Zuschauer aufzuheben, indem er dem Zuschauer ein „eingreifendes" Denken und Handeln ermöglicht. Bei den dialektischen Denkprozessen übernimmt der Zuschauer unterschiedliche Rollen. In der Exilzeit mußte das Lehrtheater, das die Aktivität einseitig auf die Spieler verlagerte, weiterentwickelt werden, da Brecht weitgehend für die Schublade schrieb. Er nahm die aus der Klassenkampfsituation der frühen dreißiger Jahre geborene extreme Position, die keinerlei ästhetische Rücksichten kannte, teilweise zurück und richtete sie auf die neuen historischen Gegebenheiten ein. Die dabei entwickelte Verfremdungsmethode ist das Ergebnis des Ringens um eine Ästhetik, des Versuchs, Belehrung und Unterhaltung zu verbinden.

Die Entwicklung der Verfremdungstechnik läßt sich anhand von theatertheoretischen Schriften nachvollziehen. Die ‚Anmerkungen' zur Oper ‚Aufstieg und Fall der Stadt Mahagonny' (1930) sind noch aus der Theaterpraxis geschrieben. Hier gibt Brecht seine vielzitierte Gegenüberstellung der „epischen" und der konventionellen „dramatischen" Form des Theaters, betont aber, daß es sich nicht um Gegenpositionen, sondern um Gewichtsverschiebungen handelt. In der Exilzeit mußte er ohne Praxisbezug seine Theorie weiterentwickeln. Die historische Herleitung eines neuen wissenschaftlichen Theaters leistet der Stockholmer Vortrag ‚Über experimentelles Theater'. Die umfassendsten und bedeutendsten theoretischen Äußerungen über ein neues Theater mit allen seinen gleichberechtigten Disziplinen (wie Bühnenbau und Musik) sind unter dem Titel ‚Der Messingkauf' zusammengefaßt. Brecht reflektiert darin über viele Jahre (seit der Niederschrift des ‚Galilei') seine eigene Dramenproduktion, fragmentarisch zwar, aber doch in der ihm gemäßen dialektischen Dialogform. Das ‚Kleine Organon', nach dem Exil veröffentlicht, ist zwar umfassend, aber untypisch lehrhaft abgefaßt. Formal angemessener sind dann wieder die Dialoge der ‚Dialektik auf dem Theater', eine Weiterentwicklung aufgrund der praktischen Erfahrungen mit dem ‚Berliner Ensemble'.

Durch die Verfremdungsmethode wird die Dialektik in die Darstellungsweise hineinverlegt. Im Gegensatz zur herkömmlichen Einfühlungsdramatik gewinnt der Zuschauer des wissenschaftlichen Zeitalters den „Abbildern der Menschenwelt auf der Bühne" gegenüber dieselbe Haltung wie gegenüber der Natur. Das Theater legt ihm die Welt vor zum „Zugriff", zur Änderung. Emotionen werden nicht bekämpft, sind aber auch nicht Ziel der Darstellung, sondern sie stehen unter der Kontrolle der Vernunft. Der Zuschauer verwandelt sich in einen Erzähler, in einen „Ko-Fabulierer" (daher „episches" Theater), indem er alternative Verhaltensweisen zum Bühnengeschehen entwickelt. Die Handlung, die sich auf der Bühne abspielt, muß solche Alternativen möglich machen, sie darf kein organisches Ganzes darstellen, sondern nur Montageeinheiten, deren Montage nicht als endgültige Lösung angeboten wird.

Die neue Form des Dramas erfordert eine neue Bühne und einen neuen Schauspielertyp. Brechts Jugendfreund Caspar Neher schuf eine antiillusionistische Bühne mit einer halbhohen „Brechtgardine", die dem Zuschauer den Blick für die Umbauten offenläßt und somit eine strenge Trennung zwischen Bühne und Zuschauerraum vermeidet. Auf Projektionstafeln wird der Fortgang der Handlung angekündigt, so daß sich der Zuschauer ganz auf das „Wie" des Fortgangs konzentrieren kann. Der neue Schauspieler muß distanziert sein zu seiner Rolle. Wie Brecht im ‚Dialog über die Schauspielkunst' ausführt, sollte der Schauspieler dargestellte Personen und Vorgänge fremd erscheinen lassen. Im Gegensatz zur „suggestiven Spielweise" weist er auf etwas hin. Brecht verarbeitet in diesem Programm Eindrücke, die er bei einem Auftritt des chinesischen Schauspielers Mei Lang Fang 1935 in Moskau gewonnen hatte.

2.3.2 Modell und Praxis

Die reine Umsetzung: , Der gute Mensch von Sezuan'. Mit diesem Parabelstück, dessen Vorarbeiten noch in die Berliner Zeit hineinreichen, das 1938 wiederaufgenommen und schließlich 1942 fertiggestellt wurde, hat Brecht nach eigenem Zeugnis zum erstenmal seine theoretischen Vorstellungen vom Theater konzessionslos in die Praxis umgesetzt. Daß in diesem Stück das chinesische Theater mit seinem Demonstrationscharakter Pate stand, kommt auch im Schauplatz zum Ausdruck: Es spielt in der Hauptstadt von Sezuan.

Die Erzählfunktion des epischen Theaters ist in vielfacher Weise in die dramatische Form integriert: in die Form der demonstrativen Verwandlung der Hauptgestalt in eine andere Figur, der an das Publikum gerichteten Kommentare, der Songs, des Epilogs, der den Zuschauer die Antwort auf die Frage, was geändert werden sollte, selbst finden läßt. Das Stück wird von Brecht im Untertitel ausdrücklich „Parabelstück" genannt; die frühkapitalistischen Verhältnisse im fernen China sind ein Modell für die Notwendigkeit der Veränderung einer Gesellschaft, die das „Gutsein" nicht erlaubt.

Brecht bezeichnet die Handlung als „Parabel": Die Unmöglichkeit Shen Tes, in „dieser Welt" gut zu sein, steht für die Unmöglichkeit, in einer Ausbeutergesellschaft Humanität zu verwirklichen. Die Hauptgestalt verändert sich deshalb demonstrativ in ihr dialektisches Gegenstück. Die gute Shen Te und der skrupellose Shui Ta sollen nicht etwa zwei Seiten „des" Menschen darstellen, sondern sind eine sichtbare Montage zweier unvereinbarer Komponenten, so unvereinbar wie das Gutsein und die kapitalistische Geschäftswelt.

Neben der Hauptgestalt unterbrechen auch andere Personen den Gang der Handlung, treten vor das Publikum, erzählen, reflektieren oder singen. Das Lied vom achten Elefanten (8. Bild) stimmt ein Arbeiter an, das übrige ausgebeutete Fabrikpersonal fällt in den Refrain ein. Mit dem achten Elefanten ist ein „Kollaborateur" beschrieben; er entspricht im Stück Shen Tes Geliebtem Sun. Die Songhandlung erzählt also eine Parabel innerhalb des Parabelstücks. Damit ist auch der Unterschied zu einem herkömmlichen Lied gekennzeichnet. Der Song verstärkt nicht eine Stimmung oder verdeutlicht keine Charaktereigenschaften, sondern er veranlaßt den Zuschauer, die Haltungen der Bühnenpersonen mit seiner eigenen Situation in Beziehung zu setzen. Es wird ihm nicht gestattet, sich in der Handlung, im Mitgefühl mit einer Person oder im Genuß einer Darbietungsform zu verlieren: Im Song wechseln die Personen ihre Identität, die Handlung wird unterbrochen, auf anderer Ebene reflektiert und die Darbietungsform mit Hilfe der Musik gewechselt. Wie schon in der Me-ti-Geschichte ,Spielregeln verletzen' (s. Seite 515) führt der Autor „Gesten" vor und vermeidet die Ausformulierung von Nutzanwendungen.

Ein Sänger erzählt: , Der kaukasische Kreidekreis'. Nimmt man die Verwirklichung des dialektischen Dramas als Maßstab, so gewinnt neben dem ,Guten Menschen von Sezuan' vor allem ,Der kaukasische Kreidekreis' Bedeutung. In bezug auf die Brechtsche Parabel und ihren Praxisbezug bildet dieses am Ende der Exilzeit verfaßte Stück aber einen Kontrast.

Die (biblische) Geschichte von den beiden Frauen, die sich um ein Kind streiten, hatte Brecht schon in der Kalendergeschichte ,Der Augsburger Kreidekreis' (1940) verarbeitet. Im Bühnenstück erzählt und kommentiert ein Sänger das Geschehen. Auch Grusche, die Magd, die sich durch das gefundene Kind „zur Güte verführen" läßt, tritt in ihren Liedern immer wieder deutlich aus ihrer Rolle heraus. Dadurch wird der Zuschauer trotz der „rührenden" Handlung auf der Distanz gehalten, die er für eine kritische Reflexion braucht.

Der Streit um das Kind hat eine Verweisungsfunktion in bezug auf die Streitsituation der ersten Szene, in der sich zwei Kolchosen um die Nutzung eines Tales streiten:

Beim Kind wie beim Tal gibt die größere Produktivität den Ausschlag für den Besitz bzw. die Nutzung. Diese neue Produktivitätsethik soll für den Zuschauer ein Anstoß sein, die eigenen Maßstäbe und das eigene Verhalten zu überprüfen.

Die Magd Grusche erhält recht von Azdak, einem aus dem Volk kommenden Richter. Die Gerichtsszenen im ‚Guten Menschen‘ und im ‚Kaukasischen Kreidekreis‘ nehmen einen unterschiedlichen Verlauf: Shen Tes „Produktivität" wird nicht belohnt, Grusches sehr wohl. Der gute Ausgang gibt der Fabel im ‚Kreidekreis‘ die (bei Brecht seltene) Struktur einer Legende. Offensichtlich soll sich mit dem Richter Azdak und seinem erfolgreichen listigen Verhalten eine Möglichkeit artikulieren, auch in schwierigen Zeiten (z. B. im Exil) sich selbst zu behaupten und Entwicklungen positiv zu beeinflussen.

2.3.3 Modell uud Geschichte

Mit seinen Modellstücken setzte sich Brecht dem Vorwurf des Formalismus und der Realitätsferne aus. In einigen Stücken des Exils versuchte er deshalb eine Verbindung von Theatermodell und realistischem Stoff. Die Titelfiguren Mutter Courage und Galilei sind nicht frei erfunden, sondern geschichtlich. Während Brecht in ‚Mutter Courage‘ die Theorie des epischen Theaters noch erkennbar verwirklicht, hat die Verbindung von Modelltheater und geschichtlicher Figur im ‚Galilei‘ Konsequenzen für die Form des Dramas und die Struktur des Haupthelden.

Episches Theater und Chronik: ‚Mutter Courage und ihre Kinder‘. Der Untertitel des Stückes verweist auf den historischen Hintergrund (‚Eine Chronik aus dem Dreißigjährigen Krieg‘). Die Figur der Courage geht auf Grimmelshausens Roman ‚Trutz Simplex‘ (1670) zurück. Die Verbindung von historischen Ereignissen und epischem Modelltheater geschieht in der Weise, daß vor jedem Bild eine chronikale Zusammenfassung gegeben wird (die Präsentation erfolgt für den Zuschauer meist durch Projektion). Der Zuschauer ist dadurch von der Frage nach dem „Was" entlastet und kann sich auf das „Wie" des Fortgangs konzentrieren. Auch ganz im Sinne der Theatertheorie kommentieren die Songs, vor allem der leitmotivische der Courage, in dem sie, ganz im Widerspruch zu ihrer Handlungsweise im Stück, Gründe und Wirkungen des Krieges benennt. Brecht kam es darauf an, „[…] daß der Zuschauer sieht […], daß hier ein entsetzlicher Widerspruch bestand, der einen Menschen vernichtete, ein Widerspruch, der gelöst werden könnte, aber nur von der Gesellschaft selbst" (‚Anmerkungen zur Aufführung‘).

Zu diesem Widerspruch kommt noch ein weiterer: Courage ist gespalten zwischen der Geschäftstüchtigkeit als Marketenderin und ihrer Selbstlosigkeit als Mutter. Durch ihre Gestalt gehen Risse wie bei Shen Te/ Shui Ta im ‚Guten Menschen‘, doch sind die Teile nicht so unvereinbar und nicht so sichtbar montiert, sondern aus den widersprüchlichen Komponenten ergibt sich eine runde Bühnengestalt. Courage ist eine Mittelpunktsfigur, die trotz der Verwunderung über ihre Uneinsichtigkeit eine wie auch immer geartete Einfühlung gestattet, indem sie als Person Mitgefühl hervorruft. Allerdings bietet sie keinen Anlaß zur Hoffnung. Erst Galilei wird, vergleichbar der Nebenfigur Azdak im ‚Kaukasischen Kreidekreis‘, Möglichkeiten zeigen, wie man sich in Ausbeutung und Unterdrückung behaupten kann.

Theater und Wissenschaft: ‚Leben des Galilei‘. Bei der Auseinandersetzung mit der Gestalt des Galilei mußten sich zwischen Theatertheorie und Stoff noch mehr Spannungsfelder auftun als bei der Courage. Weil Galilei Wissenschaftler ist mit einer Biographie (1564–1642) und bestimmten wissenschaftlichen Leistungen, waren für den Autor verbindliche stoffliche Vorgaben vorhanden.

Für Brecht gab es nicht nur keinen Widerspruch zwischen Theater und Wissenschaft – zeitgemäßes Theater *mußte* wissenschaftlich sein: „[…] ich meine, daß die großen verwickelten Vorgänge in der Welt von Menschen, die nicht *alle* Hilfsmittel für ihr Verständnis herbeiziehen, nicht genügend erkannt werden können" (‚Vergnügungstheater oder Lehrtheater?'). Zeitgenössisches aufklärerisches Theater soll dem Menschen in einer von wissenschaftlichen Entdeckungen geprägten Zeit, in einer scheinbar unübersichtlichen Welt, „mit künstlerischen Mitteln ein Weltbild entwerfen". Die Kunst ist imstande, ein „praktikables" Weltbild zu geben, d. h., Gesetzmäßigkeiten aufzuzeigen und die Möglichkeit von Veränderungen, „die Welt, die Menschenwelt, für seine Praxis auszuliefern" (‚Über experimentelles Theater'). Wenn zeitgemäßes Theater wissenschaftlich sein mußte, lag es nahe, einen Wissenschaftler zur zentralen Gestalt eines Dramas zu machen.

Die einzelnen Fassungen spiegeln die jeweilige Einstellung des Autors dem wissenschaftlichen Fortschritt gegenüber wider.

Die erste Fassung des ‚Galilei' entstand in den letzten Monaten des finnischen Exils. Ursprünglich als wirksames Agitationsstück für dänische Arbeiter gedacht, beschäftigte der Stoff den Autor bis zum Ende seines Lebens: 1945–47 entstand in Amerika in Zusammenarbeit mit dem Schauspieler Charles Laughton eine zweite Fassung, die letzte 1954–56 in Berlin. Brecht gibt in den Vorreden die Gründe an, warum er sich zu neuen Fassungen gedrängt fühlte. Einen Monat nach der Fertigstellung des ersten Entwurfs hatten die Zeitungen die Nachricht von der Spaltung des Uranatoms durch deutsche Physiker gebracht; 1945 begann das atomare Zeitalter in Hiroshima.

Über die Verbindung von wissenschaftlichem Fortschritt und sozialen Prozessen formulierte Brecht schon vier Jahre vor dem ‚Galilei':

„Alles kommt darauf an, daß ein richtiges Denken gelehrt wird, ein Denken, das alle ihre Dinge und Vorgänge nach ihrer veränderbaren Seite fragt. Die Herrschenden haben eine große Abneigung gegen Veränderungen. Sie möchten, daß alles so bleibt, am liebsten tausend Jahre. Am besten der Mond bliebe stehen und die Sonne liefe nicht weiter! Dann bekäme keiner Hunger mehr und wollte zu Abend essen" (‚Fünf Schwierigkeiten beim Schreiben der Wahrheit').

Der Nachweis der Jupitermonde hat direkte Auswirkungen auf Herrschaftsstrukturen, wie im 10. Bild des ‚Galilei' in Form eines Faschingsumzuges demonstriert wird. Wissenschaftliches Theater eröffnet Möglichkeiten der Veränderung von Herrschaftsstrukturen; in der aktuellen Situation hieß das die Überwindung des historisch überholten Nationalsozialismus auf dem Weg der wissenschaftlichen Vernunft.

Galileis Widerruf und der schließliche Sieg über die Unterdrückung hat auch einen Bezug zu Brechts Biographie: Wie Galilei (oder schon einige Gestalten der Keunergeschichten) hat sich Brecht im Exil, wenn es nötig war, auch mit Lügen listig der Macht entzogen, so 1947 im Verhör vor dem ‚Ausschuß für unamerikanisches Verhalten', um sich die Wirkungsmöglichkeit zu erhalten, später als Lehrer die Vernunft weiterbefördern zu helfen: „Wer das Wissen trägt, hat von allen Tugenden nur eine: daß er das Wissen trägt, sagte Herr Keuner." Heldisches Märtyrertum sei eine geschichtliche Dummheit und eine Anklage gegen die Machthaber: „Unglücklich das Land, das Helden nötig hat", rechtfertigt sich Galilei.

Das Problem der Tugenden hat gerade den Exilanten Brecht besonders beschäftigt, wie in den ‚Fünf Schwierigkeiten…' und den ‚Flüchtlingsgesprächen' nachzulesen ist. Ziffel stellt in den ‚Flüchtlingsgesprächen' fest, „daß die Moral Lücken hat bei der Durchführung". Auch die Moral stellt keinen absoluten Wert dar, sondern ist oftmals ein Unterdrückungsinstrument, und ihre Verwirklichung hängt von den Bedingungen ab, unter welchen man sie verwirklichen kann. Den Kindern der Courage werden die Tugenden zum Verhängnis. Was in Kriegszeiten Tugend war, ist in Friedenszeiten ein Verbrechen.

Brecht war mit der äußeren Form des ‚Galilei' nicht zufrieden. Am 25. 2. 1939 notierte er im ‚Arbeitsjournal': „ ‚Leben des Galilei' ist technisch ein großer rückschritt, wie ‚Frau Carrars Gewehre' allzu opportunistisch. man müßte das stück vollständig neu schreiben... ohne die 'atmosphäre', die einfühlung. und alles auf planetarische demonstration gestellt." Einen „Rückschritt" Richtung 'aristotelische Einfühlungs-dramatik' könnte man nachweisen an der in einem Spannungsbogen organisch sich entwickelnden Handlung und am Verzicht auf gewohnte Verfremdungsmittel (abgesehen von den Vorsprüchen vor den Szenen). Vor allem die Gestalt des Galilei ist lebensvoll und lädt, mehr noch als die Courage, zur Identifikation ein. Als Entschuldigung wird schon vom Autor die historische Materie angeführt: „so ist der Galilei in meiner produktion immerhin interessant als gegenspiel zu den parabeln. dort werden ideen verkörpert, hier eine materie gewisser ideen entbunden" (‚Arbeitsjournal', 30. 7. 1945).

Die Wertung des Autors zur Entstehungszeit muß aber auch historisch gesehen und relativiert werden. Die penible Erfüllung von formalen Regeln des epischen Theaters zu fordern wäre Brecht nicht angemessen. (Er selbst hat bei den Proben kurz vor seinem Tod 1956 den Schauspielern geraten, lebendiges Theater zu machen und sich weniger um seine Theorie zu kümmern.) Maßstab muß sein, ob es dem Autor gelingt, dialektisches Theater auch bei einem realitätsgesättigten historischen Stoff zu verwirklichen. So betrachtet, ist in keinem anderen Brechtstück die Autorintention so vollkommen in die dramatische Form eingegangen. Die Idee von der „sanften Gewalt der Vernunft" ist Dialog für Dialog konfrontiert mit Unvernunft oder gewalttätiger Macht. Von dieser Dialektik ist auch die Galileigestalt selbst geprägt: In ihr sind helle Vernunft und kreatürliche Triebhaftigkeit, entsagende Wissenschaft und intensive Freßlust vereinigt. Shen Te/Shui Ta ist ein Konstrukt, Courage ist sich ihrer Widersprüchlichkeit nicht bewußt, Puntilas Gespaltenheit hat trotz der volksstücker-neuernden Bemühungen des Autors etwas Schematisch-Formales. Bei Galilei stammen alle Gegensätze aus der gleichen Wurzel, einer intensiven Lebenslust. Die Weiterentwicklung der Galileigestalt weist darauf hin, daß im Gegensatz zu z. B. Shen Te/Shui Ta die dialektischen Spannungsfelder offenbleiben. Die Offenheit der Widersprüchlichkeit Galileis und Brechts eigenen Verhaltens wirkt sehr glaubwürdig und ermöglicht dem heutigen Menschen eine Einfühlung, die durch die Historisierung (im Sinne Brechts) legitim ist.

2.3.4 Brecht in der Diskussion

Brechts Literaturtheorie und -praxis fand in der Bundesrepublik Deutschland nach 1945 aus ideologischen Gründen im Gegensatz zum Ausland wenig Beachtung. Das änderte sich erst nach Brechts Tod und im Zuge innenpolitischer Auseinandersetzungen mit der damit einhergehenden Politisierung der Literatur. Diese Entwicklung erreichte ihren Höhepunkt zur Zeit der Studentenrevolte 1967. Seit der „neuen Innerlichkeit" ist es um Brecht wieder stiller geworden, manche erklären ihn sogar für „tot". Im Gegensatz zur „Brechtgläubigkeit" in den sechziger Jahren sieht sich der Autor heute grundsätzlicher Kritik ausgesetzt. In Frage gestellt wird vor allem der Praxisbezug seiner Parabeln. Ohne Praxisbezug wären sie nur ästhetisch-formale Konstruktionen (vgl. Handkes frühe Kritik: ‚Horváth ist besser als Brecht', in: Theater heute 9, 1968).

Der Überdruß an der Verfremdungstechnik auf der Bühne beruht vor allem auf dem allzu unkritischen Umgang mit Brechts Modellaufführungen. Darüber geht verloren, daß auch die Verfremdungstechnik historisch ist, sich weiterentwickelt hat und daß jede Konservierung dem Dialektiker Brecht nicht angemessen ist.

3 Der Roman des Exils

3.1 Der Roman als dominierende Gattung

Produktions- und Rezeptionsprobleme. Der deutsch schreibende Schriftsteller im Ausland stand einer ungewöhnlich schwierigen Marktsituation gegenüber. In Deutschland selbst durften seine Bücher, ob sie nun vor oder nach 1933 entstanden waren, in der Regel nicht verlegt und vertrieben werden. Allenfalls als Schmuggelware konnte im Ausland geschriebene antifaschistische Literatur in Deutschland illegal zirkulieren.

Der Wegfall des innerdeutschen Marktes beraubte den Exilautor seiner Haupteinnahmequelle. Im Ausland hatten deutschsprachige Veröffentlichungen oft nur geringe Absatzchancen, die sich seit 1938 durch den Anschluß Österreichs weiter verschlechterten. Die Veröffentlichung eines deutschsprachigen Buches war in vielen Fällen ein verlegerisches Risiko. Oft kamen kleine Exilverlage nicht über die Veröffentlichung eines einzigen Titels hinaus. Die durchschnittliche Auflage betrug im westlichen Ausland 2000–4000 Exemplare.

Um wirtschaftlich überhaupt existenzfähig zu sein, war die deutsche Literatur des Exils auf das außerdeutsche Leserpublikum, also die Übersetzung in fremde Sprachen, angewiesen. Sie mußte von vornherein auf ihre Übersetzbarkeit hin konzipiert sein – nicht nur aus wirtschaftlichen Gründen: Ihre internationale Verbreitung und Rezeption war notwendig, sollte sie überhaupt eine ihrer wesentlichen Funktionen erfüllen, nämlich aufklärend, warnend, anklagend auf die öffentliche Meinung des Auslands einwirken.

Den Produktions- und Rezeptionsbedingungen, denen die Literatur im Exil unterlag, sowie den besonderen Wirkungsanforderungen wurde von allen literarischen Gattungen am ehesten der Roman gerecht. Er dominierte daher eindeutig.

Die Romanform entsprach den Lesegewohnheiten und -erwartungen eines breiten Publikums eher als Lyrik und dramatische Literatur; der Roman war, anders als die Lyrik, relativ problemlos, ohne großen Substanzverlust, übersetzbar; er war, um adäquat rezipiert zu werden, auf kein anderes Medium als das gedruckte Buch angewiesen und konnte so unmittelbarer als das Drama ein zahlreiches Publikum erreichen.

Möglichkeiten und Formen des Romans im Exil. Vor allem aber fand der Schriftsteller, wollte er sich in der Situation des Exils seines politischen und geschichtlichen Standortes im Medium der Literatur versichern und die historische Krisenlage literarisch objektiv gestalten, im Roman die geeignete Darstellungsform. Denn besonders der Roman gab die Möglichkeit zu differenzierter Zeit- und Geschichtsdarstellung, die in der Gestaltung individueller Vorgänge zugleich überindividuelle Epochentendenzen sichtbar macht.

Die Tendenz zum Zeit- und Epochenroman war für den Exilroman in seinen verschiedenen Ausprägungen bestimmend. Folgende Haupttypen sind, ihrem thematischen Schwerpunkt nach, zu unterscheiden:

Der Deutschlandroman. Er erscheint in zweifacher Gestalt oder auch als Mischform: als Gegenwartsroman, der die Lebensverhältnisse unter dem Nationalsozialismus, oder als zeitgeschichtlicher Roman, der die Vorgeschichte des 'Dritten Reiches' in der Weimarer Republik darstellt. Deutschlandromane entstanden vor allem während des europäischen Exils von 1933 bis 1939.

Der Roman über das Exil. Romane, die die Exilsituation selbst thematisieren, entstanden etwa seit 1936, als sich abzeichnete, daß die zunächst nur als Provisorium akzeptierte Lebensform des Exils auf nicht absehbare Zeit bestehenbleiben würde, und zudem deutlich wurde, daß die Gestaltung der innerdeutschen Wirklichkeit um so schwieriger wurde, je länger die Trennung von Deutschland andauerte.

Der historische Roman. Er ist das Zeugnis der verstärkten Hinwendung zur Geschichte während des Exils. Seit 1935 gehört die Mehrzahl der im Exil veröffentlichten Prosawerke der historischen Gattung an. Die Wahl des historischen Stoffes kann ein Ausweichen vor der Gegenwartsproblematik ins Unverbindliche sein. Doch bietet sich auch die Möglichkeit, die antifaschistische Tendenz ins historische Material einzuarbeiten: Der geschichtliche Stoff kann als Analogie zur Gegenwart gestaltet und diese im historischen Modell kritisch analysiert oder satirisch entlarvt werden; die Vergangenheit kann auch als beispielgebendes Gegenbild der Gegenwart entgegengestellt werden.

Der Roman als Epochenbilanz. Er entstand in der Endphase des Exils und ist Ausdruck des Bewußtseins, Zeuge einer epochalen Zäsur zu sein, die als Epochenende oder als Beginn einer neuen Zeit verstanden werden konnte. Vorherrschend ist der bilanzierende Rückblick, der zeitgeschichtliche Erfahrung zum Panorama der bürgerlichen Epoche als einer nun zu Ende gehenden Zeit verarbeitet.

3.2 Der Deutschlandroman

Das Ende der Republik und die Etablierung der Diktatur:
Lion Feuchtwanger: Die Geschwister Oppermann (1933)

Romane über den illegalen Widerstand:
Willi Bredel: Dein unbekannter Bruder (1937)
Heinz Liepmann:... wird mit dem Tode bestraft (1935)
Walter Schönstedt: Auf der Flucht erschossen (1934)

Darstellungen des 'Dritten Reichs' im Roman:
Irmgard Keun: Nach Mitternacht (1937)
Klaus Mann: Mephisto (1935)
Anna Seghers: Das siebte Kreuz (entstanden 1937–39; 1942)
Arnold Zweig: Das Beil von Wandsbek (entstanden 1938–43; 1947)

Zur Vorgeschichte des 'Dritten Reiches':
Johannes R. Becher: Abschied (1940)
Alfred Döblin: Pardon wird nicht gegeben (1935)   November 1918 (1939–50)
Anna Seghers: Der Kopflohn. Roman aus einem deutschen Dorf
im Spätsommer 1932 (1933)

3.2.1 Die Zerstörung der bürgerlichen Lebensform:
Lion Feuchtwanger ‚Die Geschwister Oppermann'

Feuchtwangers Roman, der schon im Herbst 1933 erschien, ist ein Prototyp des Zeitromans des Exils. Er stellt den ersten Versuch dar, die Erfahrung des Endes der Republik, der Etablierung der Diktatur und der Problematik des Exils literarisch zu gestalten; er enthält in seinen drei Teilen, „Gestern", „Heute", „Morgen", schon die Aspekte, die in den späteren Zeitromanen des Exils jeweils zur dominierenden Thematik werden. Überdies ist er ein erstes und charakteristisches Beispiel des bürgerlichen (nichtmarxistischen) Deutschlandromans.

Feuchtwanger stellt die Auswirkungen der nationalsozialistischen Machtergreifung in einem begrenzten, aber symptomatischen Bereich dar, nämlich am Beispiel einer großbürgerlichen deutsch-jüdischen Berliner Industriellenfamilie. Die Hauptfiguren, die drei Brüder Oppermann, sind jeweils einem bestimmten, dem Autor für die Erhellung der Situation wesentlich erscheinenden gesellschaftlichen Bereich zugeordnet: Literatur und Kunst, Wirtschaft, Wissenschaft. Gustav Oppermann, Seniorchef der Oppermannschen Möbelwerke, ist der Prototyp des apolitischen, schöngeistigen Intellektuellen und Schriftstellers; sein Bruder Martin, Vertreter des wirtschaftlichen Bereichs, leitet die Firma; Edgar ist der nur für seine Wissenschaft lebende berühmte Chirurg. Die Mitglieder der Familie Oppermann werden den Zeitereignissen in der Endphase der Zerstörung der Republik und in den ersten Monaten der Diktatur konfrontiert. Machtergreifung, Reichstagsbrand, Judenboykott – diese Ereignisse strukturieren den zeitlichen Ablauf und bezeichnen die Phasen der Zerstörung einer langen Familientradition und einer gesellschaftlichen Lebensform. Die Familie Oppermann repräsentiert das liberale, weitgehend apolitische Bürgertum, das der politischen Entwicklung verständnislos und wehrlos gegenübersteht.

Kritisch stellt Feuchtwanger das politische Versagen der bürgerlichen Schicht dar, der er selbst angehört: ihre Realitätsblindheit und passive Selbstgenügsamkeit. Die Oppermanns und auch ihr nichtjüdischer Freundeskreis sind, im Vertrauen auf die kulturellen Traditionen Deutschlands und die Durchsetzungsfähigkeit der Vernunft, nicht bereit und fähig, den Nationalsozialismus als ernsthafte Bedrohung ihrer wohlhabenden und nur scheinbar gesicherten Existenz zur Kenntnis zu nehmen. Zerstörend bricht die Politik in dieses vermeintlich politikfreie Reservat kultivierter Bürgerlichkeit ein.

Martin wird unter demütigenden Bedingungen zur „Arisierung" der Firma gezwungen, was einer Enteignung zugunsten eines „national gesinnten" Konkurrenten gleichkommt. Sein Sohn wird durch einen nationalsozialistischen Lehrer in den Selbstmord getrieben. Edgar, des Mordes an „arischen" Patienten beschuldigt, wird aus der Klinik gejagt. Am Tage des Judenboykotts sehen sich die beiden Brüder der nackten Gewalt der SA ausgesetzt. Sie verlassen „ihr Deutschland, das sich als Betrügerin erwiesen hat".

Realitätsblind versucht Gustav noch nach der Machtergreifung, die Ereignisse zu bagatellisieren: „In sein eigenes Leben, ins Geistige, wird die Veränderung nicht übergreifen." Er unterschreibt gutgläubig und ohne Einsicht in das Risiko, das er eingeht, ein „Manifest gegen die zunehmende Barbarisierung des öffentlichen Lebens". In der NS-Presse wird er fortan als Gegner des Nationalsozialismus beschimpft. Nach dem Reichstagsbrand verläßt er auf den Rat von Freunden Deutschland. Erst im Schweizer Exil ermöglichen ihm die Berichte eines geflohenen Juristen eine realistische Einschätzung des nationalsozialistischen Terrors. Um weiteres Material zu sammeln und gegen das Regime zu agitieren, geht er mit falschem Paß nach Deutschland zurück und versucht – erfolglos –, sich einer illegalen Widerstandsorganisation anzuschließen; er wird verhaftet, kommt ins KZ und stirbt an den Folgen der dort erlittenen Mißhandlungen nach seiner durch einflußreiche Freunde erwirkten Freilassung.

Am Beispiel Gustavs beschreibt Feuchtwanger das politische Bewußtwerden eines von Hause aus unpolitischen Intellektuellen, der aus dem Getto seiner selbstgenügsamen Geistigkeit auszubrechen und zur Tat zu gelangen versucht. Feuchtwanger gibt zu verstehen, daß der Widerstand, wie Gustav ihn praktiziert, auf ein letztlich sinnloses Märtyrertum hinausläuft. Individueller Widerstand aus moralischer Empörung, aber ohne klare Strategie und politische Zielsetzung, bleibt wirkungslos. Dennoch schließt der Roman optimistisch, was die Chancen des organisierten Widerstands betrifft, der sich zu formieren beginnt. Gerade darin ist der Roman symptomatisch für die erste Phase des Exils. Auch seine Darstellung der inneren Situation Deutschlands spiegelt den Bewußtseinsstand vieler Exilierter, die illusionäre Hoffnung auf ein baldiges Ende des 'Dritten Reiches': Feuchtwanger sieht die wirtschaftliche Lage im Jahre 1933 gekennzeichnet durch ein katastrophales Ansteigen der Arbeitslosigkeit und eine rapide Verelendung breiter Volksmassen; die Gegnerschaft gegen das Regime werde immer größer, das ohnehin keine Massenbasis habe, denn: „Das Volk war gut"; nationalsozialistische Gesinnung in der Masse der Bevölkerung sei eine durch den Terror erzwungene Tarnung. Solche illusionäre Verzeichnung der tatsächlichen Verhältnisse ist für zahlreiche im Exil entstehende Romane über den illegalen Widerstand kennzeichnend.

3.2.2 Flucht, Verfolgung – und die Grenzen der Macht: Anna Seghers ‚Das siebte Kreuz‘

Anna Seghers, eine marxistische Autorin, die vor 1933 dem Bund Proletarisch-Revolutionärer Schriftsteller angehört hatte, schrieb ihren Roman ‚Das siebte Kreuz‘ im französischen Exil zwischen 1937 und 1939. Sie gibt auf die Frage nach der Überwindbarkeit des Nationalsozialismus eine illusionslose, aber doch von Zuversicht getragene Antwort. Ihre Hoffnung setzt sie nicht auf die organisierte Aktion der Arbeiterklasse – die Partei tritt als Organisation gar nicht in Erscheinung –, sondern auf das solidarische Handeln der einzelnen Menschen. Es geht ihr darum, zu erkunden, bis zu welchem Grad das Regime die Macht auch über das alltägliche Denken und Handeln der Menschen ergriffen und es für seine Zwecke verfügbar gemacht hat. Um solchermaßen „die Struktur des Volkes aufzurollen" und die Grenze der Macht aufzuzeigen, stellt sie das Ereignis der Flucht in den Mittelpunkt des Romans.

Sieben Häftlingen ist die Flucht aus dem KZ Westhofen gelungen. Sieben Platanen werden auf dem Appellplatz des Lagers zu Kreuzen hergerichtet. An sie sollen die Flüchtlinge, wenn sie wieder eingefangen sind, gebunden werden, zum Zeichen des Sieges derer, die die Macht haben, zum Beweis der Ohnmacht derer, die sich der Macht entgegenstellen.
Sechs Flüchtlinge werden von der Gestapo gefaßt und im Lager zu Tode gefoltert oder finden schon während der Flucht den Tod. Nur einem – dem Kommunisten und früheren Widerstandskämpfer Georg Heisler – gelingt die Flucht ins Ausland. Das siebte Kreuz bleibt leer.

Diesem Verhältnis – sechs zu eins – liegt eine skeptisch-illusionslose Einschätzung der Erfolgschancen des antifaschistischen Widerstandes zugrunde. Und doch ist die gelungene Flucht des einen ein Zeichen der Hoffnung, auch für die anderen Lagerhäftlinge; denn hier hat sich das nationalsozialistische Herrschaftssystem als besiegbar erwiesen.
Der entfaltete Macht- und Verfolgungsapparat des NS-Staates auf der einen, der tödlich bedrohte, auf die Hilfe anderer angewiesene Flüchtling auf der anderen Seite – dies ist die den Roman strukturierende Konstellation, in der die Menschen, mit denen Georg in Berührung kommt, zur Entscheidung gezwungen sind. Nur wenn die Angst um die eigene Sicherheit überwunden wird, nur durch die Bereitschaft zu solidarischer Aktion kann die Flucht gelingen. In dieser Situation ereignet sich die „Entschleierung der Menschen, das Durchblitzen ihres wahren Gesichts". Es erweist sich, daß in vielen Menschen, trotz des totalen Machtanspruchs des Regimes, noch etwas vom Nationalsozialismus „Unverwertetes" und „Unbenutztes" bereitliegt, ein antifaschistisches Potential, das vielen erst in der Entscheidungssituation als Gegenmacht und „Kraft" bewußt wird, „die plötzlich ins Maßlose wachsen kann, ins Unberechenbare". So begründet Heislers Flucht eine neue Solidarität unter den Menschen, die zur Hilfe bereit sind. Seine ehemaligen Genossen, die sich zum Teil in die Isolation und Passivität zurückgezogen haben, knüpfen neu das Netz des illegalen Widerstandes um den Flüchtling.
Die Entscheidung zum aktiven Widerstand wird von der Autorin nicht von kommunistischer Überzeugung und der Zugehörigkeit zum Proletariat abhängig gemacht. Die Entscheidung zur tätigen, die eigene Existenz gefährdenden Hilfe entspringt einem Wesenskern, der für die Autorin mit der Begrifflichkeit der marxistischen Lehre offensichtlich nicht zu fassen ist. „Wir fühlten auch", so heißt es am Schluß des Romans von den KZ-Häftlingen, „daß es im Innersten etwas gab, was unangreifbar war und unverletzbar." Vor aller ideologischen Klärung und unabhängig von seiner Klassen-

zugehörigkeit dem Menschen zu eigen, liegt dieses „Unzerstörbare" dem antifaschistischen Widerstand als Bedingung seiner Möglichkeit zugrunde.

Anna Seghers rückt ab von der antagonistischen Menschendarstellung, wie sie in der proletarisch-revolutionären Literatur üblich war: proletarischer Held auf der einen – bürgerliche Dekadenz auf der anderen Seite. Sie gewinnt den Standpunkt eines zwar parteilichen, aber den Klassenantagonismus überwindenden aktiven Humanismus im Sinn der Volksfrontidee. Dies bedeutet auch einen Gewinn an Wirklichkeitsgehalt: Der Roman beschreibt differenziert, in vielfacher perspektivischer Brechung, eine Vielzahl von Verhaltensweisen, die sich zu einem in zahlreiche gesellschaftliche Bereiche ausgreifenden Panorama des Lebens im nationalsozialistischen Deutschland zusammenfügen.

3.3 Der Roman über das Exil

Autobiographien (Exil als Teilaspekt):
Klaus Mann: The Turning Point (1942; deutsche Fassung:
‚Der Wendepunkt', erschienen 1952)
Heinrich Mann: Ein Zeitalter wird besichtigt (1946)

Romane über das Exil:
Lion Feuchtwanger: Exil (1939)
Klaus Mann: Der Vulkan (1939)
Anna Seghers: Transit (entstanden 1939/41; 1944 in spanischer Übersetzung;
1948 in deutscher Sprache)

Selbstzeugnisse zur Lage der Exilierten in Frankreich seit 1939:
Lion Feuchtwanger: Unholdes Frankreich. Meine Erlebnisse unter der Regierung Pétain (1942)
Walter Hasenclever: Die Rechtlosen (entstanden 1939/40; 1963)

Flucht und Exil als Existenzkrise: Anna Seghers ‚Transit'

Als Fortschreibung ihres Romans über den Flüchtling, dem die Flucht aus Deutschland nach Holland gelingt, kann Anna Seghers' Roman ‚Transit' gelesen werden: Er schildert die Situation der Flüchtlinge, die durch den Einmarsch deutscher Truppen zu erneuter Flucht gezwungen werden.

Ein junger deutscher Arbeiter, der aus dem Konzentrationslager geflohen und nach Frankreich entkommen ist und dort nach Kriegsausbruch in einem Arbeitslager interniert wird, erreicht nach neuerlicher Flucht das von Deutschen besetzte Paris. Dort erhält er den Auftrag, dem Schriftsteller Weidel eine Botschaft von dessen Frau zu überbringen. Doch die Nachricht, daß auf dem mexikanischen Konsulat in Marseille ein Einreisevisum nach Mexiko für ihn bereitliege, und die dringende Bitte seiner Frau, nach Marseille zu kommen, um dort die Flucht nach Übersee zu betreiben, erreichen Weidel nicht mehr: Er hat angesichts der herannahenden deutschen Truppen Selbstmord begangen. Im Besitz seiner Hinterlassenschaft flieht 'Seidler' – auf diesen Namen lauten die Ausweispapiere, die ihm Freunde verschafft haben – ins unbesetzte Frankreich. In Marseille gelingt es ihm, die Ausreisebehörden von der „Identität des Paßnamens Seidler mit dem Schriftstellernamen Weidel" zu überzeugen. Nach mehrmonatigem Aufenthalt in Marseille erhält er alle zur Auswanderung nach Übersee erforderlichen Papiere – für sich selbst und für Weidels Frau Marie, die er in Marseille getroffen hat. Mit Marie, die er liebt, ist er bereit, erneut zu fliehen; doch sie bleibt ihrem Mann verbunden, glaubt nicht an seinen Tod, hofft, ihn wiederzufinden. So bleibt Seidler in Frankreich, als Arbeiter auf einer Pfirsichfarm, bereit, sich dem Widerstand gegen die Deutschen anzuschließen. Das Schiff, mit dem Marie abfährt, geht unter.

Der Roman hat die Form eines an einen imaginären Zuhörer gerichteten Monologs. Als Seidler sich entschlossen hat, sein als sinnlos erkanntes Flüchtlingsdasein aufzugeben, der Welt der Flüchtlinge schon entfremdet und auf der Schwelle zu einer neuen Existenzform, gibt er als Ich-Erzähler seinen Bericht – im Rückblick, der die Ereignisse zu rekapitulieren versucht, aber doch der Unmittelbarkeit des Erlebens nahe.

Der Verzicht auf einen allwissenden Erzähler entspricht der dargestellten Wirklichkeit: In Seidlers Bericht entsteht das Bild einer alptraumhaft-irrealen, chaotischen und rational nicht zu durchdringenden Welt, in dem aber eine bestimmte historische Situation scharf und präzise festgehalten ist: Herbst 1940 – die Hafenstadt Marseille im noch unbesetzten Teil Frankreichs ist der Ziel- und Sammelpunkt der Flüchtlinge, die hier, auf der Flucht vor den deutschen Invasoren, aus den von den Deutschen besetzten Ländern zusammenströmen. Die Hoffnung der Flüchtenden, einen Schiffsplatz zu erhalten, um der tödlichen Bedrohung zu entkommen, erfüllt sich nur für wenige. Die Flucht- und Exilsituation, die Anna Seghers in ihrer äußersten Zuspitzung, als Verlust jeden tragenden Existenzgrundes, darstellt, findet im Titel des Romans ihren symbolischen Ausdruck.

„Transit" bezeichnet zunächst eines der für die Ausreise notwendigen Dokumente – das Durchreisevisum für die auf der Fluchtroute berührten Zwischenländer – und verweist auf den oft verzweifelten und panikartigen, in vielen Fällen vergeblichen Kampf der Flüchtlinge mit einer scheinbar allmächtigen und undurchschaubaren Bürokratie um die rettenden Papiere: Einreisevisum für das Zielland, Transitvisum, Ausreisegenehmigung durch die französische Fremdenpolizei, Überfahrtsbillett.

Jedes dieser Dokumente ist von Wert nur in Verbindung mit allen anderen; da jedes aber nur befristet gültig ist, die Gewährung des einen den Besitz des anderen aber immer schon voraussetzt, sie also zu ganz verschiedenen Zeitpunkten – wenn überhaupt – ausgestellt werden, ist das erste in der Regel schon verfallen, wenn das letzte gewährt wird; der zermürbende Kreislauf beginnt von neuem.

„Transit" bezeichnet ferner die absurde Situation der in Marseille festsitzenden und durch das mögliche Näherrücken der Deutschen bedrohten Flüchtlinge. Sie werden von den Behörden der mit den Deutschen kollaborierenden Vichy-Regierung als unerwünschte Ausländer nur vorübergehend geduldet und erhalten als „Transitäre" eine befristete Aufenthaltsgenehmigung – aber nur dann, wenn sie nachweisen können, daß ihr Aufenthalt dem Zweck dient, ihre Ausreise, die doch durch bürokratische Verfügungen erschwert und immer wieder hinausgezögert wird, aktiv zu betreiben; andernfalls werden sie in einem Arbeitslager interniert.

Schließlich verweist das „Transit"-Symbol auf die immer nur vorläufige, „transitäre" Existenzform des Exils überhaupt, auf den drohenden Sinnverlust des Lebens zwischen Flucht und neuerlicher Flucht. Der Erzähler erkennt in der Transit-Situation immer klarer einen bodenlosen, die Identität des Menschen zerstörenden Zwischenzustand zwischen dem Nicht-Mehr eines verlorenen Lebens und dem imaginären Noch-Nicht der erhofften Rettung, einen Zustand der Selbstentfremdung und des Selbstverlustes, der dem Tode gleicht: „Für Abgeschiedene hielt ich sie, die ihre wirklichen Leben in ihren verlorenen Ländern gelassen hatten…"

Der Glaube der Flüchtlinge, durch die Ausreisepapiere den Zugang zu einem besseren Leben erkaufen zu können, wird als Illusion entlarvt: „Unsinn, Unsinn, Unsinn war dieser Kraftaufwand, eine brennende Stadt mit einer anderen brennenden Stadt zu vertauschen, das Umsteigen von einem Rettungsboot auf das andere, auf dem bodenlosen Meer."

So bezeichnet „Transit" letztlich eine durch Nationalsozialismus und Krieg ausgelöste apokalyptische Weltkatastrophe, in der die Menschen zu immerwährender Flucht gezwungen sind, die doch vergeblich ist und nicht vor dem Tode rettet: „Flüchtlinge müssen weiterziehen."

Der Erzähler, der sich innerlich immer mehr von den „Abfahrtssüchtigen" distanziert, um sich selbst zu „bewahren", versucht, sich diesem Zwang zu entziehen. Er will das „wirkliche Leben" wiedergewinnen, sich „einwurzeln". Der geschichtslosleeren bloßen Gegenwärtigkeit der Flüchtlingsexistenz setzt er einen zukunftsgerichteten Lebensentwurf entgegen; in Treue, Zuverlässigkeit und aktiver Solidarität will er „Gutes und Böses mit meinen Leuten teilen, Zuflucht und Verfolgung".

3.4 Der historische Roman im Exil

---

*Romanzyklen: Kontinuität des historischen Erzählens
(Weimarer Republik – Exil):*
Lion Feuchtwanger: Josephus-Trilogie (1932–45)
Thomas Mann: Joseph und seine Brüder (Tetralogie; entstanden 1926–42)

Satire der Gegenwart im historischen Modell:
Bertolt Brecht: Die Geschäfte des Herrn Julius Caesar (Romanfragment; entstanden 1938–40; 1957)
Lion Feuchtwanger: Der falsche Nero (1936)

Geschichtliche Parallelen zur Gegenwart:
Hermann Kesten: König Philipp der Zweite (1938)
Ludwig Marcuse: Ignatius von Loyola (1935)

Erzählte Geschichte als Gegenbild zur Gegenwart:
Heinrich Mann: Die Jugend des Königs Henri IV (1935)
Die Vollendung des Königs Henri IV (1938)

Deutsche Geschichte im historischen Roman:
Gustav Regler: Die Saat. Roman aus den deutschen Bauernkriegen (1936)

Theoretische Positionen zum historischen Roman:
Alfred Döblin: Der historische Roman und wir (1936)
Lion Feuchtwanger: Vom Sinn und Unsinn des historischen Romans (1935)
Georg Lukács: Der historische Roman (1938)
Heinrich Mann: Gestaltung und Lehre (1939)
Ludwig Marcuse: Die Anklage auf Flucht (1936)

Zur Problematik des historischen Romans im Exil. Der historische Roman, im Exil wie schon in der Weimarer Republik eine Domäne bürgerlicher Autoren, war die im Exil am meisten umstrittene Literaturform. Die Beliebtheit der historischen Gattung in der Weimarer Republik, ihre Bevorzugung durch zahlreiche Autoren der 'inneren Emigration' sowie die Tatsache, daß nicht wenige Autoren schon lange vor 1933 konzipierte oder begonnene Projekte im Exil fortführten, legten den Verdacht nahe, im Exil werde eine typisch bürgerliche Literaturtradition weitergepflegt, ohne daß dem notwendigen Funktionswandel der Literatur im antifaschistischen Exil Rechnung getragen wurde. Verstand man aber Literatur im Exil als antifaschistische Praxis, so war, nach der Feststellung des französischen Schriftstellers Jean Richard Bloch, die „Rolle des für die Freiheit kämpfenden Schriftstellers nicht, Geschichte zu schreiben, sondern Geschichte zu machen" (Rede auf dem ‚Schriftstellerkongreß zur Verteidigung der Kultur gegen Krieg und Faschismus' in Paris, 1935). Wurde Geschichte um ihrer selbst willen erzählt, ohne über sich in die Gegenwart und mögliche Zukunft hinauszuweisen, erhob sich der Vorwurf der Flucht, des Rückzugs ins Unverbindliche, der Kapitulation vor dem Gegner. Vor allem die marxistische Literaturkritik und -theorie betonte, daß der Kampf gegen den Nationalsozialismus auch um die Vergangenheit, auf dem Feld der Geschichte also, geführt werden müsse, denn der Nationalsozialismus versuche sich auch der Geschichte zu bemächtigen, indem er die progressiven Traditionen der Vergangenheit als Kulturzersetzung diffamiere oder im Gegenteil für sich in Anspruch nehme. Vom antifaschistischen historischen Roman wurde also gefordert, die fortschrittlich-demokratischen Gehalte der Vergangenheit dem Zugriff des Gegners zu entreißen und sie offensiv gegen seine Herrschaftspraxis in der Perspektive ihrer Überwindung ins Feld zu führen.

Nach Georg Lukács, dem ungarischen Literaturwissenschaftler, ist der Rang des antifaschistischen historischen Romans nicht schon in seiner ideologischen Tendenz begründet, sondern in seinem Charakter als realistisches Kunstwerk, das in lebendigen und konkreten Bildern große geschichtliche Individuen als Repräsentanten progressiver Volksbewegungen darstellt. Der historische Roman erfülle seinen geschichtlichen Auftrag, indem er „jenen humanistischen Typus des Menschen gestalte, dessen gesellschaftlicher Sieg zugleich den gesellschaftlichen und politischen Sieg über den Faschismus bezeichnet" (‚Der historische Roman‘, 1938). Lukács gelangte zu dem Urteil: „Die Flucht vor der Gegenwartsproblematik kann einen Zentralangriff auf die Gegenwartsproblematik enthalten."

3.4.1 Streitbarer Humanismus – Die Synthese von Geist und Macht: Heinrich Mann ‚Die Jugend des Königs Henri IV‘, ‚Die Vollendung des Königs Henri IV‘

Heinrich Mann schildert den Lebensweg einer positiven Herrscherfigur, des „guten Königs" Henri IV (1553–1610), der, nach langen Jahren des Kampfes um die Königsmacht, die Religionskriege beendet, Frankreich einigt und eine Epoche des inneren Friedens einleitet. Schon 1925 hatte der Autor den Plan zu einem Roman über Henri IV und die Epoche der französischen Religionskriege gefaßt. Zunächst galt sein Interesse weniger der Gestalt des Königs selbst als vielmehr der feudal-reaktionären Gegenmacht: dem katholischen Spanien, Habsburg, der katholischen Liga als den Betreibern des französischen Bürgerkrieges. Im Zug der zeitgeschichtlichen Erfahrung ab 1933 änderte sich die Konzeption: Ins Zentrum des Interesses rückte die Gestalt des „guten Königs", in der in beispielgebender Weise „Geist" und „Tat" im Sinn eines militanten Humanismus zur Einheit gelangen.

Heinrich Mann vermeidet weitgehend die direkte und unhistorische Projektion gegenwärtiger Erscheinungen in die Vergangenheit. Zwar wird die Liga als reaktionäre und terroristische Organisation nach dem Muster der NS-Bewegung dargestellt; in der Beschreibung ihrer Führer ist unschwer das polemische Porträt der nationalsozialistischen Führungsgarnitur zu erkennen; doch beließ es Heinrich Mann nicht dabei, das historische Material als Parallele zum Gegenwartsgeschehen zu gestalten und die Gegenwart historisch zu illustrieren. Er gelangt über ein solches im historischen Roman des Exils nicht selten angewandtes Verfahren der bloßen Analogiebildung und vordergründigen Aktualisierung der Vergangenheit hinaus.

Die historische Kostümierung der Gegenwart zeigt sich besonders deutlich in *Lion Feuchtwangers* Roman ‚*Der falsche Nero*‘ (1936), dessen Held, der Töpfer Terenz, sich als der angeblich noch lebende Kaiser ausgibt. Dieser Hochstapler – eine Marionette in der Hand mächtiger Drahtzieher im Hintergrund – ist nach dem Modell Hitlers gestaltet. Hitler also soll als attrappenhafter Emporkömmling, sein Herrschaftsanspruch als nichtige Anmaßung der Lächerlichkeit preisgegeben werden. Geschichte ist hier nicht der eigentliche Gegenstand der Darstellung, sondern nur Mittel der Gegenwartssatire.

Dagegen entwirft Heinrich Mann eine Alternative zur Gegenwart, die in die Zukunft vorausweist, ein dichterisch gestaltetes, aber nicht frei imaginiertes, sondern geschichtlich beglaubigtes Gegenbild, das, so wollte es Heinrich Mann, für gegenwärtiges politisches Handeln beispielgebende Bedeutung gewinnt.

„Wir werden eine historische Gestalt immer auch auf unser Zeitalter beziehen. Sonst wäre sie allenfalls ein schönes Bildnis, das uns fesseln kann, aber fremd bleibt. Nein, die historische Gestalt wird, unter unseren Händen, ob wir es wollen oder nicht, zum angewendeten Beispiel unserer Erlebnisse werden, sie wird nicht nur bedeuten, sondern sein, was die weilende Epoche hervorbringt oder leider versäumt. Wir werden sie den Mitlebenden schmerzlich vorhalten: seht dies Beispiel. Da aber das Beispiel einst gegeben worden ist, die historische Gestalt leben und handeln konnte, sind wir berechtigt, Mut zu fassen und ihn anderen mitzuteilen" (Heinrich Mann: ‚Gestaltung und Lehre', 1939).

In Henri IV gestaltet Heinrich Mann ein Beispiel für die „Volkstümlichkeit der Güte", er demonstriert an ihm die Durchsetzungsfähigkeit und geschichtliche Überlegenheit eines der Humanität verpflichteten gesellschaftlichen Handelns. Henri ist als humanistischer Revolutionär gestaltet, in dessen Regierungszeit die Ideen der Toleranz, der individuellen Freiheit, der Mitmenschlichkeit, des irdischen Menschenglücks sich weltgeschichtlich zum erstenmal durchsetzen und geschichtsbildende Kraft gewinnen. Henri erkennt, daß die Verwirklichung dieser Ideen den Interessen des Volkes entspricht; in dieser Einsicht liegt die moralisch-intellektuelle Legitimation seines Königtums. Er ist bereit und willens, ihnen, auch mit den Mitteln der Gewalt, zum Sieg zu verhelfen; auf dieses Ziel hin sind Eroberung und Ausübung der Macht ausgerichtet. So erwirbt er sich das Vertrauen des Volkes, das in ihm seinen Repräsentanten erkennt und anerkennt.

Beides, die Einsicht und die Macht, gründet in Henris Verbundenheit mit dem Volk, die ihn allererst befähigt, Humanität als tiefste Sehnsucht des Volkes zu erkennen, und die seiner Machtausübung Beständigkeit und Dauer verleiht. Doch der Weg zur „Vollendung", den Henri zusammen mit seinem Volk geht, ist nie abgeschlossen, sondern ist in ständigem Kampf immer aufs neue zu verwirklichen; Henris Ermordung ist das sichtbarste Zeichen dafür.

Am Ende wird die perspektivische Öffnung des Romans auf die Zukunft ausdrücklich ausgesprochen: In einer Schlußansprache „von der Höhe einer Wolke herab" wendet sich Henri an die Nachwelt und gibt ihr den Auftrag, das von ihm begonnene Werk weiterzuführen. Heinrich Mann ging es nicht um eine faktentreue Rekonstruktion der Vergangenheit, sondern darum, Geschichte für die Gegenwart handhabbar und nutzbar zu machen. Er griff die Legende auf, die sich vor allem im 18. Jahrhundert in Frankreich um den König gebildet hatte: „le bon roi Henri" als Aufklärer, Vorkämpfer für die Menschenrechte, Vorläufer der Französischen Revolution. Der Roman über den frühabsolutistischen König nimmt die progressiven Gehalte der bürgerlichen Emanzipationsepoche in sich auf und spannt den Bogen zur Gegenwart, von der er ihre Verwirklichung in der Perspektive einer Neuordnung nach der Herrschaft des Nationalsozialismus einfordert. Heinrich Mann verstand seinen Roman als ein „wahres Gleichnis", dessen Wahrheit nicht in historiographischer Faktentreue besteht, sondern sich erst beweisen und bewähren muß durch die Verwirklichung der ihm eingeschriebenen Tendenz: „Henri Quatre – die Macht der Güte. Es ist weder verklärte Historie, noch freundliche Fabel: nur ein wahres Gleichnis. Ich gab es mir für die Zeit der Schrecken mit. Sind sie überstanden, soll es sich wahr und wirklich erweisen" (‚Ein Zeitalter wird besichtigt', 1946).

3.4.2 Satirische Entlarvung der weltgeschichtlichen Persönlichkeit: Bertolt Brecht ‚Die Geschäfte des Herrn Julius Caesar'

Brecht wendet ein ganz anderes Verfahren historischer Darstellung an als Heinrich Mann, der in auktorialem Erzählen, das souverän über den historischen Stoff verfügt, ein positives Beispiel historischer Größe gestaltet, wobei er bewußt legendär-verklärende Überlieferungen einbezieht. Brecht geht es im Gegenteil darum, am Modellfall Caesars die weltgeschichtliche Persönlichkeit ihrer legendären Züge zu entkleiden und das Heldische überhaupt als Fiktion zu entlarven. Darüber hinaus wird das historische Erzählen selbst problematisiert: Daß Geschichte dem auktoria-len Zugriff und Gestaltungswillen des Erzählers fraglos verfügbar sei, wird von Brecht grundsätzlich in Zweifel gezogen. Statt aus einer Zentralperspektive eine ge-schlossene fiktionale Welt zu entwerfen, setzt Brecht verschiedene Teilperspektiven gegeneinander und macht den Prozeß der Annäherung an die historische Wirklich-keit, jenseits der „Legende, die alles vernebelte", zum zentralen Thema.

Ein junger römischer Anwalt berichtet in der Ich-Form von seinem Unternehmen, zwanzig Jah-re nach Caesars Tod die Biographie des „großen Politikers" und „unerreichbaren Vorbildes aller Diktatoren" zu schreiben. Das geplante Werk kommt jedoch nicht zustande. Die vorgängige Perspektive des Biographen wird angesichts der desillusionierenden Wirklichkeit, die sich in verschiedenen Zeugenberichten abzeichnet, zunichte gemacht. Seine Nachforschungen führen den Biographen zu dem einstigen Gerichtsvollzieher und Caesars nachmaligem Bankier Mummlius Spicer, der ihm die Tagebücher von Caesars Sekretär Rarus übermittelt. In Spicers Berichten und den Aufzeichnungen des Rarus erscheint Caesar als skrupelloser und korrupter Karrieremacher, der in die Politik einsteigt, um auf dem Rücken der Ausgebeuteten seine ge-schäftlichen Privatinteressen durchzusetzen.

Die distanzaufhebende Perspektive der Zeugenberichte, besonders der für die Auf-zeichnungen des Sklaven Rarus charakteristische Blick 'von unten', verfremdet hi-storische Größe und führt zur satirischen Entlarvung der großen Persönlichkeit, die in ihrer trivialen Schäbigkeit sichtbar wird. Diese Entlarvung hat Modellcharakter: Sie zielt ebenso auf Hitler, der sich mit dem Nimbus historischer Größe umgibt. Dar-über hinaus aber erweckt Brechts Roman Mißtrauen gegen jede harmonisierende, Widersprüche zudeckende Darstellung geschichtlicher und gesellschaftlicher Sach-verhalte. Er ist eine Anleitung zu kritischer Aneignung vergangener und gegenwärti-ger Geschichte.

3.5 Der Roman als Epochenbilanz

Bilanzierender Rückblick in autobiographischer Form:
Heinrich Mann: Ein Zeitalter wird besichtigt (1946)
Stefan Zweig: Die Welt von gestern (1944)

Romane vom Ende einer Epoche:
Hermann Broch: Der Tod des Vergil (1945)
Thomas Mann: Doktor Faustus. Das Leben des deutschen Tonsetzers Adrian Leverkühn, erzählt von einem Freunde (1947)

Familienchronik als Bestandsaufnahme deutscher Geschichte:
Willi Bredel: Verwandte und Bekannte (Trilogie; 1943–53)
Anna Seghers: Die Toten bleiben jung (entstanden 1941–47; 1949)

Vom Ende der bürgerlichen Epoche: Thomas Mann ‚Doktor Faustus'
Auch in diesem Roman kommt der geschichtlichen Vergangenheit entscheidende Bedeutung zu. Es ging Thomas Mann aber nicht darum, in der Vergangenheit Per-spektiven zur Überwindung des Nationalsozialismus und einer demokratischen Neu-ordnung Deutschlands ausfindig zu machen. Im Gegensatz zu vielen linksbürgerli-chen und marxistischen Autoren verstand er Nationalsozialismus und Zweiten Weltkrieg nicht als Zeit des Übergangs, als eine Zeiten*wende*, die die Chance eines

dem bürgerlich-humanistischen Erbe verpflichteten Neuanfangs bot. Den Schritt über das bürgerliche Zeitalter hinaus vollzog Thomas Mann nicht. Sein Roman steht unter dem Zeichen des Zeiten*endes*. Er stellt dar, wie sich, auf hochentwickelter Kulturstufe, der Rückfall hinter die Errungenschaften des bürgerlich-humanistischen Zeitalters vollzieht. Die deutsche Katastrophe gestaltet er als das unwiderrufliche Ende der Epoche des „bürgerlichen Humanismus", an dessen Beginn „die Geburt des neuzeitlichen Individuums" im Reformationszeitalter stand.

Schon 1901 hatte Thomas Mann den Plan zu einem Künstlerroman skizziert, in dem die spätmittelalterliche Faustsage und Nietzsches Krankengeschichte miteinander verbunden werden sollten:

„Figur des syphilitischen Künstlers; als Doktor Faust und dem Teufel Verschriebener. Das Gift wirkt als Rausch, Stimulans, Inspiration; er darf in entzückter Begeisterung geniale wunderbare Werke schaffen, der Teufel führt ihm die Hand. Schließlich aber holt ihn der Teufel: Paralyse."

Erst 1943, im kalifornischen Exil, griff Thomas Mann dieses Projekt wieder auf, das für ihn durch die zeitgeschichtliche Erfahrung vom Weg Deutschlands in die Katastrophe neue und bestürzende Aktualität gewonnen hatte.

„Dieses eine Mal wußte ich, was ich wollte und was ich mir aufgab: nichts Geringeres als den Roman meiner Epoche, verkleidet in die Geschichte eines hoch-prekären und sündigen Künstlerlebens", so beschreibt Thomas Mann in dem autobiographischen Bericht ‚Die Entstehung des Doktor Faustus. Roman eines Romans' (1949) sein Vorhaben.

Das Schicksal des Komponisten Adrian Leverkühn nimmt in „symbolischer Parallele" die Entwicklung Deutschlands vorweg. Der Verweisungszusammenhang zwischen Lebens- und Epochengeschichte kommt schon in der Erzählanlage des Romans zum Ausdruck. Die Einschaltung eines Erzählers erlaubt es, das Schicksal des Komponisten Adrian Leverkühn und die deutsche Katastrophe direkt aufeinander zu beziehen: Der Altphilologe und „bürgerliche Humanist" Serenus Zeitblom schreibt die Biographie seines Freundes, der 1885 geboren wurde und 1930 in geistige Umnachtung fiel, in den Jahren 1943 bis 1945; seine Kommentare zum Kriegsgeschehen verschränken sich mit der Aufzeichnung von Leverkühns Lebensgeschichte und der Darstellung der Epoche vor 1933. Der Roman spielt also auf zwei Zeitebenen: Er umfaßt die Vorgeschichte des Nationalsozialismus und die Katastrophe Deutschlands.

Darin, daß Thomas Mann seinem „Roman des Endes" die Form einer Künstlerbiographie gibt, deutet sich an, daß er die Krisenlage der Spätzeit als Kultur- und Bewußtseinskrise begreift; sie findet in der modernen Musik und im musikalischen Lebenswerk Leverkühns ihren paradigmatischen Ausdruck.

Adrian Leverkühn wächst auf dem elterlichen Gutshof in der Nähe von Weißenfels in Thüringen auf, er verbringt seine Gymnasialzeit in der nahe gelegenen Stadt Kaisersaschern. Nach abgebrochenem Theologiestudium in Halle entscheidet er sich endgültig für die Musik. In Leipzig entstehen seine ersten Kompositionen; sie zeigen eine souveräne Beherrschung der musikalischen Tradition, weisen aber in ihrem hochintellektuell-artistischen Raffinement schon Züge ironisch-parodistischer Distanzierung vom Kanon traditioneller musikalischer Ausdrucksmittel auf. Leverkühns Werk wird zum Zeugnis der „verzweifelten Lage" der modernen Kunst und der geistigen Situation am Ende der bürgerlichen Epoche.

Der traditionelle Bestand künstlerischer Ausdrucksformen hat sich in einer Weise verbraucht, erschöpft und banalisiert, daß sie allenfalls noch zur Parodie taugen. Unkritisch übernommen, werden sie zur Lüge. Das Werk selbst im traditionellen Sinn als in sich ruhendes Kunstwerk, in dem subjektiver Ausdruckswille und objektiv vorgegebene Konvention zu harmonischer Einheit finden, verfällt der Kritik: Es ist unvereinbar mit der kulturellen Gesamtsituation, die die Vorstellung nicht mehr zuläßt, das Individuum könne sich im Rahmen eines überpersönlichen Bezugssystems frei und harmonisch entfalten.

Der Idee der „harmonischen Subjektivität" in der Kunst, der Idee der individuellen Freiheit überhaupt ist in der spätbürgerlichen Epoche der Boden entzogen. Die Auflösung aller konventionellen und objektiven Verbindlichkeiten führt zu einer Freiheit im negativen Sinn, zu Ziel- und Richtungslosigkeit; sie hemmt die künstlerische Produktion und fängt an, „sich als Meltau auf das Talent zu legen und Züge der Sterilität zu zeigen".

Leverkühn sucht den Ausbruch aus der ausweglosen Lage der Kunst und der ihn bedrohenden Sterilität, die „Enthemmung" der von Kritik und Erkenntnis gelähmten Produktivität. Er flieht in die Teufelsverschreibung, die auf realistischer Ebene als syphilitische Infizierung erscheint und die in einem großen Gespräch, in dem ihm der Teufel entgegentritt, besiegelt wird. Sie verschafft ihm eine vierundzwanzigjährige Frist rauschhafter Schaffenskraft. Leverkühn durchbricht die Krise der Kunst: Er vollendet die Befreiung der Musik von den vorgegebenen Normen, indem er das Prinzip der Tonalität außer Kraft setzt, unterwirft sie aber einer viel strengeren Bindung: Im sogenannten „strengen Satz" gibt es keine „freie" Note mehr, jeder Ton muß sich als Teil einer der Komposition von vornherein zugrunde gelegten Zwölfton- reihe ausweisen. (Thomas Mann übernimmt hier das Prinzip der Zwölftonmusik von Arnold Schönberg.) Innerhalb des so festgelegten Ordnungsrahmens wird eine neue Unmittelbarkeit des Ausdrucks möglich; doch der Kaufpreis, den Leverkühn zu bezahlen hat, ist die Enthumanisierung seines Lebens, der Verlust seiner Menschlichkeit, denn der Pakt bedeutet auch, daß er nicht lieben darf. Seine Versuche, seine Einsamkeit zu überwinden, enden tragisch. Am Ende der ihm gegebenen Frist verfällt er dem Wahnsinn.

Die Grundidee des Romans, die „Parallelisierung verderblicher, in den Kollaps mündender Euphorie mit dem faschistischen Völkerrausch", der Rückgriff also auf das mittelalterliche Motiv des Teufelspaktes auch zur Deutung des Nationalsozialismus, weist auf das Geschichtsverständnis, das dem Roman zugrunde liegt: In einer Epoche des Zerfalls der Werte, in der die Leitideen des bürgerlichen Humanismus, die des Individuums und der individuellen Freiheit, ihre Verbindlichkeit verloren haben, ereignet sich der vermeintlich zukunftsträchtige, in Wahrheit aber in die Katastrophe führende Ausbruch aus der bürgerlichen Lebensform, die keiner Weiterentwicklung mehr fähig scheint, der Rückfall in die Barbarei als pathologischer Ausbruch eines archaischen Irrationalismus.

Die Verführbarkeit zum Rückfall in archaische Vernunftverleugnung wurzelt in einer tief in die deutsche Geschichte zurückreichenden seelischen Disposition des deutschen Wesens. Der Begriff des Dämonischen umschreibt solche Gefährdung, die immer dann gegenwärtig ist, wenn sich archaisch-vorrationale Relikte in späteren Stufen der Kulturentwicklung behaupten und erhalten. Gerade dies – das Alte, das im jeweils Neuen gegenwärtig bleibt – ist das Signum der deutschen Geschichte, in der sich der humanistisch-aufklärerische Geist gegen die rückschlägigen Tendenzen nie dauerhaft durchsetzen konnte. Die von Thomas Mann imaginierte Stadt Kaisers- aschern ist der symbolische Ort, an dem der vorzivilisatorische Irrationalismus des deutschen Charakters, kaum verdeckt durch die oberflächliche Tünche einer modernen Industriestadt, zutage tritt, eine Altertümlichkeit und Rückständigkeit, die zum Rückfall in Massenwahn und Barbarei disponiert. Der Erzähler setzt die „altertüm- lich-neurotische Unterteuftheit" der Stadt ausdrücklich mit den jüngsten Ausbrü- chen der Barbarei in Verbindung, deren Zeuge er im 'Dritten Reich' wurde.

Leverkühn ist von Kaisersaschern geprägt, er ist ein „nie Entkommener". Dies gilt auch für Deutschland. Der Roman entwirft keine über die Katastrophe hinauswei- sende geschichtliche Perspektive. Dem Erzähler bleibt nur die Bitte um Gnade: „Gott sei eurer armen Seele gnädig, mein Freund, mein Vaterland."

Von 1945 bis zur Gegenwart

Der vorliegende Abschlußband der ‚Geschichte der deutschen Literatur‘ setzt mit dem Jahr 1945 ein; er behandelt jeweils gesondert die Entwicklung der Literatur in der Bundesrepublik Deutschland und die in der DDR. Diese Konzeption trägt den grundlegenden Fakten der neuesten Geschichte Rechnung, die auch für die Literatur von ausschlaggebender Bedeutung sind.

Allerdings soll dadurch die seit einiger Zeit immer wieder gestellte Frage nach der Einheit der deutschen Literatur keineswegs unterdrückt werden. Denn die Konvergenztheorie, die eine Annäherung der beiden deutschen Literaturen zu erkennen glaubt, entspringt keiner politischen Doktrin. Sie kann sich vielmehr auf literarische Befunde ebenso wie auf die Überzeugung vieler Schriftsteller stützen.

In einer weiteren Perspektive offenbart diese Frage übrigens noch ein anderes Problem: Wieviele deutsche Literaturen gibt es überhaupt? Wie steht es mit der österreichischen und mit der schweizerischen Literatur? Hier gehen wir von einer Einheit der deutschsprachigen Literatur aus, die nichts mit politischen Ansprüchen und Geltungen zu schaffen hat. Genau genommen, müßten wir daher von der Geschichte der deutschsprachigen Literatur reden.

1945, das Jahr des Zusammenbruchs des nationalsozialistischen Reiches, ist der Zeitpunkt, von dem die Epoche ihren Ausgang nimmt, in der wir heute leben. Deutschland existierte nicht mehr als eigenstaatliches Gebilde; es wurde in vier Besatzungszonen aufgeteilt und von den Siegermächten verwaltet. Auf dem Gebiet der drei Westzonen wurde 1949 die Bundesrepublik Deutschland, auf dem der sowjetischen Zone die Deutsche Demokratische Republik gegründet.

Die beiden Teilstaaten mit unterschiedlichen Gesellschaftssystemen wurden in die im ‘Kalten Krieg’ einander gegenüberstehenden Machtblöcke eingegliedert und nahmen jeweils eine eigene Entwicklung. Dieser allgemeingeschichtliche Prozeß spiegelt sich auch in der Geschichte der Literatur.

Der erste Schriftstellerkongreß (Berlin 1947) war noch eine gesamtdeutsche Veranstaltung. Johannes R. Becher, der spätere Minister für Kultur der DDR, beschwor die Einheit der deutschen Literatur, die über Zonengrenzen und unterschiedliche Gesellschaftssysteme hinweg bestehe. Diese Vorstellung wurde seitens der DDR offiziell außer Kraft gesetzt, als Walter Ulbricht 1956 die These von den zwei deutschen Literaturen formulierte. Die DDR-Literatur fand in ihrer Eigenständigkeit schließlich auch in der Bundesrepublik Deutschland Anerkennung, nachdem sie gerade hier, im Zuge der Abgrenzung gegen den kommunistischen Machtbereich, bis in die 60er Jahre hinein unerwünscht war und kaum zur Kenntnis genommen wurde.

Oft hat man festgestellt, daß in Deutschland ‘Geist’ und ‘Politik’ einander traditionell fremd gegenüberstünden. Betrachtet man die literarische Entwicklung in der Bundesrepublik Deutschland unter der Fragestellung, wie sich die Literatur in der jeweiligen politischen und gesellschaftlichen Konstellation verhält, so ergibt sich das Bild einer Entwicklung in vier Phasen, das diese Einschätzung zumindest teilweise bestätigt.

Die 50er und die 70er Jahre erscheinen, freilich unter unterschiedlichen Vorzeichen, jeweils als Zeiträume, in denen sich die Literatur weitgehend aus der politischen Auseinandersetzung heraushält. Es sind, politisch gesprochen, Restaurationsphasen, in denen die Kritik der Intellektuellen und Schriftsteller keine Chance zu haben scheint, gesellschaftliche Veränderungen zu bewirken. Sie folgen jeweils auf Perioden, in denen die Hoffnung auf einen grundlegenden Wandel des bestehenden Gesellschaftssystems einen großen Teil der kulturellen Intelligenz zu politischem Engagement bewegte. Dies geschah in den ersten Nachkriegsjahren und in den 60er Jahren.

Von kurzer Dauer nur war die Phase der von radikaldemokratischen und sozialistischen Ideen getragenen Aufbruchsstimmung und Zukunftshoffnung gleich nach dem Krieg, an der die jungen, aus Krieg und Gefangenschaft heimkehrenden Intellektuellen entscheidenden Anteil hatten. Der rasche Wiederaufbau, der restaurative Züge trug, ließ jedoch ihr von der Idee des 'Nullpunkts' und Neubeginns getragenes Engagement vergeblich erscheinen.

Die 50er Jahre standen äußerlich im Zeichen des 'Wirtschaftswunders'. Der Ost-West-Konflikt prägte das politische Bewußtsein. Die Bundesrepublik Deutschland wurde im Zeichen des 'Kalten Krieges' wiederbewaffnet; gegen Ende des Jahrzehnts stand die atomare Bewaffnung zur Debatte; die NS-Vergangenheit aber wurde aus dem öffentlichen Bewußtsein verdrängt. Die Literatur dieser Jahre jedoch brachte diese zeitgeschichtlichen Tendenzen kaum zur Sprache. Für sie wurde die Vorstellung einer die Wirklichkeit überhöhenden Dichtung bestimmend.

Die Trennung der geistig-kulturellen von der politischen Welt in dieser Periode zeigt sich an verschiedenen Erscheinungen des literarischen Lebens:

Die im antifaschistischen Exil entstandenen Werke, eine im exemplarischen Sinn politische Literatur, wurden in der Bundesrepublik Deutschland, im Gegensatz zur DDR, bis in die 60er Jahre nicht eingebürgert. Dagegen prägten weitgehend die konservativen Autoren der 'Inneren Emigration', die nach 1945 ihr Werk fortschrieben, das gängige Verständnis von Literatur.

Die Autoren, die nach dem Krieg zu publizieren begonnen hatten, entwickelten eine kritisch-nonkonformistische Grundhaltung, die allen Ideologien mißtraute, aber gerade deshalb der politischen Realität keine Alternative entgegensetzte. Diese Haltung, die sich exemplarisch in der 'Gruppe 47' verkörpert, blieb bis in die Mitte der 60er Jahre bestimmend. Im Zeichen der 'Neuen Linken' und ihres politischen Aktionismus erschien sie dann aber unverbindlich und wirkungslos.

Gegen Ende der 50er Jahre ist die Aufbau- und Restaurationsphase in der Bundesrepublik Deutschland im wesentlichen abgeschlossen. Für die Literatur war nun der Zeitpunkt kritischer Bilanzierung und Bestandsaufnahme gekommen. Hans Mayer prägte den Begriff der 'Halbzeitliteratur' (nach dem 1960 erschienenen Roman ‚Halbzeit' von Martin Walser). Die gesellschaftliche Wirklichkeit der Bundesrepublik Deutschland wurde nun schärfer in den Blick genommen – und zugleich die vorangehende Epoche des Dritten Reiches.

Der Auschwitz-Prozeß (1963–1965) machte das Ausmaß der von Deutschen im Dritten Reich begangenen Verbrechen erschreckend deutlich, zugleich aber auch das Ausmaß der Vergangenheitsverdrängung während der 50er Jahre. Nun erst, zu Beginn der 60er Jahre, setzte in der Literatur eine an den Fakten orientierte, kritische Aufarbeitung der NS-Vergangenheit ein.

Zugleich waren die 60er Jahre, nicht nur in der Bundesrepublik Deutschland, sondern auch in anderen westlichen Industrieländern, vor allem in den USA und in Frankreich, die Zeit der Protestbewegungen gegen die 'spätkapitalistische' Gesellschaftsverfassung. Der Krieg der USA in Vietnam erschütterte in den Augen vieler, vor allem junger Menschen die Glaubwürdigkeit der westlichen Demokratie überhaupt. Was die Bundesrepublik Deutschland selbst betraf, so geriet ihr politisches System durch die Große Koalition (1966–1969) und die Notstandsgesetzgebung in eine Legitimationskrise, die die Bildung einer 'Außerparlamentarischen Opposition' begünstigte. Die grundsätzliche Infragestellung der 'bürgerlich-kapitalistischen Gesellschaft' schloß auch die Kritik an einer Literatur ein, die sich scheinbar selbstgenügsam der politischen Auseinandersetzung entzogen und doch nur der Aufrechterhaltung des bestehenden Systems gedient habe. In der Zeit der Studentenrevolte schien Literatur nur dann eine Existenzberechtigung zu besitzen, wenn sie als Waffe im politischen Kampf eingesetzt werden konnte. Dieser Herausforderung stellte sich die Literatur: Sie wurde zum Medium politisch parteiergreifenden Denkens und kritischer Aufklärung. Politische Lyrik und dokumentarische Literatur sind für diese Zeit charakteristisch.

Nach der Zeit der Politisierung und dem Scheitern der Studentenrevolte von 1968 machte sich ein erneuter Funktionswandel der Literatur bemerkbar. In ihr erscheinen subjektive Selbstaussage und politische Funktion nicht mehr als unvereinbare Gegensätze wie in den beiden zurückliegenden Phasen der 50er und 60er Jahre. Denn man erkannte nun in der Vernachlässigung des Subjekts als eines geschichtlichen Faktors das entscheidende Defizit im politisch-revolutionären Denken der 60er Jahre und ihrer Literatur. Wenn sich für die Literatur der 70er Jahre Begriffe wie der einer 'Neuen Subjektivität' eingebürgert haben, so bedeutet dies nicht, daß man ihr pauschal eine Entpolitisierung vorwerfen kann. Indes trifft diese neue Sensibilität der Autoren für die politische Dimension des Subjekts auf eine Zeit, die wiederum als Phase der Restauration und der Erstarrung erfahren wird. Angesichts dieses Verlustes eines positiven geschichtlichen Horizontes gerät die Literatur in Gefahr, entweder doch den Rückzug ins Private anzutreten oder an den Rand ihrer Existenzmöglichkeit zu geraten. Davon legen die Auflösungserscheinungen in Lyrik, Drama und Roman der 70er Jahre Zeugnis ab.

1 Nachkriegsliteratur: 1945–1949

1.1 Der Zeitraum: Aufbruch und Restauration

Die ersten Jahre nach der Kapitulation Deutschlands sind politisch von der Entwicklung der ursprünglich vier Besatzungszonen zu zwei getrennten Staaten gekennzeichnet. Der aufbrechende weltpolitische Konflikt zwischen den Großmächten bestimmte auch die Deutschlandpolitik. Die Marksteine bilden 1945 die Potsdamer Siegerkonferenz und 1948 die Londoner Außenministerkonferenz, die den Auszug der UdSSR aus dem Alliierten Kontrollrat zur Folge hatte. In den Westzonen wurde daraufhin die Währungsreform durchgeführt, und der Parlamentarische Rat für das Grundgesetz trat zusammen. 1949 wurde die Bundesrepublik Deutschland gegründet. Entsprechende Vorgänge führten auch in der sowjetisch besetzten Zone zu einer eigenstaatlichen Entwicklung.

Die Literatur dieser Zeit macht deutlich, wie wenig diese rasante äußere Entwicklung der inneren Verfassung der Bevölkerung angemessen war. Wie 1918 konnte auch 1945 die nationale Krise nicht aus eigener deutscher Kraft überwunden werden. Zwar war die doppelte Erfahrung materieller Not und geistiger Orientierungslosigkeit 1945 mit einer umfassenden Aufbruchsstimmung verbunden. Aber in den Folgejahren richtete sich im Westen diese Aufbauenergie vor allem auf den Wiederaufbau der Wirtschaft in ihren alten kapitalistischen Strukturen. Denn die Westmächte hatten bald erkannt, daß die wirtschaftliche Gesundung Westeuropas ohne den raschen Wiederaufbau Deutschlands nicht möglich war. Grundsätzliche soziale und politische Umstrukturierungspläne, wie sie zunächst verbreitet waren, konnten deshalb nicht erprobt werden. So verringerte sich zwar bald die materielle Not, die innere Sicherheit in den Fragen der geschichtlichen und politischen Orientierung aber konnte so schnell nicht wiedererlangt werden. Im Gegenteil, das Bewußtsein des umfassenden Werte- und Sinnverlusts verhärtete sich noch: Ende der 40er Jahre entstand eine breite Diskussion um den Nihilismus als einer gesamteuropäischen Krisenerscheinung. Die spezifisch deutsche Entwicklung seit 1933 wurde in einen übergeordneten Geschichtsprozeß eingebettet und dadurch in ihrer eigenen Problematik verdrängt. Diesen Prozeß veranschaulicht die Literaturgeschichte: War 1945/46 die Produktion quantitativ gering und, auch aufgrund des Papiermangels, weitgehend auf Zeitschriften angewiesen, so legte die erste Frankfurter Buchmesse 1949 vom Entstehen eines eigenen literarischen Marktes Zeugnis ab. Hier hatte die Entwicklung von der Enge zur Weite geführt. Aber es gilt auch umgekehrt: Verstand sich die erste Nachkriegsliteratur im weitesten Sinne politisch, so hatte sie sich 1949 wieder in die Isolation der reinen Kultur zurückgezogen. Wenn man 1945 die Zeitschrift ‚Die Wandlung' als Indiz der Zeit nehmen kann, dann 1948 Benns ‚Statische Gedichte'. Den markantesten Punkt innerhalb dieser Entwicklung bildet 1947 das Verbot der Zeitschrift ‚Der Ruf' und die Gründung der 'Gruppe 47'.

Gegensätzliche Tendenzen und europäischer Zusammenhang. Vom Standpunkt der Gegenwart aus mag diese Entwicklung in sich konsequent erscheinen, sie mag auch, als eine Zeit verlorener Möglichkeiten, kritisch betrachtet werden. Stellt man sich jedoch in diesen Zeitraum selbst hinein, so wird seine Widersprüchlichkeit offenbar.

Exil und 'Innere Emigration'. Ein erster die Entwicklung vorantreibender Gegensatz gründet in der unterschiedlichen äußeren Lage der Autoren. Die einen sahen vom Exil aus auf die deutsche Katastrophe und versuchten, an ihre Ziele vor 1933 anzuknüpfen; die anderen, im Lande Gebliebenen, mußten zunächst mit ihrer eigenen Verstrickung in die jüngste Vergangenheit fertig werden. Im Streit um die Rückkehr Thomas Manns brach dieser Gegensatz auf.

Drei Generationen. Zum anderen versuchten drei Autorengenerationen mit unterschiedlichen Intentionen Einfluß zu nehmen, und sie begannen ihre Wirksamkeit zu unterschiedlichen Zeitpunkten.
Zunächst prägten vor allem die noch vor 1900 geborenen Autoren das Zeitbewußtsein. Und mit ihnen griffen die Auseinandersetzungen der 20er Jahre auf die Zeit nach 1945 über: Man wollte aus den Fehlentwicklungen der Weimarer Republik lernen. Im gesamtdeutschen Rahmen engagierten sich z. B. Johannes R. Becher, Alfred Döblin, Thomas Mann, die schon damals die politisch-literarische Szene geprägt hatten. Es engagierten sich aber auch Werner Bergengruen und Ernst Wiechert, die in der Weimarer Zeit eine vergleichsweise bescheidene Rolle gespielt hatten und erst jetzt als 'Innere Emigranten' bestimmend wurden.
Gleichzeitig traten Autoren an die Öffentlichkeit, die, zwischen 1900 und 1915 geboren, zumeist noch vor 1933 als Schriftsteller debütiert hatten. Sie hatten den Zerfall der Weimarer Republik als Jugendliche erlebt und waren vom Krisenbewußtsein der späten 20er Jahre geprägt. Zu ihnen gehören Alfred Andersch, Günter Eich, Erich Kästner, Wolfgang Koeppen, Walter Kolbenhoff, Hans Erich Nossack, Reinhold Schneider, Günther Weisenborn, Wolfgang Weyrauch, auch Publizisten wie Eugen Kogon. In dieser Zwischengeneration der 30- bis 40jährigen war der Wille zum grundlegenden Wandel auch der politisch-wirtschaftlichen Strukturen am stärksten ausgeprägt. Mit der wachsenden Restauration gerieten aber diese Autoren an den Rand der kulturellen Szene, sie bildeten den Kern der kritischen Opposition der 50er Jahre oder wurden vergessen.
Schließlich traten Ende 1946 die wirklich jungen Autoren hervor, die Anfang der 20er Jahre Geborenen. Sie waren unter dem Nationalsozialismus herangewachsen, für sie bedeutete 1945 den Zusammenbruch der einzigen Welt, die sie kannten. Ihre ersten Schreibversuche, Bölls und Schnurres Kurzgeschichten oder Borcherts Hörspiel ‚Draußen vor der Tür', rechneten mit der am eigenen Leib erfahrenen Kriegswirklichkeit ab, ohne alle weiterreichenden Perspektiven. Sie wurden später die skepti-

sche Generation genannt, für sie stand die Welt unter dem totalen Ideologieverdacht. Als sie jedoch zu schreiben begannen, war die literarische Öffentlichkeit bereits wieder beherrscht von den Schriftstellern der alten, untergegangenen Welt und des alten schönen Stils. Das ‚Bekenntnis zur Trümmerliteratur' (Böll, 1952), das von dieser Generation schließlich zu hören war, entsprang so nicht nur der eigenen Wirklichkeitserfahrung, sondern auch der Gegnerschaft gegen eine aus ihrer Sicht unwahrhaftige Kultur.

Europäischer Zusammenhang. Ein drittes Element der Widersprüchlichkeit dieser Zeit bildete die Rezeption ausländischer, vor allem amerikanischer und französischer Literatur. Auf der einen Seite bestand eine große Divergenz zwischen dieser und der seit 1933 auf sich allein gestellten deutschen Literatur. Das deutsche Publikum hatte einen Nachholbedarf an Modernität zu befriedigen. Hemingway, Faulkner und Wilder wurden ebenso eingehend gelesen und diskutiert wie Sartre, Camus und Anouilh.

Auf der anderen Seite bedeutete die Differenz hinsichtlich der Modernität keine inhaltliche Gegensätzlichkeit zwischen der deutschen und ausländischen Literatur. Vielmehr konnte sich der deutsche Leser in seiner Orientierungslosigkeit und gleichzeitigen Suche nach neuen Werten in Hemingways und Faulkners Welt der sinnlosen und gewaltbestimmten Geschichte und männlichen Standhaftigkeit ebenso wiederfinden wie in der Beschreibung der absurden (Camus) oder zur Freiheit verurteilten (Sartre) Existenz.

Der traditionellen deutschen und der modernen westlichen Literatur war die skeptische Sicht der Geschichte gemeinsam. Denn der Nationalsozialismus war nur der folgenschwerste Schritt einer insgesamt antidemokratischen Entwicklung Europas in den 30er Jahren gewesen. Der italienische Faschismus, der Stalinismus in der Sowjetunion, das Scheitern der Republikaner im Spanischen Bürgerkrieg, schließlich der für die Alliierten zunächst ungünstige Verlauf des Weltkrieges hatten das westliche, demokratische Geschichtsbewußtsein in eine tiefe Depression geführt. Für die gesamteuropäische Literatur- und Bewußtseinsgeschichte ist deshalb der Einschnitt 1945 weniger wichtig als der um das Jahr 1930. Damals wurden die Weichen für die nächsten Jahrzehnte bis zum Ausbruch des neuen Ost-West-Konflikts gestellt.

1.2 1945: Nullpunktbewußtsein

„Wir haben fast alles verloren: Staat, Wirtschaft, die gesicherten Bedingungen unseres physischen Daseins, und schlimmer noch als das: die gültigen, uns alle verbindenden Normen, die moralische Würde, das einigende Selbstbewußtsein als Volk."

Karl Jaspers' Einleitungsworte zum ersten Heft der Zeitschrift ‚Die Wandlung' (1945) stehen stellvertretend für die allgemeine Auffassung, sich nach der Kapitulation an einem geschichtlichen Nullpunkt zu befinden. Die Besatzungsmächte hatten die Gewalt inne, viele Städte waren zerstört, Familien zerrissen, die Wirtschaft brach im Winter 1945/46 zusammen, die Vertriebenen aus den Ostgebieten strömten ins Land. Jeder mußte um seine unmittelbare Existenzsicherung besorgt sein.

Auf der anderen Seite ließ gerade die äußere Not die Möglichkeiten der neuen Freiheit in hellem Licht erscheinen. Politiker und führende Persönlichkeiten der Zeit vor 1933 – wie Karl Jaspers – waren bereit, den Neuaufbau des Staates zu beginnen. Zwischen die Gegenwart und die Zukunft aber schob sich der Schatten der Vergangenheit. Die Bevölkerung sah sich jetzt mit den Ereignissen konfrontiert, die in den letzten Jahren im deutschen Namen geschehen waren. Man mußte den Führer, mit dem man sich kollektiv identifiziert oder der einen in die NS-Maschinerie gezwungen hatte, in seiner wahren Gestalt erkennen. Und alle Deutschen sahen sich moralischer Kritik ausgesetzt, da die Sieger die These der Kollektivschuld formulierten. Das Gefühl, einem Zwangsstaat entronnen zu sein, geriet in Konflikt mit dem Vorwurf, an den Verbrechen eben dieses Staates mit die Verantwortung zu tragen.

So konnte der Neuaufbau nicht gelingen ohne die offene und selbstkritische Aufarbeitung der Vergangenheit. Aber dies hätte neben einer großen öffentlichen Anstrengung der deutschen Bevölkerung auch Zeit gebraucht und eine Politik der Sieger, die diese Zeit und den Spielraum zur selbständigen Grundlegung des neuen Staates zugemessen hätte.

Dies aber war nicht der Fall. Die Nürnberger Prozesse und die Maßnahmen zur 'Entnazifizierung' erleichterten ein oberflächliches Verdrängen der Schuldgefühle und verführten zur Unehrlichkeit. Das ‚Stuttgarter Schuldbekenntnis‘ der evangelischen Kirche öffnete zwar eine erste „enge Pforte" zur neuen ökumenischen Zusammenarbeit, es erreichte aber nicht die Masse der Bevölkerung, zumal da es von Männern formuliert war, die der Widerstandsgruppe der 'Bekennenden Kirche' angehört hatten. Außerdem behinderten manche auf die Zukunft gerichteten Maßnahmen der Sieger eine freie Entwicklung. Die Verordnungen zur demokratischen 'reeducation' erinnerten in ihrer Reglementierung des kulturellen Lebens gerade an die Praktiken des 'Propagandaministeriums', anstatt sie zu überwinden.

Die geschichtliche Entwicklung nach 1945 wurde deshalb dem Bedürfnis nach grundlegendem Wandel nicht gerecht. Die Literatur dieser Zeit ist deshalb zwar von den unterschiedlichen Versuchen geprägt, die umfassende Selbstbesinnung einzuleiten, sie läßt aber bereits erkennen, daß diese Versuche nicht in einen wirklichen Neuaufbau Deutschlands mündeten, sondern in einen äußeren Wiederaufbau einerseits und in geistig-literarische Bestrebungen andererseits, die nicht mehr aufs Geschichtlich-Politische gerichtet waren, sondern aufs Ungeschichtlich-Metaphysische und Familiär-Private.

1.3 Die Literatur 1945/46: Kein Nullpunkt

> **Zeitschriften der ersten Nachkriegszeit**
> Frankfurter Hefte. Hrsg. von Walter Dirks und Eugen Kogon
> Gegenwart. Hrsg. von Benno Reifenberg u. a.
> Die Wandlung. Hrsg. von Dolf Sternberger (Mitwirkung von Karl Jaspers)

Die erste Nachkriegszeit war zunächst weniger eine Zeit der Literatur als der Autoren. Infolge der Zerstörungen und der Papierknappheit erschienen neue Bücher nur in geringem Umfang. Das Bedürfnis nach geistiger Auseinandersetzung ließ deshalb nicht nur viele Menschen wieder in die Kirchen gehen, sondern es eröffnete auch Chancen für Autoren, die nicht durch die Vergangenheit kompromittiert waren, im weitesten Sinne das Bewußtsein zu prägen, sei es durch Lesungen aus eigenen Werken, sei es durch politisch ausgerichtete Rundfunkvorträge, Zeitungsbeiträge oder öffentliche Reden, von Ernst Wiecherts ‚Rede an die deutsche Jugend‘ 1945 bis Fritz von Unruhs ‚Rede an die Deutschen‘ 1948 (aus Anlaß der Jahrhundertfeier der Revolution von 1848 gehalten in der Frankfurter Paulskirche).

1.3.1 Der Streit um Thomas Mann
Es fällt jedoch auf, daß, abgesehen von den nach Ost-Berlin zurückkehrenden Autoren Johannes R. Becher und Friedrich Wolf und außer Alfred Döblin, der in der französischen Zone tätig wurde, im ersten Jahr nach der Kapitulation keiner der ins Exil

gegangenen Autoren nach Deutschland zurückkehrte. Um Thomas Mann entwickelte sich sogar ein Streit, der in seiner großen Wirkung für die Bewußtseinslage der westdeutschen Bevölkerung symptomatisch war.

Thomas Mann galt seit seiner Ausbürgerung 1936 im westlichen Ausland als Wortführer der Emigranten, als Bewahrer der „hohe[n] Würde der deutschen Kultur". Aber der Thomas Mann, der in Kalifornien am ‚Doktor Faustus' schrieb, die Amerikaner über den deutschen Nationalcharakter aufklärte (s. die Rede ‚Germany and the Germans', 1945) und sich über die BBC an die deutschen Hörer gewandt hatte, war im Deutschland des Jahres 1945 noch weitgehend unbekannt. Sein Bild war vor allem durch seine früheren Romane und sein öffentliches Eintreten für die Weimarer Demokratie vor 1933 geprägt. So erregte seine kalifornische Rundfunkrede ‚Über die deutsche Schuld', die Ende Mai 1945 in der ‚Bayerischen Landeszeitung' veröffentlicht wurde, großes Aufsehen: „Der dickwandige Folterkeller, zu dem der Hitlerismus Deutschland gemacht hatte, ist aufgebrochen, und offen liegt unsere Schmach vor den Augen der Welt."

Auf diesen Artikel reagierte zunächst der Romancier Walter von Molo (geb. 1880) mit einem offenen Brief, in dem er Mann zur Rückkehr aufforderte und zugleich der pauschalen Verurteilung „mit aller Zurückhaltung" entgegentrat. Noch bevor Mann antwortete, publizierte ein zweiter in Deutschland gebliebener Autor, Frank Thieß (geb. 1890), einen Brief mit dem Titel ‚Die innere Emigration', in dem er behauptete, als Nicht-Exilierter reicher an Wissen und Leben aus der deutschen Tragödie hervorgegangen zu sein, als wenn er aus den Logen und Parterreplätzen des Auslands zugeschaut hätte.

Thieß stellt die dem Nationalsozialismus gegenüber geübte Bewußtseinsspaltung, sich äußerlich zu unterwerfen, um den „inneren Raum" freizuhalten, als vorbildlich hin. Für Mann aber bildet sie gerade einen wesentlichen Zug des deutschen Charakters, der das Hitler-Regime ermöglicht hatte. Deshalb sind für diesen auch alle in den letzten zwölf Jahren in Deutschland verfaßten Bücher „weniger als wertlos": „Ein Geruch von Blut und Schande haftet ihnen an." Mann lehnte die Rückkehr ab. Wenn in Deutschland auch einige wenige Stimmen diesen Entschluß respektierten, so stieß das Verdammungsurteil über die Literatur auf einhellige Ablehnung.

Die gerade erlebte Katastrophe verhinderte eine distanzierte Auseinandersetzung um die äußere und innere Emigration, verhinderte auf der einen (inneren) Seite die Einsicht, daß dem Weltbild des ‚Dritten Reiches' und dem der ‚Inneren Emigration' tatsächlich ein grundlegender Irrationalismus gemeinsam ist, auf der anderen (äußeren) Seite, daß unter der konkreten Herrschaft des Nationalsozialismus diese Literatur als Literatur des Widerstands gelesen werden konnte und wurde.

Daß aber diese Auseinandersetzung überhaupt so starken Widerhall fand, zeigt, welch starkes Gewicht der alten Autorengeneration in der ersten Nachkriegszeit zukam.

Die Rezeption von Thomas Manns Roman ,Doktor Faustus'. Diese Kontroverse erneuerte sich drei Jahre später bei der Rezeption des ‚Doktor Faustus'. Trotz der allgemeinen Wertschätzung der schriftstellerischen Leistung wurde die im Roman dargestellte Sicht der deutschen Geschichte stark kritisiert: Die Trennung des Geistes und der Kunst einerseits vom Leben andererseits als Pakt mit dem Teufel zu beschreiben, als Voraussetzung für die nationalsozialistische Katastrophe, erschien als Zeichen der „unentwegten Edelfäulnis", mit der der „deutsche Geist" nichts zu schaffen habe (so U. Sonnemann in den Frankfurter Heften, 3. Jg. 1948, H. 7). Man sah in Mann den Repräsentanten eines vergangenen „relativistisch-psychologistischen" Zeitalters (so H. E. Holthusen im Merkur, 3. Jg., 1948, H. 11 und 12).

1.3.2 'Innere Emigration' nach 1945

Prosa:
Hermann Kasack: Die Stadt hinter dem Strom (1946)
Elisabeth Langgässer: Das unauslöschliche Siegel (1946)
Hans Erich Nossack: Der Untergang (in: Interview mit dem Tode, 1948)
Ernst Wiechert: Die Jerominkinder (1945/47)

Lyrik:
Gunter Groll (Hrsg.): De profundis (Anthologie. 1946)
Werner Bergengruen: Dies Irae (1946)
Rudolf Hagelstange: Venezianisches Credo (1945)
Friedrich Georg Jünger: Der Westwind (1946)
Elisabeth Langgässer: Der Laubmann und die Rose (1947)
Wilhelm Lehmann: Entzückter Staub (1946)
Reinhold Schneider: Die neuen Türme (1946)

Die erste nach dem Zusammenbruch veröffentlichte Literatur kennzeichnet, daß Entstehungszeit und Zeit der Rezeption auseinanderfielen: einmal vor, einmal nach der Kapitulation. Die in diesen Texten zu findende Wendung zur geistigen Welt, zur christlichen Religion oder Magie der Natur erfüllte deshalb unterschiedliche Funktion. Mochte sie im Schaffensprozeß für den Autor das Merkmal des Widerstands tragen, so konnte sie nun für den Leser die Aufgabe übernehmen, die NS-Vergangenheit zu enthistorisieren und damit einer eigenen Auseinandersetzung um das Verhalten im 'Dritten Reich' auszuweichen. Um so aufschlußreicher ist es, daß diese Literatur weithin positiv aufgenommen wurde und ihre Autoren in hohem Ansehen standen.

Religiöse Romane. In *Hermann Kasacks* Roman ‚*Die Stadt hinter dem Strom*‘ (1946) verrichtet der Held, Robert Lindhoff, Archivarbeit im Reich der Toten, zunächst ohne es zu wissen. Dort begegnen ihm Bilder der Zerstörung und sinnloser menschlicher Tätigkeit. Auch die menschlichen Beziehungen – Lindhoff trifft seinen Vater, eine Geliebte, einen Freund wieder – enden in der Vergeblichkeit. In der Fiktion des Totenreiches sind Visionen gestaltet, die dem Zeit- und Selbstbewußtsein der Leser vollkommen entsprachen. Der Krieg ragt in diese Welt nur insofern herein, als der Zustrom an Einwohnern für die Totenstadt ständig zunimmt. Aus der Perspektive des Helden (und des Lesers) bleibt der Krieg unbegreiflich. Gegen Ende allerdings, und je mehr die jüngste Entstehungsschicht von 1945 überwiegt, öffnet der Roman doch noch eine weiterführende Perspektive: Lindhoff begegnet dem Meister Magus und erhält von diesem die Welträtsel erläutert: Die Menschheitsgeschichte ist geprägt von dem Rhythmus der Wiedergeburt der Geisteskräfte. Selbst der Krieg gewinnt seine Berechtigung als Folge der dämonischen Technisierung der europäischen Welt.

In *Elisabeth Langgässers* Roman ‚*Das unauslöschliche Siegel*‘ (1946) tritt an die Stelle der Wiedergeburt die christliche Heilsgeschichte. Der Krieg ist „nichts als ein Bruchteil der Kraft des Satans". Auch hier wird, am Lebenslauf der Hauptfigur Belfontaine, die moderne Welt kritisiert. Sie erscheint als vom Glauben abgefallen und der „künstlichen Kultur der Vernunft" hingegeben, die zu Erinnerungsverlust, Überdruß und amoralischem Genießertum führt. Der Kontakt zu den Wundern, dem „eigentlich natürlichen Zustand der Welt", ist verloren.

Die Kriegskatastrophe erscheint in beiden Romanen nicht als Folge der deutschen Hingabe an einen ideologischen Irrationalismus, sondern als Ergebnis des gesamten neuzeitlichen Rationalismus und der aus ihm folgenden Vereinzelung des Menschen. Deshalb gelte es, den wahren Glauben wiederzufinden. Und der Dichtung wächst die Aufgabe zu, diese übergeordnete Wahrheit darzustellen.

Lyrische Botschaften. Wie in der Prosa, so erschienen auch in der Lyrik zunächst die noch unter dem Nationalsozialismus entstandenen Arbeiten. Anders aber als umfangreiche Romane, die illegal kaum verbreitet werden konnten, gingen Gedichte und kürzere Prosatexte bereits im Untergrund von Hand zu Hand.

In der ersten Nachkriegszeit wurde dann eine große Zahl von Gedichten veröffentlicht, waren diese doch besonders geeignet, auch in Zeitschriften publiziert zu werden, und konnte doch mit ihnen Expression und Appell in der Zeit des Nullpunktbewußtseins besonders gut zur Sprache gebracht werden. Dabei dominierte einerseits die religiöse Dichtung, andererseits die Naturlyrik. In der Form wurde das Sonett bevorzugt, indessen „strenger Form sich der Wille zu neuem Gesetz" (Rudolf Hagelstange) manifestieren sollte.

Die erste Gedichtsammlung, die 1946 unter dem Titel ,*De profundis*' erschien, versteht sich als Nachweis der Existenz des „anderen Deutschland" während der NS-Herrschaft. Deshalb stehen Verse des im KZ umgebrachten Sozialisten Erich Mühsam neben solchen des 'Inneren Emigranten' Hans Carossa, erscheinen Gedichte der christlichen Autorin Gertrud von Le Fort neben solchen des sozialistischen Widerstandskämpfers Günther Weisenborn. Auch sind den Gedichten kurze Biographien der Autoren beigegeben, in denen die jeweils spezifische Position auf das übergreifende Thema des geistigen Widerstands abgestimmt wird.

Werner Bergengruen und Reinhold Schneider veröffentlichten 1946 Einzelsammlungen mit Gedichten aus den letzten Kriegsjahren, die sehr viel gelesen wurden und die für das Zeitbewußtsein exemplarisch sind. Die Gedichte in *Bergengruens* Band ,*Dies Irae*' überhöhen das Geschehen zum Strafgericht Gottes. Sie bekennen die eigene Schuld, Hitler aber wird zum „Widergott", zum dämonischen „Geheimnis des Abgrundes" erhoben. Sogar der Bombenkrieg erhält einen religiösen Sinn: Er ist das „blanke Feuer", das die Menschen wieder „rein brennen", soll. Das übergroße Maß der Schuld läßt keine irdische Sühne zu. Aber darin liegt zugleich die Hoffnung auf die göttliche Gnade.

Die große Geste allgemeiner, aber abstrakter Schuld schiebt sich vor die Besinnung auf die NS-Wirklichkeit, in der es doch auch eindeutige Verfolger und Verfolgte gab. Mit dieser die geschichtliche Gegenwart eher verschleiernden Haltung wurde Bergengruen zu einem führenden Autor der ersten Nachkriegsjahre. 1947 wurde bei einer Umfrage ,Dies Irae' ebensooft wie Döblins ,Berlin Alexanderplatz' zu der bleibenden deutschen Literatur der letzten 20 Jahre gezählt.

Schneiders Sonette ,*Die neuen Türme*' stellen das Geschehen nicht nur in religiösen Bildern und Formeln dar, sondern sie unterwerfen es einem heilsgeschichtlichen Denken: Wenn die irdische Welt untergeht, dann ist die Zeit der Frommen gekommen – „Nur die Beter werden Türme bauen". Auch in der gegenwärtigen Nacht der Geschichte gibt es Menschen, die das „Licht des reinen Herzens" zeigen.

Die Religiosität verleiht diesen Gedichten den Zug eines aktiven Humanismus. Anders als bei Bergengruen drückt sich hier der Mut zum Widerstand und der Glaube an einen wirklichen Wandel der Menschen aus:

> „Da stehen Bettler auf mit leichten Füßen
> Und schreiten mutig mitten in die Nacht,
> Die Brust beschirmend, die vom Kreuz durchdrungen,
> Gehn sie hindurch, ein neues Licht zu grüßen."

In Reinhold Schneider selbst sahen viele solch eine „Bettler"-Gestalt. Seine Wirkung in der Endphase des 'Dritten Reiches' kann nicht hoch genug eingeschätzt werden. Die BBC London nannte ihn 1945 „die Stimme des Rufers in der Wüste". Sein theologisches Denken führte ihn schließlich auch zu politischem Engagement in der neuen Bundesrepublik Deutschland.

Ausblick: Der Fall Reinhold Schneider. Schneider hielt an der Forderung nach dem grundlegenden Wandel aus christlichem Geist auch dann noch fest, als die erste Nachkriegszeit vorüber war. Er wandte sich Anfang der 50er Jahre gegen die Wiederbewaffnung der Bundesrepublik Deutschland und gegen die Atomrüstung. Im Zeitalter des 'Kalten Krieges' veröffentlichte er in der Ostberliner Zeitschrift ‚Aufbau' (Heft 5/1951) zwei Aufsätze, die an die Aufgabe der Deutschen erinnern sollten, die Spannungen in der Welt abzubauen und eine Stätte der Begegnung zu bilden. Aber Forderungen, die ihm in der Stunde Null höchstes Ansehen verliehen, drängten ihn sechs Jahre später in eine Außenseiterposition. Der strenge Katholik Schneider geriet in scharfen Gegensatz zum katholischen Kanzler Adenauer und zur offiziellen Position der katholischen Kirche. Er wurde als Kommunist diffamiert. In einem Brief berichtet er, daß er die Möglichkeit, Texte für den Rundfunk zu verfassen oder in Zeitschriften Rezensionen und Aufsätze zu publizieren, verloren habe: „Man hat [...] offenbar die Absicht, meine Existenz zu zerstören." Zwar löste sich die Konfrontation wieder, und 1956, als die politische Entscheidung getroffen und die Bundesrepublik Deutschland der NATO beigetreten war, erhielt Schneider den Friedenspreis des Deutschen Buchhandels. Aber er blieb einsam, und nach seinem Tode 1958 wurde er vergessen.

1.3.3 Aus Exil und Emigration: Zeitgeschichte und Utopie

Prosa:
Hermann Hesse: Das Glasperlenspiel (Zürich 1943, Berlin 1946)
Thomas Mann: Doktor Faustus (Stockholm 1948)
Theodor Plievier: Stalingrad (Moskau 1943/44, Berlin 1946)
Anna Seghers: Das siebte Kreuz (Mexiko 1942, Berlin 1946)

Drama:
Carl Zuckmayer: Des Teufels General (Zürich 1946, Frankfurt a. M. 1947)

Im Deutschland der Nachkriegszeit erschienen jetzt auch Bücher, die in den letzten Jahren im Ausland entstanden waren. Von einer breiten Aufnahme dieser Literatur im Westen Deutschlands kann freilich in den Jahren nach dem Krieg keine Rede sein. Dies lag vor allem an der allgemein religiösen und auf eine geistige Wandlung hoffenden Zeitstimmung, die sich weitaus stärker von der 'Inneren Emigration' bestätigt fand als von der Exilliteratur. Denn diese ließ es oft nicht zu, den Nationalsozialismus als übergeschichtliches Verhängnis zu mythisieren, sondern entsprang selbst einer geschichtlichen und politischen Reflexion und wollte eine solche beim Leser bewirken. Heinrich Manns Exilwerk ‚Henri IV' z. B. war zwar in zwei Bänden 1935 und 1938 in Amsterdam erschienen, eine eigene deutsche Ausgabe aber gab es erst 1952.
Breit aufgenommen wurden allerdings Anna Seghers Roman ‚Das siebte Kreuz' (Mexiko 1942, Berlin 1946), Theodor Plieviers ‚Stalingrad' (Moskau 1943/44, Berlin 1946) und Carl Zuckmayers Drama ‚Des Teufels General' (Uraufführung in Zürich 1946, in Frankfurt a. M. 1947). In diesen Werken wird die NS-Vergangenheit verarbeitet. Aber auch Hermann Hesses utopischer Roman ‚Das Glasperlenspiel' (Zürich 1943, Berlin 1946) fand starke Resonanz.

Zeitgeschichte aus dem Exil: ‚Des Teufels General' – ‚Stalingrad'
Zuckmayer (geb. 1896) und Plievier (geb. 1892) gehörten der Generation der Älteren an, die schon am Ersten Weltkrieg teilnahmen. Während der Weimarer Republik traten sie als entschiedene Gegner des Krieges und des alten preußischen Staates auf. Beide mußten 1933 Deutschland verlassen. Plievier verbrachte sein Exil in der UdSSR, Zuckmayer in den USA.

Der historische Bezug des Dramas *Des Teufels General* liegt in der Person des Luftwaffengenerals Udet, der als berühmter Jagdflieger des Ersten Weltkrieges wieder in Hitlers Armee eingetreten und seit 1938 für die Entwicklung und Produktion der Flugzeuge zuständig war. 1941 wurde er von Hitler für die Mißerfolge der Luftwaffe verantwortlich gemacht und beging Selbstmord. In den USA vernahm Zuckmayer allein die falsche offizielle Meldung, Udet sei beim Ausprobieren einer neuen Waffe tödlich verunglückt – die Propagandaversion, die dem Wunschbild vom Fliegerhelden Udet gemäß war.

„Trance der Produktivität". Zuckmayer akzeptierte von vornherein den Mythos vom Fliegertod Udets: „Die Tragödie stand mir vor Augen – lückenlos." Wie in einer Trance schrieb er weite Teile des Dramas nieder. In diesem Umwandlungsprozeß der Geschichte zum Drama zielte er darauf ab, die politischen Zeitfragen auf die allgemeine Ebene des 'Menschenbildes' zu heben (in seiner Autobiographie ‚Als wär's ein Stück von mir').

Mythisierung der Geschichte. Der dramatische Konflikt besteht in dem Zwiespalt der Hauptfigur Harras (Udet) zwischen privater Erfüllung als Flieger und populärem General einerseits und den Geboten der Menschlichkeit andererseits.

Die Spannung resultiert aus der Aufdeckung einer Reihe von Flugzeugabstürzen, die den Vertretern des Regimes (Schmidt-Lausitz) ermöglichen, gegen Harras vorzugehen. Das Thema des Stücks aber bildet die Selbsterkenntnis Harras' über seine Schuld: Im ersten Akt wird der Zwiespalt artikuliert, aber überspielt; der zweite Akt führt Harras zur Erkenntnis der Schuld und zum Wendepunkt: zur Bereitschaft, das Leben bei der Aufdeckung der Unglücksfälle einzusetzen. Der dritte Akt zeigt die Sühne: Harras erfährt, daß sein Mitarbeiter Oderbruch für die Abstürze verantwortlich ist, verrät ihn aber nicht, sondern akzeptiert die Notwendigkeit des Widerstands. Er selbst besteigt eine der neuen Maschinen, um als Gottesurteil die Freiheit oder den Tod zu erhalten. Er stürzt ab.

Auch andere Figuren machen einen Erkenntnisprozeß durch, vor allem der junge Leutnant Hartmann, der am Ende durch Harras dem Widerstandskreis zugeführt wird, als Moment der Hoffnung. Das Drama zeigt einen offenen Schluß: Neben Harras' Sturz tritt Oderbruchs und Hartmanns Wirken für die Zukunft.

Die offene Perspektive wird jedoch durch andere Elemente verstellt: Daß der Held sich bei der Aufdeckung eines rätselhaften Sachverhaltes selbst entlarvt, bildet ein zentrales Merkmal des analytischen Dramas, das durch einen ausweglosen Handlungsablauf gekennzeichnet ist. In diesem Stück erhält die Mythisierung Hitlers zum Teufel diese Funktion, den Helden an sein Schicksal zu bannen. Und auch Oderbruchs Gegenposition ruht auf mythischem Grund: dem Glauben an ein „unerbittlich waltende[s] Gesetz – dem Geist, Natur und Leben unterworfen sind. Wenn es erfüllt wird – heißt es Freiheit." Das Drama ist also doch in sich geschlossen: Harras' Tod und Oderbruchs Widerstand bestätigen das gleiche „Ewige Recht".

Diese Geschlossenheit wird durch den traditionellen Aufbau in drei Akte mit Exposition, Peripetie und Katastrophe gestützt. Auch die expressionistischen Elemente wie die Überschriften der Akte und die Überhöhung der Scheinwerferlichtbündel zur Hand des Schicksals verstärken den Eindruck der Zwanghaftigkeit. Harras schließlich zeigt sich als der traditionelle gemischte Charakter, der in schicksalhafte Verstrickung gerät, mit dem sich der Zuschauer identifizieren kann und der eigentlich ein positiver Held ist, der vor einem höheren Richter sühnt. Oderbruch dagegen ist eine abstrakte Figur. Als reinem Vertreter des „Ewigen Rechts" ist ihm die Chance genommen, seine Widerstandstätigkeit in ihrer menschlichen Problematik oder in ihrer zukunftsweisenden Dimension darzustellen. Er ist ein „Symbol der Verzweiflung" (so Zuckmayer selbst), nicht der Alternative.

‚Des Teufels General' schließt Geschichte in Mythos ein, es ist trotz des politischen Stoffs und der Widmung an getötete Widerstandskämpfer ein unpolitisches Stück.

Identifikation und Rechtfertigung. ‚Des Teufels General' wurde bei seiner Züricher Uraufführung ein grandioser Erfolg. Auch die Reaktion auf die deutsche Erstaufführung, dieser „Ausbruch einer allgemeinen Erschütterung" (so Zuckmayer selbst), bestätigte, wie sehr dieses Drama als Plädoyer für die Deutschen, die Daheimgebliebenen, empfunden wurde. Ihr Bewußtsein, aus einer tragischen Verstrickung entlassen worden zu sein, hatte Zuckmayer mit der Tragödie des Harras genau getroffen. Die heimkehrenden Soldaten dagegen identifizierten sich mit dem jugendlich reinen Leutnant Hartmann. Und der Autor selbst wurde nicht müde, bis zur physischen Erschöpfung (Herzinfarkt) in Diskussionen Rede und Antwort zu stehen. Er wollte damit zu einer „echten inneren Revolutionierung" als Voraussetzung einer deutschen Demokratie beitragen. Freilich gab es auch kritische Stimmen: „Zuckmayer segnet, wo er fluchen müßte. Er kriegt es mit der deutschen Seele, wo die Scheinheiligkeit der seelenlosen Teufelei blutig zu stigmatisieren wäre" (Paul Rilla, in: Dramaturgische Blätter 2, 1948). In der sowjetischen Zone wurde das Stück deshalb abgelehnt. Im Westen aber machte das Unpolitisch-Versöhnliche der Grundeinstellung Zuckmayer zum Repräsentanten einer sich aus den zeitgeschichtlichen Kontroversen zurückziehenden Literatur. 1952 erhielt er den Frankfurter Goethepreis.

Theodor Plievier: ‚Stalingrad'

Der Wendepunkt des Zweiten Weltkrieges, der Untergang der Sechsten Armee in Stalingrad, ist das Thema des Romans. Von 330 000 Soldaten starben in den Kämpfen zwei Drittel, ein Drittel geriet in Gefangenschaft. Fast keiner kehrte zurück.

„Natürlich ist nichts erfunden." Plievier mußte zu dieser Zeit in der Sowjetunion Briefe gefallener oder gefangengenommener deutscher Soldaten durcharbeiten und über die deutsche Lage berichten. Außerdem konnte er die Kriegsgefangenenlager besuchen. Die Niederschrift beruht so auf historischer Kenntnis und authentischer Erfahrung des Autors. Zuckmayer akzeptiert den NS-Mythos vom Fliegertod Udets, Plievier geht es um die Entmythologisierung der offiziellen NS-Version vom Sterben der Armee.

Historisierung eines Mythos. Der Vorrang des Stoffes über eine geschlossene Form zeigt sich auf verschiedenen Ebenen. Schon äußerlich fehlt eine Kapiteleinteilung. Die Gliederung orientiert sich allein am Zeitablauf. Das riesige Ausmaß der Katastrophe zeigt sich in einer Vielzahl von Personen unterschiedlichster individueller Merkmale, Waffengattungen und militärischer Ränge, in einer Fülle von Situationen in Lazarett, Stabsbunker oder Erdloch. Die Darstellung selbst ist durch Montagetechnik gekennzeichnet: Erzählende Passagen stehen neben statistischen Aufzählungen, Originalauszügen aus Soldatenbriefen, dramatischen Dialogen unter Soldaten in entsprechendem Jargon, neben der original wiedergegebenen Kapitulationsaufforderung der Russen oder der Rede Görings im Berliner Sportpalast.

Die Spannung entwickelt sich aus dem Untergangsgeschehen der Kleinabschnitte, vor allem aber aus der Fatalität der Gesamthandlung: vom ersten Durchbruch der russischen Armee, der zur Bildung des Kessels führt, bis zur Kapitulation des Hauptquartiers, zehn Wochen später und einige 100 Meter von der nächsten russischen Stellung entfernt.

Die Vielfalt im formalen wie inhaltlichen Bereich hat ihren Bezugspunkt in der Ausweglosigkeit der Niederlage. Man könnte in Analogie zu Zuckmayers Stück von einer analytischen Struktur reden, da die handlungsbestimmenden Faktoren nicht aus der Handlung selbst hervorgehen, sondern zu Beginn des Geschehens von außen festgesetzt werden: Hitlers Befehl zur „Einigelung" und das Kapitulationsverbot.

In der Tat hat Göring den Untergang der Sechsten Armee zu einem schicksalhaften zu heroisieren versucht, als er bei der „Leichenfeier" in Berlin die Soldaten in Stalingrad mit den Helden des Nibelungenlieds verglich. Plievier hingegen löst den Schicksalsmythos auf, indem er ihn auf seine geschichtlichen Ursachen zurückführt: allgemein auf den Traum von der deutschen Weltherrschaft, vor allem aber auf den „verbrecherischen Gehorsam" der Armee den Befehlen Hitlers gegenüber. Beide Momente exemplifiziert Plievier an der fiktionalen Figur des Oberst Vilshofen, der immer wieder auftaucht und dabei eine Entwicklung durchmacht, die mit der des Harras bei Zuckmayer verglichen werden kann.

Als Kommandeur eines Panzerregiments verkörpert Vilshofen zu Beginn den „auf Raupenbändern durchgeführte[n] Gewaltmarsch" zur Eroberung der Welt. Die Kritik eines Arztes aber und die Verluste nach dem Durchbruch der Russen lassen ihn aus seinem „wilden Traum" erwachen. Ihm wird allmählich das Verkehrte des ganzen Krieges und des ihn tragenden Systems deutlich. Der von den Generälen betonte Zwiespalt zwischen sittlichem Empfinden und soldatischer Gehorsamspflicht erscheint ihm deshalb als Halbheit. Den Selbstmord aber lehnt er ab. Es kommt im Gegenteil darauf an, gegen Hitler und das „an Deutschland und den anderen Völkern begangene Verbrechen" im Dienste des Lebens einen neuen Anfang zu setzen. Am Ende schließt Vilshofen sich dem Zug der Gefangenen an, zusammen mit dem Unteroffizier Gnotke, der zweiten zentralen Gestalt des Buches.

Zuckmayers Harras stirbt einen Tragödientod. Er muß für den Teufelsbund büßen. Plieviers Vilshofen denkt in politischen Kategorien und bleibt am Leben. Zuckmayers Freiheit heißt „Einsicht in Notwendigkeit". Für Plievier bedeutet Freiheit, sich für das Leben des anderen aus institutionellen Zwängen zu lösen. Zuckmayer wirft die Problematik des verbrecherischen Gehorsams zwar auf, versöhnt aber die Gegensätze und verschleiert die politische Dimension. Plievier klärt die Gegensätze und zeigt eine – wenn auch vage – politische Perspektive.

Reflexion und europäisches Gespräch. Auch ‚Stalingrad' wurde in kurzer Zeit ein großer Erfolg. Und wie Zuckmayer begab sich Plievier auf Vortragsreisen. Im Unterschied aber zu Zuckmayers Drama, das sein Publikum durch die Möglichkeit der Identifikation und Rechtfertigung faszinierte, wirkte der Roman einerseits durch die „Bilder des Infernalischen und Grotesken von unglaublicher Eindruckskraft" und andererseits durch die politische Perspektive. Eine Rezension betont, der Roman habe die Frage des deutschen Schicksals überhaupt aufgeworfen, immer wieder vor der Entscheidung ausgewichen zu sein, die mehr verlangte als Gehorsam, nämlich die Verantwortung aus eigenem Entschluß. Diese Perspektive ließ das Buch auch international wirken – es wurde in kurzer Zeit in 20 Sprachen übersetzt –, während Zuckmayers Drama der Selbstbespiegelung vor allem auf die Westzonen beschränkt blieb.

Überdies konkretisierte Plievier bei seinem öffentlichen Auftreten die politischen Vorstellungen des Buches für die Zukunft. Er stellte sich in die westliche, demokratische Tradition und übernahm die Aufgabe, aus dem Nachkriegsdeutschland heraus die Verständigung mit den westlichen Siegermächten zu suchen: Schon 1949 hielt er in Paris einen Vortrag in deutscher Sprache, in dem er sich zum vereinten Europa bekannte, er hielt 1950 den Festvortrag bei der Gründung der Westberliner 'Freien Universität' und sprach sich 1951 für die Wiederbewaffnung der Bundesrepublik Deutschland im Rahmen des Westens aus. Aus dem Roman spricht 1946 ein Appell gegen jegliches Denken in militärischen Kategorien, der Autor dagegen rechtfertigt fünf Jahre später die Aufrüstung, wie sie der Ost-West-Konflikt dieser Zeit zu fordern schien.

Plieviers Werke aber wurden, bei der hohen Auffassung von Literatur in den 50er Jahren, zu Außenseitern. Heute ist er vergessen, obwohl er als Vertreter der dokumentarischen Literatur Ende der 60er Jahre, als eine Welle der Politisierung die Literatur ergriff, hätte wieder aktuell werden können.

Utopie eines Emigranten: Hermann Hesses ‚Glasperlenspiel'
Die außerhalb Deutschlands lebenden Autoren versuchten während des Nationalsozialismus ihre äußere Distanz auch künstlerisch fruchtbar zu machen, indem sie geschichtliche Gegenbilder zur Gegenwart entwarfen, ob durch einen Blick in die Vergangenheit oder in die Zukunft. Heinrich Manns zweiteiliger Geschichtsroman über König ‚Henri Quatre' unterzieht die Gegenwart durch die Darstellung einer vorbildlichen früheren Herrschaft einer scharfen Kritik. Hermann Hesse dagegen gestaltet in dem Roman ‚Das Glasperlenspiel' eine Utopie.
Hesse lebte schon seit 1912 in der Schweiz und war Schweizer Staatsbürger. So war er 1945 nicht mit dem Streit um die innere oder äußere Emigration belastet. Er stand in der Tradition der deutschen Klassik und Romantik, seine Bücher erschienen in einem deutschen Verlag und hatten deutsche Leser. Beides prädestinierte ihn nun dazu, als Vertreter einer deutschen Kultur angesehen zu werden, die von der NS-Vergangenheit nicht beschmutzt schien. Hesse, dem bis 1945 kein einziger deutscher Literaturpreis verliehen worden war, erhielt 1946 den Frankfurter Goethepreis. Die Verleihung des Nobelpreises im selben Jahr wurde dann vollends als Beweis dafür verstanden, „daß die Völker der Erde den Glauben an dieses Deutschland nicht aufgegeben haben".
Utopie oder Therapie. Mit der Arbeit am ‚Glasperlenspiel' hatte Hesse während der NS-Zeit versucht, einen „geistigen Raum" aufzubauen, in dem er selbst leben konnte und der den deutschen Freunden den Mut zum Widerstand und zum Ausharren stärken sollte. 1942 schloß er den Roman ab, erhielt aber keine deutsche Druckerlaubnis. Erst 1946 konnte das Buch in Deutschland erscheinen.
Der Roman verbindet Staatsutopie (das Kastalien des nächsten Jahrtausends) mit Zeitkritik (am feuilletonistischen Zeitalter der Gegenwart) und mit individueller Lebensgeschichte (dem Weg Josef Knechts). Im Zentrum steht die Problematik des Verhältnisses von geistiger und politischer Welt.
Im Rückblick des Romans erscheint die Vermischung beider Bereiche als das Verhängnis, das die feuilletonistische Epoche bestimmt und in den Untergang geführt hat. Dies zeigt sich einerseits darin, daß der Zusammenhang der Bildungswerte in der Oberflächlichkeit des allgemeinen Lebens verlorengegangen war, andererseits darin, daß sich das philosophische Denken dem politischen Kampf untergeordnet hatte, vor allem die Geschichtsphilosophie Hegels und Marx'. Demgegenüber stellt der utopische Entwurf, d. h. die Gegenwart des Romangeschehens, die vorbildliche Trennung beider Bereiche dar. Kastalien bildet im Staat eine isolierte Provinz des reinen Studiums der Wissenschaft. Nur bei der Feier des Glasperlenspiels, das im Spiel der Analogien die Strukturen der Einzelwissenschaften miteinander verbindet und auf ästhetische Weise die sonst nicht faßbare ewig-ganze Wahrheit des Geistes veranschaulicht, nehmen auch die Vertreter des Staates teil. Allein die Kunst verbindet Geist und Tat. Im Lebenslauf des Glasperlenspielmeisters Knecht aber, der Kastalien verläßt, um sich als Erzieher draußen in der Welt zu bestätigen, wird deutlich, daß sich die kastalische Welt in der Gefahr der Erstarrung befindet. Freilich wird diese neue Phase des Lebens nicht mehr dargestellt: Knecht ertrinkt am ersten Morgen des Zusammenseins mit dem jungen Mann in einem Bergsee.
Die Leser des Romans beachteten 1946 allerdings weniger die widersprüchlich offene, fiktionale Struktur, auch nicht die oft distanzierend ironische Erzählhaltung. Im Bewußtsein, selbst den Untergang des feuilletonistischen Zeitalters erlebt zu haben, suchten sie vielmehr nach kastalischen Tendenzen ihrer eigenen Wirklichkeit. Hesse

wurde in unzähligen Briefen auf schon existierende geistige Zirkel hingewiesen, er erhielt Entwürfe zu Glasperlenspielen und anderes mehr. Der im Roman als problematisch dargestellte Bereich des reinen Geistes wurde in der Rezeption weitgehend als vorbildhaft genommen.

Hesse selbst verurteilte diese Bestrebungen, dem Roman eine eindeutige Botschaft abzugewinnen, als „schauerlich eng und dumm". Er sah in ihnen ein Anzeichen, daß die deutsche Bevölkerung sich, wie schon nach dem Ersten Weltkrieg, um eine selbstkritische Aufarbeitung der Vergangenheit drücken würde. Die allgemeine Verurteilung Hitlers bot ihm keine Gewähr für eine „politische Sinnesänderung oder auch nur für eine politische Erkenntnis und Erfahrung".

Allerdings enthält der Roman selbst Ansätze zu solch einer einseitigen Rezeption. Denn die Utopie erfüllt ihren Anspruch nicht, die Tendenzen des 20. Jahrhunderts weiterzuentwickeln: Die rein männliche Hierarchie Kastaliens z. B. erinnert an mittelalterliche Mönchsorden; die experimentellen Naturwissenschaften bleiben ausgesperrt; überhaupt erscheint die Welt der Zukunft als eine Welt ohne Technik. Daß Josef Knechts Weg ungebrochen in der Tradition des klassischen Bildungsromans steht, verstärkt die Rückwendung des Lesers in die Vergangenheit. Überdies steht die Abstraktheit des Glasperlenspiels – nirgends wird es deutlich beschrieben – im Widerspruch zu seinem Anspruch, anschauliches Symbol der ganzen Wahrheit zu sein.

Der Leser wird durch die Lektüre aus der Wirklichkeit heraus- und in eine als Zukunft verbrämte vergangene Welt geführt, die selbst leer und abstrakt bleibt. Den Bedürfnissen der damaligen Leser aber nach einer Therapie der kranken Gegenwart einerseits und der Bestätigung der traditionellen Werte andererseits kam diese Struktur des Romans entgegen. Gerade die Forderung nach Innerlichkeit als Gegenwert zum politischen Leben, die als ein Merkmal der verhängnisvollen deutschen Geschichte bis 1945 gelten kann, durfte sich durch dieses Buch bestätigt sehen.

1.3.4 Aus Gefängnis und Lager: Beschreibungsversuche

Lyrik:
Albrecht Haushofer: Moabiter Sonette (1945)

Drama:
Günther Weisenborn: Die Illegalen (1946)

Prosa:
Eugen Kogon: Der SS-Staat (1946)
Walter Kolbenhoff: Von unserm Fleisch und Blut (1947)
Ernst Wiechert: Der Totenwald (1946)

Die Werke der 'Inneren Emigration' und des Exils stammen von Autoren, die versucht hatten, sich dem NS-Staat zu entziehen. Daneben erschien schon in der ersten Nachkriegszeit eine kleine Zahl von Werken, deren Verfasser zu den unmittelbar Betroffenen gehörten. Diese standen, als Angehörige der Zwischengeneration, schon Ende der Weimarer Republik dem Nationalsozialismus feindlich gegenüber. Sie übten Widerstand und mußten Gefängnis oder Konzentrationslager erdulden – wie Haushofer, Kogon und Weisenborn –, oder sie behielten – wie Kolbenhoff – im Krieg als Soldaten ihre antifaschistische Gesinnung bei und begannen im Kriegsgefangenenlager den Neuaufbau Deutschlands vorzubereiten.

In ihren Werken, die in der Zeit der Kapitulation entstanden, sollte deshalb weniger das Leben unter dem Nationalsozialismus gedeutet als ein Orientierungspunkt gegeben werden für das Leben danach: Es galt, die Ziele des Widerstands für die Zukunft fruchtbar zu machen.

Die ähnlichen biographischen Voraussetzungen und Intentionen spiegeln sich im Be-mühen der Autoren um eine realistische Darstellung ihrer Erfahrungen und in einer didaktischen Haltung.

Albrecht Haushofers ‚Moabiter Sonette' können als Vermächtnis eines noch im April 1945 im Gefängnis umgebrachten Widerstandskämpfers gelten. Im Gegensatz zur Lyrik Bergengruens und Schneiders stellen diese Gedichte den Nationalsozialismus nicht in eine religiös-mythische Perspektive, sondern sie legen dessen eigene Mythi-sierung der Geschichte offen und entlarven seine Menschenverachtung. Ein Gedicht auf die Olympiade 1936 in Berlin schließt: „Mich täuschte dieser helle Zauber nicht./ Ich sah die Kräfte, die so milde schienen,/ dem grauenhaftesten der Kriege dienen." Und der Rede Görings, der 1943 die Niederlage von Stalingrad durch den Vergleich mit den Nibelungen zu heroisieren versuchte, hält Haushofer entgegen: „Die Zeiten sind vorbei, da Volker sang!/ Der Heldenkampf in Etzels Hunnensaal/ ist heute nur mehr Mord und Todesqual." Dagegen ruft Haushofer große Gefangene früherer Zei-ten (Boethius, Morus) und Helfergestalten (Nansen, Schweizer) als Zeugen der Hu-manität auf.

Günther Weisenborn: ‚Die Illegalen'. Weisenborn hatte schon 1928 an Piscators politi-schem Berliner Theater debütiert (‚U-Boot S4') und später mit Brecht an dessen Stück ‚Die Mutter' zusammengearbeitet. 1933 emigrierte er, kehrte jedoch 1937 zu-rück und schloß sich der Widerstandsgruppe ‚Rote Kapelle' an. 1942 wurde er verhaf-tet und zu Zuchthaus verurteilt.
Im Vorwort begründet er das Stück ‚Die Illegalen' mit der

„Verpflichtung, Denkmäler für die Dahingegangenen in die Gegenwart zu setzen. [. . .] Dieses Schauspiel möge den Anstoß geben, daß die Taten der illegalen Organisationen überall in der Öffentlichkeit berichtet und diskutiert werden."

Denkmal für etwas Vergebliches zu sein und zugleich einen Aufklärungsprozeß ein-zuleiten, diese doppelte Aufgabe prägt das Drama.
Auf der einen Seite gibt es einen Einblick in die Arbeit des Widerstands: das Plakat-kleben, das Betreiben eines Geheimsenders, das Nebeneinander der einzelnen Gruppen. Formal entsprechen dieser Intention die an Brecht erinnernden Mittel zur ‘epischen’ Distanzierung: die Durchnumerierung der Szenen, die Lieder, von der Handlung getrennte Reflexionen, die Vorsprüche.
Auf der anderen Seite finden sich Züge einer Tragödie: Die beiden Hauptfiguren, Walter und Lill, geraten in den Konflikt zwischen der von der Widerstandsarbeit ge-forderten Distanz und ihrer Liebe. Der Tod Walters ist so nicht nur Beispiel für die Vergeblichkeit des Widerstands, sondern auch für die Zerstörung einer Liebe. For-mal entspricht diesen tragischen Elementen die Gliederung in drei Akte und eine pa-thetische Sprache, z. B. in Walters Geheimsendung vor seiner Verhaftung, in der er an die Jugend den Appell zur „heiligen Wandlung des Vaterlandes" richtet.
Die geringe Resonanz des Stücks beim Publikum zeigt jedoch, daß dieses sein ‘Null-punktbewußtsein’ nicht in dieser Form angesprochen sehen wollte, verwies doch die Ohnmacht des Widerstands auf die Problematik der eigenen Identifikation mit dem NS-Regime, und hatte doch der Autor auf die zeitüblichen Mittel mythischer Über-höhung (s. Zuckmayer: ‚Des Teufels General') verzichtet. Als symptomatisch für die Verdrängungsarbeit, die das westdeutsche Zeitbewußtsein gegenüber der Vergeb-lichkeit des Widerstands leistete, kann eine Einführung gelten, die der Kritiker Friedrich Luft 1948 einer Ausgabe des Stücks voranstellte. In ihr werden allein die tragischen Elemente hervorgehoben, man blickt auf das „weite windige Plateau des Schicksals". Damit sind dem Stück die geschichtliche Dimension und der politische Appell genommen. Der Leser wird nur noch gezwungen, „innezuhalten und eine Mi-nute stillezustehen".

Weisenborn selbst reagierte 1948 im Vorwort zu seinem ‚Memorial‘, in dem er über Widerstand und Haft berichtet, auf diese Entwicklung:

„Nur mag den Nachgeborenen noch berichtet werden, daß die tiefe Melancholie, in die uns Überlebende der furchtbare Tod so vieler Freunde gestürzt hat, vergrößert wurde durch die umfassende Enttäuschung, die uns die Welt nach dem Krieg aufzwang.“

Ernst Wiechert: ‚Der Totenwald‘ – Eugen Kogon: ‚Der SS-Staat‘. Noch deutlicher im Zeichen einer unmittelbaren Wiedergabe der Wirklichkeit stehen Wiecherts und Kogons Bücher. Beide Autoren waren Häftlinge des Konzentrationslagers Buchenwald bei Weimar. Wiechert nennt sein Buch einen „Bericht“, Kogons ‚SS-Staat‘ kann als Sachbuch bezeichnet werden.

Wiechert (geb. 1887) gehörte nicht der Zwischengeneration an wie Kogon (geb. 1903); er war ein führender Vertreter der ‘Inneren Emigration’. Er übertüncht den Wirklichkeitsgehalt seines „Berichts“ mit dem Sprachstil seiner Romane: mit subjektiven Reflexionen, die sich auch dann noch der traditionellen Bilder und Begriffe bedienen, wo deren Inhalte für ungültig erklärt werden. Hinzu kommen eine monotone Syntax (Subjekt in Anfangsstellung und Parataxe, Nebensatzglied am Ende) und gesucht poetische Wortwahl:

„Es war Vater Hermann. Er hatte die Sirene nicht gehört und schlief auf dem Holzhof. Man fand ihn und schleppte ihn vor den Lagerführer. Er schwankte, und man sah, daß er schon auf dem dunklen Wege begriffen war. Der Bock stand noch da, und man schnallte ihn sofort fest. Er wurde ausgepeitscht, fünfzehn oder zwanzig Schläge, und es war Johannes, als spüre er das Zittern der Empörung durch das ganze Lager gehen. Er sah über den Arm des Galgens – über die Baumwipfel in den rötlichen Abendwolken, Verse fielen ihm zu, aus einer erstorbenen Vergangenheit, von einer Melodie schreitend getragen: ‚O wie schön ist Deine Welt, Vater, wenn sie golden strahlet . . .‘ Er zitterte, als empfinge er selbst die Schläge. Nein, kein Vater mehr, hoch über Sternen und den goldenen Wolken.“

Im Gegensatz dazu steht die lapidare Beschreibung des KZ-Systems durch Kogon:

„Die Prügelstrafe wurde auf dem sogenannten Bock vollzogen, einem besonders gebauten und eingerichteten tischähnlichen Holzgestell, auf dem der Delinquent, auf dem Bauche liegend, den Kopf tiefer, das Gesäß hoch herausgespannt und die Beine unten nach vorne gezogen, festgeschnallt wurde. [. . .] Zur Durchführung der Prügelstrafe wurden die Scharführer, soweit sie sich nicht mit Lust und Liebe freiwillig meldeten, kommandiert. Zeigte einer dabei Regungen von Mitleid oder nicht genügend Schwung, so sprang ein ‘Fachmann’ mit sachkundiger Hand ein; die Sachkenntnis bewährte sich besonders in zielsicheren Nierenschlägen.“

Hier wird allein der Sachverhalt dargestellt, um einen Erkenntnisprozeß einzuleiten. Die Sprache ist gerade in ihrer Nüchternheit aggressiv, der Zynismus der Menschenbehandlung wird sprachlich unmittelbar umgesetzt, nicht erklärt wie bei Wiechert. Der Satzbau ist variabel. Zwar entgeht auch Kogon der Mythisierung nicht, wenn er am Ende schreibt, daß sich in den letzten Jahren etwas „Metaphysisches“ mit dem deutschen Volk ereignet habe. Aber er sieht in der Aufklärung, die sein Buch leisten soll, den einzigen Weg, um den „notwendigen Läuterungsprozeß“ noch in Gang zu bringen und der Verdrängung des nationalsozialistischen Terrors entgegenzuwirken.

1.4 Literatur nach der Kapitulation: ‚Der Ruf‘ und sein Programm

Der Ruf. Hrsg. von **Alfred Andersch** und **Hans Werner Richter**
Ernst Kreuder: Die Gesellschaft vom Dachboden (1946)

„Das Kennzeichen unserer Zeit ist die Ruine. Sie umgibt unser Leben. Sie umsäumt die Straßen unserer Städte. Sie ist unsere Wirklichkeit. In ihren ausgebrannten Fassaden blüht nicht die blaue Blume der Romantik, sondern der dämonische Geist der Zerstörung, des Verfalls und der Apokalypse. Sie ist das äußere Wahrzeichen der inneren Unsicherheit des Menschen unserer Zeit. Die Ruine lebt in uns wie wir in ihr. [...] Um diesen Menschen zu erfassen, bedarf es neuer Methoden der Gestaltung, neuer Stilmittel, ja einer neuen Literatur."

Mit diesen Worten zieht der Autor Hans Werner Richter 1947 einen Schlußstrich unter die Literatur der Vergangenheit (in: ‚Die Literatur im Interregnum' – Der Ruf 15, 1. Jg.). Er wendet sich gegen die ‘Innere Emigration', die die Schreibtradition des 19. Jahrhunderts bis 1945 kultiviert hatte und deren Autoren das kulturelle Nachkriegsleben bestimmten. Auch die ursprünglich „progressive" Literatur des Exils sieht Richter unter der Nachkriegsperspektive als Literatur der „Stagnation". Die vor dem Zusammenbruch geschriebene Literatur ist tot.

In diesen Überlegungen kommt eine neue soziologische Denkweise zum Ausdruck. Die Literatur ist in die gesellschaftliche Entwicklung eingebettet. Sie muß deshalb jetzt von „Objektivität" und „Realismus" geprägt sein. Allerdings darf sich dieser Realismus nicht auf das reine Berichten beschränken. Vielmehr soll er hinter der Realität das Irrationale, hinter dem gesellschaftlichen Wandlungsprozeß die Wandlung des Menschen sichtbar machen. Das Ziel der literarischen Revolution ist der Mensch, „der aus der Verlorenheit seiner zertrümmerten Welt nach neuen Bindungen strebt". Der neue Realismus muß ein „magischer Realismus" sein.

Es bleibt die Frage, welcher Art diese neuen Bindungen sind, die im magischen Realismus aufscheinen sollen. Hier rückt Richter die neue Literatur in eine allgemein sozialistische Perspektive:

„Die bürgerliche Schicht hat ihre intuitiven Kräfte verbraucht und lebt nur noch in einem blutleeren Bildungsgehäuse. Wie aber die Welt von morgen eine proletarische sein wird, so werden auch die jungen Kräfte von morgen aus dem Proletariat kommen."

In dieser neuen Sicht der Literatur und Gesellschaft haben sich vor allem die Erfahrungen niedergeschlagen, die Richter und die anderen Autoren der Zeitschrift ‚Der Ruf' als Kriegsgefangene in den USA erworben haben. Ihre Vorbereitungen für den Neuaufbau Deutschlands standen dort unter dem Eindruck des ‘New Deal' Präsident Roosevelts, des Programms eines freiheitlich demokratischen Sozialismus. ‚Der Ruf' diente als Lagerzeitschrift zur Verbreitung der neuen Gedanken. Nach der Rückkehr gründeten Richter und Andersch in München 1946 die Zeitschrift neu, nun mit dem Untertitel ‚Unabhängige Blätter der jungen Generation'. Die Autoren, selbst Angehörige der Zwischengeneration, wollten gezielt die jungen Menschen ansprechen, die nicht auf die Zeit vor 1933 zurückgreifen konnten oder wollten. ‚Der Ruf' forderte unüberhörbar (Auflage 120 000) eine umfassend offene Diskussion aller gesellschaftlichen Fragen, um eine eigenständige Entwicklung Deutschlands zu ermöglichen.

Während aber die politische Entwicklung diese Hoffnungen zu enttäuschen begann, blieb das literarische Stichwort des ‘magischen Realismus' wichtig. Es erhob die Widersprüchlichkeit, die zum Beispiel an Weisenborns Stück ‚Die Illegalen' (s. S. 554 f.) zu beobachten ist, zum Programm. Allerdings kann von einer breiten Strömung magisch-realistischer Literatur nicht gesprochen werden. Der Begriff beherrscht eher die theoretische Diskussion, zum Beispiel in Alfred Anderschs Rezension zu Ernst Kreuders Roman ‚Die Gesellschaft vom Dachboden' oder in den Gesprächen der frühen ‘Gruppe 47' (s. u. S. 559 ff.).

1.4.1 Öffnung zum Westen

Die Daten nennen an erster Stelle die deutsche Erstveröffentlichung bzw. Erstaufführung

Drama:
Jean Anouilh: Antigone (1946; frz. 1944)
Jean-Paul Sartre: Die Fliegen (1947; frz. 1943)
Geschlossene Gesellschaft (1949; frz. 1944)
Die schmutzigen Hände (1949; frz. 1948)
Thomas Stearns Eliot: Mord im Dom (1946; engl. 1935)
Thornton Wilder: Unsere kleine Stadt (1945; engl. 1938)
Wir sind noch einmal davongekommen (1946; engl. 1942)

Prosa:
Albert Camus: Der Mythos von Sisyphos (1947; frz. 1942)
Die Pest (1948; frz. 1947)
Jean-Paul Sartre: Der Existentialismus ist ein Humanismus (1947; frz. 1946)
Ernest Hemingway: In einem anderen Land (1930, im Zeitungsdruck 1946; engl. 1929)

Die Verurteilung der Literatur der Vergangenheit, wie sie Richter stellvertretend für viele Jüngere aussprach, bedeutete zugleich die Hinwendung zur Literatur des westlichen Auslands, von der man seit 1933 abgeschnitten war.

Amerikanischer Realismus. Die amerikanische Literatur hatten Richter und Andersch, wie Tausende anderer Kriegsgefangener, im Lager in den USA kennengelernt. Jetzt ermöglichten die Amerikahäuser der Bevölkerung die Lektüre bisher verbotener Literatur. Die Theater spielten mit großem Erfolg Thornton Wilders Dramen ‚Unsere kleine Stadt‘ und ‚Wir sind noch einmal davongekommen‘. Sie zeigen das Leben eingebettet in den großen Zusammenhang des Universums; auch geschichtliche Katastrophen können diesen nicht zerstören; der Lebenswille des Menschen wird stets einen neuen Anfang setzen. Das deutsche Publikum fand hier eine Bestätigung und zugleich optimistische Interpretation seiner Nullpunkterfahrung. Es galt, sich den individuellen Lebensproblemen zuzuwenden. Die Fragen nach den gesellschaftlichen Dimensionen der Nachkriegsentwicklung wurden unter dieser Perspektive sekundär. Auch die Last der Vergangenheit verringerte sich, wenn diese nur als eine der zahllosen Katastrophen der Menschheitsgeschichte seit Kain und Abel betrachtet werden konnte.

Mit Hemingways ‚In einem anderen Land‘ eröffnete der Rowohlt-Verlag die Reihe seiner Rotationsromane auf Zeitungspapier (Auflage 100 000). Dieser Roman, in dem Hemingway 1929 die Daseinsstimmung der „verlorenen Generation" nach dem Ersten Weltkrieg darstellt, wurde nun von einer deutschen Leserschaft entdeckt, die die Niederlage des Zweiten zu verkraften hatte. In seiner inhaltlichen Bedeutung, die äußere und innere Lebenskatastrophe trotz radikaler Einsamkeit mit männlicher Haltung zu akzeptieren, wie auch in der knappen, nüchternen Sprache erkannte das deutsche Publikum eine Alternative zur herkömmlichen religiösen oder werthaltigen Literatur.

In der Kurzgeschichte, der in Amerika zur eigenen Gattung gewordenen 'short story', wurde das krisenhafte Existenzgefühl, wie es in der einschneidenden Erfahrung eines Augenblicks aufbrechen kann, noch unmittelbarer dargestellt. So erfreute sich diese Form, noch bevor deutsche Autoren sie aufgriffen (s. u. S. 565 ff.), in der deutschen Leserschaft großer Beliebtheit: Schon 1948 erschienen fünf Sammlungen amerikanischer Kurzgeschichten, in denen über 100 Autoren vorgestellt wurden. Außerdem konnten Kurzgeschichten in Zeitschriften veröffentlicht werden, was bei dem allgemeinen Papiermangel ein großer Vorteil war.

Wenn Wilders Dramen trotz aller realistischen Elemente manchen Tendenzen der 'Inneren Emigration' nahestehen, so kommt die amerikanische Prosa dem durch den ‚Ruf' vertretenen Bewußtsein entgegen: der Forderung, den Nullpunkt in seiner Absolutheit anzuerkennen. Die Kraft, sich aktiv mit der gesellschaftlichen Wirklichkeit auseinanderzusetzen, schöpften die Redakteure des ‚Rufs' jedoch aus einer anderen Quelle: dem französischen Existentialismus.

Französischer Existentialismus. Auch Sartre und Camus setzen bei der Krisenerfahrung des Menschen an, seinem Bewußtsein der Isolation gegenüber einer als feindlich empfundenen Umwelt. Beide wurzeln in der französischen 'résistance' gegen die deutsche Okkupation.

Sartre (‚Das Sein und das Nichts', 1943) sieht den Menschen „zur Freiheit verurteilt", zur absoluten individuellen Verantwortung jenseits aller tradierten Normen, allein aus dem Bewußtsein heraus, sich stets neu für die Zukunft entwerfen, wählen zu müssen. Diese Freiheit macht den Menschen auch politisch handlungsfähig: Orest begeht in dem Drama ‚Die Fliegen' (1943), in Sartres Fassung des antiken Agamemnonmythos, den Mord an Ägisth und Klytämnestra nicht aus Rache, wie es die Überlieferung fordert, sondern um sich selbst und das Volk aus politischer und ideologischer Unterdrückung zu befreien.

Für Camus (‚Der Mythos von Sisyphos', 1942) dagegen ist ein produktives Eingreifen in die Wirklichkeit undenkbar. Die Undurchdringlichkeit der Realität läßt zwischen der Absicht und dem Ergebnis menschlichen Handelns eine unüberbrückbare Diskrepanz aufbrechen. Darin zeigt sich die Absurdität der menschlichen Existenz. Die einzige Möglichkeit für den Menschen, seine Würde zu bewahren, besteht in der Revolte, der entschlossenen Tat selbst, die trotz aller Vergeblichkeit nach größtmöglicher Lebensintensität strebt.

In dem Appell zum freien Handeln liegt das Gemeinsame Sartres und Camus', und dieser „Geist der Aktion" ist auch für Andersch im Leitartikel der ersten ‚Ruf'-Nummer (‚Das junge Europa formt sein Gesicht') das wesentliche Merkmal des Existentialismus. Zunächst wurde jedoch Sartre stärker rezipiert. Dieser wandte sich selbst im Vorwort zur deutschen Ausgabe seines Dramas ‚Die Fliegen' (1947) an die Deutschen und warnte sie, indem er die 'résistance'-Erfahrung auf das Deutschland des Nullpunkts übertrug, vor einer „willfährigen Selbstverleugnung". Notwendig sei dagegen „eine totale und aufrichtige Verpflichtung auf eine Zukunft in Freiheit und Arbeit". Die ebenfalls 1947 erfolgte deutsche Übersetzung der Schrift ‚Der Existentialismus ist ein Humanismus' verstärkte noch die Diskussion.

Zu Beginn der *50er Jahre* aber, als die Verschärfung des Ost-West-Konflikts und die innenpolitische Restauration allem Veränderungswillen ein Ende bereitet hatten, trat Camus in den Vordergrund. Seine pessimistische Sicht der Geschichte und ihrer Freiheitsbewegungen entsprach nun dem deutschen und westeuropäischen Bewußtsein. 1957 erhielt er den Nobelpreis für Literatur.

Sartres politische und die zwischenmenschlichen Beziehungen problematisierende Dramen (‚Geschlossene Gesellschaft', dt. 1949; ‚Die schmutzigen Hände', dt. 1949) dagegen wurden nun in kleinen Theatern gespielt und in der jugendlichen Existentialistenszene diskutiert.

Unter den deutschen Autoren errang zu dieser Zeit Hans Erich Nossack, der sich aus einem eigenen Schlüsselerlebnis – der Zerstörung Hamburgs 1943 – zu Camus' Existenzbeschreibung bekannte, eine gewisse repräsentative Geltung (‚Interview mit dem Tode', 1948; ‚Spätestens im November', 1955; ‚Spirale', 1956).

In dieser Phase wurden auch Kafkas Werke, die während des NS-Regimes nur in Westeuropa und den USA rezipiert worden waren, unter einer existentialistischen

Perspektive in Deutschland intensiv aufgenommen. Der Begriff des 'Kafkaesken' für eine sinnlose und beängstigende Situation wurde zu einem Modewort.

Das Verdikt des Nihilismus. Im Deutschland der ersten Nachkriegszeit wurden diese literarischen und philosophischen Strömungen des Westens allerdings bald stark kritisiert. Ihre Radikalität und Offenheit wurde mit dem Verdikt des Nihilismus belegt, da sie den allgemeinen religiösen und metaphysischen Tendenzen entgegenliefen. Statt in Hemingway konnten diese sich in T. S. Eliot bestätigt finden, der für die ererbte Religiosität und die europäische Kulturtradition eintrat (,Mord im Dom', dt. 1946; ,Beiträge zum Begriff der Kultur', dt. 1948; Nobelpreis 1948). Anderschs provokatives Plädoyer für den Existentialismus und einen vorübergehenden Nihilismus, der als ein „reinigendes Gewitter" die deutsche Literatur von ihrer permanenten Langeweile und Werthaltigkeit befreien könne, wurde 1948 von einer verlorenen Position aus gehalten (in: ,Die deutsche Literatur in der Entscheidung').

1.4.2 Das Verbot der Zeitschrift ‚Der Ruf' und die Gründung der 'Gruppe 47'

> **Hans Werner Richter (Hrsg.):** Almanach der Gruppe 47. 1947–1962 (1962)

Auch ‚Der Ruf' wurde in der von Andersch und Richter bestimmten Form im April 1947 von der amerikanischen Militärregierung wegen Nihilismus verboten. Hiermit waren im Kern jedoch nicht die literarisch-philosophischen Tendenzen gemeint, sondern die weiterreichenden politischen Überlegungen, das Eintreten für einen unabhängigen demokratischen Sozialismus zwischen den Systemen der USA und der UdSSR. Ursprünglich waren diese Bestrebungen in eine europäische Strömung eingebettet, die auch von christlichen Kreisen, z. B. dem Italiener Silone und den Herausgebern der ‚Frankfurter Hefte', Kogon und Dirks, mitgetragen wurden oder auch von undogmatischen Kommunisten wie dem Franzosen Aragon. 1947 aber waren in der Phase der sich verfestigenden Machtblöcke solche Erörterungen eines dritten Weges nicht mehr opportun.

Der Versuch der Autoren, kritische intellektuelle Tätigkeit auch politisch wirksam werden zu lassen und damit den traditionellen deutschen Gegensatz zwischen „Geist und Tat" (Heinrich Mann) zu überwinden, war gescheitert. Der Weg führte Richter und Andersch nun aber nicht zur ‚Ruf'-Partei, obwohl sie dazu mehrfach aufgefordert wurden, sondern in den Bereich der reinen Literatur, zur Gründung der 'Gruppe 47'. Im Herbst 1947 trafen sich bei Füssen unter der Führung Richters einige Mitarbeiter des ehemaligen ‚Rufs', um aus Manuskripten vorzulesen und über die neue, magisch realistische Literatur zu diskutieren. Aber die damit ursprünglich zusammenhängenden gesellschaftlichen Vorstellungen wurden nun ausgeklammert. Die Skepsis gegen alle geschlossenen Systeme und gegen alles geistig Abstrakte erstreckte sich nun allein auf die Literatur. Man war gegen Pathos, Innerlichkeit und Esoterik gleichermaßen empfindlich.

Statt dessen wurde die Bestandsaufnahme gefordert, die von der persönlichen Zeiterfahrung des Autors ausgeht. Dieser muß sich zuerst seiner existentiellen Wirklichkeit und der Möglichkeit, sie sprachlich zu erfassen, vergewissern. Dafür kann das Gedicht ‚Inventur' von Günter Eich stehen. Wolfgang Weyrauch hat an ihm seine Forderung des „Kahlschlags" veranschaulicht (s. u. S. 561 f.), und Richter hat es später in das Vorwort zu seinem ‚Almanach' der Gruppe 47 aufgenommen.

Dies ist meine Mütze,   Im Brotbeutel sind
dies ist mein Mantel,   ein Paar wollene Socken
hier mein Rasierzeug   und einiges, was ich
im Beutel aus Leinen.   niemand verrate,

Konservenbüchse: so dient es als Kissen
Mein Teller, mein Becher,   nachts meinem Kopf.
ich hab in das Weißblech,   Die Pappe hier liegt
den Namen geritzt.   zwischen mir und der Erde.

Geritzt hier mit diesem   Die Bleistiftmine
kostbaren Nagel,   lieb ich am meisten:
den vor begehrlichen   Tags schreibt sie mir Verse,
Augen ich berge.   die nachts ich erdacht.

Dies ist mein Notizbuch,
dies meine Zeltbahn,
dies ist mein Handtuch,
dies ist mein Zwirn.

Die Inventur der zum Leben notwendigen einfachsten Dinge (z. B. eines Heimkehrers aus Krieg und Gefangenschaft) fällt mit einer radikalen Inventur der Sprache zusammen. Eich verzichtet auf alle traditionelle Schönheit in Wortwahl, Metaphorik, Rhythmus und Metrik (bis auf den Reim in der letzten Strophe). Das 'Ich' dieses Gedichts sucht auch keine emotionale Erhebung in Religion oder Naturerfahrung, sondern es wendet sich im Zeigen, Erklären und Verbergen behutsam an den Leser. Die Skepsis und Offenheit, die dieses Gedicht ausstrahlt, ist mit der Haltung des Heimkehrers in Kolbenhoffs Roman ‚Von unserm Fleisch und Blut' vergleichbar. Der Autor Günter Eich hat mit ihm die Wendung vom konventionellen Naturlyriker zum bewußten Nachkriegsautor vollzogen. Angesichts der Vorherrschaft der Naturlyrik und der religiösen Gedichte in der ersten Nachkriegszeit war dieses Gedicht eine Herausforderung und wurde zum berühmten Markstein der neuen Literatur.

Die 'Gruppe 47' in der Geschichte der Bundesrepublik Deutschland. Die Gegnerschaft zur offiziellen Politik und zum Klima der Restauration, die das erste Treffen der ‚Ruf'-Gruppe herbeigeführt hatte, blieb auch die Grundlage der späteren Tagungen, sie wurde aber nie ausdrücklich thematisiert. Sie prägte vielmehr das Wir-Gefühl bei den Gesprächen am Rande. Die Lesungen selbst stellten nur den Text zur Diskussion. Auch die anderen Werke des Autors oder die Position des Autors selbst, auch literarische Grundsatzfragen durften von der Kritik nicht berührt werden.
Diese Beschränkung ermöglichte einen Pluralismus unter den Autoren und Texten. Die Tagungen der Gruppe 47 bildeten in den 50er Jahren einen immer stärker beachteten Gegenpol zur offiziellen Kulturpolitik. Heinrich Böll, Ingeborg Bachmann, Martin Walser, Günter Grass und anderen jungen Autoren gelang auf diesen Tagungen der Durchbruch, zumal da auch die maßgeblichen Verlage dort vertreten waren.
In diesem Verzicht auf alles Politische lag aber auch der Grund, warum in der Phase der Politisierung der Literatur Ende der 60er Jahre die Gruppe in innere Schwierigkeiten geriet und die Tagung im Herbst 1967 die letzte blieb. Der Gegensatz zwischen „Geist und Tat", der zur Gründung der Gruppe geführt und sich 20 Jahre lang literarisch positiv ausgewirkt hatte, brachte ihr nun, als (wieder einmal) die Überwindung dieser Antinomie gefordert wurde, auch das Ende.
Das Konzept der 'jungen Generation', das den ‚Ruf' und die Gruppe 47 getragen hatte, zerbrach schließlich. Es verband in der ersten Nachkriegszeit die Zwischengeneration (Andersch, Eich, Kolbenhoff, Richter) mit den wirklich Jungen – der frühen 20er Jahrgänge (Böll, Schnurre), integrierte auch später noch die Generation der Walser, Grass (geb. 1927) und Enzensberger (geb. 1929). Sie alle waren noch von Na-

tionalsozialismus und Krieg geprägt, ob sie nun den Einschnitt 1933 als Erwachsene, Jugendliche oder Kinder erlebten. Die nächste Generation derer, die allein in die Zeit des Wiederaufbaus, des Wohlstands und der Restauration hineinwuchsen, sah dann in der Gruppe 47 die Vertreter des Alten, des 'Establishments', deren literarischer Formalismus und politische Passivität überwunden werden mußte.

1.5 Die junge Generation schweigt nicht: „Kahlschlag" und „Trümmerliteratur"; der „Auszug aus dem Elfenbeinturm"

> **Heinrich Böll:** Bekenntnis zur Trümmerliteratur (1952) (in: Erzählungen, Hörspiele, Aufsätze. 1961)
> **Wolfdietrich Schnurre:** Auszug aus dem Elfenbeinturm (1949) (in: Schreibtisch unter freiem Himmel. 1964)
> **Wolfgang Weyrauch:** Kahlschlag. Nachwort zu ‚Tausend Gramm' (1949) (in: Mit dem Kopf durch die Wand. 1977)

Im Heft 2 des ‚Rufs' stellt Richter die Frage: „Warum schweigt die junge Generation?" Er meint damit die vielen aus dem Krieg heimgekehrten jungen Soldaten, die um 1920 geboren waren. Seine Antwort lautet: „Sie schweigt, weil sie die Diskrepanz zwischen dem geschriebenen Wort und dem erlebten Leben zu stark empfindet."
Das radikale Mißtrauen den Fähigkeiten der Sprache gegenüber, die Wahrheit zu sagen, bildet einen wesentlichen Grund für das Schweigen der jungen Heimkehrer im ersten Jahr nach dem Zusammenbruch. Denn die Verführungen Hitlers und Goebbels' hatten sich als erstes der Sprache bemächtigt. Für die Heimkehrer aber bedeutete Wahrheit die angemessene Wiedergabe ihres Lebens, der Kriegserfahrungen:

„Wer weiß einen Reim auf das Röcheln einer zerschossenen Lunge, einen Reim auf einen Hinrichtungsschrei, wer kennt das Versmaß, das rhythmische, für eine Vergewaltigung, wer weiß das Versmaß für das Gebell der Maschinengewehre?" (Wolfgang Borchert.)

Mit diesen sarkastischen Fragen wurde aber nicht nur die Sprachverschleierung der NS-Weltanschauung attackiert, sondern auch die traditionelle „Harmonielehre" der „wohltemperierten Klaviere" (Borchert), d. h. die Sprache der Autoren der 'Inneren Emigration' und des Exils. Aber die 'junge Generation' schwieg nicht mehr lange. Ende 1946 veröffentlichten Wolfgang Borchert (geb. 1921), Heinrich Böll (geb. 1917) und Wolfdietrich Schnurre (geb. 1920) ihre ersten Texte.
Wolfgang Weyrauch (selbst kein junger Autor mehr) prägte 1949 für diese Literatur die Formel vom Kahlschlag, den die Autoren in das Dickicht der deutschen Literatur führten. Sie fingen ganz von vorn an, bei der „Addition der Teile und Teilchen der Handlung, beim A-B-C der Sätze und Wörter." Mit der Sprachkritik ging die Kritik der bisherigen Inhalte Hand in Hand: Während sich die älteren Autoren von ihren vor 1933 bezogenen Standpunkten aus mit Nationalsozialismus und Krieg auseinandersetzten, verfügten die jungen nicht über solche Denkmuster, die, von außen angelegt, das Geschehen der NS-Zeit verständlich machen konnten. Sie gaben ihre Wirklichkeitserfahrung ungeschminkt wieder: „Wir schrieben also vom Krieg, von der Heimkehr und dem, was wir im Krieg gesehen hatten und bei der Heimkehr vorfanden: von Trümmern" (Böll: ‚Bekenntnis zur Trümmerliteratur', 1952). Neben der Form und dem Inhalt wurde auch die Stellung der traditionellen Literatur in der Gesellschaft kritisiert. Die herkömmliche Auffassung erhöhte Dichter und Dichtung über die Wirklichkeit, löste sie aus ihren geschichtlichen Bezügen. Schnurre dagegen

sprach 1949 vom notwendigen „Auszug aus dem Elfenbeinturm". Während des Krieges habe ihm die Literatur der Ewigkeitswerte zwar ermöglicht, trotz der schrecklichen Bilder des Todes eine ästhetische Inselposition zu beziehen. Jetzt aber schreibe er gegen den „Ästhetendünkel" an. Denn der mache hochmütig auf Kosten des Menschen. Es gehe ihm in seinem Schreiben um nichts als den Menschen, um seine Schuld, seine Not, seine Verirrung.

Der Angriff der Jungen gegen die Älteren erfolgte aus einer doppelten Isolationserfahrung heraus: zunächst der, „aus dem Laufgitter der Kindheit" (Borchert) in eine Welt des Krieges und der Lüge gestoßen worden zu sein, dann der zweiten, nach dem Zusammenbruch mit ihren Erfahrungen nicht verstanden zu werden von einer Welt, die bereits ihren zivilen Nachkriegsrhythmus lebte. Es war zudem die gleiche Generation der Generäle und Studienräte des Ersten Weltkrieges, die in der Perspektive der Jungen für den Krieg und den Zusammenbruch verantwortlich war – „zwischen Langemarck und Stalingrad lag nur eine Mathematikstunde" (Borchert) – und die auch nun, nach 1945, wieder den Ton angab.

1.5.1 Die ‚Generation ohne Abschied' und ihr ‚Manifest' (Wolfgang Borchert)

Wolfgang Borchert:
Draußen vor der Tür (Hörspiel und Schauspiel) (1947)
Generation ohne Abschied　　Das ist unser Manifest
Dann gibt es nur eins (Prosa. 1947)

Borcherts Person und Werk kann als repräsentativ für seine ganze Generation gelten. Schon die Texte erheben den Anspruch, für alle zu sprechen. Im Vorspruch zu dem Stück ‚Draußen vor der Tür' heißt es:

„Ein Mann kommt nach Deutschland. Und da erlebt er einen ganz tollen Film. Er muß sich während der Vorstellung mehrmals in den Arm kneifen, denn er weiß nicht, ob er wacht oder träumt. Aber dann sieht er, daß es rechts und links neben ihm noch mehr Leute gibt, die alle dasselbe erleben. Und er denkt, daß es dann doch wohl die Wahrheit sein muß."

Die Ausstrahlung dieses Stücks als Hörspiel im Februar 1947 löste diesen Anspruch dann auch ein. Das Medium Rundfunk verschaffte ihm eine ungeheure Wirkung, und die Resonanz zeigte, daß Borchert tatsächlich den Nerv seiner Generation getroffen hatte: „Schreibe für uns, für Deine Kameraden, für die Tausende von ‘Beckmanns', für die Einsamen und Verlassenen, für die in keine Heimat Heimgekehrten [...]" (aus einem Brief). Schließlich erhöhte sein früher Tod als Folge der Soldatenjahre – einen Tag vor der Uraufführung des Stücks auf dem Theater – Borchert zu einer stellvertretenden Leidensfigur der ganzen Generation.

„Wir selbst sind zuviel Dissonanz." Borcherts programmatische Texte ‚Generation ohne Abschied' und ‚Unser Manifest' proklamieren eine die ganze Person kennzeichnende „Dissonanz": den Widerspruch zwischen äußerer Härte und weichem Gefühl, zwischen Nihilismus und Aufbauwillen, Angst und Hoffnung. Gerade weil der Krieg sie nicht wirklich hart gemacht hat, können die Heimkehrer keine Gefühlsbindungen eingehen, keine Abschiede mehr ertragen. Ihre Herzen sind zwar verkrustet, aber dies ermöglicht ihnen das Überleben. Zugleich formuliert Borchert die Bereitschaft, die Zerrissenheit zu überwinden, eine „Generation der Ankunft" zu werden:

„Um Deutschland wollen wir leben. [...] Wir wollen dieses Deutschland lieben wie die Christen ihren Christus: Um sein Leid. [...] Und dieses Deutschland sind wir doch selbst. Und dieses Deutschland müssen wir doch wieder bauen im Nichts, über Abgründen: Aus unserer Not, mit unserer Liebe."

Noch einmal, um die Jahreswende 1946/47, wird hier die für das Nullpunktbewußtsein typische Hoffnung auf Neuanfang pathetisch ausgedrückt, zu einer Zeit allerdings, als die geschichtliche Entwicklung diese Hoffnungen schon zu enttäuschen begann. Von dieser Erfahrung ist das Stück ‚Draußen vor der Tür' geprägt.

1.5.2 ‚Draußen vor der Tür': Stationen des Grotesken
In diesem Stück benutzt Borchert vor allem das Mittel der Groteske, um das Bewußtsein der Zerrissenheit und Dissonanz auszudrücken. Eine groteske Wirkung wird hervorgerufen durch Überzeichnung, durch Zusammenfügung einander widersprechender Elemente, durch Verkehrung gewohnter Bildvorstellungen.

Die Perspektive der Gasmaske. Die Hauptfigur, der Heimkehrer Beckmann, ist schon äußerlich eine Groteskfigur. Im Soldatenmantel, mit der Bürstenfrisur, vor allem aber der Gasmaskenbrille wirkt er auf die anderen, denen er bei seiner Heimatsuche begegnet, „wie ein Gespenst". Für diese, den Oberst, den Kabarettdirektor, Frau Kramer, verkörpert Beckmann den vergangenen Krieg, dem sie doch gerade entkommen waren. Sie alle fordern Beckmann auf, die Brille abzulegen.
Beckmann aber kann ohne diese Brille überhaupt nichts sehen. Als das Mädchen, das ihn als einzige aufnehmen will, sie ihm abnimmt, sieht er die äußere Welt nur verschwommen, und seine innere drängt hervor: Es erscheint ihm die riesige Gestalt des Einbeinigen, und in ihr symbolisiert sich sein doppeltes Schuldbewußtsein: Zum einen fühlt er sich für den Tod ihm untergebener Soldaten verantwortlich, zum anderen sieht er sich als Ehebrecher, der den anderen, noch Vermißten, zu verdrängen im Begriff ist. Hatte er doch selbst bei seiner Rückkehr einen anderen Mann bei seiner Frau gefunden. Beckmann muß auch das Mädchen verlassen. Die Erfahrung, von den anderen nicht eingelassen zu werden, verbindet sich mit der Erkenntnis, selbst anderen die Tür zuzuschlagen: „Wir werden jeden Tag gemordet, und jeden Tag begehen wir einen Mord." Beckmann gibt dieser Zwangssituation selbst Ausdruck in der Traumgroteske vom xylophonspielenden Tod, der ihn keine Nacht schlafen läßt.
Nun stellt aber das Stück im ganzen die Perspektive der Ausweglosigkeit Beckmanns als Perspektive der Wahrheit hin. Denn es wird von einem grotesken „Vorspiel" eingeleitet, das die Bedeutung der folgenden Szenen bestimmt. In ihm tritt ein rülpsender Beerdigungsunternehmer auf, der sich „glatt überfressen" hat: die Verkörperung des Todes; ebenso ein alter Mann, der weint, weil niemand mehr an ihn glaubt und er nichts ändern kann: die Verkörperung Gottes. Beide führen kein heiliges Streitgespräch, sondern eine vulgäre Unterhaltung. Diese Verkehrung der Tradition zerstört auch den mit ihr verbundenen Sinn einer im ganzen geordneten Welt: „Ein Mensch stirbt. Und? Nichts weiter."
Das „Vorspiel" rückt das ganze Stück in die Perspektive des Nihilismus. Beckmann erfaßt mit seinem Bewußtsein umfassender Heimatlosigkeit das Leben tiefer als die anderen Personen, die versuchen, sich in der scheinbaren Normalität der Nachkriegszeit einzurichten. Er übernimmt die Rolle des Narren – „Es lebe der Zirkus! Der ganz große Zirkus!" –, der der Wahrheit näher steht als die oberflächliche vernünftige Welt.

Subjektive Dramatik. Das Stück zeigt die Wahrheit eines subjektiven Bewußtseins. Dem entspricht seine äußere Form als Stationendrama. Hier entfaltet sich keine eigenständige, konfliktreiche Handlung, sondern allein Beckmanns Person bestimmt den Ablauf. Sein monologisches Sprechen dominiert, es findet sich kein gleichberechtigter Dialog. Die Einheit der Handlung ist durch die Einheit des Ichs ersetzt. Die Realitätsebenen verwischen sich: Traumhafte Szenen stehen neben solchen der äußeren Wirklichkeit; zwischen die Begegnungsszenen schieben sich reflektierende Teile, in denen sich der Neinsager Beckmann mit dem Jasager und Optimisten „Der Andere" auseinandersetzt.
Aber auch hier hat Borchert die traditionelle Form verändert. Ursprünglich dazu bestimmt, eine Bewußtseinsentwicklung der Hauptgestalt darzustellen, dient der Sta-

tionenweg hier nur der Verschärfung der Dissonanz, der Entfaltung der Groteske. Der Weg führt im Kreis. Auch der Andere verstummt schließlich. Beckmanns Fragen verhallen ohne Antwort.

Gebrochene Sprache. Auch die Sprache des Stücks ist von einer starken Spannung geprägt. Einerseits ist sie nüchtern und präzis:

„Und dann liegt er irgendwo auf der Straße, der Mann, der nach Deutschland kam, und stirbt. Früher lagen Zigarettenstummel, Apfelsinenschalen und Papier auf der Straße, heute sind es Menschen, das sagt weiter nichts."

Andererseits bedient sie sich rhetorischer Mittel (Bilder, Wortwiederholungen, Alliterationen):

„Und dann kommen sie. Dann ziehen sie ein, die Gladiatoren, die alten Kameraden. Dann stehen sie auf aus den Massengräbern, und ihr blutiges Gestöhn stinkt bis an den weißen Mond. Und davon sind die Nächte so. So bitter wie Katzengescheiß."

Beide sprachliche Verfahren aber brechen grotesk das Gewohnte: Die Nüchternheit ist doppelbödig, verweist auf das eigentlich Empörende. Das Pathos dient der Steigerung des Niederen, Gräßlichen, nicht der Verkündigung des Hohen.

Selbstbefangenheit und Schuldentlastung. Das Drama ‚Draußen vor der Tür' zeigt, daß der Aufschwung, den die programmatischen Texte am Ende verkünden, sich seiner selbst nicht sehr gewiß war. Im Stück führt die Erkundung der Bewußtseinssituation im Kreis, nicht zu einem neuen Ziel.
Vielmehr deckt dieses Stück auf, wie sehr das Dissonanzbewußtsein der jungen Generation in sich befangen bleibt. Es reflektiert nicht auf die historische Entwicklung und deren Konsequenzen. Der Nationalsozialismus taucht in den programmatischen Texten und auch im Stück nur am Rande auf: Daß Beckmanns Vater Nationalsozialist und Antisemit war, ist nur in bezug auf Beckmanns neue und letzte Isolationserfahrung wichtig.
Der umfassende Protest gegen die Vätergeneration (der Oberst, der Direktor) führt nicht zur geschichtlichen Besinnung, sondern mündet in die Tradition der Darstellung des Generationenkonfliktes (wie z. B. im Expressionismus), zwischen dem Unbedingtheitsanspruch der jungen und der Anpassungsbereitschaft der älteren Generation (so auch in Anouilhs ‚Antigone', 1942). Die Beckmanngeneration formt das durch den Krieg bestimmte Schuldbewußtsein zum Opferbewußtsein der Nicht-Verstandenen und Ausgeschlossenen um. Die Thematisierung der Schuld ist mit ihrer Entlastung verknüpft.

1.5.3 ‚Die Unfähigkeit zu trauern' – eine skeptische Generation?
Borcherts Texte (zu den Kurzgeschichten s. u. S. 566) benennen und verleugnen gleichzeitig die Wirklichkeit. Sie legen die Folgen des Krieges und der Niederlage für das Bewußtsein der Menschen offen, sie weisen deutlich auf den mit dem Schuldbewußtsein verbundenen Identitätsverlust hin: „Ich will nicht mehr Beckmann sein." Aber die subjektive Dramatik, die grotesken Verzerrungen sind Verfahren der literarischen Abstraktion von der äußeren Wirklichkeit.
Diese Beobachtung läßt sich mit psychologischen Überlegungen verbinden. Die Sozialpsychologen Alexander und Margarete Mitscherlich haben in ihrem Buch ‚Die Unfähigkeit zu trauern' der deutschen Nachkriegsbevölkerung insgesamt solche Tendenzen zur Abstraktion, zur „Entwirklichung" und „Verleugnung" der jüngsten Vergangenheit zugeschrieben.
In ‚Draußen vor der Tür' zeigen dies unmittelbar die Älteren: Der Oberst schiebt die Schuld weg – „so war dies doch gar nicht gemeint" – und lacht schließlich über Beck-

manns Traum; der Direktor verlangt das trivial Positive der Zeit vor 1933, um das Publikum die Wirklichkeit vergessen zu lassen.

Dieser psychische Prozeß der „Entwirklichung" verbrauchte die Energie, die auf der anderen Seite für eine fruchtbare „Trauerarbeit" notwendig gewesen wäre: nämlich aus der Einsicht in die eigene Verstrickung in Nationalsozialismus und Krieg die gefühlsbeladenen Erinnerungen daran nicht zu verhärten, sondern zu lösen, d. h., als zur eigenen Biographie dazugehörig zu akzeptieren und für die Zukunft produktiv zu machen. Daß diese „Trauerarbeit" nicht möglich war, hatte zur Folge, daß die seit 1933 notwendige und auch nach 1945 weithin geübte Spaltung zwischen innerer Verfassung und äußerem Verhalten nicht überwunden werden konnte. Die wirtschaftliche Aufbauleistung als Zeichen äußerer Energie einerseits und die gesellschaftspolitische Immobilität der Adenauerzeit („Keine Experimente") als Merkmal seelischer Verhärtung und Unsicherheit andererseits legen davon Zeugnis ab.

Wenn der Soziologe Helmut Schelsky Borcherts Generation die „skeptische Generation" genannt hat, so faßte er damit nur die äußere Verhaltensseite: die Nüchternheit, mit der der materielle Fortschritt betrieben wurde. Demgegenüber ist festzuhalten, daß diese Skepsis erst das Ergebnis einer Bewußtseinsentwicklung darstellt, die die Geschichte den jungen Heimkehrern aufzwang. Ihr umfassendes Dissonanzbewußtsein traf auf eine Situation, in der bei den Älteren die Tendenzen zur „Entwirklichung" der Vergangenheit schon bestimmend geworden waren. Dieser Entwicklung galt es, sich anzupassen. Daß Borcherts Texte erst Ende 1946 erschienen, deutet so im allgemeingeschichtlichen Rahmen auf die entscheidende Verspätung der jungen Generation im Hinblick auf ihre Wirksamkeit im Nachkriegsdeutschland hin. ‚Der Ruf‘ z. B. war bereits verboten, als Borcherts pazifistisches Manifest ‚Dann gibt es nur eins‘ entstand.

Zugleich gewinnt die Tatsache, daß Weyrauch den „Kahlschlag", Schnurre den „Auszug aus dem Elfenbeinturm" 1949 verkündeten, Böll sein ‚Bekenntnis zur Trümmerliteratur‘ 1952 verfaßte, geschichtliche Bedeutung. Diese Texte sind aus der Defensive heraus geschrieben. Sie wollten in einer Zeit, in der andere Autoren nicht mehr wissen, daß „Realität und Literatur kommunizieren" (Weyrauch), in der man vom Autor wieder einen „Blindekuhzustand" (Böll) zu verlangen schien, daran festhalten, daß zur vordringlichen Aufgabe des Schriftstellers die „echte Wahrheit", die Darstellung der geschichtlichen Wirklichkeit gehört.

1.5.4 Dominanz einer Gattung: die Kurzgeschichte

Heinrich Böll: Die Botschaft (1947)   Der Zug war pünktlich (Erzählung. 1949)
Wanderer kommst du nach Spa… (Sammelband. 1950)
Wolfgang Borchert: Die Hundeblume. Erzählungen aus unseren Tagen (1947)
Wolfdietrich Schnurre: Auf der Flucht (1945)
Das Begräbnis (erster Text der 'Gruppe 47'. 1947)
Die Rohrdommel ruft jeden Tag (Sammelband. 1950)

Das Drama ‚Draußen vor der Tür‘ nahm in der ersten Nachkriegsliteratur der jungen Generation eine einzigartige Stellung ein. Die Form, in der die jungen Autoren aber vor allem ihr Welt- und Selbstbewußtsein zur Sprache brachten, war die Kurzgeschichte. Mit ihr konnten sie ihrer Ansicht vom Traditionsbruch der deutschen Literatur Ausdruck verleihen, denn sie bildet ein Gegenstück zur deutschen Novelle mit ihrem allwissenden Erzähler, der anspruchsvollen Sprache und geschlossenen Struktur, mit ihrer Gesamtabsicht, eine „unerhörte Begebenheit" zum Symbol der Weltganzheit zu erhöhen. Mit der Kurzgeschichte dagegen stellte man sich damals – trotz deutscher Vorläufer etwa im Expressionismus oder bei Brecht – bewußt in die Tradition der 'short story', wie sie sich in den USA herausgebildet hatte. Diese ist durch einen Erzähler gekennzeichnet, der jeweils die Perspektive der Figuren einnimmt, die Sprache ist alltagsnah, die Struktur offen, sie ist ein „Stück herausgerissenes Leben" (Schnurre). Ihr geht es nicht um Totalität, sondern um Punktualität: um die Gestaltung eines für einen Menschen entscheidenden Augenblicks. Nicht Weltdeutung, sondern Existenzerhellung ist ihr Ziel. Sie kann in Zeitungen erscheinen, ein Massenpublikum erreichen, beansprucht wenig Zeit. Sie erscheint als eine für das demokratische und industrielle Zeitalter typische Gattung.

Die Offenheit und die existentielle Perspektive der Kurzgeschichte kamen dem Lebensgefühl der jungen Generation entgegen. Die Konzentrierung auf ein Augenblicksgeschehen entsprach ihrer Bindungslosigkeit. Auf der anderen Seite zwang die erzählende Form die Autoren dazu, ihre subjektiven Erfahrungen zu einer eigenständigen Handlung zu objektivieren. Diese Spannung zwischen Subjektivität und Objektivität macht die Doppelbödigkeit der Kurzgeschichte dieser Zeit aus. Sie erzählt äußerlich, objektiv eine Geschichte, die doch durch ihre Darstellung, durch Wortwahl und Auslassungen, durch Andeutungen zwischen den Zeilen eine besondere innere Bedeutung, eine subjektive Wahrheit signalisiert. Diese Bedeutung ist nicht direkt ausgedrückt, sie muß vom Leser durch einen aktiven Leseprozeß erst erschlossen werden.

In ‚Draußen vor der Tür' artikuliert sich das Bewußtsein der Zerrissenheit und Dissonanz unmittelbar expressiv. In den Kurzgeschichten dagegen wird diese Dissonanz verschwiegen, sie bestimmt vielmehr die Form der Erzählung selbst.

Wolfgang Borchert. ‚Das Brot' (1946). Die Geschichte ‚Das Brot' lebt aus der Spannung zwischen dem bewußten Verhalten, der Rede der Personen einerseits und ihrer seelischen Verfassung, wie sie sich in der Gestik ausdrückt, andererseits.

Es wird erzählt, wie eine Frau nachts aufwacht und entdeckt, daß ihr Mann in der Küche gerade eine Scheibe Brot ißt. Er lügt sie an: „Ich dachte, hier wäre was." Sie aber kann dies nicht ertragen und schaut ihn nicht an. Aber sie entlarvt ihn nicht, sondern kommt ihm zu Hilfe: „Komm man. Das war wohl draußen. Komm man zu Bett." Im Bett hört sie nach einiger Zeit, wie er kaut. Beim nächsten Abendessen gibt sie ihm eine Scheibe mehr, ohne die letzte Nacht zu erwähnen: „Ich kann dieses Brot nicht so recht vertragen." Jetzt lügt sie. Jetzt kann er sie nicht ansehen. Er tut ihr leid. Aber erst nach einer Weile setzt sie sich zu ihm unter die Lampe an den Tisch.

Die Geschichte realisiert sich fast ausschließlich im sparsamen Dialog der Eheleute. Es herrscht absolute Gegenwart, allein der Gedanke der Frau an ihre 39jährige Ehe wendet sich in die Vergangenheit. Der Erzähler ist in erster Linie in die Figur der Frau geschlüpft (sie überlegte, horchte, sah u. a.).

Die Diskrepanz zwischen der inneren Verfassung, dem Wissen der Personen und ihrem Verhalten als existentielle Wahrheit der Geschichte mutet modern an. Aber ein geschichtliches Verständnis des Textes muß von dem heute fremd anmutenden Anlaß der Ehekrise ausgehen: dem Brot. Der nackte Hunger, nicht die heutige Erfahrung grundsätzlicher Beziehungslosigkeit, bedroht hier das menschliche Zusammenleben, den Bereich des Seelischen.

Diese einfache private Geschichte erhellt mit ihren sparsamen Mitteln einen Grundzug der Epoche: das Bewußtsein der Fragwürdigkeit aller bisherigen Bindungen, das Leiden unter der materiellen Not und die Brüchigkeit des Neubeginns: die Hoffnung auf Liebe – in der Figur der Frau – und ihre Labilität – auf der Grundlage der Lüge.

Wolfdietrich Schnurre: ‚Auf der Flucht' (1945). Auch die Kurzgeschichte ‚Auf der Flucht' war ursprünglich ‚Das Brot' überschrieben.

Ein Ehepaar mit einem Baby macht auf seiner Flucht aus der zerstörten Heimat halt in einem Wald. Es ist sehr heiß. Die Frau kann nicht mehr weiter. Das Kind schreit vor Hunger. Der Mann geht auf Nahrungssuche. Er findet schließlich in einem verlassenen Dorf ein Stück Brot. Auf dem Rückweg gerät er in ein Gewitter. Er birgt das Brot in seinem Hemd, neigt sich über die Knie auf die Erde, um es vor dem Wasser zu schützen, aber er kann die beginnende Auflösung des Brotes nicht verhindern. „Da begriff er: Frau hin, Frau her; er hatte die Wahl jetzt: entweder es sich auflösen zu lassen oder es selbst zu essen." Er ißt es. Wieder bei seiner Familie angekommen, gibt er an, nichts gefunden zu haben. Er schläft ein. Als er aufwacht, ist das Kind tot. „Warum hast du mich nicht geweckt?" – „Warum sollte ich dich wecken?" fragte die Frau.

Diese Geschichte endet in Hoffnungslosigkeit. Anders als Borchert erzählt Schnurre auch eine dramatische Fabel und bezieht die Natur mit ein: zunächst zur Verdichtung der Atmosphäre, dann aber als handelnde Kraft: Sie raubt dem Menschen seine letzten Lebensmittel und stürzt ihn in den Konflikt zwischen den Anforderungen der Liebe und Moral und dem Trieb, das eigene Leben zu erhalten. Dabei erkennt der Mensch nicht einmal seine Chance: Gerade weil der Mann sich über das Brot kniet, um es zu retten, sieht er nicht, daß der Himmel heller wird.

In der umfassenden Sinnlosigkeit der geschichtlichen und natürlichen Welt wird der Mensch zur Regression in ein rein kreatürliches Verhalten gezwungen. Auch die Klage um den Tod des Liebsten ist unmöglich geworden. Der klassisch idealistische Optimismus des Menschen, daß sein sittlicher Wille mit den „höheren Mächten" im Bunde ist, wird vernichtet. Auch die Hoffnung auf eine heile Welt der Natur, in die sich der Mensch aus der heillosen Gesellschaft zurückziehen könnte, ist trügerisch.

Diese extreme Negativität wirkt wohl konstruiert. Aber in ihr liegt die Epochenrepräsentanz des Textes. Er entlarvt sowohl die damals gängige Naturlyrik als auch die Suche nach den neuen (alten) Werten als Flucht in die Illusion, die vor den Erfahrungen nicht standhalten kann, die Schnurre und seine Generation aus dem Krieg mitbrachten.

Heinrich Böll: ‚Wanderer kommst du nach Spa… ' (1950)

In der Geschichte ‚Wanderer kommst du nach Spa…' kehrt die Hauptgestalt an ihren Ausgangspunkt zurück: Ein Junge wird schwer verwundet in eine zum Lazarett umgewandelte Schule gefahren. Er erkennt auf dem Weg in den zum OP-Raum gewordenen Zeichensaal, daß er in seine eigene Schule, das humanistische Gymnasium ‚Friedrich der Große', zurückgekehrt ist, die er erst vor drei Monaten verlassen hat. Die Skulpturen und Bilder rufen die Erinnerung wach. Trotzdem zweifelt er an der Richtigkeit seines Eindrucks, bis er an der Tafel, die den Operationstisch von den Betten trennt, den Satz liest: „Wanderer kommst du nach Spa." Er selbst hatte ihn in Schönschrift anschreiben müssen, aber es war ihm nur in dieser „leicht verstümmelten" Form gelungen. Jetzt liest er ihn, als er auf dem Tisch liegt, und erkennt, wie verstümmelt er selbst ist. Ihm fehlen beide Arme und das rechte Bein. Die Spritze des Arztes raubt ihm das Bewußtsein.

Der Satz bildet den Anfang der Inschrift: „Wanderer kommst du nach Sparta, verkündige dorten, du habest uns hier liegen gesehn, wie das Gesetz es befahl." Nach antiker Überlieferung am Schlachtort der Thermopylen in Stein gehauen, sollte sie die Passanten an die gegen eine persische Übermacht gefallenen Spartaner erinnern und zu Zeugen ihres Heldentodes machen.

Daß der Junge im letzten wachen Augenblick diesen Satz als von ihm selbst geschrieben erkennt, verleiht dem Zitat furchtbare Aktualität. Es scheint, als falle das Schicksal des Jungen mit dem der spartanischen Helden zusammen, als habe er nichtsahnend seinen Nachruf geschrieben. Man könnte von tragischer Ironie sprechen. Der Zusammenhang zeigt jedoch, daß der Eindruck einer schicksalhaften Tragik gerade nicht erweckt werden soll. Vielmehr entlarvt die Geschichte die Verklärung des Sterbens antiker Vorbilder als Lüge zur Verschleierung der Kriegsnot der Gegenwart.

Die Erzählung folgt dem fiebernden Bewußtsein des Verwundeten. Sie zeichnet die Wahrnehmungen, Erinnerungen und Zweifel des Jungen nach: Vergangene Schulzeit und gegenwärtige Situation fallen in dem Bewußtsein des Jungen zusammen. Die durchweg nüchterne Sprache verstärkt noch die Gleichrangigkeit aller Elemente dieses Bewußtseinsprozesses, vom Schrei nach Wasser über die Wahrnehmung der Bilder bis zu Erinnerungen an den Hausmeister und zu Reflexionen über die Hausordnung.

Dabei ist der Junge fast bis zuletzt ohne Schmerzen, und auch die Wiederbegegnung mit den Requisiten seiner Schulvergangenheit berührt ihn nicht. Er zweifelt deshalb, ob er sich tatsächlich in seiner alten Schule befindet: „Mir kam das alles so kalt und gleichgültig vor, als hätten sie mich durch das Museum einer Totenstadt getragen, durch eine Welt, die mir ebenso gleichgültig wie fremd war." Der Leser aber liest von den „wunderbar nachgemachten" Zeugnissen aus der Antike, von der „himmelblauen Uniform, den strahlenden Augen" des ‚Alten Fritzen', von dem „prachtvollen" Bild von Togo. Der Junge bewegt sich durch eine Welt der Imitationen – auch der Satz vom Wanderer diente ja nur als Schreibübung –, die sogar jetzt noch wirksam ist: Sie läßt das Schießen der Artillerie „gemütlich" wirken, „richtig nach Krieg in den Bilderbüchern". Erst das nicht normgemäße Zitat läßt den Jungen sich selbst wiedererkennen und erschrecken.

Diese Bilderwelt aus zweiter Hand erscheint schon in den Gedanken des Jungen als die Welt des Gymnasiums schlechthin. Den Leser verweisen sie in ihrem unverbundenen Nebeneinander auf einen ideologiegeschichtlichen Prozeß. Er ist aufgerufen, zwischen der Caesar-Büste und dem Bild von Togo aus den Tagen des deutschen Imperialismus, zwischen dem Parthenonfries und den Rassegesichtern die Verbindung herzustellen.

Die antiken Bilder verweisen auf das Ideal vom ganzheitlich gebildeten Menschen, wie es von der Weimarer Klassik und Humboldts Neuhumanismus entworfen wurde. Die Porträts preußischer Fürsten verweisen auf den Untertanengehorsam und die Pflichterfüllung als Tugenden des preußischen Staates. Beide Vorstellungsbereiche standen ursprünglich im Gegensatz zueinander: Humboldt gehörte zu den gescheiterten Reformern Preußens. Aber die Enthistorisierung beider Ideenkomplexe zu idealen Imitationen im zugleich preußischen und humanistischen Gymnasium verwischte diese Widersprüchlichkeit und ebnete einer verhängnisvollen ideologischen Verknüpfung den Weg: dem Traum von der Überlegenheit der deutschen Kultur, den das Wilhelminische Reich entwarf und Hitler zum Alptraum des Größenwahns fortentwickelte.

Der „Wanderer", der in dieser Geschichte angesprochen wird, ist der Leser. Anders als Borchert und Schnurre historisiert Böll die Katastrophe von 1945 und macht gerade in der Verengung auf ein subjektives Bewußtsein und dessen Wahrheit die geschichtlichen Bedingungen sichtbar. 1950, als diese Geschichte entstand, war der lähmende Druck des Nullpunktbewußtseins gewichen, und es konnte sich die Fähigkeit zur historisierenden Distanzierung entwickeln. Auch für den gegenwärtigen Leser liegt in der historisierenden Kraft der Geschichte ihre Aktualität. Die Aufforderung des Zitats, „verkündige", gilt gerade umgekehrt zu seiner ursprünglichen Bedeutung: Es gilt, die Sinnlosigkeit des Sterbens der jungen Generation als Opfer einer ideologischen Erziehung auch für die Zukunft festzuhalten.

1.6 1949: Gründung der Bundesrepublik Deutschland – Traditionalismus, Doppelleben oder Verweigerung?

Gottfried Benn: Der Ptolemäer (1949)
Erhart Kästner: Das Zeltbuch von Tumilad (1949)
Hans Werner Richter: Die Geschlagenen (1949)
Arno Schmidt: Leviathan (1949)

1949 ging die Nachkriegszeit zu Ende. Die beiden deutschen Staaten wurden gegründet. Die Perspektive einer eigenen Entwicklung Gesamtdeutschlands hatte sich als Illusion erwiesen. In Berlin wurde die Zeitschrift ‚Ost und West‘, die sich bis zuletzt als Brücke zwischen den Blöcken verstanden hatte, zunächst im Westen beschlagnahmt, dann auch im Osten verboten.

Immerhin wurde in beiden Teilen der 200. Jahrestag von Goethes Geburtstag begangen. Aber auch dieser geriet in die politische Auseinandersetzung. Thomas Mann, der aus den USA angereist war und in beiden Teilen Deutschlands Reden hielt, in denen er die Tradition einer freien, von Besatzungen unberührten deutschen Sprache hervorhob, wurde wegen seiner Reise nach Weimar im Westen stark angegriffen. Ost und West versuchten, die deutsche Klassik für die eigene staatliche Ordnung zu beanspruchen. In der DDR entstand die Formel vom ‘humanistischen Erbe’. In der Bundesrepublik Deutschland gerieten die Goethefeiern weithin zu Huldigungen an eine übermenschliche Gestalt. Karl Jaspers, der vor einer unhistorischen Stilisierung Goethes zum Heros warnte, wurde deshalb von konservativen Kritikern wie Ernst Robert Curtius attackiert. Eine differenzierte Sicht, die sich des Einschnitts von 1945 bewußt blieb, war nicht mehr gefragt. Auch Jaspers’ Zeitschrift ‚Die Wandlung‘ stellte ihr Erscheinen ein.

Die Klassiker, denen man sich 1945 im Zeichen des Nullpunkts in aller Bedrängnis zugewandt hatte, wurden nun als überzeitliche Vorbilder neu kanonisiert und dienten zur Abwendung des Bewußtseins von der spezifischen Situation der Gegenwart.

Traditionalismus. Diese Entwicklung läßt sich beispielhaft am Wiederaufbau des alten Gymnasiums veranschaulichen. Hierfür waren die Pädagogen Eduard Spranger und Wilhelm Flitner von entscheidender Bedeutung. Beide vertraten die herkömmliche humanistische Bildungsidee als Leitidee auch für die Erziehung in der Gegenwart. Spranger z. B. erhoffte sich in seiner Tübinger Geburtstagsrede auf Goethe von diesem jene Tröstung, „deren wir in der Zerbrochenheit unserer gegenwärtigen Existenz bedürfen“. Seine ‚Psychologie des Jugendalters‘ aus dem Jahr 1924, die eine humanistische Überzeugung von den inneren Bildungskräften vertrat, wurde nach 1945 mehrfach wieder aufgelegt und gab den Richtlinien und Lehrplänen des Gymnasiums die theoretische Grundlage. In den bis in die 60er Jahre geltenden Deutschlehrplänen dominieren deshalb die Werke der Weimarer Klassik und der in ihrer Tradition stehenden Literatur, bis hin zu den Autoren der ‘Inneren Emigration’.

Aus der Zahl der 1949 erschienenen Werke unterstützt vor allem *Erhart Kästners* vielbewundertes ‚Zeltbuch von Tumilad‘ diese Tendenz der Zeit, die ungelöste Frage nach dem geschichtlichen Standort durch die Flucht in eine scheinbar unverlorene Welt kultureller Tradition gleichsam beiseite zu schieben. Es ist zwar ein Erinnerungsbuch an die Jahre der afrikanischen Gefangenschaft des Autors. Aber die Einsamkeit des Gefangenen in der Wüste, ihrer Trostlosigkeit und Leere wird zur Metapher für die Einsamkeit des Menschen schlechthin erhoben, für die leere Oberflächlichkeit seiner geschichtlichen Existenz im ganzen. Zugleich sieht der Autor gerade in dieser Erkenntnis eine Kraft, hinter der allgemeinen Sinnlosigkeit der Geschichte die Zeugnisse des Geistes und der „Imagination“, des Traums, der Kunst und der Literatur in ihrer Überzeitlichkeit wahrzunehmen. Auch wenn geschichtliche Ereignisse wie der Untergang Dresdens in die Darstellung eingehen, dienen diese letztlich nur dazu, dem kulturphilosophischen Gespräch einen neuen Anstoß zu geben.

Es ist kein schärferer Gegensatz denkbar als der zu *Hans Werner Richters* ebenfalls 1949 erschienenem Kriegsgefangenenroman ‚*Die Geschlagenen*‘. In ihm beschreibt der Autor seine Erfahrungen im Lager in den USA. Die Erinnerung dient hier nicht der Enthistorisierung und Symbolisierung des Geschehens, sondern seiner realistischen Vergegenwärtigung. Hemingways Schreibweise bietet das Vorbild. An dem Verhalten der Gefangenen – keine Bereitschaft zum wirklichen Umdenken – und an den Maßnahmen der Sieger – falsche Politik der ‘reeducation’ – ist bereits die Vergeblichkeit der Neuordnungsvorstellungen ablesbar. ‚Die Geschlagenen‘ sind nicht nur ein Name für die deutschen Soldaten des Jahres 1945, sondern auch für die gesellschaftlichen Gruppen des Jahres 1949, die ursprünglich ihre Hoffnung auf den grundlegenden Neuaufbau Deutschlands gesetzt hatten.

Das äußere Leben prägte der Aufschwung, im inneren wandte man sich den ewigen Werten der Vergangenheit zu. Die Adenauerzeit verzichtete auf eine Standortbestimmung der eigenen geschichtlichen Existenz.

Zeitanalyse und Doppelleben.– ‚Der Ptolemäer‘ Gottfried Benns. Die offizielle Kulturpolitik bemühte sich um das Positive, Sinngebende der Vergangenheit. Die Analyse der Gegenwart nahm dagegen ein Autor vor, der wegen seines anfänglichen Eintretens für den NS-Staat bis 1948 von den Besatzungsmächten verboten war: Gottfried Benn. Er veröffentlichte 1949 die ‚Berliner Novelle‘ ‚Der Ptolemäer‘.

Dieser erscheint als exemplarische Verkörperung der gegenwärtigen Erscheinungsweise des Menschen. Ihm ist der Zusammenhang der Welt verlorengegangen. Der äußere Weltlauf zeigt sich als chaotisches Nebeneinander, als eine Folge immer wiederkehrender „kleiner Strudel im Panta rhei“ (Alles fließt). Offenbar ist nur, daß für den europäischen Menschen die Endzeit angebrochen ist. Bei seiner völligen Wertverwahrlosung ist er nur noch zu einem oberflächlichen Leben in der Lage, er verfügt über kein „spezifisch moralisches Fluidum“ mehr. Zwar besteht der europäische Zwang zum Denken weiter, aber dieses kreist nur noch in sich: „Das Dogma des homo sapiens ist zu Ende.“ Die gegenwärtigen Versuche zur Reorganisation des Abendlands erscheinen dem ‘Ptolemäer’ deshalb als lächerlicher Schein, die Bemühungen um eine innerliche Änderung des Menschen als „Druckgewinsel der Renovatoren“. Er propagiert statt dessen das „prismatische“ Sehen: das konstatierende Wahrnehmen des Nebeneinanders der Dinge in einer zerfallenden Welt. Dennoch spürt der ‘Ptolemäer’ in sich eine starke panische Gewalt, dieses geschichtslose Sein der Welt jenseits aller Rationalität als Einheit zu erfahren. Die künstlerische Tätigkeit erscheint nun als der Weg, diese Einheit selbst herzustellen, indem etwas vollkommen in sich Ruhendes, Statisches geschaffen wird: der Künstler als „Glasbläser“.

Daraus folgt ein Doppelleben: äußerlich die bewußte Anpassung an das allgemeine oberflächliche Leben; der ‘Ptolemäer’ besitzt einen Kosmetiksalon. Innerlich aber ist er ein Einzelgänger und Ästhet, der die Suche nach Augenblicken einer ganzheitlichen Daseinsform nicht aufgegeben hat.

Mit dieser Forderung nach einer Spaltung des Bewußtseins steht Benn den Tendenzen der offiziellen Kultur nahe. Auch er hat im ‚Doppelleben‘ – so der Titel seiner Autobiographie aus den NS-Jahren (1950) – die im Nationalsozialismus geübte Lebenshaltung für die Gegenwart fortgeschrieben. Aber seine Reflexionen analysieren scharf die eigenen Tendenzen der beginnenden 50er Jahre. Sie lassen sich mit den Darstellungen des damals führenden Kulturkritikers Arnold Gehlen verbinden, der in dem Buch ‚Die Seele im technischen Zeitalter‘ (1949-1957) den Zerfall der individuellen Persönlichkeit beschrieben hat.

Mit den Prosatexten und den ‚Statischen Gedichten' (1948) stellte sich Benn mitten in die Diskussion der Zeit. Man warf ihm pathologischen Nihilismus vor. Anders aber als 1947, als mit diesem Vorwurf ‚Der Ruf' verboten werden konnte, übte er nun eine große Faszination aus, war es doch ein resignativer 'nihilistischer Ästhetizismus', der als Grundlage für ein kultiviertes Leben in einer nicht mehr wandlungsfähigen Zeit dienen konnte. Benns zweiter Ruhm, der bis zu seinem Tode 1956 andauerte, überstrahlte seine erste im Expressionismus gewonnene Popularität.

Radikale Isolation: Der ‚Leviathan' Arno Schmidts. Benns Sprache ist zugleich von nüchterner Analyse und metaphernreichen Assoziationen, im ganzen von rhetorischer Brillanz geprägt. In einer Zeit, die sich um alte geschlossene Formen bemühte, wirkt die Bezeichnung des essayistischen, handlungslosen ‚Ptolemäer' als 'Novelle' wie ein Kontrapunkt. Hierin ist Benns Sprachstil mit dem Arno Schmidts vergleichbar. Dieser veröffentlichte 1949 seine erste Erzählung: ‚Leviathan oder die beste der Welten'.

Sie handelt von dem vergeblichen Versuch einer Gruppe von Menschen, im Winterschneesturm 1945 mit einem Güterzug der Kriegsfront zu entfliehen. Am Ende kommt der Zug auf dem Pfeiler eines zerschossenen Viadukts zum Stehen. Es gibt kein Vor und Zurück – nur den Sprung ins Bodenlose.

Aber der Text erzählt weniger eine spannende Handlung, vielmehr besteht er wesentlich aus Reflexionen des Ich-Erzählers, niedergeschrieben in Form eines Tagebuchs mit Orts- und Zeitangaben, oft im Stil flüchtig hingeworfener Notizen. Philosophische Abstraktionen wechseln mit Situationsangaben und Ausrufen; analytische Nüchternheit wird von expressionistischer Bildhaftigkeit durchbrochen. Diese Reflexionen nehmen das Schlußbild gedanklich vorweg: Sie handeln, zusammengedacht aus Philosophie (Schopenhauer) und Naturwissenschaft, vom Leviathan, dem Dämon des Bösen, der sich immer neu verkörpert, die Welt beherrscht und in den Untergang führt. Die Weltmechanismen sind „Fressen und Geilheit, Wuchern und Ersticken". Dem einzelnen steht nur der Weg der Verneinung offen: „den Individualwillen gegen den Gesamtwillen setzen". Hier wird in noch radikalerer Weise als bei Benn eine negative Weltauffassung verkündet: „Ich würde begrüßen, wenn die Menschheit zu Ende käme." Der 'small talk' eines Kosmetiksalons ist hier undenkbar. Selbst die Verständigung mit einem geliebten Menschen ist kaum noch möglich. Der Ich-Erzähler steht allein.

So ist auch das Doppelleben keine Alternative. Man kann sich nur als ganzer Mensch der Welt entgegenstellen. Auch die Kunst stellt keinen abgegrenzten Bezirk dar. Sie ist allenfalls Teil der Handlung, die der Mensch dem Nichts entgegenwerfen kann. Bevor der Ich-Erzähler am Ende vom Pfeiler springt, heißt es: „Da schlenkere ich das Heft voran: flieg. Fetzen."

Der in allen Kulturen fachkundige, aber heimatlose und pessimistische Einzelgänger bildet auch in den späteren Werken eine Leitfigur Schmidts. Ja der Autor selbst entzog sich weitgehend dem Kulturbetrieb der Bundesrepublik Deutschland. Leben und Werk Arno Schmidts kritisieren so am extremsten, durch vollkommene Verweigerung, die Entwicklung, die die deutsche Geschichte nach 1945 genommen hat.

2 Poetische Gegenwelten: Lyrik zwischen 1950 und 1970

2.1 Der zeitliche Rahmen

Beim Überblick über die Entwicklung der westdeutschen Lyrik läßt sich eine erste große Phase ausmachen, deren Anfang durch Benns Vortrag ‚Probleme der Lyrik‘ (1951) gekennzeichnet ist und deren Endpunkt Celans Tod 1970 markiert. Die Gründung der Zeitschrift ‚Kursbuch‘ (1965) durch Enzensberger und Frieds Gedichtsammlung ‚und Vietnam und‘ (1966) setzen aber schon vorher deutliche Zeichen einer Neuorientierung.

In diesem Zeitraum findet die Lyrik eine große Resonanz in der Öffentlichkeit. Die Gedichte sind inhaltlich geprägt von der Erfahrung des Wirklichkeitsverlustes, der Ohnmacht des Menschen, seiner Isolationserfahrung. Formal dominiert eine Entwicklung zur Dunkelheit der Sprache, zur monologischen Aussage und stetigen Verkürzung des Gedichts.

Ende der 50er Jahre läßt sich eine Zäsur erkennen: 1956 stirbt Benn, sein bis dahin normativer Einfluß geht zurück; im selben Jahr stirbt auch Brecht, aber sein Einfluß beginnt erst. Die neue Generation, die sich jetzt zu Wort meldet (z. B. Enzensberger, Rühmkorf, geb. 1929), verarbeitet die Tradition in freierer Weise mit spürbarer Freude am Spielerisch-Artistischen, mit deutlicherem Bezug auf die geschichtliche Gegenwart. Aber auch für sie bleibt das Bewußtsein der Unsicherheit, des Ausgeliefertseins an unveränderbare äußere Gegebenheiten bestimmend.

Die Adenauerzeit, die Zeit des Wirtschaftswunders und der Eingliederung der Bundesrepublik Deutschland in das wirtschaftliche und politische System des Westens, läßt auf der Ebene des menschlichen Bewußtseins, wie es sich in der Lyrik entfaltet, eine tiefe Irritation dieser so erfolgreichen äußeren Entwicklung gegenüber erkennen. Das hermetische Gedicht verschließt sich dem Alltagsverständnis der Sprache und entwirft eine poetische Gegenwelt.

2.2 Das Bewußtsein der Modernität – Gedichte nach Auschwitz

> *Anthologien:*
> Ergriffenes Dasein. Deutsche Lyrik 1900–1950. Hrsg. von Hans Egon Holthusen und Friedhelm Kemp (1953)
> Transit. Lyrikbuch der Jahrhundertmitte. Hrsg. von Walter Höllerer (1956)
> Museum der modernen Poesie. Hrsg. von Hans Magnus Enzensberger (1960)

Die Verschlossenheit (Hermetik) der Lyrik wird in der Diskussion der Zeit auf zwei unterschiedliche Ursachen zurückgeführt: zum einen auf den Nationalsozialismus. Theodor W. Adorno prägt 1949 die vielzitierte Formel, „daß es nach Auschwitz unmöglich ward, Gedichte zu schreiben". Er zieht diese radikale Konsequenz aus der Tatsache, daß sich auch die literarische Sprache direkt in den Dienst der Barbarei gestellt oder sich mit dem Aufbau einer reinen Gegenwelt begnügt hatte, deren Lügenhaftigkeit angesichts der geschichtlichen Ereignisse offensichtlich war. Dies gilt für beide Lyriktraditionen, die der hymnisch-verkündenden, „sinnstiftenden" Dichtung und die der stimmungsvollen Natur-Erlebnis-Lyrik gleichermaßen. Diese Dichtung hatte sich als „Teufelsinstrument" (Höllerer) erwiesen.

Die Gedichte des radikalsten Vertreters der hermetischen Lyrik, Paul Celans, auch die der Nelly Sachs, sind entscheidend von der sowohl geschichtlichen als auch sprachlichen ‘Auschwitz’-Erfahrung geprägt.

Als zweiten Bezugspunkt sucht die Lyrik dieser Zeit einen weiter zurückreichenden Ursprung: Innerhalb der deutschen Literatur wird Hofmannsthals ‚Brief' des Lords Chandos (1902) zum ersten Kronzeugen des 'modernen', von der Krise des Ich-Spra-che-Welt-Verhältnisses geprägten Bewußtseins erhoben. So setzt Friedhelm Kemps erfolgreiche (12 Auflagen) Anthologie ‚Ergriffenes Dasein' (1953) ausdrücklich mit Gedichten Hofmannsthals ein. Im europäischen Rahmen stellt man sich bewußt in die Tradition der französischen Lyrik, in der man seit Baudelaires ‚Fleurs du Mal' (1857) die 'moderne' lyrische Sprache am reinsten ausgeprägt findet. Hugo Fried-richs Begriffe „Sprachmagie", „Entpersönlichung", „Abstraktion", „sinnliche Irrea-lität" werden zum Kennzeichen der modernen Poesie überhaupt, obwohl sie fast aus-schließlich an Beispielen aus der romanischen Literatur erarbeitet sind. Seine Ab-handlung ‚Die Struktur der modernen Lyrik' erreicht als Taschenbuch zwischen 1956 und 1958 eine Auflage von 50 000 Exemplaren.

Zugleich hat dieser literarische Modernitätsbegriff von Anfang an eine zeitkritische Spitze: gegen den Vorrang der Ökonomie und den technischen Rationalismus. Gera-de die sich dem alltagssprachlichen Verständnis entziehende Dunkelheit des Ge-dichts läßt sich als politische Haltung interpretieren, weil sie sich der uniformen Mas-sengesellschaft verweigert. Sowohl dialektische Kritik (Adorno:‚Rede über Lyrik und Gesellschaft', 1957) als auch auf Nietzsche bezogener Kulturpessimismus (Benn: ‚Probleme der Lyrik', 1951) beschreiben die hermetische Poesie als letzten Raum exi-stentieller Freiheit.

Dem heutigen Betrachter zeigt sich allerdings in den so scharf getrennten Bereichen Kunst und Wirklichkeit etwas Umgreifendes: Die hermetische Poesie setzt ihr Be-wußtsein von der Undurchdringlichkeit der geschichtlichen Realität in eine ebenso undurchdringliche sprachliche Welt um. Ihre Kritik ist eher einsame Klage als Ankla-ge. Die von Heine bis zu Brecht reichende politische Lyrik, die sich gerade der in die Geschichte eingreifenden Reflexion und auch der Aggression verschrieben hat, wird in der Lyrikproduktion und -diskussion der 50er Jahre fast vollkommen übergangen. Erst Enzensbergers Veröffentlichungen knüpfen an diese Tradition an.

2.3 „Mysterium" der Worte – „Mit Worten schweigen": Gottfried Benn und Wilhelm Lehmann

> **Gottfried Benn:** Statische Gedichte (1948)   Probleme der Lyrik (1951)
> Destillationen (1953)   Aprèslude (1955)
> **Wilhelm Lehmann:** Noch nicht genug (1950)   Meine Gedichtbücher (1957)
> Dichtung als Dasein. Poetologische und kritische Schriften (1956)

Wie das allgemeine gesellschaftliche Leben der frühen Adenauerzeit von Vertretern der alten Generation bestimmt wird, so auch die Lyrik: Wilhelm Lehmann (1882 bis 1968) und Gottfried Benn (1886–1956) stehen für die Kontinuität der deutschen Lite-ratur über die Jahre des Nationalsozialismus hinweg ein – auch über die persönliche Verstrickung in ihn, wie dies bei Benn der Fall ist. Sie wollen durch die moderne arti-stische Sprachverwendung im Gedicht eine neue, eigentliche Realität schaffen, zu der der Mensch der Gegenwart sonst keinen Zugang mehr hat.

2.3.1 „Mysterium" der Worte: Gottfried Benns ‚Probleme der Lyrik'
Gottfried Benn verbindet Kontinuität mit der Rolle des Avantgardisten. In dem Vor-trag ‚Probleme der Lyrik' (1951) entfaltet er seine für die nächsten Jahre richtungwei-sende Position.

Die entscheidende Erkenntnis bildet für Benn Nietzsches Auffassung von dem allein ästhetischen Charakter der modernen Welt, vom „allgemeinen Verfall der Inhalte" und „Nihilismus der Werte". Allein die Kunst vermag eine „neue Transzendenz zu setzen". Die Worte, vor allem die Substantive, sind „das letzte Mysterium": Sie „brauchen nur die Schwingen zu öffnen, und Jahrtausende entfallen ihrem Flug". Der Erinnerungen und Assoziationen freisetzende „Wallungswert" des Einzelworts und weitgehend verbloser Wortkombinationen soll eine abstrakte Ganzheit schaffen, die die banale Alltagssprache und deren Wirklichkeit „zertrümmert". Die Form des Gedichts ist der höchste Inhalt, diese herzustellen der Auftrag des Künstlers. Er ist Artist. Jenseits aller subjektiven Stimmung gestaltet er die Objektivität des absoluten Gedichts. Sein Wesen ist „Faszination".

Benns späte Lyrik fasziniert tatsächlich, aber weniger, weil sie die Theorie in dichterische Praxis umsetzt, als deshalb, weil diese den theoretischen Anspruch oft unterläuft. Die Erkenntnis vom „verlorenen Ich" wird oft nicht durch Wortartistik objektiviert, sondern entweder in schönem Klageton, im empfindsamen Selbstgespräch, mitgeteilt oder durch die ironische Verwendung des 'small talk' der Alltagssprache zynisch kommentiert. Das Gedicht ‚Verzweiflung' (1952) beginnt mit der wegwerfenden Beschreibung des äußerlichen Lebens:

> Was du in Drogerien sprachst
> beim Einkauf von Mitteln
> oder mit deinem Schneider
> außerhalb des Maßgeschäftlichen –
> was für ein Nonsens diese Gesprächsfetzen,
> warst du da etwa drin?

Das Identitätsbewußtsein des Menschen, sein individuelles Sinn- und Wertsystem, wird als nichtig, scheinhaft entlarvt:

> leicht hingeplappert, um nicht gleich wieder hinauszugehn,
> dies und jenes, Zeitgeschichtliches,
> Grundsätzliches, alles durcheinander –
> Grundsätzliches ist übrigens gut!
> Wo sitzt das denn bei dir? Im Magen? Wie lange?
> Was ist das überhaupt? Triebfonds, Hoffnungszement, Wirtschaftskalkül –
> jedenfalls etwas ungemein Prekäres!

Am Ende aber steht der sanfte (regelmäßige, gereimte) Trost monologischer Melancholie:

> Sprich zu dir selbst, dann sprichst du zu den Dingen
> und von den Dingen, die so bitter sind,
> ein anderes Gespräch wird nie gelingen,
> den Tod trägt beides, beides endet blind.

> Hier singt der Osten und hier trinkt der Westen,
> aus offenen Früchten rinnt es und vom Schaft
> der Palmen, Gummibäume und in Resten
> träuft auch die Orchidee den Seltsamsaft.

> Du überall, du allem nochmals offen,
> die letzte Stunde und du steigst und steigst,
> dann noch ein Lied, und wunderbar getroffen
> sinkst du hinüber, weißt das Sein und schweigst.

Die Dinge existieren allein im Wort, sie können im lyrischen Selbstgespräch evoziert werden. Hier erzeugt Benn mit dem 'östlichen' Bild der rinnenden Säfte aus tropischen Pflanzen die Faszination eines menschen- und sinnlosen Daseins zum Tode. Diesen dunklen 'Sang' gilt es im leer-rationalen 'Westen' zu 'trinken'. Darin liegt eine letzte mögliche Steigerung des Lebens. Das Schweigen am Ende schließt alles Wissen vom 'Sein' in sich ein.

Benn beschwört den Moment eines vom Schweigen erfüllten höheren Augenblicks, wenn auch die Hingabe an den Tod damit verbunden ist.

Das deutsche Bewußtsein der 50er Jahre, in einem geschichtlich leeren Raum zu leben, wird durch die Konstruktion einer allgemein abendländischen Endzeit legitimiert. Benns literarturtheoretischer Vortrag über die Lyrikprobleme endet bei kulturphilosophischen Überlegungen von der unvermeidlichen Entwicklung der 'Moderne' zu immer größerer 'Abstraktion' und Sinnentleerung. Die Gedichte ihrerseits erzeugen das emotionale Einverständnis des Lesers mit diesem scheinbar schicksalhaften, 'fernbestimmten' (in: ‚Nur zwei Dinge') Prozeß.

2.3.2 „Mit Worten schweigen": Die Konstante der Naturlyrik bei Wilhelm Lehmann

Auch Wilhelm Lehmann geht davon aus, daß „wahres Sein" erst mit Hilfe der Dichter zustande komme. Denn dem gegenwärtigen Menschen verschwinde hinter der Zivilisation und ihren „aufgetürmten Abstraktionen" die Welt. Das Gedicht aber rette die verlorene Wirklichkeit.

> *Mond und Wind*
>
> Vor mir des Hügels sausende Wand.
> Hat meine Schwermut sie gebaut?
> Der schreiende Wind bestreut sie mit Sand,
> Der Flieder schrickt, da sein Finger ihn rauht.
>
> Der Mond steigt aus dem Hügelschoß,
> Am Windesschweigen wird er groß,
> Denn der Wind verstummt auf sein Geheiß.
> Die Blätter ruhn vom hitzigen Tanz,
> Es schweben die Steine, es duftet der Staub.
> Dianas Schulter zückt durch das Laub,
> Sie gehört Endymion. Ihren Glanz
> Pflück ich als weißes Fliederreis.　　(1950)

In drei Schritten bringt das lyrische Ich die Offenbarung des „wahren Seins" zum Ausdruck: Die Natur wird vermenschlicht (V. 3–7), verzaubert (V. 8/9), mythisiert (V. 10–12). Der antike Mythos dient dazu, die verlorene Wahrheitserfahrung in die Gegenwart zurückzuholen. Und das Fliederreis verbürgt am Ende die Teilhabe des Ichs an dem mythischen Glanz der Naturordnung.

Das „wahre Sein", das Lehmann vermitteln will, liegt in der Zeitlosigkeit. „Ewige Gegenwart im Überall" erscheint als das „Siegel der Wahrheit", sie gilt es zu erfahren, das Gedicht drückt sie aus. Aber die Sprache dieser Wahrheit ist entlehnt. Lehmann zitiert den antiken Mythos nur. Im Grunde spiegelt er vor, als ob durch die Überhöhung der Dinge selbst im Gedicht die Subjekt-Objekt-Spannung von Ich und Welt überwunden, eine neue Transzendenz erreicht werden könnte. Lehmann verzichtet auf eine eigene, authentische Deutung der Wirklichkeit und der Stellung des Menschen in ihr.

1953 erhielt Lehmann den Lessing-Preis. Seine Lyrik wurde hochgeschätzt. Über seine Gedichte zog die traditionelle Naturlyrik aus der Zeit vor 1933 und der 'Inneren Emigration' bis 1945 (Oskar Loerke) in die Nachkriegsliteratur ein. Er vermochte die Erfahrung des allgemeinen Geschichtsverlustes in einen scheinbaren Gewinn umzudeuten.

2.4 Die neue Naturlyrik bei Günter Eich

Günter Eich: Abgelegene Gehöfte (1948)   Botschaften des Regens (1955)
Anlässe und Steingärten (1966)
Einige Bemerkungen zum Thema ‚Literatur und Wirklichkeit‘
(in: Akzente. 1956)
Peter Huchel: Gedichte (1949)   Chausseen, Chausseen (1963)
Karl Krolow: Die Zeichen der Welt (1952)   Fremde Körper (1959)

Lehmann beeinflußte auch die jüngeren Naturlyriker, Eich, Huchel und besonders
Krolow. Dennoch öffnet sich bei diesen das Gedicht einer Reflexion, die gerade aus
der unaufhebbaren Spaltung von Subjekt und Objekt ihre Spannung gewinnt und
sich der Geschichtlichkeit des Menschen bewußt bleibt.

Günter Eich: ‚Latrine‘

Über stinkendem Graben,　　　　　　　Irr mir im Ohre schallen
Papier voll Blut und Urin,　　　　　　Verse von Hölderlin.
umschwirrt von funkelnden Fliegen,　　In schneeiger Reinheit spiegeln
hocke ich in den Knien,　　　　　　　Wolken sich im Urin.

den Blick auf bewaldete Ufer,　　　　„Geh aber nun und grüße
Gärten, gestrandetes Boot.　　　　　die schöne Garonne –“
In den Schlamm der Verwesung　　　Unter den schwankenden Füßen
klatscht der versteinte Kot.　　　　　schwimmen die Wolken davon.　　　(1948)

Hier wird ein Augenblick beschrieben, in dem der Mensch wahrhaft Bestandteil der
Natur ist, diesseits aller Mystik. Hymnische Lyrik, für die hier Hölderlin steht, kann
in solch einem Moment nur „irr […] schallen“. Der Reim „Urin“ beraubt diesen Namen und seine Tradition, die im Dritten Reich mißbraucht worden war, aller falschen
Feierlichkeit. Der Himmelsblick zur „schneeigen Reinheit“ der Wolken als ein zentrales Motiv der Naturlyrik, in dem sich die Sehnsucht nach Auflösung der menschlichen Begrenztheit ausdrückt, wird nach unten umgekehrt. Daß diese „Reinheit“
über die Spiegelung im Urin erblickt wird, deutet darauf, daß der Mensch eben nicht
unmittelbar (im Blick nach oben) die hinter den Dingen (den Wolken) liegende wahre Seinsordnung erkennen kann, sondern diese als Produkt seines Geistes, auf der
Basis seiner Kreatürlichkeit, den Dingen erst beilegt.
In der Spiegelung erscheinen die Hölderlin-Verse als an die wegschwimmenden Wolken gerichteter Gruß, die fest auf dem Boden stehenden Füße scheinen zu „schwanken“. Die dichterische Arbeit, mit Hilfe des begrenzten Blicks in den Spiegel der
Kreatürlichkeit die Wirklichkeit zu deuten, ist mit dem Eindruck des eigenen
Schwankens verknüpft.
Lyrik erscheint nur möglich, wenn sie, in der Negation der Tradition, die notdürftige
physische Existenz des Menschen ganz ernst nimmt und sich der Scheinhaftigkeit aller geistigen „Reinheits“-Entwürfe bewußt bleibt. Gerade aus dieser Spannung heraus aber kann die Literatur ihre Orientierungsaufgabe für den Menschen wahrnehmen:

„Ich schreibe Gedichte, um mich in der Wirklichkeit zu orientieren. Ich betrachte sie als trigo-
nometrische Punkte oder Bojen, die in einer unbekannten Fläche den Kurs markieren.“

Auch für Eich bedeutet der poetische Vorgang, die Wirklichkeit erst herzustellen.
Aber das Gedicht ist aus der tief skeptischen Haltung eines stets vorläufigen Sich-
Vergewisserns gesprochen.

Exkurs: Vom Papier auf das Tonband. Das Hörspiel

Die Daten nennen das Jahr der Erstsendung
Alfred Andersch: Fahrerflucht (1957)
Ingeborg Bachmann: Der gute Gott von Manhattan (1958)
Heinrich Böll: Klopfzeichen (1960)
Friedrich Dürrenmatt: Die Panne (1956, auch als Erzählung 1956)
Günter Eich: Geh nicht nach El Kuwehd (1950)   Träume (1951)
Die Mädchen aus Viterbo (1952)
Max Frisch: Biedermann und die Brandstifter (1953, auch als Drama 1958)
Wolfgang Hildesheimer: Prinzessin Turandot (1954, auch als Drama 1955)
Fred von Hoerschelmann: Das Schiff Esperanza (1953)
Marie Luise Kaschnitz: Wer fürchtet sich vorm schwarzen Mann (1958)
(Neue Gedichte, 1957)
Wolfgang Weyrauch: Die japanischen Fischer (1955)

Als erstes Drama wurde Wolfgang Borcherts ‚Draußen vor der Tür‘ nach dem Krieg in Deutschland erfolgreich uraufgeführt – aber nicht als Theaterstück, sondern als Hörspiel im Februar 1947. Nach Anfängen in den 20er Jahren ist damit der Rundfunk endgültig als eigenes literarisches Medium entdeckt. Nicht nur die Möglichkeit faszinierte, ein viel größeres Publikum als sonst durch Theater und Buchhandel zu erreichen, nicht nur die Chance, sich durch Arbeit beim Rundfunk ein finanziell sicheres Einkommen zu verschaffen, wie sie tatsächlich auch von vielen Autoren ergriffen wurde. Vielmehr eröffnete das neue Medium auch bisher unbekannte Gestaltungsmöglichkeiten: Die rein akustische Vermittlung erlaubt den Verzicht auf eine realistische äußere Handlung; Realitäts- und Zeitebenen können wechseln; die psychische Verfassung der Figuren kann ausschließlich in den Mittelpunkt treten, ihre Erinnerungen und Erwartungen, Hoffnungen und Ängste. Entsprechend wird auch beim Hörer die Phantasietätigkeit, die Verknüpfung freier Assoziationen angeregt. Er baut eine innere Bühne auf. Das Hörspiel spricht das subjektive Bewußtsein des Hörers an, die äußere Welt kann zurücktreten. Es rückt damit der Lyrik nahe.

Günter Eichs Hörspiel ‚Träume‘ setzt 1951 den Maßstab für diese neue Form. In fünf Träumen werden jeweils die Leere und Gefährdung des gegenwärtigen Weltzustandes symbolisch dargestellt: Die Personen sind in einem immer schneller dahinrollenden Güterwagen gefangen, verlieren auf einer Expedition ihr Gedächtnis, leben in Hochhauswohnungen, deren Wände – wie auch die eigenen Herzen – innerlich bereits von Termiten zerfressen sind usw. Zwischen den einzelnen Szenen und am Ende wird der Hörer direkt angesprochen: „Alles, was geschieht, geht dich an", und:

Nein, schlaft nicht, während die Ordner der Welt geschäftig sind! Seid mißtrauisch gegen die Macht, die sie vorgeben für euch erwerben zu müssen!
Wacht darüber, daß eure Herzen nicht leer sind, wenn mit der Leere eurer Herzen gerechnet wird!
Tut das Unnütze, singt die Lieder, die man aus eurem Mund nicht erwartet!
Seid unbequem, seid Sand, nicht das Öl im Getriebe der Welt!

Eich rüttelt mit diesem Spiel an den Tabus der Adenauerzeit, indem er die Angst und Unsicherheit artikuliert, die von dem Wirtschaftswunderoptimismus nur verdeckt wurden. Die ‚Träume‘ erzielten eine ähnlich große Resonanz beim Publikum wie Borcherts ‚Draußen vor der Tür‘, nur waren neben den Stimmen der Betroffenheit in der Mehrzahl solche zu vernehmen, die Eichs Aufforderung zum inneren Widerstand ablehnten.

Das Hörspiel war damit als eine kritische literarische Form begründet. Auch andere Autoren wie Andersch, Böll oder Weyrauch thematisieren im Hörspiel die sonst verdrängten inneren Erfahrungen: die Schuld aus Nationalsozialismus und Krieg, die Oberflächlichkeit des angepaßten Lebens, die atomare Bedrohung. Jedoch greift diese Kritik nicht in die gesellschaftliche Wirklichkeit ein, sie ist nicht politisch, sondern artikuliert sich im Rahmen des dominierenden Zeitbewußtseins: Die Hörspiele bleiben Parabeln von der Unsicherheit und Bedrohtheit des menschlichen Lebens an sich. Die Autorin *Marie Luise Kaschnitz* hat selbst die Vergeblichkeit dieser Art kritischer Literatur in einem Gedicht zur Sprache gebracht, das die Formel Eichs vom „Sand im Getriebe der Welt" konsequent zu Ende denkt:

Schluß

Dein Gedicht	Die Maschine
Schlag es dir in den Hals	In der man es manchmal
Bring dich zum Schweigen	Knirschen hört
Wenn du redest geht dir nicht ein	Schluchzen nicht mehr.
Was die andern zu sagen haben	Nur die Handvoll Mensch im Getriebe.
Das Ohneich	Schweig (1956)
Das Ohnedu	
Das Ohnewann	
Das Ohnewo	

Die Tätigkeit des Schriftstellers wird angesichts seiner Ohnmacht und Isolation in einer geschichts- und orientierungslosen Welt-Maschine ohne lebendige Menschlichkeit radikal in Frage gestellt.

2.5 Literatur als 'Utopie': Paul Celan und Ingeborg Bachmann

Ingeborg Bachmann: Gestundete Zeit (1953)   Anrufung des Großen Bären (1956)   Aus den Frankfurter Vorlesungen (1960)
Paul Celan: Mohn und Gedächtnis (1952)   Sprachgitter (1959)
Die Niemandsrose (1963)   Atemwende (1967)   Fadensonnen (1968)
Ansprache (Bremer Literaturpreis) (1957)
Der Meridian (Büchner-Preis) (1960)
Nelly Sachs: In den Wohnungen des Todes (1947)
Flucht und Verwandlung (1959)   Glühende Rätsel (1964)

Benns und Lehmanns Lyrik ist 'Seinsdichtung'. Sie zielt darauf, eine höhere, übergeschichtliche Wahrheit darzustellen. Ihr gegenüber steht eine Position, die zwar ebenfalls an dem Gegensatz zwischen geschichtlicher Wirklichkeit und höherer Wahrheit festhält, aber der Sprache nicht mehr zutraut, die Wahrheit positiv erfassen und ausdrücken zu können.
Bei den jüngeren Autoren Celan (1920–1970) und Bachmann (1926–1973) hat sich die geschichtliche Krisenerfahrung noch verschärft. Sie sehen Literatur als 'Utopie', als Tätigkeit in einem 'Nirgendwo', das zwar als jenseits der Wirklichkeit liegendes Gelände grundsätzlich unbeschreibbar bleibt, von dem aus aber die Scheinhaftigkeit der äußeren Realität erkannt werden kann. Literatur verliert zwar den Menschen und seine Geschichte nicht aus dem Blick, aber sie versucht, ihn von seiner unerfüllten Sehnsucht nach Ganzheit und Erlösung her in den Blick zu nehmen. Bei Celan und Bachmann steht deshalb das Verhältnis der Sprache zur Welt (ihre abbildende Funktion) und zur Wahrheit (ihre schöpferische Fähigkeit, auf die Benn und Lehman noch vertrauen) in Frage.

2.5.1 Dichtung nach Auschwitz: Paul Celan

Celan gilt als der exemplarische Vertreter der hermetischen Lyrik deutscher Sprache. Seine Gedichte sind, wie die der älteren Nelly Sachs, entscheidend von dem Thema der Judenvernichtung geprägt.

Als Sohn deutschsprachiger jüdischer Eltern (Nachname Ancel) in der Bukowina (damals Ostrumänien) geboren und nach einem Studienaufenthalt 1939 dorthin zurückkehrend, konnte er sich während des Krieges zwar selbst vor der Verfolgung retten, verlor aber seine Eltern durch Deportation in ein Vernichtungslager. Nach 1945 gelangte er über Bukarest und Wien nach Paris, wo er als Lektor lebte. 1970 schied er freiwillig aus dem Leben.

Für die Erfahrung, Familie und Heimat durch menschliche Barbarei verloren zu haben, steht vor allem die berühmte ‚Todesfuge' (1952, aus ‚Mohn und Gedächtnis'). Aber weit über inhaltliche Bezüge hinaus wird davon die Sprache seiner Lyrik überhaupt bestimmt. Denn gegenüber diesem Vernichtungsgeschehen bleibt der Sprache zunächst allein das „furchtbare Verstummen". Celans Lyrik ist von dem Versuch bestimmt, jenseits der „tausend Finsternisse" der „todbringenden Rede" eine neue Sprache des Lebens zu sprechen (Bremer Ansprache).
Celan geht es nicht um das statische, absolute Gedicht, das aus sich selbst eine „neue Transzendenz" schaffen soll, wie Benn es versucht, sondern um das Gedicht als „Bewegung, Unterwegssein", das durch die tödliche Wirklichkeit der Zeit auf eine andere, „ansprechbare Wirklichkeit" zuhält – sie jedoch nicht durch sich selbst darstellt. Ob diese andere Wirklichkeit erreicht wird, bleibt ungewiß. Aber grundsätzlich ist Celans Lyrik an einen Hörer gerichtet, so imaginär dieser auch bleibt. Damit das Gedicht vielleicht solch ein „Herzland" erreicht, muß es in einer Sprache erscheinen, die sich selbst aller geschichtlichen Tradition entkleidet. Im Gedicht werden „alle Tropen und Metaphern ad absurdum geführt". Celans Lyrik ist durch die Negation herkömmlicher sprachlicher Strukturen gekennzeichnet. Darin zeigt sich die wörtlich zu verstehende 'Utopie', die Ortlosigkeit des Gedichts.
(Rede zum Büchner-Preis.)

> *Psalm*
>
> Niemand knetet uns wieder aus Erde und Lehm,
> niemand bespricht unsern Staub.
> Niemand.
>
> Gelobt seist du, Niemand.
> Dir zulieb wollen
> wir blühn.
> Dir entgegen.
>
> Ein Nichts
> waren wir, sind wir, werden
> wir bleiben, blühend:
> die Nichts-, die
> Niemandsrose.
>
> Mit
> dem Griffel seelenhell,
> dem Staubfaden himmelswüst,
> der Krone rot
> vom Purpurwort, das wir sangen
> über, o über
> dem Dorn.   *(1963)*

Hier werden die Sprache und der Schöpfungsmythos der Bibel ad absurdum geführt. Gott ist „Niemand", der Sprecher „Nichts". Dennoch führt gerade die Negation zur Lebensäußerung („blühn") und zur Bewegung zu einem Gegenüber („Dir zulieb").

Die „Niemandsrose" steht für die Bewegung selbst als den allein lebendigen und Leben zeigenden Vorgang. Die Worte repräsentieren keine außersprachliche Wirklichkeit mehr, sie sind nur noch Zeichen für Positionen innerhalb dieser paradoxen Denk- und Sprachbewegung: „Lies nicht mehr – schau!/ Schau nicht mehr – geh!" lautet die Anweisung an den Leser in dem Gedicht ‚Engführung'.

Auch die noch spürbare traditionelle Bedeutung des Symbols der Rose für Liebe und Zu-Neigung (im Sinne Celans) wird gesprengt, indem die zunächst ungewöhnlichen naturwissenschaftlichen Begriffe mit ganz anderen Bedeutungsebenen verbunden werden: „Griffel" und „Purpurwort, das wir sangen" stellen die Beziehung zur dichterischen Tätigkeit her; die Farbe „Purpur" als Farbe des Blutes und des Triumphes und die Schlußverse mit „Krone" und „Dorn" rufen Jesu Tod ins Gedächtnis; die Wörter „Seele" und „hell" stehen auch in anderen Gedichten zusammen mit „Auge" und „Licht" für die Hoffnung auf Leben und Verstehen, „Staub" zusammen mit „Stein" und „Schnee" für den Bereich des Todes; „Faden" ist Ausdruck für die Verbindung des Menschen mit dem ganz 'anderen', Lebenspendenden. Celans Lyrik zeigt die Entwicklung zur absoluten Metapher und 'Chiffre', die nur noch in einem innersprachlichen Verweisungszusammenhang steht.

So bezeichnet die Chiffre der „Niemandsrose" im ganzen die Hoffnung auf Leben im Schreiben, trotz der Erfahrung des Todes, ja mit dem Impuls, diesen zu überwinden: Das „Purpurwort" wird „über dem Dorn" gesungen. Das Gedicht erhält gerade aus der Negation der traditionellen Sprache eine neue religiöse Dimension. Das Gedicht ist neuer Psalm. Auch die Paradoxie als zentrale Sprachbewegung des Gedichts steht in Analogie zum religiösen Denken, vor allem mystischer Tradition, die durch radikale Negation der gewöhnlichen Sprache das unaussprechlich andere, Göttliche zu umschreiben versucht. In Celans Herkunft aus dem verinnerlichten chassidischen Judentum des Ostens liegt sicherlich eine entscheidende Wurzel für die Hermetik seiner Lyrik.

Für Celan bedeutet Leben das In-Bewegung-Kommen durch das Gedicht. Umgekehrt ist Dichten für ihn nur möglich „unter dem Neigungswinkel seines Daseins". Hierin besteht wiederum der Gegensatz zu Benn, der vom Dichter die Ausschaltung aller persönlichen geschichtlichen Erfahrung verlangt. Für Celan·steht mit dem Gelingen der lyrischen Bewegung auch die eigene Existenz auf dem Spiel. Die wachsende Hermetik und Verkürzung des Gedichts in den 60er Jahren deutet auf die wachsende Schwierigkeit hin, selbst in seiner Existenz an der paradoxen Hoffnung auf das 'ganz andere' festzuhalten. Dabei mag die Erfahrung, daß seine Gedichte an literarischem Einfluß und öffentlicher Wirkung verloren, das Bewußtsein der Vergeblichkeit noch verstärkt haben. Sein Freitod 1970 bedeutet vielleicht, daß die „Unendlichkeitssprechung von lauter Sterblichkeit und Umsonst", als die er das Gedicht sah, ihm nicht mehr möglich war.

Dem heutigen Betrachter aber zeigt sich in der Entwicklung von Celans Lyrik im ganzen, daß das allgemein gewandelte Bewußtsein der späten 60er Jahre, nämlich der Geschichte selbst eine sinnvolle Bewegung abzufordern, die geschichtsverneinende hermetische Lyrik notwendig ihrem Ende entgegenführen mußte.

2.5.2 „Unterwegs zur Sprache": Ingeborg Bachmann

Mit einer neuen Sprache wird der Wirklichkeit immer dort begegnet, wo ein moralischer, erkenntnishafter Ruck geschieht, und nicht, wo man versucht, die Sprache an sich neu zu machen, als könnte die Sprache selber die Erkenntnis und die Erfahrung kundtun, die man nie gehabt hat (‚Frankfurter Vorlesungen').

Ingeborg Bachmanns Lyrik läßt sich im ganzen durch das Bemühen um solch einen „erkenntnishaften Ruck" und seine sprachliche Umsetzung kennzeichnen. Ihre Gedichte sind geprägt von den Motiven des Aufbruchs, von dem Bedürfnis nach Erlösung aus einer als kalt und endzeitlich empfundenen Gegenwart – „Es kommen härtere Tage./ Die auf Widerruf gestundete Zeit/ Wird sichtbar am Horizont" – hin in eine wärmere, hellere Zukunft:

> [...] Das Beste ist, am Morgen,
> mit dem ersten Licht, hell zu werden,
> gegen den unverrückbaren Himmel zu stehen,
> der ungangbaren Wasser nicht zu achten
> und das Schiff über die Wellen zu heben,
> auf das immerwiederkehrende Sonnenufer zu.   (‚Die Ausfahrt', 1953)

Wie für Celan steht für Bachmann das Gedicht in einer unabschließbaren Bewegung: Das „Sonnenufer" kehrt „immer wieder". Aber sie geht nicht von einer geschichtlichen Erfahrung aus, sondern von philosophischen Überlegungen, von Wittgensteins Formulierung, daß „die Grenzen meiner Sprache die Grenzen meiner Welt" bedeuten. Daraus zieht sie den Schluß, daß nur eine Erweiterung der Sprache das Verständnis der Welt zu erweitern vermag. Da aber die Sprache der Logik und Wissenschaften über die Wirklichkeit im ganzen nichts aussagen kann, da überdies die Sprache des Alltags eine abgenützte „Gaunersprache" ist, kann allein die dichterische Sprache diese grenzerweiternde Aufgabe übernehmen. Insofern hilft die poetische Sprache, den „erkenntnishaften Ruck" herbeizuführen, auch wenn sie ihn inhaltlich nicht beschreiben kann.

Auch Bachmanns Literatur ist 'Utopie': Ohne inhaltliche Ortsbestimmung will sie den Boden für die Erkenntnis bereiten. Allerdings ist für sie, und hierin liegt ein Unterschied zu Celan, jegliche religiöse Erwartung von vornherein ausgeschlossen. Ihre 'Utopie' bleibt im Diesseits, sie versucht gleichsam nur, die Grenzen von innen her, vom bekannten Gelände aus zu erweitern; und sie bleibt formal. Nur einmal (in den ‚Frankfurter Vorlesungen') gibt Bachmann mit dem Hinweis auf Ernst Bloch eine Andeutung, von welchem Denken aus der „Erkenntnisruck" eingeleitet, die formale Utopie zur geschichtlich 'konkreten' weiterentwickelt werden könnte.

Erweiterung der Sprachgrenzen aber heißt Anknüpfung an die Tradition. Und Inhaltsleere bedeutet den Hang zur bloß schönen, in sich kreisenden Metaphorik. In der Tat hat die Literaturkritik in Bachmanns Gedichten einerseits eine Vielzahl von literarischen Anklängen festgestellt (an Hofmannsthal, Rilke, Trakl, Benn, Celan u. a.) und andererseits bemerkt, daß Bachmann „ins zuweilen Aparte" ausweiche, „in die schöne Bild- und Vorstellungsformel" (Krolow).

Mein Vogel

> Was auch geschieht: die verheerte Welt
> sinkt in die Dämmrung zurück,
> einen Schlaftrunk halten ihr die Wälder bereit,
> und vom Turm, den der Wächter verließ,
> blicken ruhig und stet die Augen der Eule herab.
>
> Was auch geschieht: du weißt deine Zeit,
> mein Vogel, nimmst deinen Schleier
> und fliegst durch den Nebel zu mir.
>
> Wir äugen im Dunstkreis, den das Gelichter bewohnt.
> Du folgst meinem Wink, stößt hinaus
> und wirbelst Gefieder und Fell –
>
> Mein eisgrauer Schultergenoß, meine Waffe,
> mit jener Feder besteckt, meiner einzigen Waffe!
> Mein einziger Schmuck: Schleier und Feder von dir.   [...] *(1956)*

In diesen Strophen wird das 'Ritual' der dichterischen Arbeit – Inspiration und Erfassen der Wirklichkeit – mit dem Bild des heranfliegenden und jagenden Vogels dargestellt; ihm sind, als der mythischen Eule der jungfräulichen Minerva, die Attribute der Kunst beigegeben. Die geschichtliche Endzeitsituation andererseits wird durch die Abendmotivik ausgedrückt. Aber es fehlt jeder Hinweis, was etwa mit dem „Schlaftrunk der Wälder" gemeint ist, mit dem Wächter. Unklar bleibt, was die Eule erfaßt, d. h. die Dichterin in ihrem Gedicht zur Anschauung bringt. Das Gedicht zitiert traditionelle Metaphorik, aber der Verweisungszusammenhang bleibt offen. Es entsteht eine emphatische Atmosphäre, aber sie bleibt leer.

Gerade in dieser vieldeutigen schönen Metaphorik der Gedichte liegt die Wurzel ihres schnellen und breiten Ruhms. Sie bringen das allgemeine Unbehagen und das gleichzeitige Bedürfnis nach einem Aufbruch ohne Ziel, die innere Ratlosigkeit der Zeit zum Ausdruck. Ihnen entspricht die damals verbreitete existentialistische Lebenshaltung. Die rein formale Beschreibung der Lyrik, wie sie Walter Höllerer in seiner viel gelesenen Anthologie ‚Transit' (1956) gibt – allein die „Gestalt" gebe Aufschluß über Inhalt und Intention –, seine Formulierung von der nur noch „seismographischen" Leistung des Gedichts, sein Bewußtsein vom richtungslosen Übergangszustand der Zeit (s. den Titel) – all dies hat in Bachmanns Gedichten exemplarische Gestalt gefunden.

Zugleich war Bachmann eine junge Lyrikerin, in der sich erstmals nach dem Krieg die nach 1925 Geborenen zu Wort meldeten und die selbst als Person die ihre Gedichte prägende Haltung zu verkörpern schien: „viel blondes Haar, sanftbraune Augen, still und scheu in Ausdruck und Rede", zugleich mit „scharf trainiertem Intellekt" begabt (sie hatte über Heidegger promoviert), so vermarktete sie ‚Der Spiegel' schon 1954, und aus diesem Klischee konnte sie sich nicht mehr befreien. Ingeborg Bachmann war so gesehen das erste prominente Opfer des westdeutschen Literaturbetriebs. Ihre spätere Prosa (‚Das dreißigste Jahr', 1961; ‚Malina', 1971) wurde immer an der frühen Lyrik gemessen. Die eigene geschichtliche Erfahrung, wie sie hier verarbeitet ist, daß die 'schlechte' Sprache der Wirklichkeit vor allem Wahrheit und Verständigung im zwischenmenschlichen Bereich, zwischen Mann und Frau, verhindert, ihre Beschreibung der zerstörerischen Herrschafts- und Rollenbeziehungen, die neue Sicht der in den Gedichten noch gefeierten Liebe wurden von der literarischen Öffentlichkeit nicht mehr wahrgenommen. Dennoch liegen hier Ansätze, wie sie in der Literatur der 70er Jahre, z. B. bei Botho Strauß und nach Bachmanns Tod 1973, wiederaufgenommen wurden.

2.6 „Vergangenheit der Moderne": Hans Magnus Enzensberger

> **Hans Magnus Enzensberger:** Verteidigung der Wölfe (1957)
> Landessprache (1960)   Blindenschrift (1964)
> Scherenschleifer und Poeten, in: Hans Bender (Hrsg.):
> Mein Gedicht ist mein Messer (1961)

Bei Benn und Lehmann, Celan und Bachmann ist grundsätzlich die Sprache der Alltagswirklichkeit von der Poesie geschieden. Darin kommt das Bewußtsein zum Ausdruck, von der geschichtlichen Welt und deren Verlauf als Subjekt entfremdet zu sein.

Gegenüber diesem In-sich-Kreisen des Gedichts bedeutet Enzensbergers seit 1957 erscheinende Lyrik eine Neuorientierung, eine Überwindung der reinen Sprach-Dichtung:

„An diesem Punkt erlaube ich mir, einen Begriff ins Spiel zu bringen, der mit allgemeinem Scharren, ja mit Hohngeheul begrüßt werden dürfte: den des Gegenstandes. Auch der Gegenstand, jawohl, der vorsintflutliche, längst aus der Mode gekommene Gegenstand, ist ein unentbehrliches Material der Poesie. Ich kann, wenn ich einen Vers mache, nicht reden, ohne von etwas zu reden." (Aus: ‚Scherenschleifer und Poeten', 1961.)

Enzenberger will durch das Gedicht „Sachverhalte vorzeigen", er wendet sich der Wirklichkeit und dem Leser zu: Er soll das Gedicht „gebrauchen". Damit knüpft Enzensberger an eine theoretische Position an, die schon in den 20er Jahren von Brecht, und schon damals gegen die Dichtung Rilkes und seiner Epigonen, bezogen worden war. Mit Enzensberger setzt in der Lyrik die Brechtrezeption ein, die in der politischen Lyrik der 60er Jahre bestimmend wurde (Fried, Törne, Delius u. a.).

Ins Lesebuch für die Oberstufe

> Lies keine Oden, mein Sohn, lies die Fahrpläne:
> sie sind genauer. Roll die Seekarten auf,
> eh es zu spät ist. Sei wachsam, sing nicht.
> Der Tag kommt, wo sie wieder Listen ans Tor
> schlagen und malen den Neinsagern auf die Brust
> Zinken. Lern unerkannt gehn, lern mehr als ich:
> das Viertel wechseln, den Paß, das Gesicht.
> Versteh dich auf den kleinen Verrat,
> die tägliche schmutzige Rettung. Nützlich
> sind die Enzykliken zum Feueranzünden,
> die Manifeste: Butter einzuwickeln und Salz
> für die Wehrlosen. Wut und Geduld sind nötig,
> in die Lungen der Macht zu blasen
> den feinen tödlichen Staub, gemahlen
> von denen, die viel gelernt haben,
> die genau sind, von dir.   *(1957)*

Der Ton der Aufforderung an einen Leser, die reimlose Sprache mit verfremdeter Syntax (z. B. V. 5/6) und im gestischen Rhythmus – diese formalen Elemente, wie auch die realistischen Details, „unerkannt" zu gehen, „das Viertel, den Paß, das Gesicht" zu wechseln, erinnern an Brecht. Der Schluß aber vollzieht einen Sprung in die Genitiv-Metaphorik, wie sie aus der Lyrik der Sprach-Dichter, auch aus der Eichs, bekannt ist: „Staub in die Lungen der Macht" zu blasen steht auf einer Ebene mit der Formel vom „Sand im Getriebe der Welt".

Wozu der Leser das Gedicht gebrauchen soll, bleibt vage. Auch bei Enzensberger ist die vom Gedicht 'produzierte' Wahrheit letztlich Ausdruck eines unbrechtischen Gefühls unüberwindbarer Isolation und Handlungsunfähigkeit. Die verordnete Haltung der „Wut und Geduld" ist in ihrer Allgemeinheit ziellos.

So steht Enzensbergers Lyrik einerseits für eine neue Entwicklung: Mit ihm beginnt das auf die politische Wirklichkeit bezogene, der Aufklärung verpflichtete Gedicht. Aber zugleich ist er der Tradition der 'Moderne' verhaftet, die ein aufklärendes Eingreifen in die geschichtliche Welt nicht für möglich hält.

Dieser Widerspruch zeigt sich vor allem in Enzensbergers Sprache. Die Verwendung des Alltagsjargons dient eben oft nicht dem 'Vorzeigen' der äußeren 'Sachverhalte' im Dienst einer politischen Aussage, sondern ihrer Verwirrung im Dienst eines subjektiven Weltgefühls, bis hin zur Groteske:

> Die Generalstäbe spielen Weltraumgolf.
> Hinter der Schallmauer nimmt der Fortschritt
> eine Parade von lenkbaren Lehrstühlen ab.
>
> In den Staatsbanken singen kastrierte Kassierer
> schaumige Arien, bis die begeisterten Damen
> ihr Gefrierfleisch aus dem Chinchilla schälen.   *(Aus: ‚Schaum', 1960)*

Enzensberger ist wie Benn ein Artist der Sprache. Aber er sieht die 'moderne' Entwicklung zu Ende gekommen. 1960 gibt er eine Gedichtsammlung mit dem Titel ‚Museum der modernen Poesie‘ heraus, deren erstes Kapitel ‚Vergangenheit der Moderne‘ überschrieben ist. Diese Tradition fortführen zu wollen, bedeutet „schlechten Avantgardismus", sie immer noch zu bekämpfen, ihr „Zersetzung, Entwurzelung, Nihilismus" vorzuwerfen, ist ebenfalls historisch überholt. Dagegen gilt es, diese Lyrik für die eigene Produktion fruchtbar zu machen. Gerade daß sie vergangen ist, gibt sie frei für die Aneignung der Gegenwart, in deren eigenem Interesse.

Produktive Aneignung aber heißt bei Enzensberger, daß er neben der Sprachartistik auch das Weltgefühl der Moderne im Kern übernommen hat. Für ihn ist Macht und Herrschaft, gleichgültig ob in Ost oder West, ist Technik und Konsum grundsätzlich als menschenfeindlich zu kritisieren. So erscheint Enzensberger schon der zeitgenössischen Rezeption als Verkörperung des „zornigen jungen Mannes", der sich seiner eigenen Ohnmacht bewußt ist.

Auch die Perspektiven einer Aufhebung der Entfremdungserfahrung stehen in der modernen Tradition. Sie werden nicht geschichtlich entworfen, sondern durch die Negation postuliert (z. B. ‚Botschaft des Tauchers‘, 1960) oder mit (wenn auch verfremdeten) Naturmetaphern umschrieben:

> Der Tag steigt auf mit großer Kraft
> schlägt durch die Wolken seine Klauen.
> Der Milchmann trommelt auf seinen Kannen
> Sonaten: himmelan steigen die Bräutigame
> auf Rolltreppen: wild mit großer Kraft
> werden schwarze und weiße Hüte geschwenkt.
> Die Bienen streiken. Durch die Wolken
> radschlagen die Prokuristen,
> aus den Dachluken zwitschern Päpste. *(Aus: ‚Utopia‘, 1957)*

Den Widerspruch zwischen Brecht und Benn hat Enzensberger in den 60er Jahren durch die Forderung nach reinen 'Faktographien', ja nach endgültiger Abkehr von der fiktionalen Literatur und nach direkter politischer 'Alphabetisierung' der bundesrepublikanischen Öffentlichkeit zu überwinden gesucht. Ab 1965 gab er das ‚Kursbuch‘ heraus, in dem er 1968 den „Tod der Literatur" verkünden ließ.

Gleichwohl zeigen die wieder fiktionalen Texte der 70er Jahre, daß die vorübergehende Politisierung der Literatur (‚Der kurze Sommer der Anarchie‘, 1972) an Enzensbergers 'moderner' Überzeugung von der endzeitlichen Situation der geschichtlichen Gegenwart nichts geändert hat. Ja stärker noch als in den lyrischen Texten der ersten Jahre artikuliert er nun eine allgemein geschichtspessimistische Überzeugung (so in ‚Mausoleum. 37 Balladen aus der Geschichte des Fortschritts‘, 1975, und ‚Der Untergang der Titanic‘, 1978).

2.7 Ausblick: Die politische Lyrik nach 1965

Franz Josef Degenhardt: Spiel nicht mit den Schmuddelkindern (1967)
Erich Fried: und Vietnam und (1966)   100 Gedichte ohne Vaterland (1978)

Erich Fried sowie Franz Josef Degenhardt stehen für zwei unterschiedliche Traditionslinien, die Ende der 60er Jahre in die politische Lyrik der Außerparlamentarischen Opposition (APO) und der Studentenbewegung mündeten.

Fried, geboren 1921, aus Wiener jüdischer Familie und seit 1938 in London lebend, veröffentlichte seit 1958 Gedichte im Stil der Zeit: mit dem Ausdruck der Endzeitstimmung und der Neigung zur Naturmagie und sprachlichen Verkürzung. Die Sensibilität des Emigranten für Einsamkeit und Bedrohung äußert sich in den üblichen existentialistischen Bahnen.

Degenhardt dagegen, 1931 in einer antifaschistischen Familie geboren, mit frühen Bezügen zum Sozialismus, stand zunächst dem Kabarett nahe. Seine frühen Gedichte sind Balladen und Chansons mit groteskem Einschlag, zur Gitarre vorgetragen. Wie die Songs von Peter Schütt, Dieter Süverkrüp und Hanns-Dieter Hüsch weisen die Lieder Degenhardts auf die politische Satire der 20er Jahre (Kästner, Mehring, Tucholsky) und der Nachkriegszeit (Neuss) zurück.

Der Vietnam-Krieg und die Verschärfung der innenpolitischen Situation in der Bundesrepublik Deutschland durch die Große Koalition (1966–1969) und die Notstandsgesetze bewirken eine Entwicklung, die von den allgemein gehaltenen ‚Warngedichten‘ Frieds (1964) und den antibürgerlichen Chansons des ‚Väterchen Franz‘ zur eindeutig politischen Lyrik mit sozialistischer Tendenz führt. Fried setzt seine Kunst lapidarer Formulierungen und Wortspiele nun für eine Aufklärungsarbeit ein, die sich die Entlarvung der gängigen Ideologien und Vorurteile zum Ziel setzt und in ihrer dialektischen Nüchternheit unmittelbar an Brecht anknüpft:

> *Vordruck*
>
> Links ist Platz geblieben   Schreibt einfach DIE BOLSCHEWISTEN
> auf den man schreiben kann   Das geht dann weiter so:
> Rechts steht… SIND UNSER UNGLÜCK   DE GAULLE und DIE NEUTRALISTEN
> Wie fing die Zeile an   DIE VOM AFRO-ASIATISCHEN ZOO
>
> DIE JUDEN ist kaum mehr zu lesen   DIE OSTERMARSCHIERER DIE ROTEN
> ausradiert oder verblaßt: DIE POLLACKEN DIE GASTARBEITER
> Schreibt CHINESEN schreibt NORDVIET-   die Lebenden und die Toten
>   NAMESEN   nur immer weiter   *(1966)*

In Degenhardts Satire tritt an die Stelle der Groteske agitatorische Deutlichkeit:

> In dieser Saison
> will der Heilige Vater zwar wieder nicht die
> Mordgenerale in Vietnam exkommunizieren,
> doch er will für den Frieden in aller Welt
> ein Pontifikalamt zelebrieren   *(Aus: ‚In dieser Saison‘, 1968)*

Fried, Degenhardt und andere politische Lyriker traten nun in Fabrikhallen und auf öffentlichen Plätzen auf. Die literarische Kritik dagegen distanzierte sich von dieser Kunst, die sich nicht mehr als ästhetisch autonom verstand, sondern auf die politische Wirklichkeit mit politischen Versen antwortete.

Fried wurde deshalb auch politisch angegriffen. Sein distanziert kritischer Text ‚Auf den Tod des Generalbundesanwalts Siegfried Buback‘ (1977) – Buback war von Terroristen ermordet worden – wurde als „verfassungsfeindliche Befürwortung von Straftaten“ gerichtlich angezeigt. Ähnlich scharfe Auseinandersetzungen gab es um Alfred Anderschs Gedicht ‚artikel 3 (3)‘ (1976), das mit Blick auf den 'Radikalenerlaß' eine Verbindung zwischen dem politischen Klima der Bundesrepublik Deutschland zu dem der NS-Zeit zog.

Im ganzen ging die Phase der Politisierung der Lyrik rasch vorüber. Für Degenhardt und die anderen, auch jüngeren Songdichter mit gesellschaftskritischer Intention (Wader, Wecker, Wegner u. a.) entstand der Begriff der 'Liedermacher', die, außerhalb des eigentlichen Literaturbetriebs stehend, sich an ein vorwiegend jugendliches, den 'alternativen' Bewegungen in der Bundesrepublik Deutschland nahestehendes Publikum richten. Frieds lyrisches Spektrum dagegen weitet sich wieder, der Ton der Gedichte wird skeptischer und persönlicher. Auch er hat an der allgemeinen 'Wendung zur Subjektivität' Anteil, wie sie von vielen ehemals politischen Autoren, bis hin zur vollkommenen Resignation, vollzogen wird. Die jungen Lyriker der 70er Jahre (Born, Brinkmann, Delius, Kiwus, Theobaldy, Wondratschek) setzen sich deshalb in ihren künstlerischen Bestrebungen wieder bewußt mit der subjektiven Lyrik der 50er Jahre auseinander (s. Kapitel 11). Ihre Gedichte sind allerdings keine reine Sprachdichtung mehr, die einen letzten Versuch unternimmt, eine höhere Wahrheit allein durch Poesie aufscheinen zu lassen, sondern sie wenden sich der Alltagswirklichkeit zu. Sie sind oft Momentaufnahmen, Notizen eines Subjekts, das für das vielgestaltige Beziehungsgeflecht zwischen äußerer gesellschaftlicher und innerer psychischer Welt sensibel geworden ist. Diese neue Sensibilität versperrt sowohl den Weg in die reine, abgehobene Poesie der 50er Jahre als auch den Gegenweg in eine politische Literatur, die ihre ästhetische Autonomie zugunsten unmittelbarer gesellschaftlicher Wirkung aufzugeben bereit ist.

Nun aber stellt sich die Frage, ob diese Alltagserfahrung durch die sprachliche Formung nur wiedergegeben wird – mit der Gefahr der Banalität –, oder ob sie eine Distanzierung erfährt, die gerade den Vermittlungsprozeß zwischen Innen und Außen, Subjekt und geschichtlicher Welt deutlich werden läßt, so daß der Leser nicht nur emotional angesprochen, sondern in eine reflektierende Gedankenbewegung hineingeführt wird – wie in einem Gedicht von *Rolf Dieter Brinkmann:*

> *Einen jener klassischen*
>
> schwarzen Tangos in Köln, Ende des
> Monats August, da der Sommer schon
>
> ganz verstaubt ist, kurz nach Laden
> Schluß aus der offenen Tür einer
>
> dunklen Wirtschaft, die einem
> Griechen gehört, hören, ist beinahe
>
> ein Wunder: für einen Moment eine
> Überraschung, für einen Moment
>
> Aufatmen, für einen Moment
> eine Pause in dieser Straße,
>
> die niemand liebt und atemlos
> macht, beim Hindurchgehen. Ich
>
> schrieb das schnell auf, bevor
> der Moment in der verfluchten
>
> dunstigen Abgestorbenheit Kölns
> wieder erlosch.   *(1975)*

3 Dürrenmatt, Frisch und die Brecht-Tradition

Friedrich Dürrenmatt:
Die Ehe des Herrn Mississippi (UA 1952)
Ein Engel kommt nach Babylon (1954; 1957. UA 1953)
Der Besuch der alten Dame (UA 1956)
Romulus der Große (1956; geschrieben 1947/48)
Frank V. Oper einer Privatbank (UA 1959)
Die Physiker (UA 1962)   Der Meteor (UA 1966)
Porträt eines Planeten (UA 1970)   Der Mitmacher (1976. UA 1973)

Max Frisch:
Nun singen sie wieder (1946. UA 1945)   Graf Oederland (1951)
Biedermann und die Brandstifter (1958)   Andorra (1961)
Biografie: Ein Spiel (1967)   Triptychon (1978)   UA = Uraufführung

3.1 Drama und Dramenautoren nach 1945

Nach 1945 war die Lücke, die die Emigration gerissen hatte, auf dem Gebiet der Dramatik noch größer als in den anderen Dichtungsgattungen. Bei den meisten Dramati-

kern kam während der Exilzeit die Produktion wegen der fehlenden Aufführungs-
möglichkeit und der fehlenden Kontakte zu den gesamteuropäischen Strömungen
zum Erliegen oder wurde epigonal. 1933 brach die Tradition sämtlicher Theaterformen der Weimarer Republik abrupt ab. Nach 1945 sind die Spielpläne gekennzeichnet durch die Besinnung auf die eigene Vergangenheit und durch die Begegnung mit
zeitgenössischer ausländischer Dramatik. Man brachte verfälschte oder unterdrückte 'Klassiker' wieder zur Geltung wie Goethes ‚Iphigenie' und Lessings ‚Nathan' und
bemühte sich, das humane Anliegen dieser Stücke ohne nationalsozialistische Umdeutung darzustellen. Im Dritten Reich verbotene expressionistische Dramatiker
(Sternheim, Wedekind, Toller, Kaiser) tauchten wieder auf. Ein besonderer Nachholbedarf bestand bei Stücken *moderner ausländischer Autoren*, die in formaler Hinsicht progressiv wirkten (z. B. Wilder, Pirandello, Giraudoux, Anouilh, Fry), das
Publikum jedoch aus der Realität entrückten. Aber auch ein politischer Autor wie
Sartre mit seinen existentialistischen Dramen eroberte die Bühne.
Der Mangel an zeitgenössischen westdeutschen Stücken ist nicht nur in den Folgeer-
scheinungen der Exilzeit und den schwierigen Arbeitsbedingungen der Gegenwart
begründet. Die Fassungslosigkeit vieler Schriftsteller gegenüber dem totalen Zusammenbruch sämtlicher Werte und Ordnungen lähmte die Produktion.
Zwei Stücke der nun beginnenden 'Bewältigungsdramatik' erzielten allerdings eine
außerordentliche Wirkung: Carl Zuckmayers ‚Des Teufels General' (1946) und Wolfgang Borcherts ‚Draußen vor der Tür' (1947). Beide Werke blieben jedoch, unter
dem Ansturm des Erlebten, in der Darstellung der Wirklichkeit subjektiv. Borcherts
Heimkehrer Beckmann, mit dem sich der Autor und mit ihm eine ganze betrogene
Generation identifizierte, gibt in einer lyrischen Anklage die Verantwortung für das
Geschehene seinem Vorgesetzten zurück. Zuckmayers Darstellung Hitlers als individuelle Teufelsgestalt verhinderte ebenfalls eine Bewältigung des Nationalsozialismus
im geschichtlichen Zusammenhang. Beide Stücke sind zeitgebunden und fanden keine Nachfolge.

3.2 Dürrenmatts und Frischs Auseinandersetzung mit Brechts Parabelform

Zwei deutschsprachige Autoren der Schweiz, Friedrich Dürrenmatt und Max Frisch,
konnten aufgrund ihrer Distanz zu den Vorgängen in Deutschland die zeitgenössische Welt auf der Bühne darstellen. In den Schauspielhäusern in Zürich und Basel
standen ihnen zudem zwei Bühnen mit ununterbrochener lebendiger Spieltradition
zur Verfügung. Mit diesen beiden Dramatikern beginnt die intensive Auseinandersetzung mit dem Stückeschreiber Bertolt Brecht. Brecht, mit dem Frisch während
Brechts Züricher Aufenthalt 1948 einen intensiven persönlichen Kontakt hatte, galt
ihnen in seiner Dichtungs- und Dramentheorie und seiner exemplarischen Aufführungen mit dem Berliner Ensemble wegen als anerkannte Größe. Aus den Äußerungen von Dürrenmatt und Frisch spricht trotz unterschiedlicher eigener Vorstellungen
gleichermaßen die höchste Anerkennung der Autorität und der Qualität Brechts,
aber auch kritische Distanz.
Dürrenmatt und Frisch übernehmen von Brecht manche Elemente seines Theaters,
verwenden sie aber zu ihren eigenen Zwecken. So experimentieren sie ebenfalls mit
der Gattung Parabel. Die Brechtsche Parabel dient dazu, Wirklichkeit als veränderbar darzustellen. Die Lehrwirkung ergibt sich für ihn aus dem dialektischen Theorie-
Praxis-Verhältnis. Diese Voraussetzungen gelten für Dürrenmatt und Frisch nicht.
Die Folgenlosigkeit gerade des epischen Theaters ist für sie ein Indiz, daß Dramatik
die Gesellschaft nicht verändert. Dürrenmatt und Frisch stellen zwar eine defekte
Gesellschaft dar; Maßstäbe für das Handeln geben sie jedoch nicht, weil die
Bestandsaufnahme nicht von einer festen Konzeption, etwa einer marxistisch-wis-

senschaftlichen Perspektive, gekennzeichnet ist, sondern von Zweifeln und Resignation.

Um diese Parabelform von der Brechtschen Parabel unterscheiden zu können, hat sich in der Forschung der Begriff 'Modell' eingebürgert. Ein Praxisbezug ist primär nicht angestrebt. Die Wirkung einer modellhaften Handlung kann aber ein moralischer Appell sein. (Frisch und Dürrenmatt selbst verwenden allerdings die Begriffe 'Parabel' und 'Modell' in ihren theoretischen Äußerungen synonym.)

3.3 Friedrich Dürrenmatts Theaterkonzeption

Friedrich Dürrenmatt wurde am 5. Januar 1921 in Konolfingen (Kanton Bern) als Sohn eines Pfarrers geboren. Er begann ein Literatur- und Philosophiestudium und betätigte sich als Maler und Zeichner. Die literarischen Anfänge zeigen Parallelen zu den Anfängen Brechts. So zeugt sein dramatisches Debüt ‚Es steht geschrieben' (1946) wie Brechts ‚Baal' vom Einfluß Wedekinds, überhaupt von antibürgerlichen Traditionen wie Kabarett und Trivialliteratur. Dabei interessiert ihn vor allem die Sparte der Kriminalliteratur.

Die Form der *Komödie* ist für Dürrenmatt in besonderer Weise geeignet, die heutige Welt abzubilden.

Dürrenmatts Komödien sind Modelle, dramatische Gleichnisse ohne Zukunftsperspektiven und ohne Handlungsappell: Modelle für Spielsituationen. Für Dürrenmatt ist die Wirklichkeit nicht nur widersprüchlich, sondern auch widersinnig. Sie kann nicht verändert, sondern nur ertragen werden. Deshalb lehnt er engagiertes Theater ab: „Die Bühne stellt für mich nicht ein Feld für Theorien, Weltanschauungen und Aussagen, sondern ein Instrument dar, dessen Möglichkeiten ich zu erkennen versuche, indem ich damit spiele" (‚Theaterprobleme', 1955). Dürrenmatt sieht sich nicht in der Lage, eine Gesellschaftsanalyse zu geben, wohl aber ein Spiel mit verschiedenen „Möglichkeiten".

Die Ambivalenz von Faszination und Distanz gegenüber Brecht ist immer wieder Thema theoretischer Äußerungen. „Brecht denkt unerbittlich, weil er an vieles unerbittlich nicht denkt" (‚Theaterprobleme').

Bei einer Dramaturgentagung in Darmstadt 1955 stand die Frage nach der Darstellbarkeit der heutigen Welt zur Diskussion. Brecht meinte, der Mensch dürfe nicht mehr als Opfer beschrieben werden, als Objekt einer unbekannten, aber fixierten Umwelt, sondern die Welt müsse als veränderbar dargestellt werden. Dürrenmatt stellt in seiner Schillerrede 1959 fest, daß auch (der inzwischen verstorbene) Brecht in Schillers Terminologie ein „sentimentalischer" Dichter gewesen sei, der wie Schiller die bestehende Welt nicht akzeptiert. Aus Schillers Stadium der „Revolte" gehe Brecht dann weiter zur „Revolution". Der Kommunismus sei wesentlicher Bestandteil seines Künstlertums. Brecht habe sich auf die Seite der Revolutionäre geschlagen, aber „der alte Glaubenssatz der Revolutionäre, daß der Mensch die Welt verändern könne und müsse, ist für den einzelnen unrealisierbar geworden".

Allerdings ist Brecht nicht der einzige Bezugspunkt für Dürrenmatts Schaffen. Einflüsse anderer Autoren wie Wedekind, Wilder und Nestroy zeigen sich in den einzelnen Werken.

Die Wahl der Komödie als Dramenform, die der heutigen Welt angemessen sei, mag auf den ersten Blick überraschen. Die Tragödie ist Dürrenmatts Meinung nach überholt:

„Das Drama Schillers setzt eine sichtbare Welt voraus, die echte Staatsaktion, wie ja auch die griechische Tragödie. Sichtbar in der Kunst ist das Überschaubare. Der heutige Staat ist jedoch unüberschaubar, anonym, bürokratisch geworden. Uns kommt nur noch die Komödie bei. Unsere Welt hat ebenso zur Groteske geführt, wie zur Atombombe."

Eine desorganisierte Wirklichkeit erfordert also eine deformierende Dramenform, die *Groteske*. Der poetische Einfall, Ausgangspunkt allen Dichtens bei Dürrenmatt, steht in der Tradition der alten attischen Komödie des Aristophanes und ist dem die heutige Welt beherrschenden Zufall angemessen. In den ‚21 Punkten zu den Physikern' mündet die geschichtsphilosophische Begründung seiner Komödien, die man als *Tragikomödien* klassifiziert, in die Feststellung, daß eine Geschichte dann zu Ende gedacht sei, wenn sie ihre schlimmstmögliche Wendung genommen habe.

Grotesk beginnt die 1952 uraufgeführte Komödie ‚ *Die Ehe des Herrn Mississippi*', mit der Dürrenmatt der literarische Durchbruch gelang. Der Revolutionär Saint Claude wird erschossen, erhebt sich und erzählt so vom Schlußpunkt aus dem Publikum den Gang der Handlung. Dabei gibt er folgenden Handlungsüberblick:

„Es geht um das nicht unbedenkliche Schicksal dreier Männer, die sich, aus verschiedenen Methoden, nichts mehr und nicht weniger in den Kopf gesetzt haben, als die Welt teils zu ändern, teils zu retten, und denen nun das freilich grausame Pech zustieß, mit einer Frau zusammenzukommen, die weder zu ändern noch zu retten war, weil sie nichts als den Augenblick liebte."

Der Kampf der Ideen, versinnbildlicht im Kampf des Revolutionärs Saint Claude mit dem Gerechtigkeitsfanatiker Mississippi (und dem Opportunisten Diego) um Anastasia, die Verkörperung des unwandelbaren Lebens, hätte die Grundlage für eine Tragödie abgeben können. Das Stück endet mit der „schlimmstmöglichen Wendung": Die drei zentralen Bühnengestalten werden vergiftet bzw. erschossen. Im Gegensatz zu seinen Gegenspielern finden sich humane Aspekte nur beim hilflosen, leidenden Trinker Überlohe. Den unterschiedlichen Weltanschauungen der Bühnenfiguren entsprechen unterschiedliche Stilrichtungen des Mobiliars, einer Art Museum des Abendlandes. Diese spätbürgerliche Pracht stürzt am Schluß völlig in sich zusammen.

Dürrenmatt bearbeitet das Stück mehrmals (1957, 1964, 1970, 1980). In der Filmfassung (erschienen 1966) läßt er Anastasia an der Seite Diegos überleben.

Dürrenmatt wehrte sich gegen den Vorwurf eines Plagiats von Wedekinds ‚Schloß Wetterstein', verleugnete aber nicht den großen Einfluß Wedekinds auf seine bisherigen Werke.

Einflüsse Brechts beschränken sich auf die formale Verwendung der Verfremdungstechnik, Sprechen ins Publikum und Sich-Vorstellen der Personen (auch des Autors); hierfür steht nicht nur Brecht Pate, sondern auch Thornton Wilder mit seinen Vor- und Rückblenden.

Nach der ‚Ehe des Herrn Mississippi' tat sich Dürrenmatt schwer, einen ähnlich effektvollen theatralischen Stoff zu finden. Auf der Suche nach neuen Wegen fällt eine immer stärker werdende Rezeption Brechts sowohl in thematischer als auch in inhaltlicher Hinsicht auf.

Sehr stark sind diese Anklänge in der ‚fragmentarischen Komödie in drei Akten' ‚Ein Engel kommt nach Babylon' (erste Fassung 1954, zweite Fassung 1957), einer Wiederaufnahme von Brechts Stück ‚Der gute Mensch von Sezuan', und in ‚Frank V.' (1959), einer ‚Oper einer Privatbank', mit Anklängen an Brechts ‚Dreigroschenoper'. In beiden Fällen verwendet Dürrenmatt die Brechtschen Motive zum Nachweis für den exemplarischen Kontrast zu Brecht, für die immer gegebene, nicht aufhebbare Sinn- und Gesetzlosigkeit von Geschichte.

In der Komödie ‚ *Die Physiker*' (1962) greift Dürrenmatt die Problematik des Brechtschen ‚Galilei' auf. In einer Zeit, in der die Auswirkungen des technischen Fortschritts, vor allem in der Kernphysik, sich in aller Schärfe zeigen, erfährt diese Problematik eine beklemmende Wendung.

Es hilft nichts, daß der geniale Physiker Möbius sich nach der Entdeckung der Weltformel in ein Irrenhaus zurückzieht, um dort die Ergebnisse seiner wissenschaftlichen Tätigkeit zu vernichten. Die Agenten zweier Länder unterschiedlicher Ideologien quartieren sich ebenfalls, als Irre getarnt, ein, um an die Ergebnisse heranzukommen. Die Pflegerinnen der „Patienten" durchschauen das Spiel und werden deshalb umgebracht. Am Ende stellt sich heraus, daß die mißgestaltete Irrenärztin Möbius' Manuskripte fotografiert hat und dazu verwenden will, eine Weltregierung auszuüben, die die Weltzerstörung zum Ziel hat.

Die Enthüllungskomödie vollzieht sich in zwei Akten, die parallel gebaut sind. Beide beginnen mit der Untersuchung eines Pflegerinnenmordes. Das Modell des Irrenhauses ist so recht der Ort für eine Dürrenmattsche Groteske, die immer wieder überraschende Wendungen nimmt bis zum Schlußgag, der klarstellt, daß alle Irren normal und die Irrenärztin verrückt ist. Bei aller Heiterkeit, die diese Komödie erregt, steckt auch in diesem Stück die bittere Aussage, daß die als normal angesehene Welt chaotisch und irrsinnig ist.
Um die überquellenden phantastischen Einfälle in eine Form zu bringen, wählt Dürrenmatt die klassische Dramaturgie der Einheit von Raum, Ort und Zeit. „Einer Handlung, die unter Verrückten spielt, kommt nur die klassische Form bei."
Brechts Wissenschaftlerfigur verdammt sich und sein soziales Versagen, sieht aber immerhin in dem Fortschritt der wissenschaftlichen Entwicklung ein tröstliches Zeichen für den Fortschritt der Geschichte. Dürrenmatts Wissenschaftler Möbius handelt zwar verantwortungsvoll, doch muß er einsehen: „Was einmal gedacht wurde, kann nicht zurückgenommen werden." Insofern ist eine „Zurücknahme" des Wissenschaftsoptimismus nötig: „Es gibt für uns Physiker nur noch die Kapitulation vor der Wirklichkeit. Sie ist uns nicht gewachsen. Sie geht an uns zugrunde."
Es besteht ein starker Unterschied zwischen Brechts Forderungen an den Wissenschaftler, die Zukunft zu retten, und dem Geschichtspessimismus Dürrenmatts, der jederzeit mit dem Umschlagen von Rationalität der Wissenschaft in eine zerstörerische Irrationalität rechnet. Dürrenmatt sieht hier Gefahren heraufziehen, wie Horkheimer und Adorno sie in der ‚Dialektik der Aufklärung' (1944) darlegen. Die Aufklärung, die den Anstoß für den technischen Fortschritt gab, verkehrt sich in ihr Gegenteil. Die Unterjochung der Natur, die Behandlung der Natur als Objekt, führt in gesellschaftlichen Verhältnissen zum Despotismus.
Dürrenmatts spätere Stücke, ‚Porträt eines Planeten' (1970) und ‚Der Mitmacher' (1976), bilden eine Steigerung der Tendenzen, die sich in früheren Werken schon zeigen. In extremem Gegensatz zu Brecht bringt er unter bewußter Vernachlässigung formaler Gesichtspunkte eine statische, sinnlose, chaotische Welt auf die Bühne. Konsequenz ist die Weltvernichtung (auf die, ganz konkret, der Ost-West-Konflikt hinauslaufen wird).
Dürrenmatts Neigung, seine Figuren philosophischen und gesellschaftlichen Positionen zuzuordnen, ist gesteigert bis zur reinen Funktionalität. In ‚Der Mitmacher' heißt z. B. der Gangsterboß „Boß", der Intellektuelle „Doc", der Polizist „Cop". Dürrenmatt schrieb für die Buchausgabe – auf der Bühne fiel das Stück durch – ein Nachwort, das dreimal so lang ist wie das Stück selbst. Der Autor entwirft hier eine Zurücknahme der Dramaturgie seiner eigenen Werke. Die Welt ist eine Hölle ohne Gott, es gibt weder Spieler noch Gegenspieler, alle sind „Mitmacher". Der Autor selbst träumt von der Möglichkeit, „ein Einzelner zu werden", von der „Möglichkeit der Freiheit", nicht mehr mitzumachen. Das würde aber gleichzeitig in dialektischer Folgerichtigkeit die Auflösung der Existenz bedeuten.
Dürrenmatts Komödien bestimmen in den 50er und zu Beginn der 60er Jahre – zusammen mit den Werken Frischs – die Spielpläne. Je weiter andere, jüngere deutschsprachige Dramatiker (z. B. Bernhard, Weiss und Handke) die Bühne erobern, um so mehr scheint Dürrenmatt sich auf die praktische Theaterarbeit zurückzuziehen, während seine Eigenproduktion stagniert.
Sowohl bei einem sehr erfolgreichen epischen Werk (z. B. ‚Der Richter und sein Henker', 1952, ‚Grieche sucht Griechin', 1955) wie bei seinen Komödien gibt es einen Streit der Interpreten. Die einen sehen in Dürrenmatt den Theologensohn, den

Moralisten, den Prediger, dessen groteske dichterische Welt die Sehnsucht nach einer humaneren ausdrückt. Dürrenmatt als Weltverbesserer ist dann trotz unterschiedlicher Mittel von Brecht nicht allzuweit entfernt. Andere Interpreten sehen keinen Horizont hinter der von Dürrenmatt vorgeführten Sinnlosigkeit der Welt. Dürrenmatt stützt, je älter er wird, desto eindringlicher, in seinen theoretischen Äußerungen diese Position.

3.4 Max Frischs Dramenkonzeption

Über die innere und die äußere Biographie wissen wir durch Max Frischs autobiographische Schriften und die Tagebücher genau Bescheid. Seine ersten Aufzeichnungen verbrannte er allerdings 1930 zusammen mit seinen ersten schriftstellerischen Versuchen.

1911 wurde Frisch in Zürich als Sohn eines Architekten geboren. Nach dem Besuch des Realgymnasiums und nach einem abgebrochenen Germanistikstudium studierte er Architektur (1936–1940) und betrieb danach ein eigenes Architekturbüro in Zürich. Seine schriftstellerische Tätigkeit nahm er nach zwei Jahren wieder auf.

Brecht machte 1948 ein halbes Jahr in Zürich Station, bevor er in Ost-Berlin sein Ensemble gründete. In dieser Zeit trafen Frisch und Brecht sich häufig. Aus Frischs Tagebuchnotizen spricht in bezug auf Brechts Person und Werk „Faszination" und Reserviertheit:

„Der Umgang mit Brecht, anstrengend wie wohl jeder Umgang mit einem Überlegenen, dauert nur ein halbes Jahr, und die Versuchung, solchem Umgang auszuweichen, ist manchmal nicht gering. [...] Die Faszination, die Brecht immer wieder hat, schreibe ich vor allem dem Umstand zu, daß hier ein Leben wirklich vom Denken aus gelebt wird."

Bezeichnend für die Skepsis gegenüber Brechts Denkmethode ist Frischs Tagebuchnotiz von 1948:

„Meinerseits habe ich dort, wo Brecht mit seiner Dialektik mattsetzt, am wenigsten von unserem Gespräch; man ist geschlagen, aber nicht überzeugt. Auf dem nächtlichen Heimweg, seine Glossen überdenkend, verliere ich mich nicht selten in einen unwilligen Monolog: das stimmt doch alles nicht."

Frisch liest Brechts Manuskript des ‚Kleinen Organon'. Er besucht Brecht später einmal in Berlin, dann bricht der persönliche Kontakt ab. Die Beschäftigung mit Brechts Werk und Dichtungstheorie hält an.

Frisch nutzt die von Brecht inspirierte *Form der Parabel* mit ihren Vorteilen der Konzentration und der Gleichnishaftigkeit einer Handlung. Seine Modelle – zu nennen sind in diesem Zusammenhang vor allem ‚Andorra' und ‚Biedermann und die Brandstifter' – haben keinen verändernden Praxisbezug, weil sie eine Praxisveränderung in Absetzung von Brecht nicht anstreben. Dieses Vorgehen entspricht Frischs Weltbild und seiner Ansicht von der Wirksamkeit des Theaters. Bezeichnend für sein Weltbild ist seine Antwort auf die Frage des Darmstädter Dramaturgentages 1955 – „Kann die heutige Welt durch das Theater wiedergegeben werden?" – in der Rede ‚Der Autor und das Theater' von 1964. (Vgl. Dürrenmatts und Brechts Antwort, S. 588) Für Frisch ist die Frage bestürzender als die Antwort, „bestürzend durch die Unterstellung, daß die Welt einmal abbildbar gewesen sei: Wann?" Jedwede Welt ist primär ein künstliches und künstlerisches Produkt. Die Wirklichkeit ist eine Fiktion, die Identität eine Rolle, die sich jeder für sich entwirft. Das Spielen einer Rolle wird dann als Wirklichkeit ausgegeben. Das Rollenbewußtsein impliziert, daß sowohl die eigene Identität als auch die 'Geschichten', die mit ihr passieren, austauschbar sind. Frisch erfindet Geschichten, die der Ich-Erkundung dienen, Brecht wollte Geschichte darstellen.

Unterschiedlich sind dabei auch die Hoffnungen auf die verändernde Wirkung des Theaters. Das Theater ist für Frisch ein „Kunst-Raum" und hat seine Wirkungslosigkeit hinreichend bewiesen. Dies trifft auch für Brechts Theater zu, auch er hat, nach Frischs Ansicht, „die durchschlagende Wirkungslosigkeit eines Klassikers". Motivation für das Theater ist vor allem die „Lust am Spiel". Weltbild und Kunsterfahrung konstituieren Frischs Form des Modells, das keine Lehre transportiert, sondern das sich in einer Art Kreisbewegung vollzieht: Am Ende des Stückes könnte die Handlung wieder von vorn beginnen.

Frisch bleibt mit seinen Werken und in seiner Theorie aber nicht im Unpolitisch-Unverbindlichen. Jede Umwandlung von Wirklichkeit in ein Kunstprodukt bedeutet für ihn eine „Veränderung". Jede Szene gehe, indem sie spielbar ist, über „die vorhandene Welt hinaus". „Wir erstellen auf der Bühne nicht eine bessere Welt, aber eine spielbare, eine durchschaubare, eine Welt, die Varianten zuläßt, insofern eine veränderbare, veränderbar wenigstens im Kunst-Raum." Frisch gibt zu bedenken, ob Brechts Welt und seine Wirkungsabsicht nicht von ihm selbst als seine Rolle erfunden und ob er durch Kunsterfahrung Marxist geworden sei: „Das würde bedeuten, daß das politische Engagement nicht der Impuls, sondern ein Ergebnis der Produktion ist" (‚Die Öffentlichkeit als Partner').

Ähnliches erwartet Frisch von seinen Werken. Welt wird nicht verändert, aber der Schriftsteller stellt die jeweilige Welt im Kunstraum in Frage, vor allem durch das Mittel der Sprache, deren „Kurswert" er (und nicht die Politiker) durch Entlarvung bestimme. Insofern setzt Frisch sich gegen literarische Strömungen wie das absurde Theater Ionescos ab. Das Ergebnis der künstlerischen Produktion kann für Frisch durchaus bewußtseinsverändernde Funktionen haben. „Unser Spiel, verstanden als Antwort auf die Unabbildbarkeit der Welt, ändert die Welt noch nicht, aber unser Verhältnis zu ihr. [...] es ist eine Selbstbehauptung des Menschen gegen die Geschichtlichkeit" (‚Die Öffentlichkeit als Partner').

Politisches Engagement und Identitätsproblematik prägen Max Frischs Drama mit der größten Publikumsresonanz, ‚Andorra' (Uraufführung 1961). Eine Prosaskizze des Stoffes findet sich im Tagebuch 1946–1949.
In den zwölf Bildern wird das Schicksal des jungen Andri dargestellt. Im „weißen" Andorra droht die Aggression der „Schwarzen".

Für Andri bedeutet dies eine besondere Gefahr, denn er ist, so will es das Gerede, ein Judenkind, das der Lehrer Can vor den „Schwarzen" gerettet habe und bei sich aufzieht. Dieses Vorurteil der Andorraner bekommt Andri bei jeder Gelegenheit zu spüren. Einzig Barblin, des Lehrers Tochter, seine heimliche Verlobte, hält zu ihm. Als der Lehrer ihm aber die Hand Barblins verweigert (er hat nicht den Mut, ihm zu sagen, daß sie seine Halbschwester ist), verzweifelt Andri und nimmt nun die Rolle eines Juden an mit den Eigenschaften, die von ihm erwartet werden. Die „Schwarzen" führen nach ihrer Invasion eine Judenschau durch, bei der sie Andri abführen. Barblin ist psychisch zerstört.

In ‚Andorra' ist das Problem des Antisemitismus mit dem Rollenbewußtsein Frischs in Verbindung gebracht. Aus dem „weißen" Andorraner wird ein 'Jude', den man schon am Gang erkennt. Der Jude wird geprägt durch das Bild, das seine Umwelt sich von ihm macht, und durch die Bereitschaft Andris, diese von außen aufgezwungene Rolle schließlich als seine Existenzform anzunehmen. Der Antisemitismus wird demaskiert als eine Ansammlung von Vorurteilen. Max Frisch hat diese Darstellung des Antisemitismus nicht nur Zustimmung gebracht.
Brechts Faschismuskritik, z. B. im ‚Arbeitsjournal', setzt ganz anders an. Brecht sieht den Antisemitismus als notwendige Ideologie des Faschismus und diesen wieder als häßlichste Spielart des Kapitalismus.
Das Fehlen jeglicher historischer Festlegung wird Frisch zum Vorwurf gemacht. Die psychologisch-irrationale Seite des Antisemitismus als Massenbewegung wirkt aber

überzeugender begründet als in Brechts Analyse. Ebenso umstritten ist Frischs Darstellung der Schuld: Waren die Juden allzusehr bereit, ihre Außenseiterrolle anzunehmen?

Frisch provoziert das Mitleiden mit seiner Hauptgestalt durch die illusionistischen Handlungsszenen, die Einfühlung ermöglichen. Nach jedem Bild tritt der jeweilige Gegenspieler Andris vor die Schranken eines fiktiven Gerichts und beteuert seine Unschuld. Bei diesen verfremdenden Einschüben, didaktischen Provokationen für die Zuschauer, ist Brechts Einfluß greifbar. Allerdings geben diese Einschübe keine Ansatzpunkte für eine Verhaltensänderung der Bühnengestalten (den Pfarrer ausgenommen) und der Zuschauer.

Diesen Tatbestand zeigt Frisch anhand eines fiktiven Staates, der, so steht es im Personenverzeichnis, „nichts zu tun hat mit dem wirklichen Kleinstaat dieses Namens. [...] Andorra ist der Name für ein Modell." Das ganze Stück ist also parabolisch zu verstehen. Die Vorgänge sind auf andere Staaten (z. B., nach Frischs Ansicht, auf die Schweiz) übertragbar. Ein Blick auf den Ort „Sezuan" in Brechts Stück ‚Der gute Mensch von Sezuan' zeigt aber den Unterschied zu Brecht. Brechts Ort ist zwar auch fiktiv, übertragbar aber als „Ort, an dem Menschen ausgebeutet werden". Sezuan ist ein Modell für einen frühkapitalistischen Zustand der Gesellschaft, der das Verhalten der Personen bestimmt. In ‚Andorra' ist eine Demaskierung des Kleinbürgers gegeben, ohne daß Frisch dieses Phänomen historisch in einer gesellschaftlichen Entwicklung festmachen will.

‚Andorra' ist das bekannteste einer Reihe von Dramen, die sich nach dem Zweiten Weltkrieg mit der Vergangenheit des Faschismus auseinandersetzen. Das erste dieser Reihe – Frischs erstes aufgeführtes Stück überhaupt – ‚Nun singen sie wieder', wurde schon 1945 in Zürich aufgeführt und machte den Autor weithin bekannt. Es handelt von der Unbelehrbarkeit derer, die den Krieg überlebten.

Im zweiten Teil ist der starke Einfluß Thornton Wilders spürbar. Das Mitspielen der Toten, die Kommunikationsschwierigkeiten und die Unmöglichkeit, den Gang des Geschehens zu ändern, erinnern an ähnliche Szenen in ‚Unsere kleine Stadt'. Das Stück gibt eine Lehre, aber diese Lehre bleibt wirkungslos. Hier kündigt sich die für Frisch typische Handlungsstruktur an, die an Brecht erinnert und sich doch von ihm unterscheidet, das „Lehrstück ohne Lehre". So lautet der Untertitel des Stückes ‚Biedermann und die Brandstifter'.

Die Fabel hat Frisch schon 1948 im Tagebuch notiert, 1953 wurde eine Hörspielfassung gesendet, 1958 die Bühnenfassung uraufgeführt. Für die Uraufführung in Deutschland schrieb Frisch ein Nachspiel.

Zwei Brandstifter nisten sich bei dem Haarwasserfabrikanten Biedermann mit ihren Brandutensilien ein. Biedermann möchte die Gefahr nicht zur Kenntnis nehmen und verbrüdert sich mit ihnen. Für den katastrophalen Brand liefert er sogar noch die Streichhölzer.
Im Nachspiel befindet sich die Familie Biedermann in der Hölle. Die beiden Brandstifter sind in Wirklichkeit Teufel auf der Jagd nach „Großen Tieren", die aber nicht gefangen werden. Nach einem Streik in der Hölle entsteht die verbrannte Stadt wieder neu, alles bleibt beim alten.

Obwohl Biedermann, ein skrupelloser und erfolgreicher Geschäftsmann, handgreifliche Beweise für die bösen Absichten seiner Gäste hat, verschließt er aus Opportunismus die Augen. So reagieren die Bürger auch gegenüber dem Faschismus. Das Nachspiel unterstreicht noch einmal die Folgenlosigkeit selbst der Katastrophe und die Sinnlosigkeit der Opfer: „Gänzlich vergessen auch sind die da Verkohlten, ihr Schrei aus den Flammen", intoniert der kommentierende „Chor" am Schluß.

Bisher war von Stücken Frischs die Rede, die jede Selbstpreisgabe des Autors meiden und die, trotz unterschiedlicher Intentionen und der Mittel, in der Nachfolge Brechts politische Gefährdungen auf der Bühne thematisieren. Es gibt andere Stücke, die

Identitätsfindung als individuelles Problem stärker akzentuieren. Diese biographische, 'reprivatisierte' Thematik kündet sich in ‚Graf Oederland' (zweite Fassung 1956) an und wird vorherrschend in ‚*Biografie*' (1967). Frisch macht hier Ernst mit seiner Grundansicht, daß die gelebte Realität nur eine von vielen Möglichkeiten der Wirklichkeit ist. Das Theater vermag die Festlegung der Wirklichkeit in der empirischen Existenz aufzubrechen und im Spiel der Bühnenfigur die Freiheit unterschiedlicher Möglichkeiten zu geben.

So spielt der Autor die Möglichkeiten Professor Kürmanns durch, der krebskrank im Spital liegt. Vor sieben Jahren hat er auf seiner Beförderungsfeier seine Frau kennengelernt. Wie hätte z. B. sein Leben ausgesehen, wenn diese Begegnung nicht stattgefunden hätte oder folgenlos geblieben wäre? Sein Leben wird wie eine Schachpartie (dieser Vergleich stammt von Frisch) auf mögliche andere „Züge" zurückverfolgt.

Eine Wiederholung von Szenen ist die Konsequenz. Kürmann weigert sich, wie Frisch in seiner Schillerpreisrede (1965) formuliert, „allem, was einmal geschehen ist, – weil es Geschichte geworden ist und damit unwiderruflich – einen Sinn zu unterstellen".
Die zeitgenössische Politik wird eingeflochten durch den „Registrator", eine Art Wilderschen „Stage-Manager". Die Diskrepanz zwischen dieser Zeitgeschichte und den individuellen Problemen Kürmanns beweist die „Irrelevanz dieser Kürmannprobleme"; aber auch die politischen Probleme werden in ihrer Bedeutung relativiert. Der Unterschied zu Brecht, für den nur geschichtliche Vorgänge wichtig sind, ist deutlich.
‚*Triptychon*' (1978), Reflexionen über das Vergehen und das Erinnern in Dialogform, ist vom Autor für die Bühne gesperrt worden, weil sich die drei Szenen im privaten Raum innerer Vorgänge abspielen und sich wenig für das 'öffentliche' Medium Theater eignen.
In diesen Szenen hat Frisch am klarsten eine in jeder Hinsicht von Brecht unterschiedene Position bezogen: durch die private Identitätsproblematik, die Skepsis gegenüber jeder Art von Vergangenheitsbeziehung und somit auch Geschichte und Geschichtsanalyse, durch die Angst vor einer perspektivenlosen Zukunft.

4 Romane der fünfziger Jahre: Gesellschaft und Geschichte

4.1 Nonkonformismus im Roman

In den 50er Jahren entwickelte sich in der Bundesrepublik Deutschland eine realistische Romanliteratur. Der Roman wurde zum literarischen Mittel der Wirklichkeitsorientierung im Spannungsfeld zwischen jüngst vergangener Geschichte und zeitgenössischer gesellschaftlicher Entwicklung. Damit sind zentrale stoffliche Schwerpunkte dieser Romane benannt. Eine Grundfrage, der die erzählerische Wirklichkeitserkundung im Roman gilt, ist die nach dem Verhältnis von überwundener Diktatur und neuer demokratischer Gesellschaft. War das Jahr 1945 wirklich eine eindeutige Wende, oder wird Vergangenheit unbewältigt mitgeschleppt, zukünftige Entwicklung belastend?
Nicht wenige Romane dieser Zeit sind Zeugnis der Skepsis und der Enttäuschung, in die, angesichts der 'Restauration' in Westdeutschland, die Hoffnungen auf einen radikalen Neubeginn nach 1945 gemündet waren.
Zur Leitfigur wird der Außenseiter. In ihm verkörpern sich kritische Distanz, das Bewußtsein politischer Ohnmacht, aber auch die Hoffnung, daß Humanität sich wenigstens in der Isolierung von einer als inhuman erlebten Gesellschaft individuell verwirklichen könne.

Die Romane von Wolfgang Koeppen, Heinrich Böll, Alfred Andersch, Günter Grass sind exemplarisch für eine Literatur, die in Opposition zur restaurativen Wohlstandsgesellschaft steht, sich aber ideologisch-programmatischen Festlegungen entzieht und ihre kritische Position außerhalb jeder politischen Gruppierung und Parteiung behauptet.

Die nonkonformistische Literatur der 50er Jahre läßt sich ihrem eigenen Selbstverständnis nach als eine Literatur bestimmen, die die Tabus einer restaurativ erstarrenden Gesellschaft verletzt und in Frage stellt – von einem Standpunkt aus, der sich von ideologischen Verengungen freihält. Ihr Realismus besteht darin, daß sie den vom allgemeinen Konsensus getragenen und offiziell erhobenen Anspruch, in der Bundesrepublik Deutschland habe sich eine freiheitliche und humane Ordnung verwirklicht, kritisch an der gesellschaftlichen Realität überprüft.

Die genannten Autoren haben bei aller Verschiedenheit des erzählerischen Zugriffs auf die gesellschaftliche Wirklichkeit gemeinsam, daß sie dieser Wirklichkeit positive, humane Gegenmodelle entgegensetzen, deren Verwirklichungsmöglichkeiten sie erzählend untersuchen. Darin besteht ihr Moralismus.

So mißt *Wolfgang Koeppen* die Entwicklung der Bundesrepublik Deutschland an den Hoffnungen auf radikale Erneuerung, die sich an 1945 geknüpft hatten:

„Wenn ich an 1945 denke, meine ich, daß von dort und damals eine Bewegung der Geschlagenen hätte ausgehen können, ein Glaube der Gewaltabsager, der Reumütigen, der Fahnenlosen, der Übernationalen, endlich der brüderlichen Menschen guten Willens schlechthin."

Erfüllt von Pessimismus und Melancholie, verfolgt Koeppen in seinen drei Nachkriegsromanen ‚Tauben im Gras‘ (1951), ‚Das Treibhaus‘ (1953) und ‚Der Tod in Rom‘ (1954) den Weg der westdeutschen Gesellschaft vom Zustand relativer Offenheit gegen Ende der 40er Jahre zur Restauration der bürgerlich-kapitalistischen Ordnung, zur Remilitarisierung und schließlich zur drohenden Restauration nationalsozialistischen Denkens, die er gegen Mitte des Jahrzehnts wahrzunehmen glaubt.

Mit seinem Roman ‚Und sagte kein einziges Wort‘ (1953) wandte sich *Heinrich Böll* endgültig der Gestaltung zeitgenössischer Wirklichkeit zu. Sein erster Roman, ‚Wo warst du, Adam?‘ (1951), thematisiert noch das Erlebnis des Krieges; doch im Titel schon dieses Romans deutet sich ein strukturbildendes Grundmotiv von Bölls erzählender Prosa überhaupt an: Es geht um die Frage nach der Möglichkeit unentfremdeter, ursprünglicher Menschlichkeit – zunächst unter den Bedingungen des Krieges, dann im Rahmen der Gesellschaft in der Bundesrepublik Deutschland.

Die Verweigerung der Anpassung an eine „formierte Gesellschaft" (so das von Ludwig Erhard formulierte Leitbild), die moralische Deformation erzeugt und die Verwirklichung menschlicher Grundbedürfnisse nicht zuläßt, stellt Böll in der Erzählung ‚Das Brot der frühen Jahre‘ (1955) und im Roman ‚Ansichten eines Clowns‘ (1963) dar.

Alfred Andersch rückt in den Mittelpunkt seines Erzählens die Frage nach der Möglichkeit individueller Freiheit und „richtigen Lebens" jenseits ideologischer und kollektiver Bindungen. In dem autobiographischen Bericht ‚Die Kirschen der Freiheit‘ (1952) und in dem Roman ‚Sansibar oder der letzte Grund‘ (1957) erscheint die „Desertion" als Voraussetzung individueller Selbstfindung und verantwortlichen Handelns.

Günter Grass geriet, vor allem durch seinen Roman ‚*Die Blechtrommel*‘ (1959), in den Ruf eines das Blasphemische und Obszöne nicht scheuenden Provokateurs. Er selbst versteht sich durchaus als einen Moralisten. Er spricht von den „Schuldmotoren in der Erzählposition" seiner Danzig-Bücher, zu denen außer der ‚Blechtrommel‘ noch die Novelle ‚Katz und Maus‘ (1961) und der Roman ‚Hundejahre‘ (1963) gehören.

4.2 Die Nachkriegszeit als 'Zeitbruch'. Wolfgang Koeppen: ‚Tauben im Gras‘

> **Wolfgang Koeppen:** Tauben im Gras (1951)
> Das Treibhaus (1953)   Der Tod in Rom (1954)

4.2.1 Offene Situation der Krise und offene Form

Koeppens Roman, kurz nach der Währungsreform geschrieben, schildert die Zeit des Übergangs: Die Not der ersten Nachkriegsjahre ist vorüber, Westdeutschland beginnt sich wirtschaftlich zu konsolidieren. Zwar steht die Zeit schon im Zeichen des beginnenden 'Kalten Krieges', zwar zeichnet sich schon die Gefahr einer restaurativen Erstarrung der politischen Entwicklung in Westdeutschland ab, doch bergen die Zerstörungen, die der Krieg hinterlassen hat, noch die Chance eines humanen Neubeginns.

Koeppen stellt die „Wendezeit" nach dem Zusammenbruch des Nationalsozialismus als eine noch offene Situation der Krise und der Entscheidung dar, als Reibungspunkt einer noch weiterwirkenden Vergangenheit und einer ungewissen Zukunft, die immer in Gefahr steht, von der Vergangenheit eingeholt zu werden.

Um eine Wirklichkeit zu gestalten, die als Experimentierfeld widersprüchlicher, vorwärts- und rückwärtsgewandter Tendenzen noch nicht endgültig auf eine bestimmte Zukunft festgelegt, sondern noch offen erscheint, vermeidet Koeppen eine Erzählstruktur, die die dargestellte Wirklichkeit von vornherein in einen geschlossenen Horizont einschließen und einer bestimmten Finalität unterwerfen würde. Er verzichtet auf die strukturbildenden Elemente der traditionellen 'geschlossenen' Romanform: den auktorialen, die dargestellte Wirklichkeit beherrschenden Erzähler, den 'Helden', die durchgängige Fabel; nicht im Medium einer homogenen sozialen Gruppe, der Familie etwa, wird gesellschaftliche Wirklichkeit vermittelt.

Koeppens Roman ist nach dem Muster filmischer Techniken in eine Vielzahl kleinerer, oft nur locker assoziativ verbundener Erzähleinheiten aufgesplittert, die kein chronologisches Kontinuum bilden. Koeppen komprimiert die zeitgeschichtliche Gegenwart zu einem einzigen Tag, dessen vielfältig widersprüchliche Aspekte in einem synchronisch-flächigen Erzählmosaik entfaltet werden. Der Vielzahl der Personen verschiedenster sozialer Herkunft, die zum Teil in keiner direkten Beziehung zueinander stehen, entspricht eine 'offene' vielperspektivische, personale Erzählweise. Das Geschehen des einen Tages spielt sich auf zahlreichen Schauplätzen einer westdeutschen Großstadt – Münchens – ab, in der Zerstörung und Wiederaufbau als Gleichzeitigkeit des Vergangenen und Zukünftigen noch als Widersprüche sinnfällig werden und den 'Zeitbruch' sichtbar machen.

4.2.2 Die Menschen im 'Zeitbruch'

In den Zeitbruch hineingerissen sind die Menschen, die die Stadt bevölkern. Es sind Davongekommene; sie haben die Katastrophe überlebt, doch das soziale Netz, in dem sie lebten und das ihnen ihre gesellschaftliche Identität verlieh, hat der Krieg weitgehend zerstört; eine neue soziale Struktur, die ihnen eine stabile gesellschaftliche Rolle zuweisen könnte, hat sich noch nicht herausgebildet. Orientierungslos wie „Tauben im Gras", entwurzelt und deklassiert, leben sie unter schwierigen materiellen Bedingungen und unter der Drohung einer ungewissen Zukunft.

Koeppens Interesse als Erzähler besteht darin, die Verwerfungen, die der Zeitbruch mit sich bringt, bis in das alltägliche Verhalten und Bewußtsein der Menschen hinein zu verfolgen und darin festzumachen und so die noch nicht offenkundigen Tendenzen zukünftiger Entwicklung zu erkunden:

Ist der Nationalsozialismus wirklich 'Vergangenheit', oder hat nationalsozialistisches Denken in Deutschland noch – oder schon wieder – eine Zukunft? Gibt es über die Gegenwart hinausweisende Zeichen der Hoffnung auf eine humane Zukunft? Sind die utopischen Gehalte, die die Zeit birgt, stark genug, um die Restauration der Bedingungen, die Nationalsozialismus und Krieg hervorbrachten, zu verhindern?

Als Zeichen der Hoffnung gestaltet Koeppen Liebesbeziehungen, die sich über geltende Konventionen und Rassenschranken hinwegsetzen. In ihnen verwirklicht sich, jedoch nur individuell und gesellschaftlich folgenlos, der Traum von einer „brüderlichen Menschheit". Carla und der farbige US-Soldat Washington Price etwa haben teil an der humanitären Utopie, deren Verwirklichung aber in Deutschland nicht möglich erscheint: In Paris will Washington mit Carla ein Lokal aufmachen, auf dessen Schild stehen soll: „Niemand ist unerwünscht."

Vielfältig sind die von Koeppen registrierten Anzeichen dafür, daß die Chancen zum Neubeginn verspielt werden.

Bei den im Roman meist anonym bleibenden Vertretern des Kleinbürgertums, Angestellten, Kleinhändlern, den Kunden der Bierausschänke, den Besuchern des Bräuhauses, konstatiert Koeppen das Fortbestehen nationalistisch-antidemokratischen Denkens.

Oft auf das Existenzminimum zurückgeworfen, sehnen die Menschen sich in die Zeit des Dritten Reiches zurück, in der sie vermeintlich etwas galten. Die militärische Niederlage Deutschlands bedeutet für sie eine nationale Schmach und Schande; die Anwesenheit der amerikanischen Besatzungssoldaten, zumal der farbigen, erleben sie als das augenfällige Symbol ihrer Erniedrigung. Alles, was dem Normensystem zuwiderläuft, das weitgehend unbeschädigt aus der Vergangenheit übernommen wird, provoziert das Ressentiment der Deklassierten; es kann jederzeit in Gewalt ausarten – wie gegen Ende des Romans, als die entfesselten Kleinbürger auf das Gerücht hin, ein 'Nigger' habe ein Kind getötet, den Klub farbiger US-Soldaten angreifen.

In der Figur des Schriftstellers Philipp stellt Koeppen das Dilemma eines Intellektuellen dar, der zwar „mit Grauen [sieht], wie der verfluchte Schauplatz [...] für ein neues blutiges Drama hergerichtet wird", der aber doch „der alte Tolerante" bleibt. Er hält es sich zugute, „immun gegen Verführungen" zu sein: In jeder ideologischen Fixierung und Parteinahme sieht er eine Bedrohung seiner geistigen Unabhängigkeit: „Ich will in keiner Mannschaft spielen, auch nicht im Hemisphärenfußball, ich will für mich bleiben." „Ideologie der Ideologielosigkeit" hat Hans Mayer diese Haltung genannt.

Koeppen hat als erster deutscher Schriftsteller der Nachkriegszeit die Formelemente des internationalen modernen Romans fruchtbar weiterentwickelt und seiner Absicht dienstbar gemacht: die „Essenz" seiner Zeit darzustellen, „Geschichte im Präsens" zu erzählen.

Koeppen geht, anders als die vom Kriegserlebnis geprägten, in der Nachkriegszeit debütierenden Autoren, nicht von der Annahme einer literarischen Nullpunktsituation im Sinne eines totalen Traditionsbruchs aus. Er knüpft an die Romanliteratur der Weimarer Republik und an moderne ausländische Autoren an, lange bevor sie von den Vertretern der jungen deutschen Literatur rezipiert wurden. Seine Handhabung der Technik des vielperspektivischen Erzählens, der Montage und des inneren Monologs verweist auf Vorbilder wie Alfred Döblin (,Berlin Alexanderplatz', 1929), John Dos Passos (,Manhattan Transfer', 1925) und James Joyce (,Ulysses', 1927).

4.3 Literatur als moralisches Engagement: Heinrich Böll

Heinrich Böll: Wo warst du, Adam? (1951)   Und sagte kein einziges Wort (1953)
Haus ohne Hüter (1954)   Das Brot der frühen Jahre (Erzählung. 1955)
Billard um halb zehn (1959)   Ansichten eines Clowns (1963)

4.3.1 Bölls Erzählhaltung: Kritik und Sympathie

Kontinuierlich bis in unsere Gegenwart und in kritischer Wachheit verfolgt Böll in seinen Werken die gesellschaftliche Entwicklung der Bundesrepublik Deutschland. Alle seine Romane nehmen die jeweilige Gegenwart in sich auf, doch bleibt die Vergangenheit ständiger Bezugspunkt seines Erzählens: Je weiter die Zeitgeschichte sich von der Zeitschicht, in der Bölls Primärerfahrung wurzelt – Krieg und Nachkriegsjahre –, entfernt, desto weiträumiger wird die Vergangenheitsdimension seines Erzählens, desto unabweislicher wird in der Tat die Einbeziehung der Vergangenheit in die Gegenwartsdarstellung. Denn in dem Maße, wie sich die Gesellschaft zunehmend restaurativ verfestigt, wächst die Tendenz, schuldhafte Vergangenheit zu verdrängen. So kann Böll feststellen: „Schuld, Reue, Buße, Einsicht sind nicht zu gesellschaftlichen Kategorien geworden, erst recht nicht zu politischen." Dem kollektiven Vergessen-Wollen stellt Böll erzählend das Sich-Erinnern entgegen, in dem stellvertretend „Trauerarbeit" (Alexander Mitscherlich) geleistet wird. Die Erinnerung ist ein Vorgang, der Bölls Romane auch in ihrer Erzählstruktur entscheidend bestimmt. Besondere Bedeutung hat sie in dem Roman ‚Billard um halb zehn' (1959).

Den Erinnerungsfähigen stehen in Bölls Romanen diejenigen gegenüber, die ihre „Erinnerung systematisch geschlachtet" haben: die Erfolgreichen, die Angepaßten, die Stützen der etablierten Gesellschaft. Denjenigen, die diese Gesellschaft an den Rand drängt, ausscheidet, zum „Abfall" erklärt, denjenigen, die aus dieser Gesellschaft desertieren, „abfällig" werden, d. h. auch: kritisch-subversiv, gilt Bölls Sympathie.

Aufgabe der Literatur sei es, das von der Gesellschaft „abfällig" Behandelte in seiner „Erhabenheit" darzustellen, so erklärt Böll in den ‚Frankfurter Vorlesungen' (1966), in denen er seine „Ästhetik des Humanen" formuliert.

4.3.2 Die Perspektive von ‘unten’

Schon den Krieg hat Böll in ‚Wo warst du, Adam?' (1951) aus dem Erfahrungshorizont der Opfer beschrieben. Die Perspektive des einfachen Soldaten bestimmt die Darstellung.

Auch die sich formierende Gesellschaft im Nachkriegsdeutschland stellt Böll aus der Sicht der ‘Opfer’ dar, die sie produziert: meist kleinbürgerliche Durchschnittsmenschen wie Käte und Fred Bogner in dem Roman ‚Und sagte kein einziges Wort' (1953), deren Ehe aufgrund ihrer Armut während der Hungerjahre nach dem Krieg in ihrem Fortbestand bedroht ist. In der Übernahme kleinbürgerlicher Optik manifestiert sich die Parteinahme des Erzählers für die ‘kleinen Leute’, in deren alltäglichem Lebensvollzug sich eine Humanität verwirklicht, die sich auch und gerade im Kampf mit einer entwürdigenden Realität bewährt. Die Perspektive von ‘unten’ signalisiert auf der anderen Seite kritisches Mißtrauen gegen alle Institutionen und Ordnungsprinzipien der restaurierten bürgerlichen Gesellschaft, die das spontan Menschliche – wie Liebe und Religion – durch institutionelle Organisationen und „Verrechtlichung" – etwa in der Ehe und in kirchengebundener Christlichkeit – zu ersticken drohen. So ist die elementare Religiosität Käte Bogners das positive Gegenbild zu der in leerer Repräsentation sich veräußerlichenden Amtskirche, die menschlicher Not gegenüber blind bleibt und sich damit an ihrem Auftrag versündigt.

4.3.3 Utopie des Humanen: ‚Das Brot der frühen Jahre'

In diesem Kurzroman wird die Liebe zur anarchischen, humane Energie freisetzenden Kraft, die zum Ausbruch aus einer nur noch profit- und konsumorientierten Gesellschaft befähigt.

Das Gegenwartsgeschehen umfaßt nur einen Tag. Der Ich-Erzähler Walter Fendrich, in seinem Beruf als Elektriker erfolgreich, begegnet Hedwig, die er vom ersten Augenblick an in radikaler Unbedingtheit liebt. Die Liebe trifft ihn mit der Gewalt einer sein Leben ändernden Erkenntnis: Sie führt zur Aufhebung der Selbstentfremdung seiner sich nur ans Geld veräußerlichenden Existenz. Die Erkenntnis seines bisherigen Lebens als Irrweg vollzieht sich in der Form der Erinnerung, die die Zeit von den Notjahren nach dem Krieg bis zum wirtschaftlichen Aufschwung Mitte der 50er Jahre umfaßt.

Zeitgeschichtliche Realität erscheint zeichenhaft verdichtet in den Symbolen „Brot" und „Geld". Fendrichs Grunderfahrung während seiner Kindheit und Jugend: Not, Hunger, Gier nach Brot, ist zugleich die Erfahrung der Barmherzigkeit, aber auch der Härte und Selbstsucht der anderen. Das verweigerte oder geschenkte Brot wird zum Zeichen verfehlter oder erfüllter Mitmenschlichkeit. Im Umgang mit Brot, so erkennt Fendrich, erweist sich die moralische Substanz des Menschen. Indem er die Liebe als elementare Mitmenschlichkeit erlebt, stürzt für Fendrich die von ihm bisher akzeptierte Werthierarchie einer wirtschaftlichem Zweckdenken verhafteten Gesellschaft zusammen. Gemessen an der „Rechnungseinheit" des Brots, enthüllt sich das privatkapitalistische profitorientierte System überhaupt als vollendete Inhumanität. Fendrich bricht alle Bindungen zu seinem bisherigen Leben ab.

Im Zeichen des geschenkten und gemeinsam genossenen Brotes besiegeln die Liebenden ihre Verbindung als „Ehe": In Mitmenschlichkeit wird das Sakrament neu begründet. Mit ihrer Vereinigung am Abend des Tages, an dem sie sich begegneten, endet der Roman, der damit in die Utopie einer außergesellschaftlichen Humanität führt. Böll zeigt, daß der Anspruch auf elementar humane Sinnerfüllung sich im Rahmen der etablierten gesellschaftlichen Normen nicht erfüllen kann. Ob er in der Verweigerung gegen diese Normen die Möglichkeit der Verwirklichung hat, diese Frage wird in diesem Roman nicht mehr beantwortet. Sie findet erst eine – negative – Antwort in Bölls Roman ‚Ansichten eines Clowns' (1963).

4.4 Humanismus der Freiheit: Alfred Andersch

Alfred Andersch: Die Kirschen der Freiheit (1952)
Sansibar oder der letzte Grund (1957)   Die Rote (1960)

4.4.1 Anderschs Standort: jenseits der Ideologien

Die Hervorbringung des Kunstwerks stellt einen Akt der Freiheit dar, in dem der Künstler die normativen Ideologien der Gesellschaft beispielgebend überschreitet. In dieser Überzeugung legitimiert sich für Andersch die künstlerische Tätigkeit, die sein politisches Engagement in den Jahren nach dem Krieg ablöste. Die 'Entpolitisierung' vieler Intellektueller im Übergang zu den 50er Jahren, sein eigener Rückzug in die der Kunst gewidmete Privatexistenz bedeuten aus Anderschs Sicht in positivem Sinne die Möglichkeit, einen ideologiefreien Standpunkt zu gewinnen jenseits der „vom geschlossenen System vorgezeichneten Inhalte".

So mündet bei Andersch die Erfahrung der Nachkriegsentwicklung nicht, wie etwa bei Koeppen, in die Resignation des politisch Ohnmächtigen. Enttäuschung und Pessimismus werden bei Andersch durch eine Freiheitsphilosophie aufgefangen, die entscheidend von Jean-Paul Sartres Existentialismus geprägt ist.

Sartres Lehre wurde für Andersch so bedeutsam, weil sie als Theorie gesellschaftlichen Handelns in individueller Selbstverantwortung, d. h. jenseits normativer Wertsysteme und Ideologien verstanden werden kann und geeignet erschien, einen in der individuellen Freiheit fundierten Humanismus zu begründen.

Das „Wesen" des Menschen, sein Sosein, ist nach Sartres Lehre nicht etwas seiner Existenz schon Vorgegebenes und sie Bedingendes; vielmehr bringt der Mensch seine „Essenz" selbst hervor, er „wählt" sich, indem er handelt, in totaler Freiheit. „Der Mensch ist zur Freiheit verurteilt" – das heißt aber auch, daß ihm die totale Verantwortung für sein Handeln zufällt, ohne daß er die Möglichkeit hat, sich auf außer ihm liegende Instanzen zu berufen.

Daß der Mensch 'existentiell' durch seine Anlage zur Freiheit definiert sei, daß er sich in der Entscheidung zur Freiheit allererst verwirkliche – diese Überzeugungen gehen strukturbildend in Anderschs erzählerisches Werk ein.

4.4.2 Die Entscheidung zur Freiheit: ‚Sansibar oder der letzte Grund'

Im Zentrum dieses Romans, der unter der NS-Diktatur im Jahre 1937 spielt, steht ein Kunstwerk: ‚Der lesende Klosterschüler', eine Holzplastik. In der Gebärde kritisch-distanzierten Lesens wird die Widerständigkeit eines Kunstwerks gegen ideologische Vereinnahmung sinnfällig und damit seine Funktion, den Weg zu individueller Autonomie zu weisen. Damit wird diese Holzfigur, die als 'entartete Kunst' beschlagnahmt werden soll, zur potentiellen Gefährdung des totalitären Regimes. Denen, die sie retten, gilt die Plastik als Hort der Freiheit.

Der Rettungsversuch aber bedeutet tödliche Bedrohung für die an der Aktion Beteiligten. Die Begegnung mit dem Kunstwerk fordert sie zur Bewährung in gesellschaftlichem Handeln heraus. Betroffen von diesem Anspruch, die Freiheit zu verwirklichen, sind der Pfarrer Helander, der die Rettungsaktion initiiert, der Fischer Knudsen, der die Plastik nach Schweden bringen soll, und vor allem Gregor, Instrukteur der illegalen kommunistischen Partei, der in der Absicht, aus der Partei zu desertieren und aus Deutschland zu fliehen, in das Ostseestädtchen Rerik kommt.

In der Begegnung mit der Figur erkennt Gregor, worauf es ankommt: ohne Auftrag das Richtige zu tun. Befreit von Parteidoktrin und -disziplin, „in eigenem Auftrag" leitet Gregor die Rettungsaktion in die Wege, in die er auch die Jüdin Judith einbezieht, die vor den Nationalsozialisten fliehen muß. Damit vollzieht er die Entscheidung zur Freiheit, die als ständige Möglichkeit der lesenden Figur eingestaltet ist.

In dem Maße, wie Gregor zu autonomer Handlungsfähigkeit findet, tritt sein Plan zur Flucht in den Hintergrund; er bleibt in Deutschland, offen für zukünftiges Handeln: „Alles mußte neu geprüft werden."

Die oft dramatisch zugespitzten kurzen Kapitel, in denen die wenigen Figuren zu immer neuen Konstellationen zusammengeführt werden, wechseln mit den meist monologischen Abschnitten, die dem „Jungen" gewidmet sind. In ihnen erscheint die Problematik von Bindung und Befreiung, Flucht und Verantwortung in kindlicher Perspektive als ziellose Sehnsucht nach dem ganz anderen, für das der Name der Insel „Sansibar" einsteht. Die Rettungsfahrt nach Schweden, an der er als Knudsens Schiffsjunge teilnimmt, scheint dem Jungen die Verwirklichung seines Traums von Freiheit und Ungebundenheit zu ermöglichen; doch wäre dies nur die Flucht in eine leere, nichtige Freiheit. Seine Verantwortung akzeptierend, kehrt der Junge zu Knudsen zurück, dessen illegale Fahrt sonst entdeckt werden würde. Indem er freiwillig seinen Auftrag annimmt, tritt auch er, wie Gregor, in ein neues Stadium seiner Existenz: Er ist zu einem in Selbstverantwortung handlungsfähigen Menschen geworden.

Andersch stellt seine erzählerische Erkundung der Möglichkeit von Freiheit in den Rahmen der nationalsozialistischen Diktatur, die allerdings nicht detailrealistisch geschildert wird, sondern als Modell der Unterdrückung überhaupt steht. Sein Erzählen ist streng gedanklich kontrolliert; innerhalb eines philosophischen Problemhorizontes wird die Wirklichkeit zum Modell einer Entscheidungs- und Bewährungssituation geformt.

Der Begriff des 'Modells' ist auch im Sinn der Vorbildlichkeit zu verstehen. Die Funktion, die die Holzfigur für Gregor hat, soll und kann die im Roman dargestellte Wirklichkeit für den Leser haben: die eigene Anlage zur Freiheit bewußtzumachen.

Darin liegt der moralische Anspruch des Romans, der keine Handlungsanweisungen gibt – damit würde er im Sinne Anderschs ins Ideologische abgleiten –, sondern Handlungsmöglichkeiten aufzeigt. In seiner Form scheint der Roman der strengen, der Abstraktion nahen Linienführung der plastischen Gestaltung Ernst Barlachs verpflichtet zu sein. Barlach schuf 1930 die Holzfigur ‚Der lesende Klosterschüler‘.

4.5 Erzählte Geschichte. Günter Grass: ‚Die Blechtrommel‘

> **Günter Grass:** Die Blechtrommel (1959)
> Katz und Maus (1961)   Hundejahre (1963)

Günter Grass hat mit seinem Roman ‚Die Blechtrommel‘ (1959) den Wirklichkeitshorizont des deutschen Nachkriegsromans entscheidend erweitert. Bei Andersch wird der Nationalsozialismus, zur Diktatur schlechthin stilisiert, zur Kulisse für die individuelle Freiheitsentscheidung. Bei Koeppen und Böll wird die NS-Epoche als erinnerte Vergangenheit in die Darstellung gegenwärtiger gesellschaftlicher Wirklichkeit eingeblendet; im Mittelpunkt des Interesses steht bei ihnen seine Nachgeschichte und noch gegenwärtige Wirklichkeit. Grass entfaltet ein detailliertes Epochenpanorama, in dessen Zentrum das Dritte Reich steht, das aber auch seine Vor- und Nachgeschichte umfaßt.

4.5.1 Die Stellung des Erzählers: Außenseitertum und Teilhabe

Der wuchernde Stoffreichtum des Romans, seine schier unübersehbare Gestalten- und Episodenfülle, wird zusammengehalten durch die Zentralgestalt Oskar Matzerath: Als erlebender Held und rückblickender Erzähler ist Oskar das perspektivische Zentrum des Romans.

Oskar, der Gnom und tabuzerstörende Außenseiter, der begabt ist mit dem entlarvenden Blick von unten, ist eine groteske Kunstfigur.

Schon bei der Geburt im Vollbesitz seines Verstandes, wünscht Oskar sich in den Mutterleib zurück angesichts des muffigen kleinbürgerlichen Milieus, in das er hineingeboren wird. Protest und Verweigerung bestimmen seine Haltung von Anfang an. Als Dreijähriger beschließt er, sein Wachstum einzustellen, um nicht später den väterlichen Kolonialwarenladen übernehmen zu müssen. Ausgestattet mit den Insignien seines Protestes, Blechtrommel und glaszersingender Stimme, entzieht sich der „permanent Dreijährige, aber auch Dreimalkluge“ fortan erfolgreich allen kleinbürgerlichen Rollenzwängen.

‚Die Blechtrommel‘ steht in der Tradition des Schelmenromans. Als moderner Pikaro durchwandert Oskar unsere Epoche. In seiner Heimat Danzig erlebt er die Zeit des heraufkommenden und sich etablierenden Nationalsozialismus, als Mitglied eines Fronttheaters nimmt er am Frankreichfeldzug teil. Die Jahre nach dem Krieg erlebt er in Westdeutschland.

Oskars Außenseitertum bestimmt auch seine Rolle als Erzähler: Angesichts der westdeutschen Restauration zieht er sich in eine Heil- und Pflegeanstalt zurück. Dort verfaßt er in den Jahren 1952–1954 seine Lebensgeschichte. Auch hier ist er der einzelne, der sich nicht vereinnahmen läßt. Doch ist es nicht nur seine private Geschichte, die er erzählt, sondern zugleich die seiner Klasse, des Danziger Kleinbürgertums.

Dies ist die andere Seite von Oskars Existenz: Selbst als Außenseiter bleibt er seinem Herkunftsmilieu unaufhebbar verhaftet. Er ist „Teil dieser Kleinbürgerschicht, als deren Sprachrohr er sich zu Wort meldet", wie Grass kommentiert.

Sich verweigernde kritische Distanz, zugleich aber Teilhabe und Gebundenheit prägen also Oskars Wirklichkeitsbezug im Erleben selbst sowie seine Haltung als Erzähler zur erzählten Wirklichkeit. Sein Standort ist zugleich innerhalb und außerhalb dieser Wirklichkeit; sein Erzählen ist realistisch wirklichkeitsunmittelbar und kritisch entlarvend zugleich.

Oskar also, der die Welt als Zwerg von unten mit dem fremden Blick des Außenseiters, in vorgeschützter Infantilität, aber mit hellwachem Verstand betrachtet, wird als Erzähler eingesetzt; dies bedeutet, daß alle vorgängigen Denkmuster und Schablonen, die sich vor die Wirklichkeit schieben könnten, unterlaufen werden. Rücksichtslos und ungehemmt setzt sich das Erzählen über die Konventionen des 'guten Geschmacks', über religiöse und sexuelle Tabus hinweg. Alles, was in Oskars Blickfeld gerät, kann, unfiltriert und unzensiert, Gegenstand dieses Erzählens werden.

4.5.2 Kleinbürgertum und Nationalsozialismus

Freilich bewegt sich das Erzählen, jedenfalls vordergründig, innerhalb des kleinbürgerlichen Wirklichkeitshorizontes. Diese Eingrenzung der Perspektive bedeutet, daß die Epoche des Dritten Reiches aller Dämonie und schicksalhaften Aura entkleidet wird, denn im alltäglichen Detail, im Wohnküchenmilieu des Labeswegs in Danzig-Langfuhr, wird sie lebendig.

Kleinbürgerliches Bewußtsein, wie es im Roman erscheint, nimmt die geschichtliche Entwicklung nur in isolierten Oberflächenerscheinungen wahr; der Nationalsozialismus wird als etwas von außen Herantretendes erlebt, das den kleinbürgerlichen Alltag zunächst kaum merklich verändert und sich ohne Schwierigkeit in ihn integriert.

Das Jahr 1933 bedeutet für die Danziger Kleinbürger, daß „die Zeit der Fackelzüge und Aufmärsche vor Tribünen begann [...]" „Sonst änderte sich nicht viel." Die Wohnzimmerausstattung der Familie Matzerath wird durch ein Hitlerporträt ergänzt.

Oskar schildert das Publikum einer Kundgebung: „Das war zu Fuß gekommen oder mit der Straßenbahn, das hatte zum Teil die Frühmesse besucht und war dort nicht zufriedengestellt worden, das war gekommen, um seiner Braut am Arm etwas zu bieten, das wollte mit dabei sein, wenn Geschichte gemacht wird, und wenn auch der Vormittag dabei draufging."

Hier wird der kleinbürgerliche Wirklichkeitshorizont durchbrochen, kleinbürgerliches Bewußtsein wird in seiner Geschichtsblindheit entlarvt.

Der Roman macht den Kausalzusammenhang, ja die Identität von kleinbürgerlicher Alltäglichkeit und Geschichte erkennbar. Es sind nicht „die anderen", die „Geschichte machen", sondern es ist die Masse der Mitläufer, das heißt jeder einzelne, der dem Nationalsozialismus keinen Widerstand entgegensetzt, sondern sich willfährig mit der „neuen Ordnung" arrangiert und schließlich bedenkenlos mitmacht – wie Oskars Vater Matzerath etwa, der in der Reichskristallnacht „seine Finger und Gefühle über dem öffentlichen Feuer wärmt".

Die deutsche Katastrophe erscheint nicht als „Verhängnis", sondern im Spiegel individuellen Fehlverhaltens, das aber zugleich in seiner sozialen Typik erkennbar wird. Grass zeigt an einer Fülle von Details und exemplarischen Lebensläufen, wie das in den 20er und frühen 30er Jahren ökonomisch destabilisierte und in seiner gesellschaftlichen Position verunsicherte Kleinbürgertum im Nationalsozialismus und seiner Ideologie die seinen Hoffnungen, Ängsten und Frustrationen gemäße politische Ausdrucksform findet.

So stellt Grass den Nationalsozialismus als Sozialgeschichte des deutschen Kleinbürgertums dar. Das nur scheinbar naive, nur scheinbar im kleinbürgerlichen Horizont befangene Erzählen Oskars dient kritischer Geschichtserhellung, die auch individuelle Schuld greifbar macht.

4.5.3 Die moralische Position

Der dritte, in der Bundesrepublik Deutschland spielende Teil des Romans zeigt, wie Oskars erzählerisches Unternehmen – die detailgenaue Heraufbeschwörung der NS-Vergangenheit, in die vielfache individuelle Schuld verwoben ist – eine Tabuverletzung in einer Gesellschaft darstellt, die das Vergangene vergessen und Schuld verleugnen will. Oskar, der sich erinnert und der Schuldfrage nicht ausweicht, wird zum Außenseiter. Sein Sich-Erinnern macht vor eigener Schuld nicht halt – auch er ist vielfältig schuldhaft in die NS-Epoche verstrickt. So hat er den Tod seiner „beiden" Väter (die Vaterschaft ist nicht eindeutig geklärt) bewußt herbeigeführt.

Es ist nicht abwegig, Oskar in seiner körperlichen Deformation als Symbolfigur der barbarischen, das Menschliche zerstörenden NS-Epoche zu interpretieren. Das Jahr 1945 leitet auch bei ihm eine Normalisierung ein: Er beginnt wieder zu wachsen. Gleichzeitig aber bekommt er einen Buckel. Diese Verkrüppelung ist Zeichen einer überständigen, in die Gegenwart hineinreichenden, nicht überwundenen schuldhaften Vergangenheit, in die Oskar verstrickt bleibt und an deren Last er – stellvertretend – trägt.

In den Außenseitergestalten der Literatur der 50er Jahre spiegelt sich das Selbstverständnis dieser Literatur. Wie die Gestalt Oskars zeigt, rechnet Grass nicht mehr mit der Möglichkeit der Literatur und dem Anspruch des Schriftstellers, in „nonkonformistischer" Vereinzelung im Namen einer vorideologischen Humanität und Wertgewißheit einer korrumpierten und korrumpierenden Gesellschaft als moralische Instanz gegenüberzutreten. In Grass' Roman kündigt sich, am Ende der 50er Jahre, ein neues Verständnis der gesellschaftlichen Position und Funktion der Literatur an: ihre Politisierung in den 60er Jahren.

Auch in den beiden anderen Büchern der ‚Danziger Trilogie' – ‚Katz und Maus' (1961); ‚Hundejahre' (1963) – dient das Erzählen kritisch engagierter Geschichts- und Gegenwartserhellung.

5 Literatur als Sprachexperiment

5.1 Sprachskepsis nach 1945

Am Beginn der 'jungen' deutschen Literatur nach dem Krieg stand die Besinnung auf die Sprache als das Medium der Literatur. Man hatte erlebt, wie Sprache als Instrument nationalsozialistischer Herrschaft mißbraucht worden war. Aus dieser Erfahrung ergab sich das Dilemma der jungen Autoren: Sie sahen sich einer Sprache gegenüber, die das Denken immer schon ideologisch vorprägte und nichtentfremdetes Sprechen verhinderte. Es ging ihnen darum, eine unverdorbene, von politischen Verfälschungen befreite Sprache wiederzufinden.

Heinrich Böll beschreibt seine Spracherfahrung und die seiner Generation nach 1945 folgendermaßen:

> „Es war erst mal die Sprache als Material, fast im physikalischen Sinn ein Experimentierstoff, und Sie dürfen nicht vergessen, daß wir doch zwölf Jahre lang mit einer völlig verlogenen, hochpathetisierten Sprache konfrontiert waren, Zeitungen, Rundfunk, sogar in Gespräche, in den Jargon ging das ein, und unsere Sprache, also sagen wir ruhig, die deutsche Sprache auf diese Weise wiederzufinden, war per se ein Experiment."

Was Böll hier als „Experiment" bezeichnet, ist eine an Nationalsozialismus und Nachkriegszeit gebundene Erfahrung. Darüber hinaus aber verweisen die Formulierungen „Sprache als Material" und als „Experimentierstoff" auf ein Verfahren literarischer Sprachverwendung, das Böll selbst allerdings nicht verwirklicht hat.

5.2 Sprache als Realität und Sprachexperiment

Böll und ein Großteil der nach 1945 Schreibenden verwenden Sprache noch im traditionellen Sinn als Instrument der Darstellung und Abbildung außersprachlicher Wirklichkeit. Daneben aber gewinnt eine Literatur an Bedeutung, der ein anderer Wirklichkeitsbezug zugrunde liegt: Bezugspunkt ihrer Darstellung ist nicht außersprachliche Wirklichkeit, sondern die Sprache selbst als eine eigenständige Realität. Sprache wird thematisiert: Das Medium der Darstellung wird zum Gegenstand; Sprache wird gezeigt, nicht Wirklichkeit mittels Sprache. Diese Literatur verfährt also „sprachimmanent". Tritt so die Bezeichnungsfunktion hinter dem materialen Aspekt der Sprache zurück, werden die Elemente der Sprache aus ihren üblichen Verwendungszusammenhängen befreit, werden Wörter, Wortgruppen, syntaktische Strukturen, vorgefertigte Redeteile, aber auch Buchstaben, Laute, Silben zu „konkreten" d. h. in ihrem Eigenbezug existierenden „Gegenständen", mit denen der Dichter „experimentieren" kann: Aus dem Materialreservoir Sprache werden Elemente ausgesondert und miteinander in Verbindung gebracht; sie werden also isoliert und nach Regeln kombiniert, die der Sprachexperimentator selbst bestimmt, unabhängig von der Sachlogik einer etwa darzustellenden Wirklichkeit, aber auch von den sprachinternen Regelungen der Grammatik. Ein Beispiel von Eugen Gomringer:

```
        wind


                    w        w
             d        i
          n        n        n
      i        d        i        d
   w                        w
```

In der Situation der 50er Jahre, als die Programmatik des Neubeginns aufgegeben war und die Literatur durchaus wieder konventionelle Züge zeigte, konnte das Verfahren der Regelabweichung, das oft spielerische Ausprobieren kombinatorischer Möglichkeiten als das befreiend Neue erscheinen. *Helmut Heißenbüttel* bemerkt zu den ‚Konstellationen' Eugen Gomringers:

„Was ich als Befreiung empfand, läßt sich einfach auch so sagen: man konnte hinschreiben:
    ‚ping pong
        ping pong ping
        pong ping pong
            ping pong'
und das als Gedicht bezeichnen, beziehungsweise als etwas, das dem entsprach, was bis dahin Gedicht geheißen hatte. Eine Abfolge rhythmisch geordneter Silben, kein Lautgedicht, kein Typogramm, einfach diese Silben, die inhaltlich bezogen sein mochten auf das Tischtennisspiel und den Rhythmus, den die aufschlagenden Bälle bei diesem Spiel machten, aber ohne jede symbolische Hintergründigkeit, ohne erläuternden, verinnerlichenden Hinweis, nackt, kahl, sie selbst. Der Akt der Befreiung, der für mich in den Konstellationen Gomringers erkennbar wurde, bedeutete, daß ich machen konnte, was ich wollte. Ich konnte alles ausprobieren [...]"

Heißenbüttel sieht im sprachexperimentierenden Verfahren nicht nur die Möglichkeit zur Befreiung von literarischen Konventionen, er versteht Befreiung auch im politisch-ideologischen Sinn: Durch seine „Reduktion auf das Wort und in der Kombinatorik von Wörtern" zerstöre Gomringer die „Stufenordnung von Rängen", in der sich gesellschaftliche Herrschaft niederschlage.
Hier deutet sich eine mögliche Lösung des Problems an, vor dem die Autoren nach 1945 standen. Danach wäre ideologiefreies Sprechen möglich durch die Zerschlagung des Regelsystems der konventionellen Sprache. Das bedeutet aber zugleich,

daß Sprache sich veräußerlicht, sich verdinglicht, „nackt, kahl, sie selbst" wird, wie Heißenbüttel sagt, d. h. nicht mehr an ein sprechendes Subjekt zurückgebunden ist. Die Aufgabe der Autoren nach 1945 bestand aber, nach der zitierten Äußerung Bölls, gerade darin, „unsere" Sprache wiederzufinden, d. h. auch die je eigene Sprache, in der sich das Individuum äußern und seine Wirklichkeitserfahrung artikulieren kann. Vorausgesetzt blieb dabei die Möglichkeit überhaupt, je eigene Selbst- und Wirklichkeitserfahrung authentisch in Sprache mitzuteilen. Der radikale Zweifel an dieser Möglichkeit liegt der sprachimmanent verfahrenden Literatur zugrunde.

5.3 Bewußtsein, Sprache, Wirklichkeit in neuer Interpretation

Das Verfahren der Sprachdestruktion und Kombination der Sprachelemente wird von den Autoren selbst z. T. ausführlich begründet. Als Theoretiker ist vor allem *Helmut Heißenbüttel* (‚Über Literatur‘, 1966, vgl. S. 608ff.) hervorgetreten. Freilich können die im Umkreis dieser literarischen Strömung entstehenden Reflexionen nicht immer den Anspruch auf Wissenschaftlichkeit erheben, wenn auch Sprachphilosophie und Sprachwissenschaft theoretische Grundlagen lieferten, vor allem die Richtungen, die den Weltbildcharakter der Sprache betonen (Leo Weisgerber, Ludwig Wittgenstein, die Amerikaner Whorf und Sapir).

Immer wieder begegnet die Grundthese, wonach die Sprache für das menschliche Bewußtsein die primäre Realität überhaupt darstellt. Diesem „Sprachabsolutismus" zufolge verfüge nicht ich als Subjekt in meinem Sprechen über die Sprache; vielmehr ist mein Sprechen, mein Bewußtsein schlechthin an die semantischen und grammatikalischen Strukturen des Sprachsystems (langue) gebunden. Dieses System aber, so wird betont, ist eine konventionelle und kollektive Norm, an die sich das Subjekt im Sprechen (parole) entäußert.

Da das Bewußtsein nicht außerhalb der Sprache existiert, ist auch die in ihm sich vollziehende Erfahrung von Wirklichkeit, ist die uns erscheinende Wirklichkeit selbst immer schon sprachlich vermittelt und durch die Struktur der Sprache vorgeprägt. Literatur, die auf dieser Voraussetzung beruht, sieht sich auf die Sprache als ihren eigentlichen Gegenstand verwiesen. Wirklichkeitsreflexion vollzieht sich in ihr als Reflexion über Sprache.

Die Destruktion des Sprachsystems im poetischen Text, die Verwendung der Sprachelemente als Experimentier- und Spielmaterial – dies kann dem Zweck dienen, die Determinierung durch Sprache zu durchbrechen, Bewußtseinsfreiräume zu schaffen, neue, unkonventionelle Wahrnehmungsformen einzuüben. Das sprachexperimentierende Verfahren wendet sich gegen das traditionelle Verständnis von Literatur als mimetischer (wirklichkeitsabbildender) Kunst, gegen die klassische Gattungslehre, gegen symbolisches und metaphorisches Sprechen, gegen ‘Stil’ als literarische Kategorie. Es tritt in den 50er Jahren zunächst als ‘konkrete Poesie’ in Erscheinung.

5.4 Konkrete Poesie

5.4.1 Der Begriff ‘konkret’: Der Text als Realität

Eugen Gomringer verwendet 1955 diesen Begriff zum erstenmal in bezug auf Sprachwerke; in seinen ‚Konstellationen‘ gibt er erste Beispiele dessen, was er ‘konkrete Poesie’ nennt.

Bei der Bestimmung des Konkret-Begriffes stützt er sich auf das ‚Manifest der konkreten Kunst‘, das der Maler Theo van Doesburg in seiner Zeitschrift ‚Art Concret‘ 1930 veröffentlicht hatte. Danach bedeutet ‘konkret’ in der Malerei, daß das Bild „keine Anlehnung an die Natur enthalten darf [...] Es soll mit rein plastischen Mitteln gestaltet werden, d. h. mit Flächen und

Farben. Ein bildnerisches Element bedeutet nur sich selbst: folglich bedeutet das Bild ebenfalls nur sich selbst."

Das konkrete Bild teilt nichts anderes mit als seine eigene Struktur und die Mittel, mit denen diese Struktur verwirklicht wird. Die Struktur, die sich im konkreten Bild aus der Kombination der Elemente – Farbe, Fläche, Punkt und Linie – ergibt, entsteht in einem rational gesteuerten Akt künstlerischer Konstruktion. Dabei wird nicht Wirklichkeit dargestellt, sondern hergestellt. Die Anwendung dieses Prinzips auf die Elemente der Sprache führt zur 'Konstellation' im Sinne Gomringers; er formuliert: „mit der konstellation wird etwas in die welt gesetzt. sie ist eine realität an sich und kein gedicht über."

5.4.2 Verfahrensweisen der konkreten Poesie: Reduktion und Kombination

Material des konkret verfahrenden Dichters sind die Bauelemente der Sprache in ihren Erscheinungsformen als geschriebene, d. h. als Schriftbild optisch wahrnehmbare Sprache und als gesprochene – also stimmlich artikulierte und akustisch wahrnehmbare Sprache. Sie wird auf ihre Grundbestandteile reduziert: den Laut, das Schriftzeichen (als nichtbedeutungstragende Elemente der Sprache), das Wort (als kleinste bedeutungstragende Einheit), wortübergreifende (syntaktische) Strukturen. Zu dieser Sprachreduktion und -destruktion kommt als der entscheidende poetische Akt die Konstruktion: die Kombination der Elemente, ihr Zusammentreten in Beziehungen, die nicht den Regeln der Grammatik unterworfen sind.
So entstehen Laut- und Buchstabengedichte (asemantische akustische bzw. visuelle Poesie), Konstellationen aus Wortteilen, Wörtern und Wortgruppen (semantische visuelle Poesie; neue syntaktische Beziehungen ergeben sich, jenseits der systemkonformen Syntax, durch die typographische Anordnung der Sprachelemente auf der Fläche), schließlich Montagen aus vorgefertigten Redeteilen.

5.4.3 Die ‚Konstellationen‘ Eugen Gomringers: Das 'absolute Gedicht' als Affirmation der modernen Welt

> **Eugen Gomringer:** Konstellationen (1953)   33 Konstellationen (1960)
> Das Stundenbuch (1965)   Worte sind Schatten (1969)
> Manifeste und Darstellungen der konkreten Poesie 1954–1966 (1966)

In der Konstellation treten wenige verschiedene oder auch dieselben sich wiederholenden Worte durch ihre gemeinsame materiale Anwesenheit auf der Fläche miteinander in Beziehung. Gomringer hat in seinen ‚Manifesten‘ die Wort-Konstellationen theoretisch begründet. Danach ist seine literarische Praxis zum einen Ausdruck des Rückzugs in die Isolation der autonomen Kunst, zum andern aber, und dieser Zug überwiegt, Ausdruck des Einverständnisses mit der modernen technischen Zivilisation.
In der Konstellation treten die Wörter als Bedeutungsträger auf, aber befreit von jeder Bezeichnungsfunktion. Herausgelöst aus dem alltäglichen „Redefluß", gewinnt das zum „Baustein" verdinglichte und vereinzelte Wort eine neue Plastizität und den Charakter einer ursprünglichen Materie.
Gomringer versteht die Herstellung der Konstellation aus Wort-Bausteinen als Wirklichkeitssetzung, die Konstellation selbst als etwas autonom Existierendes, als Gegenstand aus Sprache, der nichts anderes bedeutet als sich selbst. So in sich selbst verkapselt, ist die Konstellation „das letztmögliche absolute gedicht". Sprache wird in der visuellen Konstellation „in den augenblick gebannt". Sie ist nicht prozeßhaft-kommunikativ, sondern statisch zeitenthoben.

Auf der anderen Seite versucht Gomringer der Konstellation eine klare gesellschaftliche Funktion zuzuweisen. Theoretische Grundlage ist die moderne Informationstheorie.

Es geht Gomringer darum, poetische Strukturen zu finden, die der Struktur der 'modernen', technisch-rational gestalteten Umwelt entsprechen. Als Modell dieser Welt gilt ihm der Flughafen und das Kommunikationssystem, auf dem sein Funktionieren beruht. Der Knappheit, Präzision und Eindeutigkeit solcher Kommunikation entspreche das poetische Verfahren der Sprachreduktion und rational gesteuerten Kombination sprachlicher Zeichen. Ideale Kommunikation vollziehe sich mittels Signalen, die „ähnlich wie auf ein kommando" gleiche oder ähnliche Reaktionen hervorrufen. Sie werde optimal durch die Visualisierung der Zeichen geleistet. Poetischer Reflex der „weltweiten visualisierungstendenz" der Information ist für Gomringer das visuelle Gedicht „als auf eine knappe, unverhüllte form gebrachte information". Es fügt sich wie ein funktionaler Gebrauchsgegenstand in die moderne Welt ein.

5.5 Sprachexperiment und antibürgerlicher Avantgardismus: Die 'Wiener Gruppe'

Anthologie: Die Wiener Gruppe. Hrsg. von Gerhard Rühm (1967)
Friedrich Achleitner: Prosa, Konstellationen, Montagen, Dialektgedichte, Studien (1970)
H. C. Artmann: med ana schwoazzn dintn (1958)
ein lilienweißer brief aus lincolnshire. gedichte aus 21 jahren (1969)
Konrad Bayer: Montagen 1956. Mit H. C. Artmann und G. Rühm (1964)
Der Kopf des Vitus Behring (1965)   Der sechste Sinn (1966)
Gerhard Rühm: hosn rosn baa. Wiener Dialektgedichte.
Mit F. Achleitner und H. C. Artmann (1959)   Konstellationen (1961)
Thusnelda-Romanzen (1968)   Gesammelte Gedichte und visuelle Texte (1970)
Ophelia und die Wörter. Gesammelte Theaterstücke 1954–1971 (1972)
Oswald Wiener: Die Verbesserung von Mitteleuropa, Roman (1969)
In der Tradition der Wiener Gruppe:
Ernst Jandl: Laut und Luise (1966)   Sprechblasen (1968)

Eine ganz andere Funktion als bei Gomringer erfüllt die konkrete, mit den Materialien der Sprache arbeitende Dichtung in den Sprachexperimenten der 'Wiener Gruppe', die nur teilweise zur 'konkreten Poesie' im strengen Sinne zu rechnen sind. Gerhard Rühm z. B. schreibt 'Konstellationen' im Stil Gomringers. Die Aufhebung der „hierarchischen Struktur des Satzes" ist für ihn allerdings immer schon ein wenn auch nur symbolischer Akt der Widersetzlichkeit gegen gesellschaftliche Herrschaftsverhältnisse, die in der Struktur der Sprache ihren spiegelbildlichen Niederschlag finden.

Als antibürgerliche Avantgarde verstehen sich die Autoren, die sich in den frühen 50er Jahren zur Gruppe zusammenfanden: Friedrich Achleitner, H. C. Artmann, Konrad Bayer, Gerhard Rühm, Oswald Wiener.

Das Experiment mit der Sprache ist bei ihnen weniger in theoretischer Reflexion begründet, vielmehr Ausdruck und Mittel des Protestes gegen das restaurative und ihrer Meinung nach provinziell borniert kulturelle Klima im Nachkriegsösterreich. Im Vorwort zum Sammelband ‚Die Wiener Gruppe' (1967) beschreibt Rühm die „atmosphäre von ignoranz und wütender ablehnung", in der „entartete" Kunst auch „jetzt, da man ihr wieder offen begegnen konnte, die gemüter oft bis zu handgreiflichkeiten erregte".

Die Autoren der Gruppe knüpfen an verschüttete und verpönte Traditionen der europäischen Moderne an – Dadaismus, Futurismus, Surrealismus. Gegen den lastenden Traditionalismus des Wiener Kulturbetriebs setzen sie die Befreiung von vorgegebenen Normen durch „elementare reduktion", d. h. die Reduktion des künstlerischen Materials auf die einfachsten Grundelemente.

Rühm debütierte 1952 mit einer ‚geräuschsymphonie' – einer „montage reiner geräusche auf tonband", produzierte „ein-ton-musik", Lautgedichte und Wortkonstellationen.

In Gemeinschaftsarbeit produzierten die Autoren vor allem Montagen aus vorgefertigtem Sprachmaterial. Ein Projekt der Gruppe sah vor, das in einem Fachbuch über Maschinenbau enthaltene Satzmaterial zu einer „montage über die montage" zu verwenden, „die wir als monteure gekleidet in einer werkhalle verlesen wollten".

Vorgeprägte Modelle also, künstlerische Formen, vorgefundene Texte, vor allem aber die Sprache selbst werden zerschlagen, die freigesetzten Elemente in einer Weise zusammengesetzt, die ihnen ihre materiale Eigenständigkeit beläßt; die so entstehenden Gebilde entziehen sich der üblichen 'Sinn'-Deutung und laufen der Erwartungshaltung des Publikums kraß zuwider.

Die Wiener Autoren legten es darauf an, zu provozieren und zu schockieren: Das experimentierende Infragestellen des Bestehenden erstreckt sich nicht nur auf die Sprache und traditionellen Kunstformen, sondern auch auf den eingespielten Kulturbetrieb selbst. Im Sinn von H. C. Artmanns ‚Proclamation des poetischen Actes' – „man kann dichter sein, ohne auch irgendjemals ein wort geschrieben oder gesprochen zu haben" – verstanden die Autoren der Gruppe ihre Lebenspraxis und -haltung selbst als eine Art künstlerisches Experiment, ihre Aktionen als ein Ferment, das Unruhe und Veränderung provozieren sollte.

Sie traten selbst an die Öffentlichkeit und trugen in oft turbulenten öffentlichen Veranstaltungen ihre Produktionen vor, veranstalteten „poetische Prozessionen" durch die Wiener Innenstadt. Was man später 'happening' nannte, wurde von ihnen schon in den 50er Jahren vorweggenommen.

Der Selbstmord eines der Gruppenmitglieder, Konrad Bayers, im Jahre 1964 bedeutete das Ende der Gruppe.

5.6 Literatur in der 'nachindividuellen Epoche': Helmut Heißenbüttel

> **Helmut Heißenbüttel:** Kombinationen (1954)   Topographien (1956)
> Textbuch 1–6 (1960–1967)   Das Textbuch (1970)   D'Alemberts Ende (1970)
> Über Literatur (1966)

Das Moment des spielerisch Provokativen, der Hang zu einem genialischen und anarchischen Individualismus, der in Werk und Lebenshaltung der Wiener Autoren zutage tritt, fehlt bei Helmut Heißenbüttel ganz. Sein Werk beruht geradezu auf der Einsicht, daß die Idee des Individuums, des sich selbst bestimmenden autonomen Subjekts, keine Gültigkeit mehr beanspruchen kann.

Heißenbüttels poetische Texte der 50er und 60er Jahre liegen, in teilweise überarbeiteter Form, in den sechs ‚Textbüchern' vor, die von 1960 bis 1967 veröffentlicht wurden. Parallel zu seiner poetischen Produktion, die sich entschieden vom traditionellen, realistischen und impressionistischen Stil seiner frühen Gedichte fortbewegt, läuft die Ausarbeitung der Theorie, die ihren umfassendsten Ausdruck in den ‚Frankfurter Vorlesungen über Poetik 1963' findet. Die theoretischen Aufsätze wurden zusammen mit den ‚Vorlesungen' in dem Band ‚Über Literatur' 1966 publiziert.

5.6.1 Zerfall des Subjekts, Versprachlichung der Welt

Der moderne wissenschaftlich orientierte Bewußtseinsstand verbietet es nach Hei-ßenbüttel, die heutige Welt als einheitliche, in sich geschlossene Wirklichkeit und das Subjekt als das perspektivische Zentrum der erfahrbaren Welt zu begreifen. Unter dem Zugriff der modernen Wissenschaften löst sich die Einheitlichkeit der Welt in einer Vielzahl von Weltentwürfen und Theorien auf. Für das moderne wissenschaftliche Bewußtsein ist also Welt nicht etwas an sich Vorgegebenes, sondern etwas Entworfenes, eine im Denken hergestellte zweite Wirklichkeit, die immer schon sprachlich verfaßt ist und im Medium der Sprache, genauer: verschiedener Fachsprachen, existiert. Der Sprache also kommt entscheidende Bedeutung zu: Welt ist dem modernen Bewußtsein gegeben als eine Vielzahl sprachlich verfaßter Teilwelten. Die 'multiplen Sprachwelten' lassen sich nicht von einem zentralperspektivischen Punkt aus zur Einheit zusammenfügen.

Als das perspektivische Zentrum der erfahrbaren Welt aber wurde in der neuzeitlichen Geistesgeschichte von Descartes bis zum deutschen Idealismus das Subjekt interpretiert. Diese Interpretation ist nach Heißenbüttel heute nicht mehr haltbar. Nicht mehr das Subjekt, sondern die Sprache ist für ihn Bedingung der Möglichkeit der Weltorientierung und der Wirklichkeitserfahrung.

„Sachen haben wir allein als Wörter. Was sonst vorhanden ist, stellt sich dar als sprachloser Sinneseindruck oder als statistisch Erfaßbares, alles ohne konstituierenden Zusammenhang."

Im Übergang der wirklichkeitskonstituierenden Funktion vom Subjekt auf die Sprache sieht Heißenbüttel den entscheidenden bewußtseinsgeschichtlichen Vorgang der modernen Zeit.

5.6.2 Literarische Sprachverwendung: Rekapitulation, Normabweichung

Dieser Vorgang hat für die Literatur einschneidende Folgen. Sie hat es nicht mit Wirklichkeit an sich, sondern mit Wirklichkeit in Sprache und als Sprache zu tun. Sie rekapituliert und kombiniert vorhandenes Sprachmaterial.

„Nur indem wir den im Wort gespeicherten Sachbezug zitieren, vermögen wir uns dem zu nähern, was man außerhalb der Sprache Welt nennen möchte."

Ein Großteil von Heißenbüttels Texten, selbst der Roman ‚D'Alemberts Ende' (1970), sind Zitatmontagen. Die traditionellen Formen fiktionaler Literatur, in denen ein imaginierendes Ich fiktive Welten entwirft, sind überholt angesichts der Erfahrung des zerfallenden Subjekts. Dasselbe gilt von der Sprache:

„Sprache selbst wird problematisch. Sie erscheint nicht länger als Mittel oder Waffe oder als eine Art Signalanlage; die Möglichkeit oder Unmöglichkeit des Sprechens selbst tritt in den Mittelpunkt. Warum? Weil die verbindlichen Vorprägungen des Sprechens, vom einfachen Satz bis zu den literarischen Gattungen, ihre Verbindlichkeit, das heißt die Fähigkeit, stellvertretend zu stehen, verloren haben."

Auch in der Struktur der konventionellen Sprache ist ein Bewußtseinszustand aufbewahrt, der der neuen Erfahrung des Subjektverlustes nicht mehr entspricht. Heißenbüttel versteht grammatische Strukturen als Modelle, die das Bewußtsein determinieren und die ihm erscheinende Welt strukturieren. So ist für ihn das „alte Grundmodell von Subjekt–Prädikat–Objekt" nicht eine inhaltsneutrale Form des Sprechens, sondern schon ein inhaltlich bestimmter Weltentwurf:

„Dieses Grundmodell besagt, daß die sprachliche Auseinandersetzung mit der Welt unter der Voraussetzung geschieht, daß es immer etwas gibt, auf das alles sich bezieht, und etwas anderes, das diesem Bezugspunkt gegenübersteht, beides aber in Form von Aktions- und Verhaltensweisen verbunden ist."

So ist es notwendig, die Normen der fixierten Sprache zu durchbrechen. Die Bindung an das „Grundmodell" des Satzes ist in dem folgenden Text aufgehoben. Sein Titel ist als parodistische Anspielung auf ein an das Subjekt gebundenes lyrisches Sprechen zu verstehen.

5.6.3 Autonome Welt in Sprache

Helmut Heißenbüttel: Gedicht über Hoffnung

Halluzination großer fremder Städte Stadt
starrt aus eingefallen Ecke Silberburg-
Rosenbergstraße Novembersonne Gerüst Ahnung
dicht bevor Wiederkehr entgegen Halluzina-

tion letzter Gänge Licht-Schatten-Kolonnen
täglich rostrot bewischt Gerüst durch Mauerblenden hindurch Koordinaten und spät Re-
genschieferglanz Fransenstreif abends Ver-

folgung und Angst und Ermatten Erfindung
und Weglosigkeit hell fremd groß Stadt die
Städte des Paradieses was zu kommt uns hell
fremd groß und keine Spur hinterlassen
Spritzfleck endgültig asphalt- und schatten-

gelackt später Umkehr Aufhebung Geschehen
Umkehr Geschehen Schattenbild Vorwurf
Metall rotgelackt dezemberbraun selbst eine

Möve im Binnenland später Kupferhalden
Dohlen Mastenfeld Regenfächer und kleine
Figuren auf langhingezognen Prospekten der
Schrecken der nicht zu erwarten Begegnung

kreiselnder Dohlenfahnen schräg Mengen von
übereinander gestapelten Bahnsteigen plötzlich staniolfarben Kalkleuchten Lichterbündel
Lichtbündelbänder Bandfeld dazwischen end-

gültig durch Mauerblenden hindurch Doppelsinn Wortdinger Schlagholz Sprache verviel-
facht multipel sooft auf der andern entledigt
dessen was äußerst Nachtigall mitten im Winter   *(1964)*

In diesem Text werden Wörter und Wortgruppen linear gereiht; reguläre syntaktische Verknüpfung ist nur in Restbeständen vorhanden.

Intakt bleiben indessen die Wörter als Bedeutungsträger. Sie bezeichnen vielfach konkret Dingliches, aber auch psychische Sachverhalte. Sie verweisen durchaus auf die Erfahrungswirklichkeit des Autors. Doch ergibt sich aus ihnen nicht das Bild einer zusammenhängenden Wirklichkeit. Auf eine solche Wirklichkeit ist der Text überhaupt nicht bezogen. Innere und äußere Wirklichkeit ist, fragmentarisch und zerstückelt, nur noch im Bedeutungsraum des Wortmaterials zugegen.

Das heißt zugleich, daß die Sprache auf kein sprechendes Subjekt mehr bezogen ist. Der Text demonstriert geradezu den Subjektverlust, denn an das Subjekt als perspektivegebenden Zentralpunkt sind logisch verknüpfende Sprache und Entwurf zusammenhängender Wirklichkeit gebunden.

Hier aber ist Sprache nicht mehr gleichsam die Brücke zwischen Ich und Welt:

„All ihre [der Sprache] Realbezüge sind so in sich zurückgelenkt, daß sie gleichsam halluzinatorisch von der Realwelt der sinnlichen Erfahrung abgelöst wird."

Damit zerfällt Sprache in autonome, in sich rückbezügliche, konkrete „Wortdinger, deren Bedeutungsschichten sich isolieren und verselbständigen, d. h. an keine subjektive Imagination mehr gebunden sind". Die Herausbildung solcher anonymen Bewußtseinsräume aus dem sprachlichen Material nennt Heißenbüttel „Halluzination". Die Begriffe „Halluzination" und „Wortding" sind als Spuren der Reflexion in den Text eingegangen.

Entwurf einer autonomen Welt im „anonymen Imaginationsraum der Sprache", die sich im „halluzinatorisch auftretenden Sprachding" veräußerlicht – dies ist nach Heißenbüttel das Kennzeichen der Literatur unter den Bedingungen der modernen, nachindividuellen Epoche.

Heißenbüttels sprachimmanentes Verfahren zeigen deutlich auch seine Zitatmontagen, so etwa der Text ‚Deutschland 1944'. Dieser Text enthält keine Beschreibung oder Analyse der historischen Situation. Er ersetzt Sprechen über … durch die Zitierung und Kombination authentischen Sprachmaterials aus dem Jahre 1944. Verwendet werden Reden Hitlers, Himmlers und Goebbels', Wehrmachtsberichte, Tagebuchaufzeichnungen, literarische Zeugnisse etc. Hier nähert sich die sprachimmanent verfahrende Literatur der faktographischen, dokumentarischen Literatur an.

Überhaupt steht Heißenbüttel mit seiner in die Textpraxis umgesetzten These von der „Auflösung des subjektiven Bezugspunktes" gewissen Tendenzen nahe, die zur Politisierung der Literatur in den 60er Jahren führten. Allerdings ist seine literarische Praxis nicht mit einer Konzeption zu vereinbaren, die die Legitimation der Literatur an ihre gesellschaftsverändernde Funktion bindet.

5.7 Sprachexperimentierende Literatur und Politisierung: Peter Handke

> **Peter Handke:** Publikumsbeschimpfung und andere Sprechstücke (1966)
> Kaspar (1968)   Die Innenwelt der Außenwelt der Innenwelt (1969)
> Die Angst des Tormanns beim Elfmeter (1970)
> Ich bin ein Bewohner des Elfenbeinturms (1972)

Es konnte nicht ausbleiben, daß das sprachimmanente Verfahren in den späten 60er Jahren in Gegensatz zur Politisierung der Literatur geriet. Einer der gängigsten Vorwürfe lautete, daß die Literatur des Sprachexperiments gesellschaftlicher Wirklichkeit gegenüber blind bleibe, da sie die gesellschaftlichen Bedingungen ausblende, die der Selbstentfremdung des Menschen durch die Sprache zugrunde lägen. Selbst die Destruktion des hierarchischen Systems der Sprache bleibe unverbindliches Spiel, lasse gesellschaftliche Herrschaft unberührt.

Diese Kritik richtete sich vor allem gegen Peter Handke, der in seinem Frühwerk experimentelle Methoden originell weiterentwickelte und publikumswirksam auf das Theater übertrug (‚Publikumsbeschimpfung', 1966; ‚Kaspar', 1968). Seine Aufsätze liegen gesammelt vor in dem Band ‚Ich bin ein Bewohner des Elfenbeinturms' (1972). Schon mit diesem Titel distanziert sich Handke ironisch von der oft dogmatisch erhobenen Forderung nach der Politisierung der Literatur. Er macht deutlich, daß die politische Funktion von Literatur nicht an vordergründig politische Inhalte gebunden sei. Gerade wenn direktes politisches Engagement sich literarischer Formen bediene, werde es formalisiert, damit verfälscht, entschärft und unwirksam.

5.7.1 „Natur ist Dramaturgie"
Die politische Aufgabe der Literatur sieht Handke darin, das selbstverständlich Gewordene, das scheinbar Natürliche der gesellschaftlichen Zustände als gemacht, als „Dramaturgie des herrschenden Systems" erkennbar zu machen. Die Fähigkeit, die-

se Erkenntnis zu vollziehen, kann durch die Literatur eingeübt werden. Hierbei kommt der literarischen Methode entscheidende Bedeutung zu. Will die Literatur zeigen, daß „jeder Vorgang in der Außenwelt seine Dramaturgien hat", so muß sie den jeweiligen Vorgang „von 'seiner' Dramaturgie trennen und mit einer widersprüchlichen Dramaturgie versehen".

In der üblichen, im weiteren Sinne 'realistischen' Literatur selbst aber sieht Handke ein manipulatives System, das die in der gesellschaftlichen Wirklichkeit herrschenden Dramaturgien reproduziert und verfestigt.

Ein solches System erkennt Handke auch in der geläufigen, illusionsschaffenden Theaterdramaturgie, die den Zuschauer seiner eigenen Wirklichkeit entfremdet, indem sie ihn in eine fiktive Geschichte hineinzieht: „Jede Geschichte läßt mich meine Situation vergessen, sie macht mich weltvergessen." Mit seinen ‚Sprechstücken' will Handke dieses gewohnte, „natürliche" Theater in seiner manipulierenden Künstlichkeit durchschaubar machen: So setzt er ihm in der ‚Publikumsbeschimpfung' eine „widersprüchliche" Dramaturgie der „konkreten" Sprechakte entgegen, durch die keine fiktive Wirklichkeit entsteht, die die Zuschauer vielmehr nachdrücklich auf ihre konkrete augenblickliche Anwesenheit im Theater hinweisen: Sie werden in ihrer Rolle als Zuschauer „beschimpft". Nach dem Muster der sprachimmanent verfahrenden Literatur, die die Außenweltbezüge abbricht und Sprache selbst thematisiert, praktiziert Handke auf dem Theater eine Dramaturgie der theatralischen Immanenz, deren einziger Gegenstand das Theater selbst ist.

5.7.2 Manipulative Sprache

Das allen anderen vorgeschaltete manipulative System par excellence ist die Sprache; sie steuert Bewußtsein und Verhalten und bleibt in dieser Funktion als Hintergrundphänomen weitgehend unbewußt.

„Anstatt so zu tun, als könnte man durch die Sprache schauen wie durch eine Fensterscheibe, sollte man die tückische Sprache selber durchschauen und, wenn man sie durchschaut hat, zeigen, wie viele Dinge mit der Sprache gedreht werden können. Diese stilistische Aufgabe wäre durchaus dadurch, daß sie aufzeigte, auch eine gesellschaftliche."

Dieser Aufgabe hat sich Handke unterzogen, unter anderem in den Texten des Bandes ‚Die Innenwelt der Außenwelt der Innenwelt'.

Peter Handke: Veränderungen im Lauf des Tages

Solange ich noch allein bin, bin ich noch ich allein.
Solange ich noch unter Bekannten bin, bin ich noch ein Bekannter.
Sobald ich aber unter Unbekannte komme –

Sobald ich auf die Straße trete – tritt ein Fußgänger auf die Straße.
Sobald ich in die Straßenbahn einsteige – steigt ein Fahrgast in die Straßenbahn.
Sobald ich das Juweliergeschäft betrete – betritt ein Herr das Juweliergeschäft.
Sobald ich den Einkaufswagen durch den Selbstbedienungsladen schiebe –
schiebt ein Kunde den Einkaufswagen durch den Selbstbedienungsladen.
Sobald ich das Warenhaus betrete – betritt ein Kauflustiger das Warenhaus. [...]

Identität und soziale Rolle – diese Begriffe umschreiben den Problemgehalt des Textes. Es beginnt mit einer tautologischen Formulierung. Die Wiederholung des Wortbestandes des Nebensatzes im Hauptsatz, insbesondere des Personalpronomens „ich", deutet auf die noch nicht entfremdete Identität des Ichs mit sich selbst im Alleinsein, also außerhalb des sozialen Kontextes, hin. Im weiteren Textverlauf wechselt die Perspektive jeweils innerhalb des Satzes: Der Ichperspektive wird die Außenperspektive entgegengesetzt, in der die Ich-Identität aufgehoben wird. Nicht mehr mit sich allein, wird das Ich zum Objekt sprachlicher Setzungen; und zwar wird aus der jeweiligen Verhaltensweise, der konkreten Situation, in der es sich gerade befindet, eine verallgemeinernde, begriffliche Abstraktion abgeleitet, die eine soziale Rolle bezeichnet.

Die aufeinanderfolgenden definitorischen Festlegungen aber sind sprachliche Fiktionen; sie verdecken und verzerren die in jedem ersten Teilsatz wieder von neuem gesetzte und behauptete Ich-Wirklichkeit und Ich-Identität.

Die Abfolge der Begriffe 'Herr' – 'Kunde' – 'Kauflustiger' macht die konventionsgesteuerte Willkür dieser Rollenzuweisungen besonders deutlich.

Gesellschaftliche Determinierung wird in diesem Text als ein in und durch Sprache sich vollziehender Vorgang dargestellt. Freilich ist für Handke, im Gegensatz zu Heißenbüttel, charakteristisch, daß er an der Idee des nicht-vergesellschafteten, nicht-entfremdeten Subjekts festhält. Der Schluß des Textes lautet:

Dann, endlich, treffe ich einen Bekannten – und zwei Bekannte treffen einander.
Dann, endlich, werde ich alleingelassen – und einer bleibt allein zurück.
Dann, endlich, bin ich allein – und einer ist mit sich allein.
Dann, schließlich, setze ich mich zu einem ins Gras – und bin endlich ein andrer.

5.7.3 Die subjektive Motivation des Schreibens

Wenn man im Zeichen der Politisierung der Literatur Handke als den „neusten Fall von deutscher Innerlichkeit" bezeichnete (so der Kritiker Peter Hamm), dann deshalb, weil Handke sich ausdrücklich zu subjektiven Motivationen bekannte – entgegen der Tendenz, der Individualität des einzelnen Autors jede Bedeutung abzusprechen:

„Es interessiert mich als Autor übrigens gar nicht, die Wirklichkeit zu zeigen oder zu bewältigen, sondern es geht mir darum, meine Wirklichkeit zu zeigen." „Ich habe nur ein Thema: über mich selbst klar, klarer zu werden."

So dienen auch die scheinbar unpersönlichen Sprachdemonstrationen bei Handke individueller Ich-Erfahrung. Diese Position weist voraus auf Handkes späteres Werk, in dem die subjektivistischen Tendenzen noch viel offenkundiger zutage treten, aber auch auf die allgemeine literarische Entwicklung nach der Politisierungsphase: Eine Literatur der wiedergewonnenen Subjektivität gewinnt in den 70er Jahren an Bedeutung. Die Literatur des Sprachexperiments tritt in den Hintergrund.

6 Romane der sechziger Jahre: Das Wechselspiel von Fakten und Fiktion

> **Ingeborg Bachmann:** Malina (1971)
> **Hubert Fichte:** Detlevs Imitationen 'Grünspan' (1971)
> **Max Frisch:** Stiller (1954)   Mein Name sei Gantenbein (1964)
> **Peter Härtling:** Niembsch oder Der Stillstand (1964)
> **Uwe Johnson:** Das dritte Buch über Achim (1961)
> **Martin Walser:** Ehen in Philippsburg (1957)   Halbzeit (1960)
> Das Einhorn (1966)

Der Wohlstand, den der wirtschaftliche Aufschwung nach dem Zweiten Weltkrieg für breite Bevölkerungskreise gebracht hatte, prägte auch noch den Lebensstil der frühen sechziger Jahre. Zufriedenheit mit der eigenen Leistung und mit den etablierten Ordnungen spiegelt sich in der Wahlkampfparole der CDU: „Keine Experimente!" Doch wuchs allmählich das Unbehagen am Status quo und an der verpaßten Chance eines neuen Anfangs nach dem Zusammenbruch des Dritten Reiches.

Die Studentenunruhen, die 1967/68 ihren Höhepunkt erreichten, brachten durch Kritik am parlamentarischen und kapitalistischen System mit seinen Defiziten an Demokratie und Chancengleichheit das Versäumnis einer Neustrukturierung der Gesellschaft ins öffentliche Bewußtsein. Wirtschaftliche Rezession und Inflation ließen Zweifel an den Zielen des Wirtschaftssystems aufkommen. Eine Außerparlamentarische Opposition (APO) sollte eine Gegenöffentlichkeit zum starken Block von Industrie, Verwaltung, Parlament, Massenkommunikationsmitteln, Wissenschaft und Technik schaffen. Ihr Ziel war es, der Bevölkerung, die sich dem Leistungsprinzip mit Konkurrenzkampf und Konsumzwang unterworfen hatte, die Notwendigkeit politischer und sozialer Veränderungen nahezubringen.

Auch in der Literatur war versäumt worden, Neues zu wagen. Das politische Interesse der Schriftsteller hatte sich 15 Jahre lang weitgehend auf die Bewältigung der Vergangenheit konzentriert. Jetzt suchte man auf verschiedenen Gebieten Auswege aus den formalen und inhaltlichen Fixierungen.

Diese Aufbruchssituation beschränkte sich allerdings nicht auf die Bundesrepublik Deutschland. In Amerika war die Kunstszene in Bewegung geraten. Eine nicht elitäre Anti-Kunst wollte mit den Bildungsprivilegien Schluß machen. Das Ende der 'Gutenberg-Kultur' wurde verkündet, und mit Pop-Kunst und Subkultur versuchte man, die Grenze zwischen der hohen und der trivialen Literatur zu überschreiten.

Der Literaturkritiker und Autor Reinhard Baumgart konstatiert, daß der Schriftsteller in zwei Weisen auf das Zusammenbrechen des traditionellen Kunstprogramms reagiert: Entweder demonstriert er, daß so ein Roman gar nicht mehr zu schreiben ist, indem er das Romanschreiben selbst beschreibt (wie Peter Bichsel) beziehungsweise auf die leeren Seiten zutreibt und nur noch die 'Ränder' füllt (wie Jürgen Bekker), oder aber er „fabuliert wie unbefangen, da Erzählung nun einmal 'fiction' ist, nicht mehr und nicht weniger, das Blaue vom Himmel herunter auf seine Seiten (wie etwa Buch oder Widmer, Uwe Brandner oder Peter Chotjewitz)". Zu denken ist zum Beispiel an Peter Bichsel, ‚Jahreszeiten‘, 1967; Jürgen Becker, ‚Ränder‘, 1968; Hans Christoph Buch, ‚Unerhörte Begebenheiten. Sechs Geschichten‘, 1966; Urs Widmer, ‚Alois‘, Erzählungen, 1968; Uwe Brandner, ‚Innerungen‘, 1968.

Das Schreiben und Erzählen wird von einer Reihe von Autoren radikal problematisiert. Sie stellen aber nicht nur den Erzählvorgang und die Rolle des Erzählers in Frage, sondern auch den Helden in der Eindeutigkeit seines Charakters. Formal wirkt sich das als Wechsel zwischen erster und dritter Person aus: Der Erzähler mischt sich in die Handlung ein und zieht sich aus ihr zurück, er identifiziert sich mit dem Helden und distanziert sich wieder von ihm. In der Erzählkrise kommt zum Ausdruck, daß in den sechziger Jahren Funktion und Glaubwürdigkeit von Literatur überhaupt in Zweifel gezogen wurde. Sie gibt aber auch die Erfahrung wieder: Hochdifferenzierte Arbeitsteilung, Fremdbestimmung im Arbeitsprozeß, Trennung von Privatsphäre und Öffentlichkeit, Pluralisierung der Meinungen und Werte und das Nebeneinanderbestehen kontrastierender Gruppen erschweren es den Mitgliedern der Gesellschaft, eine stabile Ich-Identität herzustellen. Die Soziologie beschäftigte sich seit Ende der fünfziger Jahre mit der Frage, wie das Individuum seine unterschiedlichen Rollen integrieren und die Konflikte, die sich aus Unvereinbarkeiten ergeben, ausbalancieren könne (z. B. Ralf Dahrendorf: ‚Homo Sociologicus‘, 1958; Helmuth Plessner: ‚Soziale Rolle und menschliche Natur‘, 1960).

In auffallender Übereinstimmung hierzu stellen auch Romanautoren in den sechziger Jahren diese Frage. Sie beklagen nicht – wie in den fünfziger Jahren – den 'Ich-Verlust' im metaphysischen Sinne, sondern beschreiben die Identitätskrise im engen Bezug zur sozialen Umwelt.

6.1 Das Spiel mit Rollen (Max Frisch)

Bereits im Jahre 1954 behandelt Max Frisch – wenn auch, nach seinen eigenen Worten, damals ihm selbst noch unbewußt – im Roman ‚Stiller' das Identitätsproblem. Sein Titelheld versucht, sich der Festlegung und Begrenzung auf die bürgerliche Normalrolle zu entziehen und ein anderer zu werden. Der Identitätsbruch bezieht sich allerdings noch stärker auf den Widerspruch zwischen Liebe und Selbstverwirklichung, Realität und Sehnsucht. Doch ist auch hier schon eine Erzählform gewählt, welche die Kontinuität des Erzählten aufhebt und in zwei Zeitebenen auseinanderfällt.

Zehn Jahre später erweitert Frisch in seinem Roman ‚*Mein Name sei Gantenbein*' die Doppelrolle Stillers zu einem Spiel mit vielen Rollen, in denen der Erzähler Geschichten ausprobiert „wie Kleider".

Der Erzähler geht von zwei Ausgangspositionen aus. In der einen sitzt er in einer Bar und erwartet einen Herrn namens Svoboda; an dessen Stelle erscheint Svobodas Frau Lila. Der Erzähler nimmt eine Gestalt an, nennt sich Enderlin und legt sich auf eine bestimmte Rolle und eine Geschichte mit Lila fest. Da die Rolle sich allmählich in Banalitäten des Alltags erschöpft, gibt der Erzähler die Enderlin-Gestalt wieder auf, die keine Alternative mehr bietet.

In der zweiten Ausgangssituation sitzt der Erzähler in der Wohnung, die seine Frau verlassen hat. Er versucht, sich die Erfahrung seiner gescheiterten Ehe durch erfundene Geschichten zu vergegenwärtigen. Wieder nimmt er eine Gestalt an. Diesmal heißt er Gantenbein und ist mit Lila verheiratet, von der er weiß, daß sie ihn betrügt. Nach einem Autounfall gibt er vor, blind zu sein. So kann er den Unwissenden spielen, um auf der Basis gegenseitiger Täuschung das Glück der Ehe zu retten.

Schließlich versetzt sich der Erzähler in Lilas ersten Mann Svoboda. Dieser hat von Lilas Liebe zu Enderlin erfahren. Doch als er sich mit der Rolle des ungeliebten Ehemanns abfindet, ist auch diese Rolle für den Erzähler keine akzeptable Alternative mehr.

Durch die wechselnde Identifikation des Erzählers setzt Frisch einen experimentellen Spielraum von Fiktionen (jeweils eingeleitet mit Sätzen wie „Ich stelle mir vor") gegen die Festlegung durch Fakten wie Name, Beruf und Biographie. Im Gegensatz zur Realität, die nur eine einzige Möglichkeit zuläßt, steht dem Autor ein Potential von Varianten zur Verfügung, mit denen er einen Überschuß zur authentischen Erfahrung schafft. Doch spiegelt sich in seinen Erfindungen ein ganz bestimmtes Erfahrungsmuster, das den Erzähler hinter den Gestalten und Geschichten kenntlich macht.

Frisch hat die Identitätsproblematik auch dramatisch behandelt. In seinem Stück ‚*Biografie*' ist das Theater ein Spielraum für andere Möglichkeiten des Verhaltens: „Was die Wirklichkeit nicht gestattet, das gestattet das Theater: zu ändern, noch einmal anzufangen, zu probieren, eine andere Biografie zu probieren."

Was wirklich geschehen ist, läßt sich – nach Frisch – nicht unmittelbar, sondern nur durch ein Drumherum-Erzählen erfassen. Die unterschiedlichen Rollen, die das Erzähler-Ich annimmt, sind Entwürfe für eine andere Art des Verhaltens als das tatsächliche. Mit ihnen versucht er, das Geschehene – das Scheitern der Ehe – zu korrigieren. Er kann aber gewisse Grenzen, die durch seine Erfahrung gezogen werden, nicht überschreiten. Der Wunsch, ein anderer zu sein, scheitert am Faktum der unabwendbaren Erfahrung, die der Erzähler gemacht hat: „Man weiß doch, was folgt – Gegen fünf Uhr morgens [...] ist es so weit, daß im Kamin plötzlich ein Whisky-Glas zerknallt." So reproduzieren die erzählten Geschichten eben doch nur das individuelle Erfahrungsmuster ihres Erzählers. Sie stellen ihn allerdings genauer dar, als eine durch Deutungen verfälschte Lebensgeschichte es könnte. Frisch, der gegen das verfestigte Abbild polemisiert, das wir uns von einem Menschen machen, ersetzt die eindeutigen Fakten durch ein kreatives Ausprobieren von Möglichkeiten. Sie machen die Wirklichkeit lesbar.

Erzähltechnisch wird der Wechsel zwischen Erfahrung und Erfindung auf zwei unterschiedlichen Erzählebenen realisiert. Auf der einen beobachtet und kommentiert der

Erzähler das Geschehen, auf der anderen läßt er sich ganz in dieses hineinziehen. Die Fiktion, die er erfindend aufbaut, zerstört er reflektierend wieder. Hinweise des Erzählers, daß die Fabel auch ganz anders verlaufen könnte und nur erfunden sei, wirken der Illusion des Lesers entgegen, daß es sich um eine wirkliche Geschichte handle. Durch Äußerungen wie „ich bleibe Gantenbein", „ich ändere nochmals", „warum es auch nicht geht", „ich wechsle den Beruf von Lila" artikuliert Frisch seine Entscheidungen beim Schreiben und macht dieses selbst zum Thema. In den immer neuen Erfindungen drückt sich seine Skepsis gegenüber eindeutigen Fakten aus. Sie sollen verhindern, daß eine Geschichte geglaubt wird, weil dieser Glaube eine Festlegung wäre. An die Stelle der traditionellen Handlung treten Geschichten, die eine Erfahrung ausdrücken, wie es am Anfang des Romans gesagt wird: „Ein Mann hat eine Erfahrung gemacht, jetzt sucht er die Geschichte dazu."

Frisch hat später – mit seiner autobiographischen Erzählung ‚Montauk' (1975) – das Konzept korrigiert und sich wieder der Rekonstruktion lebensgeschichtlicher Fakten zugewandt: „Ich habe mir mein Leben verschwiegen. Ich habe irgendeine Öffentlichkeit bedient mit Geschichten. Ich habe mich in diesen Geschichten entblößt, ich weiß, bis zur Unkenntlichkeit. [...] Ich habe mich selbst nie beschrieben. Ich habe mich nur verraten." Die Selbsterforschung des Autors geht nicht den Umweg über das Geschichtenerfinden, sondern entdeckt schreibend seine Erfahrungen in der eigenen Lebensgeschichte. ‚Montauk' erinnert in der Form an Frischs Tagebücher, deren erster Teil (1946–1949) 1950 erschien. Es verarbeitet auf unterschiedlichen Ebenen collageartig Zeitgeschehen und Privates, Fakten und Fiktion und reflektiert über zentrale Probleme.

6.2 Beschreibung fremder Wirklichkeit (Uwe Johnson)

Für Uwe Johnson, der 1959 aus der DDR nach West-Berlin kam, entstehen die Probleme der Wirklichkeitsbeschreibung aus der Verschiedenheit zweier Wertesysteme, die sich aus der Teilung Deutschlands ergeben hat. In seinem ersten Roman, ‚Mutmaßungen über Jakob' (1959), endet die Wahrheitssuche nach Gründen für den Tod des Titelhelden in Mutmaßungen, weil diese sich nicht aufdecken lassen. In ‚Das dritte Buch über Achim' stellt sich die Wahrheitsfrage bei der Schwierigkeit, Ereignisse in der DDR von einem westdeutschen Besucher darstellen zu lassen.

Der westdeutsche Journalist Karsch, der sich zu Besuch in der DDR befindet, lernt den gefeierten Radrennfahrer Achim kennen, über den er ein Buch schreiben möchte. Ein ostdeutscher Verlag interessiert sich für seinen Plan und schließt mit ihm einen Vertrag ab. Karsch soll nicht nur Achims sportlichen, sondern vor allem seinen politischen Aufstieg bis zur Wahl in die Volkskammer beschreiben. Für Karsch steht fest, daß er eine authentische Biographie nur schreiben kann, wenn er die eigene Meinung ausschaltet und Achim so darstellt, wie dieser sich und sein Leben selbst sieht. Da er sich in einem ihm fremden Land befindet, muß er die Basis seines gewohnten Bezugsschemas aufgeben und als neutraler Beobachter die in der vorgefundenen Wirklichkeit geltenden Voraussetzungen berücksichtigen.
Im Verlauf der Arbeit stößt er jedoch auf Widersprüchlichkeiten, die er zu kaschieren hat, weil der Verlag die Darstellung eines Leitbildes für die Massen erwartet. Seine Bemühungen um eine objektive Beschreibung scheitern, als ihm zunehmend deutlich wird, daß Achim seine persönlichen Eigenschaften und Ansichten zugunsten der Rolle eines Massenidols aufgegeben hat.
Im Zwiespalt zwischen Authentizität und Wahrheit gefährdet Karsch seine Identität, wenn er schreiben muß, was ihm unwahr erscheint. Er gibt den Beschreibungsversuch auf und reist ab.
Auf einer zweiten Erzählebene reflektiert ein Ich-Erzähler in der Bundesrepublik Deutschland über die Schwierigkeiten bei der Beschreibung einer fremden Wirklichkeit. Um seinem Gesprächspartner die Ereignisse verständlich zu machen, kommentiert und interpretiert er Achims und Karschs Verhalten. Der Erzähler wird zum Vermittler, weil die Geschichte hier – unter anderen Bedingungen – von sich aus nicht zu verstehen ist.

Die erzählte Geschichte umschreibt den eigentlichen Sachverhalt: die Teilung Deutschlands. Die Grenze ist das sichtbare Zeichen für zwei unterschiedliche politische Systeme, zwei unterschiedliche Wirklichkeiten. Das erfährt Karsch, als er in die DDR reist: „Er war kaum je so unsicher gewesen in einem fremden Land: in diesem war ihm der Rückhalt seiner Lebensweise gänzlich abgegangen, wurde blaß, war fast nicht anzuwenden." Ähnlich ergeht es auch Achim bei einer Reise in die Bundesrepublik Deutschland: „Er sah alles, er erriet nichts. Fremde sprachen über Fremdes in fremder Sprache."

Um diesen Unterschied darzustellen, erfindet Johnson eine Geschichte. Sie berichtet in der dritten Person von Karschs mißglücktem Versuch, ein Buch über Achim zu schreiben. Um das Scheitern zu erklären, distanziert sich der Erzähler von der Rolle des neutralen Beobachters, die Karsch in der DDR angenommen hat, und äußert sich von einem subjektiven Standpunkt aus zu den Ereignissen.

Die Spaltung des Erzählers wird notwendig, weil das Erzählte ohne Kenntnis der anderen Verhältnisse und Denkweisen nicht unmittelbar verständlich ist. Es verlangt eine Interpretation. Während der Er-Erzähler berichtet, was bei seinem Aufenthalt im „fremden Land" vorgefallen ist, übersetzt der Ich-Erzähler das Geschehen in die uns geläufige Sprache. Karsch setzt im Roman nur eine vom Autor erfundene Geschichte in Gang. Diese Geschichte hat keine Funktion außer der, einen Sachverhalt: „die Grenze: die Entfernung: den Unterschied" anschaulich zu machen.

In Frischs Roman macht die erfundene Geschichte eine wirkliche Erfahrung lesbar. Ähnlich verhält es sich hier: Johnson konkretisiert einen Sachverhalt durch Karschs Geschichte. Beide Autoren weisen den Leser darauf hin, daß die erzählte Geschichte ein Kunstprodukt und eine Fiktion ist. Mit Fragen wie „Ist wahr, wie es gewesen ist?" oder „Ist Unvollständigkeit gelogen?" verdeutlicht Johnson die Schwierigkeiten mit der Wahrheit. Sie ergeben sich aus den unterschiedlichen Deutungen und Darstellungen der Wirklichkeit im gespaltenen Deutschland. Für Frisch ist die Wahrheitssuche durch die Frage: Wer bin ich? motiviert, deren unmittelbare und eindeutige Möglichkeit der Beantwortung er bezweifelt. Gantenbein, der sich blind stellt, will erreichen, daß die Menschen, mit denen er umgeht, keine täuschenden Rollen spielen müssen. So hofft er, hinter Schein und Lüge die Wahrheit zu erkennen. Johnson sieht in der Festlegung eines Menschen auf die Rolle des Vorbildes für andere seine Vorstellung von Glaubwürdigkeit verletzt. Die von Karschs Auftraggebern und seinem Beschreibungsobjekt verlangten Manipulationen der Wirklichkeit lassen sich mit seiner Wahrheitssuche nicht vereinbaren.

6.3 Erleben und Erinnern (Martin Walser)

Fünf Jahre nach Erscheinen des Romans ‚Das dritte Buch über Achim' thematisiert Martin Walser ebenfalls die Rolle des Autors, der durch die Annahme eines Auftrages in Schwierigkeiten gerät. Sie sind im marktwirtschaftlich gelenkten westlichen Literaturbetrieb allerdings anderer Art als in der von Johnson geschilderten staatlich gelenkten Literaturproduktion der DDR.

Walser hat sich schon in seinem ersten Roman, ‚*Ehen in Philippsburg*' (1957), mit dem Problem der Identität – zumindest andeutungsweise – beschäftigt. Der Held, ein sozialer Aufsteiger, paßt sich an die gesellschaftlichen Normen an, ohne jedoch eine Position zu erreichen, die ihm Distanz zu seiner Rolle ermöglicht. Erst in ‚*Halbzeit*' (1960), dem ersten Teil einer Romantrilogie, registriert der Held Anselm Kristlein die Zwänge, denen er sich durch seine Anpassungsleistungen ausliefert. In ‚*Das Einhorn*', dem zweiten Trilogie-Band, ist Kristlein vom Vertreter zum Schriftsteller avanciert und hat damit die Fähigkeit des Intellektuellen zu einem distanzierten Rollenspiel gewonnen.

Kristlein wird beauftragt, einen Sachroman über Liebe zu schreiben. Damit das Thema glaubwürdig und lebensecht erscheint, wird von ihm gefordert, daß er eigene Erlebnisse und Erfahrungen mitteilt. Das bedeutet, daß er zugleich Held und Autor des Romans ist. Neben der Autorrolle hat die Verlegerin auch die ihres Liebhabers für ihn vorgesehen. Da Kristlein verheiratet ist, dienen die Erlebnisse, die er für seinen Roman braucht, zugleich der finanziellen Versorgung seiner Familie. Doch was er an Liebeserfahrungen sammelt, erscheint ihm eher als Abwesenheit von Liebe. Die Verlegerin ist aber nicht an einer kritischen Infragestellung, sondern an der genauen Darstellung von Liebe – als erotische Sensation – interessiert. Sie entzieht ihm den Auftrag.

Kristlein kehrt zu seiner Familie zurück, von der er sich auf Empfehlung der Verlegerin vorübergehend getrennt hat. Er simuliert eine Krankheit und schreibt einen Roman über das Scheitern am Sachbuch. Auf dieser zweiten Erzählebene hat Kristlein die ihm zugedachte Rolle abgelegt. Er reflektiert in der Ich-Form seine Lage und entdeckt in seinen Erfahrungen die allgemeinen Muster eines universalen Lebenskampfes.

In der Handlungssituation ist Kristlein flexibel und anpassungsfähig. Er hat nicht, wie der traditionelle Held, einen unverwechselbaren Charakter, sondern ist eine „Versammlung sonst unvereinbarer Einzelheiten". Das gestattet ihm, in verschiedenen Rollen zu agieren und aus Konfliktsituationen ungeschoren davonzukommen.

Nachdem sich Kristlein aus dem Wettkampf des Alltags zurückgezogen hat, distanziert er sich von der Außenwelt und versucht, durch Standortbestimmung und Rückerinnerung das Erlebte zu verarbeiten. In seinen Reflexionen über die Bedingungen des Scheiterns wird ihm deutlich, daß er das Gewesene nicht zurückholen, vielmehr nur verfehlen und zerstören kann. Die Vergegenwärtigung von Erlebtem ist eine Täuschung. Doch im Gegensatz zum handelnden Kristlein, der für die Bedingungen des Geschehens blind ist, erkennt der schreibende deren Ungereimtheiten. Nur geht ihm jetzt die 'Weltwirklichkeit' verloren: Er wird zur Kunstfigur und schafft sich – schreibend – eine neue Wirklichkeit in gemilderter Form, die seine Sehnsucht in der Phantasie befriedet. Er erfindet eine neue Geschichte, die Konflikte der Weltwirklichkeit auflöst in der Kunstwirklichkeit einer Idylle: Kristlein wird zum ichstarken Helden, der allerdings auch hier sein Glück gegen die feindliche Umwelt verteidigen muß. Sein Phantasieprodukt ist ein Spiegel der Wirklichkeit.

Walsers Realismusverständnis gründet (in den sechziger Jahren) in der Überzeugung, daß in der Phantasie nichts geschieht, was nicht auf Realitätserfahrungen beruht. An seinem Auftrag scheitert Kristlein, weil er in der geforderten dokumentarischen Genauigkeit nur eine vorgetäuschte Glaubwürdigkeit sieht, die ihr Defizit gegenüber der Wirklichkeit verschweigt. Seine Erfindungen machen zwar die Mängel deutlich, unter denen er in der Realität leidet, doch reicht die Phantasie nicht über die Wiederholung der schlechten Wirklichkeit hinaus zum Entwurf einer besseren.

In der Komposition steht Walsers Roman dem Johnsons nahe. Auch hier kommt das Auftragswerk – der Sachroman über Liebe – nicht zustande, wird das Schreiben auf einer zweiten Ebene in der ersten Person reflektiert und aus dem veränderten Faktenmaterial ein Roman geschrieben. In der Erkenntnis, daß die fiktiven Geschichten ein Muster erkennen lassen, das den Verhaltensnormen in der Gesellschaft entspricht, hat er eine Parallele zu Frischs ‚Gantenbein'.

In den Jahren der Politisierung der Literatur (1967/68) nahm Walser seine Skepsis gegenüber dem Dokumentarismus zurück und unterstützte die Veröffentlichung von Dokumentationen wie Erika Runges ‚Bottroper Protokolle' und Ursula Traubergs ‚Vorleben'.

Im dritten Teil der Kristlein-Trilogie, ‚Der Sturz' (1973), scheitert der Selbstverwirklichungsversuch des Helden endgültig. Dagegen deutet Walser im Roman-Essay ‚Die Gallistlsche Krankheit' (1972) als vorweggenommene Zukunft eine Kommunikationsform an, die nicht von Konkurrenz, sondern von Solidarität bestimmt wird. Die

Selbstentfremdung des Menschen durch Leistungsdruck beschreibt er als eine Krankheit, aus der die politische Einsicht in die schlechten Bedingungen herausführen kann.

6.4 Romankrise und Bestseller in ungebrochener Erzähltradition

Die Beispiele der Romane von Frisch, Johnson und Walser zeigen, daß es für manche Autoren in den sechziger Jahren schwierig geworden ist, ihre Wirklichkeitserfahrungen in überlieferten Erzählweisen auszudrücken. Ihre Skepsis gegenüber der einfachen Darstellbarkeit von Wirklichkeit führt in eine Erzählkrise, die das Verhältnis von Fakten und Fiktion und das Schreiben selbst zum Thema macht. Der Erzähler verdoppelt die Erzählebenen, um Widersprüche zur Sprache bringen zu können.

Wenn im gleichen Zeitraum Romane entstehen, in denen die herkömmlichen Erzählformen weiterhin praktiziert werden, so gelingt das meist dadurch, daß komplexe Vorgänge auf übersichtliche Grunderfahrungen reduziert werden.

In dem Roman ,*Deutschstunde*' (1968) von *Siegfried Lenz* wird das Thema nationalsozialistische Vergangenheit – an dessen Stelle in der Literatur der sechziger Jahre brisantere politische Themen getreten waren – im provinziellen Milieu und in der einfachen Struktur einer dörflichen Gemeinschaft behandelt. Sein Held Siggi, der in einer Jugendstrafanstalt einen Aufsatz über das Thema ,Die Freuden der Pflicht' schreiben muß, legt einen Rechenschaftsbericht vor, in dem die Frage nach den Verhältnissen im nationalsozialistischen Deutschland sich auf die Frage nach der persönlichen Verantwortung konzentriert. Der größere geschichtliche Zusammenhang kommt nicht in den Blick, und daher wird der Roman der Komplexität des Themas kaum gerecht. Für den jugendlichen Erzähler ist die Diskrepanz zwischen Erzählgegenwart und erzählter Vergangenheit so unerheblich, daß er allwissend berichtet, ohne je die Nichtidentität von Erlebtem und Erinnertem zu thematisieren. Der Roman war – mit 900 000 in fünf Jahren verkauften Exemplaren – ein Bestseller.

Ende der sechziger Jahre kamen Autobiographien von Künstlern, Ärzten, Wissenschaftlern und anderen berühmten Personen in großer Zahl auf den Markt. Besonders erfolgreich war der Roman der Schauspielerin *Hildegard Knef, ,Der geschenkte Gaul*' (1969), der über die Ereignisse aus der NS-Zeit bis hin zur Gegenwart ohne kritischen Abstand berichtet. Nahtlos fügen sich die zeitgeschichtlichen Phasen – trotz politischen Machtwechsels und gesellschaftlicher Veränderungen – zu einer Kontinuität, die scheinbar eine Stellungnahme aus späterer Sicht überflüssig macht. Die rückblickende Lebensbeschreibung aus gleichbleibender Perspektive demonstriert das unveränderte Bewußtsein ihres Autors.

Eine geradlinige, aus einheitlichem Bewußtseinsstand erzählte Geschichte kommt den normierten Erwartungen einer breiten Leserschaft entgegen. Denn auch in der Lebenspraxis werden Rollenkonflikte und Identitätsbrüche kaschiert, um die Beziehungen zu anderen Personen zu stabilisieren und allem Geschehen einen sinnvollen Zusammenhang zu unterstellen. Daß sich aber neue Erfahrungen, in denen Identität als äußerst gefährdet erlebt wird, in der Literatur inhaltlich und formal niederschlagen und das traditionelle Muster verändern, gehört zum innovativen Charakter der Kunst. Eine auf die Befriedigung des Lesers eingestellte Massenliteratur wird demgegenüber immer bestrebt sein, die gewohnten Regeln nicht zu stören und sich dem Leser möglichst mühelos zu erschließen. In den oben erwähnten Bestsellern und Autobiographien strapazieren die Autoren ihr Publikum nicht durch Spaltung des Erzählers, Verdoppelung der Erzählebene oder Rollenspiele des Helden.

7 Dokumentarische Literatur der sechziger Jahre

Hans Magnus Enzensberger: Das Verhör von Habana (1970)
Der kurze Sommer der Anarchie. Buenaventura Durrutis Leben und Tod (1972)
Der Weg ins Freie. Fünf Lebensläufe (1975)
Max von der Grün: Irrlicht und Feuer (1963)
Menschen in Deutschland (1973)   Flächenbrand (1979)
Rolf Hochhuth: Der Stellvertreter (1963)
Heinar Kipphardt: In der Sache J. Robert Oppenheimer (1964)
Bernd Naumann: Auschwitz (1965)
Erika Runge: Bottroper Protokolle (1968)
Günter Wallraff: 13 unerwünschte Reportagen (1969)
Industriereportagen (1970)   Der Aufmacher (1977)
Peter Weiss: Die Ermittlung. Oratorium in elf Gesängen (1965)
Diskurs über die Vorgeschichte und den Verlauf des lang andauernden
Befreiungskrieges in Viet Nam … (1968)
Gesang vom Lusitanischen Popanz (1968)
Autobiographische Werke:
Abschied von den Eltern (1961)   Fluchtpunkt (1962)
Weitere Werke:
Wie dem Herrn Mockinpott das Leiden ausgetrieben wird (1963/68)
Die Verfolgung und Ermordung Jean Paul Marats dargestellt durch die
Schauspielgruppe des Hospizes zu Charenton unter Anleitung des
Herrn de Sade (1964)
Die Ästhetik des Widerstands (drei Bände: 1975, 1978, 1981)
Werkkreis Literatur der Arbeitswelt: Liebesgeschichten (1976)
Wir lassen uns nicht verschaukeln (1978)   Für Frauen. Ein Lesebuch (1979)

7.1 Das politische Engagement der Literatur

7.1.1 Das Mißtrauen gegen die Fiktion

Der Beginn der sechziger Jahre ist gekennzeichnet durch eine Politisierung der Lite-
ratur. Der alte Dualismus zwischen Geist und Politik soll aufgehoben werden, der in
Deutschland eine lange Tradition hat, die sich auch nach 1945 fortsetzte. Autoren wie
Grass, Enzensberger und *Weiss* fühlen sich gerade als Schriftsteller für gesamtgesell-
schaftliche Zusammenhänge verantwortlich und engagieren sich in der Tagespolitik.
Sie greifen die Vergötzung des wirtschaftlichen Wachstums an und streben nach einer
Veränderung der politischen und sozialen Zielsetzung. Überkommene Formeln wie
die von der 'Freiheit der Kunst' oder der 'Autonomie des Künstlers' klingen in ihren
Ohren wie Hohn. Literatur, besonders die Belletristik, gilt als Kompensationsmittel
für Sehnsüchte, die in der Realität nicht eingelöst werden. Wer eine solche Literatur
schreibt, stabilisiert ihrer Meinung nach schlechte sozioökonomische Gegebenheiten.
Dieser Vorwurf trifft auch die *Gruppe 47*, die sich ursprünglich als Versammlung „politisch engagierte[r] Publizisten mit literarischen Ambitionen" verstanden hat. Sie ist
aber zunehmend zu einem Umschlagplatz für Literatur geworden. Symptomatisch
für die Auflösungserscheinungen dieser Gruppe sind die Abwanderungen prononciert links stehender Autoren (Enzensberger, Weiss) und die Studentendemonstrationen bei der letzten Tagung 1967. Studenten verlangen u. a. die Verleihung des Prei-
ses an Günter Wallraff. Literatur soll, nach Ansicht dieser Autoren, ins gesellschafts-

politische Leben eingreifen. Deshalb muß der Gegenstand von gesellschaftspolitischer Brisanz sein. Die Fakten müssen nachgewiesen werden können. Dies wird als Maßnahme verstanden gegen die manipulierende Berichterstattung der Massenmedien, die im Sinne der Mächtigen informieren. Aus der Wirkungsabsicht ergibt sich das Bemühen, eine möglichst große Zahl gerade literarisch ungebildeter und unverbildeter Leser anzusprechen. Reportagen, Interviews, Tabellen, Statistiken, Dokumentarspiele und andere Dokumentarformen erlangten in den sechziger Jahren eine große Bedeutung.

Unbezweifelbar authentisch verfährt ein neuentdeckter Schriftstellertyp, der *Arbeiterschriftsteller*, bei der Beschreibung seiner eigenen Arbeitswelt.

Aber nicht nur Arbeiterschriftsteller bemühen sich, durch dokumentarische Mittel ihrem Anliegen, auf Mißstände hinzuweisen, Glaubwürdigkeit und Nachdruck zu verleihen. In erster Linie versucht das *dokumentarische Theater*, die dokumentarische Methode auf der Bühne zu verwirklichen.

Bei allem Bemühen um Objektivität der Darstellung können auch die dokumentarischen Formen nicht das schriftstellerische Subjekt verleugnen, das ordnend und formgebend eine im Grunde doch künstliche Wirklichkeit schafft. Außerdem ist auch diese Literatur auf Verlage und gängige Vertriebsmöglichkeiten angewiesen. Das führt auf dem Höhepunkt der Außerparlamentarischen Opposition 1968 zu der Forderung einer Gruppe von Literaten, Literatur überhaupt abzuschaffen und statt dessen die politische Aktion als einzige legitime Form der künstlerischen Äußerung zu betrachten.

7.1.2 Die historische Problematik dokumentarischer Literatur

Die Verwendung dokumentarischen Materials als Literatur ist nicht neu, sondern war schon in den 20er und 30er Jahren aktuell. Die Wiederaufnahme in den 60er Jahren geschieht unter anderen historischen Voraussetzungen, aber im Rückgriff auf den Bund Proletarisch-Revolutionärer Schriftsteller (BPRS) (s. u. S. 669 f.). 1933 war auch diese Tradition gewaltsam unterbrochen worden.

Die literarische Linke diskutierte schon in der Weimarer Republik, ob bei Dokumentationen der Begriff 'Literatur' überhaupt noch angemessen und welche Form die realistische, d. h. wahrhaftige, sei.

In dem Bestreben, durch Literatur Veränderung zu bewirken, geht man davon aus, daß Fakten nicht die einzige Wirklichkeitsebene darstellen. Es gilt, so fordert z. B. Ernst Bloch, in die Bewegungsprozesse einzugreifen, die diese Fakten verursachen. Also kann eine engagierte Literatur nicht bei der Dokumentation von Fakten stehenbleiben, sondern muß diese Bewegungsprozesse sichtbar machen.

Schon Lukács hatte sich gegen Reportage und Reportageroman (z. B. Kischs) gewandt, die „nur einzelne isolierte Tatsachen […] von der bewegt-widerspruchsvollen Einheit des Gesamtprozesses" abtrennen. Die Konkretheit der Reportage müsse in dialektischer Weise mit dem realgeschichtlichen Gesamtprozeß vermittelt werden. Damit entsteht aufs neue die Frage nach der Form der Literatur mit dem größten Wirklichkeitsgehalt und nach dem Verhältnis von Fiktionalität und Faktizität. Lukács verweist auf die Realisten des 19. Jahrhunderts als Vorbilder. Deren Mittel erweisen sich jetzt aus verschiedenen Gründen als überholt. Brecht hatte versucht, Konkretes und Typisches in der Form der Parabolik zu vereinigen. Bei den Vertretern der Arbeiterliteratur und denen des dokumentarischen Theaters entbrennt in den 60er Jahren eine heftige Diskussion um die Frage, ob Fakten in der Literatur unmittelbar wiedergegeben werden können oder ob die Tätigkeit des Schriftstellers, ins vorgefundene Material eingreifend, nicht immer schon neue Zusammenhänge schafft.

7.2 Literatur der Arbeitswelt

Mit dem Auftauchen der Arbeiterliteratur (bzw. 'Industrieliteratur', wie sie bisweilen ungenau genannt wird) leben Fragen wieder auf, wie sie im Hinblick auf die 'Arbeiterdichtung' und die proletarisch-revolutionäre Literatur in den 20er Jahren gestellt wurden: Ist die Arbeiterliteratur Literatur über Arbeiter oder von Arbeitern? Genügt die Dokumentation, oder sind, um eine Leserschaft zu gewinnen und zu überzeugen, die herkömmlichen Mittel der fiktionalen Unterhaltung unumgänglich? Ist ein allgemeines Engagement des Autors für sein Thema ausreichend, oder ist eine sozialistische Perspektive verbindlich? Die beiden literarischen Gruppierungen, die 'Gruppe 61' und der 'Werkkreis Literatur der Arbeitswelt', haben darauf unterschiedliche Antworten gegeben.

7.2.1 Die 'Gruppe 61' und der 'Werkkreis Literatur der Arbeitswelt'
Die Kehrseite des Wirtschaftswunders in der Bundesrepublik Deutschland bekamen vor allem die Arbeiter in Form von inhumanen Arbeitsbedingungen zu spüren. Walter Jens beklagt, daß sich die Literatur dieser Arbeitswelt als Thema noch nicht angenommen habe:

„Man beschreibt das Individuum, das es sich leisten kann, Gefühle zu haben, den Menschen im Zustand eines ewigen Feiertages. […] Arbeiten wir nicht? Ist unser tägliches Tun so ganz ohne Belang? Geschieht wirklich nichts zwischen Fabriktor und Montagehalle […]?" (Zitiert nach Josef Reding: Menschen im Ruhrgebiet.)

Im Frühjahr 1961 trafen sich in Dortmund schreibende Arbeiter, Journalisten und Kritiker auf Veranlassung des Dortmunder Bibliotheksdirektors Fritz Hüser, um darüber zu beraten, wie die Arbeitswelt wieder Thema von Literatur werden könne. Die Tagungen und Lesungen der 'Gruppe 61' wurden institutionalisiert und entwickelten sich zu einem offenen Forum für Arbeiter, die Erfahrungen und Nöte ihrer Arbeitswelt artikulierten.
Ein Programm gab sich die Gruppe erst 1963. Die drei Schwerpunkte (Unabhängigkeit ohne Rücksicht auf Interessengruppen – Berücksichtigung der Thematik Arbeitswelt – individuelle Sprache und Gestaltung) stehen im Mittelpunkt einer intensiven programmatischen Auseinandersetzung. Die Forderung nach „individueller Sprache und Gestaltung" entspreche den Normen bürgerlicher Literatur, was von einigen Mitgliedern nicht akzeptiert wird. Nach deren Vorstellungen solle der Arbeiter nicht nur Objekt, sondern Subjekt einer Veränderung sein. Die Literatur könne als Mittel dazu genutzt werden. Die Forderung nach Individualität verhindere, daß die Arbeiter die Angst vor dem Schreiben überwinden. Die Perspektive des Arbeiters bringe selbstverständlich keine „unabhängige", sondern eine gewerkschaftsfreundliche, sozialistische Grundeinstellung mit sich.
Spannungen führten 1969 zur Abspaltung einer Gruppe, die sich *Werkkreis Literatur der Arbeitswelt* nannte. Die Gruppe 61 löste sich 1972 auf. Ihr Verdienst ist es, das Thema 'Arbeitswelt' für die Literatur interessant gemacht und somit dem 'Werkkreis' den Boden bereitet zu haben. Im ganzen Bundesgebiet bildeten sich 'Werkstätten' (inzwischen sind es über zwanzig), die eine entschieden antibürgerliche, dokumentaristische Literatur produzieren wollen. Sie versuchen zudem, den bürgerlichen Literaturmarkt zu umgehen, d. h., andere Produktions- und Vertriebsbedingungen zu schaffen. Texte werden nicht „im stillen Kämmerlein" von einer individuellen Schriftstellerpersönlichkeit hergestellt, sondern von einem *Werkstattkollektiv.* Im produktiven Austausch zwischen schreibenden Arbeitern und literarisch geschulten Akademikern wird jeweils gemeinsam ein Projekt in Angriff genommen (z. B. ein Band mit dem Thema ‚Liebesgeschichten' oder ‚Für Frauen'). Der Versuch, die Verteilungswege des literarischen Marktes zu umgehen, mißlang. Die Veröffentlichun-

gen des Werkkreises erschienen als Fischer Taschenbuch. Es ist also ein Widerspruch festzustellen zwischen der kapitalistischen Vertriebsmethode und dem Anliegen dieser Literatur, den Anspruch der Arbeiterklasse auf Veränderung zu artikulieren.

7.2.2 Die Spannung zwischen fiktionaler und dokumentarischer Darstellung der Arbeitswelt (Max von der Grün – Günter Wallraff)

Zu Beginn der siebziger Jahre gab es zwei Repräsentanten der damals noch konkurrierenden Gruppen für Arbeiterliteratur: Max von der Grün als (einzigen) Erfolgsschriftsteller der Gruppe 61 und Günter Wallraff als Vertreter einer dokumentaristischen Gegenposition. Wallraffs Selbstverständnis entsprach der kollektive Arbeitsstil des Werkkreises immer weniger. Auch in der Frage der dokumentarischen Methode distanzierte er sich vom Werkkreis.

Max von der Grün, 1926 geboren, besuchte vor dem Krieg die Handelsschule und absolvierte eine kaufmännische Lehre. In zwei Jahren amerikanischer Kriegsgefangenschaft begann er zu schreiben; die Tagebücher sind jedoch verloren. Von 1951 bis 1963 arbeitete er als Schlepper, Hauer und Grubenlokführer unter Tage. 1962 erschien (durch Förderung Hüsers) der Roman ‚Männer in zweifacher Nacht‘, 1963 sein Erfolgsroman ‚Irrlicht und Feuer‘.
Der Hauer Jürgen Formann erzählt von seiner Schichtarbeit, seiner Ehe mit einer Frau, die nur den materiellen Wohlstand als Ziel kennt, seinem Bekanntenkreis, in dem es Verfolgte und Verfolger aus der Nazizeit gibt. Einschneidendes Ereignis ist die Zechenstillegung ohne Ankündigung. Formann wird Straßenarbeiter, Eisenarbeiter, schließlich Fließbandarbeiter in einem „weißen Kittel“, den er sich schon immer gewünscht hat. Doch auch bei dieser Arbeit findet er letztlich keine Befriedigung.

Im Mittelpunkt des Romans ‚Irrlicht und Feuer‘ steht die Darstellung eines entfremdeten Lebens. Es ist dem Haupthelden unmöglich, in einer von kapitalistischen Interessen diktierten Arbeitswelt, d. h. im unmenschlichen Leistungsdruck entfremdeter Arbeitsvorgänge, sein Leben mit Sinn zu erfüllen. Auch die Gewerkschaften sind in das Ausbeutersystem eingepaßt und kümmern sich nur noch um die eigene Machtposition und um Lohnerhöhung.
Dieser handlungsarme Roman wirkt durch die Verbindung von Reportagen, analytischen Teilen und unterhaltenden Passagen. Max von der Grün beginnt den Roman nach dem gängigen Muster von Unterhaltungsliteratur mit einer spannungsgeladenen Szene. Dieser geheimnisvollen Szene – sie handelt von der Begegnung der Hauptgestalt mit einer Frau auf dem Weg zur Schichtarbeit – folgt eine kurze Passage, die die Folgen dieser Begegnung schildert: die Reflexionen Formanns über seine Ehe und sein Arbeitsverhältnis.
Alle diese Handlungsmotive verstärken sich in den folgenden Sequenzen. (Die ‘Schnittechnik’ Grüns legt nahe, Begriffe des Films zu verwenden. Die Motive fremde Frau – Ehefrau – Arbeit werden wiederholt und verstärkt bis zur krisenhaften Zuspitzung.) Daran schließt sich ein seitenlanger detaillierter Bericht über die Arbeitsbedingungen beim Bohren von Kohle an. Schließlich weitet sich durch Rückblenden und eingeschobene Ich-Erzählungen von Nebengestalten der Roman zu seiner epischen Breite. Die Biographie des Haupthelden bildet den roten Faden innerhalb dieser epischen Vielzahl von Personen und Themen.
Der große Erfolg des Romans setzte mit der Ausstrahlung der DDR-Verfilmung 1968 im Fernsehen ein (mit einer Dokumentation und einer großen Diskussion als Rahmenprogramm). Die Taschenbuchausgabe fand danach reißenden Absatz und wurde in 18 Sprachen übersetzt. Die Leitung der beschriebenen Zeche kündigte allerdings dem Autor den Arbeitsplatz. Von der Grün bekam lukrative Angebote, falls er Passagen aus dem Roman streiche. Als er nicht darauf einging, mußte er sich in mehreren Prozessen gegen Unternehmer verteidigen. Auch die Gewerkschaften fühlten sich durch ihre Darstellung im Roman angegriffen. Hier zeigen sich unmittelbare Wirkungen einer fiktionalen Literatur.

Günter Wallraff, 1942 in Burscheid bei Solingen geboren, absolvierte nach dem Abitur bis 1962 eine Buchhändlerlehre. Nach seiner Wehrdienstverweigerung, die ihm einen Prozeß einbrachte, arbeitete er bis 1965 in fünf verschiedenen Industriebetrieben. Die Erfahrungen verwertete er in seinem ersten Reportageband, ‚Wir brauchen dich‘ (1966), als Taschenbuch mit dem Titel ‚Industriereportagen‘ 1970 mit großem Verkaufserfolg neu aufgelegt.

Wallraff zeigt mit seinen ‚Industriereportagen‘, daß die Akkordarbeit eines der wirksamsten Mittel der Ausbeutung ist. In der zentralen Reportage ‚Im Akkord‘ beschreibt Wallraff, wie er im Akkord Stahlplättchen glattfeilt und Hülsen glattschleift. Die Arbeit geschieht unter Zeitdruck, Verletzungsgefahr und mit deprimierenden Verdienstmöglichkeiten. Die Monotonie der Arbeit bewirkt ein Auseinanderbrechen von Denken und Tun, eine Entfremdung vom Produkt.

In dieser Hinsicht entspricht die Beschreibung der Schichtarbeit im Akkord den Schlußpassagen in Max v. d. Grüns ‚Irrlicht und Feuer‘. Beide Autoren weisen auf Faktoren hin, die bei diesem Ausbeutungsmechanismus beteiligt sind, z. B. auf die Unterdrückung durch die Handlanger der (sich jovial gebenden) Unternehmer. Grün schließt hier die Gewerkschaften mit ein. Wallraff unterstreicht die systemstabilisierende Wirkung der ‚Bild-Zeitung‘, die verhindert, daß die Arbeiter aus der Dumpfheit ihres Bewußtseinszustandes herauskommen. (Die Arbeitsweise dieser Zeitung wird 1977 Thema eines Reportagebandes, ‚Der Aufmacher‘, in dem Wallraff seine Erfahrungen als Redakteur bei ‚Bild‘ verwertet.)

Der grundsätzliche Unterschied besteht aber in der Erzähl- bzw. der Berichtperspektive. Wallraffs Werke erheben den Anspruch eines authentischen Berichts über eigene Erfahrungen, während v. d. Grün ein fiktives Ich erzählen läßt. Die Personen v. d. Grüns sind typisiert und literarisiert, die Atmosphäre wird in epischer Breite und Ausschmückung anschaulich. Wallraff vertraut in seinem kühl distanzierten Bericht auf die Wirkung des Faktischen, z. B. auf Zahlen und Statistiken. Diese Fakten und deren Analyse sollen dem Leser keinen Ermessensspielraum oder die Möglichkeit der Verdrängung lassen. Max v. d. Grüns Anschaulichkeit vermag intensives Mitgefühl hervorzurufen.

Aber auch Wallraffs Texte sind literarisch. Die Reportage erhält schon durch die Ichform eine subjektive Färbung. Der Bericht dieses 'Ichs' läßt eine bewußte Gestaltung bei der Aufzählung von Material erkennen. Durch die Reportage ‚Am Fließband‘ zieht sich als Leitmotiv das Zitat eines Arbeiters: „Die Dummen sind wir…“ Unmittelbar nach diesem Zitat ist von der Bildzeitung und ihren verdummenden Schlagzeilen die Rede. Es handelt sich hier also um eine Montage von Mitteilungen, um Mittel der Bildzeitung hervorzuheben, die nach Wallraffs Meinung die geistige Abhängigkeit vergrößern und somit zur Ausbeutung der Arbeiter beitragen. Weitere durchgängige Motive sind die Monotonie der Arbeit und die schlechte Bezahlung.

Neben diesen gestalterischen Mitteln schränken psychologische und moralische Bedenken gegen Wallraffs Arbeitsmethode die Geltung der ‚Reportagen‘ als 'objektive Dokumente' ein. Der Intellektuelle Wallraff geht für einige Wochen in eine Fabrik. Er empfindet die Arbeit bedrückender als ein Arbeiter. Andererseits entlastet ihn das Bewußtsein, daß die Arbeit nur eine Episode ist. (Max v. d. Grün hat dagegen tatsächlich die Existenz eines Bergmanns durchlebt.)

Juristisch und moralisch problematisch sind Wallraffs Rollenreportagen (z. B. in den ‚13 unerwünschte[n] Reportagen‘, 1969, im ‚Aufmacher‘, 1977). Wallraff nimmt eine andere Identität an – er spielt z. B. einen Obdachlosen, einen Alkoholiker, einen Chemiefabrikanten, einen Reporter, um Informationen zu erhalten.

Günter Wallraff und Max v. d. Grün appellieren an Emotionen. Wallraff will dem Leser die von ihm kritisierten Zustände möglichst authentisch vor Augen führen, so daß die Ursachen deutlich werden; v. d. Grün bedient sich traditioneller Mittel anschaulichen Erzählens; er will das Mitleid des Lesers mit dem Schicksal seiner Gestalten wecken. Einfühlung und Mitleid sind für ihn Voraussetzung für ein Engagement.

Dem von engagierten Arbeiterschriftstellern geäußerten Vorwurf, er habe keinen klaren klassenkämpferischen Standpunkt und übernehme die bürgerliche Ästhetik, liefert Max v. d. Grün durch seine weiteren Veröffentlichungen zunehmend Nahrung (z. B. ‚Flächenbrand‘, 1979). Seine Themen erweitern sich vom Ausgangspunkt „Situationen des Arbeiters" zur Schilderung von Problemen, die sich aus gesamtgesellschaftlichen Zwängen für den Mittelstand ergeben. Ein Beispiel dafür ist ‚Menschen in Deutschland‘ (Bundesrepublik Deutschland), 1973, sieben ‚Portraits‘ von Menschen verschiedener Berufsgruppen wie Friseuse und Lehrerin.

7.3 Das dokumentarische Theater

7.3.1 Theorie

„Nun gab es die Anschauung, daß der Autor sich aus politischer Anteilnahme heraushalten sollte. Aber war das Leben nicht zu kurz für diese Objektivität? [...] Es gab eine entscheidende Frage: Wer braucht meine Arbeit, und kann mein Schreiben helfen, die Erde bewohnbar zu machen?"

Diese Sätze aus einer Rede von *Peter Weiss*, 1966, sind symptomatisch für das Engagement, mit dem sich in den sechziger Jahren Schriftsteller der Politik zuwandten. Dieses Engagement führte auf dem Gebiet der Dramatik zur Form des dokumentarischen Theaters. Weiss liefert dazu eine Theorie in seinen ‚Notizen zum dokumentatorischen Theater‘ mit dem Titel ‚*Das Material und die Modelle*‘ (1966 entstanden, 1968 veröffentlicht).
Das auf Veränderung abzielende engagierte Theater, wie Weiss es versteht, scheut sich vor jeder Art von erfundener Wirklichkeit. Es befaßt sich ausschließlich mit der „Dokumentation eines Stoffes". Weiss sieht, daß auch bei einer Dokumentation durch den Autor eine Auswahl getroffen werden muß. Die auf diese Weise dokumentierte Wirklichkeit, ein Kunstprodukt, nennt er „Modell":

„Das dokumentarische Theater enthält sich jeder Erfindung, es übernimmt authentisches Material und gibt dies, im Inhalt unverändert, in der Form bearbeitet, von der Bühne wieder."

Weiss steht mit seiner Definition des dokumentarischen Theaters in der didaktisch-kritischen Tradition Brechts. Sein Theater ist „durch eine Kritik verschiedener Grade bestimmt": „Kritik an Verschleierung", an „Wirklichkeitsverfälschungen", an „Lügen". Das Dokumentartheater soll ein Gegengewicht bilden zu den Massenmedien, die einseitig im Sinne der Herrschenden informieren. Diese Massenmedien geben vor, mit objektiven Fakten zu arbeiten. Deshalb muß ein entschleierndes Theater ebenfalls Fakten auf die Bühne bringen.

7.3.2 Geschichte und Vorläufer des dokumentarischen Theaters
Das Interesse an authentischem Stoff auf der Bühne ist nicht neu. Weiss nennt in den ‚Notizen‘ als Vertreter eines„realistischen Zeittheaters" die „Proletkultbewegung, den Agitprop Piscator und Brecht". Vor allem der Regisseur und Theaterleiter *Erwin Piscator* (1893–1966) war der Wegbereiter eines politisch-dokumentarischen Theaters in den 20er Jahren. Nach dem Zweiten Weltkrieg kehrte er aus der Emigration zurück und verhalf mit seinen Inszenierungen von Hochhuths ‚Der Stellvertreter‘ (1963), Kipphardts ‚Oppenheimer‘ (1964) und Weiss' ‚Ermittlung‘ (1965) in den sechziger Jahren dem dokumentarischen Theater zum Durchbruch.
Piscator entdeckte den Lektor *Rolf Hochhuth* (geb. 1931) als Schriftsteller und setzte das Manuskript eines „christlichen Trauerspiels" mit dem Titel ‚Der Stellvertreter‘ in Szene, das bei keinem Verlag angekommen war.

Das Stück erreichte ein ungewöhnliches Aufsehen, da es Papst Pius XII., der als Büh-
nenperson auftritt, beschuldigt, während der Naziherrschaft aus diplomatischen
Gründen keinen Versuch unternommen zu haben, die Verschleppung und Ermordung der Juden zu verhindern.

Hochhuth verarbeitet in den Dialog und die ausladenden Regiebemerkungen eine
Menge historisches Material und fügt noch ausführliche Quellenbelege an (‚Historische Streiflichter‘). Dieser Form des Schauspiels unter Benutzung historischer Quellen ist der Autor auch in seinen weiteren Stücken treu geblieben.

Heinar Kipphardt (1922–1982) wählt für seinen szenischen „Bericht" ‚*In der Sache J.
Robert Oppenheimer*‘ (1964) die für das dokumentarische Theater typische Form des
Verhörs. Er verarbeitete für sein ‘Schauspiel’ das 3000 Seiten starke Verhandlungs-
protokoll des 1954 gegen den Atomphysiker Oppenheimer angestrengten Verfahrens
wegen Verzögerung der Entwicklung der Wasserstoffbombe. Oppenheimer wird am
Schluß die Sicherheitsgarantie entzogen. Der Oppenheimer des Stückes macht im
Gegensatz zur historischen Person während der Verhandlung einen Wandlungsprozeß durch, indem er sich der moralischen Verpflichtung des Naturwissenschaftlers
bewußt wird. Kipphardt versucht, in der Rekonstruktion einer tatsächlich stattgefun-
denen Untersuchung vor der Vorstellung einer ‘wertfreien’ Wissenschaft zu warnen.
Problematik und (vergeblicher) Appell erinnern an ‚Leben des Galilei‘ von Brecht.

7.3.3 Peter Weiss: Die Entwicklung bis zur ‚Ermittlung‘

Peter Weiss’ gesellschaftspolitisches Engagement entwickelt sich in einem bewegten
Ablauf innerer und äußerer Wandlungen, über die wir durch seine autobiographischen Romane ‚Abschied von den Eltern‘ (1961) und ‚Fluchtpunkt‘ (1962) Bescheid
wissen.

Weiss wurde 1916 in Nowawes (bei Berlin) als Sohn eines jüdischen Textilkaufmanns geboren.
1934 emigrierte die Familie nach London, 1939 nach Schweden. Peter Weiss fühlte sich – wie
sein damaliges Vorbild Hermann Hesse – zuerst zum bildenden Künstler bestimmt, studierte
1936–1938 an der Kunstakademie Prag und veranstaltete mehrere Ausstellungen in Schweden.
Nebenher produzierte er experimentelle Filme und Dokumentarfilme. Erst mit 40 Jahren begann er zu schreiben. Bis zu seinem Tode 1982 lebte Weiss in Schweden.

Die literarische Produktion von Peter Weiss ist von intensivem Suchen gekennzeichnet: in den früheren Werken von der Suche nach einer eigenen Identität inmitten einer als absurd und feindlich empfundenen Schaubudenwelt (auf dem Gebiet der
Dramatik: ‚Nacht mit Gästen‘, 1962, ‚Wie dem Herrn Mockinpott das Leiden ausgetrieben wird‘, 1963/1968). In der ‚Verfolgung und Ermordung Jean Paul Marats ...‘
(1964) debattieren bedingungsloser Individualismus (Sade) und revolutionäre Gesinnung (Marat) in sich schlüssig und gleichgewichtig miteinander. Ein Jahr später
bezieht Peter Weiss eine eindeutig sozialistische Position: in den ‚10 Arbeitspunkten
eines Autors in der geteilten Welt‘.

7.3.4 Peter Weiss: ‚Die Ermittlung‘

1965 erscheint ‚Die Ermittlung. Oratorium in elf Gesängen‘. Dieses Stück ist von der
neuen parteilichen Position des Autors geprägt.

Den Stoff wählt Weiss aus persönlichen wie aus politischen Gründen. Als jüdischen
Emigranten berührt ihn die Judenverfolgung während der NS-Zeit besonders. 1964
fand in Frankfurt der Prozeß gegen die Wachmannschaft des Konzentrationslagers
Auschwitz statt. Weiss nahm als Zuhörer daran teil und besichtigte die Überreste des
Lagers: „Es ist eine Ortschaft, für die ich bestimmt war und der ich entkam" (‚Rap-
porte‘). Auschwitz bedeutet für ihn also Aufarbeitung der eigenen Vergangenheit.
Der Auschwitzprozeß brachte, über die Urteile hinaus, Symptome einer Verdrän-
gung der Vergangenheit in der Bundesrepublik Deutschland zutage.

Weiss verwendet neben seinen eigenen Prozeßnotizen Bernd Naumanns Bericht in der FAZ (in Buchform 1965 erschienen unter dem Titel ‚Auschwitz‘, Bericht über die Strafsache gegen Mulka und andere vor dem Schwurgericht Frankfurt). Vorarbeiten erschienen im ersten ‚Kursbuch‘, Juni 1965 (‚Frankfurter Auszüge‘). Mit der ‚Ermittlung‘ wird die Form des dokumentarischen Dramas weltweit bekannt. Der äußere Rahmen einer Gerichtsverhandlung kommt dem Anliegen dieser Theaterform entgegen. Hier wird Vergangenes durch „Zeugnisaussagen, Protokolle, Akten und Briefe" dokumentiert. Weiss rafft das umfangreiche Prozeßgeschehen (es wurden Hunderte von Zeugen vernommen), indem er neun Zeugen auftreten läßt, die anonym alle Zeugen repräsentieren. Von den 22 Angeklagten des Prozesses treten die 18 am stärksten belasteten Angeklagten namentlich auf. Weiss betont aber im Vorwort ausdrücklich, daß diese Namensnennung nicht zur Individualisierung der Schuld führen dürfe. Die Angeklagten seien „Symbole für ein System, das viele andere schuldig werden ließ, die vor diesem Gericht nicht erschienen". Die Bearbeitung des Stoffes geht über eine bloße Raffung hinaus bis zu einer ausgefeilten Gliederung mit genauen Zahlenproportionen: Das Tribunal besteht aus drei Mitgliedern des Gerichts, neun Zeugen und 18 Angeklagten. Der Text ist in elf „Gesänge" eingeteilt. Diese Zahl ist bei Weiss (in Analogie zu Dantes ‚Inferno‘) als Einteilungsprinzip auch in anderen Werken zu finden. Jeder „Gesang" besteht aus drei Verhören.

Aufschlußreich ist ein Vergleich der Sprache in Bernd Naumanns Bericht und im Stück. Trotz dokumentarischer Übernahme ganzer Partien ist eine bewußte Gestaltung im Sinne der ‚Notizen zum dokumentarischen Theater‘ festzustellen. Die Prosa ist rhythmisiert, das Typische vor allem im Sprachstil der Angeklagten hervorgehoben. Es gibt einige individuelle Unterschiede, sie halten sich aber in engen Grenzen. Diese Verallgemeinerung schafft Distanz gegenüber dem schrecklichen Geschehen. Die einzelnen Gesänge stellen Stationen des Leidens und Sterbens in sich steigernder Reihenfolge dar. Im Gegensatz zu Dante hat das Sterben hier keine transzendente Bedeutung. Die Häftlinge werden auf der Rampe, im Lager, an der „schwarzen Wand", durch Phenol, im Bunkerblock oder durch Vergasen umgebracht. Weiss variiert zwischen der Schilderung von Massenszenen und Einzelschicksalen. Unter den Bewachern kommen primitive Triebtäter (z. B. Bogner) wie humanistisch gebildete Intellektuelle (Unterscharführer Stark) zu Wort. Außer der Steigerung und der Variation setzt Weiss die Wiederholung immer gleicher Motive ein: die scheinbare Gedächtnisschwäche der Angeklagten, ihr teuflisches Gelächter am Schluß eines Verhörs, das Abschieben der Verantwortlichkeit auf andere, die formaljuristischen Attacken der Verteidigung.

Vor allem aber kommt immer wieder zur Sprache, daß die gleichen Kräfte, die aus den Grausamkeiten von damals Kapital schlugen, in der Bundesrepublik Deutschland wieder am Werk seien. Weiss folgt der marxistischen Faschismustheorie, nach der der Faschismus die häßlichste Ausprägung des Kapitalismus ist. Die 'faschistoiden' Züge der Bundesrepublik Deutschland – ein Schlagwort der Außerparlamentarischen Opposition – manifestieren sich auch darin, daß verschiedene Angeklagte hohe Posten bekleiden (z. B. wurde der Vorstand des Bahnhofs Auschwitz Oberinspektor bei der Bundesbahn) oder hohe Renten und Pensionen bekamen.

7.4 „Der Tod der Literatur"

Den schärfsten Angriff auf die Dokumentarliteratur formulierte 1975 *Hans Magnus Enzensberger* in seiner „Nachbemerkung" zu seinem Band ‚Der Weg ins Freie. Fünf Lebensläufe‘.

Er betont die Möglichkeit der Manipulation gerade bei der dokumentarischen Methode. Durch die Eingriffe könne der Bearbeiter das Material „planieren", ihm seine „Widersprüchlichkeit austreiben".

Überraschend ist Enzensbergers Ablehnung der Dokumentarliteratur angesichts der Tatsache, daß er als Herausgeber der Zeitschrift ‚Kursbuch' Wortführer der Dokumentaristen war und durch den ‚Kursbuch'-Redakteur Karl Markus Michel den „Tod der Literatur" verkünden ließ. Er schrieb danach keine Gedichte mehr, sondern nur noch ein Dokumentarspiel (‚Das Verhör von Habana', 1970). Andererseits hat er sich in seiner Kontroverse mit Peter Weiss (‚Kursbuch' 2, 1965) gegen widerspruchsfreie Weltbilder ausgesprochen. Enzensbergers Vorbehalt gegenüber Ideologien und die Forderung nach Praxisnähe führten zu einer Absage an die Literatur überhaupt. 1967/68 kam er mit einer Gruppe von Intellektuellen zu dem Schluß, daß die reformistischen Linksintellektuellen auf verlorenem Posten stünden, da ihnen jede „politische Theorie" fehle. Diese „politische Alphabetisierung" sei von den Schriftstellern zu leisten, damit die politischen Intellektuellen als Initialzündung für einen „revolutionären Prozeß" werben können. Hintergrund für diese Bestandsaufnahme ist die Enttäuschung über die Große Koalition, die jegliche Hoffnung auf eine oppositionelle SPD zunichte machte. Der Schriftsteller, der sich auf das Vorhaben, die Intellektuellen zu politisieren, eingelassen hat (die „Alphabetisierung der Alphabetisierer"), „verspürt plötzlich eine kritische Wechselwirkung, ein feed-back zwischen Leser und Schreiber, von dem er sich als Belletrist nichts könnte träumen lassen". Die Vermittlung von politischer Theorie und der Praxis geschieht durch dokumentarische Aufzeichnungen, 'Agitationsmodelle' und 'Faktographien'. Bestärkt sehen konnte sich der Herausgeber des Kursbuches, das mit seinen Dossiers und Analysen eine Art Lehrbuch für gesellschaftliche Veränderung geworden war, durch die Vorgänge bei den Pariser Maiunruhen und durch die Demonstrationen rebellierender Studenten gegen den Schahbesuch im Juni 1967 in West-Berlin. Die „Redaktion wurde in den Demonstranten ihrer Leser leibhaftig ansichtig, die Praxis ihrer – schwankenden – theoretischen Bemühungen begann sich auf der Straße zu zeigen".

7.5 Die Aufhebung der Trennung von dokumentarischer und fiktionaler Literatur

7.5.1 Enzensbergers ‚Lebensläufe'
In ‚Der Weg ins Freie. Fünf Lebensläufe' (1975) kündigt sich Enzensbergers neue Einschätzung fiktionaler Mittel in der Literatur an, die mit den ‚Balladen aus der Geschichte des menschlichen Fortschritts' (1975) vollends sichtbar wird. In den ‚Balladen' wie in den ‚Lebensläufen' versucht Enzensberger an konkreten Einzelbeispielen zu zeigen, wie sich geschichtliche Bewegungen in ihrer Dialektik von Fortschritt und Rückschritt auf eine Biographie auswirken.

7.5.2 Der Realismusbegriff des 'Werkkreises'
Auch auf dem Gebiet der Arbeiterliteratur dachte man über eine Relativierung der dokumentarischen Methode nach. Wallraff formulierte 1975 in einem Interview:

„Ich glaube, daß wir jetzt eine Zeit haben, in der durchaus Formen gefunden werden müssen, um komplexere Bereiche zu durchdringen. [...] Zum Beispiel eine Literatur, in der man sich als Schreiber wieder einbezieht. [...] Ich habe das sehr lange vernachlässigt, habe mich selbst wie eine Kamera in diese Bereiche hineingehalten, habe alles auf mich einwirken lassen und mich ganz zurückgenommen, und habe schließlich alles nur organisiert."

Damit sieht Wallraff seine Empfehlungen an den Werkkreis von 1970 („Wirkungen in der Praxis") als historisch und veränderbar an. Die traditionellen Formen der Literatur könnten ebenfalls reaktiviert werden, da die Fertigkeiten und das Bewußtsein der Werkkreisschriftsteller jetzt fortgeschritten seien. Der 'Werkkreis' ging schon bald einen von Wallraff unabhängigen Weg. Größte Barriere wurde der Bekanntheitsgrad von Wallraffs Namen. In der Öffentlichkeit werden seine Analysen in enger Verbindung mit seinen Arbeitsmethoden gesehen. Die angegriffene Instanz, die Bundeswehr, ein Industriebetrieb oder die Bildzeitung, muß sich dann weniger auf eine Widerlegung der von Wallraff herausgestellten Tatsachen konzentrieren. Es genügen Angriffe auf die Einzelperson Wallraff und die Anprangerung seiner Arbeitsmethode.

Eine solche Personalisierung ist bei den Erzeugnissen des 'Werkkreises' aufgrund des kollektiven Arbeitsstils nicht möglich. Einzelne Projekte werden in den monatlich erscheinenden Werkstätten-Rundbriefen diskutiert, und es finden Bildungsseminare über das entsprechende Thema statt. Das Thema Arbeitswelt erfährt im Laufe der Jahre eine Erweiterung, indem es verstanden wird

„als die ganze gesellschaftliche Arbeit, und umfaßt damit alle Lebensbereiche der Arbeitenden, auch Freizeit und Fußball, Liebe und Haß".

Auch die Wirklichkeitsdarstellung wird immer differenzierter. Authentizität gilt nicht mehr als oberstes Gebot wie im Gründungsjahr des Werkkreises, da sie im Grunde undialektisch ist. Für den Schreibenden, so wird im Materialienband zum zehnjährigen Bestehen des Werkkreises formuliert, heißt es:

„[...] nicht nur die 'tatsächliche Realität', sondern auch die 'mögliche Realität' und die 'erwünschte Realität', beschreiben, sich dazu alle brauchbaren literarischen Formen aneignen und auch nützliche neue entwickeln."

Diese Definition der Wirklichkeitsdarstellung erinnert an Brechts Definition des sozialistischen Realismus. Texte sind um so wirklichkeitsgetreuer, je realistischer und volkstümlicher sie sind, wobei „volkstümlich" im Sinne Brechts zu verstehen ist (vgl. Kapitel 8).

Der 1978 von den Werkstätten Düsseldorf und Bremen herausgegebene Band ‚Wir lassen uns nicht verschaukeln' befaßt sich in Dokumentationen, Reportagen und einem Kurzroman mit Bürgerinitiativen verschiedener Art. Die Werkkreisautoren bemühen sich, über eine Beschreibung von Bürgerinitiativen hinauszukommen zu einer Verdeutlichung der Ursachen ihrer Entstehung. Die Gemeinsamkeit von Bürgerinitiativen und der Arbeiterbewegung ist im Kampf um mehr Lebensqualität eine Notwendigkeit. Der Kurzroman ‚Wir lassen uns nicht verschaukeln' handelt vom Kampf einer Mieter-Interessen-Gemeinschaft gegen eine Wohnungsbaugesellschaft. Sie kämpft für bessere soziale Einrichtungen und gegen ungerechtfertigte finanzielle Forderungen. Die Verbindung von Mietergemeinschaft und Arbeiterbewegung kommt zustande, als es heißt, sich gegen eine Betriebsstillegung zu wehren. SPD- und KPD-Mitglieder arbeiten dabei im Interesse der Sache zusammen. Der Kurzroman versucht, die Vorstellung von Werkkreisliteratur in allen Belangen zu erfüllen. Bedeutsam ist schon, daß ein Autorenkollektiv gemeinsam einen längeren, in sich geschlossenen Text herstellt. Die Arbeitsweise der Werkstätte und somit der Entstehungsprozeß des Romans werden thematisiert:

„[...] erstmals das Protokoll, dann daraus so etwas wie eine Handlung gemacht, ein anderer hatte sich den Text wieder vorgenommen und die Personen deutlicher herausgearbeitet oder das Milieu, eine komplizierte Mosaikarbeit, es gab Überschneidungen, Doppelungen bei den einzelnen Teilen [...]."

Das Autorenkollektiv möchte die Trennung aufheben zwischen Dokument und Fiktion. Dokumente, Fakten und Namen sind authentisch. Das schriftstellerische Subjekt manifestiert sich in der Anordnung, die auf Typisches abhebt. Insoweit folgt der Roman dem Muster Wallraffs. Zum spannenden Roman wird er aber durch die Mittel der Unterhaltungsliteratur, die bei Max von der Grün zu finden sind. Daß der Realismusbegriff der Werkstattautoren sich aber grundsätzlich von dem v. d. Grüns unterscheidet, läßt sich z. B. durch einen Vergleich des Verhaltens gegenüber einer Betriebsstillegung feststellen. Von der Grün schildert in ‚Irrlicht und Feuer' die Protestdemonstration der Arbeiter. Die Demonstration scheitert, die Stillegung wird durchgeführt. ‚Wir lassen uns nicht verschaukeln' endet dagegen mit der tröstlichen Aussicht, daß alle progressiven Kräfte: SPD, DKP, Gewerkschaft, Mieterinitiative und Bürger, sich zu einer schlagkräftigen Bürgerinitiative zusammenschließen werden („Bärenstarke Perspektive. Reisholz wird erhalten bleiben").

8 Das neue Volksstück

Rainer Werner Fassbinder: Bremer Freiheit (1970)
Peter Greiner: Kiez (1980)
Heinrich Henkel: Eisenwichser (1970)
Franz Xaver Kroetz: Heimarbeit (1971)   Stallerhof (1972)
Oberösterreich (1974. UA 1972)   Münchner Kindl (1973)
Wildwechsel (1973. UA 1971)   Das Nest (UA 1975)
Mensch Meier (UA 1978)   Wer durchs Laub geht   (1979. UA 1981)
Der stramme Max (UA 1980)   Nicht Fisch nicht Fleisch (1981)
Fitzgerald Kusz: Stinkwut (1979)
Karl Otto Muehl: Rheinpromenade (1973)
Harald Mueller: Der große Wolf (1970)   Frankfurter Kreuz (1980)
Martin Sperr: Jagdszenen aus Niederbayern (1966)
Landshuter Erzählungen (1967)   Koralle Meier (1970)
Münchner Freiheit (1971)   Die Spitzeder (1977)

                                       UA = Uraufführung

8.1 Die Wiederentdeckung des kritischen Volksstücks der Weimarer Republik

In der Dramatik der sechziger Jahre zeigen sich drei Stilrichtungen: das dokumentarische Theater, das neue Volksstück und Handkes Sprechstücke.
Der Entstehung des neuen Volksstücks ging die Wiederentdeckung zweier Volksstückautoren voraus.
Ab 1966 gewannen zwei fast völlig vergessene Autoren der Weimarer Republik mit ihren kritischen Volksstücken auf der Bühne Geltung: Marieluise Fleißer und Ödön von Horváth. Mit Bestimmtheit alle Gründe zu nennen für diese Renaissance – Horváth z. B. war 1933 verboten worden und seitdem in Deutschland nicht wieder gespielt –, ist sicherlich nicht möglich, doch hat die Wiederentdeckung von Autoren der Weimarer Republik etwas zu tun mit den politischen Gegebenheiten zur Zeit der Großen Koalition. Man glaubte, Parallelen zu Verfallssymptomen der Weimarer Republik zu sehen: Es fehlte an einer wirksamen parlamentarischen Opposition (statt dessen formierte sich aus den verschiedenen Strömungen die Außerparlamentarische Opposition, die APO), Notstandsgesetze wurden verabschiedet, und die NPD verzeichnete Wahlerfolge.
Um einer neuerlichen Aushöhlung der Demokratie entgegenzuwirken, wollte das Theater politische Aufklärungsarbeit leisten. Politisches Theater hieß vor allem Brechttheater. Mitte der sechziger Jahre ist aber auf den Bühnen eine gewisse Brechtmüdigkeit festzustellen. Seine Parabeln schienen der gesellschaftlichen Gegenwart nicht mehr zu entsprechen. Theatermacher und Publikum verlangten auch nach einer ästhetischen Abwechslung. Diese Abwechslung kann das dokumentari-

sche Theater, eine Weiterentwicklung des Brechttheaters, nicht bieten. Die Modell-
haftigkeit bringt eine starke Stilisierung der Wirklichkeit mit sich. Das Vakuum nach
der 'Brechtkonjunktur' und der Mangel an realistischem Theater beschleunigt die
Wiederentdeckung vor allem Horváths, der zwar in vieler Hinsicht, z. B. in bezug auf
die Entstehung des Faschismus, Brechts Analysen bestätigt, aber nicht auf ein marxi-
stisches Weltbild festgelegt ist. Dadurch wirkt er wirklichkeitsnäher (Handke: ,Hor-
váth ist besser als Brecht'. Theater heute 9, 1968).

Neben Horváths Werken wurden auch Stücke von Marieluise Fleißer wieder gespielt.
Brecht hatte 1928 ihr zweites Stück, ,Pioniere in Ingolstadt', umgearbeitet und aufgeführt. Ihre private und künstlerische Nähe zu Brecht ist schon Beweis dafür, daß die
Wiederentdeckung des Volksstücks der Weimarer Republik in den sechziger Jahren
keinen Gegensatz zu Brecht darstellt, sondern die Weiterentwicklung des Volksstück-
autors Brecht, seiner frühen Werke und des ,Puntila'.

8.2 Die Wiederaufnahme der Volksstücktradition durch Sperr und Kroetz

Zwei bis dahin unbekannte junge Schauspieler, Martin Sperr und Franz Xaver
Kroetz, schrieben Mitte der sechziger Jahre Szenen für die Bühne. Spielort, Herkunft der Personen, eine dialektgefärbte, kaum literarisierte Umgangssprache und
die Wirkungsabsicht, die weniger auf Belustigung als auf Erweckung kritischen Mit-
gefühls ausgeht, lassen die Bezeichnung 'neues Volksstück' aufkommen. Sperr
(,Jagdszenen aus Niederbayern', 1966) nennt vor allem Fleißer, Kroetz (,Wildwech-
sel', 1971 aufgeführt) nennt Horváth als Vorbild.

Die Biographien von Sperr (geb. 1944) und Kroetz (geb. 1946) weisen bis zu ihrem ersten erfolgreichen Stück Ähnlichkeiten auf. Sie stammen beide aus Niederbayern und haben eine abgebrochene Schullaufbahn, eine abgebrochene Schauspielerausbildung und Erfahrungen als Ge-
legenheitsarbeiter hinter sich. Das Leben in der Provinz und der Blick 'von unten' in verschiedene Lebensbereiche prägen somit die Werke beider Autoren. Beide beginnen mit Stücken, die in
Niederbayern spielen. Später versuchen sie, das soziale Umfeld zu erweitern. Sperrs Produktion brach nach einer Gehirnblutung 1972 ab. Erst mit ,Spitzeder' (1977) gelang ihm wieder ein
Achtungserfolg.

Kroetz ist ein ungemein fleißiger Autor. ,Oberösterreich' (1972) markiert eine Zäsur zwischen
einer Phase des 'beschreibenden' Realismus und den Versuchen, modellhaft eine positive Lösung anzubieten. In seinen neuesten Stücken besinnt sich Kroetz offensichtlich wieder auf den
Stil seiner Anfänge.

8.2.1 Sperrs ,Jagdszenen aus Niederbayern'
Die Aussonderung des Sonderlings

„Am Beispiel der Menschen im niederbayrischen Dorf Reinöd wird das Verhalten einer Gemeinschaft gezeigt, das die Aussonderung von Elementen betreibt, die ihrer Ordnung nicht
entsprechen. [...] Es ist das Anliegen, am Modell einer soziologischen Einheit unmittelbar nach
einer großen Katastrophe (Zweiter Weltkrieg) den fruchtbaren Boden für mögliche neue Katastrophen zu zeigen.“

So faßt Martin Sperr das Anliegen seines Stückes zusammen. In den 17 Szenen führt
er an einer großen Zahl von Dorfbewohnern vor, wie diese 'Aussonderung' vor sich
geht.

Die 'Ordnung' dieser Gemeinschaft besteht aus den Wertvorstellungen des gutbür-
gerlichen Lebens: geordnete Familienverhältnisse, Besitz, regelmäßige Arbeit und
ein gleicher Vollzug des religiösen wie des profanen Lebens. Das Stück ist 1966 geschrieben. Zeit der Handlung ist kurz nach dem Zweiten Weltkrieg (1948). Auf beiden Zeitebenen soll alles wieder so sein, wie es vor dem Krieg war. Das anstößige
'Element' ist Abram, der 28jährige homosexuelle Sohn der Taglöhnerin Barbara.

Doch nicht nur Abram ist das Opfer dörflicher Verfolgung. Die Bäuerin Maria wird verfemt, weil sie keinen Mann mehr hat, aber einen (scheinbar) schwachsinnigen Sohn und einen Knecht als Geliebten. Das Dienstmädchen Tonka wird in die Rolle einer Prostituierten hineingedrängt. Eine protestantische Flüchtlingsfamilie bleibt ein Fremdkörper. Sperr unterteilt das Personal nicht einseitig in Verfolger und Verfolgte; fast alle Verfolgte sind auch Verfolger. Anna beschimpft und verleugnet z. B. Abram, Maria quält ihr 'mißratenes' Kind. Sogar Tonka, von allen mißachtet, nennt am Schluß Abram, von dem sie ein Kind erwartet, eine „schwule Sau". Abram hat mit ihr einen letzten Versuch zur 'Normalität' gemacht, kann aber ihren Wunsch nach einer Heirat nicht erfüllen. So kommt es zur Katastrophe: Abram ersticht sie, sozusagen stellvertretend für die übrigen Verfolger, in sinnloser Wut über die Beleidigungen. Er war bisher die einzig friedfertige Person im Stück und hatte auch noch für den (nur psychisch) gestörten Rovo Verständnis. Bei der Jagd nach dem Mörder ist sich das ganze Dorf nun einig. Nach Abrams Verurteilung rühmt der Bürgermeister die ländliche 'Ruhe', die nun wieder eingekehrt sei.

Die politische Brisanz von Ruhe und Ordnung. Doch diese 'Ruhe' kann im Sinne des Autors nur ironisch verstanden werden. Ein Knecht sagt rückblickend über Abram: „Und ich sag, für solche Leute gehört der Hitler wieder her." Es hätte dieses massiven Hinweises nicht bedurft, um deutlich zu machen, welch 'fruchtbarer Boden' diese auf Ruhe und Ordnung ausgerichtete Lebensgemeinschaft für eine neue faschistische Diktatur darstellt. Das Stück exemplifiziert die Inhumanität des 'autoritären Charakters', wie er in der sozialpsychologischen Faschismustheorie Marcuses und Adornos definiert ist. Die bürgerliche Lebensform, die Ruhe und Ordnung als obersten Wert postuliert, unterdrückt jede Möglichkeit zur Selbstverwirklichung. Die ständige Frustration macht sie anfällig für Ideologien, die Grausamkeit und Intoleranz gegen Andersartige und Andersdenkende zum Programm erhebt. Kurz nach dem Zweiten Weltkrieg hat diese deprimierende Bestandsaufnahme eine weitergehende Geltung: Nach Meinung des Autors ist die Gesellschaft der Bundesrepublik Deutschland auch nach der Katastrophe des Nationalsozialismus und des Krieges restaurativ und zu keinem Neuanfang fähig, denn die Menschen handeln nach wie vor nach den gleichen unmenschlichen Maßstäben.

Die dramatische Form und ihre Entwicklung. Sperr verwendet keinen Dialekt, macht aber die süddeutsche Färbung durch syntaktische und lexikalische Eigentümlichkeiten deutlich. (Pfarrer: „Du hast das Klugbauer Joseferl einfach sterben lassen." Knocherl: „Er hat mir aber leid getan, der arme Bub!") Dialogführung und Szenenaufbau sind einfach, aber von realistischer Dichte. Die einzelnen Szenen werden aneinandergeschnitten wie in einem Film. Sperr spielte die Rolle des Abram bei der erfolgreichen Verfilmung des Stoffes 1969. Die Handlung ist im Film aktualisiert, aus der Nachkriegszeit in die sechziger Jahre verlegt. Auch Gastarbeiter gehören jetzt zu den Verfemten. Der 'faschistoide' Grundzug der Gesellschaft ist unverändert.

Sperr versucht mit seinen Stücken ,Landshuter Erzählungen' (1967) und ,Münchner Freiheit' (1971) die sozialen Schichten und die Schauplätze (Kleinstadt, Großstadt) innerhalb einer ,Bayrischen Trilogie' zu variieren und zu erweitern. Es stellt sich aber heraus, daß Sperrs dramatische Form nicht mehr tragfähig ist, sobald er die enge Umgrenzung seiner dörflichen 'Provinz' verläßt. Es fehlt in dieser Gesellschaftssatire jegliche für die Wirkung von Sperrs Stücken unerläßliche Identifizierungsmöglichkeit.

8.2.2 Franz Xaver Kroetz: ,Oberösterreich'

Oberösterreich als Zäsur. Nach Schreibversuchen im 'belustigenden' Volkstheater gelingt Kroetz mit ,Wildwechsel' der Durchbruch. In den folgenden zehn Jahren wächst die Produktion auf rund 30 Stücke an. Die ersten Stücke (bis 1971) spielen in demselben dörflichen Milieu wie die ,Jagdszenen' Sperrs, allerdings mit wesentlich geringerem Personal ausgestattet. Ab 1972 wird eine klare politische Position des Autors – äußeres Zeichen ist sein Eintritt in die DKP – in seinen Stücken deutlich. In ‚Oberösterreich' versucht es Kroetz erstmals, seinen ausweglosen 'beschreibenden Realismus' zu überwinden.

Die Katastrophe findet nicht statt. ‚Oberösterreich' handelt von den Problemen des Verkaufsfahrers Heinz und seiner Frau Anni. Kroetz wählt damit als repräsentative Figuren 'normale' Angehörige der unteren Mittelschicht. Er erwartet von der Demonstration des 'Durchschnitts' eine größere Wirkung beim Publikum als bei seinen 'Randerscheinungen' der früheren Stücke.

Das junge Ehepaar wird durch eine Schwangerschaft aus seinem gewohnten Lebensrhythmus gebracht. Anni freut sich auf das Kind, Heinz sträubt sich, da er sich weder materiell noch psychisch in der Lage sieht, ein Kind aufzuziehen. Die Meinungsunterschiede führen zu Spannungen, Heinz fängt an zu trinken, Anni wehrt sich gegen die Abtreibung des Kindes. Die Situation verschärft sich, als Heinz wegen Trunkenheit den Führerschein verliert.

In der letzten Szene des dritten Aktes könnte sich die vom Handlungsverlauf und von den bisherigen Stücken des Autors nahegelegte Katastrophe abspielen, doch von einer Katastrophe ist nur in einem Bericht im ‚Stern' die Rede, den Anni vorliest: In Oberösterreich erschlug ein Mann seine Ehefrau, weil sie „gegen die Vernunft" eine Abtreibung ablehnte. Das Bühnenehepaar dagegen glaubt fest daran, daß alles anders und „hoffnungsvoller" wird mit seinem Kind.

Typisch für Kroetz sind die geringe Personenzahl – meist ein Paar – und die Räume, in denen das Bühnengeschehen spielt, der Lebensraum eines Durchschnittsehepaares: in der Küche beim Essen, im Wohnzimmer beim Fernsehen, im Schlafzimmer beim Geschlechtsverkehr, in einem Gasthaus oder auf der Urlaubsreise. Das traditionelle Tragödienmotiv, eine sich ankündigende Schwangerschaft, wird ebenfalls häufiger verwendet (z. B. in ‚Heimarbeit' und ‚Wildwechsel'); in ‚Oberösterreich' mündet es in einen hoffnungsvollen Schluß. Die Konturen dieser Hoffnung auf die Zukunft bleiben vage, doch sind die Personen nicht mehr wie in der Quelle, dem Illustriertenbericht, einem unkontrollierten Handlungsmechanismus ausgeliefert.

Das entfremdete Leben des Kleinbürgers. Kroetz demonstriert in den Dialogszenen, daß dieses Ehepaar in jeder Hinsicht ein entfremdetes Leben führt. Leben heißt vor allem arbeiten: Heinz kommt sich in seiner untergeordneten Position als Verkaufsfahrer vor wie ein „Würschtl", eine austauschbare Figur. Er träumt davon, im Leben noch etwas zu erreichen, was er einem Kind mit Stolz vorweisen kann, z.B., das Abitur nachzumachen und zu studieren. Immerhin genießt er noch mehr Selbständigkeit als die Verkäuferin Anni, die sich aber in ihr Los fügt.

Auch in seiner Freizeit ist das Ehepaar gegängelt von Leitbildern und Vorstellungen, wie sie die Medien und die Werbung vermitteln. Eine Schlüsselrolle spielt in vielen Stücken des Autors Kroetz das Fernsehen. Mit Fernsehen verbringt das 'Volk' seine Freizeit. Es bewundert die Fernsehstars und ihren Lebensstil: Zu einem festlichen Anlaß bereitet Anni einen Krabbensalat, weil es der Lieblingssalat von Curd Jürgens ist. Auch den Urlaub am Starnberger See erlebt das Ehepaar in Reiseprospektklischees. (Heinz: Willst eine Dampferrundfahrt machen? Anni: Wo der Himmel „stahlblau" ist.)

Die Angst, das Kind finanziell nicht verkraften zu können, beruht auf Ansprüchen, die 'man' in der heutigen Konsumwelt erfüllen muß. Farbfernsehen, Wohnzimmerschrank und Auto haben das Ehepaar in Zahlungsverpflichtungen gebracht, so daß für das Kind keine Mittel übrig zu sein scheinen, denn auch bei der Ausstattung für ein Kind ist, laut Werbung, das Beste gerade gut genug.

Maßstäbe der Gesellschaft hindern die meisten Bundesbürger wie Heinz und Anni daran, autonom zu leben. Der Schluß deutet immerhin die Möglichkeit an, sich gegen Zwänge zu wehren und von Illusionen frei zu werden. Anni richtet ihre Wünsche nicht mehr nach Werbeprospekten, und Heinz hängt nicht mehr den Träumen von einem Studium nach.

Das Verstummen statt 'Bildungsjargon'. Kroetz hat in einem Referat 1971 (,Horváth von heute für heute') vor allem die 'Sprachlosigkeit' der Figuren Horváths hervorgehoben. Die Sprachlosigkeit der Kleinbürger sei noch kaschiert durch die Beredsamkeit im Bildungsjargon:

„In der Welt der Werktätigen von heute gibt es diese Tradition des Kleinbürgertums nicht und also nicht die Sprache aus Floskeln, Verhaltensregeln, Höflichkeitsformeln, Sprichwörtern und verbalisierten Notständen. Der äußerliche Prozeß der totalen Entfremdung wird durch diese Tradition, die das Kleinbürgertum Horváths der Stummheit der heutigen Fließbandarbeiter voraus hat, immer wieder aufgehalten."

Die Stummheit seiner Gestalten ist Ausdruck ihrer Hilflosigkeit gegenüber dem Ansturm der Probleme. In Texten von Kroetz findet sich häufig, wie bei Horváth, die Regiebemerkung „Pause" oder auch „lange Pause". Der Dialog zwischen den Pausen wirkt ungelenk und ungenügend verzahnt. Eine Kommunikation, in der Konflikte bewältigt werden könnten, findet kaum statt. In der vierten Szene des dritten Aktes bereitet sich das Ehepaar offensichtlich – ohne Exposition – auf die Fahrt zu einem Arzt vor, um das Kind abtreiben zu lassen. Heinz drängt zum Aufbruch:

„Gehn mir jetzt?
Redn mir unterwegs weiter. (Pause.) Im Auto. Sonst kommen mir zu spät.
Anni: Ich fahr nicht, weil ich dableib. (Pause.)
Heinz: Was man ausgemacht hat, muß man einhaltn.
Anni: Ich hab nix ausgemacht.
Heinz: Aber ich. Mit dem Doktor. Der wartet auf uns!
Anni: Das ist mir wurscht. (Pause.) Das Kind bleibt.
Heinz: Mir kriegen aber eine Rechnung [...]"

Heinz klammert sich an die Formalien der Verabredung und spricht nicht von seinem eigenen Interesse an der Abtreibung. Annis Erwiderungen bestehen aus tautologischen Begründungen („Ich fahr nicht, weil ich dableib") oder unbegründeten Feststellungen („Das Kind bleibt"). Keine Seite argumentiert oder geht auf den Partner ein. Immerhin kündigt sich in dem zuletzt zitierten Satz Annis die Klarheit einer individuellen Entscheidung an.

In Kroetz' Gleichsetzung von Abhängigsein durch Ausbeutung und Sprachlosigkeit steckt eine bildungspolitische Überzeugung: Die Herrschenden verfügen mit der Macht auch über die Macht des Wortes und wachen sorgsam darüber, daß die 'Masse' nicht 'mündig' wird. In dieser Gleichsetzung von geistiger Beweglichkeit und Handlungsfähigkeit mit Sprachkompetenz konkretisiert Kroetz auf der Bühne die Sprachbarrierentheorie Bernsteins, die Anfang der siebziger Jahre großes Aufsehen erregte und ihn beeinflußte. Andererseits stellt Kroetz auch unbeabsichtigt die Einwände gegen eine zu schematische Trennung der Sprachcodes dar: Die Personen artikulieren sehr wohl im 'restringierten Code' ihre Lage und ihre Wünsche, nicht auf direkte Art wie im 'elaborierten Code', sondern indirekt durch 'beredtes' Schweigen, Ausflüchte oder Rückgriffe auf Sprachklischees. Artikulationsfähigkeit und Reflexionsfähigkeit sind nicht deckungsgleich. Auch das Ehepaar im oben zitierten Gespräch ist sich im Grunde über die unterschiedlichen Positionen in dieser Situation im klaren.

Gewalt statt Artikulation. Bei Horváth ist der Bildungsjargon Ausdruck der Flucht des hilflosen Kleinbürgers in die vom Bildungsbürgertum geborgte Sprache. Kroetz' Gestalten steht sie nach dem Willen des Autors nicht zur Verfügung. Wird der innere Druck zu groß, entlädt er sich in Aggression, die sich in den frühen Stücken in konsequenter Fortsetzung Horváths bis zum Verbrechen steigert. In ,Oberösterreich' reagiert Heinz seine Wut auf Anni im Alkohol ab. Er beschimpft sie als „Hure" (II, 5). Seine aggressiven Handlungen sind aber vergleichsweise abgeschwächt. Auch in den Stücken nach ,Oberösterreich' läßt Kroetz als Reaktion auf eine übermächtige Umwelt nicht mehr morden, sondern Mobiliar zertrümmern (,Mensch Meier') oder mit einem Gewehr Wildwest spielen (‚Wer durchs Laub geht'). Damit ist für die Bühnengestalten die Möglichkeit offengelassen, noch einen Bewußtseinsprozeß durchzumachen.

Reflexionen und Träume. Annäherung an Brecht. Kroetz möchte in allen seinen Stükken in Momentaufnahmen die Spuren gesellschaftlicher Zwänge bei einfachen Leuten zeigen. Die Darstellung soll appellative Wirkung haben und politisch bewußtseinsbildend wirken. 1972 distanziert er sich von seiner eigenen „Mitleidsdramatik", da der Ausgangspunkt zu „unpolitisch" sei. Er tritt in die DKP ein und fordert nun von der Dichtung nicht nur Beschreibung und Mitleidsappell, sondern auch die Analyse von Ursachen, Hintergründen und Zusammenhängen. Damit einher geht eine Wandlung in der Einschätzung Brechts. In den ersten Stellungnahmen gilt Brecht als unrealistisch und überholt, weil seine Dialoge zu eloquent und reflexionsgeladen seien. Jetzt aber stehe ihm Brecht näher als Fleißer und Horváth, und Kroetz könne vor allem in der Gestaltung „gesellschaftlicher Zusammenhänge" und „Hintergründe" von ihm mehr lernen. Kroetz nimmt nun Elemente in seine Stücke auf, die über die reine Deskription hinausgehen. In ‚Oberösterreich' verwendet er diese Mittel noch sehr sparsam. Heinz demonstriert nicht nur seine Leiden und Wünsche, sondern formuliert sie aus. Die Ausführungen über seine entfremdete Arbeit und seine Sehnsucht nach einer unverwechselbaren Individualität sind rollenpsychologisch kaum zu begründen, sondern als Autorenkommentare aufzufassen, die dem Publikum Hilfestellung leisten sollen bei der Analyse von Ursachen der dargestellten Misere. In ‚Sterntaler', ‚Das Nest' und vor allem dem ‚Münchner Kindl' verstärkt Kroetz diese illusionsbrechenden Kommentarteile, im selben Maße gewinnt die hoffnungsvolle Perspektive am Schluß an Gewicht. Damit näherte sich Kroetz dem ‚sozialistischen Realismus' zeitgenössischer DDR-Autoren, den er theoretisch aber ablehnt.

In neuester Zeit wertet der Autor seine frühen Stücke wieder positiver und strebt eine Mitte zwischen der Beschreibungsdramatik in der Nachfolge Horváths und der ‚epischen' Dramatik Brechts an (‚Mensch Meier', 1978, ‚Wer durchs Laub geht', 1979, ‚Der stramme Max', 1980). 1980 tritt Kroetz aus der DKP aus, formuliert seinen Verdruß über seine „immer gleichen" Stücke und kündigt eine lange Schaffenspause an:

„Es ist die Form des realistischen Schreibens, aus der ich keinen Ausweg finde. Es fehlt mir an einer wie auch immer gearteten neuen Ästhetik. Ich lande immer wieder beim Wohnküchen-Gasherd-Realismus, der ja schon immer eine Tendenz zum Naturalismus hatte …"

‚Nicht Fisch nicht Fleisch' (1981) bestätigt diese Selbstanalyse.

8.2.3 Vergleich zwischen Sperr und Kroetz

Figuren oder Sprache. Das kritische Volksstück versucht, 'volkstümlich' und 'realistisch' Ausschnitte aus der Wirklichkeit des kleinen Mannes vorzuführen. Zu diesem gemeinsamen Ziel gelangen Sperr und Kroetz von unterschiedlichen Ausgangspunkten.

Sperrs 18 ‚Jagdszenen' sind dramatisch komponiert, mit Exposition, Konfliktvorbereitung und Katastrophe. Sperr bringt eine Vielzahl von Personen aus unterschiedlichen sozialen Schichten auf die Bühne. Dadurch erhält das dargestellte soziale Umfeld die Funktion, auf die Gesamtgesellschaft zu verweisen. In der Gleichnishaftigkeit der Handlung steht Sperr Brecht und Fleißer näher als Horváth.

Für Kroetz ist die Sprache der Ausgangspunkt seiner Darstellung. Lebensprobleme, d. h. gesellschaftliche Unterdrückungsmechanismen, zeigen sich in Kommunikationsproblemen; sie führen manchmal zu gewalttätigen Aktionen. Die Handlung selbst hat weniger Eigendynamik als beim konventionelleren Sperr. Durch den Dialekt sind Kroetz' Figuren als sprachlich und somit gesellschaftlich unterlegen gekennzeichnet. Der kommunikative Ansatz verbindet Kroetz mit Horváth. Im Gegensatz zu Sperr wählt Kroetz kleinere Ausschnitte aus der sozialen Wirklichkeit; seine Stücke haben nur eine geringe Zahl handelnder Personen, die alle der gleichen Schicht entstammen.

Deskription oder Belehrung. Ihre naturalistische Detailtreue trägt beiden Autoren die gleichen Vorwürfe ein, denen sich schon der Naturalismus ausgesetzt sah: Bloße Beschreibung der Wirklichkeit bleibe an der Oberfläche. Die (gesellschaftlichen) Gründe bleiben verborgen. Eine weitere Gefahr besteht darin, daß die Bühnenfiguren in ihrer Hilflosigkeit ausgestellt, denunziert, lächerlich gemacht werden. Es ist Aufgabe jeder Inszenierung, diese Wirkung auszuschließen. Sperr und Kroetz mißtrauen selbst dem Mitleideffekt ihrer Stücke. Kroetz verstärkt die didaktische Komponente seiner Stücke gegenüber der deskriptiven.

8.3 Das neue Volksstück neben und nach Kroetz

Das neue Volksstück hat seinen festen Platz gewonnen auf den Spielplänen der Theater. Stücke, die landläufige Erwartungen gegenüber 'Volkstümlichem' enttäuschen und statt dessen die Existenz kleiner Leute vorführen, die meist einer Randgruppe entstammen, werden allerdings meist nur in Zimmertheatern oder in Werkstatt- und Studiobühnen großer Theater als kritisches Begleitprogramm zum 'normalen' Spielplan angeboten. Insofern ist der Wirkungsgrad dieser Gattung (und die Verdienstmöglichkeit der Autoren) begrenzt.

Einen großen Erfolg erspielte *Rainer Werner Fassbinder* (1946–1982), der in verschiedenen Sparten des Theaters und vor allem des Films produzierte, mit der ‚Bremer Freiheit' (1970). Fassbinder greift den Fall der Bremer Giftmischerin Geesche Gottfried auf, die 1831 wegen der Ermordung von nicht weniger als 15 Personen aus ihrem Familien- und Bekanntenkreis hingerichtet wurde. Der Autor möchte keine Moritat vorführen, sondern den Kampf einer Frau aus einfachen Verhältnissen um ihre Freiheit. Als Mittel bleibt ihr nur der Giftmord.

Die zeitgenössische Problematik der Monotonie der Arbeit demonstriert der gelernte Maler *Heinrich Henkel* (geb. 1937) in ‚Eisenwichser' (1970). Die beiden Arbeiter, die in einem Keller Eisenrohre streichen, erfahren einen kurzfristigen, rauschhaften Aufschwung ihres Bewußtseins, der sich zum Schluß als Vergiftung durch die Dämpfe der Farbe herausstellt. *Harald Mueller* (geb. 1934) kümmert sich bevorzugt um Probleme nicht angepaßter Jugendlicher (‚Der große Wolf', 1970; ‚Frankfurter Kreuz', 1980), *Fitzgerald Kusz* (geb. 1944) packt im fränkischen Dialekt die moderne Umweltproblematik an in ‚Stinkwut' (1979): Ein Arbeiter kämpft einsam und vergeblich gegen ein Chemiewerk.

9 Romane der siebziger Jahre: Tendenzwende

„Hinter dem Gerede über Tendenzwende und neue Subjektivität verbirgt sich die richtige Erkenntnis, daß eine Literatur, die das leidende und schaffende Subjekt negiert, um es auf dem Altar irgendeiner Gemeinschaft zu opfern, objektiv unmenschlich wirkt, und hohl-großsprecherisch dazu. Umgekehrt bedeutet, wofür ganze Provinzen der Literatur einstehen können, eine Literatur der Privatheit, also nicht der wirklichen Subjektivität, den Verzicht auf alle Kommunikation zwischen Autor und Leser. Was bloß privat ist, kann nicht erhellen und nichts erklären. Es wirkt peinlich durch Indiskretion." (Hans Mayer: Stationen der deutschen Literatur. FAZ Nr. 137, 16. Juni 1979.)

Mit Slogans wie „Nun dichten sie wieder" oder „Rückzug ins Private" kündigten Mitte der siebziger Jahre vor allem jene Literaturkritiker eine Tendenzwende an, die zuvor die Politisierung der Literatur besonders beklagt hatten. Es waren nicht einmal zehn Jahre vergangen, seit Enzensberger im Kursbuch 15 (November 1968) festgestellt hatte, daß sich für literarische Kunstwerke eine wesentliche gesellschaftliche Funktion in unserer Lage nicht angeben lasse, und schon war man bereit, die literarischen Veränderungen mit Schlagwörtern wie 'neue Sensibilität', 'neue Subjektivität', 'neue Innerlichkeit' oder 'neuer Irrationalismus' auf den Begriff zu bringen. Doch übersieht man die Breite ihres Spektrums, wenn der Literatur damit pauschal ein Rückzug aus dem politischen Engagement ins Private unterstellt werden soll.

Das Interesse der Autoren an der eigenen Lebensgeschichte, an persönlichen Krisen und Krankheitsabläufen, die genaue Beschreibung sinnlicher Wahrnehmungen, die Mitteilung elementarer und verfeinerter Empfindungen muß nicht ins private Abseits führen. Denn es besteht „zwischen Selbsterforschung und Sichtbarmachung der 'objektiven' Wirklichkeit kein notwendiger Widerspruch, ebensowenig wie zwischen Selbstbefreiung und politischem Kampf". (Hans Christoph Buch: Die Literatur nach dem Tod der Literatur. In: Literaturmagazin 4. Rowohlt, 1975, S. 15.)

Aufschlußreich für das Zustandekommen der Tendenzwende sind die zahlreichen Auseinandersetzungen der ehemals an der Studentenbewegung beteiligten Autoren mit den Defiziten und Mängeln ihres damaligen Literatur- und Wirklichkeitsverständnisses. In den Bemühungen der Linken, die Zusammenhänge der politischen Wirklichkeit zu begreifen und theoretisch zu erklären, war ihnen der angestrebte Vorrang des Sinnlichen und Konkreten zunehmend durch analysierende und strategische Abstraktionen verlorengegangen. Das Alltägliche und Private war als unpolitisch und unzeitgemäß verdächtigt und ausgeklammert worden. Die politische Aktion gewann Priorität gegenüber den Belangen des einzelnen. Das führte dazu, „daß das Gruppendenken und die Gruppenwahrnehmung sich schrittweise an die Stelle der Wahrnehmung jedes einzelnen Mitglieds setzte, bis zu dem Punkt, da der einzelne einer eigenen Wahrnehmung nicht mehr fähig war" (Peter Schneider). Erst in der Praxis von Wohngemeinschaften, Bürgerinitiativen und Frauengruppen zeigte sich ein deutlicher Zusammenhang zwischen Einzelfall und öffentlichem Befund. Der revolutionäre Anspruch verlagerte sich nun vom allgemein Gesellschaftlichen auf den Bereich der Kleingruppen und des Individuums. Private Bedürfnisse werden nicht länger durch gesellschaftliche verdrängt: „Es gibt nicht mehr auf der einen Seite die große Politik und auf der anderen Seite das kleine Individuum, das vor sich hinwurstelt: Die politischen Kategorien sind auch praktische Kategorien, die bei dir selbst im Alltag virulent werden" (Detlev Claussen).

Daß die Autoren sich mehr dem einzelnen als der Gesellschaft, der Vergangenheit oder gegenwärtigen Lebensfragen als der Zukunft und utopischen Entwürfen zuwenden, ist nicht zu übersehen. Auf die Frage, ob das Übergewicht an Subjektivität in der Literatur der siebziger Jahre als Rückzug aus der Politik zu verstehen sei, gibt es verschiedene Antworten. So sieht Peter Schneider, der an der Studentenbewegung maßgeblich beteiligt war, in der sogenannten Tendenzwende nicht „eine Umkehr, sondern [...] eine Korrektur des politischen Hurraoptimismus". Der Kritiker Reich-Ranicki hingegen begrüßt sie als „Protest gegen die militante und düstere Kunstfeindschaft", die sich Ende der sechziger und Anfang der siebziger Jahre in der Bundesrepublik Deutschland ausgebreitet habe. Und Erika Runge, die durch ihre ‚Bottroper Protokolle' (1968) bekannt geworden war, stellt fest: „Die Auffassung, daß Literatur unmittelbar dazu dienen könne, politische Prozesse in Gang zu setzen, hat sich überlebt. Überlegungen zu einer Literatur, die 'das Subjekt in der komplexen Vielseitigkeit seiner Individualität' erfaßt, sind ins Gespräch gekommen. Bedingungen für eine anhaltende Entpolitisierung sehe ich nicht: Die Probleme dieser Gesellschaft verlangen Lösungen."

9.1 Der einzelne Krankheitsfall als Krankheitszeichen des Systems

Maria Erlenberger: Der Hunger nach Wahnsinn (1977)
Ernst Herhaus: Kapitulation (1977)
Paul Kersten: Der alltägliche Tod meines Vaters (1978)
Heinar Kipphardt: März (1976)
Fritz Zorn: Mars (1977)

Zum wiedergewonnenen Interesse an der Subjektivität gehört die Wahrnehmung auch des Körperlichen. Die Krankheit als Verweigerung von Anpassung, als Unterbrechung des gewohnten Lebensablaufs, als Protest gegen normierende Zwänge ist Gegenstand einer Reihe von Romanen der siebziger Jahre. Selbstbeobachtung und Selbsterkundung sind in ihnen ebenso enthalten wie Erkenntnisse über krankmachende soziale Strukturen und Bedingungen. Auch der Schreibprozeß bekommt Bedeutung als Möglichkeit, mit dem privaten Leiden, mit Selbstzerstörungstendenzen und exzessiver Verzweiflung fertig zu werden.

Fritz Zorn: ‚Mars‘
Im Wettlauf mit dem Tode schreibt Fritz Zorn (Pseudonym) das Buch ‚Mars‘, in dem er seine Krankheit, den Krebs, als Resultat einer zerstörerischen Umwelt und kränkenden Erziehung benennt. In einem Emanzipationsversuch, der die letzten Reserven seiner Individualität mobilisiert, analysiert er Denkweise und Lebensstil des Großbürgertums. Er klagt seine Eltern an, die ihn mit verordneter Harmonie „zu Tode erzogen" – das heißt: ums Leben gebracht – haben. Das Kind, das „in der besten aller Welten" aufwuchs, paßte sich bis zur völligen Wunschlosigkeit an.

„Ich bin mein ganzes Leben lang unglücklich gewesen, und ich habe mein ganzes Leben lang nie ein Wort darüber gesprochen, aus dem wohlerzogenen Empfinden heraus, daß sich so etwas ‘nicht schicke'. In der Welt, in der ich lebte, wußte ich, daß ich traditionellerweise um keinen Preis stören oder auffallen durfte. Ich wußte, daß ich korrekt und konform sein mußte, und vor allem – normal. So wie ich die Normalität aber verstand, bestand sie daraus, daß man nicht die Wahrheit sagen, sondern höflich sein soll. Ich war mein ganzes Leben lang lieb und brav, und deshalb habe ich auch Krebs bekommen."

Die Krankheit, die körperlichen Schmerzen bringen ihn zur Einsicht in den Zusammenhang von Wohlverhalten und Ich-Zerstörung („Verschluckte Tränen"). Er definiert das Bürgerliche als das „Um jeden Preis Ruhige, weil sonst jemand anderer in seiner eigenen Ruhe gestört werden könnte". Fritz Zorn rebelliert gegen das „kanzerogene bürgerliche Milieu" und gegen seinen Tod, aber die ‘Moral' seiner Geschichte lautet: „Lieber Krebs als Harmonie."
Hier wird das ganz persönliche Leiden in einem Prozeß der Selbsterfahrung und Bewußtseinsveränderung schließlich als Leiden an einer morbiden Gesellschaft erkannt, und die Widersprüchlichkeit zwischen Selbstverwirklichung und Welt geht nicht zu Lasten des einzelnen.

9.2 Lebensgeschichte und Zeitgeschichte

Thomas Bernhard: Die Ursache (1975)
Barbara Bronnen: Die Tochter (1980)
Peter O. Chotjewitz: Der dreißigjährige Friede (1977)
Ingeborg Drewitz: Gestern war Heute. Hundert Jahre Gegenwart (1978)
Franz Innerhofer: Schöne Tage (1974)
Uwe Johnson: Jahrestage. Aus dem Leben von Gesine Cresspahl. Band 1–3 (1970–1973), Band 4 (1983)
Wolfgang Koeppen: Jugend (1976)
Roland Lang: Die Mansarde (1979)
Christoph Meckel: Suchbild. Über meinen Vater (1980)
Helga M. Novak: Die Eisheiligen (1980)
Peter Rühmkorf: Die Jahre, die Ihr kennt (1972)
Peter Weiss: Die Ästhetik des Widerstands. Band 1–3 (1975–81)

Tagebücher, Erinnerungen und autobiographische Romane gewinnen in den siebziger Jahren wieder an Bedeutung. In ‚Montauk' (1976) kehrt *Max Frisch*, der die erfundene Geschichte für wirklicher gehalten hatte als die Fakten einer Lebensgeschichte, zur autobiographischen Erzählung zurück. *Peter Handkes* Journal ‚Das Gewicht der Welt' (1978) ist ein Beispiel für Selbsterkundung, die durch radikale Introspektion und Reduktion der Außenwelt zu extrem persönlichen Aussagen führt. Die meisten Autoren aber versuchen, in der überschaubaren eigenen Lebensgeschichte die historischen oder sozialen Gegebenheiten faßbar zu machen. In ungewöhnlicher Weise geschieht das in *Peter Rühmkorfs* Buch ‚Die Jahre, die Ihr kennt' (1972), das der Verlag bezeichnet als „eine neue Art von Buch: eine monströse Privatgeschichtsschreibung, eine essayistische Autobiographie voller Erinnerungen an politische Gegner und literarische Freunde, an Reisen durch China, Italien und Amerika. Das Ganze ist durchsetzt mit politischen Kampfartikeln, Kunstpolemiken, Kritiken, Kinderversen und unveröffentlichten Geschichten."

9.2.1 Franz Innerhofer: ‚Schöne Tage'
In seiner Trilogie: *‚Schöne Tage'* (1974), *‚Schattseite'* (1976) und *‚Die großen Wörter'* (1977), erzählt Franz Innerhofer seinen authentischen Bildungsroman, der exakt den Lebensdaten folgt.
Wie sein Held Holl ist der Autor als uneheliches Kind einer Landarbeiterin geboren, im hintersten Winkel Österreichs auf dem Hof des Vaters – in brutaler Ausbeutung seiner Arbeitskraft – aufgewachsen. Über Schmiedelehre, Fabrikarbeit, Abendschule, Abitur und Studium bricht er ins moderne städtische Leben und in die Welt der großen Wörter der Gebildeten auf.
Die Entwicklung des Helden ist bedeutsam, weil sich hier das als Objekt behandelte Individuum zum Subjekt seiner Geschichte macht. Es geht weniger um das Erzählen einer Lebensgeschichte als um die präzise Beschreibung und Erforschung von Lebensbedingungen und Machtstrukturen. Die Geschichte seiner Kindheit auf dem Land, die Innerhofer im ersten Teil, ‚Schöne Tage', erzählt, ist keine Flucht in Nostalgie oder Innerlichkeit, sondern macht deutlich, wie sich Holl aus der Unterdrückung seiner sprach- und bewußtlosen Umwelt befreit. Um nicht ein Opfer des Schicksals zu werden, überwindet er seine ohnmächtige Wut und setzt sich immer entschlossener zur Wehr, bis er in der Lage ist, selbst über sich und seine Zukunft zu bestimmen. „Irgendwann werde ich diesen Bestien zeigen, daß niemand das Recht hat, andere Menschen zu besitzen", sagt er, als er am Ende den Hof des Vaters verläßt.

Im Gegensatz zu irrationalen Mystifikationen des Landlebens beschreibt Innerhofer aus der Perspektive des Kindes die Situation der ausgebeuteten Landarbeiter. Seine Individualgeschichte macht gesellschaftliche Wirklichkeit, am eigenen Leib erfahren und mit wachen Sinnen beobachtet, transparent. Persönliche Betroffenheit und sensible Wahrnehmung wirken stärker als theoretische oder ideologische Untersuchungen. „Es geht mir nicht um eine bestimmte politische Haltung; ich schreibe ja für Leser", äußerte der Autor in einem Gespräch. „Der Marxismus geht nur auf allgemeine Zustände ein und nicht auf das Individuum. Das muß sich nämlich immer noch nach der Decke strecken."

9.2.2 Ingeborg Drewitz: ‚Gestern war Heute. Hundert Jahre Gegenwart'

Eine andere Möglichkeit autobiographischen Schreibens ist, Zeitgeschichte durch Lebensgeschichte darzustellen: das Individuum im historischen Prozeß. Im Roman von Ingeborg Drewitz, ‚Gestern war Heute. Hundert Jahre Gegenwart' (1978), stehen in unmittelbarer Beziehung zueinander eine hundertjährige Familiengeschichte durch fünf Generationen, eine 55jährige Lebensgeschichte der Hauptfigur Gabriele und die politische Geschichte in Deutschland (Schauplatz Berlin) mit den Schwerpunkten Nationalsozialismus und Studentenrevolte. Politische Ereignisse, geistiges Klima und Wirkungen eines Machtsystems werden konkret im privaten und individuellen Bereich. Die persönliche Entwicklung vollzieht sich im Kontext der Zeitereignisse. Wie der Titel zum Ausdruck bringt, wächst aus der Überlagerung von historischer und privater Geschichte ein Erfahrungspotential, das für die Heldin handlungsbestimmend ist.

Der Roman setzt ein mit der Geburt Gabrieles im Jahr 1923. Nachdem die ersten Lebensjahre vorwiegend aus der Perspektive der älteren Familienmitglieder (bis zur Urgroßmutter) beschrieben werden, beginnt mit der ersten selbständigen politischen Entscheidung Gabrieles (Austritt aus der Hitler-Jugend) der subjektive Bericht einer Frau, die im Dritten Reich und in der Nachkriegszeit, in den Studentenunruhen und im Ost-West-Konflikt ebenso wie in den privaten Spannungen zwischen Familie und Beruf einen eigenen Standpunkt sucht.

In der Generationenfolge der Frauen steht Gabriele an einem Punkt, der die Umbruchsituation kennzeichnet: Einerseits fürchtet sie die Kontinuität des Mannfraukindschemas, andererseits fühlt sie sich in die alten, traditionellen Aufgaben eingebunden. Im weit in die Vergangenheit zurückgehenden Emanzipationsprozeß ist sie zwar bereits zu Selbstbewußtsein, aber nicht zu Unabhängigkeit gelangt. Während sie die Veränderungen als inneren Zwiespalt erlebt, stellt die nächste Generation beide Frauenrollen – die emanzipatorische und die traditionelle – der persönlichen Entscheidung anheim. Die Autorin läßt die Frage offen, welcher der beiden Wege der richtige sei. In einer Diskussion mit ihrer Tochter, die ihr Halbherzigkeit vorwirft (Gabriele kehrt nach vorübergehender Trennung zu ihrem Mann zurück), fragt sie nach der Berechtigung von Selbstverwirklichung: „Wie wenige haben je ihr Leben zu eigen gehabt? Und auf wessen Kosten?"
Wie die Beispiele zeigen, steht der persönliche Erfahrungsbericht nicht im leeren Raum weltfremder Innerlichkeit und privater Konflikte. Die Lebensgeschichte des einzelnen wird bestimmt durch soziale Muster und historische Vorgänge, doch kann er auch in diese eingreifen, wenn er sich in seiner Betroffenheit mit den Problemen der Epoche auseinandersetzt.

9.3 Wiedererkennen in fremder Lebensgeschichte

Hans J. Fröhlich: Schubert (1978)
Peter Härtling: Hölderlin (1976)
Wolfgang Hildesheimer: Mozart (1977)
Dieter Kühn: Ich Wolkenstein (1977)
Adolf Muschg: Gottfried Keller (1977)
Elisabeth Plessen: Kohlhaas (1979)
Peter Schneider: Lenz (1973)

In der Erzählung ‚Lenz‘ (1973), die innerhalb von fünf Jahren eine Auflage von 96000 Exemplaren erreichte, spiegelt *Peter Schneider* eigene Erfahrungen der Entfremdung in denen des frühbürgerlichen Außenseiters Lenz aus Büchners Erzählung gleichen Namens von 1839. Er überträgt die historische Figur in die Gegenwart und thematisiert mit dem neuen Lenz das Unbehagen am Verlust von Sinnlichkeit in theoretisierenden linken Gruppen der Bundesrepublik Deutschland. Während hier das literarische Muster aus dem vergangenen Jahrhundert nur als Anspielung benutzt wird, zeigen andere Autoren in den folgenden Jahren ein unmittelbares Interesse an Personen aus der Geschichte. Auswegslosigkeit in der gegenwärtigen Situation, fehlende Zukunftsperspektiven oder Fortschrittsmüdigkeit können Gründe für die Hinwendung zur Vergangenheit sein, doch wäre es kurzschlüssig, diese als Flucht zu begreifen. Denn es geht den Autoren nicht primär um die Vergegenwärtigung irgendeiner Künstlerpersönlichkeit, vielmehr um den dialektischen Bezug und die gegenseitige Erhellung von Vergangenheit und Gegenwart. Der Bezug wird sowohl durch Annäherung als auch durch Abstand zum Beschreibungsobjekt hergestellt. *Peter Härtling* identifiziert sich zum Beispiel einfühlsam und erfindend mit dem subjektiv erlebten Hölderlin. Eine solche Identifikation des Schreibenden mit dem Helden nennt dagegen *Hildesheimer* (in seinen Vorbemerkungen zu ‚Mozart‘) ein Merkmal der Trivialbiographie. Seine Absicht ist es, „die Distanz zwischen beiden Seiten zu vertiefen, und zwar nicht nur um jene Kluft zwischen den Zeitaltern, die das wahre Verhältnis aller Gestalten und aller Seelen zur Zeit des Spätabsolutismus zur Spekulation macht, sondern um jene unüberbrückbare Ferne zwischen der Innenwelt Mozarts und unserem mangelhaften Konzept ihrer Art und ihrer Dimensionen“.
Die Spiegelung eigener Probleme in fremden Lebensgeschichten, durch die diese gewissermaßen zur Parabel jener werden, bekommt in den historischen Biographien der siebziger Jahre eine auffallende Bedeutung. Sie hat eine Entsprechung in der DDR-Literatur der gleichen Zeit, wenn auch etwas anders akzentuiert: *Günter de Bruyn:* ‚Das Leben des Jean Paul Friedrich Richter‘ (1975); *Gerhard Wolf:* ‚Der arme Hölderlin‘ (1976); *Christa Wolf:* ‚Kein Ort. Nirgends‘ (1979).

Elisabeth Plessen: ‚Kohlhaas‘

Als Roman, nicht als Biographie bezeichnet Plessen ihre Wiederherstellung der historischen Gestalt des Roßhändlers Kohlhaas gegen die landläufige Vorstellung. Mit dem größeren Interesse am Historischen gegenüber dem Ideellen ist er auch eine Kritik an Kleists ‚Michael Kohlhaas‘. Die Geschichte des historischen Hans Kohlhase spielt in einer Zeit zwischen Bauernaufstand und Befestigung territorialer Fürstenmacht. Trotz des 400jährigen zeitlichen Abstandes gibt es Parallelen zu gegenwärtigen Erfahrungen, was Vergleiche und Übertragungen nahelegt. Da die Autorin nicht „auf die Historie einfach als einem Spiegel für gegenwärtige Probleme vertraut“, vermeidet sie kurzschlüssige Übertragungen von damals auf heute. Dort aber, wo direkte Gegenwartsbezüge hergestellt werden können, setzt sie, diese verdeutlichend, unseren heutigen Wortschatz ein (z. B. „kidnappen“, „Fahndungsliste“,

„Sympathisanten", „Krisenstab", „Staatssicherheit", „Studentenunruhen"). Dagegen versucht sie sonst, sich in Sprache und Denkweise den überlieferten Dokumenten aus dem 16. Jahrhundert anzunähern, um deren Authentizität nicht durch angleichende Interpretationen zu verfälschen.

Im Unterschied zur Geschichtsschreibung der Historiker sieht Plessen im Geschichten-Schreiben über einen historischen Stoff den besonderen Reiz in den offenen Stellen, an denen der Romanautor seine persönliche Position einbringen kann.

Plessen charakterisiert Kohlhaas weniger als einen, der um sein Recht kämpft, als den in seiner Menschenwürde Verletzten: „Es ist nicht wegen der Pferde, sagte Kohlhaas, die Pferde kann ich vergessen, ich habe sie bereits vergessen. Ich kann die Demütigungen nicht vergessen." Der Fehdebrief, den er als einen Akt der Selbstverteidigung schreibt, verändert sein Leben und seine Person grundlegend: Er nähert sich dem Phantombild an. Untertauchend wird er zum Gejagten, dem man jede Brandlegung zutrauen kann. Eine Zeitlang findet er Hilfe bei Gleichgesinnten, bis er schließlich in die Falle geht. Am 22. März 1540 wird er hingerichtet.

In Plessens Roman sind, wie in den meisten Biographien, Fiktionen und recherchierte Fakten vermischt. Deutlich markiert sind bei ihm jedoch jene Stellen, an denen Dokumentationen und Authentizität verlassen werden, sei es als Entwurf, Vorstellung, Mutmaßung, sei es als Vorauswissen (des Geschichtsschreibers). Es sei *ihre* Version des historischen Kohlhase, betont die Autorin, deren subjektive Betroffenheit an der Lebensgeschichte des politischen Rebellen erkennbar ist. In einer Zeit, in der die Diskussion über Extremisten in der Bundesrepublik Deutschland weitgehend behindert war, gestattet die vergleichbare Sachlage in einer weit zurückliegenden Epoche, sich rückhaltlos mit dem brisanten Thema zu beschäftigen.

In der Geschichte Aufklärung für die Gegenwart, für die eigenen Schwierigkeiten zu erhalten, scheint das vorrangige Interesse der Biographen zu sein. Am Ende seiner Keller-Biographie spricht *Adolf Muschg* davon, daß es eine Stelle gebe, „wo Kellers Werk für mich, den Leser, Erinnerung bedeutet. Erinnerung nicht nur an eine historische Figur, sondern auch an eigene Ängste und Bedürfnisse, die ohne dieses Werk dunkel geblieben wären; Erinnerung an offene Fragen der Gegenwart."

9.4 Das Normale und die Sehnsucht

> **Herbert Achternbusch:** Die Stunde des Todes (1975)
> **Nicolas Born:** Die erdabgewandte Seite der Geschichte (1976)
> **Gert F. Jonke:** Der ferne Klang (1979)
> **Otto F. Walter:** Die Verwilderung (1977)
> **Urs Widmer:** Die gelben Männer (1976)

Bedrohlichen Zukunftsvisionen, Zerstörungen der Lebenswelt, Rationalisierungen und Macht- und Kapitalkonzentrationen gegenüber fühlt sich der Mensch in den siebziger Jahren mehr und mehr kontrolliert und reglementiert. Zum Thema „Die Sprache des Großen Bruders" nehmen im achten Literaturmagazin (1977) Autoren Stellung. Nicolas Born beschreibt in seinem Beitrag ‚Die Welt der Maschine', wie an die Stelle der unmittelbar erlebten Realität ein 'Welt-Surrogat', eine Scheinwirklichkeit tritt. „Kaum jemand glaubt mehr, daß sich dahinter eine tatsächliche Wirklichkeit verbirgt. Wir verfallen dem Reflex, dem Signal, dem Slogan." Die 'Megamaschine', das über den Menschen hinausgewachsene industrielle Werkzeug, das ihn beherrscht, entmündigt den einzelnen. Sprache und Literatur erhalten unter diesem Aspekt eine neue Aufgabe: Sie müssen ein Gegengewicht bieten zu Normierung und

Rationalisierung, zu den Massenbedürfnissen und deren Befriedigung, zum „gesellschaftlichen Übereinstimmungswahn" und den Sachzwängen der Technologie: „die
ganze lebendige Emotionalität gegen den Vernunftbegriff, den die Megamaschine
verkörpert".
Der Verdacht, daß die deutsche Literatur wieder einmal den Weg nach innen sucht,
ist unbegründet angesichts des Widerstandes, den sie leistet, indem sie diese bedrohliche Wirklichkeit beschreibt und die Sehnsüchte und Bedürfnisse zur Sprache bringt.

9.4.1 Nicolas Born: ‚Die erdabgewandte Seite der Geschichte'

In dem Roman Borns gibt es keine nacherzählbare Handlung, weil für den Erzähler
keine Sinnzusammenhänge mehr bestehen. Den Figuren fehlt die Lebenssicherheit,
sie können ihre Umwelt nicht durchschauen. Einzelbeobachtungen, zufällige Momentaufnahmen und isolierte Eindrücke fügen sich nicht mehr zu einer Geschichte
zusammen. Es ist eine Zustandsbeschreibung von Krisen in der Beziehung zur
Freundin, zum Freund, zur Tochter, die aus einem allgemeinen Realitätsverlust entstehen, einem Realitätsschwindel, einer Täuschung. Alles wirkt wie ausgedacht, vom
Bewußsein verdorben, von Gewohnheiten betäubt, von festen Bildern verstellt. An
die Stelle von Gefühlen treten Gefühlsrekonstruktionen („Wortgefühle"), die Wahrnehmung wird wichtiger als das Wahrgenommene: „Es geht immer ‘über' irgendwas.
Wenn man redet, redet man ‘über' irgendwas, wenn man schreibt ‘über' irgendwas.
Es ist eigentlich nichts."

Die Beziehung des Erzählers zu seiner Freundin Maria scheitert (nach verschiedenen vergeblichen Bemühungen, von ihr loszukommen) letztlich an der Unfähigkeit, auf den anderen einzugehen und ihn nicht als Vermittler eines Selbstgefühls zu gebrauchen: „Ich sollte ihr weiterhin
ihre Bedeutung geben, ohne die sie verloren war." Aber die Liebesgeschichte spiegelt im Grunde nur die gesellschaftliche Realität: „Die Detonationen öffentlicher Energien, der Überschall
der Sprechsignale, die industrielle Vernichtung des Lebens und die industrielle Herstellung einheitlicher Lebensgefühle, die Verwandlung eines jeden Wesens und Gegenstandes in seine eigene Reproduktion, das alles waren Einzelheiten unserer Geschichte."
Auch die Gespräche mit Lasski, dem Freund, drehen sich um die Frage, was der einzelne gegen
das „Leben aus zweiter Hand", gegen die „Zwangszufriedenheit" unternehmen könne. Und
Ursel, die Tochter, verlängert die Gegenwartsproblematik in die Zukunft hinein und verhindert
Gleichgültigkeit: „Davor wollte ich sie noch bewahren, vor solchen Tagesläufen der Ernährung
und Bekleidung, der schäbigen Gefühle, der verklebten Gedanken, vor einer allgemeinen Wi-
derspruchslosigkeit […]. "

In Borns Krisenbericht werden die Verschiebungen der Hoffnungen und Ängste gegenüber den sechziger Jahren erkennbar. Individualität ist nicht mehr Rückzug aus
der Gesellschaft, sondern Resistenz gegen Vereinheitlichung, wie Menge nicht Solidarität, sondern Auswechselbarkeit bedeutet. „Keinen lernst du mehr genau sehen,
kennen vor lauter Kooperationen, Parteiungen, und die unweigerlichen, immer neu
benannten Gemeinsamkeiten, Übereinstimmungen, die eingeheizten Gemein-
schaftsprogramme geben dir den Rest. Das Kollektivgespenst gegen das Individual-
gespenst."
Born bietet keine Lösungen an, er beschreibt nur die Skepsis einer Generation, die
nach der Euphorie der Studentenrevolte allmählich den Glauben an Erklärbarkeit,
Zweckmäßigkeit und Fortschritt verloren hat.

9.4.2 Otto F. Walter: ‚Die Verwilderung'

Gegen die lebensbedrohende Wirklichkeit setzt Otto F. Walter in seinem Montage-
Roman eine konkrete Alternative, mit der einige junge Leute ihren Traum vom besseren Leben verwirklichen wollen.

Sie sind aus der Leistungsgesellschaft ausgestiegen und haben sich am Rande einer Schweizer
Kleinstadt in der Baracke einer stillgelegten Grube zu einer Wohn- und Produktionskooperative

zusammengeschlossen. Sie können dem alleinigen Geldverdienen keinen Geschmack mehr abgewinnen und erproben menschlichere Lebens- und Kommunikationsformen. Auf der Suche nach neuen Regeln fürs Zusammenleben stehen ihnen allerdings nicht nur die alten Muster entgegen, mit denen sie 'geimpft' sind, sondern auch eine feindliche Umwelt, die ihren Neuanfang beargwöhnt. Eine für Ordnung und Sauberkeit sorgende Bürgerwehr, die das „Gesindel" ausräuchern will, greift zur Selbsthilfe. Rob und Leni, die Initiatoren der Kooperative, werden ermordet.

Walter konfrontiert die Masse der Angepaßten und Normalen mit einer kleinen Gruppe von Menschen, die andere Anschauungen von Glück entwickelt haben als die in der Öffentlichkeit ständig angepriesenen. Aber die zu Verweigerung von systemkonformen Leistungen und zu Brüderlichkeit Entschlossenen scheitern am wunschlosen Unglück einer Mehrheit, die von Konkurrenz- und Lebensangst in einer Weise erfüllt ist, daß sie sich kein besseres Leben vorzustellen vermag.
Um diese Alternative zum Bestehenden in die Gegebenheiten unserer gegenwärtigen Situation zu stellen, komponiert der Autor den Roman aus Elementen unterschiedlicher Realitätsgrade und fügt narrative, fiktive, dokumentarische, halbdokumentarische Teile aneinander. So wird die Geschichte der Kooperative authentischen und erfundenen Zeitungsmeldungen über wirtschaftliche, politische und gesellschaftliche Ereignisse gegenübergestellt. Mit theoretischen Texten über den Ursprung der Familie und des Privateigentums macht der Autor deutlich, wie der einzelne durch überlieferte Rollen und Muster festgelegt ist. Parallel zur Liebesbeziehung zwischen Rob und Leni zitiert Walter aus Kellers Novelle ‚Romeo und Julia auf dem Dorfe'. Darin heißt es, die Presse habe den Tod dieser beiden Liebenden als ein „Zeichen von der um sich greifenden Entsittlichung und Verwilderung der Leidenschaften" kommentiert.

In eingeschobenen Notizen aus seinem Skizzenbuch schließlich reflektiert der Journalist Blumer – ein kritischer Intellektueller mit übergroßen Erwartungen und Enttäuschungen – die Schwierigkeiten seiner Rolle als Schreiber und die Schwierigkeiten des Unternehmens selbst, die er in dem Satz zusammenfaßt: „Die Durchsetzung einer neuen Gesellschaft setzt die Befreiung voraus, die sie verheißt."

9.4.3 Urs Widmer: ‚Die gelben Männer'
An Borns Scheinwirklichkeit in der Welt der Megamaschine erinnern die omnipotenten gelben Männer in Widmers Roman. Ihnen, die Zweckrationalität verkörpern, setzt er ein phantastisches Neuland gegenüber, das weder von DIN-Normen noch von standardisierten Effekten bestimmt ist. Mit seinem Freund Karl stößt der Erzähler, von Frankfurt nach Basel reisend, in dieses Neuland vor.

Im Schneetreiben erreichen sie über Felsen ein unbewohntes Haus, das sich jedoch im Verlauf ihres siebentägigen Aufenthaltes als bewohnt erweist. Karl ist Schriftsteller und hat eine Kiste unveröffentlichter Manuskripte mitgebracht. Der Erzähler dagegen verrichtet höchst praktische Dinge: Er jagt und kocht, macht Feuer, zimmert ein Bett, töpfert und produziert Kerzen aus Hasenfett.

Der Roman ist vielschichtig gebaut. Auf der ersten Ebene ist der Erzähler der Autor, der in Frankfurt, wo er mit Anna lebt, alles aufschreibt, was in den sieben Tagen geschieht (zweite Ebene) und was er in Karls Romanen liest (dritte Ebene). Diese handeln von Bewohnern aus den Andromedanebeln, die – als gelbe Männer getarnt – auf die Erde kommen und das Verhalten der Menschen studieren. Da sich alle drei Ebenen miteinander vermischen, ist die Trennung von Fiktion und Realität aufgehoben.

Als der Besitzer des scheinbar verlassenen Hauses zurückkommt und es niederbrennt, flieht der Erzähler nach Frankfurt, während Karl im Schneesturm stirbt. Zurückgekehrt, erzählt er Anna die Geschichte, die er geschrieben hat. Von neuem erfährt der Leser die bereits berichteten Geschehnisse (nun aber nicht auf der Basis des Erlebten, sondern als Produkt): „Ich und Karl fahren von Frankfurt nach Basel. Es schneit. Wir klettern auf ein Klippengebirge jenseits der Stadt hinaus und kommen zu einem moosüberwachsenen Haus. Karl hat alle seine Romane in einer großen Kiste bei sich …"

Nachdem er die Geschichte nochmals erzählt hat, klingelt es. Vor der Tür steht Karl, der seine Brandwunden zeigt. Karl, der in der Geschichte umgekommen ist, lebt zwar, trägt aber Spuren der fiktiven Wirklichkeit. Schließlich kommen sogar die gelben Männer (in weißen Kitteln und mit Blaulicht), holen den Erzähler ab und sperren ihn ein. So überholt die Realität die Phantasie. Die nur vorgestellte 'gelbe Gefahr' aus den Andromedanebeln ist Faktum. Der Erzähler ist in der normalen wie in der phantastischen Welt zu Hause. Für das Funktionieren in der Norm-Welt ist er unbrauchbar und wird eliminiert.

In seinem Essay ‚Das Normale und die Sehnsucht' (1972) stellt Widmer die Frage: „Unterscheidet sich der sogenannt 'Kreative' vom sogenannt 'Normalen' vor allem dadurch, daß er dessen Angst vor dem, was unvertraut ist, nicht hat?" Und er fragt weiter: „Spielen sich die Vorstöße in irgendein Neuland (in der Wissenschaft, in der Kunst) in einem Grenzland zwischen dem Wahnsinn in uns und der bewußten, gesicherten Realität ab?"

Nicht von *der* Gesellschaft ist in den Romanen der drei Autoren die Rede, sondern von Individuen und Beziehungen; es werden im Grunde private Geschichten erzählt. Doch läßt sich gerade an ihnen ablesen, wie einzelne auf die gesellschaftliche Wirklichkeit reagieren: im Widerstand gegen die Vereinheitlichung bei Born, mit neuen Lebensformen gegen die alten Muster bei Walter, das Normale phantastisch überbietend bei Widmer.

10 Dramen der siebziger Jahre: Die Normalität des Irreseins

Thomas Bernhard:
Autobiographische Werke:
Die Ursache. Eine Andeutung (1975)   Der Keller. Eine Entziehung (1976)
Der Atem. Eine Entscheidung (1978)   Die Kälte. Eine Isolation (1981)
Ein Kind (1982)
Stücke:
Der Ignorant und der Wahnsinnige (1972)
Die Jagdgesellschaft (1974)   Die Macht der Gewohnheit (1974)
Der Weltverbesserer (1978)   Vor dem Ruhestand (1979)
Tankred Dorst:
Auf dem Chimborazo (UA 1975)   Toller (UA 1968)
Die Villa (UA 1979)   Merlin (UA 1980)   UA = Uraufführung
Peter Handke:
Kaspar (1968)   Der Ritt über den Bodensee (1970)
Gerlind Reinshagen:
Himmel und Erde (1974)   Sonntagskinder (1976)
Botho Strauß:
Romane und Erzählungen:
Die Widmung. Eine Erzählung (1977)   Rumor (1980)   Paare, Passanten (1981)
Stücke:
Die Hypochonder (1972)   Bekannte Gesichter, gemischte Gefühle (1974)
Trilogie des Wiedersehens (1976)   Groß und klein. Szenen (1978)
Kalldewey. Farce (1981)

10.1 Übergang und Wandel

10.1.1 Tankred Dorst und Gerlind Reinshagen

Im Jahre 1968, auf dem Höhepunkt der Studentenrevolte, fand in Stuttgart die viel-
beachtete Uraufführung von Tankred Dorsts ‚Toller‘ statt. Dorst verwendet für sein
Stück historische Dokumente aus dem Leben des Dichters Ernst Toller, der als einer
der Führer des Rätesystems 1919 in München scheiterte. Die Inszenierung paßte das
Stück in den Stil der politisierten Literatur der sechziger Jahre ein. Dorst selbst distanzierte sich aber von einer solchen Arbeitsweise: „Das Argumentiertheater bewegt nichts in den Köpfen, es verkleinert die Wirklichkeit auf ein paar Klischees und
die menschlichen Wahrheiten auf ein paar Konstellationen. Das bringt das Drama
um seine Lebendigkeit" (zitiert im Nachwort von G. Rühle zu: ‚Stücke 2‘).
Nicht alle Autoren der sechziger Jahre waren also gleichermaßen von der Wahrhaftigkeit und Wirksamkeit politischer Dramatik überzeugt. „Das Stück will nicht", so
stellte Dorst klar, „einen historischen Vorgang rekonstruieren – was Dokumentar-
stücke normalerweise wollen –, sondern es will Haltungen zeigen, die uns heute mehr
betreffen als die Historie" (Christ und Welt, 13. 12. 1968). Dorst zeigt an Toller die
„Haltung" eines Literaten inmitten einer Revolution. Dieser verhält sich nicht wie
ein Pragmatiker, sondern wie ein Schauspieler. Das besondere Interesse Dorsts galt
bei seinen weiteren Produktionen den „Haltungen" der bürgerlichen Familie von
den zwanziger Jahren bis heute (z. B. ‚Auf dem Chimborazo‘, UA 1975). Weit von jeder Tagespolitik entfernt sich Dorst in seinem Siebenstundenstück ‚Merlin‘ (UA
1980), das am Artushof spielt und sogar positiv-mythische Deutungen wagt.
Mit seinem Mißtrauen gegen das „Argumentiertheater" und dem Interesse an „Haltungen" nimmt Dorst eine Mittelstellung ein zwischen der Dramatik der sechziger
Jahre und dem „Bewußtseinstheater" der siebziger Jahre. Das Theater der „Haltungen" handelt von Privatgeschichten, aber diese sind (noch) eingebettet in einen genau definierten historischen Hintergrund, im Stück ‚Die Villa‘ (1979) z. B. in die Zeit
kurz nach dem Zweiten Weltkrieg.
In den siebziger Jahren beginnt sich eine Dramenform herauszukristallisieren, in der
die historische Wirklichkeit nur noch im Bewußtsein der Personen gespiegelt, nicht
als eigener Prozeß vorgeführt wird.
Gerlind Reinshagen (geb. 1926) läßt ihrem Bühnenpersonal, das kleinbürgerlichem
Milieu entstammt, wenigstens einen Moment erfüllten Lebens durch die „überdeut-
liche Beschreibung eines Details" im Leben einer Person, in dem „ein Sprung im Bewußtsein, eine Mutation im Denken" geschieht. So beginnt Sonja Wilkes in ‚Himmel
und Erde‘ (1974) im Grunde erst ihr Leben, nachdem sie mit ihrem Krebstod konfrontiert ist. In ihren assoziativen Monologen, eigentlich Dialogen mit fiktiven Gesprächspartnern, kommt ihr zum Bewußtsein, daß sie bisher ein fremdbestimmtes
Leben geführt hat. Am Schluß bestimmt sie Zeitpunkt und Art ihres Todes selbst.
Die Bewußtseinslage der Bühnenfigur Sonja ist jedoch nicht im Bühnengeschehen
entwickelt, sondern sie trägt Abhandlungen vor über die aktuellen Leiden der Zeit.
Bei zwei Autoren wird die Zeit der siebziger Jahre glaubhaft und aussagekräftig in
der Bewußtseinsspiegelung selbst deutlich, bei Botho Strauß und Thomas Bernhard.

10.1.2 Botho Strauß und Thomas Bernhard

Unter der Überschrift ‚Stücke nach der Revolte‘ (der Studentenbewegung 1968)
stellte im Februar 1969 Botho Strauß als Redakteur der Zeitschrift ‚Theater heute‘
einige junge Autoren vor, unter ihnen Thomas Bernhard. Strauß kommt zu dem Ergebnis, daß das Ende der Revolte auch eine Wandlung der Dramenthemen und der
Dramenform mit sich bringe. Die Dokumentarliteratur mit ihrem auf direkte Wirkung abzielenden Realismus habe angesichts der allgemeinen Resignation ausgespielt.

Botho Strauß entwickelte sich vom Kritiker zum Dramaturgen und schließlich, neben Bernhard und Kroetz, zum bedeutendsten Dramenautor der siebziger Jahre. Neben vielen Unterschieden zeigen Bernhard und Strauß Übereinstimmungen in ihrem Menschen- und Weltbild der Periode „nach der Revolte", ebenso in der künstlerischen Umsetzung auf der Bühne. Wie beim Roman der siebziger Jahre (s. Kapitel 9) wäre es verfehlt, beim Drama von einem Rückzug in die Innerlichkeit zu sprechen. Strauß und Bernhard thematisieren zwar nicht mehr die Notwendigkeit einer grundlegenden gesellschaftlichen Veränderung, aber sie demonstrieren das „Befinden des Individuums" (Strauß) nach der Revolte in modellhaften Situationen. Dieses Befinden ist durch gescheiterte Beziehungen, fehlende Aktionsfelder und daraus resultierenden „Wahnsinn" als 'normalem' Zustand gekennzeichnet. Das Thema der Künstlerexistenz greifen beide Autoren immer wieder auf. Gemeinsam ist ihnen bei der Darstellung dieser Wirklichkeit die Überwindung des realistischen oder dokumentarischen Stils durch surrealistische, groteske oder absurde Formen. Sie sind nicht nur Dramatiker, sondern auch bedeutende Erzähler: Durch epische Werke werden sie in der literarischen Öffentlichkeit bekannt, Botho Strauß vor allem durch seine Erzählung ‚Die Widmung' (1977), Thomas Bernhard durch seine autobiographischen Werke. Eine strikte Trennung der Gattungen wäre unzulässig, da die Themen ähnlich und die in die epischen Werke eingestreuten theoretischen Exkurse wichtig sind für das Verständnis der Bühnenwerke.

10.2 Thomas Bernhard: Die Vernichtung des Menschen (‚Die Macht der Gewohnheit')

In Thomas Bernhards Komödie ‚Die Macht der Gewohnheit' (1974 bei den Salzburger Festspielen uraufgeführt) wird der Versuch einer Probe von Schuberts Forellenquintett vorgeführt. Die 'Probe' findet in einem Zirkuswagen statt. Beteiligt sind Zirkusdirektor Caribaldi, der Jongleur, der Spaßmacher, der Dompteur und die Enkelin Caribaldis. Dieser Probenversuch ist einer von unzählig vielen, die seit 22 Jahren stattfinden. Treibende Kraft für die Zusammenkünfte ist Caribaldi.

Botho Strauß hat 1969 bei der Würdigung von Bernhards Dramenerstling ‚Ein Fest für Boris' hervorgehoben, daß Bernhard nicht „abseitige Spezialfälle" darstelle. Er lege „gerade aus dem Augenblick des Zerfalls heraus, von den Rändern totaler Verfinsterung her, die Gesetze unserer Normalität, unserer überlebensstarken Ordnungswelt bloß". Die mißlungene Probe im Wohnwagen muß als Modellsituation verstanden werden, die – im Unterschied zu bewußter Verzerrung und Übersteigerung – die Absurdität der 'normalen' Existenz heutiger Menschen sichtbar machen will. Die Machtverhältnisse innerhalb der Gruppe, der Ort des Geschehens, die Art der Aktivität und die Kommunikation sind Komponenten dieses Modells.
„Nicht Menschen – Instrumente." Caribaldi übt innerhalb der Gruppe rücksichtslos seine Macht aus. Er hat den anderen die Instrumente aufgezwungen. Rücksichtslos zwingt er sie auch zu den Proben: Zwischen Menschen- und Tierdressur, von der Caribaldi und der Dompteur erzählen, scheint kein Unterschied zu bestehen. Erschreckend wird die festgeschriebene Machtstruktur zusätzlich dadurch, daß der Machtausübende selbst nicht souverän über der Sache steht, sondern in vielen Beziehungen „verkrüppelt" ist; Caribaldi muß sich unter anderem mit einem Holzbein plagen.
„Die Welt ist eine Strafanstalt." Der geschlossene Raum eines Zirkuswagens, in dem die Personen sich quälen, ist Sinnbild für den Lebensraum des Menschen: „Die Welt ist eine Strafanstalt mit sehr wenig Bewegungsfreiheit, Hoffnungen erweisen sich als Trugschluß" (‚Die Kälte'). In den meisten Stücken Bernhards halten sich wenige, oft verkrüppelte Personen in einem hermetisch abgeschlossenen Raum auf. In ‚Ein Fest

für Boris' (1970) monologisieren Krüppel „Im Haus der Guten" (einer beinlosen Greisin), ‚Die Jagdgesellschaft' (1974) spielt im Jagdhaus eines todkranken und fast blinden Generals, ‚Vor dem Ruhestand' (1979) in einem Zimmer der Wohnung des ehemaligen SS-Offiziers und seiner Schwestern, von denen eine an den Rollstuhl gefesselt ist. Jedesmal handelt es sich um hermetisch abgeschlossene Räume, die an Sartres Stück ‚Geschlossene Gesellschaft' erinnern.

„Man muß unaufhörlich proben." Der Raum des Zirkuswagens weist auf die Sphäre der Kunst, die Bernhard immer wieder thematisiert. Artisten betätigen sich als Musiker, Künstlern wird also eine weitere Kunstfertigkeit aufgezwungen. Artistentum und Kunst liegen aber nicht außerhalb der Banalität und Häßlichkeit des Alltags. Sie wirken keinesfalls befreiend und erhöhend. Ihr Inhalt ist nur mechanisches Wiederholen und Üben: „Wer nicht übt/ist nichts/man muß unaufhörlich proben/unaufhörlich/verstehst du." Die Anstrengungen auf künstlerischem Gebiet enden ergebnislos. Caribaldi sammelt am Schluß resigniert Notenständer und Instrumente wieder ein. Die künstlerische Anstrengung hat nur zur Terrorisierung der Mitmenschen geführt. Andererseits kennt Caribaldi noch einen Traum von Vollkommenheit. Der Name des berühmten Cellisten Casals wird leitmotivisch in diesem Zusammenhang immer wieder genannt. Nach dem Probendebakel schaltet Caribaldi das Radio ein, und es ertönen fünf Takte des Forellenquintetts: Die Vollkommenheit klingt als Motiv an, ist aber nur durch ein Medium vermittelt und eigentlich unerreichbar.

„Mein ganzes Leben ist eine Qual." Auf dem Weg zur großen Kunst scheitern die Beteiligten an Banalitäten. Die am häufigsten genannte ist die nächste Station für den Zirkus, Augsburg, mit all seiner mühevollen Routinearbeit. Das Wort „Augsburg" zerstört jegliche positive Zukunftsdimension. Auch an den seltenen Stellen eines Rückblicks ist nur von Vergeblichkeit und Tod die Rede.

Die Vergeblichkeit von Disziplin und Anstrengung, vorgeführt auf dem Gebiet der Kunst, steht für die Vergeblichkeit alles menschlichen Handelns. Die Bühnengegenwart besteht aus einem Kampf mit alltäglichen Dingen (z. B. dem Kolophonium), die jede Aktivität scheitern lassen.

Die Funktionsbezeichnungen Dompteur, Jongleur und Spaßmacher werden durch „Geschöpf" und „Mensch" variiert: Sie stehen für den Menschen schlechthin. In ihren Text sind unvermittelt Sentenzen eingestreut, die als Lebensphilosophie des Autors verstanden werden dürfen: „Mein ganzes Leben/ist eine Qual", „Die Weltkörper sind Versteinerungen". Die Sentenzen gipfeln am Schluß des Stücks in die Feststellung: „Das Leben besteht darin, Fragen zu vernichten." Nicht nur das Leben ist sinnlos, sondern schon die Frage nach dem Sinn.

„Was Sie sagen, ist abgehackt." Die Sprache der Komödie ist ein genaues Spiegelbild existentieller Sinnlosigkeit. Die scheinbare Einfallslosigkeit und Armut abgehackter Dialogfragmente entspringen einer sprachkünstlerischen Intention – Bernhards Epik hingegen ist nuancen- und phantasiereich. Der Banalität und Trivialität der Wandlung entsprechen der Inhalt und die Form der Dialoge. Wiederholungen („Morgen in Augsburg") und Chiasmen sind die markantesten Stilmerkmale, „Sinnbild der statischen Struktur von Bernhards Werk und Weltsicht" (B. Hinrichs: Programmheft der Salzburger Uraufführung). Auch sprachlich kommt jeder Ansatz einer Anstrengung wieder zum Ausgangspunkt zurück: „Morgen Augsburg/in Augsburg morgen"; „Was Sie sagen, ist abgehackt/alles ist abgehackt/was Sie sagen". Daß Bernhard keine langen, verbundenen Sätze verwendet, sondern kurze, ‚abgehackte', erklärt er – aus dem Munde Caribaldis – mit den „Störungen", unter welchen die Personen leiden. An der Dialogführung läßt sich ablesen, daß die Fähigkeit zur Kommunikation kaum vorhanden ist. Die Personen reden oft aneinander vorbei oder monologisieren über weite Passagen, vor allem Caribaldi. Auch die Monologe sind voller Sprünge und Brüche. Eine Einheit des Bewußtseins scheint es nicht mehr zu geben. Diese Festellungen treffen auch auf die übrigen Stücke Bernhards zu.

Die Beziehung zur Biographie. Vergleicht man ‚Die Macht der Gewohnheit' und andere Stücke Bernhards mit Komponenten seines Lebenslaufs, wie er ihn in seinen autobiographischen Werken darstellt, so findet sich eine mannigfaltige Entsprechung der Themen und der Weltsicht. Besonders eindrücklich schildert er seine Internatszeit in Salzburg (1942/43 und 1945/46). Die Vernichtung des Menschen beginnt schon in der Kindheit, sowohl in der nationalsozialistischen als auch, nach dem Krieg, in der katholischen Schule.

Für den jungen Thomas Bernhard ist die hemmungslose Ausnutzung der Macht durch die Stärkeren der Grund, sich völlig zu isolieren. Er erlebt „das Alleinsein, das Abgeschnittensein" vor allem bei seinen Geigenübungen – Bernhard ist eine außergewöhnliche musikalische Begabung –, die in der Schuhkammer des Internats stattfinden. In der Isolation dieser Schuhkammer denkt der Junge jedesmal an Selbstmord und fragt sich später, ob er nicht besser gewesen wäre, „als diese alles in allem auf jeden Fall vollkommen fragwürdige Existenz, deren Inhalt mir jetzt bekannt ist, über Jahrzehnte fortzusetzen". Das Todesmotiv bestimmt seine Biographien. Er sieht Selbstmorde von Mitschülern, Kriegstote und Sterbende im Krankenhaus, als er wochenlang mit einer Rippenfellentzündung im Krankenhaus und später mit Tuberkulose im Sanatorium liegt. Insgesamt fühlt sich der junge Bernhard in einer Vernichtungsmaschinerie. Krankheiten und Gebrechlichkeiten zerstören von innen, die Umwelt von außen. Einziger Lichtblick ist der Großvater, der, wie der Enkel, eine Lebensmöglichkeit allein in der totalen Verweigerung findet.

10.3 Das „mentale Theater" des Botho Strauß: Ästhetik der Einbildungen als Ästhetik des Verlusts (‚Groß und klein')

Anders als Bernhard beschäftigt der Theaterkritiker, Redakteur (1967–1970) und Dramaturg Botho Strauß (geb. 1944) sich in der Theorie mit Inhalt und Form des Theaters, ehe er in seinen Stücken seine Theorie in die Praxis umsetzt. In dem Essay ‚Versuch, ästhetische und politische Ereignisse zusammenzudenken. Neues Theater 1967 bis 1970' (Theater heute, Oktober 1970) prüft Strauß die Versuche des Theaters, auf politische Ereignisse zur Zeit der Außerparlamentarischen Opposition (APO) um 1968 zu reagieren. Die dokumentarische Methode, die totale Infragestellung des Theaters, das Straßentheater, das Revolutionstheater mit konventionellen Mitteln – alle diese Versuche, zwischen „politischer Avantgarde und neuerer ästhetischer Praxis zu vermitteln", hätten sich als kurzlebig oder verfehlt erwiesen angesichts der Stabilität bürgerlicher Kunst. „Nach der Revolte" (s. o.) gewinnt für Strauß eine ästhetische Konzeption an Bedeutung, die während der Revolte noch als reaktionär und positivistisch beschimpft wurde: Peter Handkes Sprechstücke – Strauß nennt sie „mentales Theater". Handkes ‚Kaspar' (1968) gilt ihm als Beispiel eines Menschen unter der Herrschaft sprachlicher Strukturen. Handkes 1970 erschienenes Stück ‚Der Ritt über den Bodensee' schildert den Zusammenbruch des Reiters im Bewußtsein, einer realen Gefahr entkommen zu sein. Die entscheidenden Vorgänge der Stücke Handkes spielen sich also nicht in der Fabel, sondern im Bewußtsein der Personen ab. Strauß verteidigt dieses „mentale Theater" gegenüber dem Vorwurf, unpolitisch zu sein. Die Demonstration von Aufbau und anarchischem Verfall eines Bewußtseins scheint ihm die heutige Form des wissenschaftlichen Theaters zu sein, wie es Brecht gefordert habe. Die Verlagerung des Handlungsraums in Erinnerungen, Sehnsüchte und Phantasien ist „unmittelbares Produkt der Zwangslage, daß das Individuum keinen Aktionsraum mehr hat inmitten einer Gesellschaft, welche nur zur Raison zu bringen versteht, welche im Namen der Vernunft eine perverse Unterdrückungsherrschaft ausübt". Der Wahnsinn, dem der Reiter nach seinem Ritt verfällt, entspricht der Befindlichkeit des heutigen Menschen: „Zur Zeit ist das Irresein, so scheint es, eine ganz gewöhnliche Metapher für das Befinden des Individuums überhaupt, für die internierten Kräfte seiner Phantasie." Dieser Realitätsverlust des heutigen Menschen und seine Auswirkungen sind das Grundthema seiner literarischen Produktion.

Nur der Schriftsteller hat noch die Möglichkeit, Vergangenheit zu bewahren; Strauß nennt ihn in der ‚Widmung' „Sachwalter früherer Emotionen". Er ist aber kein Deuter der Welt mehr. Das vom Verlust gekennzeichnete, nur noch aus Entlehnungen bestehende Bewußtsein ist ein Geflecht unterschiedlicher Ebenen. Zur ästhetischen Darstellung dieser „Realität der Einbildungen" benutzt Strauß nicht den linguistischen Strukturalismus der frühen Werke Handkes, sondern fordert eine „archäologische Sensibilität" (er exemplifiziert diesen Begriff bezeichnenderweise an einem Film). Gemeint ist ein kritischer und wertender Umgang mit den Traditionen des bürgerlichen Dramas. In der Kombination von formalen und inhaltlichen Zitaten findet eine Vermittlung statt „zwischen politischer Avantgarde und neuerer ästhetischer Praxis".

Im „mentalen Theater" regeneriere sich das bürgerliche Theater aus sich selbst, wie es in der Geschichte des Dramas immer wieder geschehen sei. Unter den vielen historischen Komponenten der Dramatik, die Strauß für die Gegenwart seiner Bühnenwelt aktiviert, ist die in Strindbergs Tradition stehende phantastisch-irreale die auffallendste, weil man diese Stilrichtung in den sechziger Jahren als überholt betrachtet und statt dessen einem dokumentarischen Realismus gehuldigt hatte.

Die Isoliertheit des Menschen. Alle Werke von Botho Strauß handeln von der Isoliertheit des Menschen. Die Menschen sind nur „Rücken an Rücken Vereinte", wie es in der ‚Trilogie des Wiedersehens' heißt. Nur im Verlust werden die Personen sich dessen bewußt, was sie am anderen Menschen gehabt haben, weil sie keine Erlebnisfähigkeit in der jeweiligen Gegenwart besitzen.

In ‚*Groß und klein*' hat Lotte, eine Frau Mitte Dreißig, ihren Mann an eine andere Frau verloren. Sie reist durch die Gegenwartswelt der Bundesrepublik Deutschland, um einen „Menschen" zu finden. Dem entspricht die Form eines locker gefügten *Stationendramas mit zehn Szenen.* Die einzelnen Stationen folgen recht unverbunden aufeinander, werden aber durch die Hauptfigur und ihre Intention zusammengehalten. Sie repräsentieren Lebensbereiche von Menschen in der Bundesrepublik Deutschland. Lotte ist als Touristin in Marokko, schaut in die Wohnung eines reichen Ehepaares, möchte sich in eines der zehn Zimmer einer Wohngemeinschaft einmieten, besucht eine Freundin in Essen, ihren Bruder und dessen Familie auf Sylt, wird Sekretärin und Geliebte eines Verwaltungsangestellten, sucht Kontakt zu einem „Mann im Parka" und stöbert dabei im Abfallkorb einer Bushaltestelle. In der letzten Szene wird sie aus dem Sprechzimmer eines Arztes gewiesen, nachdem sie am Ende der Sprechstundenzeit erklärt, daß ihr nichts fehle. Auf ihrer Suche hat sie die Landschaft und die Gesellschaft der Bundesrepublik Deutschland durchmessen. Einen „Menschen" hat sie nicht gefunden.

Die entfremdete Welt als Fluchtraum. Lottes Stationen in ‚*Groß und klein*' sind keine Stationen einer Entwicklung, sondern Stationen einer Flucht. Jede Fluchtbewegung endet folgen- und perspektivenlos. Auch die Menschen, die sie trifft, fühlen sich in ihrem Lebensraum nicht heimisch, ob im Ausland auf einer Reise, in einer mondänen Wohnung, in einer Wohngemeinschaft, im Büro, in einem Mietshaus oder im Garten eines Neureichenheims auf Sylt. In diesem Garten werden die Gartenmöbel einbetoniert, alles „bewegliche Gut" wird angekettet: Auf die Unsicherheit reagieren die Figuren mit künstlichen Sicherheitsvorkehrungen.

Der Verlust der Handlungs- und Erlebnisfähigkeit. Die Personen, denen Lotte begegnet, leben im Zustand des Unbefriedigtseins und der unerfüllbaren Sehnsüchte. Eine Frau träumt von einer Karriere als Mannequin (II), eine alte Frau von der Rückkehr ihrer Tochter (II, 4). Ein Assistent und eine Assistentin haben jahrelang an einem sinnlosen wissenschaftlichen Werk gearbeitet. Lottes ungetreuer Mann Paul, ein Publizist, klagt darüber, daß er in diesen Zeiten nichts schreiben könne: „In den siebziger Jahren finde sich einer zurecht." Auch Lotte lebt weniger in der Gegenwart als zwischen ihren Erinnerungen an die Vergangenheit und unrealistischen Plänen für die Zukunft. Sie war Krankengymnastin und betreibt ihre Scheidung, um mit einem Stipendium zu studieren und freie Graphikerin zu werden. Aber sie scheitert schon bei ihren ersten Versuchen, selbständig zu sein.

Insgesamt ist das Bewußtsein der Bühnengestalten von Phantasien bestimmt. Selbst Erinnerungen scheinen keine empirische Realität zu haben, und die Zukunftsvisionen sind unrealistisch. Die Gegenwart ist unbefriedigend und unausgefüllt. Man handelt nicht, sondern wartet und hofft. In den siebziger Jahren scheint man jeder sinnvollen Tätigkeit und somit sich selbst entfremdet.

Die Phantasien und Träumereien sind an die Stelle echter Erlebnisfähigkeit getreten. Im Stück wird dieser Tatbestand im Verhalten der Bühnengestalten vorgeführt, in der ein Jahr vorher erschienenen Erzählung ‚Die Widmung‘ ausdrücklich mit der Wachstumsideologie und mit politischer Perspektivelosigkeit der Nachkriegszeit begründet:

Ein junger Mann, ein einunddreißigjähriger Buchhändler, sitzt in seinem Zimmer und versucht über sich Rechenschaft abzulegen, nachdem ihn seine Freundin verlassen hat: „Nach einunddreißig Jahren, denkt er, äußerlich gesehen, ein halbes Leben ohne Biographie. Stille Epoche, die keine Schicksale macht. In der er nicht richtig reif werden konnte. Von Bewußtseinsbeginn bis auf den heutigen Tag ein und derselbe starrausdauernde Zustand, ein Zustand mit Wachstum, Komfort und Reform, aber ohne politische Kraft, ohne Kämpfe, ohne Ruptur. Dreißig Jahre ausgewogener Gegenwart, in der er groß wurde und klein blieb, der dicke Geist über dem Kopf, den unsere Existenz nicht in Bewegung setzen konnte."

Der Verlust der Kommunikationsfähigkeit. Statt eines Lebens, das eine Biographie aufweist (mit einer Entwicklung und einem Ertrag), führen die Bühnenfiguren in ‚Groß und klein‘ ein entlehntes, schicksalloses, entfremdetes Leben. Fremd wie sich selbst stehen sie auch ihren Mitmenschen gegenüber. Die zwischenmenschliche Kommunikation ist gestört, unmöglich oder durch Medien ersetzt. Vergangene Wirklichkeit wird von den alten Leuten (in Szene II, 6) beschworen durch die Projektion von Dias. In Ermangelung einer lebendigen Erinnerung nehmen sie eine technische Konserve zu Hilfe und lesen einen 'vorbereiteten' Text dazu vor: Auch die Erinnerung ist durch die Bilder geprägt, die von Medien vermittelt werden.

Das Ersetzen menschlicher Produktivität durch technische Konserven bildet auch das traurige Ende der Musikerprobe in Bernhards ‚Macht der Gewohnheit‘ (s. o.). In der Titelszene ‚Groß und klein‘ besucht Lotte ihre Jugendfreundin. Die Fremdheit der beiden ehemalig Vertrauten erweist sich darin, daß die Freundin nie sichtbar wird und sich mit Lotte lediglich über eine Sprechanlage unterhält. Ein technisches Medium reduziert somit die zwischenmenschliche Kommunikation auf die unpersönliche monologische Äußerung. Für Lotte ersetzt anfänglich der Fernsehapparat die verlorengegangene Realität, selbst als Objekt ihrer künstlerischen Arbeit: Sie malt Fernsehbilder ab. Der Fernsehapparat als Ersatz und Grund für den Realitätsverlust ist ein bei Strauß häufig auftauchendes Thema. Das Fernsehen vermittelt dem modernen Menschen das Bild von der Welt, das er sich nicht mehr selbst machen kann. Den „fernsehdurchspülten Köpfen" (‚Die Widmung‘) geht jeder Wirklichkeitsbezug vollends verloren, sie sind wie auf eine Droge auf diese vermittelte Scheinwirklichkeit angewiesen. Lotte emanzipiert sich davon.

Im Zehnzimmerhaus übergibt sie den Fernsehapparat, sozusagen zusammen mit ihrem Mann, der Freundin des Mannes und versucht, sich auf die 'wirkliche' Welt einzulassen.

Die Flucht in Ersatzhandlungen. Aufgrund der Unmöglichkeit, ein erfülltes Leben zu leben, flüchten sich die „dicke Frau" ins Rauschgift, die Ehefrau des Bruders in den Alkohol, das alte Ehepaar in Erinnerungen, die Akademiker in wissenschaftliche Kleinarbeit. Die Flucht in eine Leistung um ihrer selbst willen ist in ‚Groß und klein‘ nur ein Fluchtmotiv unter vielen, in der ‚Trilogie des Wiedersehens‘ ist es zentral: Ein

Paar übt verbissen, aber vergeblich für ein Tanzturnier – die Parallele zu Caribaldis Musikproben drängt sich auf.

Als Fluchtburg betrachtet der Autor die Freizeitindustrie der Bundesrepublik Deutschland mit ihren leeren Wochenenden (die alte Frau spritzt sich aus „Angst vorm Sonntag").

Die häufigste Fluchthandlung ist das In-sich-Verkriechen in die Isolation. Ein Mädchen verkriecht sich aus Scham, weil ihre Mutter sie im Stich gelassen hat, mit ihrem Kummerspeck buchstäblich für immer in ein Zelt.

Die Archäologie der Formen. Dem Nebeneinander sehr unterschiedlicher Strukturen im modernen Bewußtsein entspricht die künstlerische Form, für die Botho Strauß die Formel „archäologische Sensibilität" geprägt hat. Für ein dramatisches Werk wie ‚Groß und klein' heißt das, daß eine Fülle von historischen dramatischen Gestaltungsmitteln verarbeitet ist. Überaus lange Monologe wechseln mit dem Stakkato kurzatmiger Dialoge, personenreiche Gespräche mit Pantomimen. Die Palette des Stils enthält einen dokumentarischen Realismus (etwa das Gespräch eines Essener Jungrockers mit seiner Freundin in breitestem Dialekt) über Zufallsdramatik des Boulevards, einen an Ibsen erinnernden Realismus in den Familienszenen, die Verwendung von Symbolen (Lottes immer mehr verbleichendes Kostüm), eine bis zu religiöser Inbrunst sich steigernde Sentimentalität bis zu absurd-irrealen Passagen (das Mädchen im Zelt), bei denen, wie bei Strindbergs ‚Traumspiel', poetische Schönheit an die Stelle des Sinnzusammenhangs treten kann. Inhaltliche Zitate vervollständigen das Bild der Gleichzeitigkeit alles Vergangenen. Die Personen führen nicht nur eine entlehnte Existenz, sie sprechen auch eine entlehnte Sprache, in Filmtiteln, Phrasen, Schlagertexten, Zitaten aus Dichtungen und aus der Bibel.

Da der Film sehr geeignet ist, Strauß' Bewußtseinstheater abzubilden, befaßt sich der Autor mit diesem Medium intensiv (z. B. bei der Verfilmung von Gorkis ‚Sommergästen' [1974]) und verwendet in seinen Stücken filmische Schnittechniken – konstitutiv in der ‚Trilogie des Wiedersehens', gelegentlich in ‚Groß und klein'.

Auch im Bühnenbild zitiert Strauß, z. B. vor Beginn des Lichtbildervortrages Ionescos ‚Stühle'. Die Berliner Uraufführung versuchte dieser Konzeption gerecht zu werden und aktivierte verschiedene historische Bühnenformen. In den sechziger Jahren wollte man von der Guckkastenbühne wegkommen und spielte in 'realistischen' Räumen, in Fabriken, Schulen oder in leeren Proberäumen. Die Uraufführung fand in einer Halle der Spandauer Filmstudios statt; in diese Halle wurde mit viel Aufwand eine Guckkastenbühne eingebaut – Sinnbild einer wieder künstlich installierten Ordnungswelt.

Die Gleichzeitigkeit des Ungleichen – Die Diskontinuität der Handlung. Da Botho Strauß weder für seine Gestalten noch für sich selbst als Schriftsteller die Deutung der Existenz für möglich hält, ist auch das Handlungsgefüge eine Ansammlung 'archäologischer' Sinnzusammenhänge, dessen Brüche und Verwerfungen nicht erklärt werden und nicht erklärt werden sollen; so die 'unlogische' Liebe Lottes zu ihrem sehr unfreundlichen, alten Mann, der Text zu dem Diavortrag des alten Ehepaares, das blutende Buch im Monolog der siebten Szene oder die Motorradausrüstung und der Schlitten Lottes.

Die Diskontinuität ist in ‚Groß und klein' gegenüber den früheren Werken abgeschwächt. In den ‚Hypochondern' vermischen sich Liebesgeschichte, Kriminalgeschichte und Familienmelodram auf unerklärliche Weise. In ‚Bekannte Gesichter, gemischte Gefühle' schlägt die Darstellung der Alltagswirklichkeit von sieben Hotelangestellten plötzlich um in eine Traumwelt mit märchenhaftem Schluß. In der ‚Trilogie des Wiedersehens' verwickeln sich die Personen, Mitglieder eines Kunstvereins, immer mehr in ihre Einbildungen.

Die Gesamthandlung in ‚Groß und Klein' ist vieldeutig. Einzelne Inszenierungen und die Kritiken unterscheiden sich in der Auslegung stark. Die Schlußszene spielt dabei eine Schlüsselrolle. Ist Lotte hier eine heruntergekommene Stadtstreicherin, die keinen Arzt, sondern einen Psychiater braucht? Die Uraufführung legte diese Interpretation nahe. Oder ist sie (wie in der Bochumer Inszenierung 1980) am Ende ihres Selbstfindungsprozesses angelangt? Dann wäre ihr letzter Satz: „Mir fehlt nichts" zu glauben und ernst zu nehmen. Sie hätte dann, von Station zu Station, im Kontrast zur Gesellschaft, Selbstsicherheit gewonnen, durch Entfremdung von einer entfremdeten Welt. Ist sie dann eine der „sechsunddreißig Gerechten", von denen sie spricht? Ihre Ausbrüche einer inbrünstigen Religiosität sind bemerkenswert, weil hier am Ende der siebziger Jahre ein Autor nicht nur gesellschaftliche und psychologische, sondern auch metaphysische Fragen aufwirft.

10.4 Thomas Bernhards Lebensekel und Botho Strauß' skeptischer Realismus

Die Bestandsaufnahmen der siebziger Jahre durch die Autoren Bernhard und Strauß ähneln sich in ihrem Ergebnis: Die moderne Zeit bringt verkrüppelte Menschen hervor. Doch offenbaren sich deutliche Unterschiede bei genauerer Betrachtung in bezug auf den Ausgangspunkt ihrer Analyse, ihrer Darstellung und ihrer Ergebnisse. Bei Bernhard endet die Lebensphilosophie im Lebensekel. Die Mischung aus bitterem Ernst und grotesker Komik ist geprägt von seiner österreichischen Tradition eines Nestroy, Qualtinger oder Heller; eine Mischung aus Faszination und Ekel dem Leben, von Liebe und Haß der Heimat gegenüber. ‚Die Macht der Gewohnheit' ist, wie vorher ‚Der Ignorant und der Wahnsinnige', eine Auftragsarbeit für die Salzburger Festspiele, über die Bernhard in seiner Biographie ‚Die Ursache' ein vernichtendes Urteil fällt, also für Festspiele in einer Stadt, in der er seine entsetzliche Internatszeit verlebte. Bernhard verurteilt unterschiedslos alle Sozialisationsinstanzen zu jeder Zeit. Die Absurdität des Daseins erweist sich ihm als schicksalhaft und unentrinnbar. Montaignes Denken und dessen Weg der Selbstfindung, auf den er sich beruft, ist zusammengeschrumpft auf eine Zerstückelung des Lebens in gleichförmige Sinnlosigkeiten. Bernhards Aussagen über die Existenz sind undifferenziert und haben dadurch wenig analytische Kraft. „Wir wollen das Leben nicht/aber es muß gelebt werden." Die Frage, warum er selbst weiterlebt und schreibt, läßt der Autor offen. Für ihn, so äußert er sich in einem Interview, schließt die Unveränderlichkeit und das Gleichgültige des Seins auch den Sinn jeder Frage nach Veränderung oder Bewertung aus.„Der Schriftsteller verändert nicht nur nicht die Welt, er interpretiert sie auch nicht mehr." Alle moralischen Fragen nach einer Veränderung und nach der Funktion von Schriftstellerei verfehlen diese negative Lebensphilosophie. „Schreiben ist eine krankhafte Leidenschaft" wie Leben oder wie Quintettspielen.
Man kann Bernhards Werk unter sozialgeschichtlichem Aspekt interpretieren (wie es der Redakteur B. Strauß getan hat, s. o. S. 647 ff.) als Bestandsaufnahme des „Befindens des Individuums" in unserer Zeit. Dadurch gewinnt es einen größeren Wirklichkeitsgrad, als wenn man die ‘Ewigkeitssätze’ des Autors allzu ernst nimmt.
Beachtlich ist die kunstvolle Form der Komödie ‚Die Macht der Gewohnheit'. Wie bei einem Musikstück verbinden sich einzelne Motive, die mit wechselnden Tempi erklingen. Bernhard hat allein durch die Form seines Werkes die Demonstration der Unmöglichkeit aller Kunst widerlegt.
Im Gegensatz zu Bernhard denkt und schreibt *Botho Strauß* als Soziologe gesellschaftsbezogen. Seine ersten Stücke sind so stark verschlüsselt, daß er als romantischer Esoteriker mißverstanden wurde. ‚Die Hypochonder' und ‚Bekannte Gesichter, gemischte Gefühle' befassen sich mit Deformationen der Menschen aus der Mittelschicht, in der ‚Trilogie des Wiedersehens' ist es ein enger Kreis von Kunstliebhabern, vergleichbar der hermetischen Abgeschlossenheit Bernhardscher Gesellschaf-

ten. In ‚Groß und klein' erweitert Strauß sein formales und soziales Spektrum, so daß eine umfassende Bestandsaufnahme des Lebensgefühls und Bewußtseins in der Bundesrepublik Deutschland entsteht. Strauß' gesellschaftlich-historischer Ansatz bietet, trotz der weitgehend negativen Ergebnisse, die Möglichkeit einer Weiterentwicklung.

Vergleich der Existenzmodelle von Bernhard und Strauß mit Brechts Parabeln. Eine Diskussion um die verändernde Wirkung von Dramatik ist eine Diskussion über die Nähe oder Ferne zum Dramatiker Brecht. Strauß und Bernhard zeigen auf der Bühne Existenzmodelle und montieren einzelne Versatzstücke aus der Wirklichkeit. Doch diese formalen Ähnlichkeiten dürfen von dem grundsätzlichen Unterschied nicht ablenken, da ihren Modellen ein Praxisbezug fehlt, der für die Gesellschaftsveränderung eine Perspektive abgibt. Die in der wissenschaftlichen Analyse der Gesellschaft verankerte Parabel Brechts setzt den Schriftsteller als Interpreten der (gesellschaftlichen) Wirklichkeit voraus. Das 'mentale' Theater mißtraut, im Sinne Handkes, dem Optimismus der 'Spielmodelle' Brechts und beschränkt sich, an Horváth erinnernd, auf eine „Demaskierung des Bewußtseins".

11 Alltagslyrik

Gedichtbände einzelner Autoren:
Jürgen Becker: Das Ende der Landschaftsmalerei (1974)
Nicolas Born: Das Auge des Entdeckers (1972)
Rolf Dieter Brinkmann: Westwärts 1 & 2 (1975)
F. C. Delius: Ein Bankier auf der Flucht (1976)
Ludwig Fels: Alles geht weiter (1977)
Erich Fried: Die bunten Getüme (1977)
Peter Hamm: Der Balken (1981)
Günter Herburger: Ziele (1977)
Michael Krüger: Reginapoly (1976)
Karin Kiwus: Von beiden Seiten der Gegenwart (1976)
Klaus Konjetzky: Poem vom Grünen Eck (1975)
Rainer Malkowski: Einladung ins Freie (1977)
Helga M. Novak: Ballade vom kurzen Prozeß (1975)
Roman Ritter: Einen Fremden im Postamt umarmen (1975)
Peter Rühmkorf: Haltbar bis Ende 1999 (1980)
Johannes Schenk: Zittern (1977)
Godehard Schramm: Meine Lust ist größer als mein Schmerz (1975)
Ralf Thenior: Traurige Hurras (1977)
Jürgen Theobaldy: Zweiter Klasse (1976)
Wolf Wondratschek: Chuck's Zimmer (1975)
Peter-Paul Zahl: Alle Türen offen (1977)

Anthologien:
Mit gemischten Gefühlen (Lyrik-Katalog). Gedichte, Biographien, Statements (1978)
In diesem Lande leben wir (1978)
Neue Expeditionen. Deutsche Lyrik von 1960 bis 1975 (1975)

Die Literaturproduktion der siebziger Jahre ist reich an Lyrik. Sie kommt unter den Schlagworten 'Alltagslyrik', 'neue Innerlichkeit' oder 'Neosubjektivismus' auf den Markt.

Im Sommer 1977 fand in Hamburg das 'Erste Bundesdeutsche Lyrik-Festival' statt und im selben Jahr eine umfangreiche Lyrik-Diskussion in der Literaturzeitschrift ‚Akzente'. Einige Literaturkritiker begrüßten die Rückkehr der Lyrik vom politischen Gebrauchswert zur 'Nutzlosigkeit' des Gedichts und wollten in der neuen Subjektivität lediglich einen Rückzug ins Private – als Reaktion auf die Politisierung der Literatur in den späten sechziger Jahren – sehen. Wenn auch jene Zeit, die den Tod der Literatur erklärte und in der Dokumentar-Literatur, im Straßentheater und Politgedicht Objektivität verlangte, dem lyrischen Ich jede Existenzberechtigung abzusprechen schien, so ist doch der nachfolgende Prozeß der Subjektivierung kein Rückzug in die Innerlichkeit.

Das Ich, das in der Lyrik der siebziger Jahre zur Sprache kommt, sucht die Kommunikation mit anderen: „Was wir formulieren, denken nicht wir allein. Was wir fühlen und was uns schmerzt, ist zugespitzter Ausdruck des Verlangens vieler" (Herburger). Die neue Generation von Lyrikern ist von der Studentenbewegung entscheidend geprägt und kann, auch wenn sich die Hoffnungen auf Solidarität nicht erfüllt haben, auf eine Gemeinsamkeit der Erfahrung zurückgreifen, die dem Subjekt die Funktion des stellvertretenden Sprechens erlaubt:

„Es geht nämlich heute um ein Subjekt als einer sozialen Größe, durchdrungen von gesellschaftlichen Widersprüchen, und nicht um ein Ich. [...] Dies aber stellt eine der Leistungen der neuen Lyrik dar, das Subjekt und sein Leben nicht von der politischen Geschichte abzutrennen" (Theobaldy).

Doch noch in anderer Hinsicht greift der Versuch, die neue Lyrik als Reaktion auf die Politisierung zu erklären, zu kurz. Denn die Lyrik dieser jüngeren Generation wie vor ihr die der politischen Lyriker richtet sich zuallererst gegen die Nachkriegslyrik, die nach dem Aufschwung in den fünfziger Jahren zu Beginn der sechziger in eine Krise geraten war: Sie war für den Leser – durch ihre Metaphorik und Verkürzungen – immer schwerer verständlich und am Ende nur noch eine Angelegenheit für einen elitären Kreis von Spezialisten.

„Das hermetische Gedicht der Nachkriegsjahre [...] war an niemanden mehr gerichtet. Mit Gottfried Benn verstanden sich die Lyriker als einsame, gesellschaftlich uninteressante Existenzen, die ihre Gedichte einem imaginären Bereich von Kunst überantworteten, der in Wahrheit doch gesellschaftlich produziert war und ist. Die Betonung der Form bei dem gleichzeitigen Versuch, Inhalte als außerkünstlerisch zu tilgen, ja zu denunzieren, hatte ein fortschrittliches Moment. Es bedeutete das endgültige Ende einer lyrischen Tradition, die sich über die Zeit des Nationalsozialismus hinweg als Bewahrer christlich-abendländischen Geistesguts begriffen hatte und in der unmittelbaren Nachkriegszeit als Trostspender sofort wieder präsent gewesen war" (Theobaldy).

„Umgang mit der Realität", „Auseinandersetzung mit den Augenblickselementen" und „Verständigung über bekannte Bedürfnisse" fordert Walter Höllerer bereits 1965 in seinen ‚Thesen zum langen Gedicht'. Er empfiehlt dem Lyriker „ganze Sätze und längere Zeilen", damit das bis zur Sinn-Entleerung reduzierte Gedicht sich wieder mit Inhalt anfüllen und der gesprochenen Sprache annähern könne, und lehnt „Feiertäglichkeit" und „erzwungene Preziosität" ab.

Peter Rühmkorf weist schon in seinem 1960 erschienenen Aufsatz ‚Das lyrische Weltbild der Nachkriegsdeutschen' auf die Gefährdung des Gedichts „durch seine kopflose Zeit- und Wirklichkeitsflucht" hin. Günter Herburger plädiert für banale Alltagswirklichkeit und kritisiert die poetische Überhöhung: „Diese Saisonelegiker, die im Frühjahr die Blüten und im Herbst die Kartoffelfeuer riechen, sollen endlich ihre Autos, in denen sie sitzen, auch mit ins Spiel bringen, dann werden sie vielleicht wieder lesbar" (‚Dogmatisches über Gedichte', 1967). Er wünscht sich „Gedichte wie vollgestopfte Schubladen". Auch Rolf Dieter Brinkmann sieht in der banalen Situation den Ausgangspunkt für ein Gedicht: „Es gibt kein anderes Material als das, was allen zugänglich ist und womit jeder alltäglich umgeht, was man aufnimmt, wenn man aus dem Fenster guckt, auf der Straße steht, an einem Schaufenster vorbeigeht [...]." Beeinflußt von der amerikanischen Beat- und Underground-Lyrik und vom Programm einer postmodernen Anti-Kunst Leslie Fiedlers, will er mit der Verwendung von Umgangssprache und Trivialmythen ein anderes Publikum erreichen.

Die Etiketten 'Neue Sensibilität', 'Neosubjektivismus' und 'Alltagslyrik', die man der Lyrik der siebziger Jahre aufgeklebt hat, sind zwar nicht falsch, decken aber nicht die ganze Breite der Formen und Inhalte ab. Es gibt die freie Form, die spontane Lebensäußerung ebenso wie die handwerklich durchgearbeitete; und neben langen oder langzeiligen Gedichten finden sich solche von epigrammatischer Kürze. Ende der sechziger Jahre geht es den Dichtern besonders darum, „eine nur in einem Augenblick sich deutlich zeigende Empfindlichkeit konkret als snap-shot festzuhalten" (Brinkmann), „jeden Augenblick neue Überraschungen verwerten zu können" (Herburger). „Reim und Strophe können nur noch als ironische Zitate behandelt werden, ich habe keine Zeit, mich mit starren Formen aufzuhalten" (Herburger). Man will – nach den „kosmischen Verschwommenheiten" der Hermetiker – wieder genau sprechen und diese Genauigkeit nicht durch Formzwänge einengen. Bereits ein Jahrzehnt später jedoch verteidigt Herburger erneut die Artistik des Reimens wegen ihrer „Leichtigkeit inmitten sozialer Schwere", und Rühmkorf führt die Freude am Zusammenklang von Reimpaaren auf frühkindliche Stadien zurück.

Ganz allgemein gesagt, überwiegt in der Lyrik der siebziger Jahre die Wahrnehmung und Mitteilung von konkreten Erfahrungen der Lebenspraxis im Kontext von politischen Gegebenheiten und Veränderungen. Bis in die scheinbar ganz privaten Liebesgedichte hinein ist der Zeitbezug deutlich.

> „All diese Autoren sind keine Hermetiker, schreiben keine zeitenthobenen, geschichtsabgewandten Gedichte. Ihre Erfahrungen sind konkret faßbar und Ausdruck individuellen Lebens, sie sind – meinetwegen – subjektiv, aber sie ersticken nicht in der Dumpfheit des Privaten" (Peter M. Stephan).

11.1 Ich-Erfahrung und die Verständigung mit anderen

Die auf die politischen Erfahrungen der sechziger Jahre zurückgehenden Gemeinsamkeiten der jüngeren Lyriker ermöglichen in den Rückblicken und gegenwärtigen Zustandsbeschreibungen eine unmittelbare Verständigung mit Gleichgesinnten, in denen die subjektiven Einsichten, Übereinstimmung voraussetzend, als allgemeine ausgesprochen werden. Daß die neue Lyrik, wie ihr die Literaturkritik vorwirft, dadurch wie ein Medium der Selbstverständigung und Selbstbestätigung einer kleinen Gruppe in aussichtsloser Zeit" (Jörg Drews) wirkt, bestätigen auch eine Anzahl von Widmungsgedichten (z. B. ‚Brief an Born in Berlin' von Delius) und Anspielungen, die nur von Insidern verstanden werden. Auf diese Weise schränkt sie jedenfalls den Leserkreis ein, während sie andererseits das Lebensgefühl einer Generation wiederzugeben versucht.

Michael Krüger: Nachgedicht

Die Zeichen sprechen
eine andere Sprache:

das ist ihr gutes Recht.
Wir haben uns zu fest
auf ihre Zweideutigkeit
verlassen,

jetzt sind wir beleidigt
und schweigsam. Schon wieder

sitzen wir fest
auf fremden Stühlen und wühlen
ergeben in Papierbergen. Vieles
reimt sich wieder,

was uns vor ein paar Jahren
wie ein Versprecher vorkam.

Krüger benutzt die erste Person Plural für die Beschreibung der Veränderungen zwischen damals (der Zeit der Studentenrevolte) und heute: Er spricht von den Erfahrungen einer Generation, die sich nach ihrem Protest enttäuscht zurückzieht und sich schließlich mit den Gegebenheiten abfindet. Die Vorgänge haben ihre Entsprechungen in der Sprache und sind an ihr ablesbar. Der Versuch, den konventionell gebrauchten oder manipulierten Wörtern einen neuen Sinn zu geben, ist gescheitert. Übereinstimmung, Zusammenklang, Einvernehmen mit dem herrschenden Sprachgebrauch haben sich nun wieder eingestellt. Was sich reiben sollte, reimt sich erneut.

Der Platz in der Gesellschaft, den man inzwischen eingenommen hat, wird allerdings als fremd empfunden („fremde Stühle"), der Gegenstand der Arbeit erscheint sinnlos („Papierberge"), die Tätigkeit selbst unbefriedigend („wühlen"). Die Mutlosigkeit, die in diesem Gedicht zum Ausdruck kommt, ist mit Selbstkritik verbunden. Sie ist gegen die Bewegungslosigkeit („festsitzen") und Gefügigkeit („ergeben") gerichtet, ohne jedoch einen Weg aus diesem Zustand heraus zu weisen.

Nach dem hoffnungsvollen Aufbruch der späten sechziger Jahre ist eine resignative Rückschau nicht verwunderlich, doch läßt sich die neue Lyrik darauf allein nicht festlegen. Neben melancholischen Attitüden gibt es doch auch noch den spontanen Ausbruch in die Freiräume der Phantasie und Gegenentwürfe, neben Wehleidigkeit auch vitalen Eifer. In *Peter Rühmkorfs* Gedicht ‚Von mir zu euch für uns' folgt auf die Frage: „Wo waren wir stehen geblieben,/*damals,*/Sommer Siemundsechzig?" die Schlußstrophe:

> Nein, ich will weg von hier und zwar:
> wie dieser Kugelschreiber, wenn er auf den Rest
> geht, nochmal richtig loskleckst,
> werd ich ungebremst
> auslaufen wie verrückt und offen hinschmiern:
> Richtig, *ich red von mir*
> *zu euch,*
> *für uns.*

11.2 Momentaufnahmen des Alltags

Zum Programm der neuen Lyrik gehört, daß alles, auch das Banale, im Gedicht Platz haben und als authentische Erfahrung mitteilenswert sein soll. Wie jemand die konkreten Erfahrungen seines ganz alltäglichen Lebens im Tagebuch festhält, so beschreibt das lyrische Subjekt, wie es die Welt in den Dingen des Alltags erlebt: beim Frühstück oder bei der Arbeit, allein oder in Beziehung zu anderen, im Straßenverkehr oder in der Kneipe. Die Bilder, die durch das Festhalten von Wahrnehmungen entstehen, bleiben häufig in der Vordergründigkeit und Beliebigkeit einer Postkarten-Ansicht. Oft aber deuten sie auch an, daß dem augenblicklichen Zustand nicht zu trauen ist, daß unter der Oberfläche sich bereits etwas Bedrohliches anbahnt.

> *Rolf Dieter Brinkmann: Oh, friedlicher Mittag*
>
> mitten in der Stadt, mit den verschiedenen
> Mittagessengerüchen im Treppenhaus. Die Fahrräder
> stehen im Hausflur, abgeschlossen, neben
> dem Kinderwagen, kein Laut ist zu hören.
>
> Die Prospekte sind aus den Briefkästen
> genommen und weggeworfen worden. Die Briefkästen
> sind leer. Sogar das Fernsehen hat die türkische
> Familie abgestellt, deren Küchenfenster

zum Lichtschacht hin aufgeht. Ich höre
Porzellan, Teller und Bestecke, dahinter
liegen Gärten, klar und kühl, in einem blassen
Frühlingslicht. Es sind überall die seltsamen

Erzählungen von einem gewöhnlichen Leben ohne
Schrecken am Mittwoch, genau wie heute. Der Tag
ist, regenhell, verwehte Laute: oh friedlicher
Mittwoch mit Zwiebeln, auf dem Tisch,

mit Tomaten und Salat.
Die Vorhaben und Schindereien sind
zerfallen, und man denkt, wie friedlich
der Mittwoch ist

Wolken über dem Dach, blau, und
Stille in den Zimmern, friedlich und still und
genauso offen wie Porree, wie Petersilie grün ist
und die Erbsen heiß sind.

In diesem Gedicht ist eine scheinbar ganz gewöhnliche Alltagssituation festgehalten:
ein Mittwoch mittag mit den Banalitäten von Essensgerüchen, leeren Briefkästen
und einem Salat auf dem Tisch. Die Zeilen sind willkürlich gebrochen. Bilder, Geräusche und Gerüche sind für den Leser geradezu sinnlich wahrnehmbar. Man könnte an
eine Idylle des einfachen Lebens denken, wenn nicht immer wieder betont würde,
wie friedlich und still es ist. Mittwoch und Mittag beschreiben einen Zwischenzustand – ein „Leben ohne Schrecken" –, der außerordentlich zerbrechlich und gefährdet zu sein scheint, da er wiederholt erwähnt wird. Der Frieden und die Stille werden
nicht mehr lange anhalten; weil „Vorhaben und Schindereien" vorübergehend an
den Rand getreten sind, ist nun nichts Bedrängendes da; mit den abgeschlossenen
Fahrrädern, dem abgestellten Fernseher und den weggeworfenen Prospekten bleibt
für eine Weile die Außenwelt ausgesperrt. Gegenwärtig sind nur Wahrnehmungen
und Empfindungen.
Auch in der Liebeslyrik steht die Glückserfahrung des Augenblicks unter dem Eindruck ihres Vorübergehens. Die Fragilität der Beziehungen kommt in ihr ebenso zur
Sprache wie das veränderte Rollenverständnis von Mann und Frau.

Karin Kiwus: Fragile

Wenn ich jetzt sage
ich liebe dich
übergebe ich nur
vorsichtig das Geschenk
zu einem Fest das wir beide
noch nie gefeiert haben

Und wenn du gleich
wieder allein
deinen Geburtstag
vor Augen hast
und dieses Päckchen
ungeduldig an dich reißt
dann nimmst du schon
die scheppernden Scherben darin
gar nicht mehr wahr.

Daß in der Alltagslyrik der private Bereich den politischen nicht ausschließt, daß es
keine Trennung, kein Entweder-Oder gibt, ist neu. Jederzeit und überall können dem
lyrischen Ich politische Bezüge auf- und einfallen. Selbst in der Natur, traditionsge-
mäß Zufluchtsort vor dem Weltgetümmel, registriert der Lyriker den bedrohlichen
Eingriff des Menschen.

Jürgen Theobaldy: Bretterzäune

Abendliches Rot am Himmel über der Landstraße,
ein Warnschild mit schwarzem Balken,
dahinter versinkt die Ebene im Regen.
Feuchte, schwere Wälder sinken in ihr Grün.

Das ist so ein Bild von den Bretterzäunen.
Es kommt lebensgroß über dich hinweg.
Ogott, gehn wir. So ein Leben soll größer sein als wir.
Ja, und Schilder warnen vor schöneren Aussichten.

Vor die Naturbetrachtung schiebt sich ein Verkehrszeichen. Es stört das Bild der natürlichen Landschaft, weist darauf hin, daß Menschen überall ordnend einschreiten. Das aufgestellte Warnschild wird, wie Bretterzäune, zur Metapher für Gesetz und Reglement, die sich der „schöneren Aussicht": dem freien Blick, der Phantasie, der Utopie, in den Weg stellen.

11.3 Einfaches Sprechen

Auf dem Lyrik-Programm der siebziger Jahre steht „die Einebnung der Grenzen zwischen poetischer und kommunikativer Sprache" (Drews). Neben dem freien Vers, der die poetische Mitteilung von Reim- und Rhythmuszwang befreit, ist auch die Verwendung der Umgangssprache geeignet, die persönliche Erfahrung präzis und verständlich zu vermitteln.

Ralf Thenior: Ohne Gewähr

Ich will garnich im Lotto gewinnen
das bringt nur Aufregung
hat man ja schon oft gehört
daß einer verrückt geworden is
als seine Sechs rausgefallen sind

oder Herzschlag was weiß ich
nee nee ich mach meine zwei Tips
die Woche und wenn der Einsatz
wieder rauskommt ist gut.

Die Umgangssprache, die den sogenannten Mann von der Straße charakterisieren soll, trifft genau dessen kleinmütige Selbstbescheidung im Status quo: Er ist zufrieden, wenn alles bleibt, wie es ist. Glücksverlangen und Sorge neutralisieren sich, und die Regeln des Glücksspiels – Chance des Gewinns durch Risiko des Einsatzes – treten außer Kraft. Das umgangssprachliche Reden enthüllt die Ideologie der Kleinbürgermoral, die sich selbst beschränkt.

In den siebziger Jahren kommt es auch zu einem neuen Ansatz von Mundartdichtung, den die Medien und der Kulturbetrieb bereitwillig aufnehmen. Es werden Mundart-Vereine gegründet und Festivals und Tagungen veranstaltet. Die neue Dialektpoesie hat sich allerdings von den bieder frohsinnigen Reimen früherer Heimatdichter weit entfernt und steht dem Spiel mit Wortmaterial der konkreten Poesie näher als jenen. Wie die Umgangsprache will auch der Dialekt sich mit seinen Besonderheiten im Wortschatz, seiner Prägnanz und seiner lapidaren, ungenierten Sprechweise gegen die mißhandelte Hochsprache behaupten.

Georg Holzwarth: Demokratie

Manchmal do
werra mr gfrogt

manchmal do
wurd abgschtemmt

manchmal do
saga mr au noi

aber no
wurd doch gmacht
was dia wellat

ond so
got des
sooft dia
des wellat.

Die neue Lyrik, die allzu euphorisch als 'Lyrikwelle' begrüßt wurde, war kein großer Aufschwung. Gedichtbände verkaufen sich nach wie vor schlecht. Es ist aber nicht zu leugnen, daß Gedichte mit ihrer einfacheren und konkreten Sprache und den verstehbaren Inhalten die Leser leichter erreichen. Sie erschöpfen sich nicht im Monologisieren, wollen vielmehr subjektive Erfahrungen von Alltag, Liebe, Natur anderen mitteilen. In der Selbsterforschung und Selbstaussage löst sich das lyrische Ich selten völlig aus dem gesellschaftlichen oder politischen Kontext heraus, bietet jedoch keine eindeutigen Lösungen oder Bekenntnisse an.

12 Frauenliteratur

Barbara Bronnen: Die Tochter (Roman. 1980)
Jutta Heinrich: Das Geschlecht der Gedanken (Roman. 1977)
Karin Petersen: Das fette Jahr (Roman. 1978)
Christa Reinig: Entmannung (Roman. 1976)
Brigitte Schwaiger: Wie kommt das Salz ins Meer? (Roman. 1977)
Verena Stefan: Häutungen (Autobiographische Aufzeichnungen. 1975)
Karin Struck: Trennung (Erzählung. 1978)
Gabriele Wohmann: Paulinchen war allein zu Haus (Roman. 1974)

In den siebziger Jahren entsteht – angeregt und begünstigt durch die Frauenbewegung – eine neue Art von Texten, die weibliche Erfahrungen artikulieren und nach einer die spezifisch weibliche Art der Wahrnehmung ausdrückenden Sprache suchen. Dem von Männern beherrschten Literaturbetrieb soll eine autonome Frauenliteratur gegenüberstehen. Frauenbuchläden verkaufen, was Frauen geschrieben und Frauenverlage herausgegeben haben. Auch in der Literaturgeschichtsschreibung bemüht man sich, die bisher vernachlässigten, unterdrückten oder als 'epigonal' eingestuften Leistungen von Frauen aus der Vergangenheit ins rechte Licht zu rücken. Neben bekannten Schriftstellerinnen wie Annette von Droste-Hülshoff und wiederentdeckten wie Karoline von Günderode finden jetzt auch vergessene wie Sibylla Schwarz, Susanna Elisabeth Zeidler oder Francisca Stoecklin Beachtung.
Nach Verkaufserfolgen wie dem 1975 im Verlag Frauenoffensive erschienenen Text ‚Häutungen‘ von Verena Stefan engagieren sich auch die großen Verlage für diese Literatur. Was sie als Frauenliteratur auf den Markt bringen, unterscheidet sich jedoch mitunter von anderer Literatur nur dadurch, daß ihr Verfasser eine Frau ist. Dem inflationären Gebrauch des Begriffs 'Frauenliteratur' ist schon deshalb schwer zu begegnen, weil die Diskussionen über Kriterien einer weiblichen Ästhetik noch keine Ergebnisse gebracht haben.
So unterschiedlich wie die Intentionen und Strategien der Gruppierungen innerhalb der Frauenbewegung sind auch die Produkte der Frauenliteratur. Sensibilität, Erdverbundenheit, Identitätssuche, Protest gegen die aufgezwungene Rolle, die Dressurakte und Deformationen, Subjektivität, Gegenentwürfe zu Machtstrukturen, Verweigerung und Selbstvergewisserung sind einige Varianten.

12.1 Rückkehr zur Mütterlichkeit (Karin Struck)

Um die Sehnsucht nach Geborgenheit und Wärme in einer dauerhaften Mann-Frau-Beziehung geht es in Karin Strucks Erzählung ,*Trennung*'. Anna, die Hauptfigur, fürchtet Abbrüche, obwohl sie selbst diese immer wieder herbeiführt. Sie will Beständigkeit, hat aber Angst, „sich fallen zu lassen – in die Ruhe, in die Liebe, in ein Vertrauenkönnen".

Anna lebt mit Jürgen, einem Drogensüchtigen. Der Versuch, sein Leben ihm sinnvoll zu machen, gibt ihr Halt. Die Erinnerung an eine Liebe und deren Verlust jedoch ist wie eine fixe Idee: Hans, ein Frauenheld, wollte ein Kind von ihr und verließ sie dann. Sie kann ihn sowenig vergessen wie die Abtreibung des Kindes. Wie Jürgen und seine Freunde in den Drogen, so sucht sie im Alkohol Vergessen. „Ihr schien plötzlich, als lebte sie, wie Jürgen, in einer andern Art langdauernder Entziehung. Die Angst überfiel sie, daß die Bilder von Hans, wie ein flashback, unwillkürlich immer wiederkehren und sie nie in Ruhe lassen würden." Das Ende der Erzählung läßt offen, ob Anna sich von ihrer Fixierung an Hans befreit.

Im Diskurs um ein neues Bild von Weiblichkeit bietet Karin Strucks Entwurf keinen Neuansatz, sondern eher eine Rückbesinnung auf die weibliche Natur, auf Mütterlichkeit und die traditionelle Rolle der Wärmespenderin, die den Mann „in ihrem Leib wie in einem Schiffsbauch birgt". Das drückt sich sprachlich in Attributen aus, die Hautsinne – in den Qualitäten von warm und weich – bevorzugen.

Nicht zufällig ist Anna von Beruf Hebamme, worüber ein zwölfseitiges Hebammentagebuch, in die Erzählung eingefügt, Auskunft gibt. An zentraler Stelle steht die Philemon-und-Baucis-Geschichte von der glücklichen Ehe ihrer Großeltern. Strucks weibliches Rollenverständnis ist im Zeitalter des Feminismus ein Anachronismus (was der Autorin in der Frauenzeitschrift ,Emma' das Etikett „literarische Salondame" einbrachte). Um Anna schlagen sich noch die Männer, die sie lieben. Sie weckt den Mann, der morgens um sechs zur Arbeit geht, mit zärtlichen Küssen. Wenn er nach Hause kommt, läßt sie ihm das Badewasser ein, und während er badet, kocht sie sein Leibgericht. Während Feministinnen für die Legalisierung der Abtreibung kämpfen, ist Abtreibung für Karin Struck/Anna eine Metapher für „das Verlassen von Menschen".

Auch das Bild, das sie vom Mann zeichnet, wird – bei aller Sympathie für den weicheren, gefühlsstärkeren Jürgen – dominiert vom Eroberer und Ausbeuter (Hans), dem sich die Frau zum Opfer bringt.

12.2 Rebellion gegen die Männerwelt (Christa Reinig)

Christa Reinigs Roman ,*Entmannung*' ist Strucks Vorstellungen von Mann-Frau-Beziehungen geradezu entgegengesetzt. Er ist witzig, frech, radikal und originell; weder die rationalen und phantastischen Lösungen passen in ein Konzept der Frauenbewegung noch die Zeitsprünge und Szenenwechsel des Romans in ein strenges Gattungsschema. Handlungsepisoden stehen neben drehbuchartigen Filmskizzen, Dialoge der Romanfiguren neben Totengesprächen (zwischen Freud und Hitchcock, Goethe und Gründgens), Mythisches neben Wissenschaftlichem.

Dem Chirurgen und Junggesellen Professor Kyra ordnet die Autorin drei Frauentypen zu: die berufstätige Doris (Chefassistentin von Kyra), die Hausfrau Klytemnestra, genannt Menni (verheiratet, zwei Kinder) und die Hetäre Thea (die auch Gedichte produziert). Deren spezifisches Verhalten zum Mann führt zwangsläufig in die von den Gesetzmäßigkeiten einer Männerwelt vorgezeichneten Bahnen, die Christa Reinig den „Dreisatz der Weiber-Weltformel" nennt. Er lautet: „Lehnst du dich auf, kommst du ins Zuchthaus, lehnst du dich nicht auf, drehst du durch und mußt ins Irrenhaus und beneidest die Weiber, die zum Beil gegriffen haben. Unterwirfst du dich mit Lust, kommst du mit einem kaputtgerammelten Unterleib ins Krankenhaus. Und mit sieben Schläuchen aus dem Bauch beneidest du die Frauen, die im Irrenhaus dahindämmern dürfen."

Der Dreisatz, angewandt auf die drei Frauen, bestimmt die Geschichte. Doris, die zunächst entschlossen ist, der Männergewalt ein Ende zu setzen, und militante Forderungen zu Papier bringt, sich später aber davon distanziert, landet im Irrenhaus. Menni wird wegen versuchten Totschlags verurteilt, weil sie ihren Ehemann mit einem Gemüsehobel verletzt hat. Thea stirbt an Unterleibskrebs.

Der Roman schließt mit einer Überhöhung der drei Frauentypen ins Mythische. In einer imaginären Gründgens-Inszenierung muß Doris die Rolle der Pallas Athene, Menni die der Hera und Thea die der Aphrodite spielen. Kyra, der sich nach Theas Tod deren Kleider angezogen hat, bekommt vom Regisseur für die Rolle der Feministin Valerie Solanas ein Paar Jeans.

Der Roman, der am Ende ironisch zu den Ursprungsmythen der Göttinnen und (im Gespräch Gründgens/Goethe) zu den Müttern zurückkehrt, verkündet kein feministisches Programm. Er spielt erzählend, argumentierend und imaginierend verschiedene Möglichkeiten der Mann-Frau-Beziehungen durch, die von der gegenseitigen Ausrottung bis zur friedlichen Koexistenz reichen. Die Romanfiguren sind nicht auf Rollenklischees festgelegt. Die Frauen haben – trotz ihrer unterschiedlichen Reaktionsweisen auf die männliche Herausforderung – keine Haßgefühle mehr gegeneinander. Auch Kyra ist kein Chauvinist. Er spült Geschirr und ist bereit, sich „ein neues Geschlechtsbewußtsein geistig zu erarbeiten". Er fügt sich dem Lauf der Zeit. Denn per Großhirnrinde ist ihm klar, daß „dreizehn verärgerte Chemieweiber [...] genügen, das ganze Männergeschlecht vom Erdball zu fegen. Sie erfinden einen Virus, der das Y-Chromosom der Männer eliminiert. [...] Das Männersterben breitet sich auf dem Erdball aus mit der Geschwindigkeit einer Virusgrippe." Trotzdem regiert er wie eh und je seine drei Frauen. „Das erledigt alles sein Stammhirn." Aus der Widersprüchlichkeit von aktuellen Denkmodellen und archetypischen Mustern entwickelt Christa Reinig ihren Beitrag zur Frauenliteratur.

13 Literaturbetrieb in der Bundesrepublik Deutschland

13.1 Das Buch als Ware

Die Bundesrepublik Deutschland steht in der Buchproduktion – nach den USA und der UdSSR – an dritter Stelle. Es gibt mehr als 2000 Verlage und rund 3000 Autoren, die regelmäßig Bücher schreiben. Im Jahr 1980 wurden rund 86 000 Titel veröffentlicht, davon etwa 20% belletristische. Zwischen dem Autor, der sein Manuskript als Ware auf den Markt bringt, und dem Leser, der ein unüberschaubares Angebot vorfindet, liegt der Apparat von Produktion und Verteilung: der Literaturbetrieb. An ihm sind Verleger, Lektoren, Manager, Werbefachleute, Verlagsvertreter, Großhändler, Sortimenter, Kritiker und Redakteure der Massenmedien beteiligt.

Während die Literaturproduktion in der DDR von ideologischen Auswahlkriterien gesteuert wird, ist sie in der Bundesrepublik Deutschland von den Regeln der freien Marktwirtschaft abhängig, die sich auf Angebot und Nachfrage stützen. Da diese – trotz Marktforschung – schwer durchschaubar sind, läßt sich der Verkaufserfolg eines Buches kaum vorausberechnen. Ein Autor kann mit seinem Erstlingswerk plötzlich in aller Munde sein oder erst allmählich Anerkennung finden, er kann nach einem sensationellen Start allmählich in Vergessenheit geraten oder unveränderlich für einen kleinen Leserkreis schreiben. Die folgenden Beispiele zeigen, wie ein Buch mittels Werbung zum Bestseller lanciert wurde, wie aber auch ein ungewöhnlich anspruchsvolles Buch sich seiner Qualität wegen durchsetzte.

Im August 1970 erschien im Verlag Molden die Autobiographie der Schauspielerin Hildegard Knef. Der Verlag hatte nicht nur der Autorin ein Honorar von 250 000 DM von vornherein garantiert, sondern die gleiche Summe für die Werbung eingesetzt. Bereits ein halbes Jahr vor dem Erscheinen startete er eine Werbekampagne mit großformatigen Inseraten, Leseproben, einer Schallplatte, Lesungen, Signierstunden und Empfängen. Das Buch ‚Der geschenkte Gaul‘ wurde ein Riesenerfolg: Nach einem halben Jahr waren 300 000 Exemplare, nach anderthalb Jahren 500 000 verkauft.

1978 beendete Ernst-Jürgen Dreyer seinen ersten Roman, ‚Die Spaltung‘, an dem er 15 Jahre lang geschrieben hatte. Alle Verlage, denen er sein Manuskript geschickt hatte, lehnten ab. Beim Wettbewerb um den Ingeborg-Bachmann-Preis in Klagenfurt las Dreyer aus seinem unveröffentlichten Roman und fand Aufmerksamkeit. Inzwischen war der Hövelborn-Verlag bereit, das vom Autor selbst getippte Manuskript fotomechanisch zu vervielfältigen. Der 483 Seiten starke Roman ‚Die Spaltung‘ erschien in 400 Exemplaren als erste belletristische Veröffentlichung eines Verlages, den kaum jemand kannte und der sein Produkt weder auf der Frankfurter Buchmesse vorstellte noch durch Anzeigen oder Rezensionsexemplare für es warb. Trotzdem erhielt der Autor 1980 den Hermann-Hesse-Preis. Was zuvor als „inkommensurabel und inkalkulabel“ galt, wurde jetzt auch für die großen Verlage interessant: Der Ullstein-Verlag übernahm die Rechte und brachte sofort eine Neuausgabe heraus.

13.2 Das kalkulierte Buch: Buchkonzerne und Kleinverlage

Man sagt, auf 1000 Manuskripte, die unaufgefordert bei einem größeren Verlag eingehen, komme eines, das tatsächlich gedruckt werde. Der Konkurrenzkampf führt zu einem Selektionsprozeß, der den arrivierten Autor begünstigt; von seinem Werk erwartet der Verlag einen größeren Erfolg und setzt schon die Auflage höher an. Andererseits ist es für den Verleger wichtig, Talente zu entdecken und zu fördern und das Risiko einer Erstveröffentlichung auf sich zu nehmen. So verspricht zwar die Konzentration auf wenige ‘Markenartikel’, für die viel Werbungskosten eingesetzt werden, den höchsten Gewinn, doch ist eben auch der zukünftige Marktwert noch unbekannter Autoren eine mögliche Chance, um derentwillen – bei geringer Auflagenhöhe – Geld investiert wird. Verluste können durch Bestseller, aber auch durch Nebenrechte von Taschenbuchverlagen, Buchgemeinschaften, Verfilmung oder Sendung in Radio und Fernsehen ausgeglichen werden.

„Wie in jedem Industriezweig müssen auch die Bücher herstellenden Unternehmungen, Druckereien und Verlage, unentwegt produzieren und ihre Produkte absetzen, um rentabel zu bleiben. Die hohen Kapitalinvestierungen in die technische Ausstattung, also in Druck- und Büromaschinen, die überdies den Fortschritten der Technik folgend immer wieder erneuert werden müssen, amortisieren sich nur, wenn die Kapazitäten ausgenutzt werden. [...] Die Verlage, oder sagen wir die Betriebe der Buchindustrie, stehen also unter dem Zwang, permanent, rationell und möglichst zunehmend zu produzieren, und müssen deshalb Vorsorge treffen, daß der Apparat beschäftigt bleibt. Es ist unmöglich zu warten, ob literarisch etwas wächst oder nicht, um den Schwankungen eines unorganisierten Nachwuchses zu folgen“ (Dieter Wellershoff: Literatur und Veränderung).

Um konkurrenzfähig zu bleiben, sind die Verlage auch zu Kapitalkonzentrationen gezwungen. Gegen die Bildung immer größerer Konzerne – z. B. Bertelsmann, Holtzbrinck – entwickelte sich in den siebziger Jahren in der Bundesrepublik Deutschland eine alternative Literaturszene, die eine „neue Kultur, fern dem Warenkult“, vertreten will und an die Tradition der Kleinverlage anknüpft. Im überschaubaren Kleinbetrieb, der oft auch alternative Produktionsformen erprobt, können

Bücher, die sich nicht an den Erwartungen des Publikums orientieren, in kleinen Ausgaben herausgegeben und die wenigen Autoren intensiv betreut werden. Der kleine Verwaltungsapparat gestattet es, billig zu kalkulieren. Die alternativen Verlage fördern unbekannte Autoren, drucken Bibliophiles oder beliefern subkulturelle, lebensreformerische oder politische Zielgruppen.

Aus der 1975 gegründeten Arbeitsgemeinschaft der Kleinverlage ging die AGAV (Arbeitsgemeinschaft alternativer Verlage und Autoren) mit 120 Mitgliedern hervor. Sie produzieren 600 bis 700 Titel im Jahr, die sie auf der Gegenbuchmesse – gleichzeitig mit der Frankfurter Buchmesse und am gleichen Ort – präsentieren.

Modelle, die dem Schriftsteller zu größerer Unabhängigkeit verhelfen sollen, sind die Autorenverlage, die ihm Mitwirkung im Lektorat und das Recht auf Mitsprache im Verlagsprogramm einräumen. In einigen Städten gibt es auch Autorenbuchhandlungen, an denen die Autoren mit einem Darlehen von 1000 DM beteiligt sind und das Angebot bestimmen.

13.3 Freiheit der Kunst und Literaturförderung

Ist die Freiheit des Schriftstellers in der Bundesrepublik Deutschland einerseits eingeschränkt durch Marktmechanismen, Anpassungszwänge, Moden und andere Einflüsse, so gewährleistet ihm andererseits das Grundgesetz (Artikel 5) die Freiheit der Kunst und verbietet die Zensur. Nach den Erfahrungen in der nationalsozialistischen Diktatur, die das kulturelle Leben zentral verwaltete und kontrollierte, bestand nach 1945 ein berechtigtes Interesse, reglementierende Eingriffe des Staates zu verhindern. Im Gegensatz zu den Ostblockstaaten, die unmittelbar auf das kulturelle Schaffen Einfluß nehmen, verzichtet die Bundesrepublik Deutschland auf eine programmatisch-richtungweisende Kulturpolitik.

Entsprechend dem föderalistischen Charakter der Bundesrepublik Deutschland sind die Länder (Kultusministerien) und Gemeinden (Kulturämter) für die Kultur zuständig. Die staatliche Förderung der Literatur beschränkt sich weitgehend auf die Errichtung und Unterhaltung von Bibliotheken und die finanzielle Unterstützung von Institutionen wie die Deutsche Akademie für Sprache und Dichtung in Darmstadt, das Deutsche Literaturarchiv in Marbach oder die Deutsche Bibliothek in Frankfurt. Als öffentliche Vermittler und Verbreiter von Literatur spielen auch die Schulen, Volkshochschulen, Theater und Universitäten eine Rolle. Über die seit 1973 geplante 'Deutsche Nationalstiftung' zur Förderung von Künstlern und Projekten wird noch zwischen Bund und Ländern verhandelt.

Literaturpreise vergeben meist Länder und Kommunen, aber auch öffentliche und private Institutionen und Einzelpersonen. Mit der Förderung junger Autoren ist es jedoch immer noch schlecht bestellt, da die renommierten und höher dotierten Preise meist an angesehene Autoren gehen und nur selten Projekte unterstützt werden. Ein neues Modell der Literaturförderung hat die Stadt Bergen-Enkheim 1974 eingeführt – es wurde inzwischen auch von anderen Städten übernommen: Jeweils für ein Jahr wird ein Autor zum Stadtschreiber berufen und erhält ein Stipendium sowie freie Wohnung am Ort. Als Hilfe für ältere, bedürftige Künstler hat Theodor Heuss die 'Deutsche Künstlerhilfe' gegründet. Sie soll als „vaterländischer Dank" und nicht als Sozialfürsorge verstanden werden.

13.4 Das Berufsbild des Schriftstellers

Als moralische Instanz genoß der Schriftsteller in der Bundesrepublik Deutschland bis in die sechziger Jahre allgemeine Wertschätzung. Doch das auf bürgerlichem Kunstverständnis beruhende Ansehen entsprach weder seinem tatsächlichen Einfluß noch seiner ökonomischen Situation. In einer Zeit schnell wechselnder Trends und ständiger Überproduktion läßt sich die Vorstellung vom freiberuflichen, autonomen Dichter nicht mehr halten. Daß sich das Selbstverständnis der Schriftsteller gewandelt hat, machen zwei Untersuchungen über die Existenzbedingungen von Künstlern deutlich: ‚Der Autorenreport‘, 1972 vom SPIEGEL-Institut, und der ‚Künstlerbericht‘, 1975 im Auftrag der Bundesregierung durchgeführt. Nur in den seltensten Fällen kann der Autor vom Bücherschreiben leben; er ist gezwungen, seine Haupteinkünfte aus der Tätigkeit für andere Medien (Presse, Rundfunk, Fernsehen, Film), als Übersetzer, durch Nebenberufe oder durch seinen Ehepartner zu beziehen. „Ein Romanschriftsteller des 20. Jahrhunderts müßte, um den Lebensstandard eines hochspezialisierten Maschinensetzers zu erreichen, alle achtzehn Monate ein Werk mit Verkaufsziffern zwischen 8000 und 10 000 Exemplaren veröffentlichen – ein in Deutschland seltener Fall" (Urs Jaeggi). Der von Auftraggebern und finanziellen Unterstützungen abhängige und sozial ungesicherte Schriftsteller (er erhält keine Kranken-, Renten- oder Arbeitslosenversicherung, keinen bezahlten Urlaub, kein Weihnachtsgeld) wurde neu definiert als „arbeitnehmerähnlicher Urheber von Wortbeiträgen". Im Konkurrenzkampf des großen Angebotes, mit dem die Kulturindustrie ein Massenpublikum bedient, muß er versuchen, sich durchzusetzen.

In seiner Rede ‚Ende der Bescheidenheit‘ resümierte Heinrich Böll 1970 auf dem Schriftstellerkongreß in Stuttgart:

„Verschaffen wir uns erst einmal Überblick über die volkswirtschaftliche Relevanz unserer merkwürdigen Sozialprodukte, bevor wir uns vom kulturellen Weihrauch einnebeln lassen, dann erst kommen wir aus dem Resolutionsprovinzialismus heraus, der unsere wieder einmal erhobenen Zeigefinger golden schimmern macht, uns im Feuilleton als Gewissensfunktionäre und Korrektoren für das windschiefe Vokabularium der Politiker willkommen heißt, und hängen wir uns den hingestreuten Lorbeer nicht an die Wand, streuen wir ihn dorthin, wohin er gehört: in die Suppe."

13.5 Organisation und Interessenvertretung der Schriftsteller

Nachdem die Autoren, bisher Einzelgänger und Außenseiter, ihre Arbeits- und Existenzbedingungen realistischer einschätzten, solidarisierten sie sich Ende der sechziger Jahre, um wirksam ihre Interessen vertreten zu können. Nach 1945 waren auf Landesebene verschiedene Schriftstellerverbände entstanden. Ihr Zusammenschluß erfolgte im Jahre 1969 mit der Gründung des ‚Verbandes deutscher Schriftsteller‘ (VS), der sich 1973 der Gewerkschaft IG Druck und Papier als selbständige Fachgruppe anschloß.

Im Gegensatz zu den früheren Regionalverbänden, die sich vorwiegend mit kulturellen Fragen beschäftigten, arbeitet der neue VS auf die rechtliche, wirtschaftliche und soziale Sicherung seiner Mitglieder hin. Erreicht wurde u. a. eine Bibliotheksabgabe von 10 Pfennig pro Buchausleihe, die in die Kasse eines Sozialfonds für Autoren fließt. Gefordert wird ein Künstlersozialversicherungsgesetz, größerer Anteil an den Gewinnen und höhere Beteiligung an den Nebenrechtserlösen. Angestrebt wird eine selbständige Mediengewerkschaft, die alle in den Medien Arbeitenden vereinigt. Nur wenige Autoren lehnten die gewerkschaftliche Organisation ab. Sie gründeten 1973 den 'Freien Deutschen Autorenverband' (FDA), der das Ziel verfolgt, „den autonomen Freiheitsraum der Kulturschaffenden" zu sichern.

Auch wenn der VS einige Verbesserungen für seine Mitglieder durchsetzen konnte, ist die finanzielle Situation der Autoren immer noch schlecht. Zwar ist die Buchproduktion von 1951 bis 1980 auf das Sechsfache gestiegen – entgegen allen Prophezeiungen, die das Ende des Buchzeitalters verkündeten –, doch steht das Honorar, das ein Autor für seine Leistung erhält, nur in den seltensten Fällen in einem angemessenen Verhältnis zum Arbeitsaufwand. „Wer an einem gehaltvollen Buch die drei Jahre schreibt und im günstigsten Fall 20 000 Mark einnimmt, muß ins Geschirr wie ein Verrückter, um den fehlenden irdischen Rest irgendwie zusammenzukratzen – denn der Sender, die Teleanstalt, die Zeitung oder Zeitschrift, die das mäzenatisch vorabdruckt und vorabsendet, muß noch erst erfunden werden; es sei denn, einer schreibt gerade das, was ohnehin läuft wie geschmiert" (Peter Rühmkorf).

13.6 Arbeitskreise und literarische Gruppen

Mit dem veränderten Berufsbild des Autors und einer nüchternen Betrachtung seiner Schreibtätigkeit wurde auch die Frage nach einer Fachausbildung für Autoren gestellt. Eine besondere sprachliche Begabung und Kreativität allein reichen – vor allem für die Tätigkeit bei Rundfunk, Presse und Fernsehen – nicht mehr aus. Neben der Beherrschung von Techniken, die durch das Erschließen neuer Medien notwendig wurde, braucht er ein umfangreiches Wissen, das auch das Beschaffen von Datenmaterial einschließt. Ein Studiengang, der die Autoren in die Medienpraxis einführt, wurde vom Berliner VS ausgearbeitet.
Diskussionen über die Literatur und kollegiale Kritik finden in einigen Gruppen statt, zu denen Schriftsteller sich zusammenschließen.
Als literarisches Forum verstand sich die 1947 gegründete 'Gruppe 47' (s. Kapitel 1). Hans Werner Richter lud jährlich einmal Autoren und Kritiker zu einer Tagung ein. Der Lesung aus unveröffentlichten Manuskripten folgte sofort eine Kritik, zu der der betroffene Autor nicht Stellung nehmen durfte. Was anfangs noch die „Atmosphäre einer literarischen Werkstatt" hatte, wurde später ein „überdimensionales Lektorat". Die Preise der Gruppe 47 blieben zunächst in der Öffentlichkeit unbemerkt. Erst als sie durch die Beteiligung der Medien und Verlage stiegen (von ursprünglich 1000 DM auf 12 500 im Jahr 1967), stiegen damit auch die Marktchancen für den Gewinner. Der Preis der Gruppe 47 wurde zum Markenzeichen, öffnete dem Autor alle Türen und war für den Verlag die beste Reklame. Kritik am Einfluß der Gruppe, an ihren ritualisierten Richtersprüchen und ihrem Cliquencharakter, aber auch interne Divergenzen politischer und literarischer Art, führten 1967 zur Auflösung.

„Rückblickend war die Gruppe eine Mischung aus Literatur, richtiger Literaturkritikertrust, Schutzgemeinschaft von rechtlosen Wanderarbeitern und – ein unnachahmlicher Alpdruck. Eine Wertpapierbörse, wo die Tageskurse gemacht wurden, die oft nur Schwindelkurse waren, obwohl sie über Jahre einen Rang stabilisieren konnten – unten oder oben" (Rühmkorf).

Ganz anders dagegen, nämlich durch ein literarisches Programm zusammengehalten, präsentierte sich die 'Wiener Gruppe' (s. Kapitel 5.5) in den fünfziger und sechziger Jahren. Sie verstand sich als antibürgerliche und provokatorische Gegenkultur und entwickelte, teils in Gemeinschaftsarbeiten, neue, die literarische Konvention störende Formen.
1961 wurde in Dortmund, ebenfalls als loser Zusammenschluß von Autoren, die 'Gruppe 61' (s. Kapitel 7) gegründet, die sich des vernachlässigten Themas der industriellen Arbeitswelt der Gegenwart und ihrer sozialen Probleme annahm. Neben internen Sitzungen fanden jährlich zwei öffentliche Lesungen statt. Unterschiedliche Intentionen spalteten die Gruppe, als sich Buchmarkt und Medien für sie interessierten. Die einen wollten die Chancen des Marktes wahrnehmen, die anderen wollten unbeeinflußt am Ziel, begabte Arbeiter zu fördern, festhalten. 1972 löste sich die Gruppe auf.
Der 'Werkkreis Literatur der Arbeitswelt' besteht seit 1970 und hat in der Bundesrepublik Deutschland 30 Werkstätten, publiziert in einer vierteljährlich erscheinenden Zeitschrift ‚Werkstatt' und in.der im Fischer-Taschenbuchverlag erscheinenden

Werkkreis-Reihe. Für Produktion und Distribution sucht der Werkkreis neue, von der traditionellen Produktion und Vermarktung unabhängige Formen.

Der *'Internationale PEN-Club'* (1921 gegründet) unterhält auch in der Bundesrepublik Deutschland ein Zentrum, das 460 Mitglieder zählt. Sie sind wie alle (berufenen) Mitglieder verpflichtet, sich für die Freiheit der Kunst, der Meinung und des Wortes einzusetzen, jede Form der Zensur zu bekämpfen und sich mit verfolgten Schriftstellern zu solidarisieren.

14 DDR-Literatur

14.1 Ausgangssituation: Die sowjetische Besatzungszone (SBZ) 1945–1949

Nach dem Ende des Zweiten Weltkrieges und der Aufteilung Deutschlands in vier Besatzungszonen wurden bereits 1945 in der SBZ Reformen durchgeführt, die tiefgreifende Veränderungen der politischen, ökonomischen und gesellschaftlichen Verhältnisse einleiteten. In dieser ersten Phase, offiziell als die „antifaschistisch-demokratische Ordnung" bezeichnet, wurden Grundbesitz und Betriebe enteignet, wenn die Besitzer als Kriegsverbrecher und Nationalsozialisten belastet waren. Der landwirtschaftliche Grundbesitz über 100 ha wurde generell neu verteilt, Justiz wie Schulwesen wurden umgestaltet und 1947 der Bergbau verstaatlicht.

Einen Monat nach der Kapitulation Deutschlands ordnete die Sowjetische Militäradministration (SMAD) die Zulassung antifaschistisch-demokratischer Parteien und freier Gewerkschaften an. KPD, SPD, CDU und LDPD wurden gegründet. Aus dem zwangsweisen Zusammenschluß von KPD und SPD entstand 1946 die Sozialistische Einheitspartei Deutschlands (SED), eine Kaderpartei mit den Organen Zentralkomitee, Politbüro und Sekretariat, die absolutes Kontroll- und Weisungsrecht besitzen. Die SED beherrschte zunehmend die anderen Parteien, auch das kulturelle Leben.

Bei der Neugestaltung des kulturellen Lebens galt als vordringliche Aufgabe die Säuberung von faschistischer Ideologie, die den Zusammenschluß aller „aufbauwilligen, antifaschistischen und demokratischen Kräfte" voraussetzte. Der im August 1945 gegründete ‚Kulturbund zur demokratischen Erneuerung Deutschlands' war überparteilich und bis 1947 gesamtdeutsch, obwohl bereits ein unterschiedliches Verständnis der Mitglieder von Demokratie und Faschismus deutlich wurde. Gesamtdeutsch war auch noch der erste deutsche Schriftstellerkongreß im Oktober 1947 in Berlin.

Für den Bereich Kunst war in der sowjetischen Besatzungszone die SMAD, Abteilung Information, zuständig. Sie erteilte Druckgenehmigungen und verbreitete im eigenen SMA-Verlag sowjetische Literatur. Auf eine Kunstrichtung waren die Künstler jedoch noch nicht festgelegt. „In Deutschland ist gegenwärtig alles noch zu sehr im Um- und Aufbruch, auf der Suche nach neuen Wegen, um nun etwa ein Urteil zugunsten der einen oder anderen Richtung fällen zu können", sagte Anton Ackermann auf der Ersten Zentralen Kulturtagung der KPD im Februar 1946. Er betonte, daß die Freiheit der Wissenschaft und Kunst eine „unabdingbare Notwendigkeit sei" und „daß dem Gelehrten und Künstler kein Amt, keine Partei und keine Presse dreinzureden hat, solange es um die wissenschaftlichen und künstlerischen Belange geht. Über dieses Recht soll der Gelehrte und Künstler uneingeschränkt verfügen."

In dieser ersten Phase beschränkte sich die Buchproduktion weitgehend auf die Neuherausgabe klassischer Werke (besonders Lessing, Goethe, Schiller, Heine) und die Veröffentlichung der antifaschistischen Exilliteratur (Becher, Brecht, Feuchtwanger, Heinrich und Thomas Mann, Renn, Seghers, Weinert, Friedrich Wolf, Zweig u. a.).

Die aus dem Exil in der Sowjetunion, in Mexiko und in den USA nach Ost-
deutschland zurückgekehrten Schriftsteller – wie Johannes R. Becher, Anna Seghers, Alexander Abusch, Bertolt Brecht – übernahmen repräsentative Funktionen
in den kulturellen Institutionen.

14.2 Die DDR und ihre Kulturpolitik

Im Oktober 1949 wurde die Deutsche Demokratische Republik gegründet. Unter
der Führung der SED wurde die Umgestaltung der Gesellschaft und der ökonomischen Verhältnisse durchgesetzt. Nach offizieller Darstellung folgte auf die demokratische Umwälzung die sozialistische Revolution. Tatsächlich aber wurden die Veränderungen nicht von den Arbeitermassen, sondern von der Parteibürokratie geplant
und durchgeführt.

Wie in der Wirtschaft Produktion und Konsum zentralistisch geplant und geleitet
werden, so steht auch die Kultur der DDR – im Unterschied zur Zeit relativer Offenheit nach 1945 – unter gesamtstaatlicher Planung und Leitung. Da die Partei gemäß
ihrem Selbstverständnis für sich die einzig richtige Einsicht in die geschichtlichen Abläufe beansprucht, sieht sie sich berechtigt, auf der Basis des Marxismus-Leninismus
auch ästhetische Richtlinien zu entwickeln, diese in Beschlüssen und Verordnungen
festzulegen und damit die Tätigkeit der Künstler staatlich zu reglementieren. Wie es
in einer Verordnung der Regierung von 1950 heißt, baut die „neue deutsche fortschrittliche Kultur […] auf dem großen nationalen Kulturerbe des deutschen Volkes
auf. Sie beruht auf der Verbreitung und Entwicklung der fortschrittlichen kulturellen
Traditionen des deutschen Volkes" und „ist getragen von einem kämpferischen Humanismus. […] Die Werke der Wissenschaftler, Schriftsteller und Künstler müssen
die gesellschaftliche Realität widerspiegeln, sie müssen dem Volke verständlich sein
und eine friedliche Aufbaumoral festigen."

Vorbild für die verordnete positive Einstellung sind sowjetische Kunstwerke; der
Kampf gilt westlicher Dekadenz.

1951 wurde die 'Staatliche Kommission für Kunstangelegenheiten' bei der Regierung
der DDR eingerichtet, seit 1954 'Ministerium für Kultur'. Ihm untersteht die 'Haupt-
verwaltung Verlage und Buchhandel', von 1951 bis 1956 'Amt für Literatur und Ver-
lagswesen'. Das Amt ist zuständig für die Vergabe von Lizenzen und die Verteilung
des Papierkontingents. Diese zentrale Kontrollinstitution fördert, beeinflußt oder
verhindert – nach den von ihr gesetzten Kriterien – die Produktion und Distribution
von Literatur. Die Herstellung von Büchern erfolgt in meist volkseigenen oder Organisationen (wie Parteien, Kulturbund, Gewerkschaft) gehörenden Verlagen. Sie beliefern den Buchhandel, der nur zu einem geringen Prozentsatz in privater Hand
liegt, aber auch Fabriken und landwirtschaftliche Genossenschaften.

Im 1955 gegründeten Institut für Literatur ‚Johannes R. Becher' in Leipzig werden
Schriftsteller in einem zweijährigen Studium künstlerisch und auf dem Gebiet des
Marxismus-Leninismus ausgebildet.

Seit 1950 besteht der Schriftstellerverband als eine eigenständige Organisation der
DDR; auch dort werden Richtlinien der offiziellen Kulturpolitik verbreitet.

Für die Schriftsteller gibt es neben dem Nationalpreis zahlreiche weitere Literaturpreise.

Zu den Mitgliedern der 1950 eröffneten 'Deutschen Akademie der Künste', die den
Staat in Fragen Kunst und Literatur beraten, gehören angesehene Schriftsteller.

Der 'Deutsche Kulturbund' (früher 'Kulturbund zur demokratischen Erneuerung
Deutschlands') sammelt und organisiert die Intelligenz und die kulturell Interessierten. Ihm gehören der Aufbau-Verlag und die Wochenzeitschrift ‚Sonntag'.

Die Entwicklung der DDR-Literatur auf der Basis des „sozialistischen Realismus" und des „kulturellen Erbes" ist allein aus dem Neubeginn von 1945 nicht zu verstehen. Sie hat ihre Vorgeschichte in den Auseinandersetzungen um die Arbeiterliteratur in den zwanziger und dreißiger Jahren und ist entscheidend beeinflußt durch Georg Lukács' Literaturtheorie, die bis zum Ungarn-Aufstand 1956 für die DDR verbindlich war.

14.2.1 Exkurs: BPRS, Volksfrontpolitik und Realismusdebatte

Der Bund Proletarisch-Revolutionärer Schriftsteller (BPRS), 1928 gegründet, vereinte die aus der Arbeiterschaft kommenden proletarischen und die aus dem Bürgertum kommenden revolutionären Schriftsteller. Die Diskussionen zwischen dem linken und dem rechten Flügel um eine klassenspezifische Arbeiterliteratur und deren Wirkungen und Ziele wurden in der von 1929 bis 1932 erscheinenden Zeitschrift ‚Die Linkskurve' geführt. Innerhalb des Bundes entwickelten sich zwei Richtungen: Die Vertreter der einen erprobten neue literarische Techniken (offene Formen: Reportage und Montage) als Alternative zur bürgerlichen Kunst; die Vertreter der anderen hielten an den traditionellen Formen der Gestaltung von Werken revolutionären Inhalts fest.

Der führende Theoretiker des BPRS, *Georg Lukács*, sah in der „demokratischen Diktatur" des Proletariats eine Weiterentwicklung bürgerlicher Revolutionsideen von 1789 und setzte in der Literatur eine Traditionslinie fest, die das Erbe der Klassik (Lessing, Goethe) und des bürgerlichen Realismus (Balzac, Tolstoi) kontinuierlich fortführt.

Das „organisch gewachsene" Kunstwerk soll „ein totales Bild der objektiven Wirklichkeit" spiegeln. Die widergespiegelte Wirklichkeit ist – nach Lukács – mehr als die wahrnehmbare Oberfläche und die zufällige Erscheinung. Vielmehr muß die realistische Gestaltung den Gegensatz von Erscheinung und Wesen auflösen, um im Kunstwerk als Harmonie, als Geschlossenheit und Natur zu erscheinen. Das zunächst nicht offenkundige Wesen gesellschaftlicher Wirklichkeit, das der Künstler analytisch aufdeckt, soll durch die künstlerische Gestaltung wieder zugedeckt werden. Die Reportagetechnik dagegen sei „Pseudokunst" – „eine niedrigere, zu überwindende schöpferische Methode" –, die mit ihren isolierten Fakten die „treibenden Kräfte" hinter den Erscheinungen nicht erkennbar machen könne. Sie zeige nur Oberflächenerscheinungen. Die Künstler, die mit offenen Darstellungsformen (Reportage, Montage, operative Aufführungstechniken) arbeiteten, sahen dagegen in diesen Methoden geeignete Mittel zur Darstellung komplexer Wechselbeziehungen zwischen Wesen und Erscheinung. Sie (z. B. Brecht in seinem epischen Theater) wollten den Rezipienten, der zuschauend oder lesend Zusammenhänge erkennt, zum eingreifenden Denken provozieren. Unter der Devise „Kunst ist Waffe" verstand sich die proletarische und revolutionäre Arbeiterliteratur als Bestandteil der Parteiarbeit zur Aufklärung und Aktivierung des Publikums und zur Lösung tagespolitischer Probleme.

Der Debatte proletarisch-revolutionärer Schriftsteller (Willi Bredel, Otto Gotsche, Ernst Ottwalt) mit Georg Lukács in den Jahren 1930 und 1931 folgte die *Realismusdebatte* zwischen *Brecht* und *Lukács*. Während Lukács an den „großen Mustern" des literarischen Erbes festhielt und neue technische Mittel als Dekadenz betrachtete, von der die Literatur zu säubern sei, verteidigte Brecht die experimentellen Schreibweisen: „Ohne Neuerungen formaler Art einzuführen, kann die Dichtung die neuen Stoffe und neuen Blickpunkte nicht bei den neuen Publikumsschichten einführen" (Schriften zur Literatur und Kunst).

Unter den politischen Gegebenheiten des Kampfes gegen den Faschismus zwang die kommunistische *Volksfrontpolitik,* unter der sich kommunistische und bürgerlich antifaschistische Kräfte verbündeten, zu einer breiteren Basis in ästhetischen und kulturpolitischen Fragen. Der proletarisch-revolutionäre Ansatz der Arbeiterliteratur wurde nicht weiterentwickelt. Lukács' traditionalistisches Konzept setzte sich durch. Auch in der nachrevolutionären Situation der Sowjetunion und dem 1932 proklamierten 'Sozialistischen Realismus' fiel die Entscheidung gegen die neuen proletarischen Formen zugunsten des Erbes: Die dort entstandenen Romane orientierten sich an den bürgerlich-realistischen Romanen des 19. Jahrhunderts.

14.2.2 Erbepflege und „Literaturgesellschaft"

Mit Parolen wie „Vorwärts zu Goethe" (Johannes R. Becher) und „Stürmt die Gipfel der Kultur" (Walter Ulbricht) wiesen die Kulturpolitiker der DDR-Literatur die Richtung: Nicht die proletarisch-revolutionäre Arbeiterdichtung war gefragt, sondern eine Kunst, die an das „große deutsche Kulturerbe" (mit den Vorbildern Lessing, Goethe, Schiller, Kleist, Büchner, Heine, Fontane, Th. Mann) anknüpft und die „bürgerliche Dekadenz" experimenteller Literatur (Joyce, Proust, Kafka, Dos Passos) ablehnt.

Anders als in der Bundesrepublik Deutschland ist der Schriftsteller der DDR mit der Politik seines Landes unmittelbar – durch Verordnungen, Aufrufe, Pläne etc. – verbunden. Wirtschaftspläne wie der Zweijahresplan von 1948 werden zur „Kulturtat ersten Ranges" erklärt, zu der sich die Schriftsteller öffentlich bekennen und in deren Dienst sie sich stellen. In die Anstrengungen, im Pro-Kopf-Verbrauch der Bevölkerung Westdeutschland zu überrunden und im wissenschaftlich-technischen Bereich „Weltniveau" zu erreichen, wird auch der Schriftsteller einbezogen. In seiner Rolle als Erzieher und Führer der Massen hat er einen gesellschaftlichen Auftrag.

Um den arbeitenden Menschen die ökonomischen und sozialen Vorgänge bewußtzumachen, soll der Schriftsteller nicht nur verständlich schreiben, sondern auch mit ihrem Alltag vertraut sein, sie ermuntern, aktiv in den Entwicklungsprozeß einzugreifen, und zwischen dem Gegebenen und der Wertordnung vermitteln. Auf die unabdingbaren ästhetischen Kategorien der Parteilichkeit und der Volksverbundenheit ist der Autor der DDR verpflichtet. Die Gestaltungsprinzipien des sozialistischen Realismus sind für ihn verbindlich. Dessen Thematik ist „der werktätige Mensch".

„Die Aufgabe der Literatur besteht in der Darstellung des Menschen durch die Aufdeckung des Gegensatzes zwischen Menschen alten und neuen Typs" (Georg Lukács, 1949). Parteilichkeit ist die Voraussetzung für eine „richtige dialektische Abbildung der Wirklichkeit".

Johannes R. Becher, der erste Vorsitzende im 1928 gegründeten BPRS und der erste Minister für Kultur der DDR, prägte den Begriff der 'Literaturgesellschaft' und meinte damit das gleichberechtigte Zusammenleben aller mit Literatur Befaßten und an ihr Interessierten (Schriftsteller, Lektoren, Redakteure, Verleger, Buchhändler, Kritiker, Literaturwissenschaftler und Leser). Er meinte auch die Gleichberechtigung der Gattungen, die weder Spannungs- und Unterhaltungsliteratur noch Kinder- und Jugendliteratur ausschließt und „des Mittelmaßes besten Durchschnitt" einbezieht.

Es ist nicht zu leugnen, daß das kulturpolitische Programm „Aufbruch zur gebildeten Nation" und die hohen Bildungsinvestitionen zu beeindruckenden Ergebnissen führten. Theaterbesuche auf breiter Basis, hohe Bibliotheksbenutzung und öffentliche Diskussionen zu literarischen Problemen verringerten den Abstand zwischen Kunstproduzenten und -konsumenten. Doch ist die vielzitierte Literaturgesellschaft durch den Führungsanspruch der Partei und die Ungleichheit ihrer Glieder nicht im Sinne von Becher verwirklicht. Die Vorgabe ästhetischer Maßstäbe und die Reglementierung der literarischen Öffentlichkeit verhinderten eher die neuen Werke. Vom Schriftsteller wurde erwartet, daß „er allezeit ein ergebener, selbstloser, opferbereiter Kämpfer im großen Kollektiv unserer Partei ist" (Abusch: Rede auf der Kulturkonferenz 1957). Die Rolle des Lesers/Zuschauers aber ist relativ passiv bestimmt: Als zu beeinflussendes Objekt empfängt er durch die Literatur das 'richtige' Bewußtsein und erlernt die 'richtigen' Verhaltensweisen.

14.3 Die neuen Verhältnisse und der neue Mensch

Auf der zweiten Parteikonferenz (1952) beschloß die SED den planmäßigen *Aufbau des Sozialismus*. In Verbindung mit dieser Konferenz verteilte der Schriftstellerverband Aufträge, die die Autoren zur Beschreibung des sozialistischen Aufbaus in der Industrie und auf dem Land verpflichteten. Der Kunst wurde die Aufgabe zugewiesen, durch wirklichkeitsgetreue Wiedergabe der neuen Verhältnisse den Aufbau zu unterstützen, die Menschen zu „Arbeitsfreude und Optimismus" zu erziehen und zur Formung des neuen Menschen beizutragen.

Die polemischen Auseinandersetzungen zwischen den beiden deutschen Staaten in der Zeit des 'Kalten Krieges' verschärften die Diskussion um eine neu zu schaffende Gegenwartsliteratur und bezogen auch den Künstler in den politischen Kampf ein. Die Kampagne gegen den Formalismus und die bürgerliche Dekadenz (fünftes Plenum des ZK der SED, 1951) wies alle formalen Neuerungen als „Zersetzung und Zerstörung der Kunst" ab. Die Schriftsteller wurden auf die sozialistisch-realistischen Methoden festgelegt, „weil es im Zeitalter des Sozialismus keine modernere, keine progressivere Kunst als diese geben kann" (Abusch).

Gegenüber den Erfolgen in der Bildungspolitik – seit 1949 gab es die Arbeiter-und-Bauern-Fakultäten – und den Produktionssteigerungen in der Wirtschaft – 1948 hatte Adolf Hennecke die Aktivistenbewegung begründet; seit 1950 wurde die Übererfüllung der Arbeitsnorm mit Titeln wie 'Held der Arbeit' oder 'Verdienter Aktivist' ausgezeichnet – blieben die Leistungen der Künstler zurück. Die Partei kritisierte die neutrale Haltung großer Teile der Kulturschaffenden in der „Auseinandersetzung unserer Zeit". Doch nicht nur die künstlerische Intelligenz, sondern auch die Masse der Bevölkerung stand den verordneten Veränderungen in der industriellen und landwirtschaftlichen Produktion zunächst abwartend bis ablehnend gegenüber.

14.3.1 Der Aufbau-Roman (1951–1956)

Nach einem vom Publikum wenig beachteten Roman von *Otto Gotsche* über die Bodenreform: *‚Tiefe Furchen'* (1949), hatte erst *Eduard Claudius* mit dem Betriebsroman *‚Menschen an unserer Seite'* (1951) Erfolg. Darin erzählt er die Geschichte des Aktivisten Hans Garbe, mit der sich später auch Brecht in seinem ‚Büsching-Fragment' beschäftigte und die in Heiner Müllers ‚Der Lohndrücker' dramatisch verarbeitet ist. (Weitere Betriebsromade: Maria Langner: ‚Stahl', 1952; Karl Mundstock: ‚Helle Nächte', 1952; Hans Marchwitza: ‚Roheisen', 1955.) In diesen – nach sowjetischem Muster entstandenen – 'Aufbau-Romanen' (wie die offizielle Bezeichnung lautet) geht es meist um den Aufbau eines Industriewerkes. Dabei siegt der Held, der die Hindernisse überwindet, in den schematisierten Konflikten über einen rückschrittlichen Gegenspieler, der sich dem Aufbau des Neuen in den Weg stellt. Der Held, der neue Mensch, ist Vorbild und zeigt dem Leser, was er tun muß, damit auch er – wie der Held – das sozialistische Ideal erreicht.

Die Menge der literaturtheoretischen Diskussionen stand damals im umgekehrten Verhältnis zur Anzahl der literarischen Produkte. Wahrscheinlich fühlten sich die Autoren dadurch eingeengt, daß Thema, Intention und Ziel vorgeplant und für sie verbindlich waren. Auch erfahrene und namhafte Schriftsteller wie Anna Seghers, Arnold Zweig oder Willi Bredel schrieben keine zeitnahen Romane. Trotz zahlreicher organisierter Aktivitäten (Literaturabende, Schriftstellerdiskussionen, Rezensionen fortschrittlicher Bücher in den Tageszeitungen etc.) führte der Aufruf des Politbüros (1953) zur „planmäßigen Massenarbeit mit dem Buch" nicht zu den gewünschten Erfolgen. Die Aufbau-Romane waren eher Pflichtlektüre als Verkaufserfolg.

Das Ausbleiben des Gegenwartsromans hat vermutlich auch seinen Grund in der Kluft zwischen den Werktätigen und der künstlerischen Intelligenz. Nur wenige Autoren hatten Kontakte mit Arbeitern oder durch eigene Berufserfahrung Kenntnis

der industriellen oder landwirtschaftlichen Arbeit. Arbeiter des VEB Braunkohlen-
werkes Nachterstedt forderten im sogenannten ,Nachterstedter Brief' vom 27.1. 1955
an den Schriftstellerverband von den Schriftstellern mehr Bücher über den Aufbau,
die Rolle der Gewerkschaften und das Schaffen und Leben der Werktätigen: „[...]
kommen Sie in unsere volkseigenen Betriebe, dort finden Sie reichlich Anregung und
Stoff zur künstlerischen Gestaltung." Doch erst vier Jahre später wurde mit der Bitterfelder Konferenz (s. S. 678 f.) eine Bewegung in Gang gesetzt, die programmatisch eine Überwindung der Entfremdung zwischen Künstler und Volk zu realisieren
versuchte.

14.3.2 Brecht in der DDR

Nach 15 Exiljahren kehrte Brecht 1948 nach Deutschland zurück. In Ost-Berlin erhielt er die Möglichkeit, ein eigenes Ensemble, das ,Berliner Ensemble' (BE), aufzubauen, dessen Leitung seiner Frau, der Schauspielerin Helene Weigel, übertragen
wurde. Brechts Wunsch, seine Theorien in einem eigenen Theater in die Praxis umzusetzen, die den Bedürfnissen des wissenschaftlichen Zeitalters entspricht, erfüllte
sich nur teilweise. Statt eines Arbeiterpublikums fand er ein Publikum mit bürgerlichen Rezeptionsgewohnheiten (nach Angaben Brechts waren nur 0,03% Arbeiter),
und auch den Schauspielern fehlte es am „historischen Sinn" wie am „Verständnis für
Dialektik".

Mit dem Berliner Ensemble schuf Brecht Aufführungsmodelle, die dokumentiert
wurden und als richtungweisende, aber durchaus veränderbare Vorlagen gedacht waren (,Die Mutter', ,Mutter Courage'). Von den Neuinszenierungen und Uraufführungen seiner älteren Dramen war ,Mutter Courage und ihre Kinder' mit 405 Aufführ-
rungen (von 1949 bis 1961 auf dem Spielplan des Deutschen Theaters in Ost-Berlin)
besonders erfolgreich. Das BE errang Weltruhm durch Gastspiele im sozialistischen
und westlichen Ausland.

Brecht wurde als Repräsentant der DDR-Literatur geehrt und erhielt 1951 den
Nationalpreis der DDR, 1955 den Stalin-Friedenspreis. Er war Vizepräsident der
Deutschen Akademie der Künste und wurde in den künstlerischen Beirat des
Ministeriums für Kultur gewählt. Trotzdem war sein Verhältnis zum DDR-Staat zwie-
spältig. Die Partei, deren Mitglied er nie wurde, kritisierte er nicht generell, sondern
in ihrer Tendenz zur Bürokratie. Bei der Frage nach Brechts politischer Haltung in
der DDR wird oft seine 'Ergebenheitsadresse' angeführt, die er am 17. Juni 1953 an
Walter Ulbricht richtete:

„Die Geschichte wird der revolutionären Ungeduld der Sozialistischen Einheitspartei Deutschland ihren Respekt zollen. Die große Aussprache mit den Massen über das Tempo des sozialistischen Aufbaus wird zu einer Sichtung und Sicherung der sozialistischen Errungenschaften führen. Es ist mir ein Bedürfnis, Ihnen in diesem Augenblick meine Verbundenheit mit der Sozialistischen Einheitspartei Deutschlands auszusprechen."

Von diesem Text erschien im ,Neuen Deutschland' nur der Schlußsatz, allerdings
sechs Tage später in der gleichen Zeitung eine weitere Stellungnahme, in der Brecht
seine Hoffnung ausspricht, daß die Arbeiter, „die in berechtigter Unzufriedenheit
demonstriert haben, nicht mit den Provokateuren auf eine Stufe gestellt werden, damit nicht die so nötige Aussprache über die allseitig gemachten Fehler von vornherein gestört wird". Obwohl Brechts Sympathien eher dem Volk als der Partei galten,
sah er die Demonstrationen gegen Normenerhöhung und Lohnsenkung dadurch gefährdet, daß faschistische Kräfte die Proteste der Arbeiter für ihre Zwecke ausnutz-
ten. Wenn es um den Kampf gegen Krieg und Faschismus ging, stand er auf der Seite
der Partei.

Brechts Theaterarbeit in der DDR galt der Entwicklung eines neuen sozialistischen
Theaters. Sie lief nicht ohne Reibungen mit der Kulturbürokratie ab, besonders nach

1951, als diese mit politischen Maßnahmen gegen den 'Formalismus' auch die Experimentierfreudigkeit auf dem Theater einschränkte. Brechts Interesse an den Klassikern war eine kritische Auseinandersetzung mit dem bürgerlichen Erbe im Dienste einer Weiterentwicklung von Kunstformen. Der bloßen Erbepflege im Sinne der Parteilinie widersprach seine Praxis, die Texte als Impuls oder Anregung zu gebrauchen: „Man muß vom Alten lernen, Neues zu machen." Mit dieser Haltung wehrte er sich gegen eine „Einschüchterung durch die Klassizität". An Brechts Bearbeitungen und Inszenierungen klassischer Stücke wie Lenz' ‚Hofmeister' beanstandeten die Kulturpolitiker, daß sie nicht den Fortschritt, sondern „die deutsche Misere" herausstellten, was schließlich zu massiver Kritik am BE führte, dessen Arbeit als „historisch falsch und politisch schädlich" bezeichnet wurde.

In der Literaturtradition des BPRS stehend, glaubte Brecht, daß die neuen Verhältnisse auch neue Formen verlangten:

„Wenn wir uns die neue Welt künstlerisch praktisch aneignen wollen, müssen wir neue Kunstmittel schaffen und die alten umbauen. Die Kunstmittel Kleists, Goethes, Schillers müssen heute studiert werden, sie reichen aber nicht mehr aus, wenn wir das Neue darstellen wollen. Den unaufhörlichen Experimenten der revolutionären Partei, die unser Land umgestalten und neugestalten, müssen Experimente der Kunst entsprechen, kühn wie diese und notwendig wie diese. Experimente ablehnen, heißt, sich mit dem Erreichten begnügen, das heißt zurückbleiben" (Der neue Held, 1956).

Aus dieser wie auch zahlreichen anderen Äußerungen ist abzulesen, daß Brecht teilweise erheblich von der offiziellen Literaturkonzeption der DDR abwich. Vor allem hielt er an der Herausarbeitung von Widersprüchen und Konflikten in den Charakteren und Vorgängen der Stücke fest und sah in der Theorie der Konfliktlosigkeit eine Tendenz zur Verharmlosung, die er darauf zurückführte, daß in der DDR (entgegen der parteipolitischen Behauptung) eine Revolution nie stattgefunden habe:

„Es ist ein großes Unglück unserer Geschichte, daß wir den Aufbau des Neuen leisten müssen, ohne die Niederreißung des Alten geleistet zu haben. Das haben, indem sie den Faschismus besiegten, die Sowjetrussen für uns getan. Wahrscheinlich deshalb sehen wir jetzt den Aufbau so undialektisch an. Und daß wir ihn so ansehen, hat wieder den Nachteil, daß wir dem täglichen Kampf gegen das Alte, den wir noch zu leisten haben, keinen genügenden Ausdruck verleihen. Wir suchen ständig das 'Harmonische', das 'An-und-für-sich-Schöne' zu gestalten, anstatt realistisch den Kampf für die Harmonie und die Schönheit."

Für die Theatersituation im Nachkriegsdeutschland, in das er aus dem Exil zurückkehrte, fand Brecht eine bildhafte Beschreibung: Die Keller sind noch nicht ausgeräumt, schon werden neue Häuser darauf gebaut. Heiner Müller resümiert rückblickend (in: ‚Theater heute', Jahrbuch 1980):

Brecht formulierte 1948 „als die Zielstellung seiner Arbeit in der sowjetischen Besatzungszone Deutschlands: 20 Jahre Ideologiezertrümmerung und sein Bedürfnis nach einem eigenen Theater 'zur wissenschaftlichen Erzeugung von Skandalen', ausgehend auf die politische Spaltung des Publikums statt auf eine illusionäre 'Vereinigung' im ästhetischen Schein [...]. Die Skandale fanden nicht, als Initialzündung für die große Diskussion, im Theater statt, sondern, als Behinderung der Diskussion, auf den Kulturseiten der Presse. Die neuen Häuser mußten schneller gebaut werden, wie die Keller ausgeräumt werden konnten [...]. Brechts Theaterarbeit: ein heroischer Versuch, die Keller auszuräumen, ohne die Statik der neuen Gebäude zu gefährden. (Die Formulierung enthält das Basisproblem der DDR-Kulturpolitik.) In diesem Kontext sind die Klassikerbearbeitungen kein Ausweichen vor der Forderung des Tages, sondern Revision des Revisionismus der Klassik, bzw. ihrer Tradierung."

Brechts Theaterarbeit. Außer der Auftragsarbeit ‚Herrnburger Bericht' (Text zu einer Kantate von Paul Dessau, 1951) hat Brecht in der DDR kein Stück geschrieben. Sein Drama ‚Büsching' blieb Fragment, das sich auf erste Szenenentwürfe (von 1951) und einen Stückentwurf (von 1954) beschränkt. Der Held, bei Brecht Büsching genannt,

ist der Aktivist Hans Garbe, der mit seiner Brigade bei der Reparatur eines Ring-
ofens eine halbe Million Kosten gespart hatte (s. Claudius: ‚Menschen an unserer
Seite‘, und Heiner Müller: ‚Der Lohndrücker‘, S. 671 und 677).

An dem Stoff (Brecht ließ den Vorgang von Garbe selbst berichten) interessierte ihn der Einzelgänger, der von der Partei ausgeschlossen war: Motiviert durch materielle Bedürfnisse, handelt
Garbe unbewußt im Interesse des Staates. Nach den Szenenentwürfen von 1951 findet folgender Dialog statt: „Warum habt ihr sieben es gemacht?“ – Brigadier Büsching: „Sagen wir, weil
wir ein Pfund Butter mehr verdienen wollten.“ –„ Nicht, weil ihr dem Betrieb vorwärts helfen
wolltet?“ – Büsching: „Das Neue daran war vielleicht, daß wir dem Betrieb vorwärts halfen, indem wir ein Pfund Butter mehr verdienten.“ Die Verhaltensweisen des alten Menschen (Eigen-
interessen) sollten durch das naive Tun die Verhaltensweisen des neuen Menschen (Interesse aller) provozieren und dem Publikum bewußtmachen.

Nach den Ereignissen des 17. Juni 1953 änderte Brecht sein ursprüngliches Konzept,
das sinnfällig machen sollte, wie Büsching „vom Objekt der Geschichte zu ihrem
Subjekt wird“. Brecht legte ‚Büsching‘ nun als Lehrstück mit Chören an. Der Akti-
vist Garbe hatte am 17. Juni mit den Bauarbeitern der Stalinallee demonstriert, mit
sämtlichen Orden auf seinem Arbeitskittel; er mußte schließlich von der Polizei gegen tätliche Angriffe (von wem, war nicht zu erfahren) geschützt werden. Brecht läßt
Büsching an den Folgen der Gewalttätigkeiten sterben. Da die aktuellen politischen
Ereignisse gerade die Nichtübereinstimmung von Interessen der Arbeiter und des
Staates zeigen, widersprachen sie den ursprünglichen Plänen, wonach der neue
Mensch aus den neuen Produktionsbedingungen hervorgeht. Nun sollen die Konflik-
te – im Stil der ‚Maßnahme‘ – diskutiert und die Gegensätzlichkeiten im Durchspie-
len von Möglichkeiten entfaltet werden.
Nicht an einem eigenen Drama mit einem Thema der Gegenwart, sondern in den
‚Katzgraben-Notaten‘ (1953) – anläßlich seiner Inszenierung des zeitgenössischen
Stückes ‚Katzgraben‘ von Erwin Strittmatter – legte Brecht Gedanken über eine
mögliche sozialistische Dramaturgie nieder.

In diesem Drama geht es um den Kampf zwischen fortschrittlichen und reaktionären Bauern
und um den Konflikt zwischen Partei und Volk, wobei das Volk die Veränderungen herbeiführt
und die Partei von ihm zu lernen hat.

Als Hauptaufgabe der Dramaturgie bezeichnete es Brecht, „die neue Lebensweise
auf dem Dorf zu zeigen, die erregende Entwicklung, das neue große Produzieren,
neue Haltungen im Kampf mit alten Haltungen, sogar bei ein und derselben Figur.
Und wir müssen herausbekommen nicht nur Erkenntnisse, sondern auch, und das
besonders: Lust an diesem neuen Leben, Stolz auf die neuen Lösungen und Leute.“
Die Fabel dürfe nicht in „banaler Durchidealisierung […] auf einen alles befrieden-
den Schluß“ hinlaufen. Impulse bekomme das Publikum nicht von fertigen Lösungen, sondern aus den Problemen. Diese selbst müßten im Publikum Lust wecken, sie
zu lösen und damit die Welt zu verändern. Widersprüche, Konflikte seien nicht zu
glätten, sondern herauszuarbeiten: „Wir müssen überall, wo wir Lösungen zeigen,
das Problem, wo wir Siege zeigen, die Drohung der Niederlage zeigen, sonst entsteht
der Irrtum, es handle sich um leichte Siege. Überall müssen wir das Krisenhafte,
Problemerfüllte, Konfliktreiche des neuen Lebens aufdecken – wie können wir sonst
sein Schöpferisches zeigen?“
Durch die praktische Arbeit am Berliner Ensemble konnte Brecht seine im ‚Kleinen
Organon‘ (1948) zusammengefaßten theoretischen Vorstellungen überprüfen. Unter
den gegebenen Bedingungen – weder das Publikum noch die Schauspieler hatten den
notwendigen Bewußtseinsstand und Verständnis für Dialektik, um wirkungsvoll mit
Verfremdungen arbeiten zu können – relativiert er das theoretische Konzept und betont das Vergnügen, die Lust am Erkennen, die das Theater vermitteln soll. Brechts
Theaterpraxis beeinflußte die Theaterarbeit in der ganzen Welt.

Trotz des Ansehens, das Brecht in der Öffentlichkeit der DDR genoß, mußte er auf dem vierten Schriftstellerkongreß 1956 feststellen: „Die Theater der Deutschen Demokratischen Republik gehören – betrüblicherweise, von meinem Standpunkt aus – zu den wenigen Theatern in Europa, die meine Stücke nicht aufführen. Ich bin also gezwungen, sie selber aufzuführen." Während des 'Kalten Krieges' wurden seine Stücke in der Bundesrepublik Deutschland boykottiert oder abgesetzt und erst Ende der sechziger Jahre überall gespielt. Noch nach seinem Tod (1956) bemerkte der damalige Außenminister der Bundesrepublik Deutschland, Heinrich v. Brentano, im Bundestag, „daß die späte Lyrik des Herrn Brecht nur mit der Horst Wessels zu vergleichen ist".

Brechts Lyrik. Die in den Jahren von der Rückkehr aus dem Exil bis zu seinem Tod entstandenen Gedichte Brechts bringen den Neuanfang, die Veränderung, den Beginn des „goldenen Zeitalters" zur Sprache. Doch für Euphorie ist die Erfahrung der vergangenen Jahre, sind die Trümmer in den Städten noch zu gegenwärtig. Im ‚*Aufbaulied*‘ von 1948 ist der Optimismus ungebrochen; der gemeinsam zu leistende Wiederaufbau ist ein Säuberungsakt:

> Schaufeln her, Mensch, schaufeln wir den ganzen
> Klumpatsch heiter jetzt aus unserm Staat.

Und eine Angelegenheit des Volkes:

> Besser als gerührt sein, ist: sich rühren
> Denn kein Führer führt uns aus dem Salat!
> Selber werden wir uns endlich führen:
> Weg der alte, her der neue Staat!

Im Gegensatz zum Pathos der offiziellen Reden und Spruchbänder ist Brechts Einschätzung der Aufbau-Situation nüchtern und scharfsichtig. lm Gedicht ‚Wahrnehmung‘ stellt er fest: „Die Mühen der Gebirge liegen hinter uns/ Vor uns liegen die Mühen der Ebenen." Nationalsozialismus und Krieg hatten ihre Spuren hinterlassen, es waren – wie Brecht ein Gedicht überschreibt – ‚*Schlechte Zeiten*‘:

> Das Haus ist gebaut aus den Steinen, die vorhanden waren.
> Der Umsturz wurde gemacht mit den Umstürzlern, die vorhanden waren.
> Das Bild wurde gemalt mit den Farben, die vorhanden waren.
>
> Gegessen wurde, was da war.
> Gegeben wurde den Bedürftigen.
> Gesprochen wurde mit den Anwesenden.
> Gearbeitet wurde mit den Kräften, der Weisheit und dem Mut, die zur
>   Verfügung standen.
>
> Die Sorglosigkeit soll nicht entschuldigt werden.
> Mehr wäre möglich gewesen.
> Das Bedauern wird ausgesprochen.
> (Was könnte es helfen?)

In zunehmendem Maße, besonders in den ‚*Buckower Elegien*‘ (1953), warnt Brecht vor den Gefahren des Faschismus, des Krieges und der (bürokratischen) Staatsmacht. In diesem letzten Zyklus Brechts sind die Gedichte fast bis zum Sinnspruch verknappt. Die seine Alterslyrik kennzeichnende Kurzform steht in Zusammenhang mit Brechts Studium asiatischer und antiker Lyriktraditionen (Haiku, Horaz). Sie beginnt meist mit der Beobachtung eines Vorgangs – in der Natur, im Traum, in der Geschichte –; in einem zweiten Schritt legt sie dem Wahrgenommenen einen Sinn bei. Der reflektierende Akt der Aneignung verbindet Außen- und Innenwelt; das Vorgefundene wird zur persönlichen oder historischen Situation in Beziehung gebracht. So enthüllt ein Bild, eine Stimmung, eine Nachricht Wahrheiten, die dem Leser jedoch nicht in Form von Maximen mitgeteilt werden, sondern als nachdenklich stimmende Einfälle.

> *Der Rauch*
>
> Das kleine Haus unter Bäumen am See.
> Vom Dach steigt Rauch.
> Fehlte er
> Wie trostlos dann wären
> Haus, Bäume und See.

Resignative, melancholische Töne herrschen vor. Die Ermutigung durch die veränderten politischen Verhältnisse wird überschattet von der Sorge, daß das Neue vom Geist der alten Zeit bedroht sei.

Nach dem Aufstand vom 17. Juni war die politische Situation in der DDR kritisch. Brecht zog sich mehr und mehr auf seine im Sommer 1952 in Buckow am Scharmützelsee östlich von Berlin erworbene Villa zurück, in deren Gärtnerhaus er sich eine „Sphäre der Isolierung" schuf. Die ‚Buckower Elegien', die er hier schrieb, spiegeln in ihrer Stimmung die Lebens- und Schaffenskrise, in der sich Brecht damals befand.

> *Der Himmel dieses Sommers*
>
> Hoch über dem See fliegt ein Bomber
> Von den Ruderbooten auf
> Schauen Kinder, Frauen, ein Greis. Von weitem
> Gleichen sie jungen Staren, die Schnäbel aufreißend
> Der Nahrung entgegen.

14.3.3 Brechts Schüler: 'Agrodrama' und 'Produktionsstück'

Helmut Baierl: Frau Flinz (1961. UA 1961)
Volker Braun: Kipper Paul Bauch. Neufassung: Die Kipper (1966–1972)
Peter Hacks: Die Sorgen und die Macht (1958. UA 1960)
Moritz Tassow (1961. UA 1965)
Hartmut Lange: Marski (1962/63)
Heiner Müller: Der Lohndrücker (1956/57. UA 1958)
Die Umsiedlerin oder das Leben auf dem Lande.
Neufassung: Die Bauern (1956–1964. UA 1961)   Der Bau (1965)

UA = Uraufführung

Das Theater der DDR ist wesentlich bestimmt durch die Auseinandersetzung der Dramatiker und Theaterleute mit Brecht und dessen Inszenierungen.

Als etwas DDR-Typisches bezeichnen es die DDR-Regisseure Karge und Langhoff, daß man sich „einer Traditionslinie verpflichtet fühlt, die auf Brecht zurückgeht. Das DDR-Theater hat eben das Glück, einen Brecht gehabt zu haben. [...] Brecht fing an mit dem BE und einer kleinen Gruppe von Leuten, die das vermutlich wesentlichste Theater für das Nachkriegs-Europa machten. Daraus gingen viele Theaterleute hervor, die diese Erkenntnisse unter anderen Bedingungen an andere Bühnen weitertrugen. [...]" (Theater heute, Jahrbuch 1978, S. 58)

Von der Mitte der fünfziger Jahre an entfaltete das Drama der DDR seine Handlung an den Verhaltensweisen einzelner, die im landwirtschaftlichen oder industriellen Arbeitsprozeß den Weg zum Sozialismus suchten. Die bedeutenderen Stücke vermeiden Klischees und die Harmonisierung der Widersprüche, mit denen die Konflikte nur oberflächlich im Happy-End aufgelöst werden.

Helmut Baierl: ‚Frau Flinz'. Das Stück entstand in Zusammenarbeit mit Manfred Wekwerth und dem Kollektiv des Berliner Ensembles. Die Umsiedlerin Martha Flinz ist eine 'Mutter Courage' der sozialistischen Übergangsgesellschaft. Ihre in der kapitalistischen Gesellschaft eingeübten Denk- und Verhaltensformen funktionieren zunächst auch in der neuen Gesellschaftsordnung. Mit derselben List, mit der sie im nationalsozialistischen Staat die Einberufung ihrer Söhne verhinderte, sucht sie auch unter den neuen Bedingungen den persönlichen Vorteil. Das eigentliche Ziel aber, die Söhne keinesfalls an den Staat zu verlieren, erreicht sie nicht: Alle fünf Söhne verlassen sie. Ihr grotesker Kampf richtet sich gegen den neuen Staat, gegen den sie sich – ihrer ahistorischen Einschätzung entsprechend – wehren zu müssen glaubt, obwohl er doch gerade für seine Bürger sorgt. „Sich, wie sie immer getan hat, gegen den Staat stellend, versperrt sie damit ihren Söhnen die größere Brotlade, den volleren Kleiderschrank, die schönere Behausung, die der Staat ihnen geöffnet hält."
Trotz falschen Bewußtseins tut sie immer schon das Richtige. Der scheinbare Verlust der Söhne erweist sich als Gewinn, denn Frau Flinz „hat ihre kleine Familie gegen die große eingetauscht". Sie ist, wie der Epilog mitteilt, nun Vorsitzende einer Landwirtschaftlichen Produktionsgenossenschaft.
Baierls Stück begnügt sich, wie zahlreiche dieser Art, mit Scheinkonflikten. Der kleine Fehler der Heldin besteht darin, noch nicht zu erkennen, daß in der großen sozialistischen Familie der Widerspruch zwischen individuellem und allgemeinem Interesse aufgehoben ist. Doch das dramatische Geschehen ist im Grunde unerheblich, da sich ja der objektive Geschichtsverlauf unabhängig von ihrem Irrtum vollzieht.

Heiner Müller: ‚Der Lohndrücker'. Im Gegensatz zu Baierls Schematismus geschichtlicher Folgerichtigkeit stellt Müller Fragen an das Publikum, die nicht auf der Bühne, sondern vom Zuschauer beantwortet werden sollen. Im Vorspann heißt es:

„Das Stück versucht nicht, den Kampf zwischen Altem und Neuem, den ein Stückeschreiber nicht entscheiden kann, als mit dem Sieg des Neuen vor dem letzten Vorhang abgeschlossen darzustellen; es versucht, ihn in das neue Publikum zu tragen, das ihn entscheidet."

Der Titel deutet auf den Konflikt bereits hin: In einem volkseigenen Betrieb ist der neue Arbeitskollege Balke (Garbe, s. S. 671 und 673 f.) bereit, einen Ringofen unter extremen Bedingungen (in kurzer Zeit bei hohen Temperaturen) zu reparieren. Dadurch isoliert er sich von seinen Kollegen, die weder für den Sozialismus Opfer bringen wollen noch sich als Eigentümer des Betriebes fühlen. Sie spotten über den neuen 'Arbeiterstaat' und sehen in Planerfüllung und Leistungslöhnen nur die Fortsetzung der alten Ausbeutung. Mit ideologischen Phrasen vom richtigen Bewußtsein und gemeinsamen Aufbau und mit Verheißungen eines besseren Lebens durch Steigerung der Produktion kann man sie nicht überzeugen. Die Bedarfsgüter sind knapp und teuer. Der Staat bietet einen Anreiz mit Prämien und Leistungslöhnen. Durch die unterschiedlichen Löhne entstehen jedoch Neid und Feindschaft. Balke wird als Arbeiterverräter beschimpft, man meidet ihn, verprügelt ihn, sabotiert seine Arbeit. Da Balke die Arbeit am Ringofen nicht allein machen kann, ist er auf andere angewiesen, selbst auf jenen, der ihn schlug. Die Konflikte zwischen Betriebsleitung, Arbeitern und Balke spitzen sich zu. Fragen nach der Interessenvertretung der Arbeiter, nach den Machtmitteln des Staates, nach einem neuen Verständnis von Zusammenarbeit und der Freisetzung von Produktivität werden in ihrer ganzen Komplexität dargestellt. Der Ausgang des Experiments bleibt offen: Balke ist noch nicht der 'neue Mensch', und die Probleme des Kollektivs sind nicht ein für allemal gelöst.
Im Gegensatz zu Brechts ‚Büsching-Fragment' ist ‚Der Lohndrücker' nicht auf den 'Helden' Garbe zentriert, sondern auf das Kollektiv von Arbeitern und ihre Schwierigkeiten miteinander. Das 'Brigadestück' ist ein Drama, das gesamtwirtschaftliche Konflikte im überschaubaren Rahmen eines Arbeitskollektivs durchspielt.

14.4 Ankunftsliteratur und Bitterfelder Weg

Werner Bräunig: In diesem Sommer (Erzählung. 1960)
Franz Fühmann: Kabelkran und Blauer Peter (Reportage. 1961)
Karl-Heinz Jakobs: Beschreibung eines Sommers (Roman. 1961)
Günter Kunert: Tagträume (Kleine Prosa. 1964)
Erik Neutsch: Bitterfelder Geschichten (Erzählungen. 1961)
Spur der Steine (Roman. 1964)
Brigitte Reimann: Ankunft im Alltag (Roman. 1961)
Erwin Strittmatter: Ole Bienkopp (Roman. 1963)
Christa Wolf: Der geteilte Himmel (Erzählung. 1963)
Ich schreibe. Arbeiter greifen zur Feder (Anthologie. 1960)
Deubener Blätter (Anthologie. 1961)

Die Entwicklungsphase der DDR, deren Ziel der Aufbau des Sozialismus war, galt Mitte der fünfziger Jahre als abgeschlossen. Aus der Sicht der Partei war man im Sozialismus angekommen, und es ging nun darum, sich in dessen Alltag, in der neuen Produktion und Gesellschaftsordnung, einzurichten und zu bewähren.

Der *'Neue Kurs'*, nach dem Aufstand des 17. Juni 1953 vom Zentralkomitee beschlossen, brachte eine Liberalisierung der Kunstpolitik und unter der Parole „Einheit der deutschen Kultur" eine Reihe von gesamtdeutschen Kulturveranstaltungen. Der Kulturbund, die Akademie der Künste und einige Künstler – vor allem auf dem vierten Schriftstellerkongreß 1956 – forderten größere Freiheit und kritisierten den zu engen Realismusbegriff. In seiner Rede auf dem Schriftstellerkongreß machte Johannes R. Becher (seit 1954 Minister für Kultur) die „dominierende Rolle der Ideologie" dafür verantwortlich, daß Schematismus, Schönfärberei und Vereinfachung die Qualität der neuen literarischen Produktion mindern. Auf dem zweiten Kongreß Junger Künstler (1956) beklagte der Schriftsteller Heinz Kahlau, daß in der DDR nicht – wie in der Sowjetunion seit dem zwanzigsten Parteitag, der den Personenkult um Stalin verurteilte – über die Fehler der Vergangenheit diskutiert würde. Gerade die jüngere Künstlergeneration war von der Entstalinisierungskrise innerlich stark betroffen.

Den 'revisionistischen Tendenzen' trat die Partei 1956/57 nach anfänglicher Unsicherheit mit Härte entgegen. Mit ihrer Kulturkonferenz im Oktober 1957 machte sie dem Tauwetter ein Ende, das keines war, weil nach dem ungarischen Aufstand im Herbst 1956 kein Frühling folgte. Die Künstler, von denen sich einige jüngere in modernen, von Faulkner, Hemingway und Kafka beeinflußten Formen versucht hatten, wurden wieder auf die führende Rolle der Sowjetkunst verpflichtet.

Mit der Aufforderung Walter Ulbrichts an die Arbeiterklasse, sie müsse jetzt „auch die Höhen der Kultur stürmen und von ihnen Besitz ergreifen", wurde die zweite Etappe der sogenannten Kulturrevolution eingeleitet. Ihr Ziel war es, die „Trennung von Kunst und Leben, die Entfremdung zwischen Künstler und Volk zu überwinden". Auf der *Bitterfelder Konferenz* im April 1959 legte Ulbricht in seinem Schlußwort erneut die kulturpolitischen Aufgaben fest: Kampf gegen bürgerliche Dekadenz mit den künstlerischen Mitteln des sozialistischen Realismus, der sich am klassischen Erbe orientiert.

Der 'Bitterfelder Weg' führte – unter der Parole „Dichter in die Produktion!" – die in den wenigsten Fällen aus dem Arbeitermilieu kommenden Autoren in die Arbeitswelt. Mit dem Aufruf: „Greif zur Feder, Kumpel! Die sozialistische Nationalkultur braucht dich!" sollten Talente aus der Arbeiterschaft gefördert und Erfahrungen durch künstlerische Gestaltung ins Bewußtsein gebracht werden. Es wurden 'Brigadetagebücher' geführt und, zusammen mit Künstlerverbänden, Zirkel gebildet. Erfolgreiche Laienkünstler wurden für das Kunststudium vorgeschlagen, ein Kunst- und ein Literaturpreis der Gewerkschaft gestiftet, die 1963 400 „Zirkel schreibender Arbeiter" unterhielt. Das Konzept der schreibenden Arbeiter war eine Chance für eine eigenständige Arbeiterliteratur, die allerdings weitgehend durch Anleitungen und Korrekturen eingeschränkt wurde. Von den Künstlern (Schriftstellern und Malern) schlossen 260 Verträge mit den volkseigenen Betrieben ab.

Durch die Beschlüsse der zweiten Bitterfelder Konferenz (1964) wurde das Konzept des Bitterfelder Weges modifiziert: Weil die Schriftsteller bei ihrer Begegnung mit der Arbeitswelt die Erfahrung machten, daß die „Linie von oben" und die Praxis im Alltag nicht zusammenpassen, brauchen sie „den Blickwinkel des Planers und Leiters". Seit dem 'Neuen Ökonomischen System der Planung und Leitung der Volkswirtschaft' und der technischen Revolution ist das Konfliktpotential gestiegen. Von den Autoren wird gewünscht, „daß sie in tiefen menschlichen Konflikten [...] mit ihren spezifischen Möglichkeiten entdecken helfen, wie Konflikte zu lösen sind" (Ulbricht). Plötzlich wurde der Bitterfelder Weg abgebrochen: Die großen Erwartungen hatten sich nicht erfüllt.

Der Bitterfelder Weg hatte Schriftstellern wie Arbeitern Impulse gegeben; eine Kulturrevolution war er nicht. Aus der Bewegung der schreibenden Arbeiter entstanden Texte, in denen die Produzierenden selbst zu Wort kommen. Doch entwickelten sich daraus keine Formen von Arbeiterliteratur, die dem proletarisch-revolutionären Ansatz der zwanziger Jahre vergleichbar wären. Die Erbepflege mit ihren klassischen Vorbildern verhinderte auch hier, wie so oft in der DDR, das Experiment. Der Schriftsteller Hartmut Lange, der 1965 die DDR verließ, beschrieb diese Einengung der Kunst auf bürgerliche Tradition:

„So sehen wir, wie im östlichen Teil Deutschlands zur Zeit bei Kaffee und Kuchen Schubert, Brahms, Beethoven, Mozart usw. der Bevölkerung gouvernantenhaft verabreicht werden, die Bildungsrevolution verkommt zum kulturellen Kaffeekränzchen des Biedermeier, die bürgerliche Kultur liegt überall als Häkeldeckchen über den neuen gesellschaftlichen Verkehrsformen" (‚Arbeiten im Steinbruch').

Für die professionellen Schriftsteller war die Erfahrung mit der Arbeitswelt offenbar ein Gewinn. Die Epik der sechziger Jahre ist differenzierter und neigt weniger zur Schematisierung und Schönfärberei, als das bei der Aufbauliteratur der Fall war. Nur einige folgten der Aufforderung und gingen tatsächlich in die Produktion. Es waren Angehörige der jüngeren Generation, für die sich die Konflikte nicht aus dem Übergang vom Kapitalismus zum Sozialismus ergaben, sondern in der Gegenwart selbst. Nach dem Roman von Brigitte Reimann (Jahrgang 1933), ‚Ankunft im Alltag', erhielt die 'Ankunftsliteratur' ihren Namen. Der Sozialismus erscheint in diesen Werken als Idee, als Zielsetzung oder als Alternative. Die Entwicklung oder Wandlung der literarischen Gestalten steuert einem relativen Abschluß zu, nämlich der Entscheidung für den Sozialismus. Die Autoren, deren „Scheu vor dem positiven Helden" von offizieller Seite getadelt worden war, haben nun die Möglichkeit, in ihren Hauptfiguren die Spannung zwischen Lebensanspruch und gesellschaftlicher Forderung darzustellen. In ihrer Dialektik von Individuum und Gesellschaft steht die Ankunftsliteratur dem bürgerlichen Entwicklungsroman nahe. Die Gefahr des Schematismus liegt hier in der Vorgabe der richtigen Entscheidung des Helden. Sie wird vermieden in Werken, in denen der Spielraum individueller Entscheidung ernst genommen wird. Die Kritik, die in ihnen zum Ausdruck kommt, ist jedoch partiell. Gemäß der geforderten Parteilichkeit des Schriftstellers betrachtet dieser die Widersprüche aus der Position der Übereinstimmung mit der gesellschaftlichen Entwicklung.

Christa Wolf: „Der geteilte Himmel'. Wie Uwe Johnson in seinem 1959 (bereits in der Bundesrepublik Deutschland) veröffentlichten Roman ‚Mutmaßungen über Jakob‘ konfrontiert Christa Wolf in ihrer Erzählung ein Liebespaar mit der Teilung Deutschlands. Bei beiden entscheidet sich der Held, nachdem der Partner in den Westen geflohen ist, gegen seine Liebe und für die sozialistische Gesellschaft. Beide Helden erleiden einen Unfall, der offenläßt, ob es sich um Selbstmord oder einen Betriebsunfall handelt. Wolfs Heldin Rita erwacht – so der Beginn der Erzählung – im Krankenhaus aus einer Ohnmacht. In Rückerinnerungen und Rückblenden wird auf unterschiedlichen Zeitebenen über ihre Liebesgeschichte mit dem Chemiker Manfred berichtet.

Nach dem Muster der Ankunftsliteratur ist Rita in bürgerlichen Denk- und Verhaltensweisen befangen. Erst nachdem die Konflikte zu einer Entscheidung drängen, erreicht sie die mit der neuen Ordnung übereinstimmende Haltung. Die angehende Lehrerin arbeitet in einem Waggonwerk. Trotz der auftretenden Probleme, Mängel und Unfähigkeiten, die sie im sozialistischen Alltag entdeckt, identifiziert sie sich mit den Zielen ihrer Brigade. Manfred dagegen, der dem Neuen gegenüber mißtrauische Intellektuelle, glaubt nicht an Veränderungen:

„Und du denkst wirklich, nach der Versammlung geht alles besser als vor der Versammlung? Auf einmal habt ihr genug Material? Auf einmal sind unfähige Funktionäre fähig? Auf einmal denken die Arbeiter an die großen Zusammenhänge anstatt an ihren eigenen Geldbeutel?"

Als Manfreds Erfindung einer verbesserten Spinnmaschine abgelehnt wird, entschließt er sich zur Republikflucht. Ohne zu wissen, ob sie in die DDR zurückkehren wird, reist Rita elf Wochen später (kurz vor der Errichtung der Mauer im August 1961) nach West-Berlin, wo sie von Manfred erwartet wird. Abgestoßen von der „freien Welt", die ihr fremd und unmenschlich erscheint, entscheidet sie sich für die Rückkehr in das „härtere, strengere Leben"; dort nimmt sie ihren Platz in der Brigade wieder ein.

Obwohl Christa Wolf in dieser Erzählung auch Kritik an den DDR-Verhältnissen äußert und der Heldin in der Entscheidungssituation Unsicherheit und Gewissensnöte zugesteht, sind die Probleme und Figuren noch relativ undifferenziert dargestellt. Manfreds Schwierigkeiten mit den Gegebenheiten der DDR werden zwar ernst genommen, die Konsequenzen, die er daraus zieht, jedoch vereinfacht dargestellt als Selbstaufgabe aus Resignation. Er ist einer, dem „alles gleichgültig wird", weil er „das Steuer verloren hat". Klischeehaft bleiben auch die Vertreter der alten und der neuen Welt. Manfreds Vater ist ein ehemaliger SA-Mann ohne Rückgrat, seine Mutter eine gepflegte Gnädige voller mißgünstiger, egoistischer Gedanken. Auf der anderen Seite steht der „ausgemergelte, zähe" Arbeiter Meternagel – ein namenloser Held im sozialistischen Alltag –, der „einen schweren Packen auf sich genommen" hat und verlacht wird.

Die Erzählung wurde mit dem Heinrich-Mann-Preis ausgezeichnet. Auf ihren außerordentlichen Erfolg reagierte die Literaturkritik mit einer lang andauernden Diskussion. Von offizieller Seite wurde ihr Mangel an Parteilichkeit vorgeworfen. Die Spaltung Deutschlands werde zu sehr als Unglück und nicht als Folge der Klassenauseinandersetzungen betrachtet.

„Wenn die Liebenden auseinandergetrieben werden, so nicht durch den 'Sog einer geschichtlichen Entwicklung' an sich, wie es bei Christa Wolf heißt und letzten Endes für die Entscheidung der Rita angenommen wird, sondern durch die Unfähigkeit des einen oder anderen Partners oder gar beider, sich ohne Ressentiments auf die Seite derjenigen Kräfte zu schlagen, die den Fortschritt verkörpern, und in ihrem Interesse um jeden Menschen zu ringen." (Erik Neutsch: Ein paar Steinwürfe in einen „schwarzen abgrundtiefen See". In: Sonntag Nr. 32/1963.)

Erwin Strittmatter: ‚Ole Bienkopp‘. Mit dem tragischen Untergang seines Helden endet Erwin Strittmatters Roman, der mit komischen und satirischen Mitteln Konfliktsituationen beim Übergang zu neuen Produktions- und Lebensweisen auf dem Lande darstellt.

Anfang der fünfziger Jahre gründet Ole Bienkopp, der im Zuge der Landverteilung durch die Bodenreform von 1945 als ‘Neubauer’ zu sechs Hektar Land kommt, eine „Bauerngemeinschaft vom Neuen Typus“. Mit diesem spontanen, aus progressiven Impulsen entstandenen Vorläufer der später von oben angeordneten landwirtschaftlichen Produktionsgenossenschaften (LPG) hat es der „Wegsucher und Spurmacher“ zunächst schwer, sich in seinem Dorf durchzusetzen. Die konterrevolutionären Kräfte (wie der Großbauer Serno und der später nach West-Berlin flüchtende Sägemüller Ramsch) versuchen, die Entwicklung aufzuhalten. Aber auch die Parteifunktionäre leisten Widerstand gegen diese von unten, an der Basis entstandene Kollektivierung. In Bienkopps Aktionen sehen sie undisziplinierte und eigensinnige Kompetenzüberschreitungen und mangelndes Vertrauen zum Staatsapparat. In einer außerordentlichen Parteiversammlung werden zwar Oles Verdienste als Kreistagsabgeordneter gerühmt, seine Initiative jedoch getadelt, weil er „den Rahmen überschritten“ und „sich hinter dem Rücken der Partei etwas ausgedacht“ hat.

Allmählich weichen Skepsis und Spott der Dorfbewohner. Im zweiten, sechs Jahre später handelnden zweiten Teil des Romans ist Ole Vorsitzender der LPG (seiner ehemaligen ‚Neuen Bauerngemeinschaft‘), die jetzt 25 Mitglieder zählt. Die Erfolge sind noch bescheiden und werden zusätzlich durch Anweisungen intriganter Parteifunktionäre zunichte gemacht. Zu Unrecht wird er für die Verluste zur Verantwortung gezogen. Als der von Ole angeforderte Bagger nicht kommt, gräbt und schaufelt er sich am Ende auf den Mergelwiesen zu Tode.

Im Bereich der antagonistischen Widersprüche stellt Strittmatter schwarzweißmalend die reaktionären Klassenfeinde und westlichen Lebensformen der sozialistischen Gesellschaft gegenüber. Die nichtantagonistischen Widersprüche, die beim Ausbau neuer Produktionsverhältnisse entstehen, beschreibt er dagegen differenzierter. Er konfrontiert den liebenswert und humorvoll gezeichneten Ole mit den Verordnungen und Durchführungsbestimmungen der Parteibürokratie und bemüht sich, den kreativen Einzelgänger vor dem Anarchismus zu bewahren. In einem Gespräch mit dem Kreissekretär spitzt sich der Konflikt so weit zu, daß Ole sein Parteibuch zurückgibt:

(Bienkopp:) „Ich habe alles überdacht. Mir deucht, ich such nach vorwärts, nicht nach rückwärts!“ – Wunschgetreu: „Was vorwärts und was rückwärts ist, bestimmt, dächt ich, noch immer die Partei. Willst du sie belehren?“ – Bienkopp zitternd: „Ich stell mir die Partei bescheidener vor, geneigter anzuhören, was man liebt und fürchtet. Ist die Partei ein selbstgefälliger Gott? Auch ich bin die Partei!“

Der vielgelesene Roman gilt inzwischen als Muster des ‘*sozialistischen Dorfromans’*, und sein Autor wurde mit dem Nationalpreis der DDR ausgezeichnet. An dessen mutiger Kritik an Parteidisziplin und Zentralismus nahm man in der DDR allerdings Anstoß und tadelte den „spontanen, undisziplinierten“ Charakter des Helden, „der aus seiner Vergangenheit einen Schuß Anarchismus mit sich herumschleppt“ und durch sein Fehlverhalten das tragische Ende herbeiführt. Die im Roman dargestellten Probleme hätten „durch die Organisiertheit und durch das schöpferische Moment, das den demokratischen Zentralismus trägt“, aufgelöst werden müssen (Hans Jürgen Geisthardt, in: Neues Deutschland, 9. 1. 1964).

14.5 „Konsolidierter Sozialismus" und Selbstreflexion der Autoren

Während in den Jahren 1962/1963 Marxisten außerhalb der DDR (Sartre, Garaudy, Fischer) die Möglichkeit einer 'kulturellen Koexistenz' diskutierten, hielt die DDR – durch den Bau der Berliner Mauer abgeschlossen und gefestigt – an ihrem rigiden Kunstkonzept fest. Das gab Kurt Hager (Sekretär für Wissenschaft und Kultur des ZK der SED) in einer Rede über ‚Parteilichkeit und Volksverbundenheit in Literatur und Kunst' (1963) unmißverständlich zum Ausdruck:

„Mit der Forderung nach einer 'offenen' Kunst, nach der Freiheit für den Formalismus und die Moderne verbindet sich doch wohl bei einigen Schriftstellern und Künstlern eine ablehnende Haltung nicht nur zum sozialistischen Realismus und zu unserer Kulturpolitik. Sie beginnen, sich als Kenner der politischen Ökonomie aufzuspielen, sprechen in ihren Gedichten davon, daß die Alten abtreten sollen, [...] und landen unversehens dort, wo der Gegner sie haben will [...]."

Auch Ulbricht rügte „subjektivistisch isolierte" Kulturschaffende, die den „Kampf gegen die führende Rolle der Partei und der Arbeiterklasse" aufgenommen hätten. Die Intelligenz der DDR zeigte sich, seit der Stalinkult in der UdSSR beseitigt war, zunehmend kritisch und skeptisch. Ernst Bloch und Hans Mayer verließen die DDR. Stefan Heym forderte auf dem internationalen Schriftstellerkolloquium in Ost-Berlin offene Diskussion:

„Die Taktik des Verschweigens, die Forderung: Bitte nur harmlose Debatten! sind in Wahrheit ein Mittel der Konservativen, ihre Politik des Nichtstuns fortzusetzen und ängstlich auf dem Deckel des Topfes hocken zu bleiben, in dem es so unheimlich brodelt."

Mit dem 11. Plenum des ZK der SED (1965) setzte wieder ein harter Kurs ein, der den „antisozialistischen Tendenzen" und „bürgerlichen Kunstauffassungen" mit Bestimmtheit entgegentrat. Die 'Abweichler' wurden öffentlich kritisiert (Bieler, Biermann, Bräunig, Hacks, Heym, Kunert, Heiner Müller).

Seit dem sechsten Parteitag der SED (1963) war ein neues Wirtschaftssystem, das 'Neue Ökonomische System der Planung und Leitung', in der DDR eingeführt worden, das die Wirtschaft rationalisieren sollte, um die Produktivität zu steigern. Daß mit der Entscheidung für Rationalisierung und Technisierung und dem Vorrang der Planer und Leiter die Hoffnungen auf gesellschaftlich-humanitären Fortschritt enttäuscht wurden, konnte auch Ulbrichts Proklamation der „sozialistischen Menschengemeinschaft" nicht verschleiern.

Die Literatur der sechziger Jahre – von der Partei als Phase der „Entfaltung der Sozialistischen Nationalliteratur" bezeichnet – verweigert sich weitgehend der Gestaltung der „technisch-wissenschaftlichen Revolution" und wendet sich zunehmend dem lange Zeit ausgesparten Bereich des Alltäglichen, Privaten zu. Entfremdung, ein Begriff, der vom Selbstverständnis der DDR her auf ihre Gesellschaft nicht mehr anwendbar ist, wird thematisiert.

Das Thesenhafte, das Demonstrative, das Nützliche, Funktionelle der Kunst tritt zurück zugunsten einer 'überflüssigen' Wirksamkeit, eines experimentellen Gedankenspiels. Die Ursachen hierfür liegen wohl in einem Überdruß der Autoren an den präzisen Aufgaben, die ihnen die Kulturfunktionäre fortwährend gestellt hatten, und der Einengung ihrer Kreativität durch Ge- und Verbote. So fragt Christa Wolf,

„ob nicht Aussagen, bei deren Wiederholung nichts anderes im Bewußtsein des Lesers aufleuchtet als ein Lämpchen mit der Beschriftung 'falsch' oder 'richtig' – ob nicht solche Aussagen in andere Bereiche gehören und die Literatur, die Prosa, von der hier die Rede ist, den Mut haben muß, auf Erkundung zu gehen" (‚Lesen und Schreiben').

Rückblickend auf die vergangenen Jahre erscheint den Autoren das Vertrauen in die Wirkung von Literatur illusionär, der Glaube an die allen zur Verfügung stehenden schöpferischen Kräfte simpel. Der Kunst als „Vehikel für Weltanschauung und Ideologie" sei in der Vergangenheit zu viel aufgeladen (Kahlau), „die Lehre der Geschichte frei Haus geliefert" worden (de Bruyn): „Oben Marx und Lenin rein, unten das erstklassige Gedicht raus." Der Autor fühlt sich „als eine Art öffentliches Eigentum [...], das immer zur Hand zu sein hat, wenn es irgendwo erwünscht ist".

So betrachtet zumindest ein Teil der Schriftsteller die Gesellschaftsordnung, in der sie leben und die sie darstellen, mit eigenen Augen und fordert, „daß man die Finger vor unseren Linsen und die Tabus in unseren Tempeln beseitigt" (Stefan Heym). Die Schreibweisen, Darstellungsmittel, Themen und Charaktere werden vielfältiger. Die Zeit der Typen, „die sich in vorgeschriebenen soziologischen Bahnen bewegen", sind vorbei.

„Unsere Gesellschaft wird immer differenzierter. Differenzierter werden auch die Fragen, die ihre Mitglieder ihr stellen – auch in Form der Kunst. Entwickelter wird die Aufnahmebereitschaft vieler Menschen für differenzierte Antworten. Das Subjekt, der sozialistische Mensch, lebt immer souveräner in seiner Gesellschaft, die er als sein Werk empfindet: nicht nur denkt und weiß, sondern empfindet" (Christa Wolf: ‚Lesen und Schreiben').

14.5.1 'Saison für Lyrik'

Wolf Biermann: Die Drahtharfe (1965, Bundesrepublik Deutschland)
Johannes Bobrowski: Sarmatische Zeit (1961)
Volker Braun: Provokation für mich (1965)   Wir und nicht sie (1970)
Heinz Czechowski: Wasserfahrt (1967)
Franz Fühmann: Die Richtung der Märchen (1962)
Peter Huchel: Chausseen, Chausseen (1963, Bundesrepublik Deutschland)
Heinz Kahlau: Der Fluß der Dinge (1964)
Rainer und Sarah Kirsch: Gespräch mit dem Saurier (1965)
Günter Kunert: Das kreuzbrave Liederbuch (1961)
Rainer Kunze: Sensible Wege (1969)
Georg Maurer: Dreistrophenkalender (1961)
Karl Mickel: Vita nova mea (1966)
In diesem besseren Land (Anthologie. 1966)
Saison für Lyrik (Anthologie. 1968)

Betonung des subjektiven Faktors, Nachdenklichkeit und Sensibilität waren der Lyrik auch schon in der Aufbau-Phase eigen, doch standen damals die Lobgesänge auf den Sozialismus im Vordergrund, die die Massen mitreißen und überzeugen sollten, wie etwa Kubas ‚Kantate auf Stalin' (1949). Erich Arendt, Johannes R. Becher, Bertolt Brecht, Johannes Bobrowski, Hanns Cibulka, Franz Fühmann, Peter Huchel, Stephan Hermlin behandeln aus der subjektiven Perspektive des lyrischen Ichs unterschiedliche Themen: Natur, Mythos, Arbeit, menschliche Beziehungen, politische Veränderungen.

Die heranwachsende Generation, die in den sechziger Jahren zu veröffentlichen begann, hatte vor allem von Bertolt Brecht und Erich Arendt und – als Schüler des Literaturinstituts – von Georg Maurer gelernt. In der Lyrik sehen die jungen Autoren eine Möglichkeit, das Individuum von der permanenten Unterordnung unter gesellschaftliche Erfordernisse zu entlasten und seinem Wunsch, zu sich selbst zu kommen, zu entsprechen. Während die Prosa in der gleichen Zeit noch von den vorgegebenen Programmen und Gegenständen bestimmt ist, können die Lyriker in ihren Gedichten Fragen stellen und weniger eindeutig, weniger plakativ nach Antworten suchen.

Das Echo, das die Gattung vor allem bei jungen Lesern fand, war so stark, daß von einer Lyrikwelle gesprochen wurde. Schon 1961 war Georg Maurers ‚Dreistrophenkalender' innerhalb weniger Tage nach dem Erscheinen vergriffen. Die Anthologie ‚In diesem besseren Land' löste 1966 eine Debatte in der FDJ-Zeitschrift ‚Forum' aus. Eine weitere Lyrik-Diskussion fand in den Jahren 1971 bis 1973 in der Literaturzeitschrift ‚Sinn und Form' statt. Das Interesse an Gedichten hielt auch in den siebziger Jahren an.

Volker Braun: ‚Es genügt nicht die einfache Wahrheit'. Die Zurücknahme des selbstsicheren Optimismus und agitatorischen Pathos in subtilere Reflexionen läßt sich an Volker Brauns lyrischer Entwicklung beobachten. Von seinen frühen Gedichten, die er als „provokatorisches Daherreden" bezeichnete, kam er zu „einer ursprünglicheren Haltung, die sich nicht so forciert für eine Sache engagiert, sondern für die vielen Sachen, die zum Menschen gehören". Doch ist das „Hineintauchen in die persönlichsten Dinge" nicht, wie etwa bei Sarah Kirsch oder Karl Mickel, Zuflucht zum Naturhaften oder Sehnsucht nach Glück und Wärme in den menschlichen Beziehungen. Brauns Gedichte sind politische Forderungen, die sich gegen die Zufriedenheit mit dem Erreichten wenden, gegen das Sich-Einrichten und Abwarten:

> bis eines schönen Jahrhunderts
> Fragt mich nicht wie
> Der Kommunismus ausgebrochen ist. *(‚Gegen die symmetrische Welt')*

Die noch unvollkommene Realität braucht Handelnde. Nicht an Institutionen, an ein Plenum oder an den 'Plan' können die konkreten Aufgaben delegiert werden. Nur im gemeinsamen Bemühen, und nicht durch verordnete Beschlüsse und Losungen, sind sie zu bewältigen:

> Da wir jetzt, am Ende der Schicht
> Nicht etwa abziehn und verdampfen
> In dieser Hitze sondern zusammenhocken
> In der dröhnenden Halle, um eine Lösung
> Zu finden zu finden zu finden.

In diesem mehrseitigen Gedicht ‚Allgemeine Erwartung' (aus dem Gedichtband von 1974: ‚Gegen die symmetrische Welt') beschreibt Braun den langen Arbeitstag in der industriellen Welt. Es stellt die Errungenschaften des technischen Fortschritts, die Planung, das Arbeitsethos in Frage und konfrontiert sie – in dem immer wiederkehrenden Satz: „Das kann nicht alles sein" – mit dem hohen Anspruch, der großen Erwartung, dem Verlangen nach einem besseren Leben:

> Denn was wir uns geben, womöglich   Und das reicht mir beileibe nicht
> Ist erst der kleine Finger   Was wir miteinander machen
> Und nicht die Hand.   Das läßt mich noch kalt.

Die politische Poesie in der Gegenwart der DDR hat für Braun nicht mehr die Funktion der Agitation. Vielmehr geht es ihr „um die arbeitenden, planenden, genießenden Leute in ihrem umfänglichen Kampf mit der Natur, vor allem ihrer eignen, der sozialistischen Gesellschaft. Denen braucht man nicht mit Parolen kommen, denen braucht man überhaupt nicht kommen" (‚Es genügt nicht die einfache Wahrheit'). Wenn es im Refrain von Louis Fürnbergs Gedicht ‚Die Partei' noch heißt: „Die Partei, die Partei, die hat immer recht, Genossen, es bleibt dabei!", so wird zwanzig Jahre später in Brauns ‚Revolutionslied' (in: ‚Gegen die symmetrische Welt', 1974) der einzelne nicht mehr zum Vertrauen in die allwissende Partei aufgefordert, sondern persönlich als Eingreifender angesprochen, von dem die Veränderung der Verhältnisse abhängt. Jede der vier Strophen beginnt mit der skeptischen Frage: „Freie, wie sehr sind wir frei?" und schließt mit vier bedrängend unbequemen Sätzen:

Die warme Stube auch –
Das kann nicht alles sein.

Und laßt euch nicht erzähln
Daß es schon alles ist.

Rollt nicht die Fahne ein:
Es reicht uns noch nicht aus.

Es liegt in unsrer Hand:
Es ist niemals genug.

Günter Kunert: Warnschilder und Momentaufnahmen. Wie für Volker Braun, so ist auch für Günter Kunert Dichtung von Politik nicht zu trennen; auch er hat sich von anfänglichem Pathos entfernt. Der zehn Jahre Ältere brachte bereits 1950 seinen ersten Gedichtband heraus. Da er Krieg und Nationalsozialismus noch erlebt hat, ist die jüngste Vergangenheit, meist in didaktischer, kurzer Form als Warnung ins Gedächtnis gerufen, das vorherrschende Thema. Seine Kurzgedichte laufen häufig auf eine überraschende Wendung hinaus:

> Die Wolken sind weiß. Weiß ist
> Die Milch im Krug, weiß wie die
> Windprallen Hemden auf der Leine, weiß
> Wie Verbandstoff vor der Schlacht. (‚Unter diesem Himmel‘, 1955)

Die Wirklichkeit, in der Momentaufnahme ins Bild zusammengepreßt, erweist sich als zweiseitig, ambivalent, als Nebeneinander von Extremen. Die Technik in ihrer Ambivalenz von Fortschritt und Vernichtung wird für ihn in den sechziger Jahren zunehmend zum Anlaß des Warnens. Er kann der 'technischen Revolution' sowenig mit naivem Optimismus begegnen wie dem 'neuen Menschen'. Seine Aufgabe als Lyriker sieht er darin, das Pathologische in der Welt und in der Gesellschaft deutlich zu machen. In der denaturierten Fortschrittswelt bekommt das Gedicht – wie die Natur – wieder einen neuen Stellenwert:

> Gedichten sich anvertrauen
> und sie anvertrauen
> dem Wind
> [...]
> daß er sie trage
> zu den gnädigen Orten der Abwesenheit
> von Zahnstangenlenkung und Stechuhr
> etwa in einen Wald denkbar unbetreten [...] (‚Im weiteren Fortgang‘, 1974)

Der Pessimismus, der in Kunerts Gedichten der siebziger Jahre unüberhörbar ist, entstand unter dem Eindruck einer „schleichenden Katastrophe", auf die hin sich die Menschheitsgeschichte entwickelt und die den Fortschritt reduziert auf das Problem der Erhaltung eines „lebenswürdigen Zustandes". In seinem Gedicht ‚Lagebericht‘ ist die Hoffnung auf Veränderung dem Stillstand und der Ratlosigkeit gewichen:

> Unser ist der Tag
> der keinem gehört. Wir sitzen
> im schwarzen Licht
> essen Gift und trinken Säure
> wir denken wir leben
> und verschieben die Folgen
> auf Morgen
> wo wieder mehr möglich ist
> und noch mehr unmöglich
>
> wo wir alle so sind
> wie alle sein werden:
>
> fernerhin Stückwerk
> trostlos unaufgehoben
> endgültig unnütz
> der Rest
> der verschwiegen wird.

14.6 Postrevolutionäre Zweifel und Ausbürgerung der Ruhestörer

Auf dem achten Parteitag (1971), der die Ära Ulbricht beendete, verpflichtete Erich Honecker, der neue Erste Sekretär des ZK der SED, die Künstler der DDR wiederum auf Wirklichkeitsnähe, Volksverbundenheit und Parteilichkeit. Wenn er vom „Reichtum ihrer Handschriften und Ausdrucksweisen" und von notwendigem Verständnis für ihre „schöpferische Suche nach neuen Formen" sprach, so signalisierte er größere Freiheiten für die Kunst, doch waren diese im Rahmen des sozialistischen Realismus zu verstehen und durften sich „nicht aus dem Modernismus einer uns fremden, ja feindlichen Welt nähren". Ähnlich äußerte er sich auch auf der vierten Tagung des ZK der SED im selben Jahr: „Wenn man von der festen Position des Sozialismus ausgeht, kann es meines Erachtens auf dem Gebiet von Kunst und Literatur keine Tabus geben. Das betrifft sowohl die Fragen der inhaltlichen Gestaltung als auch des Stils." Das bedeute jedoch „keine Konzession an Anschauungen, die unserer Ideologie fremd sind". Die Entspannung im politischen Bereich brachte – nach der Anerkennung der DDR – Verhandlungen mit der Bundesregierung und dem Senat von Berlin (West), die den Transit- und Besucherverkehr erleichterten und den Austausch von „ständigen Vertretern" sowie die Akkreditierung westdeutscher Journalisten zuließen. Die Internationale Konvention über zivile und politische Rechte wurde von der DDR 1974 ratifiziert.

Über die Erwartungen der Schriftsteller angesichts des neuen Kurses äußerte sich Klaus Schlesinger rückblickend:

> „Ich kann sagen, daß ich mich in keinem anderen Land so frei hätte fühlen können wie in diesen frühen siebziger Jahren, wenn ich unter der Freiheit eines Schriftstellers die Freiheit gegenüber seinen Stoffen, seinen Gegenständen verstehe – und natürlich mit der Möglichkeit, seine Bücher zu publizieren" (Die ZEIT, 15. 8. 1980).

In der Literatur- und Theaterszene gab es nach dem achten Parteitag größere Spielräume. Aufgeführt wurden ‚Die Kipper' von Volker Braun und ‚Die neuen Leiden des jungen W.' von Ulrich Plenzdorf. Hermann Kant bekam das Plazet für seinen Roman ‚Das Impressum', und Christa Wolfs 1968 in kleiner Auflage erschienenes und gleich vergriffenes Buch ‚Nachdenken über Christa T.' wurde wieder gedruckt. Doch gab es nach wie vor Druck- und Aufführungsverbote, und auf der neunten Tagung des ZK der SED (1973) war die Rede von einem „Realismus ohne Ufer, der die sozialistische Ideologie preisgibt und auf dem Brackwasser bürgerlicher Denkungsart dahintreibt".

Der Kurswechsel führte jedenfalls zu einer kritischen Auseinandersetzung der Schriftsteller mit dem 'realen Sozialismus'. Ihre Erwartungen, die sie in der Phase des Aufbaus und der Neuorientierung an die gesellschaftlichen Veränderungen geknüpft hatten, sahen sie im 'postrevolutionären' Zustand des etablierten DDR-Staates nicht erfüllt.

Mit der *Ausbürgerung Wolf Biermanns* sank die Hoffnung auf eine liberale Kulturpolitik.

Biermann, der 1953 aus der Bundesrepublik Deutschland nach Ost-Berlin gezogen war, schrieb seit 1960 Lieder und Gedichte, die in der DDR nie gedruckt wurden. 1963 schloß man ihn aus der Partei aus, 1965 – nach erfolgreicher Tournee in West-Berlin und in der Bundesrepublik Deutschland – erhielt er Auftrittsverbot. Ende 1976 wurde ihm eine Konzertreise in die Bundesrepublik Deutschland genehmigt mit der Zusicherung, in die DDR zurückkehren zu dürfen. Wegen seines „feindlichen Auftretens gegen unseren sozialistischen Staat" wurde ihm nach der Fernsehübertragung seines (von der IG Metall organisierten) Konzerts in Köln die Staatsbürgerschaft aberkannt und damit die Rückkehr versagt.

Biermanns Kritik am Mißverhältnis zwischen kommunistischer Idee und sozialistischer Praxis in der DDR erfolgt immer vom marxistischen Standpunkt aus. Er war aus Überzeugung „in der besseren Hälfte Deutschlands" geblieben.

Mit einem 'Offenen Brief' protestierten sofort zwölf Schriftsteller gegen Biermanns Ausbürgerung: Erich Arendt, Jurek Becker, Volker Braun, Franz Fühmann, Stephan Hermlin, Stefan Heym, Karl Heinz Jakobs, Sarah Kirsch, Günter Kunert, Heiner Müller, Rolf Schneider, Christa und Gerhard Wolf, denen sich über hundert Intellektuelle anschlossen. Dem Fall Biermann folgten Verhaftungen, Überwachungen und Ausschlüsse aus dem Schriftstellerverband. Eine Reihe von Künstlern erhielt danach die Ausreise aus der DDR bewilligt oder reiste mit befristeten Visen in den Westen. Unter ihnen befanden sich die Schriftsteller Jurek Becker, Thomas Brasch, Jürgen Fuchs, Bernd Jentzsch, Sarah Kirsch, Günter Kunert, Reiner Kunze, Erich Loest, Hans-Joachim Schädlich, Klaus Schlesinger, Rolf Schneider. Hauptgrund für ihr Verlassen der DDR war die eingeschränkte Wirkungsmöglichkeit. Erich Loest:

„Seit dem Erscheinen meines Romans ‚Es geht seinen Gang oder Mühen in unserer Ebene' vor drei Jahren – Nachauflagen in der DDR sind längst gestoppt – habe ich keine Zeile mehr untergebracht, die der Gegenwart gewidmet ist. Mehrere Geschichten, ein Fernsehobjekt, Teile eines biographischen Versuchs wurden abgelehnt. [...] Zu Lesungen bin ich seit über einem Jahr außer ein paarmal von Kirchen nicht mehr eingeladen worden" (Die ZEIT, 27. 3. 1981).

Auch schon in den fünfziger und sechziger Jahren siedelten DDR-Autoren in die Bundesrepublik Deutschland über (Manfred Bieler, Horst Bienek, Uwe Johnson, Peter Huchel, Walter Kempowski, Heinar Kipphardt, Hartmut Lange, Helga M. Novak, Christa Reinig, Gerhard Zwerenz). Doch erst bei Biermanns Ausbürgerung kam es zu einer Solidaritätsaktion von Intellektuellen, die den Beschluß der Regierung kritisierten. Daneben gab es allerdings auch die seitenweise im SED-Organ ‚Neues Deutschland' abgedruckten Ergebenheitsadressen. Die „so nötige Aussprache", die bereits nach dem 17. Juni 1953 von Brecht gefordert worden war, fand auch jetzt nicht statt:

„Eine neurotische, unproduktive Situation, wenn die Verhältnisse eine offene Auseinandersetzung nicht erlauben. Was uns fehlt, ist ja ein Podium, auf dem öffentliche Angelegenheiten kontrovers und vor allem öffentlich diskutiert werden könnten" (Schlesinger, Die ZEIT, 15. 8. 1980).

14.6.1 Private Fragen an die geschichtliche Vergangenheit

> **Stephan Hermlin:** Abendlicht (1979)
> **Stefan Heym:** Collin (Roman. 1979)
> **Hermann Kant:** Der Aufenthalt (Roman. 1977)
> **Klaus Schlesinger:** Michael (Roman. 1971)
> **Christa Wolf:** Kindheitsmuster (Roman. 1976)

In seiner Rede auf dem siebenten Schriftstellerkongreß (1973) hob Hermann Kant zwei neue Trends in der Literatur hervor: die Thematisierung des Schreibprozesses und die Auseinandersetzung mit der (faschistischen) Vergangenheit. Der antifaschistische Neubeginn nach dem Ende des Zweiten Weltkriegs war eine Phase der Umerziehung, dessen literarisches Schema: Wandlung des Helden zum neuen Menschen, die Problematik simplifizierte und die immer noch vorhandene Gefahr des Weiterlebens alter Denk- und Verhaltensweisen ignorierte. Der Faschismus, der in der Aufbau-Phase als erledigt angesehen worden war, ist nach Ansicht einer Reihe von Schriftstellern noch nicht verarbeitet. (Christa Wolf: „Die Stunde Null hat es nie gegeben.") Zwar hatte in der SBZ eine radikalere Säuberung vom Faschismus stattgefunden, doch war die Vergangenheit damit weder ausgelöscht noch bewältigt. Christa Wolf fragt, ob man sich in der DDR nicht angewöhnt habe,

„den Faschismus als ein 'Phänomen' zu beschreiben, das außerhalb von uns existiert hat und aus der Welt war, nachdem man seine Machtzentren und Organisationsformen zerschlagen hatte? Haben wir uns nicht eine Zeitlang Mühe gegeben, ihn als Vergangenheit an 'die anderen' zu delegieren, um uns selbst allein auf die Tradition der Antifaschisten und Widerstandskämpfer zu berufen?" (Auskünfte. Werkstattgespräche mit DDR-Autoren.)

Die Fragen, die jetzt an die faschistische Vergangenheit gestellt werden, beziehen sich auf die Mentalität der Mitläufer:

„Heute ist der gewöhnliche Faschismus interessant: wir leben auch mit Leuten, für die er das Normale war, wenn nicht die Norm, Unschuld ein Glücksfall" (Heiner Müller: Theaterarbeit).

Auch die Anfangsjahre der DDR, der Stalinismus und die Zuchthäuser der DDR sind Gegenstand sehr persönlicher Fragen nach den „Sünden der Väter": „Eine ganze Generation in Schuld verstrickt, zu seelischen Krüppeln geworden – wie soll die eine normale Nachkommenschaft zeugen?" (Heym: Collin.)

Subjektive Schreibweise und Befragung der politischen Vergangenheit stehen in Verbindung. Im Kontext der Aktualisierung der Vergangenheit bekommt der Autor eine neue Dimension, da er sich nicht „hinter seinem 'Material', seinem 'Thema', 'Stoff', 'Werk' verschanzen" kann (Christa Wolf, in: Auskünfte). In dieser „subjektiven Authentizität" bringt der Autor sich selbst, das heißt seine Erfahrung als Vermittlung von objektivem Geschichtsprozeß und subjektivem Erlebnis – ein. Stefan Heym bezeichnet „die Frage der Zwangsläufigkeit geschichtlicher Vorgänge und das Gewicht und die Rolle des einzelnen darin" als „ein Thema, das mich seit je interessiert hat und das von marxistischen Aspekten her nie ganz durchdacht wurde" (Collin).

Hermann Kant: ,Der Aufenthalt'. Hermann Kant (Jahrgang 1926), der gegen Ende des Krieges noch Soldat wurde und die Jahre 1945 bis 1949 in polnischer Gefangenschaft verbrachte, thematisiert in seinem Roman ,Der Aufenthalt' die Schuldfrage der Deutschen und das Verhältnis zum polnischen Nachbarvolk.

Mark Niebuhr, der Held, ist weder Nationalsozialist noch Militarist. Als er zu Beginn des Romans achtzehnjährig an die östliche Front fährt, befindet sich die deutsche Armee bereits auf dem Rückzug. Wenig später gerät er in russische, danach in polnische Gefangenschaft. Bei einem Gefangenentransport glaubt eine Polin auf der Straße, ihn als Mörder ihrer Tochter zu erkennen. Dieser Irrtum hat Niebuhrs Verwahrung als Kriegsverbrecher in einem Warschauer Gefängnis zur Folge. Obwohl er sich gegen die auf falschem Verdacht beruhende Anklage wehrt und sich zunächst unschuldig bestraft fühlt, kommt er allmählich zu Einsichten: Er erkennt die auferlegten harten Lebensbedingungen als Folge der Gewalt, die dem polnischen Volk von den Deutschen zugefügt wurde, und nicht als blindes Schicksal. Niebuhr ist zwar kein Kriegsverbrecher, hat aber Befehle ausgeführt und keinen Widerstand geleistet. Sein Interesse war nur auf Überleben gerichtet und hatte das Nachdenken versäumt. Erst als ihm das zerstörte Warschau gezeigt wird, fängt er an, nach den Menschen zu fragen, die hier gelebt haben.

Parallel zu der in der Ichform erzählten chronologischen Handlung verläuft ein Zuwachs an Erkenntnis, den Kant als exemplarischen Lernprozeß darstellt. Zunächst übernimmt der junge Soldat naiv und unreflektiert das von den Nationalsozialisten geprägte Feindbild – der Pole als Untermensch. Auch nach Kriegsende ändert sich an seiner Einstellung wenig, da die unmittelbare Existenzbedrohung durch Hunger, harte körperliche Arbeit und Einsamkeit den Blick auf die Ursachen verstellt. Schilderungen über das Vernichtungslager Auschwitz zweifelt er an, Agitationsversuche wehrt er ab, und den Rückblick auf die Vergangenheit trübt kein Schuldbewußtsein.

„Sehr vereinfacht gesagt, waren wir alle bemüht, so zu tun, als hätte es uns aus einem friedlichen und anständigen Leben direkt hinter diesen Zaun verschlagen. Wenn man von dem ohnehin Wenigen ausgeht, was anfangs über Militärisches und Politisches gesprochen wurde, dann hatte man es mit uns als mit einer Gruppe von Männern zu tun, die neben der Welt- und Landesgeschichte hergelebt hatten und die nun sehr gekränkt viel Unrecht erfahren mußten."

Erst als Niebuhr den Blick von der eigenen schlimmen Lage abwendet und die Vergangenheit aus der Perspektive der Polen zu sehen versucht, verändert sich das Verhältnis zu seinen Bewachern: Er sieht sie als Menschen und nicht mehr als Feinde. Gleichzeitig verändert sich auch sein Verhältnis zu den deutschen Mitgefangenen, den Kriegsverbrechern und Nationalsozialisten, die sich immer noch mit der Erinnerung an eine 'bessere' Vergangenheit trösten und nichts gelernt haben.

Kants Roman hält sich weitgehend an das Schema der Wandlung des Helden, doch wird jetzt, über dreißig Jahre nach Kriegsende, ein so heikles Thema wie das Verhältnis von Polen und Deutschen und die Vergeltungsmaßnahmen der Sieger differenzierter und offener diskutiert.

Christa Wolf: ,Kindheitsmuster'. Nicht die Wandlung des Helden, sondern die Frage, wie die Generation, die im Dritten Reich lebte, so geworden ist, wie sie heute ist, steht im Vordergrund von Christa Wolfs Roman ,Kindheitsmuster'. Das Schreiben ist autobiographisch als Aufklärung der nationalsozialistischen Vergangenheit aus der eigenen Erinnerung begründet.

Die Autorin (Jahrgang 1929) fährt in die Stadt ihrer Kindheit im heutigen Polen. Die Erlebnisse der Kindheit, chronologisch erzählt, beginnen bei der dreijährigen Hauptfigur Nelly, die zum erstenmal zu sich selbst ich sagt; sie endet, nach der Flucht aus der Heimat, in der ersten Nachkriegszeit. Den Kindheitserinnerungen, durch die Reise wachgerufen, steht die Autorin fremd gegenüber, doch versagt sie sich den Wunsch, die ihr heute fernstehenden Denk- und Verhaltensweisen zu verdrängen und statt dessen ein anderes Kind zu erfinden. Nellys kleinbürgerliche Verwandten sind keine Nationalsozialisten, aber sie passen sich an, sie verstellen sich und schweigen. Von irgendeinem Zeitpunkt an ist es auch für sie selbstverständlich, „Heil Hitler" zu sagen und die Hakenkreuzfahne aus dem Fenster zu hängen. Das Kind übernimmt die gängigen Muster, die Propagandabilder vom Juden, vom Rotarmisten, vom Kommunisten.

Die starke emotionale Beteiligung am Schreibprozeß („schreibend den Rückzug der Angst betreiben") und das Bemühen um Aufrichtigkeit („die verfluchte Verfälschung von Geschichte zum Traktat") widersetzen sich einer linearen Erzählweise. Erst nach mehreren vergeblichen Ansätzen fand Christa Wolf für ihren Roman eine Struktur, die der Kompliziertheit des Stoffes gerecht zu werden vermag. Der Identitätsbruch zwischen der Autorin und dem Kind, dem sie sich rückerinnernd annähert, macht es unmöglich, die eigene Vergangenheit in der ersten Person zu beschreiben. Die inhaltlich und zeitlich disparaten Teile werden auf drei Erzählebenen verteilt. Auf der ersten Ebene wird der Alltag im Deutschland des Nationalsozialismus beschrieben, der das Kindheitsmuster bestimmt. Auf einer zweiten Ebene unterbricht die Autorin, im Gespräch mit sich, die Handlung und nimmt Stellung aus der gegenwärtigen Erfahrung. Die Reise an den Heimatort im Sommer 1971 ergibt eine dritte Ebene, auf der sie über ihre Begegnung mit der Vergangenheit berichtet. In Gesprächen mit ihrer Tochter vermittelt sie das persönlich Erlebte an die nachfolgende Generation, die den Nationalsozialismus nur aus Geschichtsbüchern kennt.

Für Christa Wolf ist der Neubeginn des Jahres 1945 nicht die aus dem Boden gestampfte neue Gesellschaft, wie sie in der DDR-Literatur häufig dargestellt wird. Die Auseinandersetzung mit dem Nationalsozialismus bedeutet für sie eine immer noch unbewältigte Aufgabe, die Aufrichtigkeit verlangt:

„Aufrichtigkeit nicht als einmaliger Kraftakt, sondern als Ziel, als Prozeß mit Möglichkeiten der Annäherung, in kleinen Schritten, die auf einen noch unbekannten Boden führen, von dem aus auf neue, heute noch unvorstellbare Weise wieder leichter und freier zu reden wäre, offen und nüchtern über das, was ist; also auch über das, was war."

Die subjektive Authentizität, die das Schreiben selbst – als Suchen nach Wahrheit – zum Thema macht, ist das Neue in der DDR-Literatur, das sich grundsätzlich von der offiziellen Theorie des sozialistischen Realismus absetzt. Denn diese verlangt vom

Schriftsteller Parteilichkeit, die die „wahrheitsgetreue Widerspiegelung" der Wirklichkeit nicht der „Wertsetzung der subjektiven Willkür" überläßt, sondern dem richtigen Standpunkt. Bechers (von Pascal und Goethe übernommener) Begriff des 'prägnanten Punktes' meint einen „Standpunkt, der uns gleichermaßen Überblick, Rückschau und Detailkenntnis vermittelt [...] und uns die Möglichkeit eröffnet, auf den Grund der Dinge zu blicken". Nach Ulbrichts Direktiven der Zweiten Bitterfelder Konferenz ist vom Schriftsteller der Standpunkt des 'Planers und Leiters' gefordert, zu dem ihm die Kenntnis der Beschlüsse der Partei verhilft.

Bereits in ‚Nachdenken über Christa T.' (1968) hat Christa Wolf die objektive Gesetzmäßigkeit der Wirklichkeitsdarstellung aufgegeben.

> „Prosa, die wieder wirken wollte, mußte sich einer neuen Realität auf neue Weise bemächtigen, mußte, unter anderem, beginnen, sich von der zum Klischee erstarrten, aus Versatzstücken gefertigten 'Fabel' alter Provenienz zu trennen; mußte und muß ein mechanisches zugunsten eines dialektischen Weltverhältnisses zu überwinden suchen. Dieser Versuch, der selbst Gegenstand von Prosa wird, [...] kann auch, rein technisch gesehen, zu in sich widerspruchsvollen Ergebnissen führen" (‚Lesen und Schreiben').

In ihrem Roman ‚Kindheitsmuster' führt das Erzählen zur Problematisierung des Erzählens, formal zur Aufspaltung des Erzählers und der Erzählebenen. Die Frage: „Wie sind wir so geworden, wie wir sind?", aufrichtig gestellt und glaubwürdig beantwortet, setzte Offenheit im inhaltlichen wie formalen Bereich voraus.

14.6.2 Neue Leiden – neue Helden

Jurek Becker: Schlaflose Tage (Roman. 1978. Bundesrepublik Deutschland)
Thomas Brasch: Vor den Vätern sterben die Söhne (Erzählung. 1977)
Volker Braun: Unvollendete Geschichte (Erzählung. 1975)
Erich Loest: Es geht seinen Gang oder Mühen in unserer Ebene (Roman. 1978)
Ulrich Plenzdorf: Die neuen Leiden des jungen W. (Prosafassung. 1972)
Klaus Schlesinger: Berliner Traum (Erzählungen. 1977)

Ein Vierteljahrhundert seit Gründung der DDR gestattet Rückblicke auf ein Stück Geschichte, in deren Verlauf sich revolutionäres Bewußtsein im Alltäglichen etablierte. Für Günter Kunert ist „das Ende einer bestimmten Epoche von Sozialismus" erreicht.

> „Das heißt, daß ein gewisser gesellschaftlicher Stillstand dazu führt, daß die Leute, die früher so eilig unterwegs waren – und dabei auch ein bißchen hektisch befaßt mit ihren Wandlungen und Veränderungen –, überhaupt erst dazu kommen, sich zu fragen, wo sie angelangt sind nach dieser gesellschaftlichen Entwicklung. Wer bin ich? Was ist mit mir geschehen? In dieser Situation entstehen diese bilanzierenden, der eigenen Individualität nachfragenden Werke" (Süddeutsche Zeitung, 23. 3. 1979).

Die jüngere Generation ist in eine bereits veränderte Gesellschaft hineingewachsen. Das Erreichte ist selbstverständlich geworden; die Väter hatten noch darum gekämpft. Rolf Schneider gesteht, „mit neidvoller Wehmut auf jene freilich von mir selbst nicht mehr erlebten Mühen in den Bergen zurückzuschauen, da alle Anstrengungen des Aufstiegs jedenfalls ein eindeutiges Ziel hatten" (Die ZEIT, 30. 3. 1979). Die Mühen der Ebene – von Schneider als „postrevolutionäre Empfindlichkeit" und „Zweifel, die bis zur Verzweiflung reichen", bezeichnet – werden von den Autoren zur Sprache gebracht, die das Erreichte an den Ansprüchen von damals messen. Ihre Helden haben die Spur, auf der sie zwangsläufig „im Sozialismus ankommen", verlassen und kommen statt dessen lieber bei sich selbst an. Bereits in den sechziger Jahren gab es bei *Fritz Rudolf Fries* in ‚Der Weg nach Oobliadooh' diesen negativen Helden, der das Durchspielen von Möglichkeiten der Festlegung auf die Nützlichkeit vorzieht. Auch hier problematisiert und thematisiert, wie bei Christa Wolf, die „subjektive Ehrlichkeit" den Erzählvorgang als Wirklichkeitsdarstellung; der Standpunkt des allwissenden Erzählers wird aufgegeben, und neue Formen werden gefunden. Die unheroischen Helden widersetzen sich der Konsum- und Produktionssteigerung einer verplanten Gesellschaft.

Ulrich Plenzdorf: „Die neuen Leiden des jungen W.' Eine ungewöhnliche Resonanz hatte Ulrich Plenzdorfs Stück ‚Die neuen Leiden des jungen W.', 1969 als Film-Szenarium, dann als Erzählung geschrieben und in der Theaterfassung 1972 uraufgeführt. Sie ist vor allem der starken Identifikation der Jugendlichen (in der DDR und auch in der Bundesrepublik Deutschland) mit dem Helden zuzuschreiben.

Der 18jährige Jeansträger und Salinger-Leser Edgar Wibeau, bisher Musterknabe, verläßt plötzlich Lehre und Zuhause, fährt nach Berlin und nistet sich dort in der Laube eines Freundes ein. In der Zeit bis zu seinem Tod (bei Arbeiten an seiner Erfindung, einer Farbspritzpistole, erhält er einen elektrischen Schlag) spitzt sich sein Konflikt mit der Gesellschaft zu – im privaten Bereich wie im Arbeitskollektiv. Wie Werther verliebt sich Edgar in ein Mädchen, das verlobt ist mit einem strebsamen, ordentlichen Bürger (ähnlich Werthers Rivalen). Nach einem Versuch, seine Arbeit wiederaufzunehmen, wird Edgar gefeuert (später jedoch zurückgeholt).

Zu Beginn der Handlung ist Edgar bereits tot, hört aber von „jenseits des Jordan" den Gesprächen seiner Bezugspersonen zu, die seinen Tod aufzuhellen versuchen. Diese Rekonstruktion des Geschehens ergänzt und korrigiert er aus der subjektiven – authentischen – Perspektive. Neben Handlungs- und Kommentarebene gibt es noch eine weitere Ebene, auf der Edgar, tot und lebendig, Goethes ‚Werther' zitiert, den er als Reclamheft in der Laube gefunden hat. Zunächst befremdet über Werthers Verhalten und die klassische Sprache des Textes, erkennt Edgar mehr und mehr in den vergangenen bürgerlichen Leiden seine gegenwärtigen eigenen wieder. Rezeption und persönliche Erfahrung kommen so weit zur Deckung, daß er in kritischen Situationen seine „Werther-Pistole" zückt und Goethes Worte auf seine Umwelt abschießt: „Ich hatte nie im Leben gedacht, daß ich diesen Werther mal so begreifen würde."
Damit attackiert Plenzdorf die in der DDR verordnete Aneignung und Pflege des klassischen Erbes, das nicht durch einen kritischen Vermittlungsprozeß lebendig gemacht wird, sondern, zu zeitloser Gültigkeit erstarrt, unverständlicher Code bleibt. Darüber hinaus konfrontiert Plenzdorf die Ansprüche eines Jugendlichen an das Leben mit dessen Erfahrungen von Normen, entfremdeter Arbeit, Anpassungszwängen und Kleinbürgertum im sozialistischen Alltag. Formal werden die verschiedenen Darstellungsebenen durch differenzierte Sprechweisen hervorgehoben.

Erich Loest: „Es geht seinen Gang oder Mühen in unserer Ebene'. Der Held in Loests Roman ‚Es geht seinen Gang' ist ein ganz und gar Durchschnittlicher, der seine unheldische Zufriedenheit mit dem Recht auf privates Glück und Lebensqualität verteidigt.

Wolfgang, Jahrgang 1949, Arbeiterkind und gelernter Werkzeugmacher, ist aufgestiegen zum Ingenieur und soll – nach den Plänen seiner ehrgeizigen Frau – über ein Fernstudium die Sprosse der Planer und Leiter erklimmen. Er hat keine Lust, sich in den Führungspositionen zu verschleißen, vielmehr ist er der Ansicht, daß nach den Aktivisten der Aufbauphase jetzt ein neuer Heldentyp in die Literatur eingehen müßte: die Durchschnittlichen, die den „Popelkram" machen. Die Ehe wird geschieden, und am Ende fragt sich Wolfgang, nun mit einer neuen Frau wiederum einem Kleinwagen entgegensehend: „Kommt denn überhaupt noch mal was, das du nicht schon kennst? Geht eben alles seinen Gang."

Loest stellt seinem Helden, der genauso alt ist wie der DDR-Staat, einen Arbeitskollegen (Huppel, Jahrgang 1923) zur Seite, der die Mühen der Berge erlebt hat: „Wir haben den Kommunismus greifbar vor uns gesehen, wir waren überzeugt: Ein wilder Ruck, zehn Jahre unglaublicher Anstrengung, und es ist ein für allemal für die ganze Menschheit geschafft." Beide Generationen haben unterschiedliche Erfahrungen mit der DDR-Realität gemacht. Was für Huppel der 17. Juni und Stalin bedeutet, ist für Wolfgang der Zusammenstoß mit der Polizei bei einer Demonstration. Von diesem Tage an ist Wolfgang ein gebranntes Kind, gebissen von einem Polizei-Hund, der „kein antagonistischer Hund gewesen [war], sondern mein Freund und Helfer, er hatte mich gebissen, um mich auf den richtigen Weg zu bringen, vom Beat aufs Weltjugendlied, von langen auf kurze Haare, von der Rüschenbluse aufs Blauhemd. Ich hatte beizeiten eins von den eigenen Leuten ins Kreuz gekriegt." Nach diesem Erlebnis, das eine Entsprechung in der Lebensgeschichte des Autors hat (er wurde 1957 wegen „konterrevolutionärer Gruppenbildung" zu sieben Jahren Haft verurteilt), entzieht sich der Anti-Held für immer den Machtpositionen: „Ich fürchtete, jemals jemandem befehlen zu müssen, Beißkörbe abzunehmen."

Gegenläufig zu den Weisungen des Bitterfelder Weges schreibt Loest nicht aus der Perspektive mit dem „nötigen Rundblick", sondern aus der Sicht der kleinen Leute, die „angeblich die Hauptsache sind". Er beschreibt die Ankunft im Sozialismus als Ankunft in der etablierten, „genormten Gemütlichkeit", er weist hin auf die Differenz zwischen Führungsgruppe und Arbeiterklasse, auf die Hierarchie und Privilegien im klassenlosen Staat und nicht zuletzt auf die in der Ausübung von Macht durchscheinenden faschistischen Haltungen.

14.6.3 „Man hat doch einen Traum" (Frauenliteratur)

> **Sarah Kirsch:** Die Pantherfrau (Dokumentation. 1973)
> **Monika Maron:** Flugasche (Roman. 1981. Bundesrepublik Deutschland)
> **Irmtraud Morgner:** Leben und Abenteuer der Trobadora Beatriz (Roman. 1974)
> **Brigitte Reimann:** Franziska Linkerhand (Roman. 1974)
> **Maxie Wander:** Guten Morgen, du Schöne (Protokolle. 1978)
> **Christa Wolf:** Kein Ort. Nirgends. (Erzählung. 1979)
> Blitz aus heiterm Himmel (Anthologie. 1975)

Die Gleichstellung der Frau ist in der DDR gesetzlich garantiert. Im Alltag ist sie dagegen nicht verwirklicht:

„Die Herausbildung eines historisch neuen Familientyps vollzieht sich nicht im Selbstlauf und – wie die Ehescheidungen, die Geburtenzahlen sowie die zunehmende Teilbeschäftigung verheirateter Frauen zeigen – nicht ohne Konflikte. [...] Das Familiengesetzbuch der DDR (§ 10) verpflichtet beide Eheleute in gleicher Weise zur Erledigung der anfallenden Arbeiten. [...] Trotz des hohen Beschäftigungsgrades der Frauen in der DDR ist jedoch die Tatsache zu verzeichnen, daß im Durchschnitt etwa 80 % der Hausarbeiten von ihnen bewältigt werden." (Kleine Enzyklopädie: Die Frau. VEB – Bibliographisches Institut, Leipzig [13] 1979.)

Nur in der Literatur werden die sozialen und psychischen Probleme des Emanzipationsprozesses, aber auch Vorstellungen über ein neues Geschlechtsrollenverständnis seit Ende der sechziger Jahre thematisiert. Was die Frauen selbst über ihre Rolle, ihre Beziehungen zu den Männern und über Selbstverwirklichung denken, hat Maxie Wander in 17 Protokollen festgehalten. Darin äußern sich Frauen zwischen 16 und 74 Jahren zu dem, was ist und was sein könnte. Ruth B., 22, Serviererin, ledig, ein Kind:

„Ich möchte mich selber finden und nicht irgendeinen anderen, vielleicht so einen kleinen Spießer wie meinen Stiefbruder, den mein Vater mit in die Ehe gebracht hat. Den haben sie mir als Vorbild hingestellt, ein Mensch ohne einen eigenen Gedanken, nur mit dem Drang nach viel Geld, was darzustellen, Sicherheit zu haben. Solche Typen unterscheiden sich doch überhaupt nicht von meiner West-Oma. Dabei ist der in einer leitenden Stellung. Ich frage mich manchmal: Welche Gesellschaft bauen wir eigentlich auf? Man hat doch einen Traum. Die Menschen werden geboren und haben einen Traum. Ich träume: Die Menschen werden wie Menschen miteinander umgehen, es wird keinen Egoismus mehr geben, keinen Neid und kein Mißtrauen. Eine Gemeinschaft von Freunden. Noja. Jemand wird doch dann da sein, der ja zu mir sagt."

Im Vorwort bezeichnet *Christa Wolf* den Anspruch der Frauen als „eine große Herausforderung für eine Sozietät, die, wie alle Gemeinwesen des Zeitalters, ihren Gliedern mannigfache Zwänge auferlegen muß; immerhin hat sie selbst, wissentlich oder nicht, diesen Anspruch geweckt; mit Frauenförderungsplänen, mit Krippenplätzen und Kindergeld *allein* kann sie ihm nicht mehr begegnen: auch damit nicht, glaube ich, daß sie mehr Frauen in jene Gremien delegiert, in denen überall in dieser Männerwelt, auch in unserem Land, die 'wichtigen Fragen' von Männern entschieden werden. Sollen Frauen es sich überhaupt wünschen, in größerer Zahl in jene hierarchisch funktionierenden Apparate eingegliedert zu werden? Rollen anzunehmen, welche Männer über die Jahrhunderte hin so beschädigt haben?"

Monika Maron: ,Flugasche'. Die Kritik an den Arbeits- und Lebensbedingungen und die 'postrevolutionären Zweifel' in Monika Marons Roman ,Flugasche' ähneln denen in Loests Roman ,Es geht seinen Gang'. Auch Josefa, die Hauptfigur, ist im sozialistischen Staat aufgewachsen; auch sie wird mit einer Arbeitskollegin konfrontiert, die den Nationalsozialismus noch erlebt hat und das Erreichte an der Vergangenheit mißt; auch Josefa zieht sich schließlich aus der Gesellschaft ins Private zurück. Was sie von Loests Helden unterscheidet, sind die Unbedingtheit, mit der sie auf ihrem Anspruch besteht, und die Träume, mit denen sie die Wirklichkeit überschreitet.

Als Journalistin hat Josefa den Auftrag, eine Reportage über das Kraftwerk in B. (Bitterfeld) zu schreiben. Was sie dort hört und sieht – 180 Tonnen Staub sinken täglich auf die Stadt herab –, verschweigt sie in ihrem Bericht nicht. Doch der wird abgelehnt. „Du kannst alles schreiben, wenn du es nur richtig einordnest", ist die Richtlinie. Sie nimmt keinen Satz zurück, macht vielmehr den Höchsten Rat in einem Brief auf die Versäumnisse aufmerksam. Als sie sich daraufhin vor der Parteileitung ihrer Zeitung verantworten soll, bleibt sie nicht nur dieser Sitzung, sondern auch weiterhin ihrem Arbeitsplatz fern.
Josefa wehrt sich gegen die Reglementierungen, die sie auf einen gemäßigten, vernünftigen Einheitscharakter reduzieren wollen, und gegen die Vereinnahmung in ein 'Wir', mit dem sie sich nicht identifizieren kann. Auf der Suche nach einem natürlichen, ichbestimmten Leben isoliert sie sich zunehmend. Auch die Beziehung zu einem Mann erweist sich als Täuschung.

Den Dialog, den die Öffentlichkeit der kritischen jungen Generation verweigert, führt Josefa mit ihrer älteren Kollegin Luise. Was diese die Mühen der Ebene nennt, ist für Josefa eine Kette von Zugeständnissen und taktischen Überlegungen. Josefas Leiden aber sind für Luise Empfindlichkeiten. „Kämpfe und hör auf zu jammern", sagt sie, die vor 30 Jahren Steine klopfte, um das Land wieder aufzubauen. Aber der revolutionäre Geist von damals ist in unantastbaren Ordnungen erstarrt. „Eure Revolution ist die Verteidigung der Errungenschaften, sagen sie und machen uns zu Museumswächtern." Die Errungenschaften haben jedoch nichts in Bewegung gebracht, selbst in der Liebe blieben die Klassenschranken bestehen. In einer ironischen fiktiven Ansprache zum Tag der Frau sanktioniert Josefa die Ungleichwertigkeit der Geschlechter und stellt die Forderungen nach Gleichberechtigung auf den Kopf.
Wenn die letzten Aufsässigen ausgestorben sind, werde niemand mehr die Kinder ermutigen, „mit der Welt zu spielen", befürchtet Josefa. Deshalb sagt sie nein zu einem Beruf, der ihr widernatürlich erscheint, und sucht nach Alternativen.

14.7 Drama in den siebziger Jahren: Abkehr von der Gegenwart – Mythos und Geschichte

Thomas Brasch: Rotter (1977. UA 1977/Bundesrepublik Deutschland)
Volker Braun: Tinka (1973. UA 1976/DDR) Guevara oder Der Sonnenstaat
(1975. UA 1977/Bundesrepublik Deutschland) Simplex Deutsch.
Ein Spielbaukasten für Theater und Schule (UA 1980/DDR)
Peter Hacks: Adam und Eva (Komödie. 1972. UA 1973/DDR)
Heiner Müller: Die Schlacht (1974) Germania Tod in Berlin (1976)
Der Auftrag (1979. UA 1981/DDR)   UA = Uraufführung

Die bedeutendsten Dramatiker der DDR, Heiner Müller und Peter Hacks, sind
Brechtschüler. Auch die Jüngeren, wie Volker Braun, haben sich grundlegend mit
Brecht auseinandergesetzt. In der Fortsetzung seiner Theaterarbeit gehen sie allerdings eigene Wege. Denn „Brechts Dramaturgie hat es zum letztenmal, und nun
rücksichtslos, mit Klassenkämpfen zu tun; etwas Neues ist in dieser Richtung nicht zu
leisten" (Volker Braun: ‚Es genügt nicht die einfache Wahrheit'). „Brechts Wirklichkeit war die der ersten Hälfte des zwanzigsten Jahrhunderts. Unsere Wirklichkeit ist
schon anders; unsere Methoden müssen anders aussehen als die Brechts, wenn sie
brechtsche Methoden sein wollen" (Peter Hacks: ‚Das Poetische'). Hacks kritisiert
die Bühnengestalten Brechts: „Seine Leute waren keine Leute, sondern es waren
Brechts Ideen von Leuten, die sich da, more sociologica, von Beweis zu Beweis hin
durch eine dramaturgisch dürftige Fabel schlußfolgern mußten" (in: Mittenzwei:
‚Der Realismusstreit um Brecht', III). Heiner Müller sieht Brechts Theaterarbeit unter dem Aspekt der politischen Gegebenheiten: „Brecht hatte sein Formenarsenal
ausgebildet im Umgang mit einer andern Wirklichkeit, ausgehend von der Klassenla-
ge und den Interessen des europäischen Proletariats vor der Revolution. [...] Das
Netz seiner Dramaturgie war zu weitmaschig für die Mikrostruktur der neuen Probleme: schon ‘die Klasse' war eine Fiktion, in Wahrheit ein Konglomerat aus alten
und neuen Elementen [...]." (Theater heute: Brecht gebrauchen, ohne ihn zu kritisieren, ist Verrat. Jahrbuch 1980.)
Die Distanzierung von Brecht hat verschiedene Gründe und erfolgt auf verschiedene
Weise. *Peter Hacks* repräsentiert den neuen *sozialistischen Klassizismus*, der die adäquate Form für den ‘postrevolutionären’ Zustand in der DDR ist. Denn für Hacks
sind zwar die Widersprüche in der klassenlosen Gesellschaft nicht abgeschafft, aber
sie sind nicht mehr zerstörerisch und unlösbar (also nicht mehr antagonistisch). An
ihre Stelle treten lösbare Konflikte und kleine Fehler. Sie sind produktiv und stimu-
lieren die Menschen, das Gute noch besser zu machen:

„Einst konnte dem Positiven nur ein Negatives folgen. Man hatte allen Grund, es festzuhalten,
wie einen Traum. Morgen wird dem Positiven ein Positiveres folgen. Das Leben wird schön sein
und seine Schönheit übertrefflich" (‚Das Poetische').

Während das Theater Brechts seine dramatischen Konflikte aus der vorrevolutionä-
ren Gesellschaft bezieht, Partei nehmen und um Aufklärung bemüht sein mußte, gehe es jetzt darum, die Welt zu poetisieren. Kunst hält „die Realität durch das Gegengewicht der Poesie im Schweben" (‚Das Poetische'). Gegenstand der Kunst in der
postrevolutionären Gesellschaft ist die Differenz zwischen Realität und Utopie – die
„befreundete Feindschaft des Denkbaren zum Machbaren".
Den Gang der Geschichte beschreibt Hacks als eine Bewegung, an deren Anfang
„die biologische Struktur des Menschen als eines erzeugenden und zeugenden und
hierbei Lust oder Unlust empfindenden Wesens" steht, das am Ende (nach Verlu-

sten) wiederhergestellt sein wird, „unendlich bereichert um die Gaben der gesamten Menschheit" (,Das Poetische'). Der natürliche Mensch und die Utopie sind Gegenentwürfe zur heutigen Wirklichkeit. In der stabilen Harmonie des entwickelten Sozialismus der DDR sei die revolutionäre Tradition aufgehoben in der klassischen. Mit dieser Einschätzung der politischen Situation entfernt sich Hacks nicht nur von Brechts Dramaturgie, sondern auch von seinen frühen Stücken ,Die Sorgen und die Macht' (1959) und ,Moritz Tassow' (1961), in denen er sich mit Widersprüchen im konkreten DDR-Alltag auseinandersetzte. Da es ihm offensichtlich Schwierigkeiten bereitet, diesen Alltag zu poetisieren, wendet er sich in den sechziger Jahren antiken und mythischen Stoffen zu.

Auch *Heiner Müller* hat nach ,Der Bau' (1963/64), seinem letzten Produktionsstück, keine Stoffe der DDR-Gegenwart mehr gestaltet. Nach seinen Bearbeitungen antiker Stoffe (,Philoktet') und der Lehrstücke (,Mauser') beginnt er in den siebziger Jahren mit einer Reihe von Dramen, die sich mit der deutschen bzw. preußischen Geschichte – aus subjektiver, aktueller Perspektive – beschäftigen, wobei der Autor immer deutlicher als eigentlicher Gegenstand der Reflexion hervortritt. Im Gegensatz zu Hacks ist jedoch für Müller der gegenwärtige Zustand in der DDR keine stabile Harmonie, sondern Stillstand, Restauration. Der verwaltete Kommunismus biete keine relevanten dramatischen Konflikte, „der Alltag zahlt ihn aus mit kleiner Münze, unglänzend, von Schweiß blind" (,Geschichten aus der Produktion', 2). Die Übergangszeit, in der die Schwächen des alten Menschen und die Ziele einer neuen Gesellschaft aufeinanderprallten, der Aufbau des Sozialismus, als „mit Beil und Bagger, mit Schaufel und Großkran [...] aus der krepierenden alten die neue Welt" entstehen sollte, ist vorbei. Die Befreiung des Menschen steht zwar für Müller noch aus, aber der Prozeß ist angehalten.

„Gegenstand der neueren Dramatik ist das *Schon* oder *Noch*, eine Frage des politischen Standards, der reduzierte Mensch. Am Verschwinden des Menschen arbeiten viele der besten Gehirne und riesige Industrien. Der Konsum ist die Einübung der Massen in diesen Vorgang, jede Ware eine Waffe, jeder Supermarkt ein Trainingscamp. Das erhellt die Notwendigkeit der Kunst als Mittel, die Wirklichkeit unmöglich zu machen" (Mülheimer Rede. Theater heute, Heft 10, 1979).

Mythos und Geschichte sind für ihn nicht, wie für Hacks, Fundus für allgemeingültige Beispiele, sondern „Vorgeschichte" für unsere Wirklichkeit mit aktueller Relevanz: „Es geht nicht um Aneignung (Besitz), sondern um Gebrauch (Arbeit)" (Nachwort zu ,Prometheus'). Die Menschheitsgeschichte ist für Müller eine Folge von Grausamkeiten und Schrecken, bestimmt durch Krieg und die Arbeit des Tötens: „Ich habe Geschichte nie harmonisch erlebt, und mich interessiert Harmonie eigentlich nicht", stellt Müller fest. Die Widersprüche der Gegenwart findet er zugespitzt in Gegensätzen wie Tod und Leben, Krieg und Arbeit, Barbarentum und Menschlichkeit in der Vorgeschichte. „Die Herstellung eines oberflächlichen Konsensus, der den Meinungsstreit beendet, bevor er begonnen hat, konträre Standpunkte nivelliert, bevor sie formuliert sind", widerstreben Heiner Müller.
Die Vorführung asozialer Verhaltensmuster, aus der die Gesellschaft laut Brecht den größten Nutzen ziehen kann, kommt seinen Intentionen näher als die Darstellung von Helden mit kleinen Fehlern. Doch kritisiert er an Brecht, daß er seine Figuren kleinmacht. In der gegenwärtigen Situation ist ihm der subjektive Faktor wichtig.
Zwischen den extremen Positionen von Hacks und Müller, allerdings dem letzteren nahe, sucht Volker Braun seinen Weg:

„Freilich ist es möglich, so weit vorzugreifen, daß einem die Realität nicht mehr dazwischenkommt, und ich sehe diesen anmutigen Weg jetzt von dem glänzenden Hacks beschritten. Ich müßte mich nur, auf zisilierten Schwingen, aus der prosaischen Wirklichkeit hinausheben in die poetische Zukunft. Ich sage nicht, daß das keine Kunst ist! Ich fürchte bloß, das sozialistische Establishment, das auf wenig noch mit sich hinauswill, wird sich dabei bald wohl fühlen. Oder es ist möglich, zurückzugreifen in die schneidenden Fesseln der Vorgeschichte und ziemlich in ihr die Realität zu sehn, und das ist der harte Gang des großartigen Müller. Ich müßte mich nur annageln an das Gestein dieser gegenwartigen Formation und, darob brüllend, ihre eigentümliche, prosaische Poesie aus ihr bohren. Ich seh aber, das Establishment will dem nur Ignoranz und Dummheit entgegenbringen" ('Es genügt nicht die einfache Wahrheit').

Nach Ansicht Brauns ist das Ziel der gesellschaftlichen Entwicklung noch nicht erreicht. Da die Revolution nicht abgeschlossen ist, kann die Dramaturgie die produktive Spannung zwischen den Individuen und die immer noch ungelösten Widersprüche nicht überspringen, um sich an der Zukunft zu orientieren. Die neuen Widersprüche sind die zwischen den politisch Führenden und den Geführten:

„Die Helden sind Freunde. Sie haben, entsprechend ihrer politischen und sozialen Stellung, unterschiedliche Interessen. Der Kampf muß nicht tödlich sein. Alle sollen menschlicher leben. Es gibt keine 'Lösung'. Sie muß dem Publikum überlassen werden" (ebd.).

Bis zur Mitte der siebziger Jahre schrieb Braun Stücke, die Geschichten der Gesellschaft erzählen und hinter dem Alltäglichen die revolutionäre Veränderung in den Verhaltensweisen und Machtstrukturen kenntlich machen ('Hinze und Kunze'; 'Tinka'). In 'Simplex Deutsch' (1980) wendet er sich, wie Müller, der deutschen Geschichte zu.

Peter Hacks: 'Adam und Eva'. Mit der Verarbeitung des biblischen Stoffes Paradies und Sündenfall geht Hacks zurück bis an den mythischen Anfang der Menschheitsgeschichte.

Das erste Menschenpaar ist eben erschaffen und hat keine Konflikte mit der Gesellschaft. Die Mitspieler sind unstoffliche Geistwesen: Gott, der Herr und Schöpfer, Gabriel, der Wächter über das Paradies, und Satanael, der Herrscher über das Chaos.
Gott ist gelangweilt sowohl von dem ständigen Nein Satanaels als auch von der ständigen Bestätigung Gabriels. Er vermißt den Partner, der ihm als autonomes Gegenüber antwortet. Deshalb erschafft er den Menschen – zu gleichen Teilen aus Materie und Geist – als freies, selbstbestimmtes Wesen. Die einzige Einschränkung seiner Willensfreiheit ist der Apfel am Baum der Erkenntnis. Er dient als Probe. Vergeblich versucht Gabriel, Gott zu überreden, daß er auf die Probe Einfluß nehme und den Aufrührer Satanael vom Menschen fernhalte. Das lehnt Gott ab, denn:„Den Wortlaut zu vollziehn, kann ich ihn zwingen. Den Sinn des Worts erfüllen kann nur er [...]. Zum Wollen dessen, was man soll, mithin, gehört das Wollenkönnen von allem, was man nicht soll."
Eva beißt in den Apfel. Zwar wird sie von Satanael dazu verführt, doch reizt sie vor allem des Tugendwächters Gabriel strafender Blick, der ihr die „höchste Wichtigkeit des Unerlaubtseins" klarmacht.
Nach Evas Sündenfall ist das Verhältnis von Adam und Eva gestört. Adam steht vor der auswegslosen Frage: „Soll ich ohne Sünde sein und ohne dich? Soll ich mit dir sein, Schuldige, in der Schuld?" Sein Sündenfall ist solidarischer Akt und Liebesbeweis, aber auch Verlust der Unschuld. Gott spricht die Verdammung aus, vertreibt sie aus dem Paradies, gibt ihnen aber – voller Zustimmung und viel von ihnen erwartend – einen Ort, an dem sie kreativ sein können.

Durch den Entscheidungsspielraum, den Gott dem Menschen gegeben hat, setzt er die Welt täglich aufs Spiel, bringt aber auch Bewegung ins „öde All". Die nicht lösbaren Fragen, ob der Sündenfall im Plan Gottes enthalten war und ob Satanaels Grundsatz – „Jedes Eingerichtete muß in sich nähren, was es stürzen wird" – von Gott gewollt ist, läßt Hacks „als göttliches Geheimnis" auf sich beruhen. Mit der Freiheit, sich zwischen Affirmation und Rebellion zu entscheiden, stellt Gott die Selbstverwirklichung des Menschen über den Gehorsam. Die Festlegung auf das eine oder das andere wäre Stillstand, sein Verhalten absolut voraussehbar. So ist am Ende Gottes Wille erfüllt, indem er verletzt wurde. Das verlorene Paradies ist aufgehoben in der

Sehnsucht nach dem Vollkommenen. Es ist dem Menschen verschlossen als Zustand, jedoch offen als Bewegung auf ein Ziel hin.

Der Rückgriff auf den alten Mythos, der, auf fünf Personen beschränkt, überschaubar bleibt und dennoch voller Dialektik ist, gestattet Hacks die Darstellung eines totalen Weltbildes. Die Schwierigkeit besteht „im Fehlen von Gesellschaftlichem. Die auftretenden Charaktere sind kaum soziabel. Gott ist offensichtlich ein Eigenbrötler, die Engel leiden an einer für den Dramatiker verhängnisvollen Reinheit, und Adam und Eva verkörpern, vor dem Sündenfall, das pure Gattungswesen." (Hacks)

Im mythologischen Stoff zeigt Hacks Grundmuster, die auf die DDR-Realität übertragbar sind. So ist Gabriels Satz: „In dieser besten Gotteswelt ja ist kein Unfall denkbar, als verübt von außen" interpretierbar als Verlagerung der Konflikte, die im sozialistischen System auftreten, nach außen, in die kapitalistische Welt. Ebenso: „Der Himmel muß, wo Höllenscharen walten, das Paradies wie eine Festung halten" (Anspielung auf die Berliner Mauer). In Gabriel, der die Tugend mit der Leine mißt und den Zweifel durch Dreinhaun beseitigen will, kann man den Parteifunktionär sehen, und in Satanael den Renegaten und Saboteur, der von den zwölf Planeten fünf „von der Pflicht der Pünktlichkeit und Regel abgeworben" hat.

Am Beginn der Menschheitsgeschichte ist das Verhältnis von Utopie und Realität auf den Kopf gestellt: Das Paradies ist die erfahrene Wirklichkeit, die Welt die Zukunftsvision. Adam begreift am Ende des Dramas die Wechselbeziehungen zwischen beiden als Freiheit und Bestimmung: „Der Garten Eden [...] war uns zubestimmt, um aus ihm fortzuschreiten, ein teurer Ort, an dem wir hängen müssen, um stets vergeblich, stets ihn zu erstreben."

Heiner Müller: ‚Der Auftrag. Erinnerung an eine Revolution‘. Das Stück – nach Motiven aus der Erzählung ‚Das Licht auf dem Galgen‘ von Anna Seghers – spielt zu Anfang des 19. Jahrhunderts, nach der Französischen Revolution. Drei Revolutionäre: der Arzt Debuisson, der Neger Sasportas und der Bauer Galloudec, werden von dem Jakobiner Antoine – im Namen des französischen Konvents – beauftragt, einen Aufstand der Negersklaven auf Jamaika zu organisieren. Heiner Müller bringt die Ereignisse nicht unmittelbar auf die Bühne, sondern als Erinnerung Antoines in Paris an die Revolution aus der Perspektive der restaurativen Zeit. Der Konvent ist aufgelöst, die alte Ordnung wiederhergestellt. Ein Matrose überbringt den Brief des sterbenden Galloudec, in dem dieser den nicht erfüllten Auftrag zurückgibt. Aus dieser einzigen realen Handlungssituation ergeben sich die folgenden Vorstellungen, Reflexionen, Visionen und Träume Antoines/Müllers, die in einer Montage von Einzelszenen die Frage nach dem Auftrag durchspielen.

Eine Rückblende erzählt die Ankunft der Revolutionäre auf Jamaika nach. Sie geht über in ein Rollenspiel, in dem sich die drei tarnen und maskieren, um sich auf den Gegner einzustellen. In ihm kündigt sich bereits die Deformation der revolutionären Idee an, die den Verrat Debuissons in sich birgt. Das Maskenspiel hat seinen Höhepunkt im ‚Theater der Revolution‘: Als Danton und Robespierre beschimpfen sich Galloudec und Sasportas als Verräter, Sasportas verurteilt Debuisson, den weißen Herrn und Ausbeuter, zum Tode. Er erklärt das Theater der weißen Revolution für beendet.

An dieser Stelle, an der ein schwarzer Revolutionär mit den Weißen abrechnet und Rausch und Sinnlichkeit gegen tote Ordnungen und Gedanken setzt, springt der Autor von der Historie in die Gegenwart. In einem langen Monolog wird das Verhältnis von politischem Auftrag und individuellem Glücksanspruch ausgebreitet.

Der Bericht eines Traumes steht in der ersten Person: Ein Angestellter, der einen Termin beim Chef hat, steht im Fahrstuhl und hat vergessen, ob dessen Büro sich in der vierten oder 20. Etage befindet. Entweder ist er schon zu weit gefahren oder noch nicht angekommen. Die Zeiger seiner Armbanduhr rasen, der Termin ist demnach längst überschritten. Subjektive und geschichtliche Zeit stimmen nicht mehr überein. Der Auftrag ist vielleicht „die letzte mögliche

Maßnahme gegen den Untergang". Durch das Versagen des Angestellten ist er sinnlos geworden oder – in der Sprache der Bürokratie – *„bei den Akten"*. Nach einem Traum im Traum, in dem er die Zeit überholt bzw. aus der Geschichte herausfällt, steigt der Träumende aus dem Fahrstuhl, in den er eingesperrt war. Er befindet sich auf einer Dorfstraße in Peru, jenseits der Zivilisation, ohne Chef und ohne Auftrag. „Etwas wie Heiterkeit breitet sich in mir aus."

In einer Rückblende stellt Heiner Müller wieder die Verbindung zur Geschichte her, aus der sich das Traum-Ich, nach dem Staatsbegräbnis seines Chefs auftragslos, entfernt hatte.

Durch die Veränderungen in Frankreich sind auch die drei Revolutionäre auf Jamaika ohne Auftraggeber. Debuission zerreißt den Auftrag, der nur noch nach Papier schmeckt. Der Verrat kommt von außen (aus der politischen Situation) und von innen (aus der Revolutionsmüdigkeit). Debuisson zieht sich zurück, während Sasportas und Galloudec am Auftrag festhalten (doch ihre Hoffnung bezahlen sie mit dem Tod). Das Stück endet mit einem poetischen Text, der Debuisson, gegen den Verrat ankämpfend und ihm erliegend, zeigt.

Auf zwei Zeitebenen problematisiert Heiner Müller den revolutionären Auftrag. Im ersten Fall wird das Kollektiv, bestehend aus dem Negersklaven der Dritten Welt, dem aus Brüderlichkeit handelnden Unterprivilegierten und dem intellektuellen Zweifler, gespalten. Die Ambivalenz von Lust und Qual, die Erfahrung der Revolution als Hoffnung und Terror zieht sich als Bruch durch seine Person. In dieser Schizophrenie geht ihm der Antrieb zum Handeln verloren. Mit dem Gewicht der „Leichen des Terrors, Pyramiden von Tod" wächst die Verzweiflung und damit der Wunsch, aus der Verantwortung entlassen zu sein.
Im zweiten Fall isoliert sich der Angestellte auf der Suche nach seinem Auftraggeber. Im Irgendwo und Irgendwann erfährt er – als innere Gewißheit – seine Bestimmung. Der Konflikt zwischen dem Auftrag, dessen Unerbittlichkeit den einzelnen überfordert, und dem Recht auf Glück, das nur mit Verrat erkauft werden kann, bleibt ungelöst. „Ich fürchte mich", sagt Debuisson am Ende zu Sasportas, „vor der Schande, auf dieser Welt glücklich zu sein." Für Sasportas dagegen ist das Töten notwendiges Mittel zur Befreiung. Subjektiver Anspruch und gesellschaftlicher Auftrag fallen zusammen. Deshalb spielt Sasportas keine Rolle und trägt keine Maske.
Die Szenenfolge in Müllers Stück mit Abbrüchen und Neuanfängen, Zeitsprüngen und Ortswechseln läßt das Ende offen: „Eine Bewegung in einem Raum mit Fragen, auf die ich keine Antwort habe" (Heiner Müller). Im Rückblick auf die gescheiterte Revolution scheint die Zeit zum Stillstand gekommen zu sein. Die postrevolutionären Zweifel sehen, wenn nach den Kosten und Gewinnen gefragt wird, keinen Fortgang der Geschichte.

14.8 DDR-Literatur – Nationalliteratur – deutsche Literatur?

In den fünfziger Jahren herrschte in beiden Teilen Deutschlands die Meinung, daß die Literatur, die in der DDR und in der Bundesrepublik Deutschland entstand, eine gemeinsame sei. Otto Grotewohl sprach in einer Rede vom 22. März 1950 noch von einer „deutschen Kultur, die nicht geteilt werden kann. Unser Ziel ist die Pflege und Weiterentwicklung einer wahren, edlen Kultur der Nation. Zu dieser Nation gehören für uns auch die Menschen im Westen unserer Heimat." Für beide Staaten stand jedoch gleichermaßen fest, daß nur im eigenen die wahre, im anderen dagegen die bedeutungslose hervorgebracht werde. Auf dem vierten Schriftstellerkongreß (1956) bezeichnete Becher die DDR-Literatur als einen Teil der gesamtdeutschen Literatur, deren „nationale Sendung" es sei, diese wesentlich zu bestimmen.
Erst nach dem Bau der Berliner Mauer (1961) kam es zur Abgrenzung durch die Proklamation einer „sozialistischen Nationalliteratur". Alexander Abusch: „Gehen

wir davon aus, daß unser Arbeiter-und-Bauern-Staat, der einzig rechtmäßige und humanistische deutsche Staat, die deutsche Republik des Friedens und des Sozialismus ist, dann darf man auch nicht mehr verschwommen und verwaschen von der 'deutschen Kultur' im allgemeinen sprechen; eine solche einheitliche deutsche Kultur kann in den beiden deutschen Staaten mit entgegengesetzter Entwicklung gegenwärtig nicht existieren" (Dezember 1961).

Gegenläufig hierzu tendieren Literaturwissenschaftler und Schriftsteller in der Bundesrepublik Deutschland gegenwärtig mehr zu der Ansicht, daß sich die beiden Literaturen zunehmend einander annähern (Konvergenztheorie). Nachdem hier die DDR-Literatur bis zum Beginn der siebziger Jahre kaum wahrgenommen, dann zunächst vorwiegend Gegenstand der Literaturwissenschaft wurde, eroberte sie gegen Ende der siebziger Jahre schließlich den Buchmarkt. Dazu mag einerseits die Bemühung, die weitgehend ausgeklammerte Arbeitswelt auch bei uns literaturfähig zu machen, andererseits das Programm eines 'Neuen Realismus' in der westdeutschen Literatur beigetragen haben. Studentenbewegung und Ostverhandlungen begünstigten ebenfalls das Interesse an Büchern aus der anderen Hälfte Deutschlands, die für den kaum informierten Leser hier eine Überraschung waren. Reiner Kunzes ‚Die wunderbaren Jahre' und Plenzdorfs ‚Die neuen Leiden des jungen W.' wurden rezipiert, als wären sie für das westdeutsche Publikum geschrieben.

Bei den Erfolgen, die DDR-Autoren in der Bundesrepublik Deutschland haben, ist doch zu fragen, ob die scheinbar problemlose Aufnahme nicht – zumindest teilweise – auf Mißverständnissen beruht. Versteht der Leser hier die von den Autoren zur Sprache gebrachten Probleme tatsächlich so, wie sie gemeint sind? Zweifellos hat die DDR-Literatur sich in einer Richtung entwickelt, in der Berührungspunkte der beiden deutschen Literaturen zu erkennen sind (Subjektivität, Geschichtspessimismus, Kritik an Staat und Gesellschaft, Erweiterung der Phantasieräume und Erzählformen). Sie sollten aber nicht darüber hinwegtäuschen, daß ihnen jeweils andere Erfahrungen zugrunde liegen, die sich nicht ohne weiteres aus dem einen politischen System in das andere transportieren lassen. So sind die Selbstverwirklichungsmuster in der neueren DDR-Literatur Reaktionen auf verordnete kollektive Sozialisationsmuster, und das Ich-Sagen ist die Rückkehr von der Parteilinie zur eigenständigen Wahrnehmung und die Erkundung größerer Spielräume. Ausbrüche aus der Gesellschaft, in beiden Literaturen derzeit häufig thematisiert, haben hier und dort unterschiedliche Voraussetzungen und Folgen. Auf den ungleichen Niederschlag sozialer Revolution in der Literatur weist der Autor Rolf Schneider hin: im Westen „als seufzende Hoffnung auf Veränderung in kleinen Schritten, [...] als wehmütiges Zurückblicken auf den Sommer der Anarchie, als folgenloser Bombenwurf"; im Osten dagegen „als Stolz aufs Gelingen, als selbstgefällige Freude über Erreichtes, als Unruhe über eingetretene Folgen".

Noch schwieriger ist die Bewertung der DDR-Literatur für westliche Kritiker, denen die dialektischen Bezüge nicht geläufig sind und die sich in ihrem ästhetischen Urteil nicht von irgendwelchen kulturpolitischen Vorgaben bestimmen lassen. Darüber hinaus schreiben DDR-Autoren für eine breitere Leserschicht und haben demzufolge eine vergleichsweise anspruchslosere Schreibweise. Da die Autoren der DDR dort „nur ideologische Zensuren für künstlerische Produkte aller Gattungen" erhalten oder überhaupt totgeschwiegen werden, ist gerade für sie die Resonanz unserer Literaturkritik von großer Bedeutung. Trotzdem dürfen wir auch nicht übersehen, daß die heftigen Diskussionen, die in der DDR durch das Erscheinen zahlreicher Werke ausgelöst wurden, die Autoren zum Reflektieren theoretischer Fragen in einem Ausmaß zwangen, wie es bei uns nicht üblich ist.

Eine Abgrenzung zwischen den beiden deutschen Literaturen wird nicht zuletzt auch dadurch erschwert, daß einige Autoren zwar in der DDR wohnen, aber nur im Westen veröffentlichen können; andere haben inzwischen in der Bundesrepublik

Deutschland ihren Wohnsitz. Von den Ausgebürgerten verstehen sich einige nach wie vor als sozialistische Schriftsteller und wollen in die DDR zurückkehren. Andere sind im umfassenden Sinn westdeutsche Bürger geworden. Daß die Ausbürgerung Biermanns und anderer Autoren in den westlichen Medien lautstark abgehandelt wurde, verdeckt die Tatsache, daß diese zum großen Teil nicht gegen den Sozialismus, sondern nur gegen bestimmte Formen und Defizite protestieren und daß Literatur immer auch subversive Gegenkultur ist.

Ist die Literatur der DDR eine 'sozialistische Nationalliteratur', oder ist die deutsche Literatur unteilbar? Thomas Brasch stellt den Begriff 'DDR-Literatur' überhaupt in Frage, da dieser die Realitätserfahrungen von Autoren unzulässig verallgemeinere, indem er sie „auf den kleinsten gemeinsamen Nenner bringt, den politisch-geographischen nämlich". Für den Literaturwissenschaftler Hans Mayer richten sich die Konvergenzen „im Westen wie im Osten gegen eine offizielle Kultur der bürgerlichen Restauration wie der restaurativen Entartung des sozialistischen Bewußtseins". Günter Grass sieht eine Korrespondenz in der Suche nach Ansätzen „in unserer traurigen, unsäglich traurigen deutschen Vergangenheit, [...] um uns heute zu erklären". Doch hier wie dort finde Literatur in der Politik keinen Niederschlag.

15 Deutschsprachige Literatur der achtziger Jahre: Schreiben als Gegenmaßname

„Der Zustand, in dem wir uns befinden", schreibt Michael Krüger 1986 in den ‚Akzenten', „ist mittlerweile mit dem Begriff 'Postmoderne' abgesegnet. Man scheint glücklich zu sein, ihn gefunden zu haben, da er alles erklärt und alles entschuldigt. Jeder kann ihn benutzen, er paßt auf alles, deckt alles zu." Die Diskussionen in den Medien erbrachten kaum eine Klärung über das Schlagwort 'Postmoderne' und schon gar keine überzeugende Literaturtheorie.

In der Bundesrepublik Deutschland belasteten Betriebsstillegungen und wachsende Arbeitslosigkeit in den achtziger Jahren die Politik. Atommüll- und Umweltskandale, Enthüllungen über Verstöße führender Politiker gegen Gesetze und Moral, Prozesse wegen Bestechung und Bestechlichkeit waren der Zündstoff, der Zweifel an der Glaubwürdigkeit des Rechtsstaates weckte. In weltpolitischer Dimension löste die Reaktorkatastrophe von Tschernobyl Angst und Verwirrung aus. Die Abrüstungsverhandlungen erhielten unter dem Druck der weltweiten Friedensbewegung und in Verbindung mit Gorbatschows Reformkurs neue Impulse. Erste Verträge konnten unterzeichnet werden.

Die drohende Gefahr einer Selbstvernichtung der Menschheit, das große Thema der 80er Jahre, aktivierte auch die Schriftsteller: Dem „Friedensappell der Schriftsteller Europas" vom Sommer 1981 folgte Ende 1981 die Berliner Begegnung zu Frieden und Abrüstung, bei der sich Kollegen aus der Bundesrepublik Deutschland und der DDR in Ost-Berlin zum erstenmal seit der Teilung Deutschlands an einen Tisch setzten. Ein halbes Jahr später fand das „Haager Treffen zur Weiterführung der Friedensinitiative europäischer Schriftsteller" statt. In ihrer Resolution wandten sie sich u. a. „gegen jeden Mißbrauch der Sprache, der der Verschleierung oder Beschönigung kriegerischer Absichten dient. Wir werden die uns zur Verfügung stehenden Mittel dafür einsetzen, die wahren Sachverhalte jedermann verständlich zu machen."

So, wie sich hier die Schriftsteller betont von der täuschenden Sprache der Politiker distanzieren, widersetzt sich auch ein großer Teil der Literatur der 80er Jahre einer Wirklichkeit, in der Zweckrationalität, politisches Kalkül und Sachzwänge dominieren. Die Nichtübereinstimmung mit einer verzerrten Realität, die Loslösung von einer „Tatsachen"-Welt der Institutionen, in der sich die Menschen unter der Übermacht der herrschenden Systeme eingerichtet haben, kommt in der Literatur der Bundesrepublik Deutschland und der DDR zur Sprache. Der private Alltag und die sinnliche Erfahrung werden der etablierten Wirklichkeit entgegengesetzt und machen deren Defizite erkennbar: die Einsamkeit des Einzelnen, der, nur noch ein Rädchen in einem undurchschaubaren Mechanismus, bewußtlos funktioniert. Nicht selten ist weibliche Lebensnähe männlichem Denken, Ehrgeiz und Machtstreben entgegengestellt. Nicht die negative Utopie, die (wie Orwells ‚1984‘) mit den Irrationalitäten des Machtsystems ein experimentelles Spiel treibt, reizt die Phantasie der Autoren, sondern die Frage, was Wirklichkeit sei, und der Wunsch, das Gewohnte – sei es als Wahrnehmungs-, Denk-, Erfahrungs- oder Erzählmuster – auf eine Möglichkeit anderen Sehens und Lebens zu überprüfen.

Immer noch, und das machte auch der Historikerstreit über die „Vergleichbarkeit" der nationalsozialistischen Verbrechen mit Massenmorden in der Sowjetunion deutlich, ist das Phänomen Auschwitz unerklärlich und ungeklärt die Frage, wie mit der Schuld der Väter umzugehen sei. Die Last der Vergangenheit drängt deutsche wie österreichische Schriftsteller, den 'Herkunftskomplex' schreibend zu verarbeiten. Oder, wie es Thomas Bernhard in seinem Roman ‚Auslöschung – Ein Zerfall‘ nennt: „auszulöschen zu unserer Errettung". Schreiben als „letzte Rettung" ist eine der Motivationen, mit der sich die Autoren abfinden, da sie zweifeln, ob Literatur noch sinnvoll ist. Eine andere leitet sich her aus der Verantwortlichkeit angesichts der Endzeitsituation, die dem Schriftsteller die Kassandra-Rolle aufzwingt, der er sich, unabhängig davon, ob seine Botschaft gehört wird, verpflichtet weiß. Denn ein „Realitätsprinzip", unter dem das „Gleichgewicht des Schreckens" nicht als Wahnsinn, sondern als vernünftige Anpassung an die Gegebenheit dargestellt wird, fordert zum Widerstand, zur Warnung heraus. „Wenn die atomare Gefahr uns an die Grenze der Vernichtung gebracht hat, so sollte sie uns an die Grenze des Schweigens, an die Grenze des Duldens, an die Grenze der Zurückhaltung unserer Angst und Besorgnis und unserer wahren Meinungen gebracht haben" (Christa Wolf, Vorlesungen, S. 88).

„Dies ist vielleicht der tiefste Widerspruch in aller heutigen Literatur: daß sie nicht mehr weiß, ob es das in der Zukunft noch geben wird: ein Schreiben, das hoffen möchte, etwas aus der Sterblichkeit ins Überleben zu transportieren", sagte der Literaturwissenschaftler Hans Mayer 1983 bei der Eröffnung der Buchmesse. Er knüpfte an diese globale Ungewißheit die Hoffnung auf eine „Gemeinschaft der europäischen Literatur: in Erkenntnis einer gemeinsamen Gefahr". Was die beiden deutschen Literaturen betrifft, so erscheint ihre Abgrenzung zunehmend als widersinnig.

Die Frage, ob eine Abgrenzung der DDR-Literatur von der übrigen deutschsprachigen Literatur noch begründet sei, stellte sich bereits in den siebziger Jahren. Die zentral gesteuerte und kontrollierte Produktion und Verbreitung von Literatur in der DDR, die Richtlinien einer rigiden Kulturpolitik, die Verpflichtung der Autoren auf das nationale Erbe und die künstlerischen Mittel des sozialistischen Realismus legten zunächst die gesonderte Behandlung ihrer Entwicklung nahe. Doch konnte diese – wie jede andere – Entscheidung, das Gliederungsproblem zu lösen, nicht durchweg befriedigen. Wie in 14.8 diskutiert, wurde eine eindeutige Zuordnung dadurch kompliziert, daß eine Reihe von Autoren ausschließlich im Westen publizieren konnte oder – sowohl freiwillig als auch unter Zwang – ihr Land verlassen hatte. Bei der Betrachtung der Romane und Erzählungen der achtziger Jahre erschien uns ein Herauslösen der Werke von DDR-Autoren aus der Gesamtheit der deutschsprachigen Literatur nicht mehr gerechtfertigt. Die Schriftsteller in der DDR haben nicht nur zunehmend den Anspruch auf Selbstbestimmung in Fragen ihrer Kunst geltend gemacht, sie haben sich auch weitgehend von den vorgegebenen Richtlinien entfernt und treten souveräner den staatlichen und gesellschaftlichen Maßnahmen gegenüber. Auf dem X. Schriftstellerkongreß der DDR Ende 1987 kritisierte Christoph Hein in seiner Rede in aller Schärfe die Zensur, die er als „überlebt, nutzlos, paradox, menschenfeindlich, volksfeindlich, ungesetzlich und strafbar" bezeichnete. Er verurteilte eine Literaturkritik, die mit ihrer moralischen Wertung den neuen künstlerischen Formen nicht gerecht wird, und plädierte für die Anerkennung unlösbarer Widersprüche, die es auch in der sozialistischen Gesellschaft gebe.

Gerade in der Auseinandersetzung der deutschsprachigen Autoren mit der Realität unterscheidet sich die heutige DDR-Literatur weder formal noch inhaltlich gravierend von der der Bundesrepublik Deutschland, der Schweiz oder Österreichs.

Trotz Verschiedenheit der politischen Systeme zeigen die Werke eine auffallende Affinität. Das gilt auch für die Literatur Österreichs und der Schweiz. „Seit es zwei deutsche Staaten, vier, mit Liechtenstein fünf Länder deutscher Sprache gibt", sei, nach Ansicht des Schweizer Literaturwissenschaftlers und Autors Adolf Muschg, das Abgrenzungsproblem diffiziler geworden. Die Frage, „ob es nicht wenigstens de facto oder ex post schweizerische Themen, heimliche Konstanten, einen erkennbar gemeinsamen Gestus in der Literatur aus der Schweiz gebe, würde ich hartnäckig leugnen". Die Notwendigkeit, die bestehenden Verhältnisse in ihrer Verflechtung von wissenschaftlich-technischem Fortschritt mit Profit- und Machtinteresse und ihrem Einfluß auf die Lebenswelt nicht nur darzustellen, sondern über sie hinauszudenken, verbindet die Literaturen über die nationalen Grenzen hinweg.

15.1 Botschaft in höchster Gefahr

> **Günter Grass:** Die Rättin (1986)
> **Helga Königsdorf:** Respektloser Umgang (1986)
> **Christa Wolf:** Kassandra (1983)   Voraussetzungen einer Erzählung: Kassandra
> Frankfurter Poetik-Vorlesungen (1983) Störfall (1986)

Fabulierend, Dokumentarisches und Phantastisches aus verschiedenen Zeitebenen verflechtend, entwirft Günter Grass in dem Roman ‚Die Rättin' das Bild einer posthumanen Zeit, das der Erzähler als Überlebender der Katastrophe, in einer Raumkapsel die Erde umkreisend, wahrnimmt. Im Gegensatz zu Grass' Äußerung, daß die täglich drohende Selbstvernichtung die Vorstellungskraft der Literatur herausfordere, stehen die Meinungen anderer Autoren. „Die Phantasie läßt uns im Stich", schreibt Helga Königsdorf in ihrer Erzählung ‚Respektloser Umgang'. Christa Wolf spricht von der „Unangemessenheit von Worten vor den Erscheinungen, mit denen wir es jetzt zu tun haben. Was die anonymen nuklearen Planungsstäbe mit uns vorhaben, ist unsäglich; die Sprache, die sie erreichen würde, scheint es nicht zu geben" (Vorlesungen, Seite 85).

Die Betroffenheit dieser Autorinnen stellt sich dar als Überzeugung der Hauptfiguren, einen Auftrag zu haben. Die Voraussetzung dafür, ihn annehmen zu können, ist die Entwicklung zur autonomen Persönlichkeit, schließt also die Auseinandersetzung mit der Herkunft und dem sozialen Umfeld ein.

Christa Wolf: ‚Kassandra. Erzählung'. Zu Beginn der Erzählung ‚Kassandra' von Christa Wolf ist Troia besiegt, und Kassandra, die Seherin, die den Untergang Troias vorausgesagt hat, erwartet – als Kriegsbeute Agamemnons – den Tod. In äußerster Bewußtheit verfolgt sie die Abläufe, die zur Vernichtung führten, zurück bis in die Vorgeschichte des Krieges. Ihre Rückschau ist als Zeugnis und Botschaft zugleich ein utopischer Vorgriff auf eine nicht an Sieg und Heldentum, sondern am Leben orientierte Geschichte.

Nach einigen Sätzen über den Ort, an dem Kassandra ihrem Ende entgegensieht, wechselt Christa Wolf mit dem Satz „Mit der Erzählung geh ich in den Tod" von der dritten in die erste Person. Die Identifikation mit der Titelfigur erfolgt wie von selbst. In den Frankfurter Poetik-Vorlesungen (‚Voraussetzungen einer Erzählung: Kassandra') macht die Autorin deutlich, daß Einfühlung und persönliche Erfahrung ihre Kassandra-Figur mitgeprägt haben. Konflikte wie die zwischen Recht und Pflicht zum Reden, Nähe und Abstand zum eigenen Volk, Privileg und Verantwortung des Amtes, Loyalität und Widerstand gegenüber der Staatsmacht zeigen sie als eine moderne, der Autorin nahe Gestalt. Kassandra ist als Tochter des Königs Priamos Angehörige des Herrscherhauses, als Priesterin hat sie Verantwortung für ein Amt und genießt auch dessen Vorrechte. Durch ihre Berufung wird sie zum Objekt fremder Zwecke gemacht. Erst unter dem Druck der Verhältnisse, die das Leben aller zu vernichten droht, wird sie autonom und handlungsfähig, isoliert sich zugleich auch von den Regierenden und Mitläufern. Blind wie diese, lebt sie noch im Zwiespalt ihrer Rollen: „königstreu, gehorsam, übereinstimmungsbesessen" auf der einen Seite, nüchtern das Unheil voraussehend auf der anderen.

Intensives Quellenstudium war die Grundlage für Christa Wolfs Erzählung. Da aber die Quellen bereits antike Verarbeitungen von Geschichte sind, versuchte sie eine „Rückführung aus dem Mythos in die (gedachten) sozialen und historischen Koordinaten". Ihre Korrektur aus heutiger Sicht richtet sich vor allem gegen die „Verherrlichung eines Raubkrieges". Der Raub Helenas (die sich nach ihrer Version gar nicht in Troia befindet) verschleiere nur mythologisch, daß die tatsächliche Ursache der kriegerischen Auseinandersetzung der von Troia kontrollierte Bosporus war. Gegen den Heroenkult der von männlich-aggressivem Denken geprägten Überlieferung setzt sie Kassandras, der „Nichtwahnbesetzten" Einsicht, daß ein Krieg, der um ein Phantom geführt wird, verloren ist. Ihre Warnung ist kein irrationaler Orakelspruch; sie beruht auf dem Verständnis der historischen Situation – der eigenen wie der der Gegner. Dieser Krieg war kein Überfall, wie man es nannte, auch nicht Zufall oder Schicksal. Man hatte ihn vorbereitet, hatte mit Hilfe einer verzerrten Realität ein Feindbild produziert, bis aus Mißtrauen und Angst heraus Kampf die einzige Lösung schien.

Die Parallele zur gegenwärtigen Weltlage verdeutlicht Christa Wolf in der Erzählung dadurch, daß sie Wörter aus unserer politischen Sprache einfließen läßt (Abschirmdienst, Feindbegünstigung, Provokateur u. ä.). In den Vorlesungen weist sie in Reflexionen über Kriegsgefahr und Rüstungsanstrengungen die Analogien explizit auf: „Der wahnhafte Irrtum: Sicherheit von einer Maschine abhängig zu machen anstatt von der Analyse der historischen Situation, die nur Menschen mit historischem Verständnis (das heißt auch: mit Verständnis der historischen Situation der anderen Seite) leisten könnten."

Kassandra warnt, mißbilligt Krieg und Vergeltung. Man glaubt ihr nicht. Sie wird für wahnsinnig erklärt und eingesperrt. In der Erzählung findet sie am Ende in einer archaischen Gemeinschaft von Frauen beider Lager, außerhalb der Stadt, ihre wahre Zugehörigkeit. Der dem Leben und der Natur zugewandte Alltag, wo man „mit beiden Beinen auf der Erde träumt" (‚Vorlesungen'), wird dem männlichen Realitätsprinzip, den Sachzwängen, unter denen Männer planen und entscheiden, entgegengestellt. Kassandras Monolog ist „lebendiges Wort", nicht Heldengesang. Mit der Selbstbefragung, die rückblickend ihre Schuld erkennt, zu wenig und zu spät geredet zu haben, verbindet Christa Wolf (in den Vorlesungen) die Frage nach der Wirkungsmöglichkeit des Wortes, der Literatur, und diskutiert eine 'weibliche' Ästhetik, die sich nicht den traditionellen Normen und Regeln unterwirft. Im Kontext von Bedrohung, Angst, Endzeit erhält die Literatur ein anderes Gewicht: Das Wort, „das subversiv, unbekümmert, 'eindringlich' im Wortsinn sein müßte und nicht danach fragen dürfte, ob es sein Ziel erreicht – ja, das nicht einmal ein 'Ziel' haben dürfte", ist Zeugnis wie Kassandras Monolog, den niemand hört und niemand weitergibt.

Helga Königsdorf: ‚Respektloser Umgang. Erzählung'. An einer unheilbaren Krankheit leidet die Naturwissenschaftlerin und Hauptfigur in Helga Königsdorfs Erzählung ‚Respektloser Umgang'. Für sie gibt es nur noch Medikamente, die ihren Zustand erträglicher machen und den Tod hinausschieben. Die Angst, das Gefühl der Bedrohung wecken in ihr die Kraft, bewußter zu leben. Zukunftslosigkeit erfährt sie als globalen „Finalzustand", in dem nichts mehr Bestand hat als der einfache Wunsch zu leben. „Es kann doch nicht einfach so zu Ende gehen. Und ehe wir es begreifen, sind wir schon tot. Im kleinen wie im großen. Wir haben keinerlei Erfahrung mit Bedrohung, die der ganzen Menschheit gilt. Unsere Entwicklungsgeschichte gibt so etwas nicht her. Wir können uns nicht der Intuition überlassen."

Zu den Toten, mit denen die Ich-Erzählerin in Halluzinationen (hervorgerufen durch ihre Medikamente) Gespräche führt, gehört Lise Meitner. Sie war maßgeblich an der Erforschung der Uranspaltung beteiligt und mußte 1938 Deutschland verlassen. Als Frau, die in der Domäne der Männer als Studentin und Assistentin nur geduldet war, als Jüdin, aus dem Forschungsteam im Kaiser-Wilhelm-Institut ausgeschlossen, und als Forscherin, die am Nobelpreis, den Otto Hahn für die Entdeckung der Kernspaltung erhielt, nicht beteiligt wurde, war die Atomphysikerin dreifach gedemütigt.

Helga Königsdorf, selbst Naturwissenschaftlerin, sucht Antworten auf ihre Fragen, an denen das gewohnte Ursache-Wirkungs-Denken scheitert. Und sie sucht in einer Zeit, in der der Fortschritt problematisch geworden ist, nach Alternativen zu den Prioritäten von Ehrgeiz, Ruhm und Macht. Nicht um die Denunziation von Wissen geht es ihr, denn Angst aus Wissen sei eine produktive Angst. Daß es „zwischen Verantwortung und Mitschuld in Zukunft nichts mehr gibt", ist der Leitgedanke für ihren respektlosen Umgang mit Lise Meitner, die sie aus ihrem heutigen Wissensstand mit den katastrophalen Folgen der Kernforschung konfrontiert und deren berufliche Erfolglosigkeit sie umdeutet. Die Erzählerin, die ihre Krankheit als zunehmende Nutzlosigkeit erlebt, identifiziert sich mit ihrem 'Geschöpf' so sehr, daß Lise Meitner ein Teil, ein Orientierungspunkt ihrer Existenz wird. Sie begnügt sich nicht damit, die typische Frauenrolle der Gedemütigten zu beklagen. Aus der Klage über die Unterdrückung, wie sie sich häufig in der Frauenliteratur findet, macht sie einen selbstbewußten Akt: ihr als Frau, behauptet Lise Meitner, sei die Aufgabe zugefallen, die Spaltung des Urankerns zur Rettung der Menschheit durch eine falsche Theorie zu verzögern. Die Erzählerin, die sich dem Tod nahe weiß, nimmt nun ihrerseits einen Auftrag an. Er besteht in der Botschaft, daß das Leben der Sinn des Lebens ist.

15.2 Letzte Zeugen der unbewältigten Vergangenheit

Jurek Becker: Bronsteins Kinder (1987)
Thomas Bernhard: Auslöschung – Ein Zerfall (1986)
Gert Hofmann: Unsere Vergeßlichkeit (1987)
Hans Joachim Schädlich: Tallhover (1986)

Nicht mehr lange ist die persönliche Erfahrung nationalsozialistischer Vergangenheit verfügbar, doch blieb vieles unausgesprochen, und diejenigen, die davon nicht loskommen, sind Außenseiter, Relikte. Diese Vergangenheit, von der die einen sagen, man habe sie nicht aufgedeckt, und die anderen, es gäbe nichts aufzudecken, wird nicht als Geschichte erzählt, sondern in eine dialektische Beziehung zur Gegenwart gesetzt. Im Vordergrund steht nicht irgendein Geschehen, das vom Leser nacherlebt werden könnte, sondern die Konfrontation mit dem Verdrängten.

Jurek Becker: ,Bronsteins Kinder'. Zu Beginn des Romans ,Bronsteins Kinder' von Jurek Becker ist der Vater, Arno Bronstein, tot. Aus dem zeitlichen Abstand von einem Jahr erzählt Hans, der Sohn, distanziert, unsentimental und um Verstehen bemüht, was sich im Sommer 1973 in einem Haus im Wald ereignete. In dem unbewohnten Haus, das dem Vater gehört, und in dem sich Hans Bronstein heimlich mit seiner Freundin trifft, überrascht er eines Tages drei Männer, unter ihnen seinen Vater, mit einem vierten, den sie an ein Bett gefesselt haben. Bei dem Gefangenen, den sie verhören und schlagen, handelt es sich um einen ehemaligen KZ-Aufseher. Sein Vater und die beiden anderen Männer sind Juden. Entsetzt über seinen Vater, der ihm bisher als besonnen erschienen ist und sich niemals gewalttätig gezeigt hat, beschließt Hans, einzugreifen und den Gefangenen aus dem Haus zu schaffen: nicht um dessentwillen, sondern um den Vater von seinem Opfer, von seiner Gegentat zu befreien. Als er im Waldhaus eintrifft, findet er den Vater tot auf, vermutlich an einem Herzversagen gestorben.

Bronsteins Kinder – das sind Hans und seine wesentlich ältere Schwester, die als Kind im Dritten Reich sieben Jahre lang im Versteck lebt, nach der Befreiung anormale Verhaltensweisen erkennen läßt und in einer Nervenheilanstalt untergebracht ist. Es sind die Kinder der Opfer des Faschismus, die zur Vergangenheit ein anderes Verhältnis haben als die Eltern. Hans lehnt nicht nur ab, daß „wieder und immer wieder genußvoll an diesem Stück Vergangenheit herumgefingert wurde", er lehnt folgerichtig auch für sich selbst jede Art von Vergünstigung als Wiedergutmachung ab. 30 Jahre nach den Verbrechen der Nationalsozialisten kann er den Haß des Vaters nicht verstehen. Der Vater dagegen wirft ihm Gleichgültigkeit vor: „Ein bißchen mehr Zorn auf Lumpen könntest du ruhig haben." Ihr Verhältnis, seit jeher wortarm und empfindlich, steigert sich bis zur Feindseligkeit. Die Selbstjustiz, der der Sohn völlig ratlos gegenübersteht, verteidigt der Vater mit dem Argument, daß die deutschen Gerichte nur auf Befehl und nicht aus Überzeugung Naziverbrechen verurteilen.

Die Erzählung bewegt sich auf zwei Ebenen, die durch den Gebrauch der Gegenwart und der Vergangenheit unterschieden sind. Auf der einen ist die Situation noch offen. In die vergangene Gegenwart des Sohnes, der mit seiner Freundin Martha glücklich ist, bricht unvermittelt die Last der Vergangenheit ein. Auf der anderen Ebene, aus der er rückblickend erzählt, ist er immer noch in bezug auf das Geschehen ratlos, in bezug auf Martha unglücklich, weil das Geschehen (über das er nicht reden konnte) zur Entfremdung geführt hat, und in bezug auf die Zukunft perspektivlos. „Wie ein Rentner trotte ich durch die Straßen oder sitze auf Parkbänken; womöglich bin ich doch ein Opfer des Faschismus und will es nicht wahrhaben." Das politische Thema, das Jurek Becker mit der Liebesgeschichte verschränkt und ohne Pathos behandelt, erweist sich auch gegen den Rückzug der Literatur ins Private als resistent. Die Vergangenheit ist immer noch bedrängend, und sie drängt zum Erzählen.

Gert Hofmann: ,Unsere Vergeßlichkeit'. Die Verdrängung der politischen Vergangenheit ist der eine Aspekt von Vergeßlichkeit, der andere das unreflektierte, routinemäßige Dahinleben, das sich als Bewußtseinsmangel auswirkt. Beide bringt Gert Hofmann in seinem Roman ,Unsere Vergeßlichkeit' in Beziehung. Zwei Männer, gleich alt, doch „innerlich weit von einander entfernt [...] jeder in seinem Traum", begegnen sich. Monologisierend entfalten sie abwechselnd ihre Schwierigkeiten. Der eine kann die traumatischen Kriegserlebnisse aus seiner Kindheit nicht vergessen. Der andere, mit einem abgeschlossenen Manuskript in der Tasche auf dem Weg zum Verlag, erzählt seinen Roman, mit dem er gegen seine Vergeßlichkeit anschrieb: gegen das Versinken des gelebten Augenblicks, der Gegenwart, der Wirklichkeit. „Das öffentliche Unglück grüßt das private Malheur, beide leiden sie", sagt der Fremde beim Auseinandergehen. Dem anderen ist unter dessen Erinnerungen an die Trümmer und Toten der letzten Jahre des Krieges in seiner Heimatstadt seine VERGESS-

LICHKEIT (wie der Roman heißt) so leicht geworden, daß er sich kaum noch an sie erinnern kann.

Einen „Leerschreiber" nennt ihn der alte Schulfreund, der in einem Verlag arbeitet und den Roman veröffentlichen will, sofern der Autor sein Produkt rechtfertigen kann. Diese Forderung motiviert einen zweiten Erzählstrang, dessen Thema die Legitimation des Schreibens ist. Hofmanns Held und Ich-Erzähler, ein bescheidener, trauriger Kleinbürger mit einem „Hang zur Unendlichkeit", ist eine ironisch gebrochene Figur. Über Grund, Absicht und Botschaft seines Romans grübelnd, um das Werk für die Publikation zu retten, droht es, sich als überflüssig zu erweisen. Tatsächlich steckt hinter seinem Roman nicht mehr als die Angst, daß ihm durch seine Vergeßlichkeit die Wirklichkeit abhanden kommen könnte. Und da er sich, der Wirklichkeit zuliebe, nur auf Selbsterlebtes stützt, ähnelt Fuhlrott, sein Held, ihm selbst und seinem „falsch angelegten und durch Gewöhnung noch stärker geschrumpften und beschädigten Einzelleben". Fuhlrott gerät eines Tages in ein „Vergessensloch". Er gründet eine Familie, um Zeugen seiner Existenz zu haben. Die Frau verläßt ihn, der Sohn erinnert sich an anderes als der Vater. Wieder allein, versucht er, seiner Vergeßlichkeit mit intensivierter Wahrnehmung zu begegnen, doch zersplittert ihm dadurch die Wirklichkeit in Details. Schriftsteller zu werden und alles aufzuschreiben, erscheint ihm als letzte Rettung.

Doppelt wird dem Leser Vergeßlichkeit vorgeführt: als die des Helden und Ich-Erzählers von Hofmanns Roman ‚Unsere Vergeßlichkeit' und als die des Helden Fuhlrott des Romans im Roman, den Hofmanns Held geschrieben hat und den er „meine VERGESSLICHKEIT" nennt. Dieser, nicht eigentlich erzählt, sondern als Exposé wiedergegeben, ist wiederum Anlaß zu Reflexionen des Erzählers über das Schreiben als Gegenmaßnahme gegen den Realitätsverlust und zur kritischen Betrachtung seines Werkes. Erzählprobleme – Motive, Stil, Realitätsbezug, Selektion – und die Frage nach dem Nutzen von Literatur werden mit Selbstironie behandelt, oft bis ins Groteske gesteigert, wie auch durch die Vermischung der verschiedenen Fiktionsgrade nicht nur Hofmanns Helden, sondern auch dem Leser „Wirklichkeit" und Roman durcheinandergeraten. Dennoch ist für Hofmann, der die Verdrängung unserer politischen Vergangenheit auch in anderen Romanen und in Hörspielen zur Sprache brachte, die Vergeßlichkeit nur die private, die komische Seite jenes sehr viel ernster zu nehmenden Vergessens, das sogar ihr Grund sein könnte. Der Fremde, der unter der Last der Vergangenheit von seinen schrecklichen Kindheitserlebnissen zu erzählen beginnt, ist der einsame Außenseiter und Gegenspieler zu unserer Vergeßlichkeit.

15.3 Verteidigung des Wirklichen

> **Friedrich Christian Delius:** Adenauerplatz (1984)
> **Christian Enzensberger:** Was ist Was? (1987)
> **Christoph Geiser:** Brachland (1980)
> **Christoph Hein:** Drachenblut (Novelle. 1982) (Titel der DDR-Ausgabe: Der fremde Freund)
> **Brigitte Kronauer:** Frau Mühlenbeck im Gehäus (1980)   Rita Münster (1983)

Der Alltag mit Beruf, Freizeit, Familie, die gewohnte Lebenspraxis also ist Ausgangspunkt für eine Wirklichkeitserkundung, die aus vielen Einzelheiten in kunstvoll ineinander geflochtenen Erzählsträngen eine Totale zusammenfügt. Standpunkt und Erlebnisperspektive des Ich-Erzählers sind dafür ebenso konstitutiv wie die sich von Vorgaben freimachende Sicht und Ausdrucksform. Die Autoren wollen nicht belehren und bieten keine Problemlösungen an. Dennoch geht es ihnen nicht um die Widerspiegelung einer Welt gestörter Beziehungen und Verständigung, sondern um das Begreifen der Fremdheit und das Aufspüren verborgener oder unterdrückter Vorstellungen von einem ganz anderen Leben.

Brigitte Kronauer: ‚Frau Mühlenbeck im Gehäus.' Brigitte Kronauers erster Roman, ‚Frau Mühlenbeck im Gehäus‘, stellt zwei Frauen nebeneinander, die sich nicht nur durch Alter und Lebensform unterscheiden, sondern auch durch die Art ihrer spezifischen Wirklichkeitserfahrungen und -darstellungen.

Was Frau Mühlenbeck erlebt, ergibt immer eine richtige Geschichte: eingeleitet von einer Lebensregel und abgeschlossen mit einem resümierenden Satz. In jeder Geschichte bestätigen sich ihre Lebenstüchtigkeit und ihre Grundsätze, wodurch sie zugleich Orientierung für zukünftiges Handeln bieten. Insgesamt laufen sie auf eine Wirklichkeitserfahrung hinaus, in der Siege und Niederlagen, Freundschaften und Feindschaften, Zustimmung und Widerspruch, Selbstbehauptung und Altruismus einander die Waage halten. Erzählend schafft sich Frau Mühlenbeck eine Stimmigkeit, eine Ordnung, ein Gehäuse. In ihm ist sie gegen alles gewappnet, jedoch auch festgelegt auf den Zirkel von Erlebnis, Deutung und Nutzanwendung. Wörter wie „jedesmal“, „immer“, „nie“ sind Bestandteil ihres Erzählmusters – ein schützender, aber einengender Schematismus.

Das Leben, das Frau Mühlenbeck so perfekt bewältigt, ist für die andere, eine junge Lehrerin, widersprüchlich und schwer zu entziffern und, gemessen an ihren Erwartungen, enttäuschend. Nur außerhalb der allgemeinen Apathie des Alltags gibt es manchmal noch – im Urlaub mit dem Freund, in der Natur – Momente der Begeisterung. Ihre Selbstgespräche zerfallen in eine bedrängende Vielfalt von Einzelheiten und fügen sich nicht zu einer Geschichte zusammen. „Wenn ich einen Satz sage, bin ich oft beim inhaltlichen Ende erst am Höhepunkt der Satzbetonung.“ Frau Mühlenbecks Geschichten, denen die junge Frau zuhört, laufen auf etwas hinaus, haben einen Anfang und ein Ende, einen Bedeutungszusammenhang: Lebenskampf und Bewährung ist die Folie, auf der sich eine Geschichte organisieren läßt. Sie dagegen hat keinen solchen Bezugsrahmen und keine Vorgaben, auf die hin sie ihre unmittelbaren Eindrücke der Wirklichkeit zu einem sinnvollen Ganzen ordnen könnte. Ihr einziges Vorverständnis von Wirklichkeit ist eine Vorstellung von Glück, die Antizipation einer Intensität, die die Wirklichkeit erst erschließt. Nicht mit Hilfe von Erzählmustern, sondern aus eigener Kraft strukturieren sich allmählich ihre Welt- und Selbsterkundungen, die sich, von Kapitel zu Kapitel zunehmend, nach Themenbereichen gliedern und Zusammenhänge und Abläufe erkennbar machen.

Die Abschnitte beginnen jetzt mit Partikeln des Erzählens wie „einmal“ oder „eines Tages“, die auf ein besonderes Ereignis hinweisen, oder mit Ausrufen wie „ja“ oder „natürlich“, die die Gültigkeit des Mitgeteilten bekräftigen.

Der Roman besteht aus sechs Kapiteln mit je drei Unterkapiteln, diese wiederum haben vier Erzählstränge: Im ersten erzählt Frau Mühlenbeck (18 mal) aus ihrer Lebensgeschichte, im dritten Erlebnisse aus dem gegenwärtigen Alltag; der zweite Strang beschränkt sich auf die Beobachtung ihrer Tätigkeiten im Haus; im vierten bringt die junge Lehrerin ihre Wahrnehmungen, Empfindungen und Gedanken zur Sprache. Die radikale, in allen 18 Unterkapiteln durchgehaltene Form trennt zum einen die Erzählweise der Titelfigur von der der Ich-Erzählerin, zum anderen die (stummfilmähnliche) Beschreibung der Titelfigur durch die Erzählerin von den (kommentarlos wiedergegebenen) Geschichten der Frau Mühlenbeck und dem inneren Monolog der Lehrerin. In einem „Schlußkapitel“ gibt Brigitte Kronauer dieses Schema auf. Frau Mühlenbeck erzählt keine Geschichte, offenbart vielmehr in Einzelsätzen, daß auch sie zuweilen von Ängsten überfallen wird, daß auch ihr Leben hinter den Erwartungen zurückbleibt. Die junge Frau findet Halt an einigen lapidaren Sätzen, in denen sich ihre Krise als Wendepunkt zwischen Ratlosigkeit und Entschiedenheit artikuliert. Was die beiden Frauen verbindet, ist der „Kampf gegen die Alltäglichkeit". Sie sind keine Kontrastfiguren, sondern zwei Möglichkeiten, zwei Perspektiven.

Christoph Geiser: ‚Brachland'. In dem Roman ‚Brachland' von Christoph Geiser beschränkt sich die Handlung auf einen Besuch des Erzählers bei seinem Vater, der den Ablauf der Geschichte nur lose zusammenhält. Sehr viel umfangreicher ist die Rekonstruktion der Vergangenheit aus Einzelheiten, die nicht systematisch, sondern situationsgebunden erinnert und erzählt werden.

Ausgangspunkt und Motivation für den Reflexions- und Erinnerungsprozeß ist ein Brief seines Vaters mit der Einladung zu einem Besuch, den der Erzähler am 29. Geburtstag erhält. Der Entschluß, ins Elsaß zu reisen, wo der Vater, der vor kurzem seine Arztpraxis aufgegeben hat, ein Haus mit Garten bewohnt, erfolgt nicht spontan. „Er hat mich noch nie besucht, und ich bin nie mit ihm allein gewesen […] Ich wüßte nicht, worüber reden. Ich habe ihm nie etwas erzählt und er mir auch nicht." Dieser zögernden Annäherung des Sohnes an den Vater entspricht ein sich bedächtig an die Begegnung herantastendes Erzählen: Geiser schiebt das Zusammentreffen weit hinaus und gibt Raum für Erkundungen auf sehr verschiedenen Zeitebenen.

Auf der Handlungsebene unterbricht der Sohn die Reise von Bern ins Elsaß in Basel, wo die vertrauten Orte und Gegenstände im Elternhaus das Vergangene ins Gedächtnis rufen. Diese Erinnerungen sind jedoch nicht chronologisch strukturiert. Beliebig zwischen ganz verschieden weit zurückliegenden Zeitstufen hin- und herspringend, vermittelt der Erzähler eine Fülle von Details: frühe Kindheitserlebnisse stehen neben Neuigkeiten, die ihm über den Vater in seinem ländlichen Refugium berichtet werden. Die Fotos im Familienalbum, die Bilder an den Wänden, der Raum, in dem Jahr für Jahr die Familie zum ritualisierten Heiligabend zusammengekommen ist, die alten Truhen im Treppenhaus, der Samowar der „Grandmama russe" provozieren Fragen an die Familiengeschichte. Die Recherche enthüllt Brüche in dem nach außen hin intakten Familiengefüge. Die Großmutter, die von ihrem Mann in die psychiatrische Klinik eingewiesen worden ist, darf gegenüber dem Vater nicht erwähnt werden. Daß der Vater Halbjude ist, wird den beiden Söhnen lange verschwiegen. Diskussionen am Familientisch ist der Vater ausgewichen. Unfähig zum Meinungsaustausch mit der Familie, hat er sich in die Praxis, in seinen Golfklub, hinter sein Weinglas und schließlich auf seinen abgeschiedenen Alterssitz zurückgezogen. Die Mutter, für deren Aktivitäten er sich nicht interessiert, fühlt sich von ihrem Mann im Stich gelassen. Ihr Foto auf seinem Schreibtisch: „eingegossen im festen Würfel aus Plexiglas", steht für die blockierte Kommunikation.

Geisers Roman folgt nicht dem Muster einer Familienchronik. Die Rekonstruktion von Herkunft aus kleinsten Bruchstücken bezieht sich auf eine konkrete Situation – die Begegnung mit dem Vater. Diese findet aber erst im sechsten der insgesamt acht Kapitel statt. Das Spannungsverhältnis zwischen der Vergangenheit, die sich der Erzähler reflektierend und revidierend anzueignen versucht, und der Gegenwart, in der er sich auf den Vater zu bewegt, ist das Konstruktionsprinzip der Geschichte. Der Sohn trägt zusammen, was ihm einfällt, was er beobachtet, was ihm erzählt wird, um den Vater zu verstehen. Das Vorwissen, das er erschließt, läßt im Rahmen der gestaffelten Zeitebenen im Familiensystem Zusammenhänge erkennen und weist über die Isolation des Vaters hinaus auf die gestörte Verständigung zwischen den Familienmitgliedern und letztlich auf Fremdheit als allgemeines gesellschaftliches Phänomen. Der Titel ‚Brachland' spielt nicht nur auf den verwilderten Garten an, den der Vater zu kultivieren versucht, und in dem, außer Unkraut, nichts wächst. Er ist zugleich Metapher für die schlechten Beziehungen der Menschen. Auch bei seinem Besuch im Elsaß erlebt der Sohn den Vater hauptsächlich in stummen Bildern, „die Hände auf dem Rücken, über ein leeres Beet gebeugt". Die sprachlose Entfremdung ist nicht zu überbrücken: „Es gibt nichts, was wir uns jetzt noch sagen sollten, einander am Eßtisch gegenüber, jeder besorgt, keinen Fehler zu machen."

Christoph Hein: ,Drachenblut'. Christoph Heins Novelle ‚Drachenblut' erstreckt sich auf den Zeitraum von einem Jahr. In knappen Sätzen berichtet die Ich-Erzählerin Claudia, eine vierzigjährige Ärztin, über ihre Beziehung zu dem Architekten Henry. Der Rückblick beginnt mit dessen Beerdigung, setzt im zweiten Kapitel mit ihrem Kennenlernen neu ein und beschreibt fortlaufend, bis zum Tod des Freundes, eine unverbindliche, zu nichts verpflichtende Liebe: das Verhältnis einer geschiedenen Frau mit einem verheirateten Mann. Doch die Mitteilungen greifen weiter aus, schließen den Arbeitsbereich im Krankenhaus, das Privatleben mit Freizeit, Urlaub und Besuchen ein und zeigen nichts anderes als Distanz, Gleichgültigkeit des einzelnen in einer funktionierenden Gesellschaft. Deren Übereinkunft scheint darin zu bestehen, daß nichts in Frage gestellt und alles Bedrohliche verdrängt wird. Das regelmäßige, durch keine Abweichungen oder Überraschungen gestörte Dahinleben setzt Unverletzlichkeit als Selbstschutz des zivilisierten Menschen voraus. Sie habe in Drachenblut gebadet, sagt Claudia: „Ich bin auf alles eingerichtet, ich bin gegen alles gewappnet, mich wird nichts mehr verletzen."

Die schockierend kühl dargestellte fatalistische Zufriedenheit durchkreuzt Christoph Hein an verschiedenen Stellen mit Zweifeln an der gelungenen Anpassung. Die Meinung, „alles im Griff" zu haben, kann offenbar nur oberflächlich die Vorstellungen von einem anders gearteten Leben kaschieren. Im neunten Kapitel enthüllt er Claudias Unverletzlichkeit als Reaktion auf eine Enttäuschung. Eine Mädchenfreundschaft, unter dem Druck der politischen Verhältnisse zerbrochen, ist in der Erinnerung als Sehnsucht präsent geblieben. Mit dem Bewußtsein ihres Verlustes („Ich wußte damals nicht, daß ich nie wieder einen Menschen so vorbehaltlos lieben würde") ist es möglich, die scheinbare Normalität des Bestehenden zu denunzieren und zumindest die Ahnung von Glück zu bewahren.

Wenn Claudia am Ende der Novelle ihre Zufriedenheit bekundet, klingt das wie eine Provokation gegen den positiven Helden im sozialistischen Realismus: „Ich arbeite gern in der Klinik. Ich schlafe gut, ich habe keine Alpträume. Im Februar kaufe ich mir ein neues Auto [...] Was mir Spaß macht, kann ich mir leisten. Ich bin gesund. Alles, was ich erreichen konnte, habe ich erreicht. Ich wüßte nichts, was mir fehlt. Ich habe es geschafft. Mir geht es gut." Hein überläßt es weitgehend seinem Leser, sich dazu eine eigene Meinung zu bilden. Denn beim genauen Lesen wird unter der Oberfläche der emotionslosen Erzählerin eine ambivalente Figur sichtbar, die durchaus bereit ist, sich aufzugeben und auf andere Menschen einzugehen. In dem Traum, den Hein der Novelle voranstellt, steht das Namenlose, Unerklärliche, Unerreichbare und Unverständliche antithetisch zur Realität. Dieser Traum ist das Fragezeichen, das mitgelesen werden muß, um die Bejahung ihrer Daseinsform als einen Akt der Lebenstüchtigkeit Claudias zu begreifen. Im Traum wird sie von den Abgründen eingeholt, von denen sie im Alltag behauptet, daß sie an ihnen nicht interessiert sei. „Zu lösen sind wirkliche Probleme ohnehin nicht. Man schleppt sie sein Leben lang mit sich herum, sie sind das Leben, und irgendwie stirbt man auch an ihnen."

Heins Widerspiegelung der Entfremdung aus radikal subjektiver Perspektive seiner Hauptfigur bietet keine Lösung der Probleme an, bringt aber die Schwierigkeiten zur Sprache, die die sozialistische Gesellschaft mit der Anerkennung von Widersprüchen hat. Auf dem X. DDR-Schriftstellerkongreß Ende November 1987 sagte er in seiner Rede: „Auch die sozialistische Gesellschaft hat wie jede Gesellschaft ihre unlösbaren Widersprüche, die mit der Gesellschaftsform untrennbar verbunden sind und die nur mit der Veränderung der Gesellschaft aufhebbar sind. Wir haben zu lernen, mit ihnen umzugehen, ihre Bewegungen auszuhalten, und mehr noch: diese teilweise schmerzlichen Widersprüche im Interesse der Entwicklung unserer Gesellschaft zu nutzen."

Literaturhinweise

Vom Mittelalter bis zum Barock

Erster Teil: Mittelalter und Reformation

a) Textsammlungen

Curschmann, Michael / Glier, Ingeborg (Hrsg.): Deutsche Dichtung des Mittelalters. 3 Bände. Hanser, München 1981.

Heger, Hedwig (Hrsg.): Mittelalter. 2 Teilbände. Beck, München 1965 (Die deutsche Literatur. Texte und Zeugnisse, Band 1).

Heger, Hedwig (Hrsg.): Spätmittelalter, Humanismus, Reformation. 2 Teilbände. Beck, München 1975 (Band 2/1) und 1978 (Band 2/2) (Die deutsche Literatur. Texte und Zeugnisse, Band 2).

Meurer, Kurt Erich (Hrsg.) / Neumann, Friedrich (Übers.): Deutscher Minnesang (1150–1300). Reclam, Stuttgart 1954 (RUB 7857/58).

Moser, Hugo / Müller-Blattau, Joseph: Deutsche Lieder des Mittelalters von Walther von der Vogelweide bis zum Lochheimer Liederbuch. Texte und Melodien. Klett, Stuttgart 1971.

b) Überblick und Einführungen

Bahr, Erhard (Hrsg.): Geschichte der deutschen Literatur. Kontinuität und Veränderung. Vom Mittelalter bis zur Gegenwart. Band 1: Vom Mittelalter bis zum Barock. Francke, Tübingen 1987 (UTB 1463).

Kunze, Konrad: Himmel in Stein. Das Freiburger Münster. Vom Sinn mittelalterlicher Kirchenbauten. Herder, Freiburg, Basel, Wien 1980.

Wehrli, Max: Literatur im deutschen Mittelalter. Eine poetologische Einführung. Reclam, Stuttgart 1984 (RUB 8038 [4]).

c) Darstellungen zu Mittelalter und Ritterkultur

Bertau, Karl: Deutsche Literatur im europäischen Mittelalter. 2 Bände. Beck, München. Band 1: 800–1197 (1972). Band 2: 1195–1220 (1973).

Brogsitter, Karl O.: Artusepik. Stuttgart [3]1979 (Sammlung Metzler 38).

Bumke, Joachim: Höfische Kultur. Literatur und Gesellschaft im hohen Mittelalter. 2 Bände. München 1986 (dtv 4442).

Bumke, Joachim: Ministerialität und Ritterdichtung. Umrisse der Forschung. Beck, München 1976.

Hahn, Gerhard: Walther von der Vogelweide. Eine Einführung. München 1986 (Artemis-Einführungen 22).

Ruh, Kurt: Höfische Epik des deutschen Mittelalter. Band 1: Von den Anfängen bis zu Hartmann von Aue (Grundlagen der Germanistik 7). Band 2: ,Reinhard Fuchs', ,Lanzelot', ,Wolfram von Eschenbach', ,Gottfried von Straßburg' (Grundlagen der Germanistik 25). E. Schmidt, Berlin [2]1977 (Band 1) und 1980 (Band 2).

See, Klaus von: Germanische Heldensage. Stoffe, Probleme, Methoden. Eine Einführung. Aula, Wiesbaden [2]1981.

Wapnewski, Peter: Deutsche Literatur des Mittelalters: Ein Abriß von den Anfängen bis zum Ende der Blütezeit. Göttingen [4]1980 (Kleine Vandenhoeck-Reihe 1096).

d) Darstellungen zu Renaissance, Humanismus, Reformation

Bernstein, Eckhard: Die Literatur des deutschen Früh-Humanismus. Stuttgart 1978 (Sammlung Metzler 168).

Kristeller, Paul O.: Humanismus und Renaissance. 2 Bände. Fink, München [2]1980 (UTB 914 und 915).

Lohse, Bernhard: Martin Luther. Eine Einführung in sein Leben und Werk. München [2]1982 (Beck, Bücksche Elementarbücher).

Walz, Herbert: Deutsche Literatur der Reformationszeit. Eine Einführung. Wissenschaftliche Buchgesellschaft, Darmstadt 1988.

Zweiter Teil: Barock

a) Textsammlungen

Henkel, Arthur / Schöne, Albrecht (Hrsg.): Emblemata. Handbuch zur Sinnbildkunst des 16. und 17. Jahrhunderts. Sonderausgabe. Metzler, Stuttgart 1978.

Pörnbacher, Karl (Hrsg.): Deutsche Dichtung des Barock. Auf der Grundlage der Ausgabe von E. Hederer neu herausgegeben. Hanser, München 1979.

Schöne, Albrecht (Hrsg.): Das Zeitalter des Barock. Beck, München ²1968 (Die deutsche Literatur. Texte und Zeugnisse. Band 3).

b) Epochenbegriff

Barner, Wilfried (Hrsg.): Der literarische Barockbegriff. Wissenschaftliche Buchgesellschaft, Darmstadt 1975 (Wege der Forschung 358).

c) Gesamtdarstellungen der Epoche

Emrich, Wilhelm: Deutsche Literatur der Barockzeit. Athenäum, Königstein i. Ts. 1981.

Gaede, Friedrich: Humanismus, Barock, Aufklärung. Geschichte der deutschen Literatur vom 16. bis zum 18. Jahrhundert. Francke, Bern und München 1971 (Handbuch der deutschen Literaturgeschichte. Erste Abteilung: Darstellungen Band 2).

Szyrocki, Marian: Die deutsche Literatur des Barock. Reclam, Stuttgart 1979 (RUB 9924 [5]).

d) Rhetorik

Dyck, Jochen: Ticht-Kunst. Deutsche Barockpoetik und rhetorische Tradition. Athenäum, Frankfurt a. M. ³1987.

Sinemus, Volker: Poetik und Rhetorik im frühmodernen deutschen Staat. Sozialgeschichtliche Bedingungen des Normenwandels im 17. Jahrhundert. Vandenhoeck & Ruprecht, Göttingen 1978 (Palaestra 269).

e) Gattungsüberblicke und einzelne Autoren

Meid, Volker: Grimmelshausen. Epoche – Werk – Wirkung. Beck, München 1984 (Arbeitsbücher zur Literaturgeschichte).

Meid, Volker (Hrsg.): Renaissance und Barock. Reclam, Stuttgart 1982 (RUB 7890 [5]) (Gedichte und Interpretationen, Band 1).

Rötzer, Hans G.: Der Roman des Barock 1600–1700. Kommentar zu einer Epoche. München 1972 (Winkler Germanistik).

Schöne, Albrecht: Emblematik und Drama im Zeitalter des Barock. Beck, München ²1968.

Szyrocki, Marian: Andreas Gryphius. Sein Leben und Werk. Niemeyer, Tübingen 1964.

Aufklärung / Sturm und Drang

a) Textsammlungen

Was ist Aufklärung? Thesen und Definitionen. Hrsg. von Ehrhard Bahr. Reclam, Stuttgart 1974.

Aufklärung – Sturm und Drang. Kunst- und Dichtungstheorien. Auswahl der Texte und Materialien von Wilhelm Große. Reihe: Editionen. Klett, Stuttgart 1981.

Deutsche Dichtung im 18. Jahrhundert. Hrsg. von Adalbert Elschenbroich. Hanser, München ³1968.

Empfindsamkeit. Theoretische und kritische Texte. Hrsg. von Wolfgang Doktor und Gerhard Sauder. Reclam, Stuttgart 1976.

Epochen der deutschen Lyrik. Band 5. 1700–1770. Nach den Erstdrucken in zeitlicher Reihenfolge hrsg. von Jürgen Stenzel. dtv, München ²1977.

Epochen der deutschen Lyrik. Band 6. 1770–1800. Hrsg. von Gerhart Pickerodt. dtv, München ²1981.

Deutsche Fabeln des 18. Jahrhundert. Hrsg. von Manfred Windfuhr. Reclam, Stuttgart 1960.

Satiren der Aufklärung. Hrsg. von Gunter Grimm. Reclam, Stuttgart 1975.

Wem ich zu gefallen suche. Fabeln und Lieder der Aufklärung. Hrsg. von Ingrid Sommer. Insel, Frankfurt a. M. 1976.

Von deutscher Republik. Texte radikaler Demokraten. Hrsg. von Jost Hermand. Suhrkamp. Frankfurt a. M. 1975.

Sturm und Drang. Dramatische Schriften. Plan und Auswahl von Erich Loewenthal und Lambert Schneider. Lambert Schneider, Heidelberg [3]1972.

Sturm und Drang. Weltanschauliche und ästhetische Schriften. 2 Bände. Hrsg. von Peter Müller. Aufbau, Berlin und Weimar 1978.

Sturm und Drang. Lyrik. Auswahl der Texte und Materialien von Friedrich Burkhardt. Reihe: Editionen. Klett, Stuttgart 1979.

Die Entwicklung des bürgerlichen Dramas im 18. Jahrhundert. Ausgewählte Texte. Mit einem Nachwort hrsg. von Jürg Mathes. Niemeyer, Tübingen 1974.

Zeichen der Zeit. Ein deutsches Lesebuch. Hrsg. von Walter Killy. Band 1: 1750–1786. Sammlung Luchterhand 351. Neuwied 1981.

b) Begriff und Epoche

Aufklärung

Krauss, Werner: Zur Konstellation der deutschen Aufklärung. In: ders.: Perspektiven und Probleme. Zur französischen und deutschen Aufklärung und andere Aufsätze. Luchterhand, Neuwied und Berlin 1965, S. 143–265.

Pütz, Peter: Die deutsche Aufklärung. Wissenschaftliche Buchgesellschaft, Darmstadt 1978.

Stuke, Horst: Aufklärung. In: Geschichtliche Grundbegriffe. Historisches Lexikon zur politisch-sozialen Sprache in Deutschland. Hrsg. von Otto Brunner, Werner Conze und Reinhart Koselleck. Band 1. Klett, Stuttgart 1973, S. 243–342.

Sturm und Drang

Hinck, Walter (Hrsg.): Sturm und Drang. Ein literaturwissenschaftliches Studienbuch. Athenäum, Frankfurt a. M. 1978.

Müller, Peter: Grundlinien der Entwicklung, Weltanschauung und Ästhetik des Sturm und Drang. In: Sturm und Drang. Weltanschauliche und ästhetische Schriften. Hrsg. von Peter Müller. Band 1. Aufbau, Berlin und Weimar 1978, S. XI–CXXIV.

Pascal, Roy: Der Sturm und Drang. Kröner, Stuttgart 1963.

c) Gesamtdarstellungen der Epoche und Aufsatzsammlungen

Aufklärung. Erläuterungen zur deutschen Literatur. Hrsg. vom Kollektiv für Literaturgeschichte. Volk und Wissen, Berlin 1966.

Eggers, Hans: Deutsche Sprachgeschichte IV: Das Neuhochdeutsche. Rowohlt, Reinbek bei Hamburg 1977.

Gedichte und Interpretationen, Band 2: Aufklärung und Sturm und Drang. Hrsg. von Karl Richter. Reclam, Stuttgart 1983 (RUB 7891).

Hinck, Walter: Europäische Aufklärung I. Akademische Verlagsgesellschaft Athenaion, Frankfurt a. M. 1974.

Huyssen, Andreas: Drama des Sturm und Drang. Kommentar zu einer Epoche. Winkler, München 1980.

Jacobs, Jürgen: Prosa der Aufklärung. Moralische Wochenschriften, Autobiographie, Satire, Roman. Kommentar zu einer Epoche. Winkler, München 1976.

Kaiser, Gerhard: Aufklärung, Empfindsamkeit, Sturm und Drang. Francke, München 1976.

Koopmann, Helmut: Drama der Aufklärung. Kommentar zu einer Epoche. Winkler, München 1979.

Mattenklott, Gert / Scherpe, Klaus (Hrsg.): Literatur der bürgerlichen Emanzipation im 18. Jahrhundert. Scriptor, Kronberg i. Ts. 1973.

Mattenklott, Gert / Scherpe, Klaus (Hrsg.): Jakobinismus. Scriptor, Kronberg i. Ts. 1975.

Mattenklott, Gert / Scherpe, Klaus (Hrsg.): Westberliner Projekt: Grundkurs 18. Jahrhundert. Band 1: Analysen. Band 2: Materialien. Scriptor, Kronberg i. Ts. 1974.

Sturm und Drang. Erläuterungen zur deutschen Literatur. Hrsg. vom Kollektiv für Literaturgeschichte. Volk und Wissen, Berlin [5]1978.

Szondi, Peter: Die Theorie des Bürgerlichen Trauerspiels im 18. Jahrhundert. Suhrkamp, Frankfurt a. M. 1973.

d) Leben und Werk einzelner Autoren

Barner, Wilfried, u. a.: Lessing. Epoche – Werk – Wirkung. Beck, München 1975. Diesem Werk in Kapitel 1 besonders verpflichtet.

Conrady, Karl Otto: Goethe. Leben und Werk. 1. Band: Hälfte des Lebens. Athenäum, Königstein i. Ts. 1982.

Hildebrandt, Dieter: Lessing. Biographie einer Emanzipation. Lebensbilder. Hanser, München 1979.

Friedenthal, Richard: Goethe. Sein Leben und seine Zeit. Piper, München 1963.

Lahnstein, Peter: Schillers Leben. List, München 1981.

von Wiese, Benno (Hrsg.): Deutsche Dichter des 18. Jahrhunderts. Ihr Leben und Werk. Erich Schmidt, Berlin 1977.

Hinderer, Walter (Hrsg.): Goethes Dramen. Neue Interpretationen. Reclam, Stuttgart 1980.

Hinderer, Walter (Hrsg.): Schillers Dramen. Neue Interpretationen. Reclam, Stuttgart 1981.

e) Zur Kulturgeschichte und Philosophie

Balet, Leo / E. Gerhard: Die Verbürgerlichung der deutschen Kunst, Literatur und Musik im 18. Jahrhundert. Hrsg. von Gert Mattenklott. Ullstein, Frankfurt a. M. 1973 (Erstausgabe 1936).

Ermatinger, Emil: Deutsche Kultur im Zeitalter der Aufklärung. Bearbeitet von Eugen Thurber und Paul Stapf. Akademische Verlagsgesellschaft Athenaion, Frankfurt a. M. 1970 (Erstausgabe 1935).

Frenzel, Herbert A.: Geschichte des Theaters 1440–1840. dtv, München 1979.

Kindermann, Heinz: Theatergeschichte Europas. Band IV: Von der Aufklärung zur Romantik. 1. Teil. Otto Müller, Salzburg 1961.

Vorländer, Karl: Geschichte der Philosophie. Mit Quellentexten. Band 5: Philosophie der Neuzeit. Die Aufklärung. Rowohlt, Hamburg 1967.

f) Zur Sozialgeschichte

Barth, Ilse-Marie: Literarisches Weimar. Kultur, Literatur, Sozialstruktur im 16.–20. Jahrhundert. Metzler, Stuttgart 1971.

Bruford, Walter Horace: Die gesellschaftlichen Grundlagen der Goethezeit. Ullstein, Frankfurt a. M. ²1975.

Brunschwig, Henri: Gesellschaft und Romantik in Preußen im 18. Jahrhundert. Ullstein, Berlin 1976.

Hauser, Arnold: Sozialgeschichte der Kunst und Literatur. Beck, München 1969.

Kiesel, Helmuth / Münch, Paul: Gesellschaft und Literatur im 18. Jahrhundert. Voraussetzungen und Entstehung des literarischen Markts in Deutschland. Beck, München 1977.

Kopitzsch, Franklin (Hrsg.): Aufklärung, Absolutismus und Bürgertum in Deutschland. Zwölf Aufsätze. Nymphenburger Verlagsbuchhandlung, München 1976.

Lutz, Bernd: Deutsches Bürgertum und literarische Intelligenz. 1750–1800. Metzler, Stuttgart 1974.

Klassik / Romantik

a) Textsammlungen

Sturm und Drang, Klassik, Romantik. Hrsg. von Hans-Egon Hass. 2 Bände. Beck, München 1966 (Die deutsche Literatur. Texte und Zeugnisse. Band V. 1 und V, 2). [Auch als Lizenzausgabe bei der Wissenschaftlichen Buchgesellschaft, Darmstadt.]

Zeichen der Zeit. Ein deutsches Lesebuch. Band 2: 1786–1832. Hrsg. von Walter Killy. Luchterhand, Neuwied 1981 (Sammlung Luchterhand 352).

Epochen der deutschen Lyrik. Band 6: Gedichte 1770–1800. Hrsg. von Gerhart Pickerodt. Deutscher Taschenbuch Verlag, München 1970 (dtv WR 4020); Band 7: Gedichte 1800–1830. Hrsg. von Jost Schillemeit. Deutscher Taschenbuch Verlag, München 1970 (dtv WR 4021).

Deutsche Literaturkritik. Hrsg. von Hans Mayer. Band 1: Von Lessing bis Hegel. Fischer, Frankfurt a. M. 1978 (Fischerbücherei 2008).

Klassik. Kunst- und Dichtungstheorien. Hrsg. von Wilhelm Große. Klett, Stuttgart 1981 (Reihe: Editionen).

Erzählungen der Romantik mit Materialien. Auswahl der Texte und der Materialien von Wilhelm Große. Klett, Stuttgart 1981 (Reihe: Editionen).

99 romantische Gedichte. Liebesleid und Natursehnsucht: Die Antiträume des Bürgers. Mit einem Essay und Kurzbiographien aufgelesen von Lienhard Wawrzyn. Wagenbach, Berlin 1978 (Wagenbachs Taschenbücherei 37).

b) Begriff und Epoche

Klassik

Begriffsbestimmung der Klassik und des Klassischen. Hrsg. von Heinz Otto Burger. Wissenschaftliche Buchgesellschaft, Darmstadt 1972 (Wege der Forschung 210).

Grimm, Reinhold / Hermand, Jost: Die Klassik-Legende. Athenäum, Frankfurt a. M. 1971.

Romantik

Begriffsbestimmung der Romantik. Hrsg. von Helmut Prang. Wissenschaftliche Buchgesellschaft, Darmstadt 1968 (Wege der Forschung 150).

Hoffmeister, Gerhart: Deutsche und europäische Romantik. Stuttgart 1978 (Sammlung Metzler 170).

Prang, Helmut: Die Romantische Ironie. Wissenschaftliche Buchgesellschaft, Darmstadt ²1980 (Erträge der Forschung 12).

c) Gesamtdarstellungen der Epoche und Aufsatzsammlungen

Die literarische Frühromantik. Hrsg. von Silvio Vietta. Vandenhoeck & Ruprecht, Göttingen 1983 (Kleine Vandenhoeck-Reihe 1488).

Die deutsche Romantik. Poetik, Formen und Motive. Hrsg. von Hans Steffen. Göttingen ³1978 (Kleine Vandenhoeck-Reihe 1250).

Die europäische Romantik. Hrsg. von Ernst Behler. Frankfurt a. M. 1972.

Romantik. Ein literaturwissenschaftliches Studienbuch. Hrsg. von Ernst Ribbat. Königstein 1979 (Athenäum-Taschenbücher 2149).

Romane und Erzählungen der deutschen Romantik. Neue Interpretationen. Hrsg. von Paul Michael Lützeler. Reclam, Stuttgart 1981.

Deutsche Literatur zur Zeit der Klassik. Hrsg. von Karl Otto Conrady. Reclam, Stuttgart 1977.

Gedichte und Interpretationen. Band 3: Klassik und Romantik. Hrsg. von Wulf Segebrecht. Reclam, Stuttgart 1984 (UB 7892).

d) Leben und Werk einzelner Autoren

Deutsche Schriftsteller im Porträt. Band 3: Sturm und Drang, Klassik, Romantik. Hrsg. von Jörn Göres. Beck, München 1980 (BSR 214).

Deutsche Dichter des 18. Jahrhunderts. Ihr Leben und Werk. Hrsg. von Benno von Wiese. Erich Schmidt, Berlin 1977.

Deutsche Dichter der Romantik. Hrsg. von Benno von Wiese. Erich Schmidt, Berlin 1971.

Pikulik, Lothar: Romantik als Ungenügen an der Normalität. Am Beispiel Tiecks, Hoffmanns, Eichendorffs. Suhrkamp, Frankfurt a. M. 1979.

Dischner, Gisela: Bettina von Arnim. Eine weibliche Sozialbiographie aus dem neunzehnten Jahrhundert. Berlin 1981 (Wagenbachs Taschenbücherei 30).

Drewitz, Ingeborg: Bettina von Arnim. Romantik – Revolution – Utopie. Wilhelm Heyne, München ³1980 (Heyne Biographien).

Kastinger, Riley, Helene M.: Clemens Brentano. Metzler, Stuttgart 1985 (Sammlung Metzler 213).

Dischner, Gisela: Caroline und der Jenaer Kreis. Ein Leben zwischen bürgerlicher Vereinzelung und romantischer Geselligkeit. Berlin 1979 (Wagenbachs Taschenbücherei 61).

Eichendorff heute. Stimmen der Forschung mit einer Bibliographie. Hrsg. von Paul Stöcklein. Wissenschaftliche Buchgesellschaft, Darmstadt ²1966.

Joseph von Eichendorff. Leben und Werk in Texten und Bildern. Von Wolfgang Frühwald und Franz Heiduk. Insel, Frankfurt a. M. 1988 (it 1064).

Borchmeyer, Dieter: Höfische Gesellschaft und Französische Revolution bei Goethe. Adliges und bürgerliches Wertsystem im Urteil der Weimarer Klassik. Scriptor, Kronberg 1977.

Conrady, Karl Otto: Goethe. Leben und Werk. 2. Band: Summe des Lebens. Athenäum, Königstein i. Ts. 1983.

Friedenthal, Richard: Goethe. Sein Leben und seine Zeit. Piper, München [7]1974.

Goethes Erzählwerk. Interpretationen. Hrsg. von Paul Michael Lützeler und James E. Mc Leod. Reclam, Stuttgart 1985 (UB 8081).

E. T. A. Hoffmann. Hrsg. von Helmut Prang. Wissenschaftliche Buchgesellschaft, Darmstadt 1976 (Wege der Forschung 486).

Beck, Adolf: Hölderlin. Eine Chronik seines Lebens. Frankfurt a. M. 1975 (insel taschenbuch 83).

Bertaux, Pierre: Hölderlin und die Französische Revolution. Frankfurt a. M. 1969 (edition suhrkamp 344).

Hölderlin ohne Mythos. Hrsg. von Ingrid Riedel. Vandenhoeck & Ruprecht, Göttingen 1973 (Kleine Vandenhoeck-Reihe 356 / 357 / 358).

Szondi, Peter: Hölderlin-Studien. Mit einem Traktat über philologische Erkenntnis. Suhrkamp, Frankfurt a. M. 1967 (es 379).

Wackwitz, Stephan: Friedrich Hölderlin. Metzler, Stuttgart 1985 (Sammlung Metzler 215).

Jean Paul. Hrsg. von Heinz Ludwig Arnold. München 1970 (Text + Kritik. Sonderband).

Jean Paul. Hrsg. von Uwe Schweikert. Wissenschaftliche Buchgesellschaft, Darmstadt 1974 (Wege der Forschung 336).

Heinrich von Kleist. Aufsätze und Essays. Hrsg. von Walter Müller-Seidel. Wissenschaftliche Buchgesellschaft, Darmstadt [3]1980 (Wege der Forschung 147).

Kleists Aktualität. Neue Aufsätze und Essays 1966–1978. Wissenschaftliche Buchgesellschaft, Darmstadt 1981 (Wege der Forschung 586).

Novalis. Beiträge zu Werk und Persönlichkeit Friedrich von Hardenbergs. Hrsg. von Gerhard Schulz. Wissenschaftliche Buchgesellschaft, Darmstadt 1970 (Wege der Forschung 248).

Schillers Dramen. Neue Interpretationen. Hrsg. von Walter Hinderer. Reclam, Stuttgart 1979.

Sautermeister, Gert: Idyllik und Dramatik im Werk Friedrich Schillers. Zum geschichtlichen Ort seiner klassischen Dramen. Kohlhammer, Stuttgart 1971.

Peter, Klaus: Friedrich Schlegel. Metzler, Stuttgart 1978 (Sammlung Metzler 171).

Ludwig Tieck. Hrsg. von Wulf Segebrecht. Wissenschaftliche Buchgesellschaft, Darmstadt 1976 (Wege der Forschung 386).

Bollacher, Martin: Wackenroder und die Kunstauffassung der frühen Romantik. Wissenschaftliche Buchgesellschaft, Darmstadt 1983 (Erträge der Forschung 202).

e) Zur Sozialgeschichte

Barth, Ilse-Marie: Literarisches Weimar. Kultur, Literatur, Sozialstruktur im 16.–20. Jahrhundert. Stuttgart 1971 (Sammlung Metzler M 93).

Botzenhart, Manfred: Reform, Restauration, Krise. Deutschland 1789–1847. Suhrkamp, Frankfurt a. M. 1985 (es 1252).

Bruford, Walter Horace: Kultur und Gesellschaft im klassischen Weimar 1775–1806. Vandenhoeck & Ruprecht, Göttingen 1967.

ders.: Die gesellschaftlichen Grundlagen der Goethezeit. Frankfurt a. M. [2]1975 (Ullstein Taschenbuch 3142).

Deutschland unter Napoleon in Augenzeugenberichten. Hrsg. und eingeleitet von Eckart Kleßmann. Deutscher Taschenbuch Verlag, München 1976 (dtv 2715).

Klassik und Moderne. Die Weimarer Klassik als historisches Ereignis und Herausforderung im kulturgeschichtlichen Prozeß. Hrsg. von Karl Richter und Jörg Schönert. Metzler, Stuttgart 1983.

Koselleck, Reinhart: Preußen zwischen Reform und Revolution. Allgemeines Landrecht, Verwaltung und soziale Bewegung von 1791 bis 1848. Klett, Stuttgart [3]1981.

Müller-Seidel, Walter: Die Geschichtlichkeit der deutschen Klassik. Literatur- und Denkformen um 1800. Metzler, Stuttgart 1983.

Reinalter, Helmut: Der Jakobinismus in Mitteleuropa. Eine Einführung. Kohlhammer, Stuttgart 1961 (Urban TB 326).

Treue, Wilhelm: Gesellschaft, Wirtschaft und Technik Deutschlands im 19. Jahrhundert. München 1975 (dtv 4217).

Tümmler, Hans: Das klassische Weimar und das große Zeitgeschehen. Historische Studien. Böhlau, Köln und Wien 1975.

Biedermeier – Vormärz / Bürgerlicher Realismus

a) Textsammlungen

Das Junge Deutschland. Texte und Dokumente. Hrsg. von Jost Hermand. Reclam, Stuttgart 1966.

Der deutsche Michel. Revolutionskomödien der Achtundvierziger. Hrsg. von Horst Denkler. Reclam, Stuttgart 1971.

Der deutsche Vormärz. Texte und Dokumente. Hrsg. von Jost Hermand. Reclam, Stuttgart 1967.

Deutsches Bürgerbuch. Herausgegeben von Hermann Püttmann. Reprint, hrsg. von Rudolf Schloesser. Leske, Köln 1975.

Epochen der deutschen Lyrik. Band 7: Gedichte 1800–1830. Hrsg. von Jost Schillemeit. Band 8: Gedichte 1830–1900. Hrsg. von Ralph-Rainer Wuthenow. dtv, München 1970.

Junges Deutschland. Texte – Kontexte. Abbildungen. Kommentar. Hrsg. von Wulf Wülfing. Hanser, München 1978.

Literaturkritik des Jungen Deutschland. Entwicklungen, Tendenzen, Texte. Hrsg. von Hartmut Steinecke. Erich Schmidt, Berlin 1982.

Realismus und Gründerzeit. Manifeste und Dokumente zur deutschen Literatur 1848–1880. Hrsg. von Max Bucher u. a. 2 Bände. Metzler, Stuttgart ²1981.

Soviel Anfang war nie. Deutscher Geist im 19. Jahrhundert. Ein Lesebuch, hrsg. von Hermann Glaser. Fischer, Frankfurt a. M. 1984.

b) Zu den Epochen

Bürgerlicher Realismus. Grundlagen und Interpretationen. Hrsg. von Klaus-Detlef Müller. Athenäum, Stuttgart 1981.

Cowen, Roy C.: Der poetische Realismus. Kommentar zu einer Epoche. Winkler, München 1985.

Köster, Udo: Literatur und Gesellschaft in Deutschland 1830–1848. Kohlhammer, Stuttgart 1984.

Martini, Fritz: Deutsche Literatur im bürgerlichen Realismus 1848–1898. Metzler, Stuttgart ⁴1981.

Die österreichische Literatur. Ihr Profil im 19. Jahrhundert (1830–1880). Hrsg. von Herbert Zeman. Druck und Verlagsanstalt Graz, 1982.

Preisendanz, Wolfgang: Wege des Realismus. Zur Poetik und Erzählkunst im 19. Jahrhundert. Fink, München 1977.

Sengle, Friedrich: Biedermeierzeit. Deutsche Literatur im Spannungsfeld zwischen Restauration und Revolution 1815–1848. 3 Bände. Metzler, Stuttgart 1971–1980.

Stein, Peter: Epochenproblem 'Vormärz' (1815–1848). Metzler, Stuttgart 1977.

Zur Literatur der Restaurationsepoche. Forschungsreferate und Aufsätze. Hrsg. von Jost Hermand und Manfred Windfuhr. Metzler, Stuttgart 1970.

c) Zu einzelnen Gattungen

Baur, Uwe: Dorfgeschichte. Zur Entstehung und gesellschaftlichen Funktion einer literarischen Gattung im Vormärz. Fink, München 1978.

Brandmeyer, Rudolf: Biedermeierroman und Krise der ständischen Ordnung. Niemeyer, Tübingen 1982.

Die deutschsprachige Anthologie. Hrsg. von Joachim Bark und Dietger Pforte. 2 Bände. Klostermann, Frankfurt a. M. 1969/70.

Edler, Erich: Die Anfänge des sozialen Romans und der sozialen Novelle in Deutschland. Klostermann, Frankfurt a. M. 1977.

Hein, Jürgen: Das Wiener Volkstheater. Raimund und Nestroy. Wissenschaftliche Buchgesellschaft, Darmstadt 1978.

Huber, Hans-Dieter: Historische Romane in der ersten Hälfte des 19. Jahrhunderts. Fink, München 1978.

McInnes, Edward: Das deutsche Drama des 19. Jahrhunderts. Erich Schmidt, Berlin 1983.

Jacobs, Jürgen: Wilhelm Meister und seine Brüder. Untersuchungen zum deutschen Bildungsroman. Fink, München 1972.

Klotz, Volker: Bürgerliches Lachtheater. Komödie, Posse, Schwank, Operette. München 1979 (dtv 4357).

Romane und Erzählungen des bürgerlichen Realismus. Neue Interpretationen. Hrsg. von Horst Denkler. Reclam, Stuttgart 1980.

Schanze, Helmut: Drama im bürgerlichen Realismus (1850–1890). Theorie und Praxis. Klostermann, Frankfurt a. M. 1973.

Steinecke, Hartmut: Romantheorie und Romankritik in Deutschland. 2 Bände. Metzler, Stuttgart 1976.

Werner, Hans-Georg: Geschichte des politischen Gedichts in Deutschland 1815 bis 1840. Akademie-Verlag, Berlin ²1972.

d) Kultur, Buchmarkt, literarisches Leben

Barth, Dieter: Zeitschrift für alle (Blätter für's Volk). Das Familienblatt im 19. Jahrhundert. Münster 1974.

Die Gartenlaube. Blätter und Blüten. Ausgewählt von Günther Cwojdrak. arani Libri F. Berlin ³1984.

Die Leihbibliothek als Institution des literarischen Lebens im 18. und 19. Jahrhundert. Hrsg. von Georg Jäger und Jörg Schönert. Hauswedell, Hamburg 1980.

Literarische Geheimberichte. Protokolle der Metternich-Agenten. 2 Bände. Hrsg. von Horst Adler. Leske, Köln 1977.

Rosenberg, Rainer: Literaturverhältnisse im deutschen Vormärz. Damnitz, München 1975.

Schenda, Rudolf: Volk ohne Buch. Studien zur Sozialgeschichte der populären Lesestoffe 1770 bis 1910. Klostermann, Frankfurt a. M. 1970.

e) Politik- und Sozialgeschichte

Deutsche Sozialgeschichte. Dokumente und Skizzen. Band 1: 1815–1870. Hrsg. von Werner Pöls. Band 2: 1870–1918. Hrsg. von Gerhard A. Ritter und Jürgen Kocka. Beck, München ²1976.

Fenske, Hans (Hrsg.): Vormärz und Revolution. 1840–1848. Wissenschaftliche Buchgesellschaft, Darmstadt 1976.

Lange, Annemarie: Berlin zur Zeit Bebels und Bismarcks. Zwischen Reichsgründung und Jahrhundertwende. Verlag des europäischen Buches, Berlin 1972.

Die Revolution von 1848/49. Eine Dokumentation. Hrsg. von Walter Grab. Nymphenburger, München 1980.

Sozialgeschichtliches Arbeitsbuch. Materialien zur Statistik des Kaiserreichs 1870–1914. Hrsg. von Gerd Hohorst und anderen. Beck, München 1975.

Staat und Gesellschaft im deutschen Vormärz 1815–1848. Sieben Beiträge. Hrsg. von Werner Conze. Klett, Stuttgart ²1970.

Vom Naturalismus zum Expressionismus – Literatur des Kaiserreichs

Von der Reichsgründung bis zum Ersten Weltkrieg

a) Textsammlungen

Hermand, Jost (Hrsg.): Literarisches Leben im Kaiserreich 1871–1918. Klett, Stuttgart 1982 (Reihe: Editionen).

Killy, Walther (Hrsg.): 20. Jahrhundert. Texte und Zeugnisse. 1880–1933. Beck, München 1967.

Killy, Walter (Hrsg.): Zeichen der Zeit. Ein deutsches Lesebuch. Band 4: Von 1880 bis zum Zweiten Weltkrieg. Neuwied / Darmstadt 1981 (Sammlung Luchterhand 354).

Mayer, Hans (Hrsg.): Deutsche Literaturkritik. Band 2: Von Heine bis Mehring. Band 3: Vom Kaiserreich bis zum Ende der Weimarer Republik. Frankfurt a. M. 1978 (Fischerbücherei 2009 und 2010).

Ruprecht, Erich / Bänsch, Dieter (Hrsg.): Jahrhundertwende. Manifeste und Dokumente zur deutschen Literatur 1890–1910. Metzler, Stuttgart 1981.

b) Gesamtdarstellungen

Glaser, Hermann: Die Kultur der wilhelminischen Zeit. Topographie einer Epoche (illustriert). S. Fischer, Frankfurt a. M. 1984.

Hamann, Richard / Hermand, Jost: Epochen deutscher Kultur von 1870 bis zur Gegenwart. Band 1: Gründerzeit. Band 2: Naturalismus. Band 3: Impressionismus. Band 4: Stilkunst um 1900. Band 5: Expressionismus. Nymphenburger Verlagshandlung, München 1971–1976.

Kreuzer, Helmut / Hinterhäuser, Hans: Jahrhundertende – Jahrhundertwende. Athenäum, Wiesbaden 1976 (Neues Handbuch der Literaturwissenschaft. Band 18 und 19).

c) Sozial- und Kulturgeschichte

Pinkerneil, Beate / Pinkerneil, Dietrich / Žmegač, Victor (Hrsg.): Literatur und Gesellschaft.
  Zur Sozialgeschichte der Literatur seit der Jahrhundertwende. Eine Dokumentation. Athe-
  näum, Frankfurt a. M. 1973.
Ritter, Gerhard A. / Kocka, Jürgen (Hrsg.): Deutsche Sozialgeschichte. Dokumente und Skiz-
  zen. Band 2: 1870–1914. C. H. Beck, München 1974.
Schenda, Rudolf: Volk ohne Buch. Studien zur Sozialgeschichte der populären Lesestoffe 1770
  bis 1910. Klostermann, Frankfurt a. M. 1970 (dtv WR 4282. München 1977).
Vondung, Klaus (Hrsg.): Das Wilhelminische Bildungsbürgertum. Zur Sozialgeschichte seiner
  Ideen. Göttingen 1976 (Kleine Vandenhoeck-Reihe 1420).

Erster Teil: Naturalismus

a) Textsammlungen

Brauneck, Manfred / Müller, Christine: Naturalismus. Manifeste und Dokumente zur deut-
  schen Literatur 1880–1900. Metzler, Stuttgart 1986.
Korfsmeyer, Marlies / Cowen, Roy C. (Hrsg.): Dramen des deutschen Naturalismus. Von Ger-
  hart Hauptmann bis Karl Schönherr. 2 Bände. Winkler, München 1981.
Meyer, Theo (Hrsg.): Theorie des Naturalismus. Stuttgart 1973 (RUB 9475).
Rothe, Wolfgang (Hrsg.): Einakter des Naturalismus, Stuttgart 1973 (RUB 9468).
Schulz, Gerhard (Hrsg.): Prosa des Naturalismus. Stuttgart 1973 (RUB 9471).

b) Gesamtdarstellungen

Cowen, Roy C.: Der Naturalismus. Kommentar zu einer Epoche. Winkler, München 1973.
Hoefert, Sigfrid: Das Drama des Naturalismus. Metzler, Stuttgart 1979.
Mahal, Günther: Naturalismus. Fink, München 1975.
Scheuer, Helmut (Hrsg.): Naturalismus. Bürgerliche Dichtung und soziales Engagement. Kohl-
  hammer, Stuttgart 1974.
Schulte, Jürgen: Lyrik des deutschen Naturalismus 1885–1893. Metzler, Stuttgart 1976.

c) Leben und Werk einzelner Autoren

Cowen, Roy C.: Hauptmann-Kommentar. Winkler, München. Band 1: Zum dramatischen
  Werk, 1980. Band 2: Zum nicht-dramatischen Werk, 1981.
Hoefert, Sigfrid: Gerhart Hauptmann. Metzler, Stuttgart 1982.
Möbius, Hanno: Der Positivismus in der Literatur des Naturalismus. Wissenschaft, Kunst und
  soziale Frage bei Arno Holz. Fink, München 1980.
Schrimpf, Hans Joachim (Hrsg.): Gerhart Hauptmann. Wissenschaftliche Buchgesellschaft,
  Darmstadt 1976 (Wege der Forschung 207).

Zweiter Teil: Gegenpositionen zum Naturalismus

a) Textsammlungen

Hermand, Jost (Hrsg.): Lyrik des Jugendstils. Stuttgart 1964 (RUB 8928).
Mathes, Jürg (Hrsg.): Prosa des Jugendstils. Stuttgart 1982 (RUB 7820).
Winkler, Michael (Hrsg.): Einakter und kleine Dramen des Jugendstils. Stuttgart 1974 (RUB
  9720).
Wunberg, Gotthard (Hrsg.): Die Wiener Moderne. Literatur, Kunst und Musik zwischen 1890
  und 1910. Stuttgart 1982 (RUB 7742).

b) Leben und Werk einzelner Autoren

Durzak, Manfred: Zwischen Symbolismus und Expressionismus: Stefan George. Kohlhammer,
  Stuttgart 1974 (Sprache und Literatur 89).
Janz, Rolf / Laermann, Klaus: Arthur Schnitzler. Zur Diagnose des Wiener Bürgertums im Fin
  de Siècle. Metzler, Stuttgart 1977.
Morwitz, Ernst: Kommentar zu dem Werk Stefan Georges. Klett, Stuttgart ²1969.
Hauser, Wolfram: Hugo von Hofmannsthal. Konfliktbewältigung und Werkstruktur. Eine psy-
  chosoziologische Interpretation. Fink, München 1977.

Hamburger, Käte: Rilke. Eine Einführung. Klett, Stuttgart 1976.

Leppmann, Wolfgang: Rilke. Sein Leben, seine Welt, sein Werk (illustriert). Scherz, München 1981.

Schnack, Ingeborg: Rainer Maria Rilke: Chronik seines Lebens und seines Werkes. Insel, Frankfurt a. M. 1975.

Stahl, August: Rilke-Kommentar. Band 1: Zum lyrischen Werk. Band 2: Zu den ‚Aufzeichnungen des Malte Laurids Brigge‘, zur erzählerischen Prosa, zu seinen essayistischen Schriften und zum dramatischen Werk. Winkler, München 1978 und 1979.

Scheible, Hartmut (Hrsg.): Arthur Schnitzler in neuer Sicht. Fink, München 1981.

Schnitzler, Heinrich / Brandstätter, Christian / Urbach, Reinhard (Hrsg.): Arthur Schnitzler. Sein Leben und seine Zeit. Bildband. S. Fischer, Frankfurt a. M. 1981.

Urbach, Reinhard: Arthur Schnitzler. Friedrich, Velber 1968 (Friedrichs Dramatiker des Welttheaters 56).

Urbach, Reinhard: Schnitzler-Kommentar zu den erzählenden Schriften und dramatischen Werken. Winkler, München 1974.

Rothe, Friedrich: Frank Wedekinds Dramen. Jugendstil und Lebensphilosophie. Metzler, Stuttgart 1968.

Rudolph, Hermann: Kulturkritik und konservative Revolution. Zum kulturell-politischen Denken Hofmannsthals in seinem problemgeschichtlichen Kontext. Niemeyer, Tübingen 1971.

Vinçon, Hartmut: Frank Wedekind. Metzler, Stuttgart 1987.

Dritter Teil: Avantgarde und Expressionismus

a) Textsammlungen

Anz, Thomas / Stark, Michael (Hrsg.): Expressionismus. Manifeste und Dokumente zur deutschen Literatur 1910–1920. Metzler, Stuttgart 1982.

Best, Otto F. (Hrsg.): Theorie des Expressionismus. Stuttgart 1976 (RUB 9817).

Bode, Dietrich (Hrsg.): Gedichte des Expressionismus. Stuttgart 1966 (RUB 8726).

Denkler, Horst (Hrsg.): Einakter und kleine Dramen des Expressionismus. Stuttgart 1968 (RUB 8562).

Götte, Jürgen W. (Hrsg.): Expressionismus. Texte zum Selbstverständnis und zur Kritik. Diesterweg, Frankfurt a. M. 1976.

Große, Wilhelm (Hrsg.): Expressionismus. Lyrik. Mit Materialien. Klett, Stuttgart 1980 (Reihe: Editionen).

Martini, Fritz (Hrsg.): Prosa des Expressionismus. Stuttgart 1970 (RUB 8379).

Otten, Karl (Hrsg.): Ahnung und Aufbruch. Expressionistische Prosa. Luchterhand, Darmstadt 1957.

Otten, Karl (Hrsg.): Schrei und Bekenntnis. Expressionistisches Theater. Luchterhand, Neuwied ²1959.

Philipp, Eckhard (Hrsg.): Prosa des Expressionismus. Mit Materialien. Klett, Stuttgart 1982 (Reihe: Editionen).

Pinthus, Kurt (Hrsg.): Menschheitsdämmerung. Ein Dokument des Expressionismus. Rowohlt, Hamburg 1959.

Pörtner, Paul (Hrsg.): Literatur-Revolution 1910–1925. Dokumente, Manifeste, Programme. Band 1: Zur Ästhetik und Poetik. Luchterhand, Darmstadt / Neuwied 1960. Band 2: Zur Begriffsbestimmung der 'Ismen'. Neuwied 1960/61.

Raabe, Paul (Hrsg.): Expressionismus. Der Kampf um eine literarische Bewegung. Neuausgabe: Die Arche, Zürich 1987.

Rühle, Günter (Hrsg.): Zeit und Theater 1913–1925. 2 Bände. Ullstein, Frankfurt a. M. 1980.

Rühmkorf, Peter (Hrsg.): 105 expressionistische Gedichte. Wagenbach, Berlin 1976 (WAT 18).

Riha, Karl (Hrsg.): 113 DADA-Gedichte. Wagenbach, Berlin 1982 (WAT 91).

Vietta, Silvio (Hrsg.): Lyrik des Expressionismus. Niemeyer, Tübingen ²1985.

b) Gesamtdarstellungen

(Ausführliches Literaturverzeichnis s. u. Brinkmann, Knapp, Stark.)

Brinkmann, Richard: Expressionismus. Internationale Forschung zu einem internationalen Phänomen. Metzler, Stuttgart 1980.

Denkler, Horst: Drama des Expressionismus. Programm – Spieltext – Theater. Fink, München 1967.

Durzak, Manfred: Das expressionistische Drama. Carl Sternheim – Georg Kaiser. Nymphenburger Verlagshandlung, München 1978.

Durzak, Manfred: Das expressionistische Drama. Barlach – Toller – Unruh. Nymphenburger Verlagshandlung, München 1979.

Knapp, Gerhard P.: Die Literatur des deutschen Expressionismus. Einführung, Bestandsaufnahme, Kritik. Beck, München 1979.

Mennemeier, Franz Norbert: Modernes deutsches Drama. Kritiken und Charakteristiken. Band 1: 1910–1933. Fink, München 2 1979.

Rothe, Wolfgang (Hrsg.): Expressionismus als Literatur. Gesammelte Studien. Francke, Bern/München 1969.

Rötzer, Hans Gerd (Hrsg.): Expressionismus. Begriffsbestimmung des literarischen Expressionismus. Wissenschaftliche Buchgesellschaft, Darmstadt 1976 (Wege der Forschung 380).

Steffen, Hans (Hrsg.): Der deutsche Expressionismus. Formen und Gestalten. Göttingen 1965, 2 1970 (Kleine Vandenhoeck-Reihe 2085).

Stark, Michael: Für und wider den Expressionismus. Die Entstehung der Intellektuellendebatte in der deutschen Literaturgeschichte. Metzler, Stuttgart 1982.

Vietta, Silvio / Kemper, Hans-Georg: Expressionismus. Fink, München 1975.

Viviani, Annalisa: Das Drama des Expressionismus. Kommentar zu einer Epoche. Winkler, München 1970.

Huelsenbeck, Richard: En avant DADA. Zur Geschichte des Dadaismus. Edition Nautilus, Hamburg 2 1978.

Philipp, Eckhard: Dadaismus. Fink, München 1980.

Riha, Karl: Da DADA da war, ist DADA da. Aufsätze und Dokumente. Hanser, München 1979.

c) Leben und Werk einzelner Autoren

(Ausführliches Literaturverzeichnis siehe bei Knapp, Abschnitt b.)

Kaiser, Herbert: Der Dramatiker Ernst Barlach. Analysen und Gesamtdeutung. Fink, München 1972.

Wellershoff, Dieter: Gottfried Benn. Phänotyp dieser Stunde. Deutscher Taschenbuch Verlag, München 1976 (Köln 1958).

Wodtke, Friedrich Wilhelm: Gottfried Benn. Metzler, Stuttgart 2 1970.

Prangel, Matthias: Alfred Döblin. Metzler, Stuttgart 1973.

Schuster, Ingrid (Hrsg.): Zu Alfred Döblin. Klett, Stuttgart 1980 (LGW-Interpretationen 48).

Mautz, Kurt: Georg Heym. Mythologie und Gesellschaft im Expressionismus. Akademische Verlagsgesellschaft Athenaion, Frankfurt a. M. 2 1972.

Korte, Hermann: Georg Heym. Metzler, Stuttgart 1982.

Bezzel, Chris: Kafka-Chronik. Daten zu Leben und Werk. München (dtv 3252).

Binder, Hartmut (Hrsg.): Kafka Handbuch. Band 1: Der Mensch und seine Zeit. Band 2: Das Werk und seine Wirkung. Kröner, Stuttgart 1979.

Binder, Hartmut: Kafka Kommentar zu sämtlichen Erzählungen. Winkler, München 1975.

Binder, Hartmut: Kafka Kommentar zu den Romanen, Rezensionen, Aphorismen und zum Brief an den Vater. Winkler, München 1976.

Politzer, Heinz (Hrsg.): Franz Kafka. Eine innere Biographie in Selbstzeugnissen. Frankfurt a. M. 1966 (Fischerbücherei 708).

Wagenbach, Klaus: Franz Kafka. Bilder aus seinem Leben (Bildband). Wagenbach, Berlin 1983.

Arnold, Armin (Hrsg.): Zu Georg Kaiser. Klett, Stuttgart 1980 (LGW-Interpretationen 49).

Paulsen, Wolfgang: Georg Kaiser: Die Perspektiven seines Werkes (...). Niemeyer, Tübingen 1960.

Schröter, Klaus: Anfänge Heinrich Manns. Zu den Grundlagen seines Gesamtwerkes. Metzler, Stuttgart 1965.

Durzak, Manfred (Hrsg.): Zu Carl Sternheim. Klett, Stuttgart 1982 (LGW-Interpretationen 58).

Schönert, Jörg (Hrsg.): Carl Sternheims Dramen. Zur Textanalyse, Ideologiekritik und Rezeptionsgeschichte. Quelle & Meyer, Heidelberg 1975.

Wendler, Wolfgang (Hrsg.): Carl Sternheim. Materialienbuch. Luchterhand, Darmstadt / Neuwied 1980.

Frühwald, Wolfgang / Spalek, John (Hrsg.): Der Fall Toller. Kommentar und Materialien. Hanser, München 1979.

Hermand, Jost (Hrsg.): Zu Ernst Toller. Klett, Stuttgart 1981 (LGW-Interpretationen 55).

Killy, Walter: Über Georg Trakl. Kleine Vandenhoeck-Reihe 88 / 89. Vandenhoeck & Ruprecht, Göttingen 1960.

Saas, Christa: Georg Trakl. Metzler, Stuttgart 1974.

Von der Weimarer Republik bis 1945

Erster Teil: Weimarer Republik

a) Textsammlungen

Glaeser, Ernst (Hrsg.): Fazit. Ein Querschnitt durch die deutsche Publizistik (1929). Scriptor, Kronberg i. Ts. 1977 (Quellentexte zur Literatur- und Kulturgeschichte, hrsg. von Helmut Kreuzer, Band 4).

Hermand, Jost (Hrsg.): Literarisches Leben in der Weimarer Republik. Klett, Stuttgart 1982 (Reihe: Editionen).

Kaes, Anton (Hrsg.): Kino-Debatte. Texte zum Verhältnis von Literatur und Film 1909–1929. Niemeyer, Tübingen 1978.

Kaes, Anton (Hrsg.): Weimarer Republik: 1918–1933. Manifeste und Dokumente zur deutschen Literatur. Metzler, Stuttgart 1983.

Killy, Walther (Hrsg.): 20. Jahrhundert. 1880–1933. Texte und Zeugnisse 1880–1933. Beck'sche Verlagsbuchhandlung, München 1967 (Die deutsche Literatur: Texte und Zeugnisse 7).

Reinhardt, Stephan (Hrsg.): Lesebuch Weimarer Republik. Deutsche Schriftsteller und ihr Staat von 1918–1933. Wagenbach, Berlin 1982.

b) Darstellungen zur Zeitgeschichte

Bracher, Karl-Dietrich: Die Auflösung der Weimarer Republik. Eine Studie zum Problem des Machtverfalls in der Demokratie. Villingen 1955 (Athenäum / Droste Taschenbuch Geschichte 7216).

Keßler, Harry Graf: Tagebücher 1918–1937. Politik, Kunst und Gesellschaft der zwanziger Jahre. Insel, Frankfurt a. M. 1979.

Kracauer, Siegfried: Die Angestellten. Suhrkamp, Frankfurt a. M. 1971.

Kühnl, Reinhard: Die Weimarer Republik. Reinbek bei Hamburg 1985 (rororo aktuell 5540).

Schulze, Hagen: Weimar. Deutschland 1917–1933. Die Deutschen und ihre Nation. Severin und Siedler, Berlin 1982.

Sontheimer, Kurt: Antidemokratisches Denken in der Weimarer Republik. München 1962 (dtv wr 4312).

c) Gesamtdarstellungen

Buck, Theo / Steinbach, Dietrich (Hrsg.): Tendenzen der deutschen Literatur zwischen 1918 und 1945. Weimarer Republik. Drittes Reich. Exil. Beiträge von Theo Buck, Uwe-K. Ketelsen, Jost Hermand. Klett, Stuttgart 1985 (Literaturwissenschaft – Gesellschaftswissenschaft 69).

Hermand, Jost / Trommler, Frank: Die Kultur der Weimarer Republik. Nymphenburger Verlagshandlung, München 1978.

Koebner, Thomas (Hrsg.): Weimars Ende. Prognosen und Diagnosen in der deutschen Literatur und politischen Publizistik 1930–1933. Suhrkamp, Frankfurt a. M. 1982 (suhrkamp taschenbuch materialien 2018).

Rothe, Wolfgang (Hrsg.): Die deutsche Literatur in der Weimarer Republik. Reclam, Stuttgart 1974.

Willet, John: Explosion der Mitte. Kunst + Politik 1917–1933. Rogner & Bernhard, München 1981.

d) Gattungen (gilt auch für Teil 3)

Bayerdörfer, Hans Peter: Weimarer Republik. In: Walter Hinderer (Hrsg.): Geschichte der deutschen Lyrik vom Mittelalter bis zur Gegenwart. Reclam, Stuttgart 1983, S. 439–476.

Budzinski, Klaus: Die Muse mit der scharfen Zunge. Vom Cabaret zum Kabarett. List, München 1961.

Gollbach, Michael: Die Wiederkehr des Weltkrieges in der Literatur. Zu den Frontromanen der späten 20er Jahre. Scriptor, Kronberg i. Ts. 1978.

Lützeler, Paul Michael (Hrsg.): Deutsche Romane des 20. Jahrhunderts. Athenäum, Königstein i. Ts. 1983.

Mennemeier, Franz Norbert: Modernes deutsches Drama, Band 2. Fink, München 1975 (UTB 425).

e) Leben und Werk einzelner Autoren (gilt auch für Teil 3)

Hillebrand, Bruno (Hrsg.): Gottfried *Benn.* Wissenschaftliche Buchgesellschaft, Darmstadt 1979 (Wege der Forschung 316).

Schünemann, Peter: Gottfried Benn. Beck, München 1977 (Autorenbücher 6).

Wodtke, Friedrich Wilhelm: Gottfried Benn. Metzler, Stuttgart 1962 (M 26).

Buck, Theo (Hrsg.): Zu Bertolt *Brecht.* Klett, Stuttgart 1979 (Literaturwissenschaft – Gesellschaftswissenschaft 41).

Hinderer, Walter (Hrsg.): Brechts Dramen. Neue Interpretationen. Reclam, Stuttgart 1984 (Darin: Christiane Bohnert: Daten zu Leben und Werk und Auswahlbibliographie).

Knopf, Jan: Brecht-Handbuch. Lyrik, Prosa, Schriften. Metzler, Stuttgart 1984.

Knopf, Jan: Brecht-Handbuch. Theater. Metzler, Stuttgart 1980.

Lattmann, Dieter (Hrsg.): Kennen Sie Brecht? Stationen seines Lebens. Reclam, Stuttgart 1988 (RUB 8465).

Mennemeier, Franz Norbert: Bertolt Brechts Lyrik. Schwann-Bagel, Düsseldorf 1982.

Müller, Klaus-Detlef: Brechtkommentar zur erzählenden Prosa. Winkler, München 1984.

Völker, Klaus: Bertolt Brecht. Eine Biographie. Hanser, München 1976 (auch: dtv 1379).

Völker, Klaus (Mitarbeit Hans-Jürgen Pullem): Brecht-Kommentar. Zum dramatischen Werk. Winkler, München 1983.

Kreutzer, Leo: Erkenntnistheorie und Prophetie. Hermann *Brochs* Romantrilogie ‚Die Schlafwandler‘. Niemeyer, Tübingen 1966.

Steinecke, Hartmut: Hermann Broch und der polyhistorische Roman. Bouvier, Bonn 1968.

Klotz, Volker: Die erzählte Stadt. Ein Sujet als Herausforderung des Romans von Lesage bis *Döblin.* Hanser, München 1969.

Rühle, Günther: Materialien zum Leben und Schreiben der Marieluise *Fleißer.* Suhrkamp, Frankfurt a. M. 1973.

Freedman, Ralph: Hermann *Hesse.* Autor der Krisis. Suhrkamp, Frankfurt a. M. 1981.

Koester, Rudolf: Hermann Hesse. Metzler, Stuttgart 1975 (M 136).

Fritz, Axel: Ödön von *Horváth* als Kritiker seiner Zeit. List, München 1973.

Krischke, Traugott / Prokop, Hans F.: Ödön von Horváth. Leben und Werk in Dokumenten und Bildern. Suhrkamp, Frankfurt a. M. 1972 (st 67).

Kurzenberger, Hajo: Horváths Volksstücke. Beschreibung eines poetischen Verfahrens. Fink, München 1974.

Steinbach, Dietrich: Irmgard *Keun.* In: Kritisches Lexikon zur deutschsprachigen Gegenwartsliteratur (KLG), hrsg. von Heinz Ludwig Arnold. Edition Text + Kritik, München 1982 ff.

Hansen, Volkmar: *Thomas Mann.* Metzler, Stuttgart 1984 (M 211).

Jendreiek, Helmut: Thomas Mann. Der demokratische Roman. Bagel, Düsseldorf 1977.

Koopmann, Helmut: Die Entwicklung des ‘Intellektualen Romans’ bei Thomas Mann. Bouvier, Bonn ³1980.

Koopmann, Helmut: Thomas Mann. Konstanten seines literarischen Werks. Vandenhoeck & Ruprecht, Göttingen 1975 (VR 1404).

Rasch, Wolfdietrich: Über Robert *Musils* Roman ‚Der Mann ohne Eigenschaften‘. Vandenhoeck & Ruprecht, Göttingen 1967.

Schmidt, Jochen: Ohne Eigenschaften. Eine Erläuterung zu Musils Grundbegriff. Niemeyer, Tübingen 1975.

Pape, Walter: Joachim *Ringelnatz.* Parodie und Selbstparodie in Leben und Werk. Walter de Gruyter, Berlin 1974.

Böning, Hansjürgen: Joseph *Roths* ‚Radetzkymarsch‘. Thematik, Struktur, Sprache. Fink, München 1968.

Bronsen, David: Joseph Roth. Eine Biographie. Kiepenheuer & Witsch, Köln 1974.

Frühwald, Wolfgang / Spalek, John M.: Der Fall *Toller*. Kommentar und Materialien. Hanser, München 1979.

Hermand, Jost (Hrsg.): Zu Ernst Toller: Drama und Engagement. Klett, Stuttgart 1981 (Literaturwissenschaft – Gesellschaftswissenschaft 55).

Ackermann, Irmgard (Hrsg.): Kurt *Tucholsky*. Sieben Beiträge zu Werk und Wirkung. Edition Text und Kritik, München 1981.

Zweiter Teil: Literatur unter dem Nationalsozialismus

a) Textsammlungen

Hofer, Walter (Hrsg.): Der Nationalsozialismus. Dokumente 1933–1945. Überarbeitete Neuausgabe. Fischer, Frankfurt a. M. 1982 (Fischerbücherei 6084).

Perels, Christoph (Hrsg.): Lyrik verlegen in dunkler Zeit. Aus Heinrich Ellermanns Reihe ‚Das Gedicht. Blätter für Dichtung‘. 1934–1944. Gedichte von 40 Autoren. Edition Spangenberg im Ellermann Verlag, München 1984.

Rühle, Günther (Hrsg.): Zeit und Theater. 1933–1945. Band V und VI: Diktatur und Exil. Ullstein, Frankfurt a. M. 1980 (Ullstein Materialien 35032/33).

Schäfer, Hans Dieter (Hrsg.): Am Rande der Nacht. Moderne Klassiker im Dritten Reich. Ullstein, Frankfurt a. M. / Berlin / Wien 1984 (Ullstein Sachbuch 34212).

Wulf, Joseph (Hrsg.): Literatur und Dichtung im Dritten Reich. Eine Dokumentation. Ullstein, Frankfurt a. M. / Berlin / Wien 1983 (Ullstein Buch 33029).

Zeller, Bernhard (Hrsg.): Klassiker in finsteren Zeiten. 1933–1945. Eine Ausstellung des Deutschen Literaturarchivs im Schiller-Nationalmuseum. 2 Bände. Marbach am Neckar 1983 (Marbacher Kataloge 38).

Zimmermann, Harro (Hrsg.): Der deutsche Faschismus in seiner Lyrik. Mit Materialien. Klett, Stuttgart 1982 (Reihe: Editionen).

b) Gesamtdarstellungen

Denkler, Horst / Prümm, Karl (Hrsg.): Die deutsche Literatur im Dritten Reich. Themen. Traditionen. Wirkungen. Reclam, Stuttgart 1976.

Hopster, Norbert / Nassen, Ulrich: Literatur und Erziehung im Nationalsozialismus. Deutschunterricht als Körperkultur. Ferdinand Schöningh, Paderborn / München / Wien / Zürich 1983 (ISL 39).

Ketelsen, Uwe-K.: Völkisch-nationale und nationalsozialistische Literatur in Deutschland. 1890–1945. J. B. Metzlersche Verlagsbuchhandlung, Stuttgart 1976 (M 142).

Schäfer, Hans Dieter: Das gespaltene Bewußtsein. Deutsche Kultur und Lebenswirklichkeit 1933–1945. Hanser, München / Wien 1981.

Serke, Jürgen (Hrsg.): Die verbrannten Dichter. Mit Fotos von Wilfried Bauer. Berichte, Texte, Bilder einer Zeit. Beltz, Weinheim und Basel 1977. Erweiterte Ausgabe. Fischer Taschenbuch Verlag, Frankfurt a. M. 1980 (Fischerbücherei 2239).

Walberer, Ulrich (Hrsg.): 10. Mai 1933. Bücherverbrennung in Deutschland und die Folgen. Fischer Taschenbuch Verlag, Frankfurt a. M. 1983. Fischer Informationen zur Zeit (Fischerbücherei 4245).

Dritter Teil: Literatur im Exil

a) Textsammlungen

Arnold, Heinz Ludwig (Hrsg.): Deutsche Literatur im Exil, 1933–1945. Band 1: Dokumente. Band 2: Materialien. Athenäum-Fischer Taschenbuch-Verlag, Frankfurt a. M. 1974.

Imgenberg, Klaus G. / Seifert, Heribert (Hrsg.): Literarisches Leben im Exil 1933–1945. Klett, Stuttgart 1984 (Reihe: Editionen).

Kesten, Hermann (Hrsg.): Deutsche Literatur im Exil. Briefe europäischer Autoren 1933 bis 1949. Desch, Wien / München 1964.

Loewy, Ernst (Hrsg.): Literarische und politische Texte aus dem deutschen Exil 1933–1945. Metzler, Stuttgart 1979.

Winkler, Michael (Hrsg.): Deutsche Literatur im Exil 1933–1945. Texte und Dokumente. Reclam, Stuttgart 1977 (RUB 9865).

b) Gesamtdarstellungen

Sternfeld, Wilhelm / Tiedemann, Eva: Deutsche Exil-Literatur 1933–1945. Eine Bio-Bibliographie. Mit einem Vorwort von Hanns W. Eppelsheimer. 2. verbesserte und stark erweiterte Auflage. Schneider, Heidelberg / Darmstadt 1970.

Durzak, Manfred (Hrsg.): Die deutsche Exilliteratur 1933–1945. Reclam, Stuttgart 1973.

Feilchenfeldt, Konrad: Deutsche Exilliteratur 1933–1945. Kommentar zu einer Epoche. Winkler, München 1986.

Heeg, Günther: Die Wendung zur Geschichte: Konstitutionsprobleme antifaschistischer Literatur im Exil. Metzler, Stuttgart 1977.

Herden, Werner: Wege zur Volksfront: Schriftsteller im antifaschistischen Bündnis. Akademie Verlag, Berlin 1978.

Stephan, Alexander: Die deutsche Exilliteratur 1933–1945. Eine Einführung. Beck, München 1979.

Strelka, Joseph: Exilliteratur: Grundprobleme der Theorie, Aspekte der Geschichte und Kritik. Lang, Bern / Frankfurt a. M. / New York 1983.

Walter, Hans-Albert: Deutsche Exilliteratur 1933–1950. (Bisher erschienen:) Band 2 : Europäisches Appeasement und überseeische Asylpraxis, 1984. Band 4: Exilpresse, 1978. Metzler, Stuttgart ab 1978.

Winckler, Lutz (Hrsg.; Band 3: in Zusammenarbeit mit Christian Fritsch): Antifaschistische Literatur. Band 1: Programme Autoren Werke, 1977. Band 2: Programme Autoren Werke, 1977. Band 3: Prosaformen, 1979. Scriptor, Kronberg i. Ts. (Band 3: Königstein i. Ts.) 1977–1979.

c) Der Roman des Exils

Bock, Sigrid / Hahn, Manfred (Hrsg.): Erfahrung Exil. Antifaschistische Romane 1933–1945. Analysen. Aufbau-Verlag, Berlin und Weimar 1981.

Dahlke, Hans: Geschichtsroman und Literaturkritik im Exil. Aufbau-Verlag, Berlin und Weimar 1976.

Siehe auch unter b: Winckler, Lutz (Hrsg.), Band 3: Prosaformen.

Von 1945 bis zur Gegenwart

a) Textsammlungen

Bekes, Peter (Hrsg.): Deutsche Gegenwartslyrik von Biermann bis Zahl. Fink, München 1982 (UTB).

Bender, Hans (Hrsg.): In diesem Lande leben wir. Deutsche Gedichte der Gegenwart. Eine Anthologie in zehn Kapiteln. Hanser, München 1978.

Durzak, Manfred (Hrsg.): Erzählte Zeit. 50 deutsche Kurzgeschichten der Gegenwart. Reclam, Stuttgart 1980 (RUB 9996).

Engelmann, Bernt / Jens, Walter (Hrsg.): Klassenlektüre. 106 Autoren stellen sich vor mit von ihnen selbst ausgewählten Texten. Albrecht Knaus, Hamburg 1982.

Ewers, Hans Heino (Hrsg.): Alltagslyrik und Neue Subjektivität. Mit Materialien. Ernst Klett, Stuttgart 1982 (Reihe: Editionen).

Friedrich, Thomas (Hrsg.): Aufräumungsarbeiten. Erzählungen aus Deutschland 1945–1948. Literarisch-politische Verlagsgesellschaft, Berlin 1983.

Hage, Volker (Hrsg.): Lyrik für Leser. Deutsche Gedichte der siebziger Jahre. Reclam, Stuttgart 1980 (RUB 9976).

Karst, Theodor (Hrsg.): Texte aus der Arbeitswelt seit 1961. Reclam, Stuttgart 1974 (RUB 9705).

Landfriedensbruch. Reportagen und Geschichten aus der Provinz. Werkstätten Augsburg, München und Nürnberg. Fischer, Frankfurt a. M. 1982.

Marsch, Edgar (Hrsg.).: Moderne deutsche Naturlyrik. Reclam, Stuttgart 1980 (RUB 9969).

Reichartz, Peter (Hrsg.): Experimentelle und Konkrete Poesie – Vom Barock zur Gegenwart. Mit Materialien. Ernst Klett, Stuttgart 1981 (Reihe: Editionen).

Scherpe, Klaus R. (Hrsg.): In Deutschland unterwegs. Reportagen, Skizzen, Berichte 1945 bis 1948. Reclam, Stuttgart 1982 (RUB 7858).

Spectaculum. Moderne deutsche Theaterstücke. Suhrkamp, Frankfurt a. M. 1956 ff.

Theobaldy, Jürgen (Hrsg.): Und ich bewege mich doch. Gedichte vor und nach 1968. C. H. Beck, München (1977).

Tintenfisch. Jahrbuch für Literatur. Wagenbach, Berlin 1968 ff. Neudruck: Zehn Jahrbücher. Deutsche Literatur von 1967–1976. Wagenbach, Berlin 1982.

Wagenbach, Klaus (Hrsg.): Lesebuch. Deutsche Literatur der sechziger Jahre. Wagenbach, Berlin 1972.

Wagenbach, Klaus (Hrsg.): Lesebuch. Deutsche Literatur zwischen 1945 und 1959. Wagenbach, Berlin 1980.

Wagenbach, Klaus / Buchwald, C. (Hrsg.): Lesebuch. Deutsche Literatur der siebziger Jahre. Wagenbach, Berlin 1984.

Wortmeldungen. Ein deutsches Lesebuch. Hrsg. von Ingeborg Drewitz. Ararat, Berlin 1983.

b) Darstellungen

Arnold, Heinz Ludwig (Hrsg.): Kritisches Lexikon zur deutschsprachigen Gegenwartsliteratur. Text + Kritik, München 1978 ff.

Arnold, Heinz Ludwig / Buck, Theo (Hrsg.): Positionen des Dramas. C. H. Beck, München 1977 (Beck'sche schwarze Reihe 163).

Boddeke, Wolfram: Das deutschsprachige Drama seit 1945. Winkler, München 1981.

Durzak, Manfred: Die deutsche Kurzgeschichte der Gegenwart. Autorenportraits, Werkstattgespräche, Interpretationen. Reclam, Stuttgart 1980.

Durzak, Manfred, (Hrsg.): Deutsche Gegenwartsliteratur. Ausgangspositionen und aktuelle Entwicklung. Reclam, Stuttgart 1981.

Durzak, Manfred: Gespräche über den Roman. Formbestimmungen und Analysen. Suhrkamp, Frankfurt a. M. 1976 (st 318).

Endres, Elisabeth: Die Literatur der Adenauerzeit. Steinhausen, München 1980.

Köbner, Thomas: Tendenzen der deutschen Literatur seit 1945. Kröner, Stuttgart 1971.

Knörrich, Otto: Die deutsche Lyrik seit 1945. Kröner, Stuttgart ²1978.

Lüdke, W. Martin (Hrsg.): Nach dem Protest. Literatur im Umbruch. Suhrkamp, Frankfurt a. M. 1979 (es 964).

Lützeler, Paul Michael / Schwarz, Egon: Deutsche Literatur in der Bundesrepublik seit 1965. Athenäum, Kronberg 1980.

Mennemeier, Franz Norbert: Modernes deutsches Drama. Kritiken und Charakteristiken. 2 Bände. Fink, München, Band 1, ²1979, UTB 135; Band 2, 1975, UTB 425.

Schneider, Michael: Den Kopf verkehrt aufgesetzt oder Die melancholische Linke. Aspekte des Kulturzerfalls in den siebziger Jahren. Luchterhand, Darmstadt und Neuwied 1981 (SL 324).

Zeller, Michael (Hrsg.): Aufbrüche: Abschiede. Studien zur deutschen Literatur seit 1968. Klett, Stuttgart 1979 (Literaturwissenschaft – Gesellschaftswissenschaft 43).

Zeller, Michael: Gedichte haben Zeit. Aufriß einer zeitgenössischen Poetik. Klett, Stuttgart 1982 (Literaturwissenschaft – Gesellschaftswissenschaft 57).

c) Zu den einzelnen Kapiteln

Kapitel 1: Nachkriegsliteratur: 1945–1949

Arnold, Heinz Ludwig (Hrsg.): Die Gruppe 47. Ein kritischer Grundriß. Text + Kritik (Sonderband), München 1980.

Born, Nicolas / Manthey, Jürgen (Hrsg.): Nachkriegsliteratur. Rowohlt, Reinbek bei Hamburg 1977. Literaturmagazin 7 (dnb 87).

Hay, Gerhard (Hrsg.): Zur literarischen Situation 1945–1949. Athenäum, Kronberg 1977 (AT 2117).

Hermand, Jost u. a. (Hrsg.): Nachkriegsliteratur in Westdeutschland 1945–1949. Schreibweisen, Gattungen, Institutionen. Argument, Berlin 1982.

Lange, Wigand: Theater in Deutschland nach 1945. Zur Theaterpolitik der amerikanischen Besatzungsbehörden. Lang, Frankfurt a. M. / Bern 1980.

Kapitel 2: Poetische Gegenwelten. Lyrik zwischen 1950 und 1970

Bender, Hans: Mein Gedicht ist mein Messer. Lyriker zu ihren Gedichten. Rothe, Heidelberg 1955. 2. erweiterte Auflage 1961 (List TB 187).

Krolow, Karl: Aspekte zeitgenössischer deutscher Lyrik. Mohn, Gütersloh 1961 (auch: List, München 1963. List TB 249).

Weissenberger, Klaus (Hrsg.): Die deutsche Lyrik 1945–1975. Zwischen Botschaft und Spiel. Bagel, Düsseldorf 1981.

Kapitel 3: Dürrenmatt, Frisch und die Brecht-Tradition
Durzak, Manfred: Dürrenmatt, Frisch, Weiss. Deutsches Drama der Gegenwart zwischen Kritik und Utopie. Reclam, Stuttgart 1972.
Knapp, Gerhard P. / Labroisse, Gerd: Facetten. Studien zum 60. Geburtstag Friedrich Dürrenmatts. Lang, Frankfurt a. M. / Bern 1981.
Mayer, Hans: Über Friedrich Dürrenmatt und Max Frisch. Neske, Pfullingen 1977.
Schmitz, Walter: Max Frisch. Das Werk (1931–1961). Studien zur Tradition und Traditionsverarbeitung. Lang, Frankfurt a. M. / Bern 1985.

Kapitel 4: Romane der fünfziger Jahre: Gesellschaft und Geschichte
Thomas, Richard Hinton / van der Will, Wilfried: Der deutsche Roman und die Wohlstandsgesellschaft. Kohlhammer, Stuttgart 1969.
Letsch, Felicia: Auseinandersetzung mit der Vergangenheit als Moment der Gegenwartskritik. Die Romane ‚Billard um halbzehn‘ von H. Böll, ‚Hundejahre‘ von G. Grass, ‚Der Tod in Rom‘ von W. Koeppen und ‚Deutschstunde‘ von S. Lenz. Pahl-Rugenstein, Köln 1982.

Kapitel 5: Literatur als Sprachexperiment
Kopfermann, Thomas: Konkrete Poesie – Fundamentalpoetik und Textpraxis einer Neo-Avantgarde. Lang, Frankfurt a. M. / Bern 1981.
Kopfermann, Thomas (Hrsg.): Theoretische Positionen zur Konkreten Poesie. Niemeyer, Tübingen 1974 (auch dtv, München 1976).
Konkrete Poesie I und II. Text und Kritik 25. Richard Boorberg, München 1970 (^{2}1971) und 30, 1971.

Kapitel 6: Der Roman der sechziger Jahre: Das Wechselspiel von Fakten und Fiktion
Matthaei, Renate (Hrsg.): Grenzverschiebung. Neue Tendenzen in der deutschen Literatur der sechziger Jahre. Kiepenheuer & Witsch, Köln 1970.
Raddatz, Fritz J.: Die Nachgeborenen. Leseerfahrungen mit zeitgenössischer Literatur. Fischer, Frankfurt a. M. 1983.
Thomas, Richard Hinton / Bullivant, Keith: Westdeutsche Literatur der sechziger Jahre. Kiepenheuer & Witsch, Köln 1975.
Wellershoff, Dieter: Literatur und Veränderung. Kiepenheuer & Witsch, Köln 1969 (pocket 1).

Kapitel 7: Dokumentarische Literatur der sechziger Jahre
Arnold-Dielewicz, Ilsabe Dagmar / Arnold, Heinz Ludwig (Hrsg.): Arbeiterliteratur in der Bundesrepublik Deutschland. Klett, Stuttgart 1975 (Literaturwissenschaft – Gesellschaftswissenschaft 16).
Arnold, Heinz Ludwig (Hrsg.): Handbuch zur deutschen Arbeiterliteratur. Edition Text + Kritik, München 1977.
Fischbach, Peter / Hensel, Horst / Naumann, Uwe (Hrsg.): Zehn Jahre Werkkreis Literatur der Arbeitswelt. Dokumente, Analysen, Hintergründe. Fischer, Frankfurt a. M. 1979 (Fischerbücherei 2195).
Miller, Nikolaus: Prolegomena zu einer Poetik der Dokumentarliteratur. Fink, München 1982.

Kapitel 8: Das neue Volksstück
Arnold, Heinz Ludwig (Hrsg.): Franz Xaver Kroetz. Edition Text + Kritik, Heft 57. München 1978.
Müller, Gerd: Das Volksstück von Raimund bis Kroetz. Oldenbourg, München 1979.

Kapitel 9: Romane der siebziger Jahre: Tendenzwende
Hage, Volker: Die Wiederkehr des Erzählers. Neue deutsche Literatur der 70er Jahre. Ullstein, Frankfurt a. M., Berlin, Wien 1982.
Jurgensen, Manfred: Erzählformen des fiktionalen Ich. Beiträge zum deutschen Gegenwartsroman. Francke, Bern / München 1980.
Literaturmagazin 4: Die Literatur nach dem Tod der Literatur. Rowohlt, Reinbek 1975 (dnb 66).
Reich-Ranicki, Marcel: Entgegnung zur deutschen Literatur der siebziger Jahre. Deutsche Verlags-Anstalt, Stuttgart 1981 (^{1}1979).

Kapitel 10: Dramen der siebziger Jahre: Die Normalität des Irreseins

Gamper, Herbert: Thomas Bernhard. dtv Dramatiker des Welttheaters. dtv, München 1977.
Hensel, Georg: Das Theater der siebziger Jahre. Kritiken und Kommentare. Deutsche Verlags-Anstalt, Stuttgart 1980.
Iden, Peter: Theater als Widerspruch. Plädoyer für die zeitgenössische Bühne am Beispiel neuerer Aufführungen. Kindler, München 1984.
Kluge, Gerhard (Hrsg.): Studien zur Dramatik in der Bundesrepublik Deutschland. Editions Rodopi, Amsterdam 1983.

Kapitel 11: Alltagslyrik

Bender, Hans / Krüger, Michael (Hrsg.): Was hat alles Platz in einem Gedicht? Aufsätze zur deutschen Lyrik seit 1965. Carl Hanser, München 1977 (Reihe Hanser 224).
Hartung, Harald: Deutsche Lyrik seit 1965. Tendenzen, Beispiele, Portraits. Piper, München 1985.

Kapitel 12: Frauenliteratur

Jurgensen, Manfred: Deutsche Frauenautoren der Gegenwart. Bachmann, Reinig, Wolf, Wohmann, Struck, Leutenegger, Schwaiger. Francke, Bern 1983.
Schmidt, Ricarda: Westdeutsche Frauenliteratur in den 70er Jahren. Fischer, Frankfurt a. M. 1982.
Serke, Jürgen: Frauen schreiben. Ein neues Kapitel deutschsprachiger Literatur. Stern-Magazin im Verlag Gruner + Jahr, Hamburg 1979 (auch Fischerbücherei 3721).

Kapitel 13: Literaturbetrieb in der Bundesrepublik Deutschland

Arnold, Heinz Ludwig (Hrsg.): Literaturbetrieb in der Bundesrepublik Deutschland. Ein kritisches Handbuch. 2., völlig veränderte Auflage. Edition Text + Kritik, München 1982.
Fohrbeck, Karla / Wiesand, Andreas J.: Der Autorenreport. Rowohlt, Reinbek 1972 (dnb 11).
Funk, Holger / Wittmann, Reinhard G.: Literaturhauptstadt. Schriftsteller in Berlin heute. Berlin Verlag, Berlin 1983.
Roberts, David (Hrsg.): Tendenzwenden. Aspekte des Kulturwandels der 70er Jahre. Lang, Frankfurt a. M. / Bern 1984.

Kapitel 14: DDR-Literatur

Äußerungen der Autoren
Braun, Volker: Es genügt nicht die einfache Wahrheit. Notate. Suhrkamp, Frankfurt a. M. 1976 (es 799).
Hacks, Peter: Das Poetische. Ansätze zu einer postrevolutionären Dramaturgie. Suhrkamp, Frankfurt a. M. 1972 (es 544).
Johnson, Uwe: Begleitumstände. Frankfurter Vorlesungen. Suhrkamp, Frankfurt a. M. 1980 (es 1019).
Wolf, Christa: Lesen und Schreiben. Erweiterte Ausgabe. Luchterhand, Darmstadt und Neuwied 1979 (11972) (Sammlung Luchterhand 295).
Löffler, Anneliese (Hrsg.): Auskünfte. Werkstattgespräche mit DDR-Autoren. Aufbau, Berlin und Weimar 1974.

Darstellungen
Gerlach, Ingeborg: Bitterfeld. Literatur der Arbeitswelt und Arbeiterliteratur in der DDR. Scriptor, Kronberg i. Ts. 1974.
Hohendahl, Peter Uwe / Herminghouse, Patricia (Hrsg.): Literatur und Literaturtheorie in der DDR. Suhrkamp, Frankfurt a. M. 1976 (es 779).
Klunker, Heinz: Zeitstücke und Zeitgenossen. Gegenwartsliteratur in der DDR. Fackelträger Verlag Schmidt-Küster, Hannover 1972 (auch dtv 1070).
Laschen, Gregor: Lyrik in der DDR. Zur Sprachverfassung des modernen Gedichts. Athenäum, Frankfurt a. M. 1971.
Raddatz, Fritz J.: Traditionen und Tendenzen. Materialien zur Literatur der DDR. Erweiterte Ausgabe. Suhrkamp, Frankfurt a. M. 1976.
Scheid, Judith (Hrsg.): Interpretationen zum Drama in der DDR: Heiner Müller und Peter Hacks. Klett, Stuttgart 1981 (Literaturwissenschaft – Gesellschaftswissenschaft 53).
Schivelbusch, Wolfgang: Sozialistisches Drama nach Brecht. Drei Modelle: Peter Hacks – Heiner Müller – Hartmut Lange. Darmstadt und Neuwied 1974 (Sammlung Luchterhand 139).

Schlenstedt, Dieter: Die neue DDR-Literatur und ihre Leser. Wirkungsästhetische Analyse. Damnitz, München 1979.

Schmitt, Hans-Jürgen (Hrsg.): Expressionismusdebatte. Materialien zu einer marxistischen Realismuskonzeption. Suhrkamp, Frankfurt a. M. 1973 (es 646).

Schmitt, Hans-Jürgen / Schramm, G. (Hrsg.): Realismus. Sozialistische Realismuskonzeptionen. Dokumente zum ersten Allunionskongreß der Sowjetschriftsteller. Suhrkamp, Frankfurt a. M. 1974 (es 701).

Silberman, Marc (Hrsg.): Interpretationen zum Roman in der DDR. Klett, Stuttgart 1980 (Literaturwissenschaft – Gesellschaftswissenschaft 46).

Kapitel 15: Deutschsprachige Literatur der achtziger Jahre: Schreiben als Gegenmaßnahme

Kaufmann, Hans: Über DDR-Literatur. Beiträge aus 25 Jahren. Aufbau, Berlin und Weimar 1986.

Muschg, Adolf: Gibt es eine schweizerische Nationalliteratur? In: Ich hab' im Traum die Schweiz gesehen. 35 Schriftsteller aus der Schweiz schreiben über ihr Land. Residenz, Salzburg 1980.

Register der Autoren und Werke